AF238059

ACCESO GRATIS *a la Lectura en la Nube*

Para visualizar el libro electrónico en la nube de lectura envíe junto a su nombre y apellidos una fotografía del código de barras situado en la contraportada del libro y otra del ticket de compra a la dirección:

ebooktirant@tirant.com

En un máximo de 72 horas laborables le enviaremos el código de acceso con sus instrucciones.

ESQUEMAS DE DERECHO DEL CONSUMO

Legislación, doctrina y jurisprudencia

ESQUEMAS DE DERECHO DEL CONSUMO
Legislación, doctrina y jurisprudencia

FRANCISCA BARRIENTOS CAMUS
MARÍA ELISA MORALES ORTIZ

tirant lo blanch
Valencia, 2021

© TIRANT LO BLANCH
EDITA: TIRANT LO BLANCH
C/ Artes Gráficas, 14 - 46010 - Valencia
TELFS.: 96/361 00 48 - 50
FAX: 96/369 241 51
Email:tlb@tirant.com
www.tirant.com
Librería Virtual: www.tirant.es
ISBN: 978-84-1378-693-3
MAQUETA: Tink Factoría de Color

Si tiene alguna queja o sugerencia, envíenos un mail a: atencioncliente@tirant.com. En caso de no ser atendida su sugerencia, por favor, lea en *www.tirant.net/index.php/empresa/politicas-de-empresa* nuestro Procedimiento de quejas.

Responsabilidad Social Corporativa: http://www.tirant.net/Docs/RSCTirant.pdf

Este libro está dedicado con amor a Alma y Santiago,
por su paciencia frente a la vocación de sus madres

Sobre las autoras

Francisca Barrientos es abogada, Licenciada en Ciencias Jurídicas de la Universidad de Los Andes, Magíster en Derecho Privado y Doctora en Derecho de la misma casa de estudios. Es directora del departamento de derecho privado de la Facultad de Derecho de la Universidad Alberto Hurtado. Es directora y fundadora, junto a Erika Isler, del Instituto Chileno de Derecho del Consumo.

María Elisa Morales es abogada, Licenciada en Ciencias Jurídicas de la Universidad Austral de Chile y Doctora en Derecho por la Universidad de Chile. Se ha desempeñado como docente en el área del Derecho Civil y Derecho del Consumo en la Universidad Alberto Hurtado, Universidad de La Frontera, y Universidad Austral de Chile, donde es actualmente académica del Instituto de Derecho Privado y Ciencias del Derecho. Es, además, consejera y miembro de la directiva de la Red Chilena de Derecho Comparado.

Proyecto adscrito a esta obra

Proyecto Fondecyt de Iniciación N° 11190543: "Criterios de verificación de asimetría en las relaciones B2B. Una perspectiva de Derecho Comparado" (investigadora responsable María Elisa Morales Ortiz).

Índice

TÍTULO I
ÁMBITO DE APLICACIÓN Y DEFINICIONES BÁSICAS

TÍTULO II
DISPOSICIONES GENERALES
PÁRRAFO 1º. LOS DERECHOS Y DEBERES DEL CONSUMIDOR

PÁRRAFO 2º. DE LAS ORGANIZACIONES PARA LA DEFENSA DE LOS CONSUMIDORES

PÁRRAFO 3°. OBLIGACIONES DEL PROVEEDOR

PÁRRAFO 4º. NORMAS DE EQUIDAD EN LAS ESTIPULACIONES Y EN EL CUMPLIMIENTO DE LOS CONTRATOS

PÁRRAFO 5º. RESPONSABILIDAD POR INCUMPLIMIENTO

TÍTULO III
DISPOSICIONES ESPECIALES
PÁRRAFO 1°. INFORMACIÓN Y PUBLICIDAD

PÁRRAFO 2º. PROMOCIONES Y OFERTAS

PÁRRAFO 3º. DEL CRÉDITO AL CONSUMIDOR

PÁRRAFO 4°. NORMAS ESPECIALES EN MATERIA DE PRESTACIÓN DE SERVICIOS

PÁRRAFO 5°. DISPOSICIONES RELATIVAS A LA SEGURIDAD DE LOS PRODUCTOS Y SERVICIOS

TÍTULO IV
DE LOS PROCEDIMIENTOS A QUE DA LUGAR LA APLICACIÓN DE ESTA LEY
PÁRRAFO 1°. NORMAS GENERALES

PÁRRAFO 2º. DEL PROCEDIMIENTO ANTE LOS JUZGADOS DE POLICÍA LOCAL

PÁRRAFO 3º. DEL PROCEDIMIENTO ESPECIAL PARA PROTECCIÓN DEL INTERÉS COLECTIVO O DIFUSO DE LOS CONSUMIDORES

PÁRRAFO 4º : DEL PROCEDIMIENTO VOLUNTARIO PARA LA PROTECCIÓN DEL INTERÉS COLECTIVO O DIFUSO DE LOS CONSUMIDORES

TÍTULO V
DEL SELLO SERNAC, DEL SERVICIO DE ATENCIÓN AL CLIENTE Y DEL SISTEMA DE SOLUCIÓN DE CONTROVERSIAS

TÍTULO VI
DEL SERVICIO NACIONAL DEL CONSUMIDOR

TÍTULO FINAL

Presentación

Esta es una obra que tiene por objeto esquematizar la Ley nº 19.496 como la principal ley del ordenamiento jurídico chileno sobre protección de los derechos de los consumidores, incorporando una selección de los extractos de aquella doctrina nacional que hemos estimado relevante, junto con un catálogo de las principales sentencias que tratan algún tema relacionado con la norma respectiva. Además, a título personal, hemos comentado especialmente para este libro algunos títulos o párrafos de la ley, a efectos de entregarle mayor valor al lector de este texto.

Estos esquemas han seguido muy de cerca la disposición de títulos y párrafos de la Ley sobre Protección de los Derechos de los Consumidores en su versión actual y refundida con las últimas modificaciones legales. Por eso, estamos en condiciones de señalar que estos "Esquemas de Derecho del Consumo" ofrecen una estructura íntegra con todas las principales instituciones del Derecho del Consumo chileno.

De acuerdo con lo anterior, esta obra comienza con una introducción al Derecho del Consumo y luego se divide en 7 títulos.

El primer título esquematiza las normas relativas al ámbito de aplicación de la Ley nº 19.496 y sus definiciones básicas. La interpretación y aplicación de estas normas se ilustra, a través de doctrina y sentencias judiciales. Dentro de este primer título, se introducen dos comentarios nuestros relativos a la noción de consumidor empresario y a la supuesta supletoriedad y especialidad de la ley, que tanto se discute en la praxis judicial.

El segundo título, sobre disposiciones generales, se refiere a los derechos y deberes del consumidor. En el estos esquemas, nuevamente, se encuentran acompañados de una selección de doctrina y decisiones judiciales. Luego, se esquematizan las normas sobre las organizaciones para la defensa de los consumidores. En esta última parte, no se hace referencia a doctrina ni a jurisprudencia por la escasez de las mismas y por tratarse de normas eminentemente orgánicas.

En un tercer párrafo se abordan las obligaciones del proveedor, siempre acompañado de la doctrina y sentencias respectivas. El párrafo cuarto del título segundo, contiene las normas sobre equidad en las estipulaciones y en el cumplimiento de los contratos. En esta parte, se citan doctrina y jurisprudencia relevantes y, finalizando el párrafo, se agregan algunos comentarios nuestros. Los primeros de ellos, referidos a varios aspectos claves de las cláusulas abusivas: control y sanción; efectos de la declaración de abusividad y presunción de buena fe. A continucación, sigue un comentario que versa sobre la importancia de distinguir entre interpretar una cláusula válida y calificar de abusiva una cláusula ineficaz y otro que se refiere a la aplicación del principio de transparencia en el control de forma del contrato por adhesión. En el párrafo quinto y final del título segundo, se esquematizan las disposiciones sobre responsabilidad por incumplimiento, junto a doctrina y sentencias relevantes. En el título tercero, sobre disposiciones especiales, se tratan las normas sobre información y publicidad; promociones y ofertas; del crédito al consumidor; normas especiales en materia de prestación de servicios; y disposiciones relativas a la seguridad de productos y servicios.

En el título cuarto, se esquematizan los procedimientos a los que da lugar la aplicación de la Ley nº 19.496. El título quinto, aborda las normas sobre el sello Sernac. El título sexto, se refiere a la normativa que regula al Servicio Nacional del Consumidor. Y, finalmente, el título séptimo, contiene algunas normas especiales relativas al patrimonio del Sernac, multas y reglamentos. En estos títulos también se incluyen citas de doctrina y pronunciamientos judiciales.

Dicho eso, corresponde señalar que el Derecho del Consumo adquiere cada día más fuerza como disciplina y, como consecuencia de lo mismo, los programas curriculares de pregrado de las Escuelas de Derecho en Chile han venido incorporandolo, sea como asignatura optativa, o sea como parte de las asignaturas permanentes de la malla curricular. Por esta razón, este libro busca servir de guía, como una herramienta para lograr un primer acercamiento a la materia para los estudiantes que, además, quieran profundizar sus estudios.

Junto con lo anterior, puede decirse que la selección de referencias dogmáticas, de las voces más autorizadas de nuestra doctrina nacional, y las sentencias importantes que complementan los distintos temas, resultan ilustrativas respecto de las discusiones que se han generado en la disciplina y de las diversas posturas interpretativas, lo cual hace que la utilidad de la obra vaya más allá de una mera utilización referencial. De esta forma, este libro también puede servir como insumo a abogadas y abogados dedicados al libre ejercicio de la profesión y a juezas y jueces, proveyendo argumentos doctrinales y jurisprudenciales como un apoyo a sus estrategias o decisiones, respectivamente.

La selección de obras, artículos y capítulos citados ha intentando cumplir con criterios de importancia, novedad e impacto. Hemos hecho un esfuerzo por agregar la mayor cantidad de obras de diversos expertos y expertas en la materia, pero sin vocación de exhaustividad por razones de extensión. Las opiniones doctrinales de nuestro medio se plasman comenzando por la cita completa de la fuente de donde han sido extraídas, con lo cual es posible revisar, al final de la obra, la lista completa citada. Misma técnica que se ha empleado con las sentencias. En las referidas citas textuales, debido a una decisión de formato, hemos suprimido las citas a pie de página del texto original citado, lo que de todas maneras se puede revisar yendo a la fuente original entrecomillada. Asimismo, hemos suprimido algunos espacios entre párrafos, que el lector podrá ver con el símbolo [...] o (...). Además, como una manera de guiar a los lectores de esta obra, se ha intervenido la cita destacando algunas frases en negrita, agregando el énfasis correspondiente. Por último, es preciso aclarar que las opiniones citadas no reflejan, necesariamente, nuestra postura sobre cada materia, sino que pretenden ilustrar algunas de las interpretaciones existentes.

Para finalizar, nos queda agradecer a Franco Veloso, Diego Nichi, Katalina García, Luna Valdebenito, Paula Godoy y Paula Vásquez por su colaboración en los aspectos formales de este libro; a ellos les debemos mucho, pues gracias a su disposición, motivación, ha sido posible unificar las citas doctrinales y referencias judiciales, junto con la búsqueda en los portales de jurisprudencia, entre otras funciones que desarrollaron.

Francisca María Barrientos Camus

María Elisa Morales Ortiz

Introducción al Derecho del consumo

ORIGEN, FUNDAMENTO, CARACTERÍSTICAS Y MODELOS[1]

El Derecho del Consumo en Chile se encuentra regulado, fundamentalmente, en la Ley n° 19.496 que Establece Normas sobre Protección de los Derechos de los Consumidores[2]. Dados los objetivos de esta obra, parece necesario, antes de abordar la normativa, doctrina y sentencias, una introducción a la materia que permita comprender el contexto disciplinar de esta ley. Con miras a ello, a continuación, a modo de introducción, abordaremos brevemente el concepto, fundamento, características y modelos de Derecho del Consumo.

Sobre el concepto de Derecho del Consumo, Micklitz[3] propone partir desde una aproximación fenomenológica según la cual este puede ser descrito como el cuerpo de normas que protege a los consumidores. En nuestro medio, se ha definido el Derecho del Consumo como "aquel que se ocupa del consumo, es decir, regula la situación en la cual una persona adquiere bienes o servicios para usarlos en necesidades propias y no para incluirlas como insumo en actividades comerciales, artesanales, industriales o profesionales"[4].

---

[1]   Esta parte ha sido tomada, en parte, de: Morales, María Elisa (2020). "El lugar del Derecho del Consumo dentro de la summa divisio de las disciplinas jurídicas", en Pamela Mendoza y María Elisa Morales (dirs.) *Estudios de Derecho Privado. II Jornadas Nacionales de Derecho Privado*. Santiago: Der Ediciones (en prensa).

[2]   Ley n° 19.496. Estable Normas sobre Protección de los Derechos de los Consumidores. D.O. 7 de marzo de 1997.

[3]   Micklitz, Hans; Stuyck, Jules; Terryn, Evelyn y Droshout, Dimitri (2010). *Cases, Materials and Text on Consumer Law*. Oxford and Portland, Oregon: Hart, p. 1.

[4]   Baraona, Jorge (2019). "Concepto, autonomía y principios del Derecho del Consumo", en María Elisa Morales (Dir.) y Pamela Mendoza (Coord.) *Derecho del Consumo. Ley, doctrina y jurisprudencia*. Santiago: Der Ediciones, pp. 1-24, p. 4.

El Derecho del Consumo surge de la necesidad de dar una regulación adecuada a un tipo nuevo y especial de relación contractual[5], que aparece con el consumo masivo característico de la denominada sociedad de masas. Es así como el origen temporal de esta disciplina se sitúa en la década del 60' como un cuerpo normativo destinado a proteger al consumidor como parte débil de la relación[6]. Esta es la visión más generalizada.

Hay dos hitos que representan el origen de esta disciplina[7]: el *"Molony Report, 1962"* en el Reino Unido y el Discurso del presidente *J.F. Kennedy* de 1960 en los Estados Unidos. El primero consistió en un informe preparado por el *Committee on Consumer Protection*, organismo gubernamental encargado de examinar mejoras en la protección del consumidor en el Reino Unido y de proponer reformas de ser necesario. El segundo, es el famoso discurso del presidente *Kennedy* al Congreso estadounidense, pronunciado el 15 de marzo de 1962, en el cual explica los derechos básicos del consumidor (el derecho a la seguridad, el derecho a la información, el derecho a elegir y el derecho a ser escuchado).

Así, desde su génesis, el objeto y núcleo de regulación de este conjunto normativo, ha sido la relación contractual de consumo caracterizada por la asimetría de las partes, presupuesto que no corresponde al derecho común; y que, por lo tanto, los postulados de este último —autonomía privada, igualdad entre las partes y fuerza obligatoria de lo pactado— no funcionan con el mismo vigor. De ahí que se hable de un nuevo paradigma.

En efecto, el escenario típico del Derecho del Consumo se caracteriza por la desigualdad notoria de las partes, en dicho contexto la parte aventajada tiene el espacio suficiente para abusar de su posición, situación que el derecho debe evitar o corregir[8], y

---

[5] Especial, en respecto de las relaciones de Derecho común.

[6] Micklitz, Hans (2012), "The expulsion of the concept of protection from the consumer law and the return of social elements in the civil law: a bittersweet polemic" *Journal of Consumer Policy*, 2012, vol. 35, (3), pp. 283-296, p. 284.

[7] Stuyck, Jules (2000), "European Consumer Law after the Treaty of Amsterdam: consumer policy in or beyond the internal market?", *Common Market Law Review*, Vol. 37, pp. 367-400, p. 367.

[8] Momberg, Rodrigo (2013), "Contra la igualdad en el derecho de contratos" en Muñoz, Fernando (ed.). *Igualdad, inclusión y derecho. Lo político, lo social y lo jurídico en clave igualitaria*. Santiago: Lom, pp. 291-303, pp. 298-299. En un sentido similar: Isler, Erika (2019), *Derecho del Consumo. Nociones fundamentales*, Valencia: Tirant lo Blanch, pp. 45 y ss.

es justamente ese el fundamento o justificación de un sector legislativo especial: proteger al consumidor en tanto parte vulnerable de una relación asimétrica. Es así como el Derecho del Consumo es uno de los ejemplos de protección de la parte débil en el ámbito del derecho de contratos[9]. Lo anterior significa que, actualmente, de forma paralela al paradigma de la libertad contractual que constituye la base del derecho común, existe el paradigma de la parte más débil[10], cual es la base o justificación de este estatuto especial.

Como ha opinado Baraona[11], entre los principios y normas que informan el sistema de la protección de los consumidores y los del derecho común, existen diferencias que son muy marcadas y que, en general, se basan en los distintos valores que se proponen preservar uno y otro sistema. En efecto, las normas de derecho común han sido concebidas para asistir a las partes en el cumplimiento de sus acuerdos, y no para proteger a la parte más débil de la relación, pues parten de la idea de una supuesta igualdad de quienes intervienen, presupuesto que como se dijo, no se verifica en las relaciones de consumo donde los consumidores entran al juego contractual como partes débiles. A esta modificación de los principios clásicos de la contratación se le ha llamado naturaleza innovadora del derecho del consumo[12]. En consecuencia, el Derecho del Consumo posee principios propios y, aunque no existe una concepción común y consensuada sobre cuáles son estos, se suelen señalar[13]: el principio pro consumidor o principio de defensa de los consumidores, transparencia, seguridad en el consumo, profesionalidad, consumo sustentable, reparación integral del consumidor vulnerado en sus derechos, libertad en el consumo, y la no discriminación en materia de consumo. Estos mismos principios especiales, dotan al esta disciplina de ciertas características propias, como su

---

[9] Otro ejemplo es el Derecho Laboral.

[10] Hondius, Ewoud (2004), "The Protection of the Weak Party in Harmonised European Contract Law: a Synthesis". *Journal of Consumer Policy*. Vol. V, (27), pp. 245-251, p. 246.

[11] Baraona, Jorge (2014), "La regulación contenida en la Ley 19.496, sobre protección de los derechos de los consumidores y las reglas del Código Civil y Comercial sobre contratos: un marco comparativo". Revista Chilena de Derecho, Vol. V, n° 41, pp. 381-408, p. 402.

[12] Este carácter innovador se refiere al fenómeno por el cual los cambios sociales se manifiestan en la modificación de principios clásicos, como por ejemplo en el caso del derecho de los contratos la protección del consumidor en tanto parte débil.

[13] Baraona, Jorge (2019), "Concepto, autonomía y principios del Derecho del Consumo", en María Elisa Morales (Dir.) y Pamela Mendoza (Coord.) *Derecho del Consumo. Ley, doctrina y jurisprudencia*. Santiago: Der Ediciones, pp. 1-24, pp. 15-20.

especialidad con respecto al derecho común, el carácter interdisciplinario de sus normas, la irrenunciabilidad o imperatividad de los derechos del consumidor, el específico rol o función de restablecimiento del equilibrio entre las partes, entre otras[14].

Por último, respecto de los modelos de Derecho del Consumo, Cámara[15] hace una sistematización de ellos, distinguiendo entre jurisdicciones donde las normas de Derecho del Consumo se insertan dentro del Código Civil como ocurre, por ejemplo, en Países Bajos, Alemania y República Checa; Códigos de Consumo autónomos, como es el caso de Francia, Italia, Perú, Luxemburgo, y Brasil, por nombrar algunos; o el mantenimiento de cuerpos de leyes especiales, modelo donde se pueden situar los ejemplos de Reino Unido, Austria, Polonia y Chile.

Así, nuestro país pertenece a esta última categoría donde, como se dijo al principio, el ordenamiento contiene una ley especial donde se encuentran reunidas las principales normas de protección al consumidor. Esta es la ley —n° 19.496— que a continuación se esquematiza y que, para una compresión cabal del alcance de sus disposiciones, se complementa con extractos de doctrina y pronunciamientos judiciales.

---

[14]   Isler señala como nota caracterizadora del Derecho del Consumo, su pertenencia al orden público. Isler (2019) p. 45 y ss. Isler, Erika (2019), *Derecho del Consumo. Nociones fundamentales*, Valencia: Tirant lo Blanch, pp. 89-101.

[15]   Cámara, Sergio (2015). "La Codificación del Derecho de Consumo: ¿refundación o refundición?" *Revista de Derecho Civil. Estudios*. Vol. II (1), pp. 105-151, p. 108.

TÍTULO I
ÁMBITO DE APLICACIÓN Y DEFINICIONES BÁSICAS

ARTÍCULO 1

Según el artículo 1º , esta ley tiene por objeto:		
Normar las relaciones entre proveedores y consumidores.	Establecer las infracciones en perjuicio del consumidor.	Señalar el procedimiento aplicable en estas materias.

DOCTRINA SOBRE ARTÍCULO 1 INC. 1

- Isler, Erika (2019): *Derecho del Consumo. Nociones fundamentales.* Valencia: Tirant lo Blanch, pp. 163-164; 170-171: "El sistema de consumo chileno se sustenta sobre la base de una ley de general aplicación (19.496), que no integra el *corpus del Código Civil. Por su parte, este último tampoco se refiere a ella, por lo que también cabe preguntarse acerca de un posible escenario dual de acciones y sus posibles vías de solución. Esta cuestión no es novedosa en el derecho nacional, en el sentido de que la doctrina civilista ya había abordado la posibilidad de que un comprador pueda ejercer las acciones generales a que da origen un incumplimiento contractual, además de aquellas derivadas de los vicios redhibitorios, indicándose mayoritariamente que ello es posible, con la salvedad de que sólo podrá reclamar la indemnización de los daños efectivamente acreditados, de tal manera que no resultaría lícito demandar su doble pago en razón de instituciones diversas. La LPDC hasta el momento no contiene una disposición explícita de la cual se pueda extraer una regla general que resuelva la cuestión referente a su diálogo con otros cuerpos normativos, sea que se trate del Derecho Común, o bien de leyes que se refieran a ciertos mercados específicos. Ello coincide además con la tendencia de nuestro legislador de consumo a consagrar acciones civiles, sin regularlas ni determinar su régimen jurídico; (…)* "En Chile, el escenario es diverso, desde que la Ley 19.496, recién luego de la entrada en vigencia de la Ley 21.081, únicamente se remite al CC en lo que dice relación con la prescripción extintiva de las acciones civiles derivadas de la LPDC, omitiendo cualquier referencia a un posible régimen supletorio general. Esta situación se ve agravada por el, ya mencionado, escueto tratamiento que le otorga a las acciones civiles, las cuales son nombradas mas no reguladas".

- Morales, María Elisa (2019): "La configuración del principio de protección al consumidor", en Juan Ignacio Contardo y Claudio Fuentes (Eds.), *Derecho Procesal del Consumo*. Santiago: Thomson Reuters, pp. 3-19; pp. 8-9: "Al utilizar aquí la palabra 'principio' se está haciendo referencia al motivo, fundamento o razón de una acción, pero más precisamente y en sentido jurídico, a la ratio legis o mens legis de un conjunto de normas, siendo este uno de los usos reconocidos de la expresión principio jurídico. En consecuencia, el sustrato o contenido del principio de protección de los consumidores corresponde a su motivo fundamental que consiste, principalmente, en superar viejos esquemas de igualdad formal y adoptar criterios especiales de protección dada la asimetría entre las partes de la relación de consumo. En otras palabras, este principio proyecta la protección del contratante débil en la relación proveedor-consumidor".(…) "Hasta aquí se intuye que el principio de protección de los consumidores vendría a justificar el apartamiento de los postulados tradicionales del Derecho de los contratos, con fundamento en una asimetría reconocible en la relación entre las partes, factor que no se identifica, en principio, en las tradicionales relaciones reguladas por el Derecho común. Y así, efectivamente lo ha venido reconociendo la doctrina chilena, como un principio especial, diferente a los que rigen a las tradicionales ramas del Derecho". (...) "En síntesis, el sustrato o contenido del principio de protección de los consumidores, consiste en la tutela de los derechos del consumidor en tanto parte débil de la relación contractual. Este es el fundamento que inspira el contenido de las normas jurídicas de protección del consumidor y, por lo tanto, se proyecta sobre cada una de ellas. Sobre esta base se han agrupado una serie de instituciones y relaciones jurídicas que han generado este sector legislativo especial".

- **Baraona, Jorge (2014): "La regulación contenida en la Ley 19.496 sobre protección de los derechos de los consumidores y las reglas del Código Civil y Comercial sobre contratos: un marco comparativo". *Revista Chilena de Derecho*, 41(2), pp. 381-408; p. 382:** En palabras de Baraona, la Ley de protección de los derechos de los consumidores establece ciertas peculiaridades que suponen una modificación a los principios y reglas generales del derecho civil y comercial. En este sentido, el derecho común opera como conjunto normativo supletorio. "Más aún, el estudio tiene interés en razón de la amplia posibilidad de expandir la aplicación de la Ley 19.496, tanto así que se oyen voces que sostienen que ya el Código Civil no es el derecho común o ley general".

- **Pinochet, Ruperto (2013). "Modificación unilateral del contrato y pacto de autocontratación: dos especies de cláusulas abusivas a la luz del Derecho de Consumo chileno. Comentario a la sentencia de la Excma. Corte Suprema de 24 de abril de 2013 recaída en el 'Caso Sernac con Cencosud'. Revista *Ius et Praxis*, 19(1) 2013, pp. 365-378; pp. 376-377:** "Aunque no exista texto expreso en Chile, la correcta interpretación de nuestra Ley de Protección de los Consumidores no puede dejarnos de llevar a otra conclusión que no sea que en nuestro país también en caso de duda debe preferirse aquella más favorable al consumidor. Ello porque dicha ley, tal como su nombre lo indica, consagra un estatuto protector, conteniendo de modo evidente un principio de defensa del consumidor, el que se materializa en materia de interpretación, al igual que en los demás estatutos protectores —piénsese materia laboral— en el principio in dubio pro consumidor, pues eso significa interpretar dichas leyes de acuerdo a sus principios y finalidades inspiradoras. Cualquier conclusión contraria es absurda".

SENTENCIAS SOBRE ARTÍCULO 1 INC. 1

- **Servicio Nacional del Consumidor con Ministros de la Corte de Apelaciones de Puerto Montt (2020): Corte Suprema, 14 de mayo de 2020, Recurso de Queja, Rol n° 25068-2019, LTM19.090.425:** "SÉPTIMO: Que el sentido y alcance de la disposición transcrita es otorgar al consumidor un estatuto de protección ante el "proveedor" al ser la parte más débil de la relación contractual de consumo, de manera tal de contrarrestar la desigualdad que las relaciones del mercado suponen, en la manufactura, comercialización, distribución y adquisición de bienes y servicios al proveedor, en razón del dominio de los canales de comercialización de aquellos, sobre todo, por la indefensión a la que se ve sometido el consumidor en razón de su necesidad de obtener los bienes ofertados. De esta manera, la normativa establecida en la Ley n° 19.496 debe interpretarse de modo que su resultado contribuya a otorgar tal amparo al consumidor. Por lo mismo, la posibilidad que el "proveedor" se exonere de responsabilidad, por el sólo hecho de actuar como una organización de medios, resulta totalmente contraria al cometido al que se ha hecho referencia. DÉCIMO: Que, la interpretación expuesta es la única que se compagina con el mandato del legislador de especial protección de los consumidores, pues solo ella atiende simultáneamente a la necesidad de asegurar que el productor asuma plenamente sus obligaciones, como responsable de la calidad de los bienes y servicios que produce, así como la de garantizar el equilibrio en las relaciones entre proveedores y consumidores, contrapeso que es el que precisamente se busca con el régimen especial señalado en la Ley n° 19.496".

- **Consuelo Romero Cayupan con Instituto de Capacitación Sanitaria de Chile (2019): Corte de Apelaciones de Temuco, 25 de abril de 2019, Recurso de Apelación, Rol n° 95-2018, LTM18.062.811:** "OCTAVO: Que, el artículo 1° de la Ley n° 19.496, dispone: La presente ley tiene por objeto normar las 'relaciones entre proveedores y consumidores, establecer las infracciones en perjuicio del consumidor y señalar el procedimiento aplicable en estas materias', entendiéndose para efectos de esta ley, que los consumidores o usuarios son las personas naturales o jurídicas que, en virtud de cualquier acto jurídico oneroso, adquieren, realizan o disfrutan como destinatarios finales bienes o servicios, y por su parte, los proveedores, son aquellas personas naturales o jurídicas de carácter público o privado que habitualmente desarrollen actividades de producción, fabricación, importación, construcción, distribución o comercialización de bienes o de prestación de servicios a consumidores, por las que se cobre precio o tarifa".

- **Servicio Nacional del Consumidor con A3D Chile S.A. (2016): Corte de Apelaciones de Santiago, 14 de diciembre de 2016, Recurso de Apelación, Rol** n° **287-2016, LTM19.091.635:** "TERCERO: (…) la Ley n° 19.496, sobre Protección de Los Derechos de los Consumidores, establece en su artículo 1 ° que esta tiene por objeto normar las relaciones entre proveedores y consumidores, establecer las infracciones en perjuicio de éstos y señalar el procedimiento aplicable en estas materias, pudiendo inferirse entonces del cometido enunciado que, en lo que interesa, nos enfrentamos a una normativa que conforme a su texto posee el carácter de cautelar y protector de los derechos de los consumidores".

- **Servicio Nacional del Consumidor con Cencosud Administradora de Tarjetas S.A. (2013): Corte Suprema, Recurso de Casación en la Forma, 24 de abril de 2013, Rol** n° **12355-2011, LTM1.902.694, LTM10.739.647:** "PRIMERO: Que la legislación introducida por la Ley de Protección a los Derechos de los Consumidores n° 19.496 y sus modificaciones posteriores, especialmente la Ley 19.955, de 2004, ha supuesto la moderación de ciertos principios recogidos en los Códigos Civil y Comercial, respecto de los actos y convenciones sujetos a la ley, tanto en lo referido a la formación del consentimiento, la libertad contractual —en su dimensión libertad de contratar por parte del proveedor como de la libre determinación del contenido de lo que las partes acuerden— como de los bienes jurídicos protegidos, que superan la mera protección de la libertad e igualdad de los contratantes, y también de las consecuencias que trae aparejado para el incumplidor una determinada infracción contractual. El solo hecho de que en este juicio el Servicio Nacional del Consumidor actúe en representación de miles de tarjetahabientes, bajo las normas de los juicios de representación de intereses colectivos, es indicativo de los nuevos paradigmas que imperan en el ámbito del derecho del consumo. SEGUNDO: Que lo anterior tiene importancia, puesto que para resolver las controversias suscitadas en relaciones reguladas por la Ley 19.496 debe atenderse a la peculiaridad de sus principios.(…). Tanto así, que la normativa contiene valoraciones de orden público que no pueden ser desatendidas, pues, conforme con el artículo 4° de la Ley, los derechos que en ella se establecen no son renunciables anticipadamente por los consumidores".

DEFINICIONES LEGALES CONTENIDAS EN EL ARTÍCULO 1

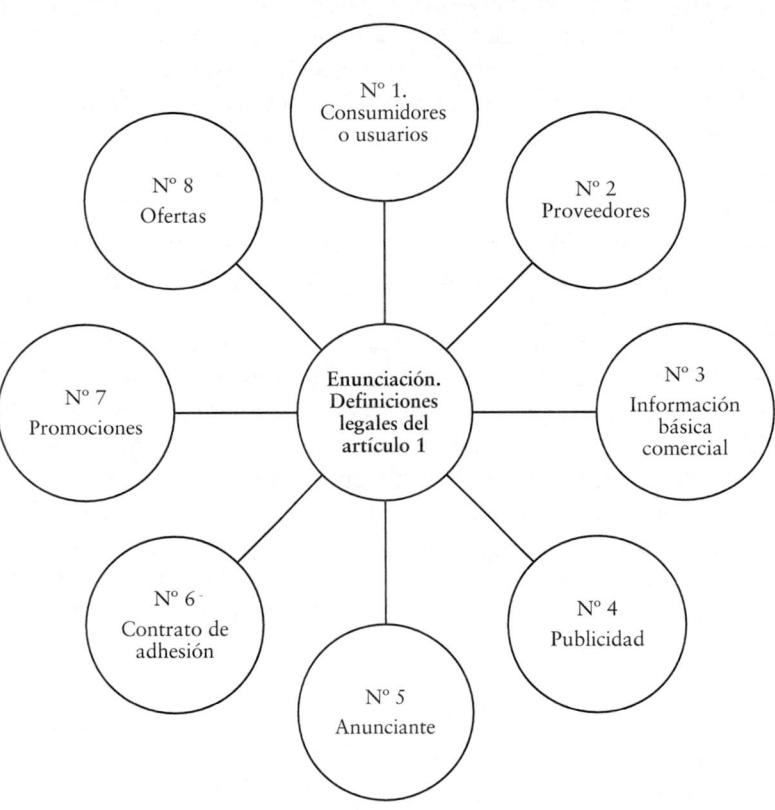

ARTÍCULO 1 nº 1

Consumidores o Usuarios

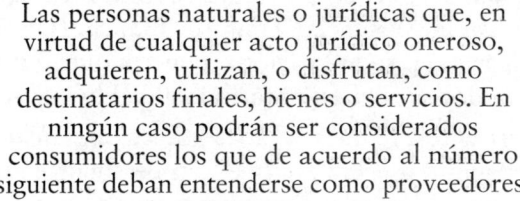

Las personas naturales o jurídicas que, en virtud de cualquier acto jurídico oneroso, adquieren, utilizan, o disfrutan, como destinatarios finales, bienes o servicios. En ningún caso podrán ser considerados consumidores los que de acuerdo al número siguiente deban entenderse como proveedores.

DOCTRINA SOBRE ARTÍCULO 1 nº 1

Art. 1 inc. 2 "Para los efectos de esta ley se entenderá por": "1. Consumidores o usuarios: las personas naturales o jurídicas que, en virtud de cualquier acto jurídico oneroso, adquieren, utilizan, o disfrutan, como destinatarios finales, bienes o servicios. En ningún caso podrán ser considerados consumidores los que de acuerdo al número siguiente deban entenderse como proveedores".

- **Fernández, Felipe y Morales, María Elisa (2020): "La persona jurídica como consumidora", en Erika Isler (Coord.)** *GPS Consumo.* **Valencia: Tirant lo Blanch. (En prensa):** "De acuerdo con las disposiciones de la LPDC, hay tres factores que determinan su aplicación: primero, que se trate de una relación entre un consumidor y un proveedor; segundo, que el consumidor sea el destinatario final del bien o servicio; y, tercero, que el consumidor no posea la calidad de proveedor".

- **Barrientos, Francisca (2019):** *Lecciones de derecho del consumidor.* **Santiago: Thomson Reuters, pp. 8-9:** "La definición de consumidor establece que 'son personas naturales o jurídicas, [las] que en virtud de cualquier acto, disfrutan, adquieren o usan (…) De los verbos expresados se distingue entre los consumidores materiales y los consumidores jurídicos. Los jurídicos son los que compran, "adquieren" en los términos imprecisos de la ley. Y los materiales los que utilizan o disfrutan los bienes o servicios. Así, puede ocurrir que uno compre y utilice el bien, pero también puede suceder que una persona compre y otro u otros utilicen o disfruten esos bienes o servicios de consumo masivo. En estos casos, se presentan los consumidores jurídicos y los consumidores materiales".

- **Morales, María Elisa (2018): Algunos problemas de la extensión del Derecho del Consumo a contratos entre empresarios en el ordenamiento jurídico chileno. Ponencia presentada en la VIII Jornadas Nacionales de Derecho del Consumo, organizadas por la Universidad Diego Portales. Inédito:** "Una posible interpretación de la parte final de esta norma consiste en entender que con la inclusión de la expresión '[e]n ningún caso podrán ser considerados consumidores los que de acuerdo al número siguiente deban entenderse como proveedores' se desterró la posibilidad de incluir al empresario dentro de la noción legal de consumidor (artículo 1º nº 1 de la LPDC). Pero no solo eso. El alcance de la exclusión va más allá. En efecto, al excluir de forma categórica de la noción de consumidor a todos aquellos que son 'considerados proveedores' de acuerdo con el artículo 1 nº 2, no sólo deja fuera de la noción a las personas jurídicas con fines de lucro, sino que también a las personas jurídicas sin fines de lucro, que habitualmente desarrollen actividades de producción, fabricación, importación, construcción, distribución o comercialización de bienes o de prestación de servicios a consumidores, por las que se cobre precio o tarifa. De acuerdo con lo anterior, por ejemplo, una Universidad organizada como corporación de Derecho Privado no podría ser considerada como consumidora. Esto ya que el tenor de la ley es claro y no distingue entre clases de proveedores. Lo dicho, con la excepción que la misma Ley n° 20.416 establece al hacer aplicable el estatuto protector a micro y pequeñas empresas, zanjando, al menos de forma aparente, la discusión relativa a la extensión de la protección a empresarios en nuestro ordenamiento jurídico".

- **Momberg, Rodrigo (2013): "Art. 1 n° 1", en Iñigo De La Maza; Carlos Pizarro (Dirs.) y Francisca Barrientos (coord.)** *La protección de los Derechos de los consumidores. Comentarios a la ley de protección a los derechos de los consumidores.* **Santiago: Editorial Thomson Reuters, pp. 3-16; p. 5:** "El legislador chileno ha acogido el denominado criterio positivo para la determinación del concepto de consumidor, esto es, que la persona sea el destinatario final del bien o servicio. Este criterio no es el que sigue la legislación comunitaria europea, la cual ha adoptado un criterio negativo para la determinación del consumidor, esto es, aquella persona que actúa (principalmente) con fines que no están relacionados con su comercio, empresa o profesión".

SENTENCIAS SOBRE ARTÍCULO 1 n° 1

- **Sociedad Agrícola y Forestal Vista El Volcán Limitada con Coagra S.A. (2017): Corte Suprema, 13 de marzo de 2017, Recurso de Casación en la Forma, Rol n° 30979-2016, LTM16.125.057:** "SEGUNDO: Que respecto de esta primera causal cabe tener presente que la Ley n° 19.496 tiene por objeto normar las relaciones entre proveedores y consumidores, por lo que para decidir su aplicación resulta indispensable precisar si la demandante tiene la calidad de consumidor, como lo sostiene la demandada, la que a su vez se atribuye la calidad de proveedor. Al efecto, el artículo 1° n° 1 de la Ley 19.496 define a los consumidores o usuarios como las personas naturales o jurídicas que, en virtud de cualquier acto jurídico oneroso, adquieren, utilizan, o disfrutan, como destinatarios finales, bienes o servicios. En ningún caso podrán ser considerados consumidores los que de acuerdo al número siguiente deban entenderse como proveedores. Y a su vez el número 2° de dicho artículo define a los proveedores como las personas naturales o jurídicas, de carácter público o privado, que habitualmente desarrollen actividades de producción, fabricación, importación, construcción, distribución o comercialización de bienes o de prestación de servicios a consumidores, por las que se cobre precio o tarifa. n la especie, es un hecho de la causa que el acto jurídico que motivó este pleito consiste en la compra de fertilizantes que Agrícola y Forestal Vista Volcán Limitada efectuó a la demandada Coagra S.A., con la finalidad de ser utilizados en una plantación de nogales de exportación de la variedad "Chandler". De lo dicho queda en evidencia que la demandante no tiene la calidad de consumidor final de los fertilizantes vendidos por la demandada, sino que corresponde a una empresa que se dedica a la producción, comercialización y exportación de nueces, cobrando un precio por los productos agrícolas que vende y exporta, de modo tal que en la cadena productiva necesariamente debe ser calificada como un proveedor. Es decir, la compra de fertilizantes no estaba destinada a su consumo por parte de la actora, sino que a su incorporación al proceso de producción de nueces de la variedad "Chandler". Coherente con lo anterior la mayoría de la doctrina señala que en la noción de consumidor se ha adoptado un criterio restrictivo, centrado en el concepto de destinatario final del bien o servicio respectivo (véase Jara, R., "Ámbito de aplicación de la ley chilena de protección al consumidor: inclusiones y exclusiones", en Corral, H. (Ed.), Derecho del consumo y protección al consumidor, Ed. Univ. de Los Andes, Santiago, 1999, p. 54). Este concepto, según precisa el autor Rodrigo Momberg Uribe (en Revista de Derecho Valdivia, Vol. XVII, diciembre 2004, p. 41 62), hace referencia a dos aspectos: la exigencia que la actuación del consumidor, para ser considerado como tal, vaya destinada a satisfacer necesidades estrictamente privadas, familiares o domésticas; y por otra parte, a que dicha actuación sea completamente ajena a cualquier forma de actividad empresarial o profesional, requisitos que claramente impiden calificar como consumidor a la parte demandante".

- **Mendoza Véjar Brígida con S.A.C.I. Falabella (2012): Corte de Apelaciones de Concepción, 28 de diciembre de 2012, Recurso de Apelación, Rol nº 203-2012, LTM19.091.630:** "PRIMERO: Que, la demandante ha deducido recurso de apelación en contra de la resolución de primera instancia, en la parte que acoge la excepción de falta de legitimación activa opuesta por la parte demandada, en contra de su parte. Señala que si bien se utilizó la tarjeta de crédito perteneciente a don Eleazar Vera Andaur, ello fue para aprovechar la modalidad de pago en cuotas del monto de la compra, pero fue ella quien pagó, por lo que la relación de consumo se efectuó entre la demandada y la demandante. Su parte disfrutó, como destinataria final del refrigerador, el que siempre se encontró en su domicilio desde el día de su adquisición. Por ello solicita se revoque la resolución recurrida, declarando que se rechaza la excepción de falta de legitimación activa y se siga adelante la sustentación del juicio con su representada en calidad de demandante. **SEGUNDO:** Que, el artículo 1 n° 1 de la Ley 19.496 Sobre Protección de los Derechos de los Consumidores dispone que para los efectos de esta ley se entenderá por consumidores o usuarios: las personas naturales o jurídicas que, en virtud de cualquier acto jurídico oneroso, adquieren, utilizan o disfrutan, como destinatarios finales, bienes o servicios. **TERCERO: Que, la mayoría de la doctrina señala que en la noción de consumidor se ha adoptado un criterio centrado en el concepto de destinatario final del bien o servicio respectivo.** Este concepto hace referencia a dos aspectos: la exigencia que la actuación del consumidor, para ser considerada como tal, vaya destinada a satisfacer necesidades privadas, familiares o domésticas, y por otra parte, a que dicha actuación sea completamente ajena a cualquier forma de actividad empresarial o profesional. (Ámbito Aplicación Ley 19.496, Rev. D° Valdivia XVII). **CUARTO:** Que, en nuestro derecho, el concepto de consumidor es bastante amplio, considera a todas las personas, a condición de que, cualquiera de ellos, **actúe como destinatario final del bien o servicio objeto del contrato.** Lo mismo ocurre en el derecho brasilero y argentino, donde la condición que determina la calidad de consumidor es que éste contrate como destinatario final del bien o servicio. En el derecho español acontece lo mismo. (Alvaro Vidal Olivares, Contratación y Consumo, Rev. Derecho U. Católica Valparaíso XXI) **QUINTO:** Que, la jurisprudencia ha dado un alcance amplio al concepto de consumidor. No solo se protege al consumidor concreto, es decir al que contrata o adquiere el producto, también se protege al consumidor material, es decir al que utiliza y disfruta del servicio o producto adquirido, aunque éste haya sido adquirido o contratado por una persona distinta. (C. Antofagasta, Rol 54.2004) **SEXTO:** Que, el profesor Rony Jara Amigo en su artículo Ámbito de Aplicación de la Ley Chilena de Protección al Consumidor: Inclusiones y Exclusiones, Facultad de Derecho Universidad de Los Andes, señala que la noción legal de consumidor tiene por objeto delimitar el ámbito de aplicación de la Ley 19.496, y que en dicha definición se ha incluido tanto el denominado consumidor jurídico —quien adquiere— como el **consumidor material** —quien utiliza y disfruta. Agrega que las dos condiciones pueden darse en una misma persona, pero también puede suceder lo contrario, esto es, que el consumidor material sea distinto del jurídico. Así ocurre cuando una madre adquiere un alimento para sus hijos, o con una persona que compra un electrodoméstico para regalarlo, etc. **SEPTIMO:** Que, estos razonamientos conducen a concluir que doña Brígida Mendoza tiene la calidad de consumidora descrita en el n° 1 del artículo 1 de la Ley 19.496, puesto que con los documentos de fojas 33, 34 y 43, consistentes en copias de guía y contrato de reparación a nombre de la actora y declaración jurada, apreciados conforme con las reglas de la sana crítica, queda demostrado que la destinataria final del refrigerador adquirido de la empresa denunciada era ella".

- **Emiliano Arias Madariaga con SODIMAC S.A. (2007): Corte de Apelaciones de Concepción, 24 de diciembre de 2007, Recurso de Apelación, Rol n° 174-2005, LTM19.091.627:** "DECIMOPRIMERO: Que no hay aquí incumplimiento de una obligación contractual, o un acto jurídico oneroso, ya que la oferta es un paso previo a la celebración del contrato mismo, es decir, una responsabilidad precontractual, que nace a la vida del derecho antes de perfeccionarse el contrato que le servirá de fuente. En todos estos casos permite sostener que el concepto de consumidor que menciona el artículo 1° n° 1 de la ley n° 19.946, no le es aplicable sólo a ese marco conceptual, sino que al demandante que como consumidor y habiendo sufrido una descarga eléctrica en el producto ofrecido no alcanzó ejecutar el acto jurídico oneroso".

- **Judith Morales Escudero con Sodimac S.A.(2020): Corte Suprema, 17 de junio de 2020, Recurso de Apelación, Rol n° 120-2019:** "CUARTO: Que no obsta a lo concluido anteriormente y a la sanción que corresponderá imponer, la alegación de la querellada, formulada como excepción de incompetencia, en orden a que la señora Morales Escudero no detente la calidad de consumidora de la Ley n° 19.496, por no haberse materializado, en la especie, un acto de consumo en los términos del artículo 1 n° 1 de la citada ley, referidos a la adquisición, utilización o disfrute de un bien o servicio a título oneroso. Ello, por cuanto la circunstancia de no haberse concretado la compraventa de productos de la tienda Sodimac no es obstáculo para calificar a la querellante como consumidora y a la querellada como proveedora, entendiendo para ello el acto de consumo, en este tipo de locales, como un proceso complejo, formado por un grupo de actos materiales y jurídicos.

  En efecto, desde la llegada del cliente al recinto del local comercial, éste pone a disposición del usuario una serie de servicios y productos que van desde el estacionamiento, guardias, infraestructura adecuada, limpia y segura del edificio, incluidos sus pasillos y estanterías, carros y cajas de recaudación, en las cuales se concreta definitivamente el acto jurídico de carácter oneroso, a través del pago de los productos adquiridos. Entonces, desde que el consumidor ingresa al local comercial, con el fin de adquirir los productos que allí se exhiben libremente, se encuentra amparado por el deber legal ya citado anteriormente del proveedor de proporcionarle condiciones seguras de circulación por el edificio y para la adquisición de tales bienes, correspondiendo sancionar, de acuerdo al artículo 23 de la Ley n° 19.496, toda conducta negligente del proveedor que cause un menoscabo al consumidor, ya sea en lo relacionado a los productos, como a los servicios adicionales involucrados".

ARTÍCULO 1 nº 2

PROVEEDORES

Las personas naturales o jurídicas, de carácter público o privado, que habitualmente desarrollen actividades de producción, fabricación, importación, construcción, distribución o comercialización de bienes o de prestación de servicios a consumidores, por las que se cobre precio o tarifa.

No se considerará proveedores a las personas que posean un título profesional y ejerzan su actividad en forma independiente.

DOCTRINA SOBRE ARTÍCULO 1 nº 2

- Isler, Erika (2020): *Jurisprudencia de Derecho de Consumo Comentada*. Santiago: Rubicón Editores, p. 283: "Respecto de la responsabilidad de la empresa proveedora: Encuentra fundamento esta tesis, en el Art. 1 nº 2 LPDC que exige la "habitualidad" como presupuesto para ser considerado proveedor. De esta manera, si un sujeto se dedica de manera profesional a una cierta actividad económica, reiteradamente en el tiempo, se espera de él que tenga la expertiz necesaria para cumplir con todos los deberes de cuidado".

- Barrientos, Francisca (2019): *Lecciones de derecho del consumidor*. Santiago: Thomson Reuters, p. 23. "**Sobre la importancia voz "tarifa"**: Por su parte, la voz tarifa tiene importancia porque se ha aplicado a los casos de las empresas de autopistas, que antiguamente se defendían expresando que no se les aplicaba la LPDC porque no cobraban un precio, sino una tarifa".

- Tapia, Mauricio (2017): *Protección de Consumidores. Revisión crítica de su ámbito de aplicación*. Santiago: Rubicón Editores, p. 56-57: "Concepto de proveedor: El artículo 1º nº 2 de la LPC, que define el concepto de "proveedor" establece cuatro requisitos que permiten calificar a una persona como tal: a) que se trate de una persona natural o jurídica, de carácter público o privado; b) que habitualmente desarrolle actividades de producción, fabricación, importación, construcción, distribución o comercialización de bienes o prestación de servicios; c) destinado a consumidores; y d) por las que cobre un precio o tarifa. Requisitos de la "habitualidad": "El requisito de la "habitualidad" refiere al carácter profesión de la actividad que realiza el proveedor. Con esta condición se excluye a quienes realizan estas actividades de manera esporádica. En el derecho privado, este requisito se vincula con la continuidad de la actividad y se relaciona con el concepto de "empresario profesional" utilizado por el Código de Comercio (artículo 9)". Entes sin personalidad: "La definición legal de proveedor contempla un concepto amplio al incluir tanto a las personas naturales como jurídicas, sean de carácter público como privado. Sobre ello no hay discrepancia en la doctrina. Sin embargo, un aspecto que no ha sido desarrollado suficientemente refiere a los entes sin personalidad. Dadas las finalidades protectoras de la ley, parece evidente que carecer de personalidad no podría admitirse como excusa para eludir la aplicación de la LPC. En efecto, debería concluirse que el proveedor no actuaria de buena fe o se aprovecharía de su propia negligencia si utiliza como excusa para eludir la responsabilidad legal la circunstancia de que por algún motivo carezca de personalidad jurídica".

- **Momberg, Rodrigo (2013): "Artículo 1 nº 2", en Iñigo De La Maza; Carlos Pizarro (Dirs.) y Francisca Barrientos (coord.)** *La protección de los Derechos de los consumidores. Comentarios a la ley de protección a los derechos de los consumidores.* **Santiago: Editorial Thomson Reuters, pp. 17-22:** "El concepto que contempla la norma es amplio: considerando como proveedores tanto a personas naturales como jurídicas, ya sea de carácter público o privado. De esta manera, la estructura jurídica bajo la cual se organice el proveedor es irrelevante para su calificación como tal. Se ha sostenido incluso que el carecer de personalidad no constituiría una excusa admisible para eludir la aplicación de la Ley. Debe precisarse sí que en este caso la Ley se aplicará respecto de las personas (naturales o jurídicas), que formen parte del ente sin personalidad que actuó como parte "proveedora" del bien o servicio, por ejemplo, los integrantes de una sociedad de hecho. Además, la norma exige que las actividades que señala (producción, fabricación, importación, construcción, distribución o comercialización de bienes o de prestación de servicios) tengan como destinatarios a los consumidores. Se trata de conceptos abiertos, que permiten incluir dentro de ellos la mayoría (sino todas) las actividades que desarrollan los sujetos jurídicos que introducen bienes o servicios al mercado para su consumo, lo que en definitiva permite descartar un eventual carácter taxativo de la norma" (…) "El precepto contempla la exigencia de 'habitualidad' en el ejercicio de las actividades que señala. Esta expresión alude al carácter profesional que debe tener el desarrollo de dichas actividades" (…) "Si bien el requisito no puede obviarse en Chile, una interpretación adecuada del mismo requiere que se entienda no como una exigencia de actos similares y repetidos a través del tiempo, sino vinculado a la profesionalidad del proveedor en el ejercicio de las actividades mencionadas en la norma, independientemente de la periodicidad con que éstas se ejercen. Por tanto, una actividad esporádica, pero profesional, debería incluirse como regida por la LPC. En definitiva, lo importante es que el proveedor esté dispuesto a desarrollar una actividad profesional en relación con los consumidores, no importando si entre una prestación y otra transcurre un lapso prolongado de tiempo". Sobre la actividad de las personas que poseen un título profesional: "Al respecto, de acuerdo al texto vigente de la ley, no es la organización jurídica por medio de la cual se presten los servicios la que debe determinar sin un profesional es considerado proveedor, sino si ejerce su actividad en forma independiente o no. Al efecto, sólo podrá considerársele proveedor si el servicio se presta en forma de 'empresa', diluyéndose la figura del 'profesional liberal` para conformarse la de 'proveedor habitual o profesional'. Para establecer lo anterior, deberán tomarse en cuenta factores como la masividad del servicio prestado y la naturaleza jurídica del acto o contrato ejecutado o celebrado. Así, estimamos que las empresas que ofrecen servicios de 'asistencia u orientación legal completa' al público en general, deben ser considerados proveedores; pero el abogado que presta sus servicios en forma particular a un cliente que acude al mismo por iniciativa propia, no podrá ser considerado proveedor, aun cuando jurídicamente se encuentre organizado como sociedad u otra entidad moral".

- **Isler, Erika (2014): "Corte de Apelación de Santiago (16.8.2013) Sernac con Caja de Compensación de Asignación Familiar Los Héroes".** *Ius Publicum* n° 33, pp. 231-238: Las Cajas de Compensación de Asignación Familiar como proveedores "Las Cajas de Compensación de Asignación Familiar (CCAF) son definidas por el Art. 1 de la Ley n° 18.833 "corporaciones de derecho privado, sin fines de lucro, cuyo objeto es la administración de prestaciones de seguridad social". La exigencia de la falta de lucro exigida por el legislador en la norma señalada a motivado a que se discuta su calidad de sujetos de una relación de consumo de acuerdo con la Ley n° 19.496. En efecto la LPDC define a los proveedores como "las personas naturales o jurídicas, de carácter público o privado, que habitualmente desarrollen actividades de producción, fabricación, importación, construcción, distribución o comercialización de bienes o de prestación de servicios a consumidores, por las que se cobre precio o tarifa" (Art. 1 n° 2 LPDC). De la mención expresa el cobro de una retribución, se podría deducir que solo las personas jurídicas con fines de lucro que cumplieran los demás presupuestos del Art. 1 n° 2 transcrito se encontrarían obligadas por la ley LPDC, quedando las demás sometidas a otras normativas especiales o al Derecho Común. En este sentido se pronunció Fernández Fredes, al inicio de la vigencia de la LPDC, quien sostenía que el rasgo característico de los proveedores radicaba en su dedicación profesional a las actividades indicadas en dicha disposición —producción, fabricación, importación, construcción, distribución o comercialización de bienes o de prestación de servicios—, lo que a su vez se determinaba por la habitualidad y el animo de lucro. No obstante lo anterior, si se examina el concepto otorgado por la LPDC se puede advertir que la ley no realiza distinción alguna, sino que únicamente exige que se dedique habitualmente a una de las actividades indicadas, a cambio de un precio o tarifa. En distintas ocasiones, nuestros tribunales han condenado a personas jurídicas sin fines de lucro por infracción de la LPDC, pudiendo citarse como ejemplo las siguientes sentencias: "Sernac con Fundación Arturo López Pérez" por falta de exhibición del precio de las prestaciones que ofrece (Arts. 3 letras a y b, 23 y 30 LPDC); "Sernac con Fundación Hospital Clínico de la Universidad de Chile" por cobro de un precio superior al informado con anterioridad a la celebración del contrato de servicios médicos (Art. 3 letra b, 12 y 23 LPDC); y "Andahur del Barrio con Fundación Arturo López Pérez" por cobros improcedentes (Arts. 12, 23, 28 y 30 LPDC). Así las cosas, las CCAF cumplen con los presupuestos establecidos en el Art. 1 n° 2 LPDC, por cuanto, son personas jurídicas, que se dedican de manera habitual a la prestación de servicios a consumidores finales —en este caso crediticios— cobrando por ello una retribución".

SENTENCIAS SOBRE ARTÍCULO 1 nº 2

- **Servicio Nacional del Consumidor con Ministros de la Corte de Apelaciones de Puerto Montt (2020): Corte de Apelaciones de Puerto Montt, 14 de mayo de 2020, Recurso de Queja, Rol nº 25068-2019, LTM19.090.425:** "SEXTO: Que, al efecto, el artículo 1º nº 2º de la Ley nº 19.496 establece que: "La presente ley tiene por objeto normar las relaciones entre proveedores y consumidores, establecer las infracciones en perjuicio del consumidor y señalar el procedimiento aplicable en estas materias. Para los efectos de esta ley se entenderá por: 2. Proveedores: las personas naturales o jurídicas, de carácter público o privado, que habitualmente desarrollen actividades de producción, fabricación, importación, construcción, distribución o comercialización de bienes o de prestación de servicios a consumidores, por las que se cobre precio o tarifa. No se considerará proveedores a las personas que posean un título profesional y ejerzan su actividad en forma independiente". SÉPTIMO: Que el sentido y alcance de la disposición transcrita es otorgar al consumidor un estatuto de protección ante el "proveedor" al ser la parte más débil de la relación contractual de consumo, de manera tal de contrarrestar la desigualdad que las relaciones del mercado suponen, en la manufactura, comercialización, distribución y adquisición de bienes y servicios al proveedor, en razón del dominio de los canales de comercialización de aquellos, sobre todo, por la indefensión a la que se ve sometido el consumidor en razón de su necesidad de obtener los bienes ofertados. De esta manera, la normativa establecida en la Ley nº 19.496 debe interpretarse de modo que su resultado contribuya a otorgar tal amparo al consumidor. Por lo mismo, la posibilidad que el "proveedor" se exonere de responsabilidad, por el sólo hecho de actuar como una organización de medios, resulta totalmente contraria al cometido al que se ha hecho referencia".

- **Servicio Nacional del Consumidor con Servicios Integrales de Salud S Ana Limitada (2015): Corte de Apelaciones de San Miguel, 28 de mayo de 2015, Recurso de Apelación, Rol nº 503-2015, LTM19.091.648:** "SEXTO: Que, en primer término, es preciso señalar que la sola constitución de una sociedad para los efectos de prestar los servicios propios de una profesión liberal, no excluye, necesariamente, la posibilidad de aplicar la norma contenida en el inciso segundo del numeral 2º del artículo 1° de la Ley n° 19.496, pues lo determinante para estos efectos es dilucidar si la prestación de los servicios profesionales se efectúa en forma independiente o en forma de empresa, y no la organización jurídica que se dé el prestador. En efecto, existen profesionales liberales que se organizan jurídicamente bajo alguna forma societaria para el solo efecto de compartir un espacio físico común y ciertos gastos generales, pero que continúan ejerciendo en forma independiente su profesión. En tales situaciones no estaremos ante "proveedores", para los efectos de la Ley n° 19.496. Así las cosas, podrán existir personas naturales que presten servicios profesionales y que deban ser consideradas como proveedores para los efectos de la Ley n° 19.496, si constituyen una empresa, así como también existirán otros prestadores excluidos del ámbito de aplicación del referido cuerpo legal, no obstante estar organizados jurídicamente bajo forma societaria. **OCTAVO:** "Que el Diccionario de la Real Academia Española de la Lengua, en su segunda acepción, define empresa como una 'unidad de organización dedicada a actividades industriales, mercantiles o de prestación de servicios con fines lucrativos'. En el caso sub iúdice, estamos, precisamente, en presencia de una unidad de organización de prestación de servicios, esto es, ante una empresa, condición que se deduce de las propias declaraciones de la denunciada. En efecto, según consta a fojas 34, don Luis Carlos Figueroa Durán que comparece en representación de 'Clínica Dental Espacio Oral` indica que posee, a lo menos dos clínicas o centros dentales, uno ubicado en Avenida Concha y Toro n° 3.955, Local 24, Puente Alto, y otro en Avenida Vicuña Mackenna n° 11.091, Local 2, de la comuna de La Florida. Tal situación denota, palmariamente, que estamos en presencia de una organización empresarial, y no ante el ejercicio independiente de la profesión de cirujano dentista u odontólogo. Por lo demás, es la propia denunciada, a fojas 34 y 38, la que califica a sus centros dentales de "clínica" que, según el mismo Diccionario de la Lengua, es un "establecimiento sanitario, generalmente privado, donde se diagnostica y trata la enfermedad de un paciente, que puede estar ingresado o ser atendido en forma ambulatoria". Así las cosas, no estamos en presencia de una consulta odontológica en la cual uno o más profesionales, organizados jurídicamente bajo la forma de sociedad, ejercen de manera independiente una actividad que requiere título profesional, sino que estamos ante una organización empresarial que posee, a lo menos, dos clínicas o establecimientos de salud odontológicos. La organización de la actividad profesional en varios centros dentales, denota la existencia de una unidad económica integrada por elementos humanos, materiales y técnicos, que tiene el objetivo de obtener utilidades a través de la prestación de servicios odontológicos, situación incompatible con el ejercicio independiente de una profesión liberal".

- **Servicio Nacional del Consumidor con Universidad de las Américas (2005): Corte de Apelaciones de Santiago, 21 de septiembre de 2005, Recurso de Apelación, Rol n° 7706-2004, LTM19.090.420:** "Que aún cuando la demandada no persiga fines de lucro y el Código de Comercio no haya incluido la prestación de servicios educacionales entre aquellos actos señalados a título ejemplar como actos de comercio, la circunstancia de convenirse a título de prestaciones recíprocas el servicio de enseñanza y el pago del precio no pueden sino que llevar a concluir la naturaleza mercantil de esta clase de contratos para la universidad denunciada, y por lo mismo subsumibles en la Ley n° 19.496".

- **Servicio Nacional del Consumidor con Instituto Profesional Técnico DUOC (2004): Corte de Apelaciones de Santiago, 14 de abril de 2004, Recurso de Apelación, Rol n° 3510-2002, LTM19.067.135: "SEGUNDO:** que aun cuando el instituto denunciado constituya una persona jurídica sin fines de lucro, organizada bajo la forma de una fundación, ciertamente esta circunstancia no le impide ejecutar habitualmente actos de comercio, y no hay duda que la educación constituye una actividad que se transa en el mercado como cualquier otro servicio remunerado, máxime si se considera que para atender a las actividades propias de la enseñanza el establecimiento deberá, desarrollar las actividades necesarias para obtener utilidades destinadas a financiar infraestructura, sueldo, implementos técnicos, costos de mantenimiento y otros gastos, como cualquier otra empresa de suministros de servicios".

ARTÍCULO 1 nº 3

INFORMACIÓN BÁSICA COMERCIAL

Los datos, instructivos, antecedentes o indicaciones que el proveedor debe suministrar obligatoriamente al público consumidor, en cumplimiento de una norma jurídica.

Tratándose de proveedores que reciban bienes en consignación para su venta, estos deberán agregar a la información básica comercial los antecedentes relativos a su situación financiera, incluidos los estados financieros cuando corresponda.

En la venta de bienes y prestación de servicios, se considerará información comercial básica, además de lo que dispongan las normas legales o reglamentarias, la identificación del bien o servicio que se ofrece al consumidor, así como también los instructivos de uso y los términos de la garantía cuando procedan. Se exceptuarán de lo dispuesto en este inciso los bienes ofrecidos a granel.

La información comercial básica deberá ser suministrado al público por medios que aseguren un acceso claro, expedito y oportuna. Respecto de los instructivos de uso con los bienes y servicios cuyo uso normal representa un riesgo para la integridad y seguridad de las personas, será obligatoria se entrega al consumidor conjuntamente con los bienes y servicios a que accedan.

DOCTRINA SOBRE ARTÍCULO 1 nº 3

- **Isler, Erika (2020):** *Jurisprudencia de Derecho de Consumo Comentada.* **Santiago: Rubicón Editores, p. 261:** "Vulneración del derecho a una información veraz y oportuna: (…) De esta manera, define en el Art. 1 nº 3 LPDC la información básica comercial, como aquellos "datos, instructivos, antecedentes o indicaciones que el proveedor debe suministrar obligatoriamente al público consumidor, en cumplimiento de una norma jurídica". Se deriva de lo anterior, que un determinado antecedente tendrá tal carácter cuando sea de otorgamiento obligatorio, en virtud de una disposición contenida en la propia LPDC o bien en cualquier otro estatuto jurídico".

- **Isler, Erika (2014):** "**Suplemento alimenticio y protección de los derechos de los consumidores: comentarios sobre el caso ADN**". *Ars Boni et Aequi,* **Vol. 10, p. 7:** El deber de información y los defectos de información. "La condena del proveedor, se fundamentó en el artículo 29 LPC, conforme al cual comete infracción a dicho cuerpo normativo, aquel que 'estando obligado a rotular los bienes o servicios que produzca, expenda o preste, no lo hiciere, o faltare a la verdad en la rotulación, la ocultare o alterare'. Si bien la norma antedicha establece una sanción aplicable a aquellos sujetos que infrinjan su deber de rotulación, lo cierto es que la LPC, en general no consagra específicamente obligaciones en tal sentido, por lo que su fuente directa debe buscarse en otros cuerpos normativos. Esta decisión legislativa, reafirma la aplicabilidad de la Ley nº 19.496 a materias reguladas en otros estatutos, por cuanto de no ser así, habría de considerarse que el legislador dictó una norma vacía de contenido, lo cual no resulta sostenible. Tal es lo que ocurre en este caso, en el que el deber de rotulación se encuentra consagrado en el Reglamento Sanitario de Alimentos (Decreto nº 977 de 1997), constituyendo además Información Básica Comercial, de acuerdo al concepto de esta última nos da la LPC, esto es, aquellos datos, instructivos, antecedentes o indicaciones que el proveedor debe suministrar obligatoriamente al público consumidor, en cumplimiento de una norma jurídica".

- **De La Maza, Iñigo (2013):** "**Artículo 1 nº 3**", en Iñigo De La Maza; Carlos Pizarro (Dirs.) y Francisca Barrientos (coord.) *La protección de los Derechos de los consumidores. Comentarios a la ley de protección a los derechos de los consumidores.* **Santiago: Editorial Thomson Reuters, pp. 23-31:** "La adecuada comprensión del numeral tercero del artículo 3 de la ley nº 19.496 precisa dotarlo de un contexto. Como resulta bien sabido, una de las principales técnicas de protección de los consumidores consiste en la imposición de deberes de información a los proveedores. El objetivo de la imposición de estos deberes consiste en disminuir las asimetrías informativas que suelen caracterizar las relaciones entre proveedores y consumidores, favoreciendo de esta manera una formación de la voluntad más adecuada de estos últimos y, por lo tanto, una elección más libre de los bienes y servicios".

SENTENCIAS SOBRE ARTÍCULO 1 n° 3

- **Servicio Nacional del Consumidor con Falabella Retail S.A. (2019): Corte de Apelaciones de Santiago, 24 de septiembre de 2019, Recurso de Apelación, Rol n° 1752-2018, LTM17.945.687: "PRIMERO:** No existe discusión sobre los hechos, esto es la publicación con una oferta por parte de la denunciada cuyo plazo de vigencia fue el siguiente: "oferta valida hasta el día 27 de agosto de 2017 o hasta agotar stock". La controversia, entonces se centra en determinar si tal información cumple con las disposiciones de la ley del consumidor, específicamente con lo dispuesto por los artículos tercero inciso primero letra b) y 35 de la Ley del Consumidor, para cuyos efectos basta contrastar los términos de la oferta y lo dispuesto por la ley. **SEGUNDO:** Al efecto cabe recordar que conforme al artículo 1 n° 3 de la Ley 19.496 se entiende por "**Información básica comercial:** los datos, instructivos, antecedentes o indicaciones que el proveedor debe suministrar obligatoriamente al público consumidor, en cumplimiento de una norma jurídica".

Por su parte el artículo 3 inciso primero letra b) de la misma ley, dispone: "Son derechos y deberes básicos del consumidor: b) El derecho a una información veraz y oportuna sobre los bienes y servicios ofrecidos, su precio, condiciones de contratación y otras características relevantes de los mismos, y el deber de informarse responsablemente de ellos"; Por último, el artículo 35 por su parte señala: "En toda promoción u oferta se deberá informar al consumidor sobre las bases de la misma y el tiempo o plazo de su duración. No se entenderá cumplida esta obligación por el solo hecho de haberse depositado las bases en el oficio de un notario. En caso de rehusarse el proveedor al cumplimiento de lo ofrecido en la promoción u oferta, el consumidor podrá requerir del juez competente que ordene su cumplimiento forzado, pudiendo éste disponer una prestación equivalente en caso de no ser posible el cumplimiento en especie de lo ofrecido'. **TERCERO:** Entonces, la información sobre el tiempo o plazo de la promoción u oferta, resulta ser un derecho básico del consumidor, que debe ser suministrada con claridad, veracidad y oportunidad, requisito que no aparece cumplido en el caso de autos, donde la oferta, además del plazo, y más aún antes de él se encuentra sujeta a una condición consistente en la existencia de un stock, cuyo número se desconoce, impidiendo así el ejercicio de sus derechos a los consumidores, transformando en letra muerta lo dispuesto por el inciso segundo del artículo 35 antes citado, en orden a la posibilidad de obtener el cumplimiento forzado de la promoción u oferta".

- **Servicio Nacional del Consumidor con Banco Scotiabank Chile (2015): Corte de Apelaciones de Santiago, 24 de abril de 2015, Recurso de Apelación, Rol n° 95-2015, LTM19.091.618:** "PRIMERO: La situación de hecho a que se refieren estos autos, sucintamente expuesta, consiste en que el SERNAC requirió del Banco SCOTIABANK CHILE entre otros antecedentes, la remisión de "copia del mandato de pago automático de tarjeta (PAT), con el fin de revisar si el consumidor dio su consentimiento para que fuera abonado mensualmente sólo con el pago mínimo de la deuda". Ante ese requerimiento el banco aludido expresó que dicho mandato "no ha sido habido" (documentos de fojas 10 y 11); **SEGUNDO:** En ese contexto, el SERNAC consideró que la denunciada incurrió en infracción al deber de información que le impone el artículo 58 de la Ley 19.496. Frente a ello, el banco aludido planteó que no existía una negativa o demora injustificada, porque el mandato en cuestión no fue habido y porque, en todo caso, durante un lapso de 5 años se estuvieron haciendo cargos automáticos en la cuenta corriente del cliente, por el mínimo de la deuda, sin reclamos ni protestas de su parte. A su turno, en la sentencia apelada el juez discurre que ese mandato estaría comprendido en la restricción del artículo 2° letra o) de la Ley 19.628 Sobre Protección de Datos Personales, para cuyo efecto SERNAC requería de una autorización del titular, la que no consta en autos; **TERCERO:** Al margen de no formar parte del debate, se estima indispensable apuntar que en principio, el SERNAC puede ser destinatario de la información requerida, porque que así lo señala el artículo 58 de la Ley 19.496. Enseguida, resulta necesario precisar también que un antecedente como el mencionado ("copia del mandato de pago automático de tarjeta (PAT)"), debe entenderse comprendido en la noción de "información básica comercial"no tanto por la definición que establece el artículo 1° n° 3 de dicha ley, sino por la regla de orden general que prescribe el inciso quinto de esa ley especial, en cuanto se indica allí que el deber de información abarca "toda otra documentación que se les solicite por escrito y que sea estrictamente indispensable para ejercer las atribuciones que le corresponden al referido Servicio"; **CUARTO:** Ahora bien, respecto de la exculpación que aduce el banco denunciado, parece evidente que una información de esa índole nada menos que el mandato conferido por el titular de la cuenta corriente, debe mantenerse en su poder, precisamente por su carácter básico y elemental para la operatoria y manejo de fondos que le han sido confiados. Así, no resulta aceptable que aduzca como exculpación que "no ha sido habido", pese a las búsquedas. Lejos de una justificación, esa es una razón injustificada, que no puede estimarse como atendible; **QUINTO:** De otro lado, en cuanto al carácter "sensible" de la información comprometida, cabe enfatizar que la intervención del SERNAC se generó a partir de un reclamo planteado por el consumidor (fojas 6), donde éste planteó que "además, aparece un pago mínimo cero en diversos meses aun existiendo deuda, el cual tampoco he autorizado y sigue generando intereses; como también yo jamás he autorizado que se realice el descuento en mi cuenta por el pago mínimo, todo lo anterior no procede", precisando que solicita "que se me haga entrega de los documentos necesarios para clarificar la situación". Es efectivo que en el rubro relativo a la autorización para el tratamiento de datos personales el reclamante marcó la opción "No"; sin embargo, dicha restricción debe entenderse efectuada para los fines que prevé la Ley 19.628, esto es, para los efectos de su sistematización o procesamiento, pero no para el objeto preciso con que el propio titular la está requiriendo: "para clarificar la situación"; **SEXTO:** En esa virtud, ha de concluirse que el denunciado Banco SCOTIABANK CHILE, incurrió en una "negativa o demora injustificada en la remisión de los antecedentes requeridos", de la manera que establece el penúltimo inciso del citado artículo 58 de la Ley 19.496. El tramo legal de la multa llega "hasta las 400 unidades tributarias mensuales"; luego, considerando que de los parámetros de regulación previstos en la ley concurre únicamente el relativo a la entidad de la falta, toda vez que se trata de **"información básica comercial"**, vale decir, de aquella indispensable para la transparencia de sus operaciones y que, de modo razonable, debe estar necesariamente en su poder; se estima adecuado fijar la sanción en 50 unidades tributarias mensuales".

.

ARTÍCULO 1 nº 4

PUBLICIDAD

La comunicación que el proveedor dirige al público por cualquier medio idóneo al efecto, para informarlo y motivarlo a adquirir o contratar un bien o servicio, entendiéndose incorporadas el contrato a las condiciones objetivas contenidas en la publicidad hasta el momento de celebrar el contrato. Son condiciones objetivas aquellos señalados en el artículo 28.

DOCTRINA SOBRE ARTÍCULO 1 nº 4

- **Isler, Erika (2020):** *Jurisprudencia de Derecho de Consumo Comentada.* **Santiago: Rubicón Editores, p. 179:** "Efectos de las obligaciones: (…) Se debe agregar, además, que conforme al Art. 1 nº 4 LPDC, las condiciones objetivas contenidas en la publicidad hasta el momento de la celebración del contrato de consumo, se entienden pertenecer a este. De esta manera, sería posible que un consumidor demande a la empresa proveedora por incumplimiento contractual (Art. 12 LPDC) si, habiendo utilizado el producto, no se produjeren los beneficios prometidos".

- **De La Maza, Iñigo (2013): "Artículo 1 nº 4", en Iñigo De La Maza; Carlos Pizarro (Dirs.) y Francisca Barrientos (coord.)** *La protección de los Derechos de los consumidores. Comentarios a la ley de protección a los derechos de los consumidores.* **Santiago: Editorial Thomson Reuters, pp. 32-48.** Sobre el alcance del precepto: "En el texto original de la ley nº 19.496 el alcance del precepto se limitaba a definir la publicidad, lo que resultaba coherente con el título bajo el cual se encuentra "Ámbito de aplicación y definiciones básicas". Sin embargo, con la modificación introducida por la ley nº 19.955 se pierde esa coherencia. La razón es que lo que introduce el artículo 1 d) de dicha ley es lo que puede denominarse "integración" de la publicidad al contrato. Es decir —en conjunto con el artículo 28— indica que ciertos contenidos del mensaje publicitario deben entenderse incorporados al contrato". **Definición de publicidad:** "En términos muy generales, la regulación de la publicidad en la ley nº 19.496 aspira a disciplinar el suministro de información que realizan los proveedores (u otros, generalmente, a instancias de estos) hacia los consumidores o potenciales demandantes de sus bienes y servicios. Sin embargo, la publicidad no es la única forma de suministro de información que disciplina la ley, existen otras que pueden ser deslindadas de esta cuando se comprende correctamente la finalidad de la publicidad.

  En primer lugar se encuentran los deberes precontractuales de información, como aquellos que, en general, están regulados en el artículo 3 b) de la ley y que se manifiestan específicamente, por ejemplo, en los artículos 14 y 37 de la ley nº 19.496. Como advierte Ortíz Vallejo, es posible diferenciar este tipo de deberes de la publicidad, acudiendo, entre otros criterios, a la finalidad de unos y otra. La finalidad de los deberes de información consiste en suministrar al consumidor el conocimiento necesario para realizar una elección libre y reflexiva, de allí entonces, que se le exijan ciertos requisitos como oportunidad, veracidad o claridad. En cambio, tratándose de la publicidad, lo que se procura es estimular al consumidor a celebrar el acto de consumo.

La finalidad de la publicidad, entonces, es predominantemente persuasiva. Sin embargo, aquí es necesario avanzar con cautela. Del hecho de que se reconozca a la publicidad una finalidad persuasiva, no se sigue —no necesariamente, al menos— que en ella no puedan existir contenidos informativos de carácter concreto y susceptibles de comprobación. Como ha sugerido Momberg Uribe en un mensaje publicitario es posible distinguir dos elementos, uno de carácter objetivo y otro de carácter subjetivo. El primero de ellos "contiene las características del bien o servicio que se promueve y (...) debe ser veraz" ... [el segundo] contiene la faz persuasiva de la comunicación mediante la cual se pretende incitar o convencer al destinatario para la adquisición del producto ofrecido.

SENTENCIAS SOBRE ARTÍCULO 1 n° 4

- **Servicio Nacional del Consumidor con Supermercados Santa Isabel S.A. (2009): Corte de Apelaciones de Concepción, 23 de julio de 2009, Recurso de Apelación, Rol n° 457-2008, LTM19.091.639: "OCTAVO:** Que la misma ley en su artículo 1° n° 4 define la publicidad como la comunicación que el proveedor dirige al público por cualquier medio idóneo al efecto, para informarlo y motivarlo a adquirir o contratar un bien o servicio. El concepto anterior precisa que la comunicación debe ser un medio idóneo, es decir, adecuado, apropiado a las condiciones de la publicidad, y además, se agrega para informarlo, lo que denota que el comprador quede lo suficientemente instruido en la publicidad que se ofrece".

ARTÍCULO 1 n° 5

ANUNCIANTE

El proveedor de bienes, prestador de srvicios o entidad que, por medio de la publicidad, propone ilustrar al público acerca de la naturaleza, cacraterísticas, propiedades o atributos de los bienes o servicios cuya producción, intermediación o prestación constituye el objeto de su actividad.

DOCTRINA SOBRE ARTÍCULO 1 n° 5

- **De La Maza, Iñigo (2013): "Artículo 1 n° 5", en Iñigo De La Maza; Carlos Pizarro (Dirs.) y Francisca Barrientos (coord.)** La protección de los Derechos de los consumidores. *Comentarios a la ley de protección a los derechos de los consumidores.* **Santiago: Editorial Thomson Reuters, pp. 49-51:** "Es anunciante el proveedor (en el sentido que da a esta expresión el artículo 1° n° 2 o la 'entidad' que, por medio de la publicidad informa sobre el bien o servicio o motiva a su adquisición. En realidad, no se trata de una definición particularmente elegante. Su mención al proveedor es innecesariamente farragosa y la utilización de la expresión 'entidad' innecesariamente abstracta. Por otra parte, si se presta atención al artículo 33 de la ley se utilizan tres expresiones diversas 'anunciante', 'agencia de publicidad' y 'responsable de la emisión publicitaria'. Respecto de las dos últimas ¿se trata de 'entidades'? La respuesta, desde luego, debe ser que no. Lo que parece indicar el artículo es que debe considerarse como anunciante a aquel proveedor o 'entidad' que se propone informar o persuadir a través de la publicidad. Esto, como resulta evidente, no sucede tratándose de la agencia publicitaria o de los responsables de la emisión. La definición de anunciante satisface correctamente la cuestión anterior. Sin embargo, en mi opinión resulta menos satisfactoria respecto de otra, a saber aquella que tiene lugar cuando no es el proveedor quien realiza la publicidad o, para decirlo de otra manera no es el proveedor quien se propone informar o persuadir a través de la publicidad".

- **Sandoval, Ricardo (2016): Derecho Comercial. Tomo V.** *Derecho del Consumidor. Protección del consumidor en el Derecho nacional y en la legislación comparada.* **Santiago: Editorial Jurídica de Chile, p. 61:** "La publicidad, aparte de las empresas publicitarias o agencias de publicidad, de los destinatarios, y de los difusores publicitarios, tiene asimismo como sujeto activo, al anunciante, (…). El anunciante como sujeto activo de la publicidad debe realizarla de acuerdo al orden jurídico en vigencia, de manera que si este es conculcado, deberá asumir las consecuencias que ello comporta en el plano civil, penal y administrativo. Ahora bien, el proveedor de bienes o prestador de servicios en el hecho es el que actúa como anunciante, pudiendo revestir la condición de persona física o jurídica y es a esta última a la que alude la definición transcrita, bajo la expresión 'entidad".

SENTENCIAS SOBRE ARTÍCULO 1 nº 5

- **Servicio Nacional del Consumidor con Pullman Bus Costa Central S.A. (2016): Corte de Apelaciones de Santiago, 02 de junio de 2016, Recurso de Apelación, Rol nº 417-2016, LTM19.091.637:** "CUARTO: Que la empresa Pullman Bus Costa Central es una filial de Pullman Bus S.A. y ofrece a sus clientes servicios de Transporte a la Quinta Región, teniendo en consecuencia la calidad de '**anunciante**' en los términos del artículo 1º nº 5 de la Ley sobre Derechos del Consumidor, es decir, empresa que por medio de publicidad ilustra al público acerca de las características, propiedades o atributos de los servicios que presta".

- **Servicio Nacional del Consumidor con Supermercado Santa Isabel S.A. (2009): Corte de Apelaciones de Concepción, 23 de julio de 2009, Recurso de Apelación, Rol nº 457-2008, LTM19.091.639:** "CUARTO: Que es un hecho establecido que el cliente, basado en esta publicidad compró la bicicleta en promoción y la adquirió dando una suma de $10.000 en efectivo y el saldo en 3 cuotas cancelado con tarjeta Johnsons, y que posteriormente las cuotas incluyeron intereses (documento de fojas 4) (…). } **SEXTO:** Que resulta evidente que la publicidad que el proveedor dirigió a los potenciales compradores, en las condiciones consignadas fue inductivo a error, porque para una persona normal frente a esta oferta, puede optar a dar una cantidad de dinero en efectivo en la compra del bien y parcializar en tres cuotas el resto sin intereses. El comprador no puede prever que el sistema computacional esté programado de una manera que con esa modalidad de pago, a las cuotas restantes se le aplique intereses, es precisamente en este punto donde la publicidad debió haber comunicado claramente las condiciones en que debía operar, pues un cliente o consumidor medio, entiende que la forma de acceder a este beneficio lo es comprando con tarjeta de crédito en cuotas sin que por ello se cobre interés alguno. El denunciado debió, a vía de ejemplo, indicar por lo menos únicamente 3 cuotas iguales sin intereses, como una forma de que el mensaje publicitario fuera captado claramente por el comprador. **SÉPTIMO:** Que la simple lógica indica que el computador es programado por personas, donde se puede incluir muchas variables, y si no incluía la modalidad de pago que ofrecía el comprador, no era suficiente que se programara el computador registrando el pago de intereses, sino que se debió instruir a la persona que recibe el dinero (cajero) en el momento de la compra por el cliente, le informara que con esa modalidad de pago no podía acceder a cancelar con tres cuotas sin intereses, sin que quedara de esta manera al arbitrio del proveedor. **OCTAVO:** Que la misma ley en su artículo 1° n° 4 define la publicidad como la comunicación que el proveedor dirige al público por cualquier medio idóneo al efecto, para informarlo y motivarlo a adquirir o contratar un bien o servicio. El concepto anterior precisa que la comunicación debe ser un medio idóneo, es decir, adecuado, apropiado a las condiciones de la publicidad, y además, se agrega para informarlo, lo que denota que el comprador quede lo suficientemente instruido en la publicidad que se ofrece. **NOVENO:** Que a esta misma conclusión se arriba de acuerdo al artículo 1° n° 5, de la ley, al entender como **Anunciante** el proveedor de bienes, prestador de servicios o entidad que, por medio de la publicidad, se propone a ilustrar al público. **DÉCIMO:** Que al no comunicar el proveedor al público por cualquier medio idóneo al efecto, para informar adecuadamente, y no instruir a su personal de la información que se le debe dar al comprador sobre la publicidad, importa una conducta infraccional al artículo 28 de la Ley del Consumidor en su letra d), porque el denunciado a sabiendas o debiendo saberlo y a través de un mensaje publicitario, indujo a error en el precio del bien, su forma de pago y el costo del crédito".

ARTÍCULO 1 nº 6

CONTRATO DE ADHESIÓN

Aquel cuyas cláusulas han sido propuestas unilateralmente por el proveedor sin que el consumidor, para celebrarlo, pueda alterar su contenido.

DOCTRINA SOBRE ARTÍCULO 1 nº 6

- **Barrientos, Francisca (2019):** *Lecciones de derecho del consumidor.* **Santiago: Thomson Reuters, pp. 90-94:** "Lo que significa que es un contrato predispuesto por el proveedor; lo que a su vez supone ausencia de negociación entre las partes. Es decir, se reúnen los requisitos de oferta e imposición, junto con ello sería posible agregar la permanencia y minuciosidad. En estos casos, el proveedor redacta con anticipación las condiciones generales, y el consumidor simplemente adhiere manifestando su consentimiento" (...) "De la lectura de esta disposición parece que **la definición del legislador se centra en la ausencia de negociación.** Pero en realidad, en esta categoría contractual pueden existir espacios de negociación. Por eso, en esta parte, se critica la definición legal" (…) "Dicho eso, ahora corresponde hacer un par de precisiones. Primero hay que tener presente que **en materia de consumo rige la autonomía de la voluntad.** En efecto, en sede de consumo hay espacio para la aplicación del artículo 1545 Código Civil, pero tomando en consideración que las cláusulas no negociadas podrán ser objeto de revisión judicial a posteriori. Esto quiere decir, de alguna forma, que rige la fuerza obligatoria del contrato, pero sujeta a revisiones judiciales ulteriores. En segundo lugar, se pueden aplicar las reglas de interpretación contractual del CC, siempre y cuando sean compatibles con una interpretación pro consumidor. Por eso, **uno de los métodos más empleados será el** *contra proferentem* (artículo 1566 CC) […] Tercero. **El sistema de interpretación contractual de los contratos por adhesión celebrados con consumidores debe medirse conforme al estándar del 'consumidor promedio'.** En palabras simples, el intérprete debe examinar el contrato como si fuera un consumidor medio, no un experto o profesional".

- **Morales, María Elisa (2018):** *Control preventivo de cláusulas abusivas.* **Santiago: Der Ediciones, pp. 29-31:** "La expresión viene de la doctrina francesa de la primera parte del siglo XX. La idea esencial presente en cualquier definición de contrato de adhesión es la adherencia o aceptación de una de las partes al contenido contractual establecido. Dicha idea se puede reconocer en la definición legal de contrato de adhesión contenida en el artículo 1° inciso 2° número 6 de la LPDC (…). Ahora bien, sabido es que la expresión contrato de adhesión ha sido criticada. Según Dereux, la designación hace referencia a un tipo de contrato —como contrato de compraventa, contrato de arrendamiento, contrato de seguro, etc.— donde, en realidad, estamos hablando de una forma de contratar, que se puede dar tanto en un contrato típico, así como en uno atípico, caracterizada por la imposición del contenido contractual por una de las partes a la otra, lo que queda mejor expresado bajo el enunciado contrato por adhesión. Sin embargo, dicha crítica parece tener una repercusión relativa, dado que importantes autores utilizan la expresión "contrato de adhesión", y no "contrato por adhesión", como se sugiere, sin que ello implique una dificultad para la correcta comprensión de sus planteamientos. Entonces, el uso de la expresión contrato de adhesión parece aceptarse, sin perjuicio de la precisión indicada en el párrafo anterior. Otra crítica a la expresión contrato de adhesión es que esta no incluye todo el fenómeno de la contratación masiva. La consecuencia más perversa de esto podría ser que esta designación no tendría la capacidad de contener todas las figuras donde es posible detectar cláusulas abusivas, siendo más idónea la expresión "condiciones generales". El asunto es que, conceptualmente, no es lo mismo hablar de contrato de adhesión que de cláusulas generales. (…). En otros términos, las condiciones generales, antes de la celebración del acto de adhesión, no tienen valor jurídico, y solo adquieren esa fuerza al ser aceptadas como parte del contenido de un contrato".

- **Pizarro, Carlos y Pérez, Ignacio** (2013): "Artículo 1 nº 6", en Iñigo De La Maza; Carlos Pizarro (Dirs.) y Francisca Barrientos (coord.) *La protección de los Derechos de los consumidores. Comentarios a la ley de protección a los derechos de los consumidores.* Santiago: Editorial Thomson Reuters, pp. 52-58: "Una primera constatación relevante refiere a que el legislador circunscribió la protección en caso de cláusulas abusivas a los contratos por adhesión. Merece dilucidarse si ésta era la técnica más adecuada, o en cambio, debió utilizarse aquella de condiciones generales del contrato o de la contratación. O si debiera en una reforma recurrirse a esta última expresión en vez de la primera. En doctrina ha existido una cierta reticencia al uso de la expresión contrato de adhesión, al considerarse que no es comprensiva de todo el fenómeno de contratación masiva que podría involucrar abusos respecto al consumidor. El contrato "de" adhesión, que debiera ser "por" adhesión, pues como se ha dicho no constituye un tipo de contrato sino una técnica o forma de contratar, se caracteriza en su esencia por la imposición de un contratante a otro del contenido contractual. El contrato por adhesión alude a una forma especial y característica de contratar en que las partes carecen de la posibilidad de discutir el contenido contractual, que a su vez puede o no tener como base las condiciones generales, ya que puede tratarse de un contrato específico acordado por adhesión y no estar destinado a una pluralidad de actos jurídicos. Esta técnica de contratar no englobaría todas las figuras en que se pueden encontrar cláusulas abusivas, siendo más apropiada aquella de condiciones generales del contrato que refiere al clausulado. Las cláusulas abusivas pueden encontrarse en diversos continentes de condiciones generales, como pueden ser los contratos por adhesión, condiciones generales, contratos tipos, formularios, contratos forzosos, etc.; las primeras aluden al contenido predispuesto de un contrato que puede o no tener su fuente en un acto por adhesión, ya que nada impide que las condiciones generales tengan su origen en el acuerdo bilateral entre partes con intereses antagónicos para objeto de regular los contratos que celebrarán posteriormente. Hoy, sin embargo, esta crítica parece más teórica que práctica".

SENTENCIAS SOBRE ARTÍCULO 1 nº 6

- **Servicio Nacional del Consumidor con Ticket Fácil** (2015): 30º Juzgado Civil de Santiago, 14 de septiembre de 2015, Rol nº C-35419-2011, LTM3.376.440, LTM10.172.500: "DÉCIMOCUARTO: Que es un hecho de público conocimiento que los contratos de venta de tickets para espectáculos masivos, como los celebrados por la demandada con los consumidores, se enmarcan precisamente dentro de este transcrito concepto legal, por lo que se está ante un contrato de adhesión, lo que queda corroborado en la especie por las características de las cláusulas en análisis (pre-redactadas por la demandada, pre-impresas, de aceptación en bloque por los clientes, etc.), todo lo que conduce a autorizar la revisión de la convención sublite".

ARTÍCULO 1 nº 7

<table>
<tr>
<td>

PROMOCIONES

</td>
<td>

Las prácticas comerciales, cualquiera sea la forma que se utilice en su difusión, consistentes en el ofrecimiento al público en general de bienes y servicios en condiciones más favorables que las habituales, con excepción de aquellas que consistan en una simple rebaja del precio

</td>
</tr>
</table>

DOCTRINA SOBRE ARTÍCULO 1 nº 7

- **Lagos, Osvaldo (2013): "Artículo 1 nº 7", en Iñigo De La Maza; Carlos Pizarro (Dirs.) y Francisca Barrientos (coord.) La protección de los Derechos de los consumidores.** *Comentarios a la ley de protección a los derechos de los consumidores.* **Santiago: Editorial Thomson Reuters, pp. 59-62:** "Como puede apreciarse, el alcance de la expresión 'promoción' o 'promocionar' es más amplio que el definido en LPDC. El texto literal restringe la expresión 'promoción', a la oferta en general al público de bienes y servicios en condiciones más favorables, es decir, limita la actividad promocional a la venta con promoción. Lo anterior significaría que ciertas actividades promocionales estarían fuera de la regulación legal de LPDC. Por ejemplo, los regalos promocionales no vinculados a una compra o a la contratación de un servicio, o bien, los concursos realizados a través de mensajes de telefonía celular. No obstante, la jurisprudencia de protección al consumidor no ha dudado en declararse competente para conocer estos casos, sin que se haya discutido sobre el alcance de la expresión promociones, para declarar competente al tribunal a propósito de problemas relativos a concursos televisivos realizados a través de mensajería de texto celular".

- Sandoval, Ricardo (2016): *Derecho Comercial. Tomo V. Derecho del Consumidor. Protección del consumidor en el Derecho nacional y en la legislación comparada*. Santiago: Editorial Jurídica de Chile, p. 63: "Cuando una promoción consiste en regalos que se hacen a los consumidores, podría pensarse que siendo un acto gratuito, no quedaría comprendido en el ámbito de aplicación de la LPC, según el artículo 2º de la misma, pero no es así, porque los actos gratuitos que acceden, auxilian, complementan o facilitan un acto o contrato principal oneroso, se convierten en actos onerosos por aplicación del principio de lo accesorio, que en este sentido extiende la naturaleza mercantil de los actos y los contratos. El acto gratuito accesorio en que consiste la promoción, tiene por objeto promover o incetivar a la celebración del contrato principal oneroso de venta de bienes o de prestación de servicios, de suerte que adhiere a la naturaleza jurídica de este último".

SENTENCIAS SOBRE ARTÍCULO 1 nº 7

- **Felipe Guzmán Méndez con Despegar. Com. Chile SpA y otro (2019): Corte de Apelaciones de Santiago, 10 de diciembre de 2019, Recurso de Apelación, Rol nº 2766-2018, LTM17.625.765: "QUINTO:** Que, lo que se le imputa a la querellada y demandada civil United Airlines Agencia en Chile, es el incumplimiento de los términos y condiciones bajo los cuales transmitió online y el actor compró dos pasajes de ida y vuelta a Sidney, Australia, por un valor de $235.000 faltando a su deber de una información veraz y oportuna. Sostiene esta apelante, que no es posible atribuirle las consecuencias lesivas que pretende el actor pues para ello debió haberse comprobado la infracción al artículo 23 de la Ley nº 19.496, esto es, el incumplimiento doloso en la prestación del servicio, lo que no ocurrió ya que tan pronto se efectuó la transferencia correspondiente al valor de los boletos fue advertido por el proveedor que había incurrido en un evidente error y que, en razón de ello, de inmediato procedió a restituirle lo que había pagado. **SEXTO:** Que en toda relación contractual debe prevalecer entre las partes el principio de la buena fe y en el presente caso, es dable dar por establecido que transcurridas pocas horas desde que el actor efectuara la compra de los pasajes, la línea aérea reconociendo el error en la información sobre el valor de los mismos, restituyó al actor lo pagado quien estuvo en condiciones de reparar, al efectuar la operación de compra, que estaba en presencia de un valor irrisorio para dos boletos aéreos de ida y vuelta para viajar fuera del continente, de forma tal que desconocer esta circunstancia importa beneficiarse con un enriquecimiento injusto sin que se hayan acreditado perjuicios por tratarse de tickets que se harían efectivo con mucha posterioridad. En efecto, las disposiciones de la Ley 19.496 han sido concebidas para reparar deficiencias en la compra de bienes y prestación de servicios en una relación transparente y en el caso sublite, la falencia en que se funda la acción del querellante y demandante contra la línea aérea, no responde a ese principio y por el contrario, conforme a los antecedentes allegados al proceso y a la sana critica, es dable concluir que lo acontecido no ha constituido una infracción a la normativa de la Ley 19.496 debiendo estarse a lo que igualmente se expresará en lo conclusivo. **SÉPTIMO:** Que sin perjuicio de lo señalado precedentemente, conviene señalar que precio justo en una relación comercial como la analizada, es el proporcional al valor de la cosa equiparado al valor de mercado, aun cuando se trate de una promoción u oferta y se está en presencia de un precio irrisorio, cuando existe total desproporción entre aquel y el valor ofertado, que a simple vista, el precio aparece ridículo como se observa en este caso. "Está claro que las normas de la Ley 19.496 de 1997 tienen por objetivo proteger los derechos e intereses de los consumidores ante el desequilibrio de poderes y de información que se produce entre ellos y los proveedores. Pero la protección, sólo se justifica cuando la parte débil de la relación es el consumidor frente a posibles abusos de los proveedores. No puede sostenerse que ante cualquier conflicto, siempre y en todo evento, debe darse prioridad al interés del consumidor sobre el proveedor. Si es el consumidor quien procede de mala fe y se aprovecha de una debilidad contingente que afecta al proveedor, el Derecho del Consumo, no puede ya tutelarlo y cobrará vigencia el principio general de Derecho de que nadie puede aprovecharse de su propio dolo" (Bloc Profesor Hernán Corral). En el caso en análisis, existió un error en la declaración del proveedor que recayó sobre un elemento esencial de la compraventa de los pasajes: el precio y este error debe considerarse excusable por cuanto no ha podido generar una razonable confianza en la contraparte de estar celebrando válidamente el contrato en atención a la absurda reducción detectada en la operación en línea. Sobre lo anterior, esta Corte ha señalado: "Que, sin embargo, en concepto de estos sentenciadores, no es el espíritu de la Ley 19.496 que un consumidor como es la situación del denunciante de autos, pretenda beneficiarse de un yerro manifiesto como es el ocurrido en el caso en estudio y pretenda obligar al proveedor a dar cumplimiento a una oferta errónea en evidente abuso del derecho, lo que en este caso, no es posible amparar". (Sentencia de 25/11/2013 C. Apelaciones de Santiago Rol 1483 2013). Y visto, además, lo dispuesto en los artículos 1º , 3º y 12 de la Ley nº 19.496 SE REVOCA la sentencia apelada de fecha cinco de octubre de dos mil dieciocho, disponiendo que se rechaza la querella infraccional y demanda civil interpuesta por don Felipe Guzmán Méndez en contra de Despegar.Com Chile SpA y United Airlines Agencia en Chile debiendo asumir cada parte sus costas".

- **Servicio Nacional del Consumidor con Chilectra S.A. (2017): Corte de Apelaciones de Santiago, 17 de enero de 2017, Recurso de Apelación, Rol nº 1486-2016, LTM17.398.652: "SEGUNDO:** Que la publicación objeto de análisis contiene un aviso publicitario que se corresponde con los conceptos que la propia normativa especial señala sobre promociones y ofertas, definiendo a la primera como "las prácticas comerciales, cualquiera sea la forma que se utilicen su difusión, consistentes en el ofrecimiento al público en general de bienes y servicios en condiciones más favorables que las habituales, con excepción de aquellas que consisten en una simple rebaja de precio y a la segunda, como 'la práctica comercial consistente en el ofrecimiento al público de bienes o servicios a precios rebajados en forma transitoria, en relación con los habituales del respectivo establecimiento'" (artículo 1º nº 7 y nº 8 de la Ley nº 19.496). **DÉCIMO:** Que para una acertada inteligencia de las observaciones que efectúa el Servicio Nacional del Consumidor en el informe citado, cabe señalar que la expresión "y jamás asociado a la frase hasta agotar stock u otra similar" debe ser tenida como un reproche, tanto en cuanto no se relacione con un período determinado de vigencia de la respectiva oferta o promoción. De lo contrario, se llegaría la paradoja que, para este servicio, sería suficiente indicar, por ejemplo, que la oferta es válida entre el 1 de abril y el 31 de agosto del año en curso y que existen 100 unidades del producto, sin advertir que dicho stock se puede agotar con antelación a la expiración del plazo prefijado. Si tal fuera el sentido de la propuesta del informe, resultaría que los consumidores contarían con información menos precisa y clara, sobre la oferta o promoción, porque de antemano no estarían advertidos de dicha posibilidad, a diferencia de lo que ocurre si, al plazo y las unidades, se acompaña la leyenda o hasta agotar stock, comprendiendo que el sentido de la misma es poner en conocimiento a los futuros consumidores que en tal lapso cuentan con la oferta o promoción, a menos que debido a la limitación de las cantidades ofrecidas, el plazo de vigencia se extinga anticipadamente.

En consecuencia, a juicio de estos sentenciadores, **de una lectura consistente con el espíritu de la ley especial, lo que sería reprochable es la inclusión en una oferta o promoción, de una cláusula de reserva del estilo hasta agotar stock sin más, lo que ciertamente debe ser ponderado en cada caso.** UNDÉCIMO: Que en razón de lo concluido en los motivos que anteceden, esta Corte comparte el parecer del Tribunal a quo, en cuanto a que no se configura alguna contravención a la Ley n° 19.496 sobre Protección de los Derechos de los Consumidores, por lo que debe mantenerse la decisión de rechazar la denuncia en todas sus partes".

ARTÍCULO 1 nº 8

OFERTA	Práctica comercial consistente en el ofrecimiento al público de bienes o servicios a precios rebajados en forma transitoria, en relación con los habituales del respectivo establecimiento

DOCTRINA SOBRE ARTÍCULO 1 nº 8

- Lagos, Osvaldo (2013): "Artículo 1 nº 8", en Iñigo De La Maza; Carlos Pizarro (Dirs.) y Francisca Barrientos (coord.) **La protección de los Derechos de los consumidores. Comentarios a la ley de protección a los derechos de los consumidores. Santiago: Editorial Thomson Reuters, pp. 63-65:** "Para el derecho privado, la expresión 'oferta' tiene un significado preciso, y consiste en la 'policitación o propuesta al acto jurídico unilateral por el cual una persona propone a otra celebrar una determinada convención'. En cambio, la definición de oferta de LPDC, se acerca más al significado de la expresión oferta en el lenguaje común: puesta a la venta de un producto rebajado de precio La definición de oferta contenida en el numeral comentado tiene un significado preciso que es sólo aplicable a lo establecido en el artículo 35 LPDC: la oferta es una especie de promoción, que consiste simplemente en la rebaja del precio. Esto es lo que se desprende de la interpretación armónica de los numerales 7 y 8 del artículo 1".

ARTÍCULO 2

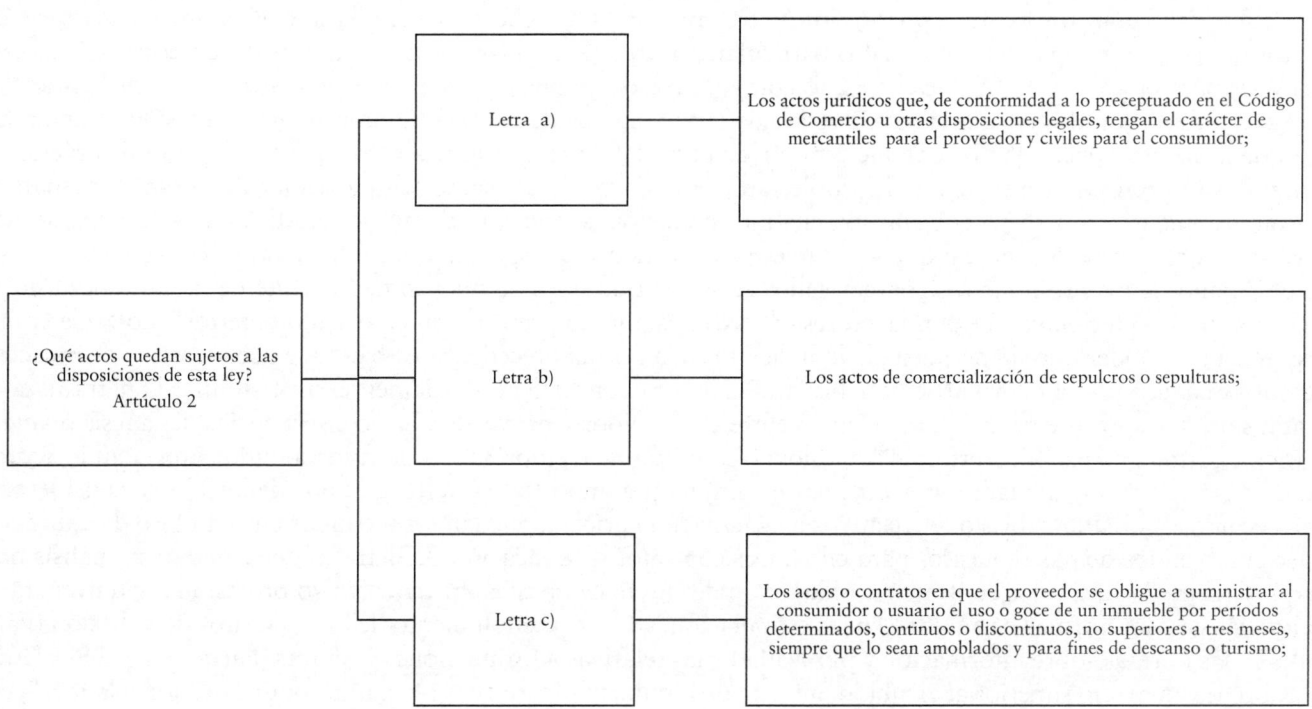

¿Qué actos quedan sujetos a las disposiciones de esta ley?
Artúculo 2

Letra a)

Los actos jurídicos que, de conformidad a lo preceptuado en el Código de Comercio u otras disposiciones legales, tengan el carácter de mercantiles para el proveedor y civiles para el consumidor;

Letra b)

Los actos de comercialización de sepulcros o sepulturas;

Letra c)

Los actos o contratos en que el proveedor se obligue a suministrar al consumidor o usuario el uso o goce de un inmueble por períodos determinados, continuos o discontinuos, no superiores a tres meses, siempre que lo sean amoblados y para fines de descanso o turismo;

DOCTRINA SOBRE ARTÍCULO 2

- Momberg, Rodrigo (2013): "Artículo 2º ", en Iñigo De La Maza; Carlos Pizarro (Dirs.) y Francisca Barrientos (coord.) *La protección de los Derechos de los consumidores. Comentarios a la ley de protección a los derechos de los consumidores.* Santiago: Editorial Thomson Reuters, pp. 66-76: Actos Mixtos: "Tal como se señaló, la norma enumera una serie de actos o contratos de naturaleza o carácter especial o particular, por lo que también los actos mixtos deben considerarse especiales o particulares para efectos de la LPC. Del análisis comparativo de ambos textos, puede deducirse que la circunstancia que el acto objeto de la relación de consumo tenga carácter de mixto, ha dejado de ser un requisito general y sólo es uno más de los casos en que la Ley se aplica, de manera que ésta puede perfectamente aplicarse a actos que no tengan tal carácter según la ley mercantil.5 El hecho que el requisito del doble carácter del acto de consumo sea particular de nuestro ordenamiento, es también un argumento para sostener al menos una interpretación restrictiva del mismo. Reafirma la interpretación anterior la norma de contra excepción general que se establece en el artículo 2 bis, el cual hace que la LPC sea aplicable siempre que se trate de alguno de los presupuestos contemplados en la referida norma, independientemente de la naturaleza jurídica del acto o contrato. Lo anterior, ya que con la expresión "No obstante lo prescrito en el artículo anterior", con que comienza el precepto, se da a entender que sin perjuicio de lo indicado en la norma precedente, esto es, que deba tratarse de un acto mixto, en los casos señalados por el nuevo artículo 2 bis la LPC deberá aplicarse necesariamente, sin examinar la naturaleza del acto o contrato, sino tan sólo si se trata de una relación entre consumidor y proveedor. Las consecuencias de la tesis planteada son significativas: permite no excluir a priori al profesional, comerciante o empresario como consumidor, aun cuando actúe dentro del giro de su negocio o actividad; y por otra parte, admite que importantes actos que por definición se consideran civiles, como los recaídos sobre inmuebles o los relativos a la actividad agrícola, puedan ser incluidos en el ámbito de aplicación de la LPC, si se cumplen los demás requisitos para ello". **Los contratos de educación:** La letra d) del artículo en análisis hace aplicable expresamente la LPC a los contratos de educación de enseñanza básica, media, técnico profesional y universitaria, pero sólo en lo relativo a las normas de equidad en las estipulaciones y en el cumplimiento de los contratos de adhesión (Párrafo IV del Título 2); las normas sobre información y publicidad y las relativas a promociones y ofertas (Párrafos 1 y 2 del Título 3); el art. 18 (cobro de un precio superior al exhibido, informado o publicitado); el art. 24 (multas por infracción a la LPC); el art. 26 (prescripción); el art. 27 (reajustabilidad); el art. 39 C (métodos de cobranza extrajudicial). Por ello, la interpretación correcta debe ser que en caso de alteración sustancial y arbitraria de los contratos educacionales, o de incumplimiento de las condiciones ofrecidas o convenidas con el estudiante, éste podrá recurrir a la normativa de la LPC para perseguir la responsabilidad infraccional y civil del proveedor. ¿Pueden, vía art. 2º bis, quedar sujetas al ámbito de aplicación de la LPC materias excluidas por el art. 2º ? Así por ejemplo, si bien la calidad de la educación ha sido excluida del ámbito de aplicación de la LPC (art. 2º), la redacción del art. 2º bis (No obstante lo prescrito en el artículo anterior, las normas de esta ley no serán aplicables... salvo:) podría interpretarse en el sentido que permite al consumidor a recurrir a las normas de la LPC, especialmente aquellas de tipo procesal, para hacer valer sus derechos. La determinación de esta cuestión es relevante, especialmente si se considera que la LPC es la única que contempla un procedimiento para la defensa de los intereses colectivos o difusos, y que aún en el caso de intereses individuales, la mayoría de las demás leyes no contemplan un procedimiento indemnizatorio especial que permita al consumidor demandar la reparación de toda clase de perjuicios. No obstante que admitir la aplicación al menos de las normas procesales de la LPC a todos los casos (incluyendo los excluidos por el art. 2º) sería sin duda la alternativa más favorable al consumidor; creemos que ante una exclusión expresa no puede reincorporarse la materia específica excluida a través de otras normas generales de la misma ley, ya sea de carácter sustantivo o procesal. La última parte del inciso primero de la letra d) del artículo 2 en análisis reafirma lo señalado, ya que hace aplicable los procedimientos establecidos en la LPC para los contratos de educación, pero sólo para hacer efectivos los derechos establecidos en los Párrafos y artículos mencionados en primera parte de la misma norma. ¿Qué sucede si alguna de las materias específicas expresamente incluidas en el ámbito de aplicación de la LPC por el art. 2º es también regulada en una ley especial? Nuevamente hay dos alternativas: la regulación especial deberá prevalecer sobre la LPC, según lo previsto en el art. 2º bis; o bien, la LPC mantiene su aplicabilidad en virtud de la norma expresa (art. 2º) que así lo establece. Para esta situación, creemos que debe preferirse la segunda alternativa, manteniéndose la aplicación de la LPC si así lo prefiere el consumidor. La lógica es la misma que para el caso anterior: si existe una norma expresa que señala una materia particular a ser regida por la LPC, debe prevalecer por aquella que establece la regla general, en este caso, el art. 2º bis".

- **Jara, Rony (2006): "Ámbito de aplicación de la ley chilena de protección al consumidor: aplicación de la ley 19.496 y las modificaciones de la ley 19.955".** *Cuadernos de extensión jurídica,* **12, pp. 21-57 pp. 32-36:** "Como el carácter de acto mixto de los actos de consumo se establece en solo una de las letras del artículo 2º , ¿podría discutirse o directamente negarse su aplicación general como exigencia básica de un acto de consumo para caer dentro del ámbito de aplicación de la LPC? (...En primer lugar, el propio texto de la LPC, pues si se analiza el artículo 2° no puede caber duda que la enumeración de actos es taxativa, solo están sujetos a la aplicación de la LPC aquellos descritos en las seis letras de su texto, sin perjuicio de la enorme amplitud que algunos de sus conceptos abarcan (...). En este sentido, la Ley 19.955 tampoco innovó materialmente respecto de lo que ya establecía el inciso tercero del artículo 2° de la Ley n° 19.496, pues se continúa con el carácter supletorio de la LPC frente a la legislación especial. En consecuencia, por regla general rige la ley especial lo relativo a relaciones de consumo entre los proveedores y consumidores regidos por dicha ley, salvo que la materia respectiva —siempre una regulada por la LPC— no se encuentre, a su vez, prevista en la ley especial. Solo en tal caso, en que habiendo una materia prevista por la LPC, no lo esté, asimismo, en la ley especial, regirá la LPC las relaciones entre proveedores y consumidores de la respectiva actividad económica regulada por la ley especial".

SENTENCIAS SOBRE ARTÍCULO 2

• **Servicio Nacional del Consumidor con Smartcom PCS (2005): Corte de Apelaciones de Santiago, 07 de junio de 2005, Recurso de Apelación, Rol n° 7351-2003, LTM19.090.419:** "TERCERO: Por su parte, el artículo 2° del mismo texto señala las materias que quedan sujetas a las disposiciones de dicha normativa, estableciendo en el inciso 1° la regla general, esto es, que se rigen por esta ley los actos jurídicos que, de conformidad a lo preceptuado en el Código de Comercio u otras disposiciones legales, tengan el carácter de mercantiles para el proveedor y civiles para el consumidor. Norma que es preciso entenderla en conexión con el artículo 1° que se refiere a la materia u objeto de la ley, esto es, normar las relaciones entre proveedores y consumidores, establecer las infracciones en perjuicio del consumidor y señalar el procedimiento aplicable en estas materias. Sin embargo, el referido artículo 2°, en su inciso final del texto vigente a la fecha de la sentencia, contempla una excepción a la competencia, al prescribir que Las normas de esta ley no serán aplicables a las actividades de producción, fabricación, importación, construcción, distribución y comercialización de bienes o de prestación de servicios regulados por leyes especiales. De manera que, existiendo un estatuto referido a la producción, distribución y comercialización de bienes o de prestación de servicios de una actividad específica, no se aplica el procedimiento y la competencia contemplados en la Ley 19.496. No obstante, el mismo inciso referido agrega una contra excepción, en cuanto señala salvo en las materias que estas últimas no prevean. De modo que no resulta bastante la existencia de una regulación legal específica que norme una actividad, sino que es preciso que dicho estatuto contemple normas legales sobre las materias precisas de la ley sobre protección del consumidor. Dicho en otros términos, si la actividad es regulada por un estatuto legal propio, debe además contemplar normas que se refieran a las relaciones entre proveedores y consumidores, establecer las infracciones en perjuicio del consumidor y señalar el procedimiento aplicable. En todo lo no previsto, dispuesto en el artículo 1º ya citado, resulta aplicable la Ley 19.496. CUARTO: Que el sentido de esta excepción y contra excepción es evitar un doble estatuto, pero no es el de excluir ciertas actividades de la protección legal de los derechos de los consumidores. De tal manera que es enteramente posible que subsistan dos normativas, por una parte, un estatuto específico regulador de una materia determinada; y, a la vez, la ley de protección al consumidor, en cuanto está destinado a proteger a los consumidores de la actividad regulada".

DOCTRINA SOBRE ARTÍCULO 2 letra a)

Artículo 2. "Quedan sujetos a las disposiciones de esta ley": a) "Los actos jurídicos que, de conformidad a lo preceptuado en el Código de Comercio u otras disposiciones legales, tengan el carácter de mercantiles para el proveedor y civiles para el consumidor".

- **Severin, Gonzalo (2019): "Las obligaciones específicas del prestador del servicio en los contratos", en María Elisa Morales (Dir.) Pamela Mendoza (Coord.),** *Derecho del Consumo: Ley, doctrina y jurisprudencia.* **Santiago: Der Ediciones, pp. 105-132, p. 114-115:** "En este sentido, es cierto que el artículo 2 de la LPDC sólo se refiere a ciertos contratos relativos a inmuebles [art. 2 letras b); c) y e)], y no considera especialmente aquellos contratos relativos a la reparación de inmuebles. Sin embargo, como el artículo 2 letra a) LPDC incluye 'los actos jurídicos que, de conformidad a lo preceptuado en el Código de Comercio u otras disposiciones legales, tengan el carácter de mercantiles para el proveedor y civiles para el consumidor', puede concluirse que los contratos de reparación de bienes inmuebles sí quedan comprendidos por la LPDC, en la medida que esas actividades quedan cubiertas por el artículo 3 número 20 del Código de Comercio".

- **Alvear, Julio (2016): "Consumidor y empresario: ¿relaciones jurídicas conflictivas hacia una concepción relacional del derecho del consumidor".** *Revista Chilena de Derecho*, **vol. 43 nº 3, pp. 813-848, p. 830:** "El artículo 2 letra a) dispone la aplicación de la ley del consumidor a los actos mercantiles de los proveedores y a los actos civiles de los consumidores. Conforme a este parámetro, los tribunales han excluido, por ejemplo, las operaciones de compraventa de divisas. Pero han tendido, en la mayoría de los casos, a ensanchar el ámbito de aplicación de la ley mediante una concepción extensa del sujeto del consumo y una oportuna integración del íter precontractual. Con lo que implícitamente se ha dilatado el campo de aplicación de los deberes de respeto hacia los actos de consumo por parte de los distintos agentes que agregan valor al proceso productivo, particularmente del empresario-proveedor. Nuestros tribunales entienden que la función socioeconómica del consumidor se configura desde el ángulo del destinatario final, por lo que las obligaciones del proveedor se extienden no solo al consumidor que es parte de la relación jurídica concreta sino también al consumidor material que se beneficia con ella. Y aún, en determinadas circunstancias, no se ha requerido siquiera que se concrete un acto finalizado de consumo para hacer valer los derechos u obligaciones que impone la ley. Es lo que sucede con los deberes de oferta, información, seguridad y vigilancia en los establecimientos comerciales, cuyo cumplimiento se impone respecto de los actos previos al acto de contratación final, aun cuando no se acepte la oferta. Análogo criterio se ha aplicad a la obligación de seguridad de un servicio público concesionado, en lo relativo a la prestación de un servicio seguro y expedito para los usuarios materiales de una autopista. O a las deficiencias en la calidad de los productos alimenticios que producen menoscabo al consumidor material. También se ha dilatado el ámbito de aplicación de la ley mediante una comprehensiva valoración de los intereses generales del consumidor y la consecuente habilitación del SERNAC para hacerse parte en las causas en que éstos se comprometan".
- **Jara, Rony (2006): "Ámbito de aplicación de la ley chilena de protección al consumidor: aplicación de la ley 19.496 y las modificaciones de la ley 19.955".** *Cuadernos de extensión jurídica,* **12, pp. 21-57, p. 33:** "Lo que claramente hay es una letra a) que es la regla general, el requisito del acto mixto, y las siguientes letras, que son casos que pueden constituir excepciones a la regla general".

SENTENCIAS SOBRE ARTÍCULO 2 letra a)

Artículo 2. "Quedan sujetos a las disposiciones de esta ley": a) "Los actos jurídicos que, de conformidad a lo preceptuado en el Código de Comercio u otras disposiciones legales, tengan el carácter de mercantiles para el proveedor y civiles para el consumidor".

- **Servicio Nacional del Consumidor con Farmacias Ahumada S.A. (2016): Corte Suprema, 07 de marzo de 2016, Recurso de Casación en el fondo, Rol nº 1540-2015, LTM6.556.913, LTM9.585.539:** "en la cual se discutió el cumplimiento de un acuerdo de compensación al que anteriormente habían arribado las partes, producto de la afectación de un grupo de consumidores que compraron medicamentos a precios superiores a los del mercado, tras la colusión de esta farmacia con otras cadenas farmacéuticas que tenían un alto poder de mercado. La Corte Suprema anuló la sentencia de la Corte de Apelaciones, porque a su juicio los actos realizados durante la colusión eran independientes del plan de compensación propuesto por la farmacia para indemnizar a los consumidores en el contexto de la mediación colectiva. Por tanto, no se podía dar a la compensación el carácter de un acto de comercio, sujeto a la ley de consumo":

DOCTRINA SOBRE ARTÍCULO 2 letra b)

Artículo 2. "Quedan sujetos a las disposiciones de esta ley": b)" Los actos de comercialización de sepulcros o sepulturas".

- **Jara, Rony (2006): "Ámbito de aplicación de la ley chilena de protección al consumidor: aplicación de la ley 19.496 y las modificaciones de la ley 19.955".** *Cuadernos de extensión jurídica*, 12, pp. 21-57 p.33: "Así, la letra b), como ya hemos señalado, puede o no constituir un acto de comercio, dependerá si la comercialización de sepulturas es o no realizada directamente por una constructora, donde sí será acto de comercio, o por una inmobiliaria, donde la respuesta negativa se impone por aplicación del nº 20 del artículo 3º del Código de Comercio".

DOCTRINA SOBRE ARTÍCULO 2 letra c)

Artículo 2. "Quedan sujetos a las disposiciones de esta ley": c) "Los actos o contratos en que el proveedor se obligue a suministrar al consumidor o usuario el uso o goce de un inmueble por períodos determinados, continuos o discontinuos, no superiores a 3 meses, siempre que lo sean amoblados y para fines de descanso o turismo".

- **Amunátegui, Carlos. (2019): Arrendamiento de apartamentos turísticos por internet.** *Revista de derecho (Coquimbo)*, **26, 17. Epub 11 de diciembre de 2019.https://dx.doi.org/10.22199/issn.0718-9753-2019-0017:** "Las relaciones entre el oferente y el huésped se encuentran enmarcadas por las reglas relativas al contrato de arrendamiento del Código Civil. Los arrendamientos de inmuebles amoblados por corto tiempo para fines turísticos se encuentran dispersamente reglamentados en nuestro derecho. En primer término, se encuentran excluidos expresamente del ámbito de aplicación de la Ley 18.101 (1982, art. 2, no. 3) sobre arrendamiento de predios urbanos, por lo que el arrendamiento de los mismos ha de sujetarse a las reglas generales del contrato de arrendamiento de cosas dispuestas en los artículos 1916 y siguientes del Código Civil, donde se detallan las diversas obligaciones del arrendador y arrendatario. En segundo término, los arrendamientos de corto tiempo de inmuebles amoblados se encuentran expresamente previstos como una materia sometida en el art. 2, letra c, de la Ley 19.496, por lo que la compleja regulación relativa a derechos de consumidores les es aplicable con independencia de la calidad de comercial que tenga el arriendo para el oferente. En tercer término, en caso que la oferta de departamentos amoblados sea comercial, la figura se encuentra regulada por la Ley del sistema institucional para el desarrollo del turismo. Al respecto, la misma define (Ley 20.423, 2010, art. 5, h) que se entiende por servicios de alojamiento turístico, a fin de establecer su ámbito de aplicación, especialmente a fin de establecer la obligación de registro de los proveedores de estos servicios en una nómina llevada al efecto por el Servicio Nacional de Turismo (SERNATUR). Al efecto, será aplicable también el Decreto 222 de 23 Junio 2011 que Aprueba el Reglamento para la Aplicación del Sistema de Clasificación, Calidad y Seguridad de los Prestadores de Servicios Turísticos (Corte de Apelaciones de Santiago 2 de Mayo de 2016, 217-2016, cons. 3 y 4). La inscripción en la nómina de proveedores turísticos es obligatoria para los oferentes comerciales y su omisión acarrea una multa (Ley 20.423, 2010, art. 50, a)".

DOCTRINA SOBRE ARTÍCULO 2 letra d)

Artículo 2. "Quedan sujetos a las disposiciones de esta ley": d) "Los contratos de educación de la enseñanza básica, media, técnico profesional y universitaria, sólo respecto del Párrafo 4° del título II; de los párrafos 1° y 2° del título III; de los artículos 18, 24, 26, 27 y 39C, y respecto de la facultad del o los usuarios para recurrir ante los tribunales correspondientes a los procedimientos que esta ley establece, para hacer efectivos los derechos que dichos párrafos y artículos les confieren.

No quedará sujeto a esta ley el derecho a recurrir ante los tribunales de justicia por la calidad o por las condiciones académicas fijadas en los reglamentos internos vigentes a la época de ingreso a la carrera o programa respectivo, los cuales no podrán ser alterados sustancialmente, en forma arbitraria, sin perjuicio de las obligaciones de dar fiel cumplimiento a los términos, condiciones y modalidades ofrecidas por las entidades de educación".

- **Barrientos, Francisca (2019):** *Lecciones de derecho del consumidor.* **Santiago: Thomson Reuters, pp. 33-39:** "En materia educacional, la regla objeto de estudio indica que se puede conocer bajo la jurisdicción de consumo las normas sobre información, publicidad, promociones y ofertas, cobranza extrajudicial y crédito directo al consumidor, cobro de precio superior al exhibido, y las reglas sobre equidad en las estipulaciones y en el cumplimiento de los contratos de adhesión de educación de la enseñanza básica, media, técnico profesional y universitaria. En otras palabras, se permite, ex artículo 2 letra d), el conocimiento de algunas materias de la ley descritas de forma expresa en el texto estudiado. Las materias descritas con anterioridad son llamadas 'inclusiones', porque se permite su conocimiento bajo la órbita de los consumidores. Junto con ella, hay ciertas 'exclusiones' en el texto legal relacionadas con la calidad de la educación. Es decir, la prestación educacional en sí misma o las condiciones académicas fijadas en los reglamentos internos vigentes a la época de ingreso a la carrera o programa respectivo. Estas materias no pueden ser conocidas bajo el ámbito de la LPDC, porque el artículo 2 letra d) lo prohíbe de manera expresa".

- **León, José Julio (2014):** "¿Judicialización de la eduación superior?". *Revista Calidad en la Educación*, **n° 40 julio 2014, pp. 54-93, pp. 61-62 Disponible en:** https://scielo.conicyt.cl/pdf/caledu/n40/art03.pdf: "2. Control judicial de infracciones a los derechos del consumidor Los contratos de prestación de servicios educacionales que las IES suscriben con sus alumnos son contratos de adhesión, con desequilibrio en el poder negociador de los contratantes, pues contienen cláusulas y condiciones generales impuestas por la institución a todos los alumnos que se inscriben masivamente en sus programas y carreras, que no pueden ser modificadas por el alumno (quien debe limitarse a aceptarlas o rechazarlas en bloque). Es también claro que existen importantes asimetrías de información entre las IES y los estudiantes que se matriculan en ellas, quienes no cuentan con información suficiente sobre las condiciones —en definitiva, la "calidad"— del programa al que ingresan y que, en la práctica, no dispondrán de elementos suficientes para verificarla del todo sino hasta egresar de la carrera. La educación es, al mismo tiempo, un derecho constitucional y una función social de la mayor relevancia, por lo que es de justicia y una exigencia del orden público educacional que este tipo de contratos, en su contenido y, sobre todo en su ejecución, cumplan con los principios y reglas de equidad que se derivan tanto de la Constitución como de la legislación, en especial la Ley n° 19.496. [...] En un caso reciente y de relevancia pública el Servicio Nacional del Consumidor (Sernac) interpuso una demanda colectiva en contra de la Universidad del Mar, denunciando: • La existencia de cláusulas en los contratos educacionales donde la universidad se reserva la facultad de repactar unilateralmente o renegociar la deuda a su solo arbitrio en caso de atraso en el pago (sin el consentimiento del alumno); • cláusulas en las que la institución se permite la modificación unilateral de las condiciones contratadas; por ejemplo: cerrar una carrera al no completar la cantidad mínima de alumnos, no abrir una carrera o un curso previamente contratado "por cualquier causa", cambiar arbitrariamente las mallas curriculares y la forma de prestar el servicio (que puede pasar de presencial a virtual); • cláusulas que limitan la responsabilidad institucional (por ejemplo, en caso de accidentes dentro de sus instalaciones) y el derecho de los estudiantes a reclamar y exigir las indemnizaciones correspondientes; como ocurre cuando los alumnos renuncian a sus acciones civiles y a las devoluciones con los respectivos reajustes y/o intereses, aunque la entidad incumpla la prestación del servicio".

- Jara, Rony (2006): **"Ámbito de aplicación de la ley chilena de protección al consumidor: aplicación de la ley 19.496 y las modificaciones de la ley 19.955".** *Cuadernos de extensión jurídica*, 12, pp. 21-57, pp. 49-50: "El artículo 2° letra d) de la LPC podríamos decir que tiene la siguiente estructura básica: a) incorpora una actividad que estaba fuera completamente del ámbito de aplicación de la ley por cuanto no es una actividad constitutiva de acto mercantil los contratos de educación de la enseñanza básica, media, técnico-profesional y universitaria; b) sin embargo, hace aplicable a tal actividad solo determinadas materias de la LPC expresamente señaladas; c) respecto de tales materias aplicables, otorga el derecho a los usuarios de recurrir antes los tribunales correspondientes, conforme a los procedimientos que la LPC establece; d) se excluye expresamente de la aplicación de la LPC 'el derecho a recurrir ante los tribunales de justicia por la calidad de la educación o por las condiciones académicas fijadas en los reglamentos internos vigentes a la época del ingreso a la carrera o programa respectivo', y e), sin embargo, sin otorgarse protección por la LPC, se consigna que tales reglamentos 'no podrán ser alterados sustancialmente, en forma arbitraria, sin perjuicio de las obligaciones de dar fiel cumplimiento a los términos, condiciones y modalidades ofrecidas por las entidades de educación'. (…). Sin embargo, nos parece que en caso de existir leyes especiales aplicables a los servicios educacionales, particularmente en aquellas materias incluidas dentro del ámbito de aplicación de la LPC, y dichas leyes contemplan tribunales y procedimientos judiciales aplicables a tales materias, estos deberían ser los que tengan preeminencia, por cuanto nos parece la forma lógica de interpretar la normas generales de inclusión del artículo 2° con la de aplicación supletoria del artículo 2° bis, ello por lo demás es clarísimo en la letra c) de este ultimo artículo. Sin embargo, en lo relativo a las acciones por interés colectivo o difuso de la letra b) del artículo 2° bis, por aplicación de los mismos elementos ya analizados a propósito de la aplicación de la LPC a la venta de viviendas, pareciera tener preeminencia la LPC".

SENTENCIAS SOBRE ARTÍCULO 2 letra d)

Artículo 2. "Quedan sujetos a las disposiciones de esta ley": d) "Los contratos de educación de la enseñanza básica, media, técnico profesional y universitaria, sólo respecto del Párrafo 4° del título II; de los párrafos 1° y 2° del título III; de los artículos 18, 24, 26, 27 y 39C, y respecto de la facultad del o los usuarios para recurrir ante los tribunales correspondientes a los procedimientos que esta ley establece, para hacer efectivos los derechos que dichos párrafos y artículos les confieren.

No quedará sujeto a esta ley el derecho a recurrir ante los tribunales de justicia por la calidad o por las condiciones académicas fijadas en los reglamentos internos vigentes a la época de ingreso a la carrera o programa respectivo, los cuales no podrán ser alterados sustancialmente, en forma arbitraria, sin perjuicio de las obligaciones de dar fiel cumplimiento a los términos, condiciones y modalidades ofrecidas por las entidades de educación".

- **Leiva con Universidad de las Américas (2008): Corte de Apelaciones de Santiago, 17 de enero de 2008, Recurso de Apelación, Rol n° 6913-2007, LTM19.090.418: "TERCERO:** [u]n estudiante de Derecho no pudo rendir un examen de repetición de dos asignaturas, porque se le había homologado, sin su consentimiento, la reprobación de otros cursos. Es decir, cuestionó las condiciones académicas fijadas en los reglamentos internos. Por eso, interpuso una denuncia y demanda civil fundada en los artículos 12 y 23 de la ley. La Corte de Apelaciones de Santiago sentenció que, conforme al ámbito de aplicación de la ley, los artículos 12 y 23 LPDC no son aplicables a los contratos de educación. En efecto, señaló "Que el artículo 2° del referido cuerpo legal, luego de la modificación que le introdujo la Ley n° 19.955, publicada en el Diario Oficial el 14 de julio de 2004, señala, en lo pertinente, que quedan sujetos a la disposiciones de esta ley: Los contratos de educación de la enseñanza básica, media, técnico profesional y universitaria, solo respecto del Párrafo IV del Título II; de los Párrafos 1° y 2° del Título III; de los artículos 18, 24, 26, 27 y 39 C, y respecto de la facultad del o de los usuarios para recurrir ante los Tribunales correspondientes, conforme a los procedimientos que esta Ley establece, para hacer efectivos los derechos que dichos Párrafos y artículos les confieren. Luego, del claro tenor literal de la disposición transcrita resulta evidente que no tiene aplicación, respecto de los contratos de educación, lo dispuesto en los artículos 12 y 23, esto es, los que en este proceso se denuncian como infringidos, puesto que ambos se encuentran precisamente ubicados dentro del Título I, Párrafos 3° y 5° , respectivamente".

DOCTRINA SOBRE ARTÍCULO 2 letra e)

Artículo 2. "Quedan sujetos a las disposiciones de esta ley": e) "Los contratos de venta de viviendas realizadas por empresas constructoras, inmobiliarias y por los Servicios de Vivienda y Urbanización, en lo que no diga relación con las normas sobre calidad contenidas en la ley n° 19.472, y"

- **Barrientos, Francisca (2019):** *Lecciones de derecho del consumidor.* **Santiago: Thomson Reuters, pp. 35-38:** "El artículo 2° literal e) que establece: 'quedarán sujetos a las disposiciones de esta ley [...] los contratos de venta de viviendas realizadas por empresas constructoras, inmobiliarias y por los Servicios de Vivienda y Urbanización'. Esto significa que las reglas sobre formación del consentimiento, información, publicidad, transparencia, deberes financieros, cobranzas extrajudiciales, y en general, todas aquellas materias relacionadas con la contratación de adhesión con consumidores forman parte del ámbito de aplicación de la ley (parte incluida). Pero esta norma ha fijado una exclusión. El artículo 2 letra e) segunda parte excluye 'las normas sobre calidad contenidas en la Ley n° 19.472'. La ley citada establece el régimen de responsabilidad civil objetiva o estricta calificada vicaria del propietario primer vendedor incorporada en el artículo 18 de la LGUC. Esta última disposición permite que los compradores de los inmuebles vendidos por la inmobiliaria tengan la posibilidad de solicitar una indemnización, por toda clase de daños patrimoniales y morales provenientes de las fallas o defectos causados por la construcción. El propietario primer vendedor responde por sus propias actuaciones y por las de terceros, como ingenieros, arquitectos o proyectistas. Con ello, es posible señalar que, respecto de la calidad de las cosas de consumo, el legislador nacional ha efectuado una división. En Chile existen dos regulaciones diversas que distinguen entre los bienes inmuebles y los bienes muebles. Así todos los conflictos que surjan sobre la calidad de los inmuebles fabricados de forma masiva, entre una inmobiliaria y un propietario primer comprador, deberán ser analizados a la luz de las normas de la LGUC; mientras que si se trata de la calidad de los bienes muebles de consumo corresponderá aplicar los artículos 19, 20, 21 y 23 de la LPDC. Y este cisma es tan absoluto que incluso la LGUC ha dispuesto la supremacía de esta ley sobre cualquier tipo de regulación, lo que es corroborado por la doctrina, aunque siempre se mencionan las ruinas o defectos del Código Civil, por lo que queda pendiente la debida coordinación de todas estas normas con la LPDC. Entonces, desde el punto de vista legal se concibe una separación absoluta de normas, competencias y procedimientos. Bajo la órbita de consumo se puede conocer el contrato de vivienda, pero no su calidad, circunstancia que se confirma por la supremacía que fija la LGUC frente a otras leyes. De esta forma, si se pide la construcción de una piscina (que estaría mal construida) dentro del contexto de la construcción de una casa, el conocimiento de este conflicto correspondería a los jueces ordinarios, no de consumo (considerando 7º y 8º), tal como se sentenció en Catania con Sociedad Inmobiliaria Neredo Limitada (2009). Del mismo modo, si los hechos que motivan el conflicto dicen relación con la filtración de aguas lluvias de un inmueble, los vicios de construcción de la azotea, piscina y techo del edificio, parece adecuado el fallo que excluye esta materia de la competencia de consumo, como ocurrió en No consigna contra Altarir S.A. (2010). A pesar de lo anterior, hay que tomar en consideración el artículo 23 de la LPDC, porque los jueces han conocido materias que el legislador de consumo quiso excluir. Tal como ocurrió con Servicio Nacional del Consumidor con Inmobiliaria Las Encinas (2014). En este caso, el Sernac accionó bajo las reglas y procedimiento de los intereses supraindividuales solicitando, entre otras cosas, la declaración de nulidad de ciertas cláusulas de la 'oferta de compra' y una indemnización de perjuicios para todos los consumidores fundada en las deficiencias de las condiciones de habitabilidad y seguridad de las viviendas compradas (afectación de la resistencia al fuego y presión sonora), al cambiar de forma unilateral los materiales de construcción de hormigón a metalconcret Losa, sin aviso previo. A partir de este fallo se puede observar la técnica regulatoria empleada en el artículo 2 letra e) LPDC, puesto que el Sernac solicitó la declaración de ciertas cláusulas abusivas contenidas en algunos instrumentos; y esto es adecuado, ya que esas materias se pueden conocer bajo la órbita de la ley del consumidor. Pero además solicita —y con razón— que se sancione a la empresa y pague los perjuicios causados por la modificación unilateral que realizó conforme lo dispone el artículo 23, fundado en la mala calidad del producto. Por eso, se sentenció que con las pruebas aportadas a ese juicio se '… ha llegado a la convicción que la conducta de la demandada se configura en la hipótesis de la norma del artículo 23° , ya que resulta evidente que ha variado la calidad de las viviendas, de lo que resulta un evidente menoscabo a los consumidores, que consintieron y creyeron que estaban comprando un bien con ciertas características, que fueron alteradas por la demandada unilateralmente, sin el consentimiento de estos, alteración que en definitiva desmejoró el bien objeto de la relación de consumo' (énfasis agregado, considerando 17°). Así ordenó la nulidad de ciertas cláusulas abusivas, el pago de una multa de 50 UTM y una indemnización de perjuicios a cada uno de los afectados por 2 UF por cada metro cuadrado, con efecto erga omnes y costas. Entonces, bajo la mirada de los jueces, la exclusión de la calidad de la vivienda (perjuicios sufridos) se absorbería frente a los problemas de publicidad y cláusulas abusivas (materia incluida) por parte de la empresa inmobiliaria. En realidad, la escisión legal que regula las inclusiones y exclusiones resulta difícil de interpretar y aplicar en la praxis judicial, ya que la responsabilidad deriva del contrato. Por eso, comparto con Rodrigo Momberg y Mauricio Tapia la decisión de prescindir de lege ferendae de la lista de materias incluidas y excluidas de la ley".

- **Jara, Rony (2006): "Ámbito de aplicación de la ley chilena de protección al consumidor: aplicación de la ley 19.496 y las modificaciones de la ley 19.955".** *Cuadernos de extensión jurídica,* **12, pp. 21-57 pp. 45-46:** "La norma hace aplicable la LPC a los contratos de venta de viviendas de los referidos proveedores, salvo en todo aquello que diga relación con las normas sobre su calidad u otras materias regidas por leyes especiales. ¿Cuales son esas materias? Implica necesariamente una labor interpretativa destinada a determinar qué materias reguladas en la LPC no lo están, a su vez, en la legislación especial aplicable a los referidos contratos de venta de viviendas. Es posible mencionar como materias de la LPC no reguladas en la LGUC, por ejemplo, lo relativo a las normas sobre información y publicidad; requisitos de información básica comercial; normas sobre promociones y ofertas; normas sobre contratos y ofertas realizados por medios electrónicos; las normas sobre crédito al consumidor si la venta fuera financiada eventualmente por el proveedor; de equidad en los contratos de adhesión, especialmente en lo que se refiere a los formularios de promesa de compraventa y similares'; y 'ciertos aspectos de la responsabilidad por incumplimiento, por ejemplo, en caso se pretenderse el cobro de precio superior al informado y, eventualmente, en caso de discrepancias en especificaciones que no afecten la calidad del bien".

SENTENCIAS SOBRE ARTÍCULO 2 letra e)

Artículo 2. "Quedan sujetos a las disposiciones de esta ley": e) "Los contratos de venta de viviendas realizadas por empresas constructoras, inmobiliarias y por los Servicios de Vivienda y Urbanización, en lo que no diga relación con las normas sobre calidad contenidas en la ley nº 19.472, y".

- **Servicio Nacional del Consumidor con Inmobiliaria Las Encinas de Peñalolén S.A. (2014): Corte de Apelaciones de Santiago, 03 de Junio de 2014, Recurso de Apelación, Rol nº 8281-2013, LTM19.090.421: "DECIMOPRIMERO:** En este caso, el Sernac accionó bajo las reglas y procedimiento de los intereses supraindividuales solicitando, entre otras cosas, la declaración de nulidad de ciertas cláusulas de la "oferta de compra" y una indemnización de perjuicios para todos los consumidores fundada en las deficiencias de las condiciones de habitabilidad y seguridad de las viviendas compradas (afectación de la resistencia al fuego y presión sonora), al cambiar de forma unilateral los materiales de construcción de hormigón a metal concreto Losa, sin aviso previo. A partir de este fallo se puede observar la técnica regulatoria empleada en el artículo 2 letra e) LPDC, puesto que el Sernac solicitó la declaración de ciertas cláusulas abusivas contenidas en algunos instrumentos; y esto es adecuado, ya que esas materias se pueden conocer bajo la órbita de la ley del consumidor[2]. Pero además solicita —y con razón— que se sancione a la empresa y pague los perjuicios causados por la modificación unilateral que realizó conforme lo dispone el artículo 23, fundado en la mala calidad del producto. Por eso, se sentenció que con las pruebas aportadas a ese juicio se "… ha llegado a la convicción que la conducta de la demandada se configura en la hipótesis de la norma del artículo 23° , ya que resulta evidente que ha variado la calidad de las viviendas, de lo que resulta un evidente menoscabo a los consumidores, que consintieron y creyeron que estaban comprando un bien con ciertas características, que fueron alteradas por la demandada unilateralmente, sin el consentimiento de estos, alteración que en definitiva desmejoró el bien objeto de la relación de consumo" (énfasis agregado, considerando 17°). Así ordenó la nulidad de ciertas cláusulas abusivas, el pago de una multa de 50 UTM y una indemnización de perjuicios a cada uno de los afectados por 2 UF por cada metro cuadrado, con efecto erga omnes y costas. Entonces, bajo la mirada de los jueces, la exclusión de la calidad de la vivienda (perjuicios sufridos) se absorbería frente a los problemas de publicidad y cláusulas abusivas (materia incluida) por parte de la empresa inmobiliaria. En este sentido se pronuncia la Corte de Apelaciones de Santiago al expresar: "Que ha de tenerse en cuenta que las conductas que el libelo denuncia, en síntesis, dicen relación con el cambio unilateral de las condiciones del contrato, en perjuicio de los consumidores; las cuales se han cometido en las ofertas de compras, pudiéndose constatar, las deficiencias del producto, con la entrega de las viviendas a cada uno de los consumidores. De esta forma no se trata de las materias que regula la Ley General de Urbanismo y Construcción, como pretende la demandada. De forma tal, la controversia que nos ocupa se encuentra regulada por las normas de la Ley nº 19.496; encontrándose de igual modo el Sernac legitimado activamente para accionar al tenor de lo dispuesto en el artículo 51 de la citada ley".

DOCTRINA SOBRE ARTÍCULO 2 letra f)

Artículo 2. "Quedan sujetos a las disposiciones de esta ley": f) "Los actos celebrados o ejecutados con ocasión de la contratación de servicios en el ámbito de la salud, con exclusión de las prestaciones de salud; de las materias relativas a la calidad de éstas y su financiamiento a través de fondos o seguros de salud; de la acreditación y certificación de los prestadores, sean éstos públicos o privados, individuales o institucionales y, en general, de cualquiera otra materia que se encuentre regulada en leyes especiales".

- **Barrientos, Francisca (2019):** *Lecciones de derecho del consumidor.* **Santiago: Thomson Reuters, pp. 39-41.** 2 letra f) "De modo que la prestación de los servicios médicos y su calidad quedarían excluidas de la competencia de los Jueces de consumo, al igual que otras materias sanitarias como el financiamiento, acreditación y certificación de los prestadores de salud. Tan sólo se incluirían aquellos actos y contratos celebrados 'con ocasión' de la contratación de servicios en el ámbito de la salud. La prestación 'con ocasión' de la contratación de servicios en el ámbito de la salud incluye servicios que no son los médicos, como el hotelería o los estacionamientos.

Esta clase de servicios se han revisado en el ámbito judicial, como en *Muñoz con Integramédica (2011)*, en que se alegó la sustracción de una bicicleta estacionada dentro del centro de atención de proveedor. Aunque como es usual, se desestimaron los hechos invocados por el consumidor por falta de prueba.

También hay prestaciones con ocasión de servicios médicos conocidas bajo el ámbito de la LPDC, como el precio superior al exhibido. Se trata de *Contreras con Hospital Clínico Universidad de Chile (2011)*, en que se denunció y demandó la responsabilidad por un cobro superior al exhibido en un bypass gástrico, causado por el cobro de insumos especiales del médico no informados en la cotización. La Corte Suprema consideró que la cotización podía modificarse, con las debidas orientaciones respecto de la información. Y como en el documento se establecía que '… sin embargo la cuenta definitiva puede variar de acuerdo a la evolución del estado de salud del paciente, la complejidad de la intervención quirúrgica si la hubiere y los insumos especiales utilizados en esta última', se desestimaron las acciones revocando la condena infraccional (considerando 17° ; la parte civil se había revocado en segunda instancia).

Asimismo corresponde el conocimiento en sede de consumo si existen cláusulas abusivas en un contrato de Isapre, como la de aumento unilateral, tal como aconteció en *Fernández con Banmédica S.A. (2010)*, en que se solicitó la nulidad de la cláusula fundada en la modificación unilateral del contrato, junto con una indemnización de perjuicios por haber reajustado en 47% el valor del plan mensual. En este caso, la Corte Suprema confirmó la decisión haciendo suyos los fundamentos del Juzgado de Policía Local, al considerar que la infracción quedaba de manifiesto: '…toda vez que al azar el valor de los planes de salud del afiliado se le causará una merma en su ingreso mensual desde el momento que la cotización a la Isapre se le descuenta directamente de su sueldo, cuestión que si la denunciada hubiere actuado con diligencia 'como lo ha hecho otra Isapre' lo habría evitado, planificando mejor su actividad' (considerando 6°). Por ello, multó a la empresa con 30 UTM y condenó al pago de una indemnización de $5.000.000.

Pero, como se ha descrito con anterioridad, **existe una delgada y difusa línea entre las exclusiones y las inclusiones de la LPDC**. Y, como es usual, se ha detectado el empleo de una norma ambigua, de responsabilidad infraccional que deviene en civil, para incluir algunos casos que deberían estar excluidos: el artículo 23 de la ley.

Esto ocurrió, por ejemplo, en *Mayol con Clínica Dávila (2007)*, aunque discutible, se discutió sobre la calidad de la prestación médica. En los hechos, el paciente fue internado de urgencia en la clínica donde fue sometido a una laparoscopia biliar con una biopsia de vesícula. Luego de 15 días retiró el informe que señalaba 'en lo examinado se reconocen elementos histológicos malignos'. Días más tarde se le informó al paciente que se había obviado la expresión 'no' al comienzo de la frase referenciada alejando la posibilidad de cáncer y de cualquier enfermedad. En lo que dice relación con el análisis del ámbito de aplicación de la LPDC, la Corte de Santiago estableció que: 'cabe encuadrar la prestación en la LPDC... La circunstancia de que otras leyes referidas a temas diversos le den un tratamiento diverso a los prestadores de salud [...] no la exime ni la excluye de la aplicación de la ley al consumidor' (considerando 12º), con lo cual entiende aplicable esta materia a las reglas de la LPDC.

Desde el ámbito dental también existen pronunciamientos judiciales que avalan las pretensiones del consumidor fundadas en la mala calidad de la prestación citando el artículo 23 LPDC. En efecto, en *Meléndez con Centro Médico Dental Portusalud (2009)*, en que se condenó a un centro dental por la defectuosidad de una prótesis que una paciente, que luego de la segunda reparación terminó tragándosela. Por esta razón, y como la misma denunciada y demanda invocó que no era política de la empresa efectuar la devolución del dinero, se condenó por infracción al artículo 23 con una multa de 10 UTM y una indemnización civil por más de $ 5.000.000. Mismos hechos que ocurrieron un año antes en *Meléndez con Centro Dental Santa Marta (2009)*, en que se condenó al proveedor con una multa infraccional de 10 UTM e indemnizaciones solidarias por la suma de $5.115.700".

- **Morales, María Elisa (2019): AFP, Isapres y protección al consumidor. En El Mercurio Legal. Columna de opinión de 5 de diciembre de 2019. Disponible en línea: https://www.elmercurio.com/Legal/Noticias/Opinion/2019/12/05/AFP-Isapres-proteccion-del-consumidor-y-nueva-Constitucion.aspx:** "Aunque, bajo el orden actual las relaciones entre un "cotizante" y su AFP y entre un "afiliado" y su Isapre son, materialmente, relaciones de consumo, se ha resuelto que formalmente quedan fuera del ámbito de protección de la Ley nº 19.496 sobre protección de los derechos de los consumidores (LPDC). Así lo han declarado los tribunales superiores de justicia aplicando los artículos 2 letra f) y 2 bis de la LPDC que, en lo pertinente, excluyen el financiamiento de los servicios de la salud a través de fondos o seguros de salud y la prestación de servicios reguladas por leyes especiales.

Como ejemplos de lo anterior puedo señalar Conadecus con Isapre Consalud (Corte de Apelaciones de Santiago, Rol nº 436-2018) y Odecu con AFP Habitat (Corte de Apelaciones de Santiago, Rol nº 5083-2017) donde tampoco prosperó la interpretación basada en las contra excepciones del artículo 2 bis y cuyos recursos de casación, en ambos casos, fueron rechazados por la Corte Suprema.

La consecuencia de lo anterior es que aun verificándose claras relaciones de consumo no es posible solicitar, con éxito, la aplicación del estatuto protector de los consumidores. En otras palabras, no es posible pedir, en dicho contexto, que se declaren ciertas cláusulas abusivas, entablar denuncias por discriminación en el consumo, demandar por incumplimiento contractual, solicitar la indemnización integra y oportuna por los daños sufridos como consecuencia de las infracciones a los derechos establecidas en la LPDC, entre otros.

Lo cierto es que la técnica legislativa empleada para regular el ámbito de aplicación de la LPDC no es la mejor. Esa configuración deficiente ha traído como consecuencia jurisprudencia oscilante en otras materias reguladas por leyes especiales (Momberg 2013, 78-79). Sin embargo, en cuanto a los servicios prestados por AFP e Isapres la tendencia es el rechazo.

Otra vía utilizada para obtener la protección mediante la aplicación de la LPDC a estos casos ha sido la inaplicabilidad por inconstitucionalidad. El requerimiento de inaplicabilidad por inconstitucionalidad presentado por la Organización de Consumidores y Usuarios de Chile (Odecu) (Rol n° 6370-2019) se dedujo respecto del artículo 2 letra f) de la LPDC y fundándose en la vulneración de la igualdad ante la ley y el debido proceso. El Tribunal Constitucional rechazó el requerimiento argumentando, primero en base a doctrina, que la LPDC es una "ley general aplicable a relaciones de consumo, pero supletoria en aquellas materias regidas por leyes especiales" (Jara 2006, 24) y, luego, en base a la historia de la ley para sostener, finalmente, que la objeción de Odecus "termina deviniendo, inevitablemente, en un reproche abstracto al sistema diseñado por el legislador" y que "es en sede legislativa donde deben adoptarse, si es del caso, las enmiendas sobre la materia".

SENTENCIAS SOBRE ARTÍCULO 2 letra f)

Artículo 2. "Quedan sujetos a las disposiciones de esta ley": f) "Los actos celebrados o ejecutados con ocasión de la contratación de servicios en el ámbito de la salud, con exclusión de las prestaciones de salud; de las materias relativas a la calidad de éstas y su financiamiento a través de fondos o seguros de salud; de la acreditación y certificación de los prestadores, sean éstos públicos o privados, individuales o institucionales y, en general, de cualquiera otra materia que se encuentre regulada en leyes especiales".

- **Corporación Nacional del Consumidor con Isapre Cruz Blanca (2019): Corte Suprema, 29 de noviembre de 2019, Recurso de Casación en el Fondo, Rol nº 25188-2019, LTM19.090.426:** "CUARTO: (…) Así, lo esencial para resolver la materia en cuestión es determinar si el acto reclamado como ilegal o arbitrario está contenido dentro de la norma previamente reproducida. En este sentido, resulta que se excluye expresamente de la aplicación de la Ley de Protección de los Derechos de los Consumidores lo relativo al financiamiento de las prestaciones de salud a través de fondos o seguros de salud. Pues bien, resulta que las Isapres son las instituciones encargadas de financiar las atenciones y beneficios de salud a sus cotizantes, operando para ello como un seguro, administrando la cotización de salud que realizan sus afiliados. Por ello, y tal como ha sido resuelto en la instancia, no es posible entender que existe una relación de consumo regida por la ley del ramo entre cotizantes y la Isapre, toda vez que esta materia se encuentra expresamente excluida de la ley".

- **Organización de Consumidores y Usuarios de Chile con Isapre Consalud S.A. (2019): Sentencia del Tribunal Constitucional, 29 de octubre de 2019, Recurso de Inaplicabilidad por Inconstitucionalidad, Rol nº 6370-19-INA, LTM16.290.367:** "VIGESIMOCUARTO: Que, excluir de la ley del consumidor ciertos asuntos porque están sometidos a leyes especiales, traza una diferencia con quienes no cuentan con una normativa particular, siendo razonable que aquellos no queden sujetos a que el estatuto, sino al propio, por lo que no se configura una diferencia arbitraria, en este caso, tal y como se debatió tanto al dictarse la ley nº 19.496 como la reforma contenida en la ley nº 19.955. **VIGESIMOQUINTO:** Que, por ello, no es efectivo que a todas las empresas que realizan actividades comerciales se les aplique la ley del consumidor, siendo la única excepción la Isapres, pues el legislador ha determinado el ámbito de aplicación de ese cuerpo legal, incluyendo ciertos actos y contratos por una parte, y excepcionando otros, empleando como criterio para esa distinción, si se encuentran o no regidos por leyes especiales, lo cual aparece como un fundamento suficientemente justificado desde el ángulo constitucional. **VIGESIMOSEXTO:** Que, desde esta perspectiva, nos visualizamos que, sobre la base de hechos similares, como se plantea en el requerimiento, se diferencia el ejercicio de la acción entre distintas personas, permitiéndoles a unas demandar y a otras no, en el sentido de qué unos consumidores pueden hacerlo, pero los usuarios de los seguros de salud previsional no tienen esa posibilidad por existir una norma que se los impide, puesto que —como es de público conocimiento—, el alza de los planes de salud, cuando es injustificada, viene siendo sistemáticamente tutelada por los sistemáticamente tutelada por los Tribunales Superiores de Justicia, acogiendo en miles de recursos de protección (Memoria Institucional 2018 del Poder Judicial, p.201), y por la Superintendencia de Salud, hallándose efectivamente amparados los derechos de los afiliados a las Instituciones de Salud Previsional; **VIGESIMOSÉPTIMO:** Que, desde esta perspectiva también, respecto del derecho asegurado en el artículo 19 n° 3, la argumentación de la requirente en el sentido que el resultado inconstitucional se produce porque quienes litigan según el procedimiento previsto en la Ley de Protección de los Derechos del Consumidor tienen "muchos más medios" para una adecuada acción judicial, además de ser una objeción abstracta y que, más aún, importa una evaluación de mérito acerca de lo decidido por el legislador, dentro del ámbito posible de determinación que, en esta materia, le compete, no se coincide con la tutela que, a diario, confieren los Tribunales Superiores de Justicia".

- **Organización de Consumidores y Usuarios de Chile —ODECU— con Isapre Consalud S.A (2018): Corte de Apelaciones de Santiago, 16 de abril de 2018, Recurso de Casación en la Forma, Rol n° 436-2018, LTM16.844.744: "QUINTO:** Que el reproche consistente en la falta de fundamentación para decidir sobre el motivo principal de la controversia, carece de todo asidero, si se considera que a partir del fundamento décimo segundo la sentenciadora lo centra adecuadamente, concluyendo que la exclusión de las Isapres, establecida en la letra f) del artículo 19.496, es un hecho que la propia demandante admite y respecto del cual hay coincidencia en la doctrina y la jurisprudencia judicial y administrativa que cita. Luego señala el punto central de la misma, esto es, si lo anterior puede entenderse modificado por lo establecido en la letra b) del artículo 2° bis de la misma ley, como lo sostiene la demandante, para, nuevamente, de manera razonada concluir que ello no es así, citando la discusión legislativa, la doctrina y la jurisprudencia administrativa existente al respecto. Lo dicho lleva a descartar que se trate de una decisión infundada, como lo postula la recurrente, ya que, por el contrario, la juez a quo hizo un acabado estudio de la materia y su conclusión es producto del mismo, no pudiendo menos que coincidirse con ella en cuanto que carece de razonabilidad que existiendo una exclusión expresa, esta pudiera dejarse sin efecto por una vía indirecta y extraordinaria, como lo sería la señalada norma del artículo 2° bis de la mencionada ley. En consecuencia, debe confirmarse lo resuelto".

- **Contreras con Hospital Clínico Universidad de Chile (2011): Corte Suprema, 28 de diciembre de 2011, Recurso de Queja, Rol n° 8905-2011, LTM11.392.889: "DECIMOSEPTIMO:** en que se denunció y demandó la responsabilidad por un cobro superior al exhibido en un bypass gástrico, causado por el cobro de insumos especiales del médico no informados en la cotización. La Corte Suprema consideró que la cotización podía modificarse, con las debidas orientaciones respecto de la información. Y como en el documento se establecía que '… sin embargo la cuenta definitiva puede variar de acuerdo a la evolución del estado de salud del paciente, la complejidad de la intervención quirúrgica si la hubiere y los insumos especiales utilizados en esta última', se desestimaron las acciones revocando la condena infraccional".

ARTÍCULO 2 BIS

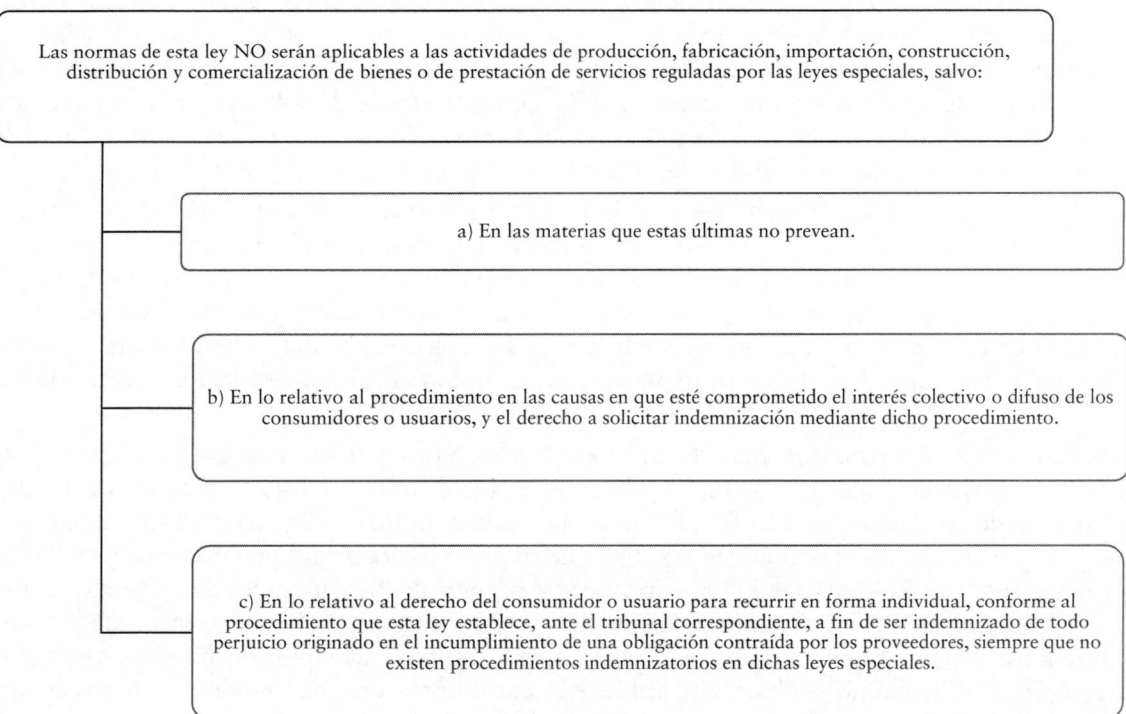

Las normas de esta ley NO serán aplicables a las actividades de producción, fabricación, importación, construcción, distribución y comercialización de bienes o de prestación de servicios reguladas por las leyes especiales, salvo:

a) En las materias que estas últimas no prevean.

b) En lo relativo al procedimiento en las causas en que esté comprometido el interés colectivo o difuso de los consumidores o usuarios, y el derecho a solicitar indemnización mediante dicho procedimiento.

c) En lo relativo al derecho del consumidor o usuario para recurrir en forma individual, conforme al procedimiento que esta ley establece, ante el tribunal correspondiente, a fin de ser indemnizado de todo perjuicio originado en el incumplimiento de una obligación contraída por los proveedores, siempre que no existen procedimientos indemnizatorios en dichas leyes especiales.

DOCTRINA SOBRE ARTÍCULO 2 BIS

- Isler, Erika (2020): *Jurisprudencia de Derecho de Consumo Comentada.* **Santiago: Rubicón Editores, p. 320:** "Aplicabilidad de la Ley n° 19.496 a las actividades realizadas por las cajas de compensación de asignación familiar: El Art. 2 bis de la Ley n° 19.496, excluye su aplicación a aquellas actividades que han sido reguladas por leyes especiales. No obstante, esa misma disposición consagra ciertas excepciones en que vuelve a resultar procedente, a saber: materias silenciadas por dichas leyes especiales; compromiso del interés colectivo o difuso de los consumidores; y ausencia de un estatuto indemnizatorio cuando se vulnerare el interés individual de los consumidores. (…) Tal como se señaló, la sola existencia de una normativa especial no excluye la vigencia de la normativa general de protección del consumidor, puesto que el mismo Art. 2 bis LPDC señala aquellos supuestos en que ella vuelve a ser aplicable, rigiendo en todo caso como régimen supletorio".

- Baraona, Jorge (2019): **"Concepto, autonomía y principios del derecho del consumo", en María Elisa Morales (Dir.) y Pamela Mendoza (Coord.),** *Derecho del Consumo: Ley, doctrina y jurisprudencia.* **Santiago: Der Ediciones. pp. 1-24, p. 14:** "La autonomía tampoco existe hacia abajo ni hacia los vértices, porque el sistema que ofrece la Ley 19.496, según se desprende del artículo 2° bis, permite afirmar que es una ley, en diálogo con otras leyes, en donde se repliega en parte, para permitir la operación de esas leyes en materias específicas, para que actúen con mayor eficacia, pero también que permite afirmar que la ley del consumidor llega a esas mismas materias cuando esa misma regulación ofrece soluciones ineficientes de protección".

- Barrientos, Francisca (2019): *Lecciones de derecho del consumidor.* **Santiago: Thomson Reuters, pp. 45-46:** "Entonces, la tipología que describe el artículo 2 bis es muy amplia y no resulta posible hacer un listado taxativo de las leyes supuestamente excluidas del ámbito de aplicación de la LPDC. Es tan amplia como ambigua. De modo que se descarta la interpretación restrictiva de ella, ya que no tendría la naturaleza taxativa que requieren las normas prohibitivas. La LPDC es de aplicación general, sea por la regla del artículo 50 que fija la competencia general de los tribunales de consumo, sea por la aplicación del principio de protección del más débil o por lo dispuesto en el artículo 2 bis. Por eso, entre tantos ejemplos, puede citarse un fallo en materia bancaria que ha dicho, con razón, que '… si bien las empresas bancarias se encuentran sujetas a legislación especial [D.L. 707], ello no es óbice para aplicar el estatuto protector de los consumidores, cuando se invoca una relación de consumo en que el Banco actúa como proveedor, como ocurre en la especie' (considerando 6°), por la infracción de ciertos deberes fiduciarios con el cliente".

- **Momberg, Rodrigo (2019): "Leyes especiales y aplicación de la Ley nº 19.496 sobre protección de los derechos de los consumidores. Análisis de casos", en María Elisa Morales (Dir.) y Pamela Mendoza (Coord.),** *Derecho del Consumo: Ley, doctrina y jurisprudencia*. **Santiago: Der Ediciones, pp. 25-45, p. 27:** "La construcción de la norma es deficiente, ya que, su redacción induce a confusión. Se trata de una norma que pretende ser una excepción a las disposiciones contenidas en el artículo 2 que la antecede, el cual enumera casuísticamente una serie de materias sectoriales a las cuales se aplica la LPDC. Lo que el artículo 2 bis intenta —imperfectamente— es establecer que, no obstante la LPDC se aplique a las materias indicadas en el artículo 2 (algunas de las cuales están reguladas por leyes especiales), la regla general es que ella no recibe aplicación respecto de actividades normadas por la legislación particular. Sin embargo, el precepto termina —en la práctica— haciendo justamente lo contrario, ya que luego de excluir del ámbito de aplicación de la LPDC las materias reguladas por leyes especiales a), b) y c), la LPDC se aplicará en todo caso (...salvo), es decir, estén o no reguladas por leyes especiales como puede apreciarse de la lectura de la norma transcrita más arriba, las mencionadas letras a), b) y c) contemplan situaciones de supuestos amplios de aplicación de la LPDC y que, por tanto, hacen que en el hecho se expanda considerablemente la potencial aplicabilidad de la LPDC a cuestiones reguladas por la legislación especial".

- **Momberg, Rodrigo (2013): "Artículo 2º bis", en Iñigo De La Maza; Carlos Pizarro (Dirs.) y Francisca Barrientos (coord.)** *La protección de los Derechos de los consumidores. Comentarios a la ley de protección a los derechos de los consumidores.* **Santiago: Editorial Thomson Reuters, pp. 77-83:** La norma contempla una doble excepción, en el sentido de excluir del ámbito de aplicación de la LPC las materias reguladas por leyes especiales (No obstante lo prescrito en el artículo anterior...), pero a su vez (...salvo...) establece que en las situaciones contempladas en las letras a), b) o c) del mismo artículo, la LPC será aplicable en todo caso, independientemente de la naturaleza del acto o contrato, o de que exista una regulación especial de la materia que se trate. Esta interpretación se ajusta al objeto principal de toda ley de protección al consumidor, cual es que ella sea la normativa de aplicación general a las relaciones de consumo. (...) Materias no previstas en legislación especial: La letra a) del artículo 2 bis señala que la LPC se aplicará en aquellas materias no previstas por leyes especiales. Esta norma, que se refiere a materias sustantivas, debe complementarse con lo dispuesto en la letra c) del mismo artículo, que hace aplicable las normas procedimentales de la LPC relativas a las acciones de interés individual en aquellos casos que la legislación especial no contemple procedimientos indemnizatorios a los que pueda recurrir el consumidor afectado. Así, aun cuando una determinada actividad económica sea regulada por normativa especial, la LPC deberá aplicarse a las relaciones de consumo desarrolladas en el marco de dicha actividad, en todas aquellas materias no regladas por la legislación especial y que si se encuentren previstas en la LPC. (…) Procedimiento relativo al interés colectivo o difuso de los consumidores o usuarios: La letra b) del artículo 2 bis establece que la LPC será aplicable, aun cuando exista legislación especial, "En lo relativo al procedimiento en las causas en que esté comprometido el interés colectivo o difuso de los consumidores o usuarios, y el derecho a solicitar indemnización mediante dicho procedimiento". La redacción de la norma citada pareciera dar a entender que el procedimiento para la defensa de los intereses colectivos o difusos de los consumidores debiese aplicarse de manera preferente a cualquier otra acción de clase, aun cuando alguna legislación especial contemplase este tipo de procedimientos. En otras palabras, siendo el sujeto activo un grupo de consumidores, el procedimiento contemplado en los artículos 51 y siguientes deberá aplicarse siempre. Ello parece claro si el texto de la letra b) del art. 2º bis se contrasta con el de letra c) de la misma norma, el cual expresamente prescribe la supletoriedad de la aplicación del procedimiento para la protección de los intereses individuales de los consumidores. En todo caso, en la práctica esa es la situación de hecho en nuestro ordenamiento jurídico, que no contempla a la fecha otra acción de clase relativa a consumidores, ni tampoco una normativa general al respecto, sin perjuicio que el artículo 50A de la LPC hace referencia a la posibilidad que otras leyes especiales regulen o incluyan este tipo de acciones. Estimamos que tal interpretación no es correcta. Tal como ya se indicó, si bien el art. 2º bis establece la supletoriedad de la LPC para las materias regladas en leyes especiales, en las situaciones previstas en sus letras a), b) y c), la LPC debe aplicarse a todo caso, independientemente de la naturaleza del acto o contrato, o de que exista una regulación especial de la materia que se trate. Al efecto, la letra a) del citado artículo hace referencia a materias de carácter sustantivo, las cuales sólo se sujetan a la LPC cuando la legislación especial no las contemple. Sin embargo, las letras b) y c) de la misma norma, hacen referencia a materias de tipo adjetivo o procesal, en ambos casos con independencia de si la acción se funda en una norma sustantiva incluida en una ley particular o en la LPC. Así, en ambas disposiciones se señala que el consumidor podrá recurrir a los procedimientos respectivos establecidos en la LPC para la defensa de sus intereses colectivos y difusos y reclamar la indemnización que procediere (art. 2 bis letra b); y para solicitar la indemnización de todo perjuicio derivado del incumplimiento de una obligación contraída por los proveedores, mediante una acción de interés individual (art. 2° bis letra c). No puede desconocerse la intención del legislador de ampliar los ámbitos de protección de los consumidores a través de la reforma introducida el año 2004, sin perjuicio de las modificaciones que el texto original propuesto por el Ejecutivo haya sufrido durante la discusión parlamentaria. En este contexto, parece claro que las normas de las letras b) y c) del art. 2° bis deben interpretarse en este sentido, concediendo al consumidor afectado en sus derechos, la posibilidad de recurrir a la LPC, ya sea en sus aspectos sustantivos como adjetivos. (…) Procedimiento relativo a acciones de interés individual: La letra c) del artículo 2 bis dispone que la LPC se aplicará siempre respecto de las normas que regulan el procedimiento relativo a las acciones de interés individual, cuando el consumidor demande el resarcimiento de perjuicios derivados del incumplimiento de las obligaciones contraídas por el proveedor, y no existan procedimientos indemnizatorios en la legislación especial. De la misma manera, como se señaló en el apartado anterior, lo relevante para la aplicación de la norma es la existencia o no de procedimientos indemnizatorios en la legislación especial, con independencia de si la acción se funda en una norma sustantiva incluida en una ley particular o en la LPC. El reconocimiento hecho por el citado artículo 3 letra e) de la LPC es fuente suficiente para que los consumidores puedan ejercer ese derecho, ya sea que el caso específico se regule por una ley especial o no, y sin que importe que configure en particular una infracción típica incluida en la LPC. La fuente de la cual derive la obligación de indemnizar puede ser tanto legal como convencional, debiendo destacarse que el artículo 3 letra e) incluye expresamente el resarcimiento de los daños morales que sufra el consumidor por el incumplimiento de las obligaciones del proveedor, materia que ha sido discutida en el ámbito de la responsabilidad civil contractual".

- **Isler, Erika y Morales, María Elisa (2018): "Acerca del control de la Superintendencia de Valores y Seguros sobre las pólizas" en Ángela Toso y Lorena Carvajal (eds),** *Estudios de Derecho Comercial VIII.* **Santiago: Thomson Reuters, pp. 87-108. pp. 89 y 90:** "De esta manera, el seguro, efectivamente puede revestir el carácter de contrato de consumo —la gran mayoría de las veces—, cuando las partes además cumplan con los presupuestos para ser considerados consumidor y proveedor, de acuerdo al Art. 1 LPDC. A consecuencia de lo anterior, es que efectivamente puede ser alcanzado por las normas de la LPDC, en especial de las relativas a las cláusulas abusivas, desde que el C.Co. guarda silencio en esta materia (Art. 2 bis letra a LPDC).

La importancia de ello es doble. En primer lugar, reafirma la idea de la aplicabilidad de la LPDC al seguro, lo que se sustenta además, tanto en la Norma de Carácter General (NCG) 349 —la cual explicita que se deben respetar además las exigencias previstas en el artículo 17B y demás disposiciones de la LPDC— así como en la mención expresa en esta última al contrato en cuestión (Arts. 17 B, 17 F, 37 y 55 LPDC). Ello tendrá incidencia, como veremos, en la misma licitud de las pólizas. En segundo término, relaciona la temática en estudio con la ya señalada eventual aprobación administrativa del Art. 16 letra g) LPDC".

<h2 style="text-align:center">SENTENCIAS SOBRE ARTÍCULO 2 BIS</h2>

- **Claudia Ruda Espinoza con BCI Seguros Generales S.A. (2017): Corte de Apelaciones de Santiago, 07 de abril de 2017, Recurso de Apelación, Rol n° 649-2016, LTM19.091.650:** "SEXTO: (...) Agrega por último en su art. 2° bis que no obstante lo prescrito en el artículo anterior, las normas de esta ley no serán aplicables a las actividades de producción, fabricación, importación, construcción, distribución y comercialización de bienes o de prestación de servicios reguladas por leyes especiales, salvo en las materias que estas últimas no prevean y en lo relativo al derecho del consumidor o usuario para recurrir en forma individual, conforme al procedimiento que esta ley establece, ante el tribunal correspondiente, a fin de ser indemnizado de todo perjuicio originado en el incumplimiento de una obligación contraída por los proveedores, siempre que no existan procedimientos indemnizatorios en dichas leyes. En este último procedimiento, que debe aplicarse en esta causa, lo perseguido es la indemnización por todo perjuicio causado por el incumplimiento de una obligación por el proveedor, la compañía de seguros, no la acción que pretende obtener el cumplimiento de la obligación del asegurador en el contrato de seguro, el cual debe perseguirse a través del procedimiento más arriba indicado".

- **Servicio Nacional del Consumidor con RSA Seguros Chile S.A. (2016): Corte de Apelaciones de Santiago, 08 de julio de 2016, Recurso de Apelación, Rol n° 594-2016, LTM19.091.649:** "CUARTO: Que si bien el artículo 2° bis de la Ley n° 19.496 prescribe que las normas de esta ley no serán aplicables a las actividades de producción, fabricación, importación, construcción, distribución y comercialización de bienes o de prestación de servicios reguladas en leyes especiales, establece a continuación determinadas excepciones a dicho principio de especialidad, entre ellas, cuando se trate de materias no reguladas en esas normativas particulares. **QUINTO:** Que es precisamente la hipótesis recién descrita la que se verifica en la especie. En efecto, es indiscutible que el artículo 529 del Código de Comercio regula la información que debe suministrar el asegurador al asegurado en su calidad de tales, sin embargo, dicha preceptivo no contempla los mismos deberes de información que consagra la Ley de Protección de los Derechos de los Consumidores. Así, este último cuerpo legal ordena que la información debe ser veraz y oportuna (artículo 3º letra b), debiéndose otorgar un acceso claro, expedito y oportuno a la información básica comercial, y adicionando incluso requisitos de forma cuando se trate de un contrato de adhesión. Es por ello que la denominada Ley del Consumidor instaura requerimientos distintos y más exhaustivos a los previstos en el Código de Comercio, los que tienen como propósito específico resguardar la debida relación que debe darse entre un consumidor y el proveedor de un servicio, de modo que necesariamente dicha codificación debe complementarse, en esta materia, con lo que dispone el anterior texto normativo. **SEXTO:** Que refuerza lo sostenido precedentemente las modificaciones que introdujo la Ley nº 20.555 a la Ley nº 19.496, cuyo objeto fue extender las garantías propias del derecho de protección al consumidor a los productos financieros, designando de manera explícita a las compañías de seguros como proveedores de servicios y a los seguros como un producto financiero. En este sentido entonces, el cliente de una compañía de seguros puede ser considerado como consumidor para los efectos de la Ley de Protección del Consumidor. **SÉPTIMO:** Que en lo concerniente a la existencia de una cláusula compromisoria que, según estima la compañía de seguros, sustrae el conocimiento de este asunto de los juzgados de policía local, cabe señalar que ella no puede hacerse valer respecto del ejercicio de acciones que deriven de la Ley nº 19.496, cuya competencia es entregada a los juzgados de policía local, más aun encontrándonos ante un derecho infraccional o sancionatorio de orden público, que no puede ser encomendado a un juez árbitro".

- **Servicio Nacional del Consumidor con Créditos Organización y Finanzas S.A. (2016): Corte Suprema, 11 de octubre de 2016, Recurso de Casación en la Forma y en el Fondo, Rol nº 4903-2015, LTM16.324.498: "DECIMOTERCERO:** En ese entendido, el Servicio Nacional del Consumidor puede accionar en defensa del interés colectivo o difuso de los consumidores cuando constata que un concreto accionar del proveedor implica la transgresión de los derechos consagrados en la ley del ramo, como lo es la abusividad en la suscripción de un contrato de adhesión, con la finalidad que se declare judicialmente la infracción que considera que se ha producido. De este modo, si bien el tratamiento de datos personales está regulado en una ley especial, la afectación de intereses supraindividuales que implica la contratación en situación de desigualdad mediante contratos de adhesión cuyo contenido acarrea el desequilibrio entre las partes que se refleja, entre otros, en el quebrantamiento de los derechos de los titulares de datos de carácter personal, constituye una materia susceptible de ser conocida en esta sede. Más clara es esta inferencia cuando se advierte que el proceso judicial de la ley de protección a la vida privada está previsto únicamente para el resguardo de un interés individual, mientras que el de estos antecedentes se refiere al interés colectivo de todos aquellos deudores que suscribieron el informativo convenio con la expectativa no cumplida de ser eliminados del Boletín Comercial, de manera que nos encontramos en el caso previsto en la letra b) del artículo 2 bis de la Ley 19.496, ya que si bien las normas de protección al consumidor no son aplicables, en principio, en materia de datos personales, sí lo son cuando se compromete el interés colectivo o difuso".

- **Espinoza con Compañía de Seguros Renta Nacional (2011): Corte de Apelaciones de Talca, 2 de noviembre de 2011, Recurso de Apelación, Rol nº 692-2011, LTM19.091.653: "SEXTO** (voto disidencia): Ruperto Pinochet las relaciones entre estas leyes no son de especialidad o supletoriedad. En su calidad de abogado integrante, estimó que no puede decirse que la ley de seguros sea una especial respecto de la ley de consumo. Por eso, defiende la confluencia de ambos estatutos avalando una opción para el consumidor".

- **Corporación Nacional de Consumidores con Banco del Estado (2005): Corte de Apelaciones de Santiago, 01 de julio de 2005, Recurso de Apelación, Rol nº 5104-2005, LTM19.090.415: "SÉPTIMO:** Que la Ley del Consumidor no colisiona con la normativa bancaria, ya que no busca fiscalizar las operaciones y negocios bancarios, sino únicamente interviene, de acuerdo a lo que dispone su artículo 2º bis, cuando se produce el incumplimiento de las obligaciones contraídas por el proveedor, en el que está comprometido el interés colectivo o difuso de los consumidores o usuarios".

COMENTARIOS AL ÁMBITO DE APLICACIÓN DE LA LEY 19.496

NOTAS SOBRE LA NOCIÓN DE CONSUMIDOR EMPRESARIO VIGENTE EN EL SISTEMA CHILENO

María Elisa Morales

La aplicación de la normativa protectora objeto de este libro exige despejar, en primer lugar, qué es lo que se entiende por consumidor.

En nuestro ordenamiento, el artículo 1 n° 1 de la Ley 19.496 define al consumidor como "las personas naturales o jurídicas que, en virtud de cualquier acto jurídico oneroso, adquieren, utilizan, o disfrutan, como destinatarios finales, bienes o servicios", luego, la misma norma agrega que "en ningún caso podrán ser considerados consumidores los que de acuerdo al número siguiente deban entenderse como proveedores".

Hay dos aspectos esenciales en la definición legal de consumidor. En primer lugar, el carácter de "destinatario final" del bien o servicio. En segundo lugar, que el sujeto no pueda ser entendido como proveedor. La norma es clara y de ahí que sobre esto haya consenso en doctrina. Luego, la noción legal de proveedor del artículo 1 n° 2 comprende a productores, fabricantes, importadores, constructores, distribuidores y todos aquellos que comercialicen bienes o presten servicios a consumidores, salvo aquellos que ejercen independientemente su profesión. De esa amplísima definición es posible concluir que las empresas, quedan excluidas del concepto de consumidor. Este no es un tema pacífico en el Derecho extranjero, pues hay ordenamientos que incluyen a los empresarios como consumidores y otros que no.

Las normas de la Ley nº 19.496, interpretadas aisladamente, nos hablan de una noción bastante estricta de consumidor, en la cual es posible admitir a personas naturales y a algunas personas jurídicas sin fines de lucro. Este concepto estricto es notoriamente diferente de la noción de cliente, que se asocia a un concepto amplísimo de consumidor y que incluye justamente a todos quienes contratan con un proveedor para adquirir los bienes o servicios que ofrece[1], sin excepción y donde no es relevante el fin que el adquirente les de a esos bienes o servicios, la clase de personalidad del sujeto (natural o jurídica) o la forma jurídica de su organización. Un típico ejemplo, en este sentido, es el cliente bancario, que incluye a tarjetahabientes, titulares de cuentas, etc. que no necesariamente deben reunir la calidad de consumidor en sentido estricto.

En Chile, si bien, de la interpretación de los artículos 1 nº 1 en relación al nº 2 de la misma norma de la Ley 19.496, nos lleva a descartar a las empresas como consumidoras, a esta interpretación se debe sumar lo dispuesto por lo artículos segundo y noveno de la Ley nº 20.416, que incorporan la figura del "consumidor empresario" a nuestro sistema, noción que contiene aquellas situaciones en que es posible extender el estatuto protector a relaciones entre empresas donde una de ellas es proveedora y, la otra, destinataria del bien o servicio. Las normas citadas hacen aplicables ciertas normas de la LPDC —señaladas por el mismo artículo noveno— a micro y pequeñas empresas en sus relaciones con sus proveedores. El factor que determina la protección es la calidad de micro o pequeña empresa, sin otra consideración, para lo cual hay que estarse a lo dispuesto en el artículo segundo de la Ley nº 20.416, que especifica qué empresas deben ser entendidas como micro o pequeñas empresas según sus utilidades anuales obtenidas en el año calendario anterior.

La doctrina ha sostenido dos interpretaciones diferentes a partir de la regulación referida en el párrafo anterior. Una primera interpretación[2], afirma que dado que es un principio estrictamente formal el que hace aplicable parte la LPDC a las relaciones entre las micro y pequeñas empresas con sus proveedores, no hace falta determinar si son o no destinatarios finales del bien o servicio. Así, si una de las partes es una micro o pequeña empresa (según las define el artículo segundo inciso segundo de la Ley

---

[1]   Momberg, Rodrigo. (2004). "Ámbito de Aplicación de la Ley nº 19.496 Sobre Protección de los Derechos de los Consumidores". *Revista de derecho (Valdivia) (17)*, pp. 41-62.

[2]   Momberg, Rodrigo (2015). "La empresa como consumidora: ámbito de aplicación de la LPC, nulidad de cláusulas abusivas y daño moral. Corte de Apelaciones de Talca, rol - nº 674-2014 y Corte Suprema, rol nº 31.709-14". Revista Chilena de Derecho Privado, (25), pp. 279-287. pp. 281-282.

nº 20.416) y la otra un proveedor (de acuerdo con la definición del art. 1 nº 2 de la LPDC), se aplica el estatuto protector (de acuerdo con lo dispuesto en el artículo noveno de la ley nº 20.416).

Una segunda postura, sostenida por Sandoval[3] y Tapia[4], señala que estas normas deben ser interpretadas de manera excepcional y su tenor no permite que las micro y pequeñas empresas puedan ser entendidas como consumidoras con prescindencia de la noción esencial y determinante que es la de destinatario final del bien o servicio.

La jurisprudencia, no parece tenerlo claro y es posible encontrar pronunciamientos en ambos sentidos[5].

La interpretación formal del consumidor empresario, parece la más plausible, pues la norma no distingue y esta es la interpretación que más se conforma con el espíritu de la Ley 20.416 que busca proteger a las micro y pequeñas empresas en sus relaciones con sus proveedores, no obstante, no ser destinatarias finales de los bienes o servicios que adquieren. En efecto, del mensaje presidencial respectivo, se puede leer lo siguiente:

> *"[e]l sistema de protección a los consumidores busca atender, en este sentido, aquellas brechas que producen desequilibrio entre quienes contratan en el mercado, estableciendo estándares mínimos de información, especificando el deber de profesionalidad de los proveedores, prohibiendo la imposición de cláusulas abusivas y sancionando las infracciones que afecten el interés de los consumidores. Esta normativa, sin embargo, sólo se aplica a los consumidores finales, sin considerar que las empresas más pequeñas en muchas ocasiones compran bienes y/o contratan servicios siendo afectadas por el mismo tipo de asimetrías antes mencionadas. Esta situación se da principalmente cuando los bienes o servicios comprados no son parte directa del giro principal de la empresa compradora.*

---

[3]   Sandoval, *Ricardo (2016). Derecho Comercial. Tomo V. Derecho del Consumidor. Protección del Consumidor en el Derecho nacional y en la legislación comparada.* Santiago: Editorial Jurídica, pp. 42 y 77.

[4]   Tapia, Mauricio (2017). *Protección de consumidores. Revisión crítica de su ámbito de aplicación.* Santiago: Rubicón, p. 28.

[5]   Para un análisis detallado de los fallos existentes ver: Fernández, Felipe y Morales, María Elisa (2020). "La persona jurídica como consumidora", en Erika Isler (Coord.) *GPS Consumo.* Valencia: Tirant lo Blanch.

En este contexto, debemos entonces enfrentar brechas no atendidas en la relación que se establece entre las micro y pequeñas empresas y sus proveedores de bienes y servicios que, al mismo tiempo que ofrecen bienes y servicios a consumidores finales, contratan con empresas de menor tamaño, las cuales enfrentan similares asimetrías de información, costos de transacción y dificultades de acceso a la justicia a los que enfrenta cualquier consumidor final".

En este sentido no parece que el criterio del destinatario final sea el aplicable a la noción de consumidor empresario pues, dicho elemento corresponde a una noción estricta de consumidor y no es apta para incluir casos sino más bien sirve para excluirlos. Luego, si tomamos el criterio de destinatario final para aplicar el Derecho del Consumo a empresarios la gran mayoría de los relaciones contractuales de estos sujetos quedarían excluídas y, por lo tanto, no le estaríamos dando un efecto útil a la disposición del artículo noveno de la Ley n° 20.416.

De acuerdo con lo anterior, si una micro o pequeña empresa adquiere bienes o servicios que luego incorpora a su giro ordinario, merece protección de acuerdo con las normas citadas, sin que sea necesaria la calificación de destinatario final del bien o servicio.

Sin embargo, esta interpretación presenta un problema que es la ausencia criterios materiales de asimetría que orienten al juez en la aplicación de la normativa protectora y esto es necesario por las mismas razones antes indicadas. El espíritu, tanto de la LPDC como de la Ley n° 20.416 es protector, por lo tanto la aplicación de normas protectoras a situaciones que no lo merecen contravendría la *ratio legis* y los criterios simplemente formales no permiten distinguir, lo cual podría devenir en aplicaciones injustas de la norma. Por ejemplo, sin criterios materiales de asimetría es posible aplicar la LPDC para proteger a una pequeña empresa (consumidora) que adquiere un bien o servicio de una microempresa (proveedora), económicamente más débil que la primera; o, podría pensarse en un ejemplo donde empresas del mismo tamaño y mismo giro, donde una demanda a la otra exigiendo protección como consumidora, escenario que se acerca mucho más a la típica relación entre partes que se miran como iguales objeto del Derecho común; o, es posible también visualizar una micro o pequeña empresa que por tener la calidad de experto y gran dominio técnico difícilmente pueda ser catalogada como la parte débil de la relación.

Así, la aplicación de esta normativa protectora a relaciones entre empresarios exige constatar la situación de asimetría que justifica la extensión del Derecho del Consumo más allá de la relación entre un consumidor destinatario final y un proveedor.

En efecto, es claro que la debilidad o vulnerabilidad del consumidor frente a su contraparte constituyen el fundamento del Derecho del Consumo. Este surge por y para la regulación de relaciones contractuales asimétricas donde se busca proteger al adquirente débil como una manifestación del denominado paradigma de la parte más débil que en su desarrollo paulatino ha ido incluyendo nuevas situaciones en la medida que han ido surgiendo nuevas categorías de partes débiles como por ejemplo, las micro, pequeñas y hasta medianas empresas. En el contexto europeo, Roppo[6] concluye que últimamente la visión se está ampliando desde los contratos de consumo o B2C a "contratos asimétricos", definidos por el mismo como: "relaciones contractuales entre una empresa dominante y otro sujeto del mercado (sea o no un consumidor), que se encuentra en condiciones de desigualdad en cuanto a su poder contractual, en razón de su posición objetiva en el mercado".

En el escenario del ordenamiento jurídico chileno, se hace necesario entonces, a la hora de aplicar estas normas, complementar el criterio formal proveído por la Ley n° 20.416, con el espíritu y fin del Derecho del Consumo que busca precisamente proteger a la parte débil de la relación y la *ratio legis* de la misma Ley n° 20.416 que busca extender la protección de las micro y pequeñas empresas víctimas de alguna clase de asimetría. En este sentido, el deber de profesionalidad parece jugar algún rol, aunque a mi juicio limitado. En efecto, este criterio de la profesionalidad como un ponderador de la multa a aplicar en el caso concreto, confirma que la expertise y habitualidad son los parámetros objetivos de este deber que, en el caso de relaciones entre empresas la ley los presume cuando el micro o pequeño empresario actúa dentro de su propio giro en la adquisición de bienes o la contratación de servicios. Sin embargo, la expertise y la habitualidad del sujeto protegido respecto de los negocios de su giro no terminan por excluir la asimetría respecto del micro o pequeño empresario protegido —por lo menos no siempre— ya que, el desequilibrio de la relación también puede provenir de alguna clase de dependencia, o bien podría consistir en una asimetría económica, etc. O sea, que no importaría que el micro o pequeño empresario actúe dentro de su giro, pues su proveedor puede ser más poderoso en otros sentidos (no tan solo técnico) y si estamos de acuerdo con que la ratio de la Ley 20.416 es proteger al más débil, sigue estando justificada su protección.

---

[6] Roppo, Vincenzo (2011). Del contrato con el consumidor a los contratos asimétricos: perspectivas del derecho contractual europeo. Revista de Derecho Privado, (20), pp. 177-223, p. 178.

Con todo, se debe tener en cuenta que la forma de proteger al consumidor destinatario final y al empresario más débil, no debería ser la misma pues, se trata de relaciones de diferente naturaleza que parten de supuestos diferentes.

En otras palabras, el criterio material que vendría a complementar la interpretación formal del empresario consumidor es la constatación de una asimetría entre las partes, donde el micro o pequeño empresario —destinatario de bienes o servicios— sea la parte débil. No es relevante que sea destinatario final o que incorpore mediata o inmediatamente el bien o servicio a su giro. Una exigencia tal privaría a la norma de utilidad. Esto, sin perjuicio de precisar ciertos subcriterios[7].

---

[7]   Ese es precisamente el objetivo del proyecto FONDECYT Iniciación n° 11190543, "Criterios de verificación de asimetría en las relaciones b2b. Una perspectiva de derecho comparado" del cual María Elisa Morales es investigadora responsable y que, actualmente, se encuentra en ejecución.

LA SUPUESTA SUPLETORIEDAD Y ESPECIALIDAD DE LA LPDC

Francisca Barrientos Camus

Hablar sobre el ámbito de aplicación de la ley de consumo, o la relación de consumo, en nuestro país, resulta bastante complejo. Primero, porque hay que explicar quién es consumidor, con todo lo que ello implica. Es decir, habrá que tomar en consideración la evolución que ha tenido la integración de los consumidores materiales en la LPDC (desde su exclusión hasta su integracion), hasta el punto de prescindir de forma casi absoluta de la onerosidad del acto de consumo, a mi juicio de forma correcta[8]. Por lo que, generalizando, el consumidor será simplemente el destinatario final, sin agregar otra categoría de la definición contenida en el artículo 1 n° 1; o incluso avanzando un poco más allá, sería posible defender que podríamos conceptualizarlo como "el no proveedor", por la inclusión de la reforma n° 20.416. Lo anterior, de alguna forma, recuerda la definición de consumidor negativa, que lo entiende de forma amplísima, como el no profesional en los sistemas europeos.

Más allá de eso, también es posible observar que, aunque el legislador estableció un catálogo de materias que quedan incluidas en la LPDC y otras que quedan excluidas de la normativa de protección de los derechos de los consumidores en el artículo 2, lo cierto es que el sistema, a través de la praxis judicial se ha ido ampliando, al aplicar estas reglas a leyes que solucionan sus propias controversias[9], e incluso a materias que la propia LPDC quiso excluir. Ello, en atención a defectos de técnica legal, y por la interpretación que se hace del artículo 23, norma que contiene una fuente ambigua de responsabilidad[10], y contiene

---

[8]   Barrientos Camus, Francisca 2015: "La evolución judicial del concepto de consumidor. La importancia de la destinación final y la clasificación de los consumidores materiales y jurídicos", en Álvaro Vidal, Gonzalo Severín, Claudia Mejías (edits). *Estudios de Derecho Civil X*. Santiago: Thomson Reuters, pp. 333-350.

[9]   Barrientos Camus, Francisca, 2017: "La expansión de la ley de consumo a materias excluidas y a leyes que solucionan sus propias controversias", en Hernán Corral y Pablo Manterola (edits.). *Estudios de Derecho Civil XII*. Santiago: Thomson Reuters, pp. 269-287.

[10] Barrientos Camus, Francisca 2009: "La función del artículo 23 como fuente ambigua de responsabilidad en la LPC", en Carlos Pizarro Wilson (coord.). *Estudios de Derecho Civil IV*. Santiago: Legal Publishing, pp. 625-642.

una fuerte raigambre histórica, que ha provocado en la práctica una opción o concurrencia normativa de normas para los consumidores.

Y, si además se adiciona la idea que 2 artículo bis contempla una regla bastante curiosa, pues intenta hacer aplicable la ley a ámbitos "especiales", mediante el empleo de excepciones y contraexcepciones lo que dificulta aún más la técnica legislativa, es posible encontrar una dispersión y ambigüedad respecto de los contornos de aplicación de esta ley. Por eso, defiendo la idea de la opción o concurrencia normativa que le permite escoger al consumidor (o consumidora o sujetos supraindividuales determinados o indeterminados) la normativa (su jurisdicción y competencia) que mejor satisfaga sus intereses, incluyendo a los sujetos que los representan como las Asociaciones de Consumidores y el Servicio Nacional del Consumidor.

La regla del artículo 2 bis es curiosa y ambigua, porque está construida a partir de exclusiones, en el sentido que expresa que no se aplica la ley de consumo a una serie de actividades reguladas por "leyes especiales". Pero para hacer tal afirmación habría que justificar que estamos frente a una relación de género a especie frente a estas normativas, o un sistema particular a especial; y eso no ocurre en materia de consumo. Las supuestas "leyes especiales" no son tales, porque no están construidas a partir de la relación de consumo. Y aquellas que sí lo están, como ocurre con la normativa de seguro (por citar algún ejemplo) tampoco se pone en todos los supuestos específicos de esta relación[11]. No es propiamente una relación de general y especial la forma de conceptualizar la vinculación que tiene la ley de consumo con las otras leyes "sectoriales". Dicho de otra forma, lo que hacen esas otras normativas, al nivel que sea —ley o reglamento— es ordenar mercados o ciertos aspectos concretos de un mercado o un contrato en particular. Por eso, no es por supletoriedad que se aplica la LPDC, sino que por integración (porque son las normas de derecho común).

Desde otra perspectiva "Entonces, la tipología que describe el artículo 2 bis es muy amplia y no resulta posible hacer un listado taxativo de las leyes supuestamente excluidas del ámbito de aplicación de la LPDC. Incluso, es tan amplia como am-

---

[11]   Barrientos Camus, Francisca 2019: *Lecciones de derecho del consumidor.* Thomson Reuters, Santiago, p. 48.

bigua, de modo que se descarta la interpretación restrictiva de ella, ya que no tendría la naturaleza taxativa que requieren las normas prohibitivas"[12].

Así, pienso que se trata de relaciones graficadas como círculos secantes, que en algún punto se conectan entre sí[13].

De *lege feredae* se promueve una reforma profunda a este sistema.

---

[12] Barrientos Camus, Francisca 2019: Lecciones de derecho del consumidor. Thomson Reuters, Santiago, p. 45.
[13] Barrientos Camus, Francisca 2017: "Intento de configuración de un concurso de normas por entregas defectuosas en la ley de consumo y el código civil en el derecho chileno", en *Revista de Derecho privado*. Universidad del Externado, n° 32, enero-junio, pp. 257-277.

TÍTULO II
DISPOSICIONES GENERALES
PÁRRAFO 1º. LOS DERECHOS Y DEBERES DEL CONSUMIDOR

ARTÍCULO 3

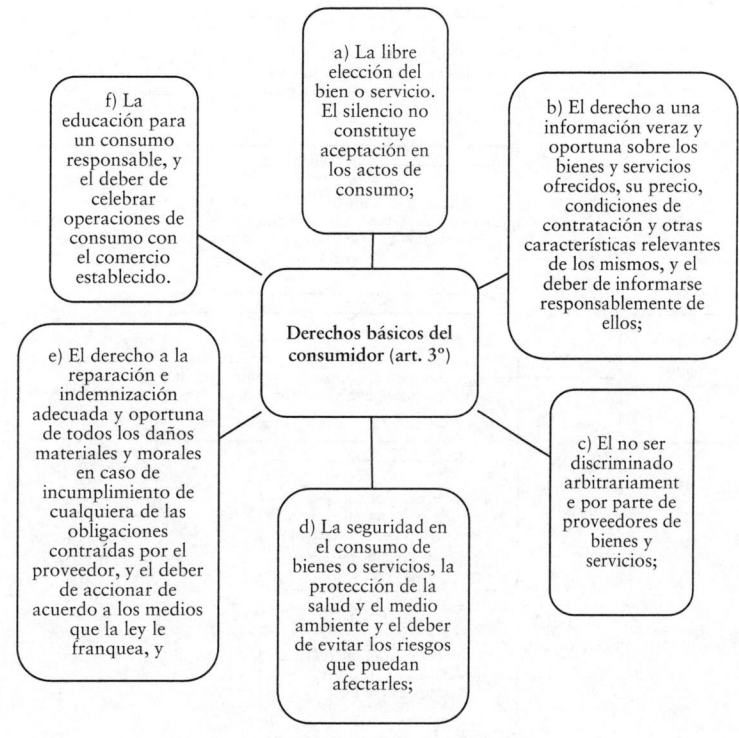

a) La libre elección del bien o servicio. El silencio no constituye aceptación en los actos de consumo;

f) La educación para un consumo responsable, y el deber de celebrar operaciones de consumo con el comercio establecido.

b) El derecho a una información veraz y oportuna sobre los bienes y servicios ofrecidos, su precio, condiciones de contratación y otras características relevantes de los mismos, y el deber de informarse responsablemente de ellos;

Derechos básicos del consumidor (art. 3°)

e) El derecho a la reparación e indemnización adecuada y oportuna de todos los daños materiales y morales en caso de incumplimiento de cualquiera de las obligaciones contraídas por el proveedor, y el deber de accionar de acuerdo a los medios que la ley le franquea, y

c) El no ser discriminado arbitrariamente por parte de proveedores de bienes y servicios;

d) La seguridad en el consumo de bienes o servicios, la protección de la salud y el medio ambiente y el deber de evitar los riesgos que puedan afectarles;

DERECHOS DEL CONSUMIDOR DE SERVICIOS Y PRODUCTOS FINANCIEROS
ARTÍCULO 3 INCISO 2º

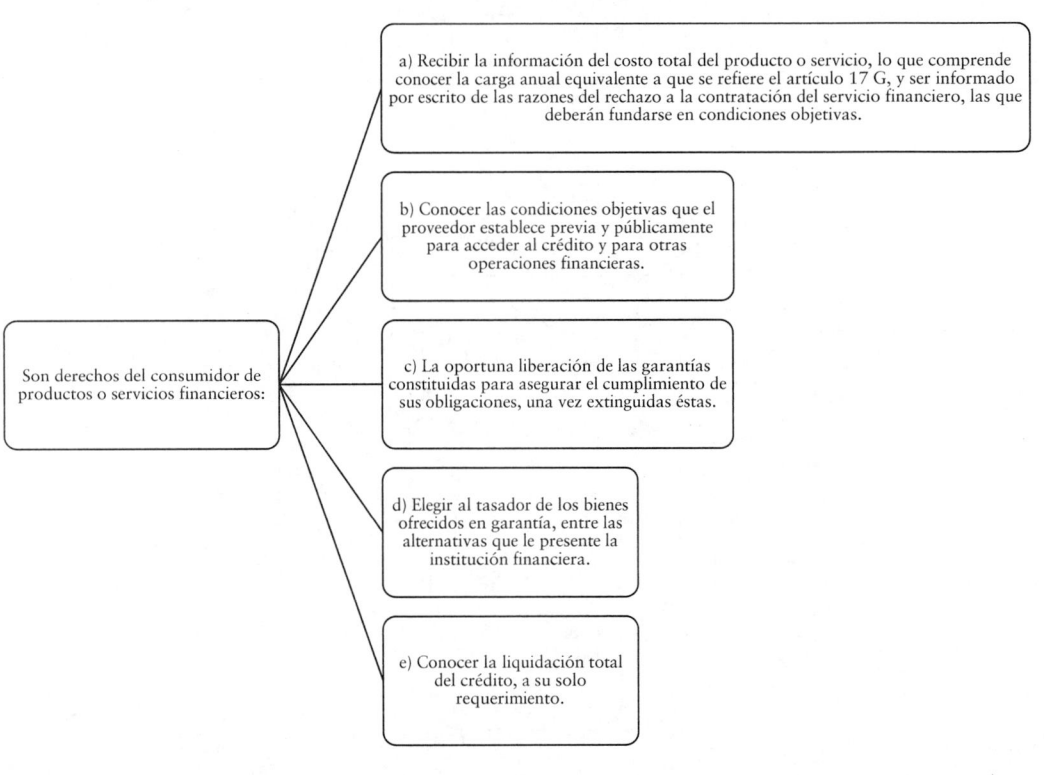

Son derechos del consumidor de productos o servicios financieros:

a) Recibir la información del costo total del producto o servicio, lo que comprende conocer la carga anual equivalente a que se refiere el artículo 17 G, y ser informado por escrito de las razones del rechazo a la contratación del servicio financiero, las que deberán fundarse en condiciones objetivas.

b) Conocer las condiciones objetivas que el proveedor establece previa y públicamente para acceder al crédito y para otras operaciones financieras.

c) La oportuna liberación de las garantías constituidas para asegurar el cumplimiento de sus obligaciones, una vez extinguidas éstas.

d) Elegir al tasador de los bienes ofrecidos en garantía, entre las alternativas que le presente la institución financiera.

e) Conocer la liquidación total del crédito, a su solo requerimiento.

DOCTRINA SOBRE ARTÍCULO 3 letra a)

Artículo 3°. Son derechos y deberes básicos del consumidor: a) La libre elección del bien o servicio. El silencio no constituye aceptación en los actos de consumo;

- **Baraona, Jorge (2019):** "**Concepto, autonomía y principios del derecho del consumo**", **en María Elisa Morales (Dir.) y Pamela Mendoza (Coord.),** *Derecho del Consumo: Ley, doctrina y jurisprudencia.* **Santiago: Der Ediciones. pp. 1-24, p. 17-18:** "**El principio de la libertad en el consumo:** El artículo 3 letra a) asegura que todo consumidor o usuario tiene derecho a la libre elección del bien o servicio y que el silencio no constituye manifestación de voluntad. Nadie puede ser obligado a adquirir un bien o recibir un servicio que no tenga interés y que no ha escogido libremente. Obviamente este derecho de fuerte raigambre constitucional, que en el derecho del consumo se hace particularmente intenso".

- **Rodríguez, Pablo (2015):** *Derecho del Consumo. Estudio crítico.* **Santiago: Legal Publishing Chile, p. 15:** "El derecho esencial del consumidor, sin duda, corresponde a la "libre elección del bien o servicio" (artículo 3° letra a). De lo indicado se desprende que el consumidor es soberano para seleccionar aquello que desea adquirir y que no cabe entre nosotros un consumo controlado y dirigido (tarjeta de racionamiento). Este derecho va unido a la declaración de que, "El silencio no constituye aceptación en los actos de consumo". Por lo tanto, la ley priva de efecto a todo tipo de "silencio" como manifestación de voluntad, pero solo respecto de "aceptación en los actos de consumo", vale decir, de la elección del bien y servicio escogido. El silencio, en este ámbito contractual, tiene plena aplicación, salvo que aquello expresamente excluido por mandato legal. Nada impide, por lo mismo, que pueda invocarse el "silencio" respecto de la extensión, modificación, extinción, etcétera, de una relación jurídica vigente".

- **Barrientos, Marcelo (2013):** "**Artículo 3° a)**", **en Iñigo De La Maza; Carlos Pizarro (Dirs.) y Francisca Barrientos (coord.) La protección de los Derechos de los consumidores.** *Comentarios a la ley de protección a los derechos de los consumidores.* **Santiago: Editorial Thomson Reuters, pp. 87-93:** "La concreta posibilidad para el consumidor de influir sobre la relación de consumo, va implícito en la libre elección del bien o servicio, acto que no le debe ser impuesto por un profesional de la información como es el proveedor. Un sistema de economía de mercado es fruto de la libre elección de los consumidores quienes tomarán sus decisiones adquisitivas en atención al precio o calidad de los bienes ofertados o a las condiciones de transacción reales. (…) Esta norma debe estar articulada con los medios de defensa de los consumidores. No en vano la responsabilidad civil ha de acompañar la tutela de libre elección de los consumidores, en este sentido, los primeros llamados a custodiar este derecho son los propios consumidores".

SENTENCIAS SOBRE ARTÍCULO 3 letra a)

Artículo 3°. "Son derechos y deberes básicos del consumidor: a) La libre elección del bien o servicio. El silencio no constituye aceptación en los actos de consumo".

- **Servicio Nacional del Consumidor con Inversiones SCG S.A. (2019): Juzgado de Policía Local de Recoleta, 05 de enero de 2019, Rol n° 151512-1:** "OCTAVO: Que interpretando de modo armónico la normativa de la ley 19,496, en relación al caso de qué se trata, el juez que suscribe considera que sea vulnerado el derecho básico de la consumidora, a la libre elección de bienes y servicios y su derecho de información veraz y oportuna en las condiciones de contratación, consagrados en las letras a) y b) del artículo 3° de dicha ley. La Establece que el silencio en los actos de consumo no constituye aceptación. Lo estipulado en el contrato de mandato invocado por la defensa de la denunciada sólo tiene por fin facilitar el cobro de sus créditos. En ningún caso lo pactado puede significar que la consumidora renuncie anticipadamente a los derechos básicos antes citados, lo cual prohíbe expresamente el artículo 4° de la ley del ramo".

- **Servicio Nacional del Consumidor con Banco Bilbao Vizcaya Argentaria (2018): Corte Suprema, 20 de noviembre de 2018, Recurso de Casación en el Fondo, Rol n° 100759-2016, LTM18.744.957:** "DECIMOCUARTO: En cuanto al efecto jurídico que se le otorga al silencio del cliente dentro del plazo propuesto, presumiendo su aceptación tácita al aumento de las comisiones por el solo hecho de usar el producto o servicio, estiman los juzgadores que no resulta suficiente la inactividad de los consumidores para entender que éstos han consentido en la modificación de sus contratos, y en particular tratándose de tarjetas de débito, crédito y otras operaciones bancarias, que notoriamente constituyen actividades cotidianas e incluso imprescindibles para los usuarios de estos productos, de los que en general no pueden verse privados. Estos, de usarlas, es por una necesidad, no divisándose que ello necesariamente conlleve una aceptación a una modificación de lo pactado, concluyendo así que, por todo ello, se desvanece la pretendida y aparente bilateralidad porque en realidad se trata de un cambio en el contenido contractual dispuesto unilateralmente por la empresa que presta los servicios, disfrazando una voluntad del cliente donde no la hay y, en definitiva, otorgando a su silencio un efecto que el derecho del consumo expresamente prohíbe en el artículo 3 letra a) de la ley del ramo".

- **Servicio Nacional del Consumidor con Evolución SpA (2016): Corte de Apelaciones de Arica, 05 de diciembre de 2016, Recurso de Apelación, Rol nº 66-2016, LTM17.342.214:** "SÉPTIMO: (…) establece el derecho a la reparación e indemnización adecuada y oportuna de todos los daños materiales y morales en caso de incumplimiento de cualquiera de las obligaciones contraídas por el proveedor, de modo tal que el incumplimiento de una obligación por parte del proveedor genera la reparación del daño causado, lo cual supone la necesidad de acreditar la existencia del daño y los alcances patrimoniales o extramatrimoniales, según corresponda a su naturaleza".

- **Servicio Nacional del Consumidor con inmobiliaria las Encinas de Peñalolén S.A. (2014): Corte de Apelaciones de Santiago, 03 de junio de 2014, Recurso de Apelación, Rol nº 8281-2013, LTM19.090.421:** "DECIMOSEGUNDO: Que el artículo 3º de la Ley sobre Protección de los Derechos de los Consumidores dispone: "Son derechos y deberes del consumidor: a) La libre elección del bien o servicio." La norma consagra el principio de la libertad contractual, que se ve reflejado en un consumidor que puede elegir libremente todo tipo de bien o servicio desde el más simple hasta el más complejo y sofisticado. Vale decir la concreta posibilidad del consumidor de influir en la relación de consumo va implícito en la libre elección del bien o servicio, acto que no le debe ser impuesto por el proveedor; sino que éste debe tomar su decisión adquisitiva en atención al precio, calidad del bien ofertado y a las condiciones reales de transacción. Unido a la libertad de elección está la transparencia, presupuesto básico para la libre elección del consumidor, sobre todo tratándose de contratos de adhesión, como las ofertas de compras, las que las más de las veces puede llegar a regular este tipo de relaciones. Es así como los medios de publicidad y promoción de los productos, deben ser ajustados a la realidad, de lo contrario se atenta este derecho básico del consumidor como es la libertad de elección".

DOCTRINA SOBRE ARTÍCULO 3 letra b)

Artículo 3°. Son derechos y deberes básicos del consumidor: b) El derecho a una información veraz y oportuna sobre los bienes y servicios ofrecidos, su precio, condiciones de contratación y otras características relevantes de los mismos, y el deber de informarse responsablemente de ellos.

- **Isler, Erika** (2020): *Jurisprudencia de Derecho de Consumo Comentada.* **Santiago: Rubicón Editores, p. 173 y 261: "La vulneración del derecho a una información veraz y oportuna:** Conforme al Art. 3 letra b) LPDC, el consumidor es titular del derecho básico a una información veraz y oportuna sobre los bienes y servicios ofrecidos, su precio y condiciones de contratación. La consagración de esta garantía, como se ha venido señalando, tiene por objeto, hacer disminuir la asimetría informativa existente entre proveedores y consumidores, "favoreciendo de esta manera una formación de la voluntad más adecuada de estos últimos y, por lo tanto, una elección más libre de los bienes y servicios". Desde este punto de vista, su satisfacción, tutela no solo las demás garantías básicas del mismo Art. 3 LPDC —a la libre elección, salud, seguridad, educación—, sino que también otras prerrogativas que este cuerpo normativo otorga a los consumidores en otras disposiciones". (…) El Art. 3 letra b) LPDC establece el derecho básico de los consumidores a una información veraz y oportuna sobre los bienes y servicios ofrecidos, su precio, condiciones de contratación y otras características relevantes de los mismos. Como se había venido diciendo, esta garantía fundamenta la mayoría de las demás prerrogativas que la LPDC otorga a los consumidores, lo que ha motivado el establecimiento de deberes precontractuales de información que permitan a los consumidores realizar una elección con un cierto grado de racionalidad".

- **Barrientos, Francisca** (2019): *Lecciones de derecho del consumidor. Santiago:* **Thomson Reuters, pp. 56-59:** "Se trata, en definitiva, de informar los elementos necesarios para intentar lograr que el consumidor 'quiera' y 'conozca' los términos de la contratación. Por eso, no sólo basta con informar, menos en los ámbitos técnicos y especiales como el financiero, sino que hay que hacerlo con "transparencia", regla que operaría como un segundo nivel de protección a favor de los consumidores".

"La veracidad implica, lisa y llanamente, que se debe decir la verdad cuando se entrega información. Se trata de no generar expectativas falsas, erradas, inidóneas sobre los elementos del bien, servicio o contrato de consumo".

"Por otra parte, la información tiene que ser oportuna; esto quiere decir que se entregue en el momento adecuado, cuando el consumidor la necesita. Esto puede ser antes (la mayoría de los deberes consagrados en la ley), durante o después de celebrado el contrato (v. gr. información de riesgos sobrevinientes no advertidos con anterioridad a su comercialización, *ex* artículo 46 LPDC, difusión adecuada de los resultados de concursos y sorteos, *ex* artículo 36 LPDC)".

- **Rodríguez, Pablo (2015):** *Derecho del Consumo. Estudio crítico.* **Santiago: Legal Publishing Chile, p. 16:** "El consumidor tiene derecho *a ser informado veraz y oportunamente sobre los bienes y servicios ofrecidos, su precio, condiciones de contratación y otras características relevantes de los mismos (artículo 3º letra b). Agrega la disposición citada que corresponde al consumidor "el deber de informarse responsablemente de ellos".* Aparentemente esta última prescripción no pasa de ser una declamación lírica... Sin embargo, si la ley impone este "deber" al consumidor, ello puede traducirse en que aquellos defectos o insuficiencias del producto o servicio adquirido que podían quedar en evidencia con solo informase responsablemente sobre el mismo, pueden ser excusados. No cabe duda de que el derecho que asiste al consumidor apunta a las denominadas "tratativas preliminares", puesto que lo que se persigue es imponer al oferente la obligación de suministrar todos los antecedentes necesarios para contratar. Por consiguiente, si el proveedor oculta o distorsiona la información de que dispone sobre los productos que expende, incurrirá en responsabilidad. Nada nuevo respecto de las normas que rigen, en general, la contratación civil".

- **Barrientos, Marcelo (2013):** "**Artículo 3º b)", en Iñigo De La Maza; Carlos Pizarro (Dirs.) y Francisca Barrientos (coord.)** *La protección de los Derechos de los consumidores. Comentarios a la ley de protección a los derechos de los consumidores.* **Santiago: Editorial Thomson Reuters, pp. 94-103:** La buena fe, principio de integración contractual y general del derecho, otorga particular protección, según los usos del tráfico jurídico, a la lealtad y honradez desplegada por quienes procuran asentar una vinculación jurídica de forma seria. En principio, tal como enseña Morales Moreno, el principio de la buena fe, impone a cada una de las partes la obligación al menos de comunicarse. El derecho a la información del consumidor en la actualidad presupone una obligación precontractual legal del proveedor de dar a conocer las características del bien, producto o servicio que constituye el objeto del contrato que pretende celebrar. Surge la obligación de informarse para informar mejor a los consumidores. Mejor informa-dos, los consumidores podrán elegir mejor, lo que en clave de la ley del consumidor aparece como un deber para estos últimos.

Claramente, la obligación que impone este artículo 3 letra b) se fundamenta en la desigualdad de información de las partes, lo que pretende el legislador es mitigar con un derecho a saber y un deber de informarse. Esta relación deber-derecho, en la norma en comento, aparece como indisoluble".

- **De la Maza, Iñigo (2005): "¿Pero qué es lo que esperabas? Contratos por adhesión y expectativas razonables", en Susan Turner y Juan Andrés Varas (coords.)** *Estudios de Derecho Civil 9. Santiago:* Lexis Nexis, pp. 337-339: "Calibrar la carga de informarse en relación al deber de informar nos permite, según me parece, distinguir entre dos especies diversas de contratos por adhesión. A la especie de contratos por adhesión que reúne una o más de las características apuntadas en términos de que dificulte de manera relevante la lectura y comprensión del contrato por parte de la adherente lo voy a denominar contrato producto. La razón de esta denominación —y aquí sigo de cerca las ideas de Arthur Allan Leff— se justifica porque este tipo de contratos parecen diseñados y ofrecidos como un producto, es decir, asumiendo que el consumidor no va a revisar cada una de sus partes antes de adquirirlo. Sino que, más bien, va a confiar en una determinada apariencia que el producto parece manifestar. Junto a los contratos producto, probablemente sea posible distinguir otra especie de contratos por adhesión, a los que voy a denominar contratos negocio y estos han de ser aquellos en los que no se presenta ninguna de las razones que dificulta su lectura a las que me he referido. Es decir, se trata de contratos que resultan legibles y comprensibles para el consumidor hacia el cual van destinados. (...) En lo inmediato, sin embargo, podemos emplear la distinción entre contratos negocio y contratos producto frente a la carga de informarse y señalar que dicha carga alcanza únicamente a los primeros, pero no a los últimos, después de todo, como el mismo artículo 3 b) nos señala que se trata de una carga que debe ejercerse "responsablemente" y esa responsabilidad —en definitiva esa autorresponsabilidad— depende de como haya cumplido el proveedor con su deber de informar, si lo hizo defectuosamente —ya sea porque el contrato es excesivamente largo, porque se encuentra plagado de tecnicismos, porque la redacción es poco clara, o por la razón que sea— no se ve porqué habríamos de exigir al consumidor un esfuerzo superior al que le impone su carga de informarse".

SENTENCIAS SOBRE ARTÍCULO 3 letra b)

Artículo 3º. Son derechos y deberes básicos del consumidor: b) El derecho a una información veraz y oportuna sobre los bienes y servicios ofrecidos, su precio, condiciones de contratación y otras características relevantes de los mismos, y el deber de informarse responsablemente de ellos.

- **Servicio Nacional del Consumidor con Aguas del Valle S.A. (2020): Corte Suprema, 09 de junio de 2020, Recurso de Casación en el Fondo, Rol nº 31780-2019, LTM18.744.950:** "NOVENO: Que en lo concerniente al artículo 3 b) de la Ley nº 19.496, éste consagra el derecho de los consumidores a la información veraz y oportuna en relación al precio, condiciones de contratación, la seguridad en el consumo de bienes y las características relevantes de los productos, sin limitar en ningún caso el alcance del deber correlativo del proveedor únicamente a la etapa precontractual como erróneamente pretende el recurrente, por lo que cabe desde ya descartar tal infracción".

- **Maximiliano Curi Tuma con Atrápalo Chile S.A. (2020): Corte de Apelaciones de Santiago, 20 de febrero de 2020, Recurso de Apelación, Rol nº 3152-2018, LTM17.579.791:** "TERCERO: (…) Que aun cuando se haya comunicado al consumidor que la responsabilidad con motivo del cambio en las condiciones o itinerarios del vuelo sea de exclusiva responsabilidad de Latam, como se lee del documento de fojas 2, que contiene información adicional sobre la reserva efectuada, lo cierto es que la infracción que se imputa a Atrápalo es diversa, y reside exclusivamente en la falta de información oportuna de dicho cambio, lo que Atrápalo reconoce en la diligencia de absolución de posiciones que da cuenta la actuación de fojas 187 (posición 5ª), incurriendo en la conducta que describe el artículo 3 letra b) de la Ley del Consumidor (…)".

- **Servicio Nacional del Consumidor con Empresa de Vestuario Integral Tienda y Afines Limitada (2018): Corte de Apelaciones de Concepción, 22 de junio de 2018, Recurso de Apelación, Rol nº 58-2016, LTM19.090.433:** "DECIMOCUARTO: (…) se debe tener presente que el acto de compra y venta que realiza el comprador es un acto complejo que no sólo exige que el cliente adquiera la mercadería directa desde el interior del local comercial, sino que requiere que se encuentre debidamente informado de los precios que se muestran en las vitrinas, entonces, la compra comienza generalmente con el método comparativo de los diversos precios en diferentes locales comerciales con la práctica de vitrinear".

- **Servicio Nacional del Consumidor con Ticketmaster S.A. (2018): Corte Suprema, 09 de abril de 2018, Recurso de Casación en el Fondo, Rol nº 62158-2016, LTM16.126.393:** "CUARTO: Que en los términos del artículo 14 de la Ley nº 19.496, el proveedor será eximido de las obligaciones derivadas del derecho de opción que se establece en los artículos 19 y 20 de la misma ley, sin perjuicio de aquellas que hubiera contraído el proveedor en virtud de la garantía otorgada al producto, cuando ha tomado conocimiento el comprador de que, en la especie, se trataba de bienes de segunda selección (…)".

- **Servicio Nacional del Consumidor con Empresas La Polar S.A. (2013); Corte de Apelaciones de Santiago, 09 de octubre de 2013, Recurso de Apelación, Rol nº 134-2013, LTM19.091.620:** "TERCERO: Que, esta Corte tiene presente que la potestad reglamentaria prevista en el artículo 32 nº 6 de la Carta Fundamental, fue ejercida a través de 'reglamentos de ejecución' destinados a la ejecución —valga la redundancia— de la Ley nº 20.555, de tal manera que sin alterarla en lo sustantivo, detallan la normativa específica en relación a lo que se conoce como 'Sernac Financiero', que no siendo un organismo diferente al Sernac, es un conjunto de normas que vienen a complementar la protección del consumidor en el ámbito financiero, específicamente en cuanto a la información referida en el artículo 62 de la Ley nº 19.496 incorporado por la aludida ley modificatoria, reglamentos que fueran dictados y publicados con posterioridad a la información de la denunciada en su página web […], que con claridad da cuenta de una página web en la cual la información difundida por la denunciada corresponde al mes de marzo del año 2012, época en la cual era imposible que la denunciada pudiera conocer el contenido de la reglamentación con la que señala estar cumpliendo en un 100%, pues esa normativa específica no existía, cuestión que inevitablemente induce a error a los consumidores, error cometido a sabiendas de la no existencia de la regulación reglamentaria, conocimiento exigible de la denunciada dada su mayor posición jurídica frente a sus clientes (…)".

- **María Leontina Iribarra con CNF INACAP (2006): Corte de Apelaciones de Santiago, 04 de abril de 2006, Recurso de Protección, Rol nº 810-2006, LTM19.091.655:** "TERCERO: Que tampoco se discute en estos autos que, encontrándose el contrato señalado vigente, la alumna tenía derecho a solicitar de CFT Inacap, que la colegiatura de dicho semestre se financiara a través del Sistema de Crédito con Garantía Estatal, toda vez que como el propio recurrido lo ha reconocido Inacap aceptó participar de este nuevo sistema de financiamiento, informando su decisión a la Comisión Administradora del Sistema de Créditos para Estudios Superiores en su oportunidad y quedó a la espera que Casces entregara la lista de los preseleccionados, para habilitar en su sistema de matrícula, la posibilidad de hacerlo bajo la opción del sistema de crédito con garantía estatal (fojas 48).(…) **QUINTO:** Que si bien de los antecedentes que constan en autos es posible desprender que CFT Inacap cumplió en tiempo y forma con las exigencias para incorporarse y participar en el sistema antes descrito informando a la Comisión su decisión de participar, el número de postulantes que respaldaría y las condiciones académicas exigidas y realizó esfuerzos tendientes a que fluyera la información desde el portal central de la Casces, consta también en autos que en los meses previos a la postulación de los alumnos, la recurrida divulgó una información acerca de las condiciones académicas para postular al crédito con garantía estatal que resultó ser diferente y contradictoria con la decisión que, a ese respecto, finalmente adoptó".

DOCTRINA SOBRE ARTÍCULO 3 letra c)

Artículo 3°. Son derechos y deberes básicos del consumidor: c) El no ser discriminado arbitrariamente por parte de proveedores de bienes y servicios.

- **Baraona, Jorge (2019):** "Concepto, autonomía y principios del derecho del consumo", en **María Elisa Morales (Dir.)** y **Pamela Mendoza (Coord.)**, *Derecho del Consumo: Ley, doctrina y jurisprudencia.* **Santiago:** Der Ediciones. pp. 1-24, p. 18: "El principio de la no discriminación del consumidor o usuario: El artículo 3° letra c) de la Ley n° 19.496 asegura al consumidor el no ser discriminado arbitrariamente, es decir, sin fundamento, sin razón plausible, lo que en si importa un derecho para el consumidor y una limitación de actuación para el proveedor en el sentido que no tiene plena libertad de contratación en materia de consumo, pues debe proveer el bien el servicio, sin poder rechazar a un consumidor o usuario sin motivo justificado".

- **Isler, Erika (2019):** *Derecho del Consumo. Nociones fundamentales.* **Valencia: Tirant lo Blanch, pp. 212:** "Así también, señala Abramovich, que el enfoque de derechos implica dotar de estrategias de desarrollo que propendan a mecanismos de responsabilidad y no discriminación, otorgando además las herramientas para que el beneficiado pueda exigirlos si no le son otorgados voluntariamente. Por tal razón, nuestra LPDC reconoce esta realidad, otorgando al consumidor un derecho a la igualdad (Art. 3 letra c), cuya importancia radica en que "se inscribe en una esfera que va más allá de lo meramente patrimonial o económico, pues en rigor el valor que con el mismo se tutela es la igualdad de las personas ante la ley y la dignidad esencial del ser humano". En efecto, esta prerrogativa, a diferencia de otras que se derivan de la LPDC, no tiene por objeto tutelar la legítima expectativa del consumidor respecto del bien o servicio, sino que resguardar su propia dignidad. Reforzando lo anterior, también, el Art. 53 B LPDC, ordena que todo avenimiento, conciliación o transacción ocurrida en un procedimiento por vulneración del interés colectivo o difuso de los consumidores, debe ser sometido a la aprobación del juez, quien lo rechazará si lo considera contrario a derecho es arbitrariamente discriminatorio".

- **Rodríguez, Pablo (2015):** *Derecho del Consumo. Estudio crítico.* **Santiago: Legal Publishing Chile, pp. 16-17:** "El consumidor tiene a derecho a "no ser discriminado arbitrariamente por parte de los proveedores de bienes y servicios" (artículo 3º letra c). Para determinar el alcance de esta disposición debe recurrirse a lo que dispone la ley nº 20.609, que establece medidas contra la discriminación. En consecuencia, atendiendo al artículo 1º de la normativa invocada, debe entenderse que el proveedor no puede distinguir, al ofrecer los bienes y servicios en el mercado, sobre *"la raza o etnia, la nacionalidad, la situación socioeconómica, el idioma, la ideología u opinión política, la religión o creencia, la sindicalización o participación en organizaciones gremiales o la falta de ellas, el sexo, la orientación sexual, la identidad de género, el estado civil, la edad, la filiación, la apariencia personal y la enfermedad o discapacidad"* del consumidor. En otros términos, la ley invocada tiene plena aplicación en todo lo relativo a la relación entre consumidor y proveedor de bienes y servicios a la hora de establecer los factores que provocan la distinción constitutiva de discriminación. Lo anterior queda confirmado por lo dispuesto en el mismo artículo 1º de la ley nº 20.609, que define los *"propósitos de la ley"* (lo cual es poco frecuente en nuestro sistema y apunta, según parece, a la consagración de una interpretación finalista de sus disposiciones). Dicho precepto indica: *"esta ley tiene por objeto fundamental instaurar un mecanismo judicial que permita restablecer eficazmente el imperio del derecho toda vez que se cometa un acto de discriminación arbitraria".* Se trata, entonces, de una norma general, aplicable en todo cuanto dice relación con la definición dada por la misma ley sobre que debe entenderse por "discriminación arbitraria".

- **Barrientos, Marcelo (2013): "Artículo 3º c)", en Iñigo De La Maza; Carlos Pizarro (Dirs.) y Francisca Barrientos (coord.)** *La protección de los Derechos de los consumidores. Comentarios a la ley de protección a los derechos de los consumidores.* **Santiago: Editorial Thomson Reuters, pp. 104-108:** Jurisprudencialmente, se han denunciado casos gravísimos pero que lamentable-mente no han sido acogidos porque la prueba de los mismos no ha logrado convicción en el Tribunal al ser insuficiente, rechazadas han resultado reclamaciones en las cuales se vieron afectadas personas por síndrome de Down y retardo metal leve que habían concurrido a un establecimiento luego de presenciar una obra de teatro y a los que se les habría impuesto la obligación de exhibir su cédula de identidad para consumir (Primer Juzgado de Policía Local de Ñuñoa, 04/08/2008, Rol n° 4410-XL-06). Igual suerte corrió la reclamación de una persona que no fue atendida en un bar karaoke (Tercer Juzgado de Policía Local de Arica, 15/03/2010, Rol n° 0026-EO), aunque sí se acogió el daño extrapatrimonial alegado en el caso de una persona que no fue atendida por quince minutos en un bar (Primer Juzgado de Policía Local de Puerto Montt, 11/11/2002, Rol n° 1761-02). Similar situación, pero con insultos y humillaciones en una carnicería, ocurridos en la ciudad de Copiapó, con condena por daño extrapatrimonial ascendiente a $500.000. (Segundo Juzgado de Policía Local de Copiapó, 12/02/2008, Rol ilegible)".

DOCTRINA SOBRE ARTÍCULO 3 letra d)

Artículo 3°. Son derechos y deberes básicos del consumidor: d) La seguridad en el consumo de bienes y servicios, la protección de la salud y el medio ambiente y el deber de evitar riesgos que puedan afectarles.

- **Rodríguez, Pablo (2015):** *Derecho del Consumo. Estudio crítico.* **Santiago: Legal Publishing Chile, p. 18:** "El consumidor tiene derecho a "La seguridad en el consumo de bienes y servicios, la protección de la salud y el medio ambiente". Una vez más, junto a este derecho, se impone un deber al consumidor: "evitar los riesgos que puedan afectarle". La "seguridad en el consumo" importa, a nuestro juicio, la certeza de que el bien o servicio pueda ser utilizado para los fines especificados por el proveedor. La "protección de la salud y el medio ambiente", implica la facultad del consumidor para exigir que el producto expedido no provoque daños, deterioros ni lesiones corporales a quienes accedan a él, no cause un detrimento o menoscabo ecológico. En cuanto al deber que se impone al consumidor ("evitar los riesgos que puedan afectarle"), sostenemos que ello puede dar lugar a un caso de compensación de culpas (que se conoce en nuestro derecho como la exposición imprudente al daño y se contempla en el artículo 2330 del Código Civil). Nos parece de toda evidencia que si la ley impone al consumidor una conducta precavida y cuidadosa en todo aquello que dice relación con los actos de consumo, ello tiene efecto en la relación contractual. De otra manera se trataría de una disposición a fondo perdido o, mas bien, un postulado vacío de contenido práctico".

- Corral, Hernán (2013): "Artículo 3° d)" en Iñigo De La Maza; Carlos Pizarro (Dirs.) y Francisca Barrientos (coord.) *La protección de los Derechos de los consumidores. Comentarios a la ley de protección a los derechos de los consumidores.* Santiago: Editorial Thomson Reuters, pp. 109-116: Alcance de la declaración y ámbito de aplicación: "La afirmación que hace la ley sobre los derechos y deberes del consumidor, en este caso, referidos al concepto de seguridad, debe considerarse no como una mera declaración de intenciones, sin repercusiones concretas y normativas, sino efectivamente como un derecho subjetivo fundamental sobre el cual se edifica todo el resto de la disciplina legal".(…) **La seguridad como derecho:** "La ley consagra un derecho a "la seguridad en el consumo de bienes o servicios". Debe precisarse qué debe entenderse en este contexto como consumo seguro y qué tipo de seguridad se refiere el legislador. Tomando en cuenta la historia de la ley, así como su contexto y la terminología utilizada por el Derecho del Consumo en otras legislaciones, debe entenderse que aquí el legislador se refiere a la exigencia, hecha a fabricantes y proveedores en general, de que los productos no causen daños, diferentes a los que sencillamente se derivan de sus defectos de cantidad o de funcionamiento. En este sentido, una lámpara que no prende es un producto seguro, aunque defectuoso o inidóneo. En cambio, si la lámpara al prender produce un cortocircuito que lesiona al consumidor y causa un descalabro en el sistema eléctrico en su casa, es un producto que no cumple con las exigencias de seguridad y el consumidor podrá alegar que su derecho a la seguridad no ha sido respetado. (…) Aunque el texto legal hable de derecho a la seguridad "en el consumo", parece claro que la norma no puede restringirse a los daños causados en el mismo momento en que se utiliza o consume el bien o se presta el servicio. Basta que el daño se derive de un bien o servicio que ha sido consumido. Basta igualmente que se haya detectado la potencialidad de producir daño aunque este no se haya llegado a producir". "El titular del derecho, según el texto de la norma, es el consumidor, al que hay que añadir el de usuario de servicios. Si se aplica la definición del art. 1° , n° 1, debe tratarse de personas que, en virtud de un acto oneroso, adquieren, utilizan o disfrutan, como destinatarios finales bienes o servicios. De esta manera, queda cubierto el adquirente del producto y el usuario que contrató el servicio. No es claro si deben incluirse también las personas que, sin haber adquirido el producto o contratado el servicio, sufren daño al utilizarlos (un familiar o amigo del adquirente o usuario), o incluso los que resultan perjudicados por el funcionamiento inseguro del producto sin que lo estén usando (por ejemplo, el peatón atropellado por el auto al que fallan los frenos). Iguales problemas puede suscitar la inseguridad de productos que dañan a potenciales consumidores que todavía no los han adquirido. La aplicación de este derecho, y en general de la normativa del consumidor, a estos supuestos queda sujeta a la extensión del concepto de consumidor que realice la jurisprudencia, y en la cual ya existen atisbos". (…) **La seguridad como deber:** "La letra d) del art. 3° , siguiendo la estructura de los demás derechos, enuncia también un deber de los consumidores relacionado con la seguridad. Según su texto, es un "deber básico" del consumidor "evitar los riesgos que puedan afectarles". Este deber, por cierto, no puede significar que se eviten totalmente todos los riesgos, porque ello es imposible en la práctica. Se refiere, en cambio, a un deber de autocuidado que incumbe a todas las personas que participan en el tráfico de bienes y servicios. En cumplimiento de este deber el consumidor debe ser prudente en el uso que haga del producto y servicio, lo que se traducirá en la responsabilidad por conocer y seguir las instrucciones y advertencias que han sido comunicadas por el proveedor. Por ello, se conecta con el deber de la letra b) del art. 3° , que exige del consumidor que se informe responsablemente de los bienes y servicios. Si el consumidor incumple este deber, el daño puede ser imputado a su propia conducta y no generar ni sanciones infraccionales ni responsabilidad civil para el proveedor. En este sentido se aplicará el criterio previsto en el art. 21 inc. 1° que hace responsable al proveedor por la garantía legal siempre que el bien "no se hubiere deteriorado por hecho imputable al consumidor". Si en la causa del daño concurre tanto un incumplimiento del deber de seguridad del proveedor como una falta al deber de autocuidado del consumidor, la indemnización de los daños podrá reducirse en aplicación de la regla general del artículo 2330 del Código Civil". (…) **Incumplimiento del derecho a la seguridad:** "Al interior de la legislación de consumo, también podemos encontrar sanciones infraccionales. En especial, debe considerarse la prevista en el art. 23 inc. 1° de la ley, que dispone que "Comete infracción a las disposiciones de la presente ley el proveedor que, en la venta de un bien o en la prestación de un servicio, actuando con negligencia, causa menoscabo al consumidor debido a fallas o deficiencias en la seguridad del respectivo bien o servicio". Debe notarse que la norma es amplia y se aplica tanto al incumplimiento del deber de seguridad en un producto como en la prestación de un servicio. Sin embargo, tratándose de productos exige que el menoscabo se produzca con ocasión de "la venta", lo que parece deja excluido al fabricante. Además, expresamente se exige que se acredite que el proveedor actuó con negligencia (culpa). Tratándose de productos cuyo uso resulte potencialmente peligroso existen normas especiales, que prevén la infracción por una inadecuada información (art. 45), deber de comunicación para que se adopten medidas correctivas o preventivas (art. 46), deber de reposición (art. 48), responsabilidad por daños (art. 47) e infraccional (art. 49). Remitimos a los comentarios de estos preceptos. Finalmente, frente a la lesión al medio ambiente, como hemos ya señalado, procederá una acción de interés difuso".

- Isler, Erika (2020): *Jurisprudencia de Derecho de Consumo Comentada.* **Santiago: Rubicón Editores,** p. 65. "La condena del Tribunal se fundamentó en que la empresa habría vulnerado el derecho básico de todo consumidor —concreto o abstracto— a la seguridad en el consumo (Art. 3 letra d LPDC). La importancia de esta garantía radica en que tutela a la propia persona del consumidor, por lo que constituye una manifestación de los derechos fundamentales a la vida, la integridad y la salud, consagrados en los numerales 1 y 9 del Art. 19 de la Carta Fundamental nacional. connotación esencialmente económica sino una incluso de mayor jerarquía: la vida, la salud o la integridad de las personas)".

SENTENCIAS SOBRE ARTÍCULO 3 letra d)

- **Evelyn Salinas Chávez con Latam Airlines Group S.A. (2019): Corte de Apelaciones de San Miguel, 20 de junio 2019, Recurso de Apelación, Rol n° 175-2019, LTM19.091.628:** "TERCERO: "Que, según quedó asentado en el fallo de primer grado al tratar el presente asunto en su cariz infraccional, en los antecedentes se ha verificado el presupuesto fáctico de la denuncia, esto es, que efectivamente se configuró la infracción al artículo 3 letra d) de la Ley 19.496 que establece Normas sobre Protección de los Derechos de los Consumidores, toda vez que, la demandada no mantuvo en óptimas condiciones los medios mediante los cuales presta el servicio".

- **Cavagnaro Hukdhs Oscar Manuel con Johnson's S.A. (2013): Corte de Apelaciones de Valparaíso, 2 de diciembre de 2013, Recurso de Apelación, Rol n° 473-2013, LTM19.091.640:** "TERCERO: Que por otra parte, el artículo 3° letra d) de la ley mencionada, dentro del acápite de los derechos y deberes del consumidor, expresa que entre ellos se debe considerar, d) la seguridad en el consumo de bienes o servicios, la protección de la salud y el medio ambiente y el deber de evitar los riesgos que puedan afectarles, y e) el derecho a la reparación e indemnización adecuada y oportuna de todos los daños materiales y morales en caso de incumplimiento de cualquiera de las obligaciones contraídas por el proveedor y el deber de accionar de acuerdo a los medios que la ley le franquea. Por último, el artículo 23 de la ley en comento, manifiesta que comete infracción a las disposiciones de la presente ley el proveedor que, en la venta de un bien o en la prestación de un servicio, actuando con negligencia, causa menoscabo al consumidor debido a fallas o deficiencias en la calidad, cantidad o identidad, sustancia, procedencia, seguridad, peso o medida del respectivo bien o servicio. **CUARTO:** Que en el presente caso, habiendo concurrido el actor el día 26 de enero de 2012 al local de la denunciada con el objeto de proceder al cambio de un producto que había adquirido un mes antes, ejerciendo los derechos que la ley le dispensa, como se dijo, dicha persona debía, desde la entrada a la citada tienda, ser cautelada en los derechos que como consumidor le correspondían, debiendo quedar al amparo de los cuidados y resguardos que las disposiciones señaladas le brindan. **QUINTO:** Que con el objeto de demostrar la existencia de una negligencia por parte de la tienda denunciada, al no haber adoptado las medidas de seguridad suficientes para una adecuada atención al público que concurría a la misma, se rindió al efecto prueba testimonial de fs. 26 a 28, en el sentido que: el demandante se cayó en su mano derecha donde está la ropa de hombres, debido a que había unos colgadores en el suelo, por lo que tuvo que llamarse a una ambulancia; que no había en el lugar una camilla ni utensilios de urgencia; que a consecuencia de la caída estuvo 2 meses con yeso, lo que le provocó un dolor lumbar, por lo que tiene que utilizar un bastón; que esto le cambió su ánimo, porque no puede hacer sus labores habituales en un centro de llamados donde trabaja; que el día de los hechos el actor andaba con una caja haciendo el cambio de un producto; que el piso era cerámico y duro. Que esto lo sabe, la primera por encontrarse en la tienda el día de los hechos, la segunda por ser compañera de trabajo y la tercera por haberlo sabido por una hija del afectado"

- **Servicio Nacional del Consumidor y otro con CENCOSUD Supermercados S.A. (2008): Corte Suprema, 21 de diciembre de 2008, Recurso de Queja, Rol nº 5145-2008, LTM18.775.102:** "SEXTO: Que, a su vez, el artículo 3º letra d) de la Ley de Protección al Consumidor, establece como derechos y deberes básicos del consumidor, la seguridad en el consumo de bienes y servicios, la protección de la salud y el medio ambiente y el deber de evitar los riesgos que puedan afectarles. La adecuada comprensión de esta disposición conduce a que sea interpretada en el contexto que se inscribe, esto es, donde ya existe una definición de los bienes y servicios que serán consumidos, y que como ya se adelantó, corresponde a aquéllos por los que se cobra un precio o tarifa; de modo que la seguridad, protección y evitación de riesgos, está referida en el caso concreto de esta norma, a los productos que pueden ser objeto del consumo".

- **Marcela del Rosario Reyes, Servicio Nacional del Consumidor con Alimentos Fruna Limitada (2008): Corte de Apelaciones de Santiago, 04 de junio de 2008, Recurso de Apelación, Rol nº 1851-2008, LTM19.067.132:** "TERCERO: Que, aunque a primera vista pudiera sostenerse que en la especie se trata de una infracción desprovista de toda gravedad o producto de un hecho casual que a la compradora no produjo daño alguno pues no alcanzó a consumirlo, es lo cierto que lo que la ley protege en este caso es la salud y la seguridad del adquirente en el consumo de productos alimenticios que en determinadas circunstancias y potencialmente pueden causar daños irreversibles que el legislador ha procurado evitar e impedir al sancionar infracciones como la de que aquí se trata".

DOCTRINA SOBRE ARTÍCULO 3 letra e)

Artículo 3°. Son derechos y deberes básicos del consumidor: e) El derecho a la reparación e indemnización adecuada y oportuna de todos los daños materiales y morales en caso de incumplimiento de cualquiera de las obligaciones contraídas por el proveedor, y el deber de accionar de acuerdo a los medios que la ley le franquea.

- **Contardo, Juan Ignacio y Cortez, Hernán (Dirs.) (2019):** *Cuantificación del daño moral de los consumidores.* **Santiago: Der Ediciones, pp. 3-16: "El problema de los límites de la reparación en la LPDC:** Tal como se había enunciado, no hay normas en la LPDC, que limiten la indemnización de perjuicios, por lo menos de manera sistemática ni expresa. De hecho, sólo existe un enunciado general que establece el derecho a ser indemnizado de todos los perjuicios, elevando la indemnización a la categoría de "derecho básico" del consumidor en el artículo 3 letra e). De allí que algunos autores han visto en esta norma el recogimiento del "principio" de reparación integral del daño en materia de consumo. Por su parte, la historia de la norma indica que su redacción se debió a la antigua discusión sobre la inclusión del daño moral en sede contractual (recordemos que la ley es del año 1997, en circunstancias que los fallos recién comenzaban a reconocer el daño moral contractual en el ámbito civil). Por eso sería posible apreciar que la reparación integral estaría considerada en materias de consumo. Ahora bien, el legislador estableció que la indemnización debe ser "adecuada", respecto de la cual consideramos que poco se le ha colocado la mirada. Con todo, si la indemnización debe ser "adecuada" podría suponerse que no existe una regla de reparación integral en la LPDC, sino mas bien una aspiración programática (no propiamente un principio) que motiva el contenido deseado; esto es, la imposición al juzgador de considerar las circunstancias en que se desarrolla el daño, prescindiendo de la culpa del deudor/proveedor. En otras palabras, en el artículo 3 letra e) LPDC se establecería una necesidad, de "adecuación", que debería corresponder a una regla de limitación del daño".

- **Mendoza, Pamela (2019): "Introducción del estatuto de la responsabilidad del proveedor", en María Elisa Morales (Dir.) y Pamela Mendoza (Coord.),** *Derecho del Consumo: Ley, doctrina y jurisprudencia.* **Santiago:** Der Ediciones. pp. 63-84, p. 65-67: "La responsabilidad infraccional o contravencional: Al momento de referirnos al marco general de la responsabilidad en la Ley 19.496 que establece normas sobre protección de los Derechos de los Consumidores(en adelante LPDC),de inmediato debemos remitirnos a la norma base en esta materia que es el artículo 3 letra e) de la Ley 19.496 (no modificada) Art. 3 "Son derechos y deberes básicos del consumidor: e) El derecho a la reparación e indemnización adecuada y oportuna de todos los daños materiales y morales en caso de incumplimiento de cualquiera de las obligaciones contraídas por el proveedor, y el deber de accionar de acuerdo a los medios que la ley le franquea (…)" Esta norma, consagra el principio de "reparación integral del daño", el que deberá tenerse como base a la hora de interpretar o integrar la Ley. Destaca además la aceptación expresa de la indemnización por daños morales, lo que fue una novedad de la LPDC atendido a que dicha figura es una creación doctrinal y jurisprudencial, sin consagración expresa en el Código Civil. obre el tenor del artículo 3e), nos parece pertinente traer a colación lo sostenido por Contardo González, quien advierte que la Ley parece distinguir entre los conceptos de reparación e indemnización (separados por la conjunción "e"). Así, señala el mencionado autor, el término "reparación" lo encontramos con diversos sentidos en la Ley 19.496: Arts. 20 y 21 LPDC: "remedio que goza el acreedor en caso de que la cosa no sea conforme al contrato y que tiene por objeto la refacción del objeto comprado". Arts. 40 a 42: "servicios contratados con un proveedor que tengan por objeto el arreglo de un objeto que se encuentra estropeado pero que no provenga por defectos del mismo". Remedios "reparatorios" distintos a la indemnización de perjuicios: como la garantía legal (arts. 20, 21, 41), suspensión o corrección de la publicidad (art. 31), cambio mercancía peligrosa por otra análoga y de valor equivalente (art. 48), etc. Este último sentido sería a su juicio, al que se refiere el art. 3e). El término "indemnización", por su parte, sería propiamente el utilizado para compensar a la víctima por el daño provocado por el proveedor en el marco de la LPDC. Por otro lado, el art. 3e) lo podemos complementar con el art. Art. 50 inc. 2° , que refuerza la amplitud de la responsabilidad del proveedor en la LPDC *El incumplimiento de las normas contenidas en la presente ley dará lugar a las acciones destinadas a sancionar al proveedor que incurra en infracción, anular las cláusulas abusivas incorporadas en los contratos de adhesión, obtener la prestación de la obligación incumplida, hacer cesar el acto que afecte el ejercicio de los derechos de los consumidores, a obtener la debida indemnización de perjuicios o la reparación que corresponda".*

- **Rodríguez, Pablo (2015):** *Derecho del Consumo. Estudio crítico*. **Santiago: Legal Publishing Chile, p. 18:** "El consumidor tiene derecho "a la reparación e indemnización adecuada y oportuna de todos los daños materiales y morales en caso de incumplimiento de cualquiera de las obligaciones contraídas por el proveedor". Esta disposición carecería de significación (puesto que lo señalado corresponde a los derechos de cualquier contratante cuando se infringen las obligaciones asumidas), a no ser por la referencia a los "daños morales" que causa el incumplimiento. Por ende, en el ámbito contractual relativo al consumidor, procederá siempre la reparación del daño extrapatrimonial. Recuérdese que la jurisprudencia recién ha comenzado a reconocer la existencia de este tipo de perjuicios cuando se trata de obligaciones contractuales".

- **Contardo, Juan Ignacio (2013): "Artículo 3° e)",** en Iñigo De La Maza; Carlos Pizarro (Dirs.) y Francisca Barrientos (coord.) *La protección de los Derechos de los consumidores. Comentarios a la ley de protección a los derechos de los consumidores*. **Santiago: Editorial Thomson Reuters, pp. 117-132:** "La reparación e indemnización como derecho básico del consumidor: En primer lugar, debe descartarse la idea de una atribución "legal" de un derecho subjetivo (o poder) al consumidor por parte de este artículo. En efecto, por la sola virtud de este artículo el consumidor no tiene un poder para ejercer la "reparación" e "indemnización" en contra de alguien. La norma adquiere individualidad cuando se concretiza por la violación a otras normas de la LPDC, por ejemplo, la falta de conformidad de un producto (arts. 20 y 21) o servicio (arts. 40, 41 y 43), normas de seguridad (art. 44 y ss.), entre otras. (…) **La reparación e indemnización como "derecho básico" y su relación con la irrenunciabilidad de los derechos del consumidor y cláusulas abusivas:** Como norma de carácter general, el artículo 3 letra e) debe conciliarse con el art. 4° de la LPDC que establece la irrenunciabilidad anticipada de los derechos de los consumidores. No es del caso pronunciarnos sobre el contenido específico del art. 4° puesto que ello corresponde a otro comentario, sin embargo sí en su relación con la reparación e indemnización. Si se interpretan de forma armónica ambas normas puede señalarse que el derecho a la reparación e indemnización no pueden renunciarse anticipadamente, como ningún otro derecho del consumidor. Si en el hecho ocurre, la sanción específica dependerá si nos encontramos frente a un contrato por adhesión o no. Si la renuncia anticipada del derecho a la reparación e indemnización se materializa en un contrato por adhesión, podría configurarse esta renuncia como una cláusula abusiva, la que podría adoptar según la lista negra del artículo 16 tres formas. En primer lugar, podría colocarse de "cargo del consumidor los efectos de deficiencias, omisiones o errores administrativos, cuando ellos no le sean imputables", lo que privaría al consumidor de la reparación o la indemnización (art. 16 letra c). En segundo lugar, una cláusula podría invertir "la carga de la prueba en perjuicio del consumidor" (art. 16 letra d), de tal manera que produzca una dificultad para el consumidor para buscar la responsabilidad (en sentido amplio) del proveedor. Y, en tercer lugar, una cláusula que contenga "limitaciones absolutas de responsabilidad que puedan privar a éste de su derecho a resarcimiento frente a deficiencias que afecten la utilidad o finalidad esencial del producto o servicio" (art. 16 letra e). La sanción en todos estos casos será la nulidad (absoluta) parcial de la cláusula (art. 16 A), por objeto ilícito. Cuando esta renuncia se materialice, en cualquiera de sus formas, en un contrato de consumo de libre discusión, se abre el problema de determinar cuál es la sanción. Sin embargo, parece ser que la sanción puede ir en la senda también, de una nulidad parcial de la cláusula por objeto ilícito (arts. 10, 1466, 1682 del Código Civil), puesto que el art. 4° es una norma prohibitiva. (…) **La reparación e indemnización "adecuada" y la consagración del principio de reparación integral del daño en materia de protección al consumidor:** La indemnización "adecuada" abarca, en el sentido que parece darle el legislador, todos los daños "materiales y morales" sufridos por el consumidor. La norma en realidad responde a una reacción del legislador, atendida la fecha de entrada en vigencia de la ley, a la discusión sobre la resarcibilidad del daño extrapatrimonial en sede contractual. Debe recordarse que la posibilidad de indemnizar los daños "morales" en sede contractual había sido rechazada constantemente por la jurisprudencia acompañada de un sector muy clásico de la doctrina nacional. (…) **El "deber" del consumidor de accionar:** Por las razones expresadas anteriormente es que si bien la ley ordena el deber de "accionar", ello no siempre es así. Sólo lo será cuando se requiera la judicialización por infracción a la ley".

SENTENCIAS SOBRE ARTÍCULO 3 letra e)

Artículo 3°. Son derechos y deberes básicos del consumidor: e) El derecho a la reparación e indemnización adecuada y oportuna de todos los daños materiales y morales en caso de incumplimiento de cualquiera de las obligaciones contraídas por el proveedor, y el deber de accionar de acuerdo a los medios que la ley le franquea.

- **María Lacalle Delgadillo con Supermercado Líder (2016): Corte de Apelaciones de Santiago, 11 de mayo de 2016, Recurso de Apelación, Rol n° 261-2016, LTM19.091.634:** "SEXTO: Que conforme a lo que se ha resuelto en lo infraccional y lo dispuesto en los Arts. 3° letra e) y 50 de la ley que rige la materia, se accederá a la demanda civil, sólo en cuanto a la indemnización por concepto de daño moral, acreditado con los dichos de los testigos más arriba citados, quienes están contestes en que la demandante se encontraba llorando cuando la encontraron en el estacionamiento del supermercado momentos después del descerrajamiento de su automóvil y sustracción de su especie, lo que revela que tal hecho le produjo dolor o aflicción, que debe ser reparado por la demandada al incurrir en una conducta culposa al no adoptar las medidas de seguridad destinadas a que tales hechos acontezcan respecto de los vehículos que se encuentren bajo su cuidado y protección en el estacionamiento del supermercado y puesto a disposición de sus clientes o consumidores; existiendo la necesaria relación causal entre la conducta infraccional del demandado y denunciado y el daño sufrido por la demandante".

- **Vergara Cubillos Rodrigo con Latam Airlines Group S.A. (2015): Corte de Apelaciones de Santiago, 27 de febrero de 2015, Recurso de Apelación, Rol nº 1603-2014, LTM19.067.131: "SÉPTIMO:** Que, por último, y en la misma línea argumentativa, corresponde consignar que aun cuando el artículo 3º letra e) de la Ley nº 19.496 autoriza la reparación de los daños morales en los casos de incumplimiento a la normativa allí indicada, ello no importa el derecho a una indemnización irreflexiva por tal concepto, sino que obliga a revisar siempre la procedencia de esa partida en estricta relación con el contrato que se estima infringido".

- **Rolando Ramos Pena con Empresa de Correos de Chile (2014): Corte de Apelaciones de Valparaíso, 7 de octubre de 2014, Recurso de Apelación, Rol nº 451-2014, LTM19.091.638: "SÉPTIMO:** Y, conforme el mismo artículo 2 bis, de la tantas veces citada ley, su aplicación queda excluida salvo respecto de aquellas materias no reguladas especialmente. Y nada dice la normativa aplicable a la prestación de los servicios de la denunciada y demandada sobre el daño moral que se siga del incumplimiento de sus obligaciones. De modo que en lo que concierne a esta naturaleza de daño procede aplicar la ley de protección a los derechos del consumidor. Más aún cuando su artículo 3º. Letra e) reconoce el derecho a una indemnización integral del daño, tanto material, como moral. Se trata de un derecho irrenunciable establecido a favor del consumidor".

- **Castellón con Banco de Chile (2014): Corte de Apelaciones de Valparaíso, 11 de julio de 2014, Recurso de Apelación, Rol nº 254-2014, LTM19.091.632: "QUINTO:** Que conforme lo dispone el artículo 3º de la Ley 19.496, son derechos y deberes básicos del consumidor: letra e) El derecho a la reparación e indemnización adecuada y oportuna de todos los daños materiales y morales en caso de incumplimiento de cualquiera de las obligaciones contraídas por el proveedor, y el deber de accionar de acuerdo a los medios que la ley le franquea. **SEXTO:** Que, no encontrándose acreditado el daño emergente demandado en autos, no se accederá a la indemnización de perjuicios solicitada por dicho concepto; sin embargo, conforme a lo razonado en el motivo 4º del presente fallo, se accederá a la demanda de autos, en cuanto se solicita la indemnización por concepto de daño moral, en un monto de dinero, que en parte servirá para aminorar el daño moral causado al demandante con el actuar de la denunciada, mismo, que se fijará prudencialmente en una suma más acorde con los hechos establecidos, como se dirá en lo resolutivo del presente fallo".

DOCTRINA SOBRE ARTÍCULO 3 letra f)

Artículo 3º. Son derechos y deberes básicos del consumidor: f) La educación para un consumo responsable, y el deber de celebrar operaciones de consumo en el comercio establecido.

- *Barrientos, Francisca (2019):* **Lecciones de Derecho de Consumo. Santiago: Thomson Reuters, p. 63:** "La existencia de un deber de información para el consumidor implica reconocer la presencia de la buena fe de este sujeto, a través de su 'efecto moralizante'. Esto supone que hay un deber actuar con rectitud y honradez de parte del consumidor durante todo el íter contractual y más allá".

- **Rodríguez, Pablo (2015):** *Derecho del Consumo. Estudio crítico. Santiago:* **Legal Publishing Chile, p. 19:** "Finalmente, el consumidor tiene derecho a "La educación para el consumo responsable", materia que nos resulta incomprensible, ya que ello corresponde a otra área diversa del derecho que, por cierto, excede absolutamente los deslindes de la ley de protección al consumidor, sin provocar efecto alguno. Cabe preguntarse: ¿Qué es el consumo responsable? ¿Cómo debe ejercerse este derecho? Nada de ellos se desprende de la ley, situándonos, una vez más, en el aérea de las declaraciones liricas. Otro tanto, podría sostenerse al señalar como deber del consumidor "celebrar operaciones de consumo con el comercio establecido". Si con ello se quiere corregir la mala practica de participar en el comercio informal, o dirigir una advertencia sobre que en este tipo de transacciones el consumir queda desprotegido, lo expresado se justificaría".

- **Espada, Susana (2013): "Artículo 3º f)", en Iñigo De La Maza; Carlos Pizarro (Dirs.) y Francisca Barrientos (coord.)** *La protección de los Derechos de los consumidores. Comentarios a la ley de protección a los derechos de los consumidores.* **Santiago: Editorial Thomson Reuters, pp. 133-139, pp. 133 y 138:** "Aclaración previa al precepto: Si tenemos en cuenta la redacción de la norma podría plantearse si se trata un derecho y su correlativo deber o, por el contrario, son derechos y deberes independientes enunciados en un mismo precepto. Si se sigue un criterio de ordenación sistemática de la ley, esta correlación entre el derecho y el debe debería producirse, pero en la práctica en esta norma esa correlación no se produce. De hecho, esta correlación se hubiera podido conseguir si se hubiera vinculado el deber de celebrar operaciones de consumo con el comercio establecido con el derecho a compensación o resarcimiento (letra e de este mismo artículo), dado que este derecho no procederá en los casos en los que, como veremos a continuación, se haya incumplido el deber mencionado y se haya contratado con el comercio informal. Por lo tanto, a pesar de la redacción del precepto, no se puede advertir en este caso la correlación entre el derecho y el deber enunciados, ya que el derecho a la educación está a cargo de Estado (en especial de la entidad especializada en esta materia, el Servicio Nacional del Consumidor) y de las organizaciones de consumidores y, por ello, debe satisfacerse en cualquier caso con independencia de que el consumidor celebre o no operaciones en el comercio establecido.(…) **Determinación del concepto "comercio establecido"** y sus consecuencias: Sin embargo, es posible afirmar que es un comercio establecido aquel que, sin contar con un establecimiento fijo o un local comercial, se desarrolla de forma callejera, pero contando con todos los permisos correspondientes para el desarrollo de esa actividad económica otorgados por parte de la autoridad competente. Esto sucede en los casos de comercio ambulante que goza de los permisos oportunos otorgados por las municipalidades correspondientes. En esos supuestos se puede afirmar que ante cualquier situación abusiva por parte del comerciante autorizado, el consumidor sí que estaría amparado por la normativa de consumo y podría acudir a las acciones que la ley establece, ya que nos encontraríamos ante operaciones de consumo en el comercio establecido. Sería un comercio formal, a pesar de no desarrollarse en un establecimiento comercial, por el hecho de contar con un permiso oficial para ejercerlo".

SENTENCIAS SOBRE ARTÍCULO 3 letra f)

Artículo 3°. Son derechos y deberes básicos del consumidor: f) La educación para un consumo responsable, y el deber de celebrar operaciones de consumo en el comercio establecido.

- **Nilo Lucero Arancibia con Clínica Elqui (2012): Corte de Apelaciones de la Serena, de 26 de diciembre de 2012, Recurso de Apelación, Rol n° 90-2012, LTM19.091.617: "SEXTO:** Que, en consecuencia, si bien es efectivo que conforme lo dispone el artículo 3 letra b) de la Ley 19.496, el consumidor tiene derecho a obtener una información veraz y oportuna sobre los bienes y servicios ofrecidos, su precio, condiciones de contratación y otras características relevantes de los mismos, ello conlleva el deber correlativo de informarse responsablemente en el caso sub lite sobre la condición estipulada expresamente y conocida por la denunciante acerca de la variabilidad de los costos acorde con la naturaleza y complejidad de la intervención como es el caso de una gastrectomía. **SÉPTIMO:** Que, a su vez, el artículo 18 de la citada ley configura como infracción el cobro de un precio superior al exhibido, informado o publicitado, sin embargo debe considerarse, tal como se señaló precedentemente la variabilidad de los costos relacionadas con la complejidad de la intervención, de manera tal que tales antecedentes apreciados conforme a las reglas de la sana crítica llevan a estos sentenciadores a concluir que es evidente que las infracciones denunciadas no se encuentran acreditadas pues como se dijo, la información entregada al consumidor correspondió al servicio ofrecido, que no ha sido objeto de cuestionamiento alguno y los testigos D. y L. están contestes en que se trata de un presupuesto estimativo, porque no es un valor fijo y que probablemente no coincida con la cuenta final".

- **Servicio Nacional del Consumidor con Lourdes Quispe Condori (2012): Corte de Apelaciones de Arica, 05 de junio de 2012, Recurso de Apelación, Rol nº 19-2012, LTM19.090.424:** "OCTAVO: Que en el caso de marras, no existe constancia alguna que la denunciada le haya negado al denunciante una información veraz y oportuna del producto denominado "Crescencio" ni menos que le haya ocultado su precio; y, habida consideración además que la norma legal precitada, además del derecho recién citado, contiene una obligación para el consumidor, cual es, el deber de informarse responsablemente del producto que adquiere, sin que tampoco se haya establecido en autos que el denunciante efectivamente ejerció tal derecho al momento de la adquisición del producto, la denuncia respecto a este tópico no podrá prosperar".

DOCTRINA SOBRE ARTÍCULO 3 INC. 2º

Artículo 3º. Son derechos del consumidor de productos y servicios financieros: (…)

- **San Martín, Lilian (2013): "Artículo 3º inc. 2º ", en Iñigo De La Maza; Carlos Pizarro (Dirs.) y Francisca Barrientos (coord.)** *La protección de los Derechos de los consumidores. Comentarios a la ley de protección a los derechos de los consumidores.* **Santiago: Editorial Thomson Reuters, pp. 140-150:** "En consecuencia, el consumidor tiene el derecho a recibir toda la información relevante para celebrar el contrato y para decidir si pagar o no por adelantado una deuda. La contrapartida de este derecho es el deber de la institución financiera de proporcionar la información relevante. Sin embargo, ello también implica para el consumidor una "carga de informarse".17 En efecto, la consecuencia última de este listado de derechos es que el consumidor debe exigir a la institución financiera la información pertinente y ésta no puede negarse a proporcionarla, pues obtenerla constituye un derecho del consumidor".

ARTÍCULO 3 BIS

"El consumidor podrá poner término unilateralmente al contrato en el plazo de 10 días contados desde la recepción del producto o desde la contratación del servicio y antes de la prestación del mismo, **en los siguientes casos**":

a) En la compra de bienes y contratación de servicios realizados en reuniones convocadas o concertadas con dicho objetivo por el proveedor, en que el consumidor debe expresar su aceptación dentro del mismo día de la reunión.

b) En los contratos celebrados por medios electrónicos, y en aquellos en que se aceptaría una oferta realizada a través de catálogos, avisos o cualquier otra forma de comunicación a distancia, a menos que el proveedor haya dispuesto expresamente lo contrario. Para ello podrá utilizar los mismos medios que empleó para celebrar el contrato.

El ejercicio de este derecho se hará valer mediante carta certificada enviada el proveedor, al domicilio que señala el contrato, expedida dentro del plazo indicado en el encabezamiento

En este caso, el plazo para ejercer el derecho de retracto se contará desde la fecha de recepción del bien o desde la celebración del contrato en el caso de servicios, siempre que el proveedor haya cumplido con la obligación de remitir la confirmación escrita señalada en el artículo 12 A. De no ser así, el plazo se extenderá a 90 días. No podrá ejercerse el derecho de retracto cuando el bien, materia del contrato, se haya deteriorado por hecho imputable al consumidor

En aquellos casos en que el precio del bien o servicio haya sido cubierto total o parcialmente con un crédito otorgado al consumidor por el proveedor o por un tercero previo acuerdo entre este y el proveedor, el retracto resolverá dicho crédito. En caso de haber costos involucrados, estos serán de cargo del consumidor, cuando el crédito haya sido otorgado por un tercero.

Efectos de la retractación
Art. 3 bis inc 5, 6 y 7

Si el consumidor ejerciera el derecho consagrado en este artículo, el proveedor estará obligado devolverle la sumas abonadas, sin retención de gastos, a la mayor brevedad posible y, en cualquier caso, antes de 45 días siguientes a la comunicación del retracto. Tratándose de servicios, la devolución sólo comprenderá aquellas sumas abonadas que no corresponden a servicios ya prestados al consumidor a la fecha del retracto.

Deberán restituirse en buen estado los elementos originales del embalaje, como las etiquetas, certificado de garantía, manuales de uso, cajas, elementos de protección o su valor respectivo, previamente informado.

DOCTRINA SOBRE ARTÍCULO 3 BIS

- **Isler, Erika (2019):** *Derecho del Consumo. Nociones fundamentales.* Valencia: Tirant lo Blanch, pp. 200: "En Chile, aunque la regulación en este punto también es insuficiente, la LPDC confiere al consumidor un derecho a retracto para la "compra de bienes y contratación de servicios realizadas en reuniones convocadas o concertadas con dicho objetivo por el proveedor, en que el consumidor deba expresar su aceptación dentro del mismo día de la reunión" (Art. 3 bis letra a LPDC). Ello se fundamentaría en la circunstancia de que la oportunidad para manifestar la voluntad en orden a aceptar o rechazar la oferta del proveedor, se encontraría circunscrita a un espacio físico y temporal limitado, en el cual el oferente podría tener un amplio dominio. Se puede citar asimismo, la posibilidad de solicitar la suspensión de envíos de publicidad (Art. 28 B LPDC)".

- **Prado, Pamela (2013):** "Artículo 3 bis", en Iñigo De La Maza; Carlos Pizarro (Dirs.) y Francisca Barrientos (coord.) *La protección de los Derechos de los consumidores. Comentarios a la ley de protección a los derechos de los consumidores.* **Santiago:** Editorial Thomson Reuters, pp. 158-162 "4. Casos en que procede el derecho a desistimiento o retracto. Las legislaciones han adoptado diversas formas de abordar la regulación del derecho a desistimiento o retracto del consumidor. Así, hay algunas en que se incorpora con un alcance general, pero supeditado a que una regla legal, reglamentaria o contractual lo acepte en cada caso, como en la legislación alemana o española; o se establece como regla general, con ciertas excepciones que la propia ley se ocupa de precisar; o bien, se admite sólo para los casos que la propia ley se encarga de especificar en forma directa, sin requerir de remisiones normativas. La opción del legislador de la LPC fue esta última, es decir, establecer los casos en que procede el derecho a retracto del consumidor, entre ellos, los contenidos en el artículo 3° bis. Hay que precisar que otras normas legales también prevén el derecho a retractarse en otros contratos celebrados por consumidores. El primer caso que se regula en el artículo 3° bis, es el decompraventa de bienes y contratación de servicios, realizada en reuniones convocadas o concertadas con ese objetivo por el proveedor, en que el consumidor deba manifestar su aceptación dentro del mismo día de la reunión. La ley establece que el derecho a retracto se debe ejercer a través de carta certificada enviada al domicilio del proveedor que se indica en el contrato respectivo, expedida dentro del plazo de diez días contados desde recepción del producto, o desde la fecha de contratación del servicio y antes de la prestación del mismo. Esta es una típica hipótesis de contrato que se celebra fuera del establecimiento comercial, como hemos señalado, por lo que el consumidor no lo ha suscrito con la debida detención; primero, porque corrientemente en estas reuniones el consumidor es verdaderamente seducido por el proveedor por medio de lisonjas de la más variada índole y, generalmente, sin proporcionar la debida información sobre los efectos del contrato y los alcances económicos del mismo; y, segundo, porque en estos casos la aceptación ha sido prestada por el consumidor el mismo día de la reunión. Probablemente, los contratos que mejor lo ilustran son aquellos que versan sobre servicios de vacaciones compartidas, el ingreso a clubes especiales de vacaciones combinadas o paquetes turísticos, o la contratación de cursos de distinta naturaleza. Así se infiere de la historia del establecimiento del artículo en comento, de las causas que han sido conocidos por los tribunales nacionales, y de las situaciones que tienden a ser especialmente reguladas por el derecho extranjero. En gran parte de las causas que han sido falladas por nuestros tribunales, el fundamento es que la empresa prestadora del servicio o proveedora del bien, no ha respetado el derecho a retracto ejercido por el consumidor. En muchas de ellas, una de las cuestiones que se debaten dice relación con la acreditación del cumplimiento de los requisitos establecidos por la ley, así, por ejemplo, si el contrato ha sido celebrado por el consumidor en una reunión convocada o concertada por el proveedor; si el consumidor efectivamente ha hecho ejercicio del derecho a retracto; o si al ejercerse el retracto, el consumidor ha cumplido con las formalidades que establece la ley: si se ha enviado la carta certificada dentro del plazo que el artículo 3° bis dispone. Otro aspecto a destacar, dice relación con la demanda civil de indemnización de perjuicios que se interpone conjuntamente con la denuncia, fundada en el incumplimiento por parte del proveedor de respetar el retracto ejercitado por el consumidor. De una parte, se demanda la restitución de las sumas que ya han sido pagadas por el consumidor, el que se le califica como daño patrimonial directo, además de otros ítems, como gastos ocasionados por la cantidad de gestiones que se han debido llevar a cabo para que sea aceptado el retracto por el proveedor, y otros en calidad de daño emergente y aún de lucro cesante; en seguida, se demanda el resarcimiento del daño moral padecido, producto de las molestias ocasionadas al consumidor. En lo que respecta a las decisiones de los tribunales de justicia en cuanto al daño moral demandado, hay diversos criterios, especialmente a nivel de juzgados de policía local; en algunos casos se rechaza la demanda por no haber sido acreditado el perjuicio extrapatrimonial; mientras que en otros se acoge la demanda, dejando a la prudencia del juzgador la determinación del monto de la indemnización, la que se fija en cantidades de escaso monto. El segundo caso regulado en el artículo 3° bis, es el contenido en la letra b) que refiere a aquellos contratos celebrados por medios electrónicos, y en los que se acepta la oferta realizada a través de catálogos, avisos o cualquier otro medio de comunicación a distancia, a menos que el proveedor haya dispuesto expresamente lo contrario.

Para hacer efectivo dicho derecho a retracto, el consumidor podrá valerse de los mismos mediosque empleó para celebrar el contrato; el plazo se contará desde la recepción de la cosa o desde la celebración del contrato si se trata de servicios, siempre que el proveedor haya cumplido con su obligación de remitir la confirmación que establece el artículo 12 A, en caso contrario, el plazo será de noventa días. Se trata del derecho a retractarse de aquellos contratos celebrados a distancia, que se caracterizan porque el consumidor no tiene la posibilidad de constatar la naturaleza, características y calidad del producto que está adquiriendo, o del servicio que está contratando. La primera parte de la letra b) del artículo 3º bis, hace referencia a contratos celebrados por medios electrónicos, es decir, aquellos en que la oferta y la aceptación, o simplemente el acuerdo de voluntades, constan de uno o más medios electrónicos". En la práctica, los consumidores usualmente manifiestan su aceptación por medios electrónicos cuando se consiente expresa o tácitamente a través de un mensaje contenido y comunicado a través de un medio electrónico, o bien pueden intercambiar mensajes electrónicos estandarizados, se trata de negocios automatizados, como cuando se accede a un sitio haciendo uso de un "carro de compras". La norma, sin embargo utiliza la expresión "medios electrónicos", sin distinguir si la disposición es aplicable a aquellos en que se ha utilizado medios electrónicos operados a través de computadores, o si también puede estar referida a otras formas que no son computacionales, pero que tienen carácter de electrónicos, como teléfono, fax, o comunicación telefónica. No obstante, y a diferencia de otras legislaciones, estas otras modalidades de comunicación por medios electrónicos no computacionales, quedan incorporados en la mención "otraforma de comunicación a distancia", lo que también se constata en el artículo 12 A, antes transcrito".

- **Pinochet, Ruperto (2013): "Artículo 3 bis", en Iñigo De La Maza; Carlos Pizarro (Dirs.) y Francisca Barrientos (coord.)** *La protección de los Derechos de los consumidores. Comentarios a la ley de protección a los derechos de los consumidores.* **Santiago: Editorial Thomson Reuters, pp. 173-182:** "De la cualidad de la imperatividad se deriva a su vez su carácter irrenunciable, rasgo que, según hemos dicho, acompaña a todas las prerrogativas que concede el Derecho de consumo, y que, en nuestro caso, se encuentra consagrada en el artículo 4 de la Ley del Consumidor.

No obstante, nuestro legislador ha sido tímido, pues de las dos hipótesis en las que se acepta el derecho de retracto en el artículo 3 bis, únicamente la contemplada en la letra a) ostenta la calidad de prerrogativa irrenunciable, ya que en la letra b), del mismo artículo, relativa a los contratos celebrados por medios electrónicos, y en aquéllos en que se aceptare una oferta realizada a través de catálogos, se ha señalado después de consagrarse la facultad de retracto *"a menos que el proveedor haya dispuesto expresamente lo contrario"* haciendo posible por voluntad unilateral, esta vez del proveedor, el negar la posibilidad de ejercicio de la facultad de retracto al consumidor, lo que según hemos visto contraría los principios inspiradores del Derecho de Consumo. Definitivamente tal excepción debiera ser eliminada.

En segundo término, el derecho de desistimiento es una facultad de carácter discrecional —y nosotros agregamos unilateral, pues sólo corresponde al consumidor— en virtud de la cual éste no se encuentra obligado a manifestar, según hemos dicho, los motivos que justifican su decisión, ni menos se exige la concurrencia de una causa objetiva que justifique su ejercicio como lo requiere, por ejemplo, el ejercicio de la acción resolutoria.

Por último, diremos que se trata de una facultad, en el caso de los contratos de tracto único, de un plazo de ejercicio breve. El plazo breve se justifica, porque si bien se pretende consagrar el mencionado derecho de desistimiento unilateral, en ningún caso puede el legislador dejar el contrato en una situación permanente de precariedad, ya que tal estado de cosas vulneraría el principio de fuerza obligatoria de los contratos contemplado, como se sabe, en nuestro artículo 1.545, principio que se encontraría en abierta contradicción al hecho que se dejara de forma permanente, al arbitrio del consumidor, la determinación acerca de la existencia y cumplimiento de un contrato ya perfeccionado.

Además de la diferencia enunciada en cuanto a lo específico o genérico de la prerrogativa de desistimiento contemplada en el Derecho Civil y en Derecho de Consumo puede enunciarse otra, ya que en todos los casos contemplados en el Código Civil la terminación opera únicamente hacia el futuro, mientras que el derecho de desistimiento contemplado en la nueva norma de la Ley del Consumidor deja sin efecto, desde su nacimiento, un contrato válidamente celebrado nada más por voluntad de uno de los contratantes. [...]

Indica el mismo inciso 1° de la letra b) del artículo 3 bis, que para que el plazo de retracto sea de diez días, el proveedor debe haber cumplido con la obligación de remitir la confirmación escrita señalada en el artículo 12 A, en tal sentido el inciso tercero del artículo 12 A aludido, prescribe que una vez perfeccionado el contrato, el proveedor estará obligado a enviar confirmación escrita del mismo. Esta podrá ser enviada por vía electrónica o por cualquier medio de comunicación que garantice el debido y oportuno conocimiento del consumidor, el que se le indicará previamente. Dicha confirmación deberá contener una copia íntegra, clara y legible del contrato.

Si no se cumplen las condiciones exigidas por el inciso tercero del artículo 12 A, el plazo que se otorga al consumidor para hacer efectivo su derecho de retracto, se extiende a noventa días, se entiende contados de la misma forma: esto es desde la entrega del bien o desde el momento de perfeccionamiento del contrato.

Advierte, la disposición comentada, que no podrá ejercerse el derecho de retracto cuando el bien, materia del contrato, se haya deteriorado por hecho imputable al consumidor, lo que es de toda lógica, toda vez que el derecho de retracto supone, por un lado, que no se ejecuten las prestaciones debidas, o que se reversen las prestaciones ya ejecutadas, como lo sería, el hecho de la devolución del bien recibido al proveedor, obligación que será imposible —imposibilidad en la ejecución— si la cosa se ha deteriorado, lo que no exime de responsabilidad al consumidor, pues la norma únicamente se pone en el caso que tal deterioro se hubiere producido "por hecho imputable al consumidor". Si el deterioro o la destrucción de la cosa, pendiente el término de retracto, se produce por caso fortuito o culpa de un tercero, tal problema deberá ser resuelto de acuerdo a las reglas generales que para este caso contempla el Derecho de obligaciones, con todo, estimamos que la respuesta no será sencilla para el exégeta.

Directamente relacionado con el deber del consumidor de devolver en buenas condiciones el bien recibido, para que el proveedor pueda volver a comercializarlo —la ley no lo dice pero no puede si no entenderse que es ése el propósito buscado— se encuentra la obligación que también impone al consumidor, y con idéntico propósito, el inciso final del inciso 1º de la letra b) del artículo 3 bis, al establecer la obligación de restituir en buen estado los elementos originales del embalaje, como las etiquetas, certificados de garantía, manuales de uso, cajas, elementos de protección o su valor respectivo, previamente informado. De ahí la recomendación al consumidor para que siempre guarde certificados de garantía, manuales de uso, cajas, elementos de protección de los bienes adquiridos, no solo por plazo que tiene para retractarse, sino también por todo el tiempo que dure la garantía legal o convencional, en su caso, si el plazo es mayor

Continúa la letra b) en estudio, —inciso 2º— disponiendo que en aquellos casos en que el precio del bien o servicio haya sido cubierto total o parcialmente con un crédito otorgado al consumidor por el proveedor o por un tercero previo acuerdo, entre éste y el proveedor, el retracto resolverá dicho crédito. Lo cierto es que lo señalado se entiende fácilmente en el caso de que el crédito haya sido otorgado por el proveedor, caso en el cual nos encontramos en el ámbito del Derecho de consumo, y el crédito, si se otorga para la adquisición o contratación de un bien o servicio sujeto a derecho de retracto, deberá entenderse otorgado bajo condición resolutoria de que el consumidor ejerza su derecho. Sin embargo, si el crédito ha sido otorgado por un tercero para éste la operación puede ser considerada netamente mercantil. El interrogante es ¿Puede afectarle sin más la resolución del contrato financiado? No está claro en los términos señalados en el inciso comentado, con todo, se ve con claridad la conveniencia de que en las futuras modificaciones que experimente nuestra Ley del Consumidor el tercero que otorgue un crédito para un acto de consumo sea obligado a declarar que conoce que la operación financiera lo es para un acto de consumo y se encuentra sujeta a la condición resolutoria consistente en que el consumidor financiado, ejercite su derecho de desistimiento unilateral.

Por último, el mismo inciso, en su parte final, expresa que en caso de haber costos involucrados, éstos serán de cargo del consumidor, cuando el crédito haya sido otorgado por un tercero. En esta parte, se echa de menos mayor precisión, pues la expresión "costos involucrados" puede prestarse para toda clase de abusos, sobre todo si se considera la experiencia en el ámbito nacional del último tiempo —caso La Polar—. En caso de reclamo por parte del consumidor los costos debieran ser determinados por el Sernac, sin forma de juicio, previo informe escrito del proveedor.

El inciso final de la letra b) del artículo 3º en estudio, señala que en caso que el consumidor ejerza el derecho de retracto, el proveedor estará obligado a devolverle las sumas abonadas, sin retención de gastos, a la mayor brevedad posible y, en cualquier caso, antes de cuarenta y cinco días siguientes a la comunicación del retracto. Tratándose de servicios, la devolución sólo comprenderá aquellas sumas abonadas que no correspondan a servicios ya prestados al consumidor a la fecha del retracto.

Nuevamente estimamos que la norma es perfectible. En primer término parece excesivo el plazo máximo de cuarenta y cinco días siguientes otorgados al proveedor para la devolución de las sumas abonadas, contados desde la comunicación del retracto, estimo que este plazo no debiera ser superior a diez días.

En el caso de servicios ¿quién determina las sumas que corresponden a servicios ya prestados al consumidor y que, por tanto, el proveedor no se encuentra obligado a devolver? Considero, nuevamente, que en caso de reclamo por parte del consumidor los costos debieran ser determinados por el Sernac, sin forma de juicio, previo informe escrito del proveedor. Se podrían excepcionar de este procedimiento reclamos que impliquen cifras superiores a un determinado monto que el legislador debiera fijar, por ejemplo, todo reclamo que no supusiera una suma superior a diez unidades tributarias mensuales".

SENTENCIAS SOBRE ARTÍCULO 3 BIS

- **Servicio Nacional del Consumidor con Cencosud Retail S.A. (2019): Corte Suprema, 27 de noviembre de 2019, Recurso de Casación en el Fondo, Rol nº 25739-2019, LTM18.744.963:** "QUINTO: (…) En efecto, resulta que el artículo 3 bis letra b de la Ley 19.496 permite al consumidor poner término al contrato dentro de 10 días desde la recepción del producto en el caso de los contratos celebrados por comercio electrónico. Además, esta disposición expresamente dispone la obligación de restituir en buen estado los elementos originales de embalaje y su valor respectivo cuando haya sido informado. De lo anterior, no se advierte vulneración al artículo ya mencionado, en relación con el 16 letra g), ya que las exigencias contenidas en la cláusula están acordes con el mencionado artículo y con el principio de la buena fe que rige la relación entre proveedores y consumidores, que exige que el cliente, en caso de ejercer el derecho a retracto, tenga el máximo cuidado de los embalajes y accesorios del bien, que permiten nuevamente su comercialización por la proveedora".

ARTÍCULO 3 TER

Retractación en los casos de prestaciones de servicios educacionales de educación superior:

"En el caso de prestaciones de servicios educacionales de nivel superior, proporcionada por centro de formación técnica, institutos profesionales y universidades, **se faculta al alumno o a quien efectúe el pago en su representación para que, dentro del plazo de 10 días contados** desde aquel en que se complete la primera publicación de los resultados de las postulaciones a las universidades pertenecientes al Consejo de Rectores de Universidades Chilenas, **deje sin efecto el contrato con la respectiva institución, sin pago alguno por los servicios educacionales no prestados.**"

"Para hacer efectivo el retracto a que se refiere este artículo, se requerirá ser alumno de primer año de una carrera o programa de pregrado y acreditar, ante la institución respecto de la cual se ejerce esta facultad, encontrarse matriculado en otra entidad de educación superior".

"En ningún caso la institución educacional podrá retener con posterioridad a este retracto los dineros pagados ni los documentos de pago o créditos otorgados en respaldo del periodo educacional respectivo, debiendo devolver los todos en el plazo de 10 días desde que se ejerza el derecho de retracto. En el evento de haberse otorgado mandato general para hacer futuros cobros, éste quedará revocado por el solo ministerio de la ley desde la fecha de la renuncia efectiva del alumno al servicio educacional. El prestador del servicio se abstendrá de negociar o endosar los documentos recibidos, antes del plazo señalado en el inciso primero".

"No obstante lo dispuesto en el inciso anterior, la institución de educación superior estará facultada para retener, por concepto de costos de administración, un monto de la matrícula, que no podrá exceder al uno por ciento del arancel anual del programa carrera".

DOCTRINA SOBRE ARTÍCULO 3 TER

- **Brantt, María Graciela y Mejías, Claudia (2013): "Artículo 3 ter", en Iñigo De La Maza; Carlos Pizarro (Dirs.) y Francisca Barrientos (coord.)** *La protección de los Derechos de los consumidores. Comentarios a la ley de protección a los derechos de los consumidores.* **Santiago: Editorial Thomson Reuters, pp. 187-189** "Centrándonos en el supuesto de derecho de retracto del artículo 3 ter, se concede al alumno o a quien efectúe el pago en su representación, la facultad de dejar sin efecto el contrato de prestación de servicios educacionales de nivel superior, dentro del plazo 10 días contados desde que se complete la primera publicación de los resultados de las postulaciones a las universidades perteneciente al Consejo de Rectores de las Universidades Chilenas. Como señaláramos anteriormente, el origen de esta disposición se encuentra en la intención de enfrentar y resolver un problema práctico que se producía para los consumidores en este ámbito, ya que era usual que antes de la entrega de los resultados del proceso de selección a las universidades pertenecientes a dicho Consejo, muchos estudiantes se matricularan en instituciones no pertenecientes al mismo —realizándose los pagos respectivos y documentándose el pago del arancel anual—, y una vez conocidos los resultados, se matriculaban también en aquellas universidades partícipes del Consejo en que habían sido finalmente seleccionados. Ello generaba problemas por la doble matrícula, derivados de la negativa de las primeras instituciones de restituir los pagos y documentos entregados, fundadas en la existencia de contratos válidamente celebrados, no obstante que los servicios educacionales finalmente no serían prestados.

Lo que conducía a la celebración de tales contratos, previo al conocimiento de los resultados del proceso de selección era, por una parte, la existencia de tentadoras e insistentes ofertas que muchas instituciones realizaban a los eventuales estudiantes intentando captar la matrícula de alumnos con buenos resultados en dicho proceso; y por otra, al deseo de muchos estudiantes de asegurar una matrícula de educación superior para la eventualidad de que los resultados del proceso de selección no les permitiesen incorporarse a alguna de las universidades del referido Consejo.

El fundamento que se puede colegir en este caso puntual de derecho de retracto es la ausencia, al momento de la celebración del contrato, de información relevante —los resultados del proceso de selección universitaria— indispensable para una decisión plenamente informada y reflexiva por parte del consumidor.

Observada la situación desde la perspectiva del interés del acreedor-consumidor, cabe distinguir dos intereses: uno primario que consiste en asegurar una matrícula en una institución de Educación Superior; y uno final o último, que no puede ser obtenido desde ya por la falta de la referida información y que se traduce en contar con una matrícula en una institución perteneciente al Consejo de Rectores.

El interés primario es el que justifica la celebración del primer contrato. Éste queda perfecto desde que concurre el consumidor con su voluntad con el fin de resguardar ese interés. Sin embargo, y como señalamos previamente, la falta en dicha oportunidad de información fundamental e indispensable para la satisfacción de su interés último justifica concederle el derecho de retracto. Así, una vez que cuente con ella podrá dejar sin efecto ese contrato y decidir concretar su interés último: matricularse en una institución del Consejo de Rectores.

Tratándose de un contrato cuya trascendencia es indiscutible en la vida de este consumidor se justifica que, una vez que cuente con toda la información para él relevante, disponga de un mecanismo de tutela que le permita, en un plazo razonable, optar entre mantener el primer contrato o dejarlo sin efecto en razón de haberse celebrado otro que resulta más idóneo para la satisfacción de su interés último".

En este sentido, el fundamento del derecho de retracto previsto en el artículo 3 ter se acerca a lo que constituye una de las justificaciones generales de dicha facultad, cual es asegurar al consumidor una adecuada reflexión sobre un contrato celebrado en condiciones que no le permitieron una decisión completamente informada.

Cabe precisar que el ejercicio del derecho de retracto en este caso no acarrea un perjuicio para la institución respecto de la cual se deja sin efecto el contrato. Por una parte, ella no prestará los servicios educacionales contratados y, por otra, encontrándose este derecho establecido de forma previa a la celebración de estos contratos, la referida institución está en condiciones de realizar una adecuada distribución de los riesgos que origine el ejercicio de este derecho: la pérdida de ingresos por concepto de aranceles.

3. Requisitos y efectos del ejercicio del derecho de retracto.

Conforme al tenor del artículo 3 ter, los requisitos de ejercicio de este derecho son los que siguen.

En cuanto a su titular, el derecho de retracto debe ser ejercido por un alumno de primer año de una carrera o programa de pregrado o quien efectúe el pago en su representación, dentro del plazo de 10 días contados desde aquél en que se complete la primera publicación de los resultados de las postulaciones a las universidades pertenecientes al Consejo de Rectores de las Universidades Chilenas. El plazo resulta perentorio para el consumidor, porque después de transcurrido precluye su derecho a retracto, cobrando plena vigencia la fuerza obligatoria del primer contrato. Es además, irrenunciable, porque se trata de un mecanismo de tutela establecido en su protección de conformidad a lo dispuesto por el artículo 4º de la ley nº 19.946.

Asimismo, quien ejerza el derecho deberá acreditar que el alumno se encuentra matriculado en otra entidad de educación superior. En lo que concierne a los efectos, la primera y fundamental consecuencia del ejercicio de este derecho es precisamente privar de efectos al contrato celebrado con la institución de educación superior. Adicionalmente, dicha institución deberá restituir todos los dineros y documentos de pago o crédito entregados en garantía, estando facultada para retener por concepto de costos de administración un monto de la matrícula que no puede exceder el 1% del arancel anual del programa o carrera. La devolución deberá tener lugar en un plazo de 10 días desde que se ejerce el derecho a retracto. De esta forma, cabe afirmar que el ejercicio del derecho da lugar a un efecto restitutorio, que por tratarse de un servicio es de carácter unilateral, en cuanto sólo alcanza al proveedor, en este caso, la institución de educación superior.

Además, es conveniente destacar un efecto secundario que acarrea el ejercicio del derecho: la revocación, por el sólo ministerio de la ley, de los mandatos generales para futuros cobros que pudieren haberse otorgado".

- **Quiróz, Hernán (2016): "El retracto del contrato de servicios educacionales de nivel superior en la ley chilena de protección a los consumidores". Revista de Derecho UCN, vol. 23 nº 2, pp. 69-108, pp. 89-97, disponible en: https://scielo.conicyt.cl/scielo.php?script=sci_abstract&pid=S0718-97532016000200003&lng=pt&nrm=iso:** "II. NOCIÓN, TITULARIDAD, REQUISITOS Y FORMA DE EJERCICIO 1) NOCIÓN Una interpretación armónica de los dos primeros incisos del Art. 3º ter nos conduce a la conclusión de que el retracto que establece la LPC designa la facultad unilateral de dejar sin efecto la convención celebrada entre el usuario de un servicio educacional y la institución que lo otorga, sin que concurra alguna otra causal de ineficacia. Junto a los otros modos de retractación que admite la LPC, se inserta en nuestro ordenamiento como una excepción al principio general de la fuerza obligatoria de los contratos. En este caso, la LPC modera el efecto de dejar sin efecto el contrato, porque alcanza solo a servicios que no se han prestado y a una parte del precio pagado. La expresión retracto admite aquí dos significados, por una parte, es un derecho el de dejar sin efecto el contrato, que comprende varias facultades conexas, la de dejar sin efecto los mandatos otorgados por el alumno, la de recuperar parte de lo pagado, y la de exigir la devolución de los documentos dados en garantía. En otra acepción, designa al acto jurídico por el cual se ejerce ese derecho40. En suma, podemos definir el retracto educacional como la facultad del alumno de primer año de una carrera o programa de pregrado ofrecido por una universidad, un instituto profesional o un centro de formación técnica, para que él mismo o quien ha pagado la matrícula en su representación, deje sin efecto el contrato de prestación de servicios educacionales, con solo acreditar, dentro del plazo establecido por la ley, que se encuentra matriculado en otra entidad de educación superior.

2) TITULARIDAD O LEGITIMACIÓN ACTIVA (2.1.) EL ALUMNO El inciso primero del Art. 3º ter señala que "se faculta al alumno" para dejar sin efecto un contrato de prestación de servicios educacionales de nivel superior, que haya celebrado con alguna de las entidades que menciona —centros de formación técnica, institutos profesionales o universidades—. Según el sentido natural y obvio de la palabra, debe entenderse como alumno al "discípulo de la escuela, colegio o universidad donde estudia", como reza la definición del Diccionario de la Real Academia de la Lengua Española. En este caso, debe tratarse de quien se ha incorporado como discípulo o estudiante a una universidad, instituto profesional o centro de formación técnica. Obviamente, debe ser una persona natural. El inciso 2º del Art. 3 ter, precisa que debe ser alumno de primer año de una carrera o de un programa de pregrado. Debe entenderse que la ley considera que el alumno es parte o al menos beneficiario de un contrato de prestación de servicios educacionales. Será beneficiario cuando tenga esa calidad respecto de un contrato en favor de tercero que haya celebrado alguno de sus padres u otro pariente, lo que es válido y eficaz conforme con el Art. 1449 del Código Civil. El alumno podrá actuar personalmente o a través de mandatario. Si es menor de edad, podrá actuar a través de su representante legal (normalmente el padre o madre que ejerce la patria potestad). (2.2.) EL "REPRESENTANTE" DEL ALUMNO El inciso primero del Art. 3 ter otorga también la facultad de retracto a un segundo titular, al que solo identifica como "quien efectúe el pago en su [del alumno] representación". No aclara la ley qué es lo que debe haber pagado en representación del alumno. De lo dispuesto en el inciso final de la norma parece desprenderse que se refiere a la cantidad de dinero inicial que se paga en el acto de la matrícula, suma que también se acostumbra a denominar "matrícula". La letra de la norma admite tres interpretaciones con respecto a quien puede ser el representante habilitado para ejercer el retracto. La primera consiste en que puede ser cualquier persona que haya pagado la matrícula por el alumno. La ley, al hablar de representación no lo habrá hecho en un sentido técnico sino de un modo coloquial, como el que obra a nombre de otro, aunque carezca de facultades para representarlo, ya sea legal o voluntariamente. Observemos, en apoyo a esta línea interpretativa, que la disposición parece razonar sobre la base de que aquel retrayente es la misma persona que

celebró el contrato que termina a causa del retracto, admite incluso la posibilidad de que no haya sido parte en ese contrato, desde el momento en que faculta "a quien efectúe el pago en su representación" para que "deje sin efecto el contrato"; y no impone el requisito de haber sido representante del alumno en la celebración del contrato, sino en el pago del precio de una parte del servicio educacional, es decir, en la ejecución de una de las prestaciones del contrato. Se trata de una situación excepcionalísima en nuestro derecho, en que un sujeto que no ha sido parte del contrato puede dejarlo sin efecto. Una segunda posición sería que la ley ha usado la expresión "representación" en su sentido técnico, de acuerdo con lo señalado en el Art. 1448 del Código Civil. Entonces, suponiendo que estamos frente a un alumno que es mayor de edad y capaz de administrar sus bienes, debería tratarse de alguien que tenga la representación voluntaria, sea por un contrato de mandato celebrado entre el alumno y su representante o, para un sector de la doctrina, por un acto unilateral de apoderamiento. Con todo, la norma que analizamos admite una tercera interpretación, según la cual los representantes en el pago a que alude esta disposición solo pueden ser el padre o la madre, o algún otro pariente cercano (abuelo, tío, hermano) del alumno, esto, a pesar de que no menciona, como condición para esta titularidad del retracto, una relación filial o parental entre el alumno y su representante. Nos parece que es posible sostener esta afirmación, aun reconociendo que el tenor literal de este artículo no excluye otro tipo de representante. Esta interpretación se funda precisamente en el régimen institucional en el que se enmarca nuestro sistema de contratación de servicios de educación superior, que expusimos más arriba, y en el que se acostumbra a que un adulto responsable paga la matrícula y asegura el pago del arancel para posibilitar que el alumno quede incorporado en la institución educacional. Es pertinente para este análisis observar que estas normas se enmarcan en un régimen constitucional, según el cual los padres "tienen el derecho de escoger el establecimiento de enseñanza para sus hijos" (Art. 19 nº 10 CPR), lo cual sugiere que en la celebración del contrato educacional y en su eventual retractación, se ha previsto con toda probabilidad la intervención del padre o de la madre del alumno, o de ambos. Esta perspectiva parece coherente con el sistema de responsabilidades que rige en Chile en materia de familia.

En todo caso, el establecimiento al que se haga valer el retracto no podría controvertir la legitimación del representante, si consta en sus registros que ha pagado la matrícula en favor del alumno. Asimismo, la institución queda libre de responsabilidad si el representante ejerce el retracto, aunque no se acredite que obra con el consentimiento del alumno; sin embargo, nos parece que no sería válida la retractación del representante contra la voluntad del alumno, pues no basta la intención del que pagó una de las matrículas de recuperar su dinero, para obligar al alumno a consentir en el retracto. La retractación del representante siempre debe ser en el interés del alumno. Con todo, la institución presume que obra en interés del representado. Si no fuera así, el alumno podría demandarlo por el perjuicio que le cause el retracto. […]

3) REQUISITOS (3.1.) SOLICITUD EXPRESA ANTE LA RESPECTIVA INSTITUCIÓN El inciso primero del artículo 3° ter comienza diciendo: "En el caso de prestaciones de servicios educacionales de nivel superior, proporcionadas por centros de formación técnica, institutos profesionales y universidades, se faculta…"; y alude al afectado por el retracto como "la respectiva institución". El inciso siguiente regula el ejercicio y los efectos de este derecho, y establece que para hacerlo efectivo se requiere ser alumno de primer año de una carrera o programa de pregrado y acreditar, "ante la institución respecto de la cual se ejerce esta facultad", una matrícula vigente en otra entidad de educación superior, de donde se sigue que no es posible invocar este retracto ante los establecimientos de enseñanza que la legislación chilena no considera de educación superior. Parece claro que cuando la ley se refiere en forma general a "la respectiva institución" o a la "institución educacional" está indicando al establecimiento con el cual se celebró el contrato de prestación de servicios de educación superior y que, según el inciso primero del Art. 3 ter, puede ser o un centro de formación técnica, o un instituto profesional o una universidad. Si el alumno se ha incorporado a otra institución de educación superior (una escuela superior ligada a las Fuerzas Armadas, por ejemplo), carecerá del derecho de retracto. Debe considerarse que, siendo una norma de excepción, ha de interpretarse restrictivamente. (3.2.) ACREDITACIÓN DE SEGUNDA MATRÍCULA El inciso segundo del Art. 3 ter señala que para ejercer el derecho de retracto, el titular debe "acreditar, ante la institución respecto de la cual se ejerce esta facultad, encontrarse matriculado en otra entidad de educación superior". Luego, el ejercicio del retracto del contrato de educación superior está supeditado a que el alumno se haya incorporado, mediante la correspondiente matrícula, en otra entidad de educación superior. Nótese que aquí la ley no señala que deba tratarse de un centro de formación técnica, instituto profesional o universidad, de modo que caben las otras instituciones de educación superior que no tienen este carácter. La norma exige que esta matrícula se "acredite" ante la institución cuyo contrato se está dejando si efecto. Entendemos que bastará un certificado o copia del documento en que conste la matrícula en la otra institución para que se dé por acreditado, sin que la institución objeto del retracto pueda exigir una prueba de mayor entidad. ¿Debe la matrícula que se invoca para ejercer el retracto ser posterior al contrato que se pretende dejar sin efecto por el ejercicio de esta facultad? Esto es lo que sucederá más frecuentemente, por la forma en que se plantea el problema que se pretendió solucionar con la norma; pero esto no fue exigido, por lo que incluso si la matrícula invocada fuera anterior a aquella que se pretende retraer, el retracto es procedente: el titular podrá acreditar que "se encuentra" matriculado en otra entidad de educación superior".

ARTÍCULO 4

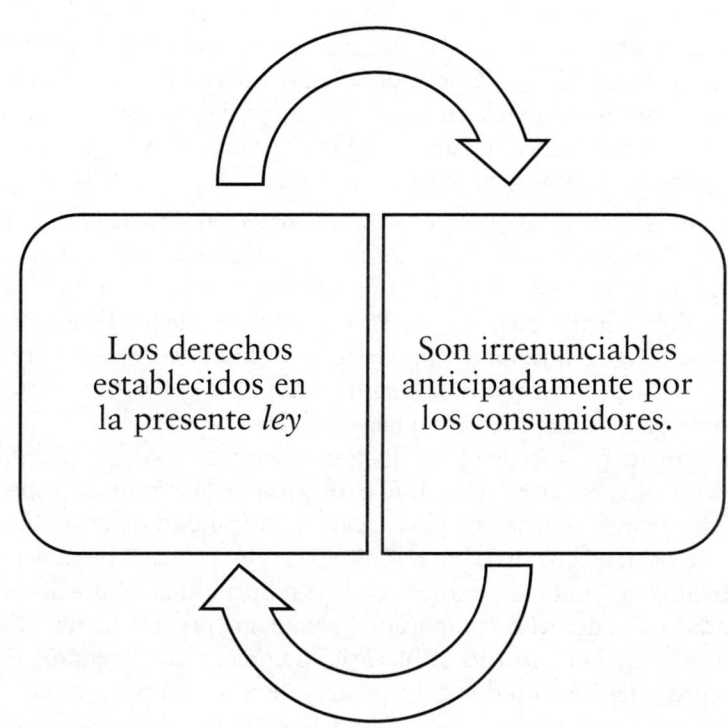

Los derechos establecidos en la presente *ley*

Son irrenunciables anticipadamente por los consumidores.

DOCTRINA SOBRE ARTÍCULO 4

- **Isler, Erika (2019): Derecho del Consumo.** *Nociones fundamentales.* **Valencia: Tirant Lo Blanch, pp. 98.** "Esta es quizá la consecuencia más conocida de la calificación de una norma como de orden público, y por la cual se confieren derechos irrenunciables anticipadamente. En nuestro país, como se indicó, curiosamente la LPDC no explicita su carácter de orden público, pero sí menciona expresamente este efecto, al consagrar la irrenunciabilidad anticipada de las prerrogativas conferidas en favor de los consumidores (Art. 4 LPDC). Con todo, la imperatividad se introduce en el ordenamiento jurídico, con ciertas finalidades. En primer lugar se sustenta en la tutela de un sujeto débil, cuyos derechos peligran de ser conculcados, si la libertad de contenido contractual no se limitara. Como explica Verdugo Bravo, por el orden jurídico, el Estado establece límites a la autonomía negocial, con el objeto de procurar un equilibrio".

- **Espada, Susana (2013): "Artículo 4", en Iñigo De La Maza; Carlos Pizarro (Dirs.) y Francisca Barrientos (coord.)** *La protección de los Derechos de los consumidores. Comentarios a la ley de protección a los derechos de los consumidores.* **Santiago: Editorial Thomson Reuters, pp. 194-200:** "2. Derechos irrenunciables anticipadamente y carácter imperativo de la norma: "En este artículo es posible afirmar que el carácter irrenunciable de los derechos contemplados implica el carácter imperativo de la norma. En estricto rigor la renuncia previa no es renuncia, porque para poder renunciar a un derecho es preciso que ese derecho forme parte del patrimonio del renunciante. El derecho no existiría para el sujeto hasta que no se adquiere y es partir de ese instante cuando se puede renunciar a él. Por lo tanto, la renuncia previa a los derechos atribuidos que regula el artículo 4 se debe entender como una prohibición de exclusión de la aplicabilidad de las normas de la Ley de Protección de los Derechos de los Consumidores" (...) **4. El problema de las "renuncias previas justificadas":** Dicho lo anterior, la cuestión más compleja de resolver que se nos plantea es la posibilidad de la renuncia previa a un derecho por parte del consumidor a cambio o de otros derechos no contemplados en la normativa de consumo que pudieran considerarse de mayor valor para él o, directamente, la renuncia a cambio de una reducción en el precio del bien o servicio. Se trataría de la admisibilidad de las denominadas en el derecho comparado "renuncias previas justificadas". Para algunos autores, dichas renuncias serían admisibles, porque de lo contrario se privaría al consumidor plenamente informado de la posibilidad de concluir negocios, ya que el derecho del consumidor debe protegerle frente al proveedor, pero no necesariamente frente a sí mismo. Según esta opinión doctrinal una rebaja considerable del precio de la prestación podría legitimar la renuncia previa a un derecho por parte del consumidor. Para otros autores, con independencia de que el consumidor haya podido negociar esa renuncia ésta, en ningún caso, será valida porque el carácter imperativo de la norma no admitiría excepciones. Además se destaca como de admitirse dichas renuncias justificadas el intercambio de derechos en beneficio del consumidor no sería fácilmente ponderable de manera objetiva y su control judicial sería muy complejo. En virtud del contenido del artículo 4° de la ley se considera que este tipo de renuncias previas no serían admisibles en la regulación chilena por diversos motivos. En primer lugar, porque efectivamente el tenor literal del precepto no contempla excepciones o atenuantes de la renuncia previa y, en segundo lugar, porque no parece adecuado hacer depender la admisibilidad de la renuncia del mayor o menor precio que se estipule por la misma".

SENTENCIAS SOBRE ARTÍCULO 4

Artículo 4°. "Los derechos establecidos por la presente ley son irrenunciables anticipadamente por los consumidores".

- **Vanessa Verdugo Osorio con Banco Santander Chile (2018): Corte Suprema, 24 de septiembre de 2018, Recurso de Casación en la Forma y en el Fondo, Rol n° 6544-2018, LTM14.710.252:** "SÉPTIMO: (…) Por otro lado, razona que dicha cláusula además es nula desde la perspectiva de los artículos 4 de la Ley 19.496 y 12 del Código Civil, pues si bien la regla general en derecho privado es la renunciabilidad de derechos, tal directriz no resulta aplicable a normas de orden público. En este entendido, el derecho reconocido en el artículo 2415 se entiende formar parte de la relación de consumo en el marco de los productos financieros. De esta forma si el Código Civil establece ciertos derechos irrenunciables en la regulación de determinado contrato, no pueda sostenerse su renunciabilidad en el esquema de una relación de consumo protegida especialmente por la ley (…)".

- **Pastene Díaz con Autofrance Ltda. (2009): Corte de Apelaciones de Santiago, 26 de enero del 2010, Recurso de Apelación, Rol n° 11411-2009, LTM19.090.423:** "SEGUNDO: (…) esta circunstancia no le priva del derecho de reclamar la vulneración de sus derechos de consumidor y solicitar la indemnización de los perjuicios que ella le pudiere haber causado. Así se establece de la aplicación del artículo 4° de la ley n° 19.496 al disponer dicha norma que los derechos establecidos por dicho cuerpo legal son irrenunciables anticipadamente por los consumidores; de este modo, si después de firmado el recibo de recepción conforme del automóvil, el consumidor constata la existencia de daños no advertidos en una primera revisión, nada obsta a que pueda posteriormente ejercer los derechos que le legislación sobre la materia le otorga".

- **Felipe Walter Slimming con Supermercado de Muebles y Colchones Speisky y Compañía Ltda. (2007): Corte de Apelaciones de Santiago, 21 de diciembre 2007, Rol n° 6273-2007, LTM19.090.417: "SEGUNDO:** el artículo 20 de la Ley 19.496, sobre Protección de los Derechos de los Consumidores, otorga al consumidor el derecho a optar entre la reparación gratuita del bien o, previa restitución, por la reposición o devolución de la cantidad pagada, en el caso que cualquier producto, por deficiencias de fabricación, elaboración, materiales, partes, piezas, elementos, en su caso, no sea enteramente apto para el uso o consumo al que está destinado o al que el proveedor hubiese señalado en su publicidad, un derecho que de acuerdo al artículo 4° de la citada ley es irrenunciable y no puede ser limitado con una advertencia escrita en la boleta de servicios que el producto no tiene garantía".

PÁRRAFO 2º. DE LAS ORGANIZACIONES PARA LA DEFENSA DE LOS CONSUMIDORES

ARTÍCULO 5

Asociación de Consumidores	"La organización constituida por personas naturales o jurídicas, independientes de todo interés económico, comercial o político, cuyo objetivo sea proteger, informar y educar a los consumidores y asumir la representación y defensa de los derechos de sus afiliados y de los consumidores que así lo soliciten, todo ello con independencia de cualquier otro interés." (art. 5° Ley N.° 19496)
Fondo Concursable	"Creado en virtud de lo dispuesto en el artículo 11 bis de la Ley N.° 19.496, y sus modificaciones, sobre Protección de los Derechos de los Consumidores, en adelante el Fondo, tiene por objeto el financiamiento de iniciativas que las Asociaciones de Consumidores, constituidas según lo dispuesto en esa ley, desarrollen en el cumplimiento de sus objetivos, con exclusión de las actividades a que se refieren las letras d) y e) del artículo 8° de ese mismo cuerpo legal." (Art. 1 D.L N° 37 2005 REGLAMENTO DEL FONDO CONCURSABLE DESTINADO AL FINANCIA-MIENTODE INICIATIVAS DE LAS ASOCIACIONES DE CONSUMIDORES)
Asociación nacional de consumidores	"Aquellas asociaciones que operen en ocho o más regiones del país, lo que deberá ser debidamente acreditado ante el Ministerio de Economía, Fomento y Turismo conforme al procedimiento que establezca el reglamento." (Art. 11 ter. Ley N.° 19.496)
Organizaciones de interés publico	"Aquellas personas jurídicas sin fines de lucro cuya finalidad es la promoción del interés general, en materia de derechos ciudadanos, asistencia social, educación, salud, medioambiente, o cualquiera otra de bien común, en especial las que recurran al voluntariado, y que estén inscritas en el Catastro que establece el artículo siguiente." (Art. 15, Ley N.° 20.500)

Asociación de
Consumidores

Art. 5

La organización
constituida por personas
naturales o jurídicas,
independientes de todo
interés económico,
comercial o político.

Cuyo objetivo sea
proteger, informar y
educar a los
consumidores y asumir la
representación y defensa
de los derechos de sus
afiliados y de los
consumidores que así lo
soliciten, todo ello con
independencia de
cualquier otro interés.

ARTÍCULO 6

Normativa aplicable a las asociaciones Art. 6	
Las asociaciones de consumidores se regirán por lo dispuesto en esta ley, y en lo no previsto en ella por el decreto ley nº 2.757, de 1979, del Ministerio del Trabajo, exclusivamente respecto de su constitución, su disolución y lo preceptuado en los artículos 16, 21, 22 y 23 de dicho cuerpo legal.	En lo demás, se regirán subsidiariamente por las normas contenidas en el Título II de la ley nº 20.500 y serán consideradas como organizaciones de interés público en los términos que dispone el artículo 15 de la precitada ley.

ARTÍCULO 7

Disolución de las asociaciones Art. 7		
Además de las causales de disolución indicadas en el artículo 18 del decreto ley n° 2.757, de 1979, las organizaciones de consumidores pueden ser disueltas por sentencia judicial o por disposición de la ley, a pesar de la voluntad de sus miembros.	En caso de que el juez, dentro del plazo de tres años, declare temerarias dos o más demandas colectivas interpuestas por una misma Asociación de Consumidores, podrá, a petición de parte, en casos graves y calificados, decretar la disolución de la asociación, por sentencia fundada.	Los directores de las Asociaciones de Consumidores disueltas por sentencia judicial quedarán inhabilitados para formar parte, en calidad de tales, de otras asociaciones de consumidores, durante el período de dos años.

ARTÍCULO 8

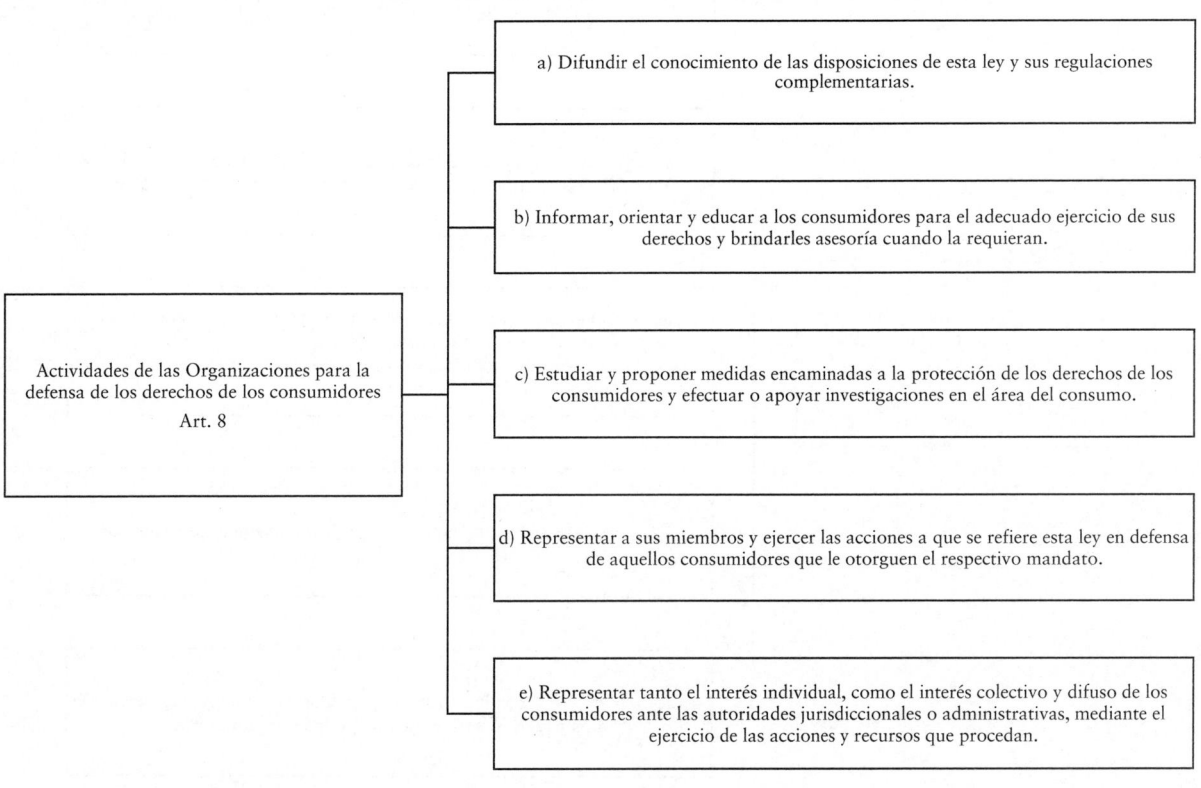

Actividades de las Organizaciones para la defensa de los derechos de los consumidores

Art. 8

a) Difundir el conocimiento de las disposiciones de esta ley y sus regulaciones complementarias.

b) Informar, orientar y educar a los consumidores para el adecuado ejercicio de sus derechos y brindarles asesoría cuando la requieran.

c) Estudiar y proponer medidas encaminadas a la protección de los derechos de los consumidores y efectuar o apoyar investigaciones en el área del consumo.

d) Representar a sus miembros y ejercer las acciones a que se refiere esta ley en defensa de aquellos consumidores que le otorguen el respectivo mandato.

e) Representar tanto el interés individual, como el interés colectivo y difuso de los consumidores ante las autoridades jurisdiccionales o administrativas, mediante el ejercicio de las acciones y recursos que procedan.

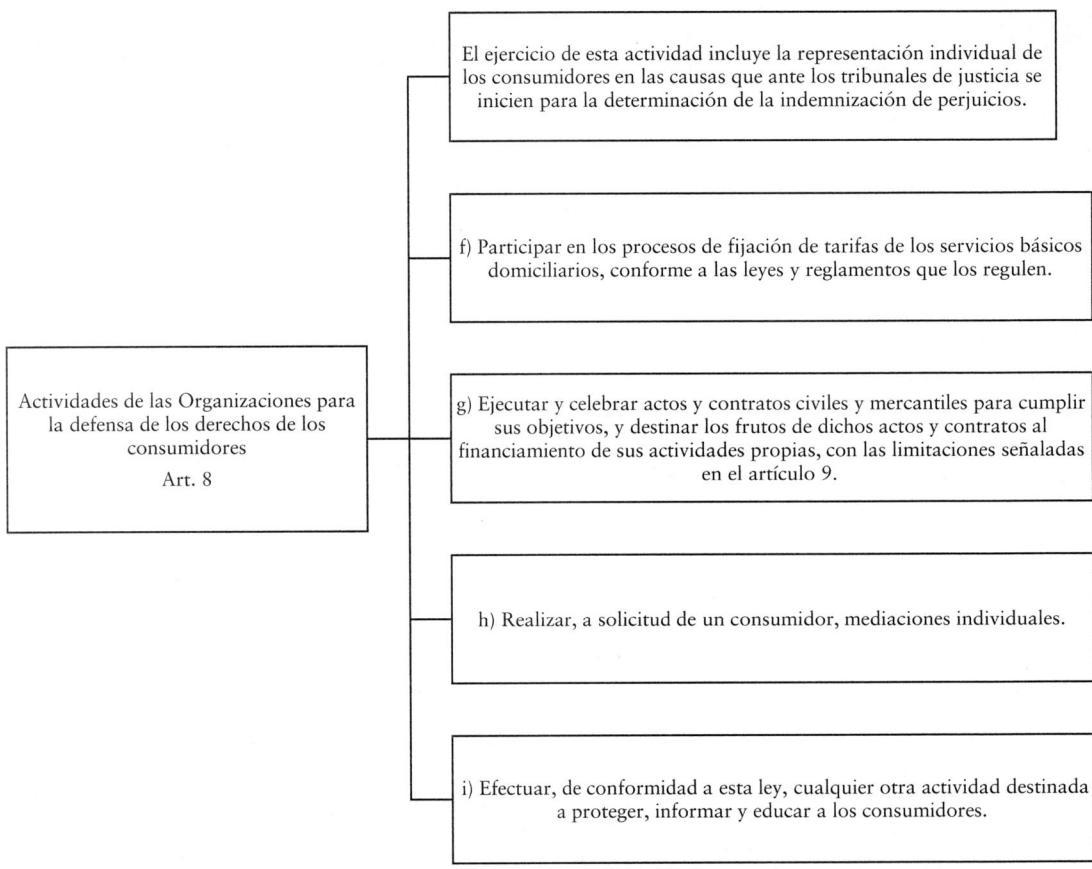

El ejercicio de esta actividad incluye la representación individual de los consumidores en las causas que ante los tribunales de justicia se inicien para la determinación de la indemnización de perjuicios.

f) Participar en los procesos de fijación de tarifas de los servicios básicos domiciliarios, conforme a las leyes y reglamentos que los regulen.

g) Ejecutar y celebrar actos y contratos civiles y mercantiles para cumplir sus objetivos, y destinar los frutos de dichos actos y contratos al financiamiento de sus actividades propias, con las limitaciones señaladas en el artículo 9.

h) Realizar, a solicitud de un consumidor, mediaciones individuales.

i) Efectuar, de conformidad a esta ley, cualquier otra actividad destinada a proteger, informar y educar a los consumidores.

Actividades de las Organizaciones para la defensa de los derechos de los consumidores
Art. 8

ARTÍCULO 9

Prohibiciones a las Organizaciones para la defensa de los derechos de los consumidores
Art. 9

a) Constituirse u operar con la finalidad de redistribuir sus fondos a sus miembros fundadores, directores, socios o personas relacionadas con los anteriores en los términos del artículo 100 de la ley N° 18.045.

b) Repartir costas procesales y personales, excedentes, utilidades o beneficios pecuniarios de sus actividades entre sus miembros fundadores, directores, socios, personas relacionadas con los anteriores de conformidad con el artículo 100 de la ley N° 18.045, o trabajadores, sin perjuicio de las gratificaciones legales que le correspondan.

Los ingresos que obtengan con sus actividades servirán exclusivamente para su financiamiento, desarrollo institucional, investigación, estudios o para el apoyo de sus objetivos.

Lo dispuesto en el párrafo anterior es sin perjuicio de la remuneración de sus trabajadores y de la facultad del directorio para fijar una retribución adecuada a su representante legal, a sus miembros fundadores, socios o personas relacionadas con los anteriores de conformidad con el artículo 100 de la ley N° 18.045, por los servicios que prestaren a la asociación.

Asimismo, las personas enumeradas en el párrafo anterior tendrán derecho a ser reembolsadas de los gastos, autorizados por el directorio, que justificaren haber efectuado en el ejercicio de su función.

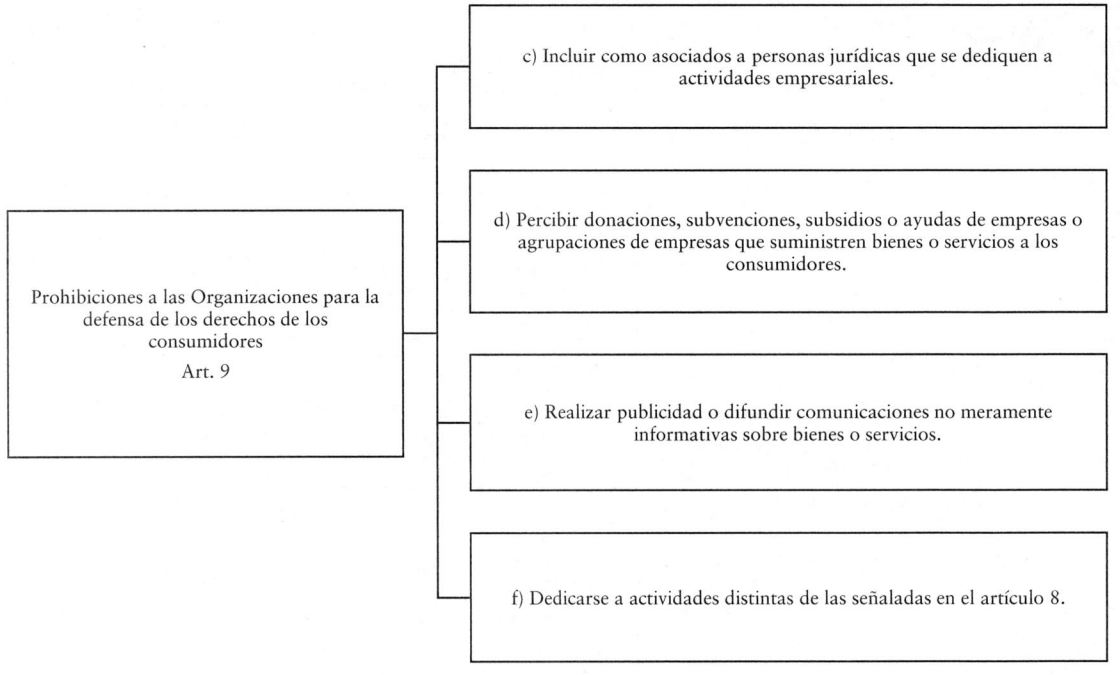

Prohibiciones a las Organizaciones para la defensa de los derechos de los consumidores

Art. 9

c) Incluir como asociados a personas jurídicas que se dediquen a actividades empresariales.

d) Percibir donaciones, subvenciones, subsidios o ayudas de empresas o agrupaciones de empresas que suministren bienes o servicios a los consumidores.

e) Realizar publicidad o difundir comunicaciones no meramente informativas sobre bienes o servicios.

f) Dedicarse a actividades distintas de las señaladas en el artículo 8.

Prohibiciones a las Organizaciones para la defensa de los derechos de los consumidores

Art. 9

La infracción grave y reiterada a las normas del artículo 9.

Será sancionada con la cancelación de la personalidad jurídica de la organización, por sentencia judicial, a petición de cualquier persona, sin perjuicio de las responsabilidades penales o civiles en que incurran quienes las cometan.

ARTÍCULO 10

No podrán ser integrantes del consejo directivo de una organización de consumidores

Art. 10

a) El que hubiere sido condenado por delitos concursales contenidos en el Código Penal.

b) El que hubiere sido condenado por delito contra la propiedad o por delito sancionado con pena aflictiva, por el tiempo que dure la condena.

c) El que hubiere sido sancionado como reincidente de denuncia temeraria o por denuncias temerarias reiteradas.

ARTÍCULO 11

Tampoco podrán ser integrantes del consejo directivo de una organización de consumidores: Art. 11	
Quienes ejerzan cargos de elección popular ni los consejeros regionales. Los directivos de una organización de consumidores que sean a la vez dueños, accionistas propietarios de más de un 10% del interés social, directivos o ejecutivos de empresas o sociedades que tengan por objeto la producción, distribución o comercialización de bienes o prestación de servicios a consumidores, deberán abstenerse de intervenir en la adopción de acuerdos relativos a materias en que tengan interés comprometido en su condición de propietarios o ejecutivos de dichas empresas.	• La contravención a esta prohibición será sancionada con la pérdida del cargo directivo en la organización de consumidores, sin perjuicio de las eventuales responsabilidades penales o civiles que se configuren. • Los directores responderán personal y solidariamente por las multas y sanciones que se apliquen a la asociación por actuaciones calificadas por el juez como temerarias, cuando éstas hayan sido ejecutadas sin previo acuerdo de la asamblea.

ARTÍCULO 11 BIS

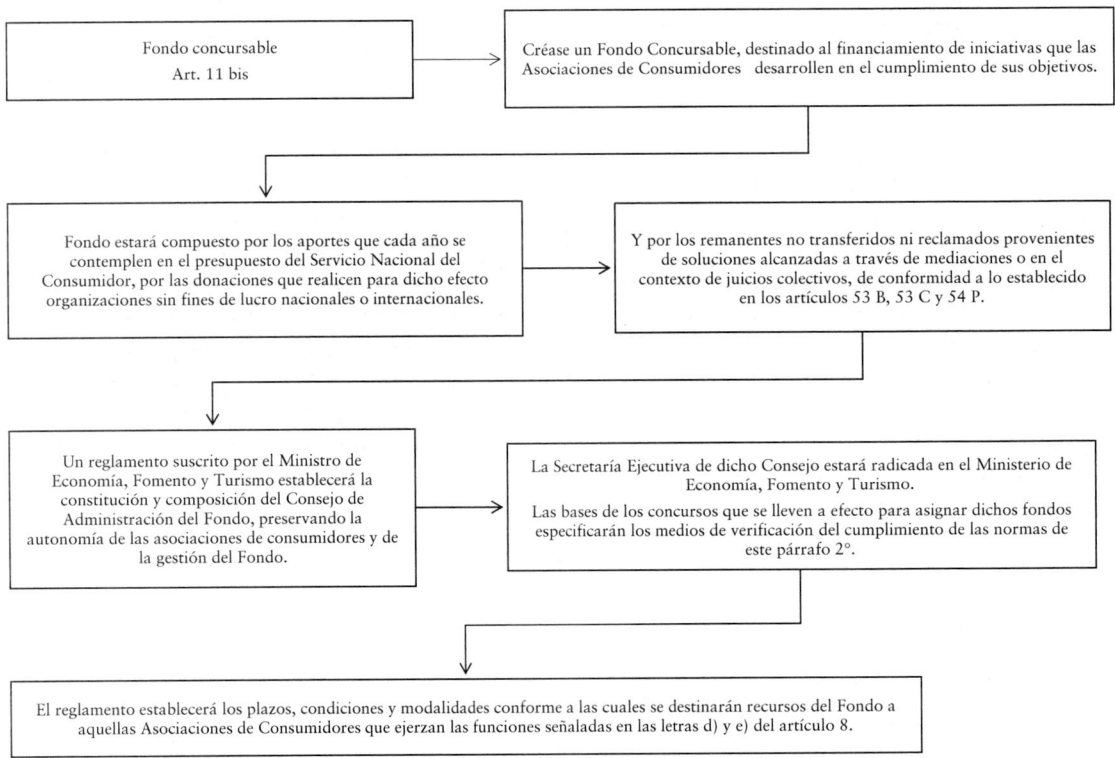

Fondo concursable
Art. 11 bis

Créase un Fondo Concursable, destinado al financiamiento de iniciativas que las Asociaciones de Consumidores   desarrollen en el cumplimiento de sus objetivos.

Fondo estará compuesto por los aportes que cada año se contemplen en el presupuesto del Servicio Nacional del Consumidor, por las donaciones que realicen para dicho efecto organizaciones sin fines de lucro nacionales o internacionales.

Y por los remanentes no transferidos ni reclamados provenientes de soluciones alcanzadas a través de mediaciones o en el contexto de juicios colectivos, de conformidad a lo establecido en los artículos 53 B, 53 C y 54 P.

Un reglamento suscrito por el Ministro de Economía, Fomento y Turismo establecerá la constitución y composición del Consejo de Administración del Fondo, preservando la autonomía de las asociaciones de consumidores y de la gestión del Fondo.

La Secretaría Ejecutiva de dicho Consejo estará radicada en el Ministerio de Economía, Fomento y Turismo.

Las bases de los concursos que se lleven a efecto para asignar dichos fondos especificarán los medios de verificación del cumplimiento de las normas de este párrafo 2°.

El reglamento establecerá los plazos, condiciones y modalidades conforme a las cuales se destinarán recursos del Fondo a aquellas Asociaciones de Consumidores que ejerzan las funciones señaladas en las letras d) y e) del artículo 8.

ARTÍCULO 11 TER

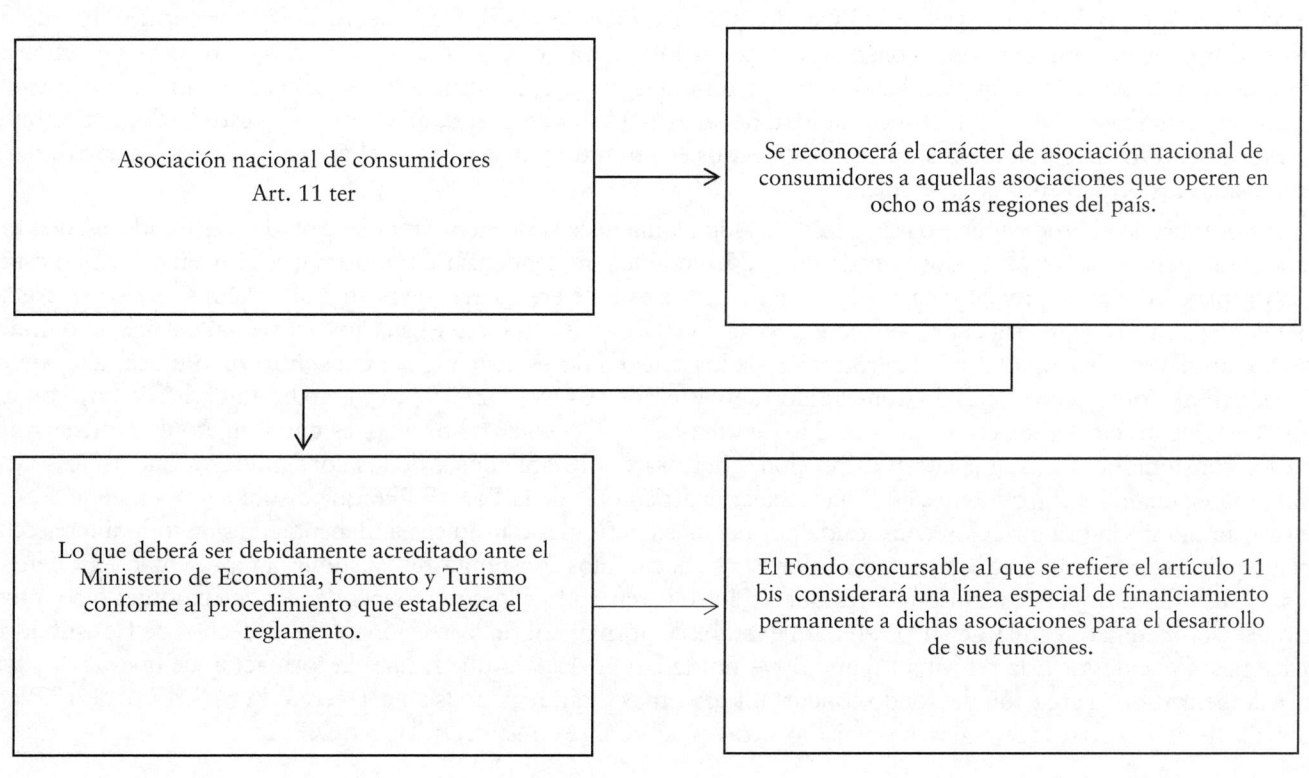

Asociación nacional de consumidores
Art. 11 ter

Se reconocerá el carácter de asociación nacional de consumidores a aquellas asociaciones que operen en ocho o más regiones del país.

Lo que deberá ser debidamente acreditado ante el Ministerio de Economía, Fomento y Turismo conforme al procedimiento que establezca el reglamento.

El Fondo concursable al que se refiere el artículo 11 bis considerará una línea especial de financiamiento permanente a dichas asociaciones para el desarrollo de sus funciones.

- **Domínguez, Francisco (2014). "Las competencias de las asociaciones de consumidores a la luz de la legislación vigente y el proyecto de ley de fortalecimiento del SERNAC".** *Fundación Fernando Fueyo. Santiago.* Universidad Diego Portales: DEL ORIGEN DE LAS ASOCIACIONES DE CONSUMIDORES EN CHILE: "En nuestro país, la creación e institucionalización de las AACC se produjo en los años 90. Es el Estado quien asume la necesidad de generar leyes e instituciones que velen por los consumidores en un ambiente de reconstrucción democrática, a diferencia de lo que sucedió en otros países en donde la necesidad social y la participación civil llevó a que se busquen sus propios espacios de protección. En este contexto, el año 1990 se crea el Sernac y con ella, la institucionalidad de las AACC. Sin embargo, tal como se ha estudiado, es posible sostener que el conocimiento de la ciudadanía sobre estos derechos es limitado y más aún, en el ejercicio de éstos a través del reclamo o la denuncia en los organismos competentes

Así, una vez instaurado el procedimiento legal, desde la ciudadanía nace la primera organización de consumidores, que fue ACHICO (Asociación chilena del consumidor) creada en 1985, sin tener trascendencia e importancia. Hoy en día ya no está vigente. Luego, la propia ciudadanía, preocupada por la débil defensa existente en materia de protección al consumidor, se organiza y en el año 1996 en Santiago, se realiza el primer encuentro nacional de consumidores y usuarios, en el cual participan organizaciones vecinales y comunales preocupadas por la protección de los consumidores. Este primer encuentro tuvo un carácter fundacional, pues dio origen al Consejo Nacional de Consumidores y Usuarios "CONADECUS", vigente hasta el día de hoy con gran trascendencia en la protección a los consumidores. Hoy en día las AACC son organizaciones cuyo objeto es proteger, informar y educar a los consumidores y asumir la representación y defensa de sus afiliados y de los consumidores que así lo soliciten, con independencia de cualquier otro interés, esto lo establece el artículo 5º de la Ley 19.496 que dispone: "Se entenderá por Asociación de Consumidores la organización constituida por personas naturales o jurídicas, independientes de todo interés económico, comercial o político, cuyo objetivo sea proteger, informar y educar a los consumidores y asumir la representación y defensa de los derechos de sus afiliados y de los consumidores que así lo soliciten, todo ello con independencia de cualquier otro interés". Las asociaciones están reguladas en la Ley nº 19.496, que establece normas sobre Protección de los Derechos de Consumidores y sus modificaciones. Cabe destacar la reforma del año 2004 por la Ley nº 19.955 que facilita la formación de nuevas organizaciones y el financiamiento con la creación del fondo concursable. Además están reguladas en el Decreto Ley nº 2.757 de 1979, que establece normas de asociaciones gremiales, mecanismo a través del cual se constituyen las AACC.

4) DE LAS ASOCIACIONES DE CONSUMIDORES EN CHILE Según la información otorgada por el Sernac, en Chile existen 37 AACC legalmente registradas. A continuación, pasaremos a nombrarlas según la región en la cual se constituyeron y operan35. i) Región de Tarapacá: Solo hay una asociación, la "Asociación Regional de Defensa del Consumidor, Ardec". ii) Región de Antofagasta: Existencia de dos asociaciones, "Asociación de Protección al Consumidor, Apac" y "Asociación de Protección al Consumidor, Acam". iii) Región de Atacama: En esta región encontramos cuatro asociaciones, "Asociación Nacional de Consumidores y Usuarios de Vallenar, Adecovall", "Asociación de Consumidores y Usuarios de Copiapó, Conacop", "Asociación de Consumidores de Copiapó, Adecop" y "Asociación de Consumidores y Usuarios de Chañaral, ACOCHAÑAR AC". iv) Región de Coquimbo: En esta región sólo hay una asociación, la "Asociación de Consumidores Acción Inteligente, Acai". v) Región de Valparaíso: Encontramos cuatro asociaciones, "Asociación de Consumidores Marga Marga Provincia Inteligente, Acompi", "Asociación de Consumidores de Quintero, Adeco Quintero AC", "Asociación de Consumidores de la Provincia de San Antonio" y "Asociación Gremial Conprosa y Organización de Consumidores y Usuarios, Orcus". vi) Región Metropolitana: Aquí encontramos catorce AACC, las más importantes son "CONADECUS" y "ODECU". El listado es el siguiente: "Asociación de Consumidores de Chile – ASOCOCHI", "Asociación de Consumidores El Poder del Consumidor", "Asociación de Consumidores Liga Ciudadana por la Defensa de los Consumidores", "Asociación de Defensa del Consumidor ADC", "Corporación Nacional de Consumidores y Usuarios de Chile A. C., Conadecus", "Organización de Consumidores y Usuarios de Chile, Odecu", "Asociación Nacional de Defensa de los Derechos de los Consumidores y Usuarios de la Seguridad Social, Anadeus", "Asociación de Consumidores y Usuarios de las Poblaciones La Victoria y San Joaquín Poniente de la Comuna de Pedro Aguirre Cerda, Acujovi A. C", "Asociación Nacional de Consumidores y Usuarios de Chile, Aconsuchile", "Asociación de Consumidores y Usuarios, Aconusan", "Asociación Nacional de Consumidores Accidentados del Tránsito, Ascodat Chile", "Asociación Nacional de Consumidores y Usuarios de Servicios Educacionales, Ancuse", "Asociación de Consumidores y Usuarios de la Provincia de Talagante y Melipilla, Acutame" y "Asociación de Consumidores Inmobiliarios, Acóin". vii) Región del Libertador Bernardo O´Higins: En esta región solo encontramos una, la "Organización de Consumidores y Usuarios del Libertador O'Higgins, Odecu Libertador". viii) Región del Maule: Solo existe una, la "Asociación de Consumidores Concientes por la Salud y el Medio Ambiente". viii) Región del Bio bio: En esta región encontramos dos asociaciones, a saber: la "Asociación de Consumidores Formadores de Organizaciones Juveniles de Consumidores y Consumidoras, Fojucc", "Asociación de Consumidores y Usuarios de La Punilla y

Asociación Regional Consumidores Adultos Mayores Región del Biobio". ix) Región de la Araucanía: Encontramos dos, "Asociación de Consumidores y Usuarios del Sur, CDS" y "Asociación de Consumidores Pucón – ACOPUCON". x) Región de los ríos: Solo una, la "Asociación Gremial de Consumidores de Valdivia, Acoval". xi) Región de Los Lagos: Existencia de cuatro asociaciones: "Asociación de Consumidores de Osorno, Aco", "Asociación Gremial Intercomunal de Consumidores de la Décima Región, Cider", "Asociación Gremial de Consumidores y Usuarios de Chiloé, Chileoactivo" y "Asociación de Consumidores y Usuarios de Castro, Acuchiloé".

Trascienden de este listado dos AACC: CONADECUS y ODECU. La primera tiene por principio proporcionar información seria y responsable a través de sus publicaciones y en las campañas que promueve ante la opinión pública y los medios de comunicación. Dentro de sus campañas destacan una serie de estudios realizados, como por ejemplo, consumo responsable, cláusulas abusivas y publicidad engañosa. Asimismo, desde el año 2004, CONADECUS ha realizado una serie de demandas colectivas, destacando la interpuesta contra Banco Estado37, donde se beneficiaron todos los titulares de las cuentas de ahorro a la vista en que se pretendía el cobro de una comisión por mantención, y la demanda interpuesta contra las Isapres en junio del presente año, por el reajuste unilateral, ilegal y arbitrario de sus planes de salud, además de las demandas individuales y asesorías que otorga esta asociación. En la actualidad CONADECUS es presidida por Hernán Calderón Ruiz y sus directores son: Ernesto Benado Rejovitzky, Marcos Zepeda Risso y Jorge Cisternas. Por su parte ODECU tiene como misión ser la voz nacional de la protección y promoción de los derechos de los consumidores y usuarios en Chile, desde la perspectiva de la sociedad civil; y un interlocutor reconocido en la defensa de los derechos humanos de los consumidores a nivel nacional e internacional. Esta organización trabaja por un consumo seguro, seguro de obtener bienes y servicios de calidad, los que mejor satisfagan las necesidades de los consumidores, seguro de que los bienes y servicios que elijas serán inocuos, no harán daño ni a tu salud ni al medio ambiente, seguro de poder aprovechar las oportunidades del mercado que mejor convengan a tus posibilidades, sin poner en peligro el equilibrio de tu presupuesto y seguro de ejercer tus derechos y de asumir tus responsabilidades en tus relaciones de mercado. ODECU realiza estudio de productos y de servicios para que los consumidores puedan elegir los que más les convengan, a modo de ejemplo, un estudio del yogur. Asimismo realiza investigaciones, donde ha descubierto que los pollos tenían exceso de agua y de sal; los cereales para el desayuno tenían exceso de azúcar; los celulares de prepago no cobran lo que anuncian, entre otras investigaciones. Además ODECU interviene ante los proveedores para encontrar adecuadas soluciones prejudiciales a los conflictos individuales y colectivos de consumo y representa judicialmente, en caso necesario, a las consumidoras y a los consumidores afectados por una vulneración colectiva de derechos, destacando la demanda contra el Banco Santander por cobro excesivo en créditos hipotecarios. Por último, esta organización es presidida por Stephan Larenas Ribó".

- **Quiróz, Hernán en "artículo 8" Iñigo De La Maza; Carlos Pizarro (Dirs.) y Francisca Barrientos (coord.)** *La protección de los Derechos de los consumidores. Comentarios a la ley de protección a los derechos de los consumidores.* **Santiago: Editorial Thomson Reuters, pp. 232-239 "1. Diferencia entre las facultades de las AACC y las potestades del SERNAC.** Las atribuciones que el Art. 8° de la LDC confiere a las AACC guardan cierta semejanza y parecen coincidir con las que la misma ley otorga al Servicio Nacional del Consumidor. En efecto, el artículo 58 de esta ley establece que el SERNAC deberá "realizar acciones de información y educación del consumidor", "realizar, a través de laboratorios o entidades especializadas, de reconocida solvencia, análisis selectivos de los productos que se ofrezcan en el mercado en relación a su composición, contenido neto y otras características", "recopilar, elaborar, procesar, divulgar y publicar información para facilitar al consumidor un mejor conocimiento de las características de la comercialización de los bienes y servicios", "realizar y promover investigaciones en el área de consumo", etc.

Existe, sin embargo, una diferencia en la naturaleza de estas atribuciones, puesto que tratándose de las AACC estamos frente a facultades que la ley les reconoce, pero que estas, al ser entidades privadas, no están obligadas a desarrollar, y pueden definir, de acuerdo con sus propias estrategias e intereses, cuáles ejecutar y con qué intensidad. El SERNAC, en cambio, es un órgano del Estado, y las mismas atribuciones, en su caso, son potestades, es decir, derechos-deberes.

La creación misma de un órgano estatal y su atribución de potestades están esencialmente ligados al fin propio del Estado, esto es, la consecución del bien común, según veíamos más arriba, entendida esta finalidad tal como la propia constitución la ha definido expresamente: "contribuir a crear las condiciones sociales que permitan a todos y a cada uno de los integrantes de la comunidad nacional su mayor realización espiritual y material posible, con pleno respeto a los derechos y garantías que esta Constitución establece" (artículo 1° inciso 4° de la CPR).

Esta mayor libertad de que gozan las AACC está limitada, sin embargo, en lo relativo a las atribuciones de representar y defender a os consumidores que lo soliciten. Si la Asociación recibe una solicitud de representación o de defensa y no quiere aceptarla, corresponde aplicar aquí la regla del inciso segundo del artículo 2125 del Código Civil: "Aun cuando se excusen del encargo, deberán tomar las providencias conservativas urgentes que requiera el negocio que se les encomienda".

2. Función de difusión normativa

La facultad asignada a las AACC en la letra a) del artículo 8° que comentamos debe entenderse en relación con el artículo 10° letra de la misma ley, que establece las atribuciones exclusivas de estas organizaciones; y, en consecuencia, sólo puede ser ejercida respecto de las materias que el mismo artículo 8° indica, es decir, las disposiciones de esta ley y sus regulaciones complementarias.

3. Función de informar y orientar a los consumidores para el adecuado ejercicio de sus derechos.

La información de los consumidores es uno de los fines que el Art. 5° de la LDC asigna a las AACC.

El derecho del consumidor a recibir información y la facultad de las AACC de proporcionárselas se vinculan de manera evidente con el ejercicio de la libertad de expresión, entendido, tal como lo hace la Constitución en su artículo 19 n° 12, como la libertad garantizada a todas las personas de emitir opinión y de informar, "sin censura previa, en cualquier forma y por cualquier medio, sin perjuicio de responder de los delitos y abusos que se cometan en el ejercicio de estas libertades, en conformidad a la ley, la que deberá ser de quórum calificado".

La Comisión de Estudios de la Nueva Constitución se encargó de dejar constancia de qué entendía por libertad de opinión y de información. "Hemos considerado conveniente distinguir la libertad de opinión, entendida como la facultad de toda persona para exteriorizar por cualquier medio, sin coacción, lo que piensa o cree, de la libertad de información que, como complemento de la primera tiene por objeto hacer partícipes a los demás de ese pensamiento y dar a conocer hechos del acontecer nacional o internacional. Hemos entendido que en la garantía constitucional de que se trata hay dos bienes jurídicos en juego: uno de carácter personal o individual, que es el derecho de emitir opinión o de informar, y otro de carácter social, que es el derecho a recibir la información, opiniones y expresiones que los demás quieran transmitir, derecho este último que corresponde a la comunidad toda". La opinión es un juicio de valor pronunciado por quien tiene; es, como explica Cea "un conocimiento intermedio entre la ignorancia y la ciencia. Opina, en consecuencia, aquella persona que no está segura de lo que expresa, pero que tampoco desconoce por completo el asunto sobre el cual emite un juicio". La información, en cambio, es "el caudal de conocimientos que incluyen tanto en la narración objetiva de los hechos como en las imágenes, descripciones, signos, símbolos y comentarios subjetivos". Así lo ha entendido la jurisprudencia de nuestros tribunales superiores.

En las actividades económicas, la información es el medio que tienen las empresas para dar a conocer sus productos, tal como explica el profesor colombiano Mauricio Velandia, "la información de un producto será utilizada como parámetro de decisión por el consumidor para escoger lo que más se acerque a su necesidad. De ahí la importancia de que la información que ronde un mercado sea cierta y suficiente, pues por medio de ella es como se persuade al mercado".

La libertad de información, a su vez, discurre por dos vertientes, la posibilidad de "recibir información" y la posibilidad de "comunicarla".

Conviene tener presente aquí que esta facultad de informar, en el texto de la ley, va unida a la de orientar, lo que supone una responsabilidad acerca de esta orientación. Es pertinente, entonces, considerar que la expresión "sin perjuicio de responder" que usa el artículo 19 n° 12 de la Constitución alude a que existe una responsabilidad inherente a esa libertad, y una responsabilidad que no es sólo de carácter penal, porque no habla solamente de "delitos", sino también de "abusos", intercalados por una "y", no por una "o", por lo que no cabe considerar sinónimos a ambas expresiones. La misma garantía constitucional dispone que toda persona ofendida o injustamente aludida por algún medio de comunicación social, tiene derecho a que su declaración o rectificación sea gratuitamente difundida, en las condiciones que la ley determine, por el medio de comunicación social en que esa información hubiera sido emitida. En general, no es posible concebir que una libertad sea reconocida a nivel constitucional, sin que ello signifique también el reconocimiento de una responsabilidad correlativa. Con relación al derecho a recibir informaciones veraces, y a ser informado, don Humberto Nogueira explica que "este derecho está intrínsecamente unido al derecho a informar, ya que la información está dirigida al sujeto pasivo que es el receptor de la información brindada por terceros. El derecho a ser informado está dirigido al sujeto pasivo que es el receptor de la información brindada. El derecho a ser informado es parte del contenido esencial de derecho a la libertad de información", y agrega "El derecho a recibir una información veraz constituye un instrumento fundamental para conocer los asuntos de relevancia pública y que condiciona la participación de todos con igualdad de oportunidades en la vida nacional que establece nuestra Constitución en su artículo 1° inciso final" … "puede sostenerse que el derecho a recibir información o a ser informado constituye un derecho fundamental en sí mismo y 'no sólo como un reflejo de la libertad del comunicador".

Esta responsabilidad asociada a la libertad para emitir opiniones e informaciones quedó plasmada en las actas de la CENC, y aunque esta disposición constitucional ha tenido algunos cambios en ciertos aspectos, como eliminar de la norma constitucional el delito de difamación, sus fundamentos se mantienen intactos y son, por lo tanto, plenamente aplicables los contenidos de dichas actas para interpretar y aplicar esa norma constitucional a los delitos y abusos que puedan cometerse con los consumidores en materia de propaganda y publicidad.

La libertad de información encuentra su límite también, en la autodeterminación informativa, que, según cierta doctrina, constituye una manifestación del derecho a la intimidad personal.

Cabe tener presente que el artículo 9º letra d) de la misma LDC prohíbe a estas organizaciones "difundir comunicaciones no meramente informativas sobre bienes o servicios", bajo apercibimiento de ser sancionadas, en caso de infringir grave y reiteradamente esta disposición, de procederse a la cancelación de su personalidad jurídica, sin perjuicio de las responsabilidades penales o civiles en que incurran quienes las cometan.

4. Función de educar a los consumidores para el adecuado ejercicio de sus derechos.

La educación de los consumidores es también uno de los fines que el Art. 5º de la LDC asigna a las AACC. El artículo 8º letra b) lo ha limitado al adecuado ejercicio de sus derechos; con ello, ha fijado el contenido que puede tener la educación que corresponde a las AACC, y ha determinado que esa educación sólo se dirigirá a los consumidores.

Esta limitación es absoluta, si, por una parte, se considera que la norma que aquí comentamos está relacionada con el artículo 9º letra e) de la misma LDC, que dispone que las organizaciones de que trata este párrafo en ningún caso podrán "Dedicarse a actividades distintas de las señaladas en el artículo anterior"; de donde se sigue que una Asociación de consumidores no podría, sin contravenir esta regla, dirigir su labor educativa a sujetos que no tengan la calidad de consumidores; y si, por otra parte, se toma en cuenta que la LDC sólo considera "consumidores" a los destinatarios finales que adquieren, usan o disfrutan bienes o servicios, siempre que los hayan obtenido "a título oneroso" de un proveedor, mediante un contrato que sea a la vez "comercial" para el proveedor, y "civil" para el consumidor y siempre que no se trate de actividades previstas y reguladas en leyes especiales.

En consecuencia, por regla general, cuando en los artículos 5° y 8° de la LDC señalan que uno de los objetos de las AACC es educar a los consumidores, circunscribe al ámbito de aplicación de esta norma a "algunas" personas que adquieren, usan o disfrutan bienes o servicios, siempre que los hayan obtenido a título oneroso de esos proveedores, en un acto de carácter mixto, esto es, que sea a la vez civil para el consumidor y comercial para el proveedor, y que no se trate de actividades previstas y reguladas en leyes especiales. El fin educativo de las AACC debe girar, fundamentalmente, en torno al ejercicio responsable de los derechos que la LDC reconoce al consumidor en el artículo 3° de la ley y que son, fundamentalmente: Elegir con libertad, debidamente informado, sin ser objeto de discriminación arbitraria; con seguridad y respeto a su salud y al medio ambiente; obtener la reparación y la indemnización que corresponda; recibir una educación para un consumo responsable, y, en ciertos casos, la posibilidad de retractarse aun después de celebrado el contrato.

Don Ricardo Sandoval, refiriéndose al fundamento de los derechos de los consumidores, señala que estos constituyen un grupo protegido por el legislador, "dejando de ser considerados, como lo hizo el Derecho Mercantil clásico, simple clientela de un establecimiento o empresa comercial". En su opinión, la existencia de los derechos de los consumidores se basa en que "al igual que la empresa proveedora está facultada para emplear toda clase de estrategias y métodos lícitos destinados a promover la colocación de sus bienes y servicios en el mercado, el consumidor tiene derecho a ser educado como tal para efectuar responsablemente las operaciones de consumo, sin desventajas frente a ella".

Estos derechos —incluyendo el de recibir una educación para un consumo responsable—, coinciden con los que han ido estableciendo las directrices de la Unión Europea. La política comunitaria de protección e información de los consumidores fue un tema principal de la cumbre de Jefes de Estado reunida en París en 1972, que propuso elaborar un programa concreto orientado al fortalecimiento y coordinación de las medidas de protección al consumidor. A partir de esta iniciativa, el Consejo de Europa aprobó, el 14 de abril de 1975, el "Programa Preliminar de la Comunidad para una Política de Protección y de Información de los Consumidores", que recogía cinco derechos fundamentales del consumidor. Son: el Derecho a la protección de la salud y a la seguridad; el Derecho a la protección de los intereses económicos; el Derecho a la reparación de los daños; el Derecho a la información y a la educación y el Derecho a la representación". Este reconocimiento ha constituido la base de todos los planes de acción posteriores en materia de consumo y ha servido de orientación básica en toda la legislación adoptada en este campo en Europa hasta hoy. Las instituciones jurídicas comunitarias han permeado en las legislaciones de los países miembros de la UE, incluyendo entre ellas la LGCU española, que contemplaba, en su artículo 2.1, una lista de derechos básicos de los consumidores y usuarios que, en esencia, se corresponden con los reconocidos en los sucesivos planes comunitarios de protección del consumidor. Nuestra LDC ha seguido este modelo, de un modo similar a como han hecho las leyes de nuestros países vecinos, como observamos, por ejemplo, en el Código del Perú y en la Ley venezolana de protección al consumidor y al usuario. En general, las legislaciones indoamericanas reconocen un catálogo de derechos de los consumidores semejante a los derechos que proclamó un presidente norteamericano en su mensaje al Congreso de su país de 15 de marzo de 1962; con la salvedad de que, en esa concepción, es el gobierno, antes que el proveedor, quien los debe garantizar, y donde juega una papel principal el sistema de protección a la competencia".

- **Vargas, Juan Enrique "el rol de las asociaciones de consumidores en la litigación de casos de consumo en Chile" en Juan Ignacio Contardo; Felipe, Fernández y Claudio Fuentes (Coords). Litigación en materia de consumidores. Santiago: Legal Publishing** Chile, pp. 360-367 "Las demandas colectivas, si bien son más atractivas para las AdC, por los recursos e impacto involucrados, son complejas de estructurar, pues se requiere, copulativamente (i) tener noticia de que existe una posible infracción; (ii) efectuar los estudios técnicos y legales que permitan determinar que efectivamente se está frente a un caso con posibilidades de éxito; (iii) atraer a una cantidad relevante de consumidores afectados, y (iv) constituir un equipo jurídico que pueda hacerse cargo de tramitar el caso. Además, como ya se ha dicho, antes de la última modificación legal requerían de la autorización de su asamblea para intentar una acción de este tipo; con la reforma, ahora es competencia del directorio.

Las AdC tienen prohibido realizar publicidad para captar potenciales demandantes, por lo que se les hace muy difícil lograrlo. En el caso contra La Polar quedó demostrado lo relevante que puede ser realizar campañas públicas para atraer demandantes, pues pese a haber una demanda colectiva iniciada por el Sernac, fue un abogado particular, a través de la Fundación Chile Ciudadano, quien con una agresiva campaña captó más de mil demandantes individuales que se unieron a esa acción, por lo cual el tribunal terminó designándolo a él como apoderado común, por sobre las AdC y el Sernac. [...]

3. Los casos son difíciles de ganar

A los anteriores obstáculos se suma que resulta muy dificultoso ganar los casos. Lo más complejo no es acreditar la existencia de las infracciones, sino probar el monto de los daños causados, fundamentalmente en los procesos colectivos, por las dificultades para acceder a los medios probatorios: es muy difícil contar con los antecedentes para acreditar los perjuicios e incluso es difícil que declaren en juicio los propios afectados. Ejemplo de ello es el caso contra los bancos que presentó Odecu, en el cual lograron juntar doscientos consumidores afectados, pero a la hora de hacerlos comparecer como testigos para acreditar los daños sólo cinco de ellos estuvieron dispuestos a hacerlo. Otro ejemplo de demanda perdida por falta de prueba de los daños es el caso contra la editorial Panini.

Las modificaciones legales recientemente aprobadas debieran facilitar la prueba tanto de la infracción como de los perjuicios sufridos, dado el establecimiento de la carga dinámica de la prueba en los casos individuales y, fundamentalmente, producto que ahora los jueces podrán fijar un monto mínimo común de daño moral para todos los demandantes en un proceso colectivo [...]

IV. EL GRAN PROBLEMA DE LAS ADC: LA RELACIÓN DEL SERNAC

Paradojalmente, el mayor obstáculo para que las AdC logren convertirse en actores claves en la defensa de los derechos de los consumidores, particularmente en sede judicial, está dado por las atribuciones que el legislador le ha conferido al Sernac en la materia. Si bien formalmente la política pública le reconoce a la sociedad civil, a través de las AdC, el rol de representación de los consumidores, en los hechos el entramado institucional que se ha desarrollado demuestra que tiene una gran desconfianza de que lo puedan hacer con efectividad, e incluso de que sea conveniente que lo hagan, dado el tan repetido temor que se genere una "industria de la litigación". A la hora de apostar entonces por la defensa de los consumidores no ha dudado el legislador en poner las fichas en el Sernac, siendo el mejor ejemplo de ello la reciente —aunque relativamente malograda— reforma legal en el área, desconociendo algo que ya se ha convertido en una constante: mientras más poder acumule el Servicio, más difícil les será a las AdC convertirse en actores relevantes. [...]

La forma como se ha ido construyendo la relación entre el Sernac y las AdC se evidencia en la tramitación de la última ley con modificaciones al sistema de protección al consumidor, la cual, pese a su innegable importancia para todos los actores involucrados, no contó con una participación activa de las AdC en su elaboración y posterior tramitación. De hecho, las AdC debieron gestionar ellas mismas la posibilidad de que sus planteamientos fueran escuchados antes las comisiones del Parlamento, probablemente porque su posición no era coincidente con la del Sernac, dado que recelaban de la concentración de funciones que el proyecto hacía en el Servicio. [...]

Así y todo, el Sernac es la única entidad pública que reconoce formalmente a las AdC como interlocutores y que cuenta con un departamento encargado de relacionarse con ellas, aunque, como ya se ha dicho, durante años no citó al Comité Consultivo. Los otros organismos del Estado que se preocupan de cuestiones relevantes para los consumidores, como las superintendencias, no le reconocen ningún estatuto especial a las AdC y les otorgan una importancia muy relativa.

- **Vargas, Macarena, "Mecanismos alternativos y consumo. Análisis de la nueva ley de protección de los derechos de los consumidores", en Juan Ignacio Contardo; Felipe, Fernández y Claudio Fuentes (Coords).** *Litigación en materia de consumidores.* **Santiago: Legal Publishing Chile,** pp. 156-157 "Si bien el Servicio no podrá continuar ofreciendo este acercamiento (virtual) entre consumidores y proveedores, la nueva ley otorga la facultad de realizar procedimientos de mediación en casos de acciones individuales a otro actor del sistema: las Asociaciones de Consumidores.

En efecto, el artículo 8o letra h) de la nueva ley dispone que una de las actividades de estas organizaciones será la de realizar, a solicitud del consumidor, "mediaciones individuales". En este punto la ley es escueta y no entrega mayores elementos para delimitar —aunque sea de manera general— la forma en que se desarrollará esta intervención por parte de las referidas asociaciones. Ello, por tanto, abre una serie de interrogantes acerca de cómo llevarán a cabo esta nueva función, por ejemplo, quiénes serán los mediadores, qué procedimiento se seguirá, cuál será el efecto de los acuerdos que se alcancen en dicho contexto o cómo se ejecutarán tales acuerdos si ellos no se cumplen.

De todas ellas, a mi juicio, la más acuciante, es aquella que dice relación con la figura del tercero. Nuevamente aquí surgen dudas acerca del grado de imparcialidad que puedan tener las Asociaciones de Consumidores a la luz de los objetivos que ellas persiguen, pues de acuerdo a la nueva ley, el rol de estas organizaciones es, entre otras, "... proteger, informar y educar a los consumidores y *asumir la representación y defensa de los derechos de sus afiliados y de los consumidores que así lo soliciten*, todo ello con independencia de cualquier otro interés" (artículo 5o) (énfasis añadido).

Cuesta imaginar cómo estas asociaciones puedan mantener la equidistancia necesaria para conducir un procedimiento de "mediación individual", si —eventualmente— luego de ello pueden representar los intereses del consumidor afectado en sede judicial. Se repite aquí entonces el mismo cuestionamiento realizado antes al Servicio: ¿cómo resguardar la imparcialidad que se exige al tercero que conduce un procedimiento de estas características?"

PÁRRAFO 3º. OBLIGACIONES DEL PROVEEDOR

ARTÍCULO 12

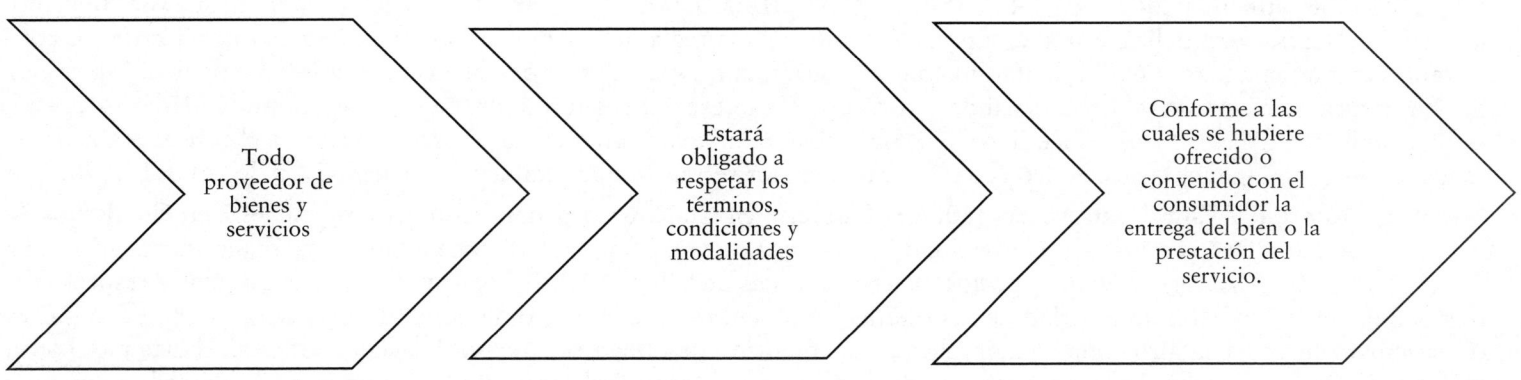

Todo proveedor de bienes y servicios

Estará obligado a respetar los términos, condiciones y modalidades

Conforme a las cuales se hubiere ofrecido o convenido con el consumidor la entrega del bien o la prestación del servicio.

DOCTRINA SOBRE ARTÍCULO 12

- Baraona González, Jorge. (2014): La regulación contenida en la Ley 19.496 sobre protección de los derechos de los consumidores y las reglas del Código Civil y Comercial sobre contratos: un marco comparativo. *Revista chilena de derecho, 41(2)*, 381-408. https://dx.doi.org/10.4067/S0718-34372014000200002, p. 392: "Una vez celebrado un acto de consumo, los términos en que este debe ejecutarse superan con mucho a la regla del pacta sunt servanda o de la intención de los contratantes como regla matriz para ejecutar un contrato, según antes recordábamos. En efecto, el mismo artículo 12 de la Ley 19.496 indica como principal deber legal del proveedor el de respetar los términos, condiciones o modalidades ofrecidas, norma similar al artículo 1545 del Código Civil. Sin embargo, no existe una regulación recíproca para el consumidor, al que se le reconoce, en algunos casos, el derecho de retracto, en los términos que establece el artículo3 bis de la Ley19.496".

- Momberg, Rodrigo y Varas, Juan Andrés (2006): "La oferta en Chile: un ordenamiento, tres regímenes", en Cuadernos de Análisis Colección Derecho Privado Universidad Diego Portales, vol. III, pp. 67 ss.: Sin embargo, particularmente en el caso de las ofertas relativas a este tipo de negocios, diversas normas de la ley n° 19.496 permiten concluir que existe respecto del proveedor una presunción de seriedad de sus ofertas, en el sentido que el hecbo de poner a disposición del público bienes o servicios relativos a su giro comercial, implica perse intención de obligarse en caso de aceptación. Así, el articulo 3 letra c) establece como derecho básico del consumidor: "el no ser discriminado arbitrariamente por parte de proveedores de bienes y servicios", de manera que el proveedor se encuentra obligado, en caso de aceptación por parte del consumidor, a ejecutar las prestaciones ofrecidas en el marco de su actividad comercial, sin que pueda excusarse alegando que su oferta no era seria". Los artículos 12 y 13 son aplicaciones claras de este principio. Puede decirse que en esta materia, el legislador ha estimado como suficiente para determinar la seriedad de la oferta el hecho que el proveedor, el marco de su actividad comercial, ponga a disposición del consumidor determinados bienes o servicios".

- Nasser, Marcelo (2013): "Artículo 12", en Iñigo De La Maza; Carlos Pizarro (Dirs.) y Francisca Barrientos (coord.) La protección de los Derechos de los consumidores. *Comentarios a la ley de protección a los derechos de los consumidores.* Santiago: Editorial Thomson Reuters, pp. 257-264: "El primer supuesto implica que el proveedor debe respetar los términos, condiciones y modalidades conforme las que hubiere convenido con el consumidor la entrega del bien o la prestación del servicio. Como puede anticiparse, este supuesto no acarrea demasiados problemas, pues constituye una manifestación especial de la regla contenida en el art. 1545 del Código Civil (pacta sunt servanda) llamada, comúnmente, intangibilidad de los contratos. En ese sentido, los proveedores (art. 2° n° 2 LPDC) deben siempre honrar las convenciones celebradas con sus consumidores (art. 2° n° 1 LPDC) tanto en lo relativo a sus términos, como a sus condiciones y modalidades. La regla descrita implica que los proveedores no sólo deben honrar lo pactado en el contrato que da origen a la relación de consumo, sino que, eventualmente, quedan obligados de la misma forma en todas las sucesivas modificaciones y demás convenciones modificatorias de la realidad contractual primigenia. Desde ese punto de vista, el artículo 12 funda la mayoría de las acciones legales contra proveedores, precisamente por contener una prohibición genérica de apartarse de lo pactado según la buena fe contractual. (…) En lo medular, el artículo 12 establece que el proveedor debe respetar los términos y condiciones conforme a las cuales "se hubiere ofrecido" a los consumidores la entrega del bien o la prestación de un servicio. Con ello, se manifiesta una especie de intangibilidad de la oferta que obliga al proveedor a ceñirse siempre a los términos, modalidades y condiciones en las que ha ofrecido sus bienes o servicios. La oferta se hace, por ello, irrevocable. Evidentemente, la ley se refiere a toda clase de ofertas incluidas aquellas "ofertas indeterminadas", vale decir a aquellas realizadas al público en general por medio de avisos, catálogos, etc. Según se suele repetir, en Chile las ofertas indeterminadas efectuadas por los comerciantes no son obligatorias para éstos (art. 105 inc. 1° CCom) Más aún, cuando un comerciante dirige una oferta a una persona determinada, ésta igualmente lleva implícita dos condiciones negativas: la primera, que la cosa no ha sido enajenada al tiempo de la demanda, y la segunda, que lo ofrecido no hubiese sufrido alteración en su precio. Adicionalmente, la oferta de esta clase lleva aneja la condición positiva de que los bienes ofrecidos existan en el domicilio del oferente (art. 105 i 2° CCom) (…)Pensamos que la aceptación del consumidor opera retroactivamente, entendiéndose que el consentimiento se ha prestado al momento de la oferta, por lo que las consecuencias del incumplimiento son ciertamente contractuales. Lo anterior se encuentra reforzado por lo dispuesto por el artículo 1 n° 4 de la LPDC que entiende "incorporadas al contrato" las condiciones objetivas de la publicidad, descritas en los artículos 28 y siguientes de la LPDC".

- **Prado, Pamela (2018): "Comentario de jurisprudencia sobre artículo 12 de la ley de protección de los derechos de los consumidores". Revista de Derecho de Consumo n° 1, pp. 69-76. p. 69-70.** "Breve referencia a la norma contenida en el artículo 12: (…) El artículo 12 de la LPDC constituye una disposición que puede calificarse como de carácter general, atendido su aplicación a toda relación jurídica de consumo, pero que además es extremadamente relevante, importancia que no sólo deriva de su naturaleza de norma general, sino que debido a su tenor literal. En esa línea, no es posible sustentar que no es más que una reiteración de lo establecido en el artículo 1545 del Código Civil. Por el contrario, se trata de un precepto distinto de aquel, lo que justifica su manutención en el derecho de consumo nacional. En efecto, aunque en una primera mirada se podría afirmar que evoca a la disposición del Código Civil ya citada, lo cierto es que su contenido es aún más amplio, interesando resaltar dos aspectos. En primer lugar, las expresiones "términos, condiciones y modalidades"6, que permiten argumentar que el proveedor del bien o servicio se obliga en los términos más extensos por su declaración, sea cual fuere la forma que ésta adopte. En segundo lugar, y relacionado con lo anterior, el proveedor se obliga tanto en lo que ofrece como en lo que conviene, por lo que a diferencia del artículo del Código Civil que contiene la fuerza obligatoria del contrato —y su intangibilidad—7, que refiere únicamente a la obligatoriedad de un negocio ya perfeccionado, el artículo 12 impone al proveedor la obligatoriedad de la oferta que formula, cualquiera sea la manera como ésta se ha manifestado. En el derecho extranjero no se aprecian normas similares en su generalidad, como se constata en la legislación argentina o colombiana, aunque igualmente dichos derechos se valen de instrumentos análogos en la defensa de los consumidores, que aquellos que se contienen en nuestro ordenamiento jurídico. Tampoco hay una norma análoga en el derecho español, a pesar de que algunas de sus disposiciones la evocan, como el artículo 1149del Texto refundido de la ley general para la defensa de los consumidores y usuarios10. La relevancia teórica del artículo 12 de la LPDC se ve refrendada por la aplicación práctica que se ha hecho de él por los operadores jurídicos. Se trata de una norma frecuentemente citada tanto por las demandantes como por los sentenciadores, según se verá en las líneas que siguen. Un comentario adicional, es que de un análisis a los distintos fallos que se sustentan en el artículo 12, se puede constatar que se la suele invocar en forma conjunta con el artículo 23 de la LPDC".

SENTENCIAS SOBRE ARTÍCULO 12

- **Mónica Adelaida Burgos Cerda con Latam Airlines Group S.A (2019): Corte de Apelaciones de Arica, 20 de marzo de 2019, Recurso de Apelación, Rol nº 72-2018, LTM17.581.906:** "OCTAVO: Que, en base a lo precedentemente analizado, se encuentra acreditado el cambio de fecha del viaje Arica Santiago, lo que implica una infracción al artículo 12 de la Ley nº 19.496 que impone la obligación a todo proveedor de bienes y servicios a respetar los términos, condiciones y modalidades conforme a las cuales se hubiere ofrecido o convenido con el consumidor la entrega del bien o la prestación del servicio. Obligación incumplida por la querellada y demandada desde que como se ha dicho, en este caso, la huelga no puede constituir un caso fortuito o fuerza mayor, lo que amerita el pago de una multa por la querellada infraccional Latam, de conformidad al artículo 24 de la ley 19.496, que esta Corte estima en la cantidad de 10 Unidades Tributarias Mensuales tomando en consideración la cuantía de lo disputado, el perjuicio ocasionado con motivo de la infracción y la capacidad económica del infractor".

- **J.C.A.L. con Auto Castillo S.A. (2016): Corte de Apelaciones de Concepción, 13 de julio de 2016, Recurso de Apelación, Rol n° 82-2016, LTM19.091.615: "SEXTO:** (…) La infracción prevista en el artículo 12 de la Ley n° 19.496 consiste en no respetar el proveedor los términos, condiciones y modalidades conforme a las cuales se hubiere ofrecido o convenido con el consumidor la entrega del bien. Para que se configure la infracción prevista en el artículo 12 de la LPDC es necesario que el proveedor no respete los términos, condiciones o modalidades pactadas con el consumidor, o sea, que no respete lo ofrecido o convenido con el consumidor".

- **Servicio Nacional del Consumidor con Inmobiliaria Parques y Jardines S.A. (2010) Corte Suprema, 08 de julio de 2010, Recurso de Queja, Rol n° 8044-2009, LTM11.557.190: "CUARTO:** Que como se consigna en la sentencia de primer grado, la alteración unilateral del valor del contrato motivada en el mentado oficio n° 70, que data del 12 de enero de 1990, y la mantención de ese incremento, constituye una infracción a lo dispuesto en los artículos 12 y 23 de la Ley n° 19.496, sobre Protección de los Derechos de los Consumidores al apartarse la denunciada de su obligación de respetar los términos, condiciones y modalidades conforme a las cuales se ofreció o convino la entrega del bien y prestación del servicio, causando menoscabo a la consumidora, transgresión que habilita para sancionar".

- **Antonio Amado Antifil Renca con Trading Motors Corp. Chile S.A. (2007) Corte de Apelaciones de Santiago, 18 de octubre de 2007, Recurso de Apelación, Rol n° 4877-2007, LTM19.067.139: "CUARTO:** Que, en esas condiciones, resulta inconcuso que al negarse la denunciada a cubrir con la garantía o servicio de post venta los desperfectos experimentados por el vehículo, ha infringido lo dispuesto en los artículos 12, 13 y 23 de la Ley n° 19.496, sobre Protección de los Derechos de los Consumidores; razón por la que se la condena al pago de una multa equivalente a 20 Unidades Tributarias Mensuales, con costas".

- **Patricio Peñaloza con Inversiones y Tarjetas de Crédito HITES S.A. (2007):** Corte de Apelaciones de Santiago, 01 de octubre de 2007, Recurso de Apelación, Rol n° 4413-2007, LTM19.067.137: "QUINTO: Que aun cuando se quisiere justificar la actitud de HITES escudándola en nuevos y modernos sistemas de contratación mercantil masiva que se tratan de introducir actualmente en nuestro sistema jurídico, ellos no afectan en nada a la ley del contrato contenida en el artículo 1545 del Código Civil, la que en la especie no fue respetada por HITES al desconocer las condiciones del contrato de crédito vigentes anteriores a la proposición de las modificaciones que se le notificaran a la consumidora el 30 de septiembre de 2006, con lo que también se infringió el principio de la buena fe contractual contenido en el artículo 1546 del mismo Código, agravado esto último al tratar de darle carácter de contrato a una simple notificación y efectuar cargos y cobros antes de que estuviese firmado el contrato propuesto".

ARTÍCULO 12 A

En los contratos celebrados por medios electrónicos, y en aquéllos en que se aceptare una oferta realizada a través de catálogos, avisos o cualquiera otra forma de comunicación a distancia:

El consentimiento no se entenderá formado si el consumidor no ha tenido previamente un acceso claro, comprensible e inequívoco de las condiciones generales del mismo y la posibilidad de almacenarlos o imprimirlos.

La sola visita del sitio de Internet en el cual se ofrece el acceso a determinados servicios, **no impone al consumidor obligación alguna,** a menos que haya aceptado en forma inequívoca las condiciones ofrecidas por el proveedor.

Una vez perfeccionado el contrato, **el proveedor estará obligado enviar confirmación escrita del mismo.** Esta podría ser enviada por vía electrónica o por cualquier medio de comunicación que garantice el debido y oportuno conocimiento del consumidor, el que se indicará previamente. Dicha información deberá contener una copia íntegra, clara y legible del contrato.

DOCTRINA SOBRE ARTÍCULO 12 A

- **Morales, María Elisa (2018): Control preventivo de cláusulas abusivas. Santiago: Der, pp. 68, 85-86:** "El control de inclusión busca garantizar que el consumidor esté en condiciones de obtener la información necesaria antes de la conclusión del contrato y supone el cumplimiento de una serie de requisitos formales. Es un mecanismo de control de cláusulas abusivas, porque busca evitar que el contrato sea el continente propicio para alojar este tipo de cláusulas. Este mecanismo de control se ha denominado también "control de consentimiento", porque estos controles formales además favorecerían la correcta formación del consentimiento del adherente. Otra denominación utilizada es "control de incorporación" (…) "Manifestaciones de este tipo de control en la LPDC encontramos en los artículos 12 A, 17, 17 B y 17 C de la LPDC. El primero de ellos se refiere, específicamente, a los contratos celebrados por medios electrónicos y a distancia en general, exigiendo, para que se entienda formado el consentimiento, que el consumidor haya tenido previamente un acceso claro, comprensible e inequívoco de las condiciones generales del contrato y la posibilidad de almacenarlo o imprimirlo. Al mismo tiempo, la norma exige al proveedor, una vez formado el consentimiento, enviar una confirmación escrita "para garantizar el debido y oportuno conocimiento del consumidor", que debe contener una copia íntegra, clara y legible del contrato. Como el legislador, a esas alturas, ya entiende formado el consentimiento, la única utilidad de esta exigencia dice relación con la posibilidad de ejercer el derecho de retracto. De hecho, la sanción para la omisión de la confirmación referida es la extensión legal del plazo a favor del consumidor para ejercer la retractación".

- **Baraona, Jorge (2014): La regulación contenida en la Ley 19.496 sobre protección de los derechos de los consumidores y las reglas del Código Civil y Comercial sobre contratos: un marco comparativo.** *Revista chilena de derecho, 41(2),* **381-408. https://dx.doi.org/10.4067/S0718-34372014000200002, p. 391.** "En lo que se refiere a contratación por medios electrónicos, o por vía de catálogos, avisos o por cualquier medio de comunicación a distancia, conforme con el artículo 12 A, aparece claramente protegida la aceptación del consumidor, como elemento del consentimiento, pues este debe tener acceso claro y comprensible a las condiciones generales del bien o servicio ofrecido, y a la posibilidad de almacenarlos. La aceptación no se deduce de la sola visita al sitio, que no impone obligación alguna al consumidor, a menos de que haya aceptado de manera inequívoca las condiciones ofrecidas por el proveedor. Esto significa que el acto de aceptación debe ser ostensible, y de hecho se le asegura al consumidor el derecho a que el proveedor le envié una confirmación, por vía electrónica o por otros medios de comunicación, que garantice el oportuno conocimiento del consumidor, la que contendrá una copia legible, clara e íntegra del contrato. Por contraste, puede apreciarse aquí cómo el valor del consentimiento del consumidor está protegido en este caso directamente en la propia ley en la Ley 19.496".

- **Pinochet, Ruperto (2013): "Artículo 12 A", en Iñigo De La Maza; Carlos Pizarro (Dirs.) y Francisca Barrientos (coord.)** *La protección de los Derechos de los consumidores.* **Comentarios a la ley de protección a los derechos de los consumidores Santiago: Editorial Thomson Reuters, pp. 266-282:** "En cuanto a la sanción para el proveedor en caso de que no haya posibilitado previamente a la celebración del contrato un acceso claro, comprensible e inequívoco de las condiciones generales del mismo y la posibilidad de almacenarlos o imprimirlos es, tal como lo señala el mismo párrafo citado, que el consentimiento no se entenderá formado. La pregunta que fluye de la misma disposición es qué sucede si el contrato existe al menos aparentemente y ha producido efectos para las partes ¿Se debe declarar la inexistencia del mismo? ¿Debe hacerlo el Juez de Policía Local? ¿Conviene al consumidor tal solución? Nos parece que la más importante de las interrogantes es la última, y la verdad es que no estimamos que sea una solución práctica y mucho menos que convenga de algún modo al consumidor, salvo que el contrato no haya producido efectos y sea el consumidor quien alegue, para no tener que cumplir sus prestaciones, que el consentimiento deberá entenderse como no formado. Para el segundo caso, esto es, que el contrato haya producido sus efectos, creo que es mejor estimar que el consumidor ha renunciado a solicitar que el consentimiento no se ha formado, y que ha optado por alguna de las otras opciones de defensa que le ofrece la Ley del Consumidor, entre ellas el marco general constituido por los artículos 12 en relación al 23 de la ley. Para el caso de que el proveedor no haya dado cumplimiento a la referida obligación, deberá también estimarse como infringido el artículo 3 b) de la Ley vinculado, como se sabe, al derecho básico del consumidor a tener una información veraz y oportuna, sobre las condiciones esenciales de su proceso de consumo, lo que refuerza la idea de que pueda solicitar se declare la infracción por incumplimiento de las obligaciones contractuales por parte del proveedor. (…) Siendo todo lo dicho aplicable a la formación del consentimiento del contrato de consumo electrónico, es importante dilucidar, si la exigencia contenida en el artículo 12 A, inciso segundo, permite la manifestación de la voluntad en forma expresa tanto como tácita, que es la regla general admitida en el Derecho común, sin embargo, como decimos, al formular el párrafo comentado la exigencia de, después de advertir que la sola visita al sitio web no impone al consumidor obligación alguna, que tales obligaciones sólo nacerán si el consumidor ha aceptado en forma inequívoca las condiciones ofrecidas por el proveedor. La expresión en forma inequívoca, es sinónima de voluntad expresa. Veamos algunas precisiones. La declaración de voluntad tácita se diferencia de la expresa, ya que mientras en esta última se dice, empleando alguna clase de lenguaje dirigido específicamente a la declaración de la voluntad negocial, en la tácita la voluntad se infiere de hechos, como un proceso lógico que se funda en el principio de responsabilidad del sujeto que actúa, puesto que si éste ha creado una situación que puede dar a entender una voluntad a terceros, debe responder de su conducta, aceptando las consecuencias negociales que tal conducta pudiera haber generado. (…) El requisito esencial, consensuado en doctrina, para entender que nos encontramos ante una voluntad tácita, consiste en la exigencia de que la conducta o comportamiento del sujeto del que se infiere o deduce la voluntad sea concluyente —facta concludentia—, en el sentido de que sea inequívoco y no puedan, por tanto, desprenderse diversas conclusiones como inferencias lógicas de la acción ejecutada. (…). De acuerdo a lo señalado, podemos concluir que el inciso segundo del artículo 12 A en estudio, en nuestro concepto no excluye la manifestación del voluntad tácita por parte del consumidor de su aceptación, eso sí, bien entendida la voluntad tácita, que como hemos dicho, tal voluntad debe ser inequívoca, en los términos expresados por la ley y doctrina".

- De la Maza, Íñigo (2004): **"El control de cláusulas abusivas y la letra g).** *Revista Chilena de Derecho Privado (3)*, **pp. 35-68", en Francisca Barrientos; Íñigo De La Maza y Carlos Pizarro (2012) Consumidores, Santiago: Legal Publishing Chile, pp. 115-147, 132-133.**"El artículo 12 A regula los contratos a distancia. En lo que interesa a este trabajo su exigencia es doble. En primer lugar exige que el acceso a las condiciones generales del contrato sea claro, comprensible e inequívoco. En segundo exige que el consumidor pueda almacenar o imprimir el contenido del contrato. Sobre lo primero lo que pretende el artículo es capturar las peculiaridades de los contratos a distancia respecto a las dificultades que puede experimentar el consumidor en el acceso material al texto, es este acceso material el que debe ser claro, comprensible e inequívoco. ¿Qué sucede en cambio con el contenido del texto, debe también ser claro, comprensible e inequívoco? Aunque la letra del artículo 12 A no desautoriza esta lectura, una interpretación sistemática de la ley indicaría que no existen razones para que solo en esta especie de contratos por adhesión —los a distancia— se exija claridad del texto. No obstante lo anterior, el problema de la claridad del texto puede solucionarse acudiendo a la cláusula general del artículo 16 según reviso más adelante. Respecto de la segunda exigencia, el requisito tiene por objeto que el consumidor conserve un soporte material del contrato que ha celebrado y una interpretación sistemática de la ley indica que el cumplimiento de este requisito no exime al proveedor del envío de una copia a que refiere el inciso final del artículo 17 de la Ley, en cuyo caso la firma debería ser electrónica".

SENTENCIAS SOBRE ARTÍCULO 12 A

- **Andy Méndez Zambrano con Empresa Viajes Falabella Limitada. (2016): Corte de Apelaciones de Valparaíso, 20 de octubre de 2016, Recurso de Apelación, Rol nº 458-2016, LTM17.429.587: "SÉPTIMO:** Que, en dicho contexto fáctico, no se advierte trasgresión alguna de la demandada a las normas contempladas en la Ley nº 19.496 que regulan las convenciones entre clientes y prestadores de servicios, sean estos intermediarios o servidores directos de los mismos, en particular el artículo 12 letra A desde que la compra fue efectuada por internet a mediados de noviembre de 2015 para viajar el 1 de marzo de 2016 y que su reclamación al Servicio Nacional del Consumidor se efectuó el 29 de diciembre pasado, como consta del instrumento agregado a foja 8".

ARTÍCULO 12 B

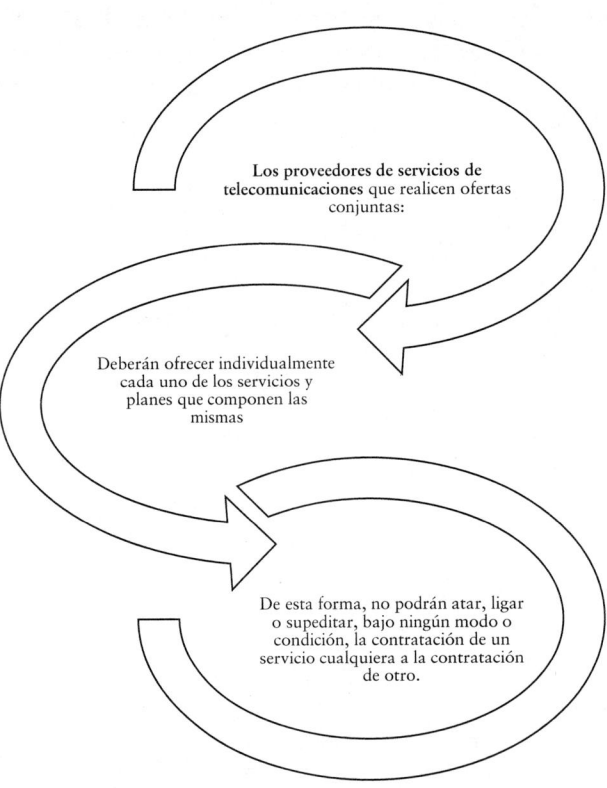

Los proveedores de servicios de telecomunicaciones que realicen ofertas conjuntas:

Deberán ofrecer individualmente cada uno de los servicios y planes que componen las mismas

De esta forma, no podrán atar, ligar o supeditar, bajo ningún modo o condición, la contratación de un servicio cualquiera a la contratación de otro.

DOCTRINA SOBRE ARTÍCULO 12 B

- **Bozzo, Sebastián y Remeseiro, Rebeca (2021): "Comentario al artículo 12 B" en Iñigo De La Maza; Carlos Pizarro y Francisca Barrientos (Dirs.)** *La protección de los Derechos de los consumidores. Comentarios a la ley de protección a los derechos de los consumidores* **Santiago: Editorial Thomson Reuters (en prensa):** "3. Alcance de la norma: Como ya se señaló en el apartado 1 de este comentario, el objetivo de esta norma es impedir que el usuario de telecomunicaciones se vea obligado a suscribir de manera conjunta servicios cuya contratación no desea.

Se prohíbe entonces la venta atada del servicio; produciéndose esto último, conforme se explica con relación a las ventas atadas de productos financieros (art. 17 H), cuando no se puede acceder a los servicios ofrecidos de manera separada, o si se puede acceder de manera separada, signifique adquirirlo en condiciones arbitrariamente discriminatorias.

6. Sanción al incumplimiento

A diferencia de las ventas atadas de productos y servicios financieros que sí tienen una sanción establecida en el artículo 17 K de la LPC, en el ámbito de las ventas atadas en materia de telecomunicaciones no se fijó una sanción específica. Dado lo anterior, se debe aplicar la norma general del artículo 24 de la LPC, que establece que las infracciones a lo dispuesto en esta ley serán sancionadas con multas de hasta 300 unidades tributarias mensuales (UTM), si no tuvieran señalada una sanción diferente.

Cabe señalar que la multa establecida para el caso de ventas atadas de productos y servicios financieros alcanza las 1.500 UTM. Además, si la venta atada es impuesta en una cláusula contractual, ésta adolece de un vicio de nulidad, debiendo declararse nula de conformidad con lo dispuesto en el art. 17 E de la misma ley.

No obstante, el artículo 24 A de la LPC permite, en caso de infracciones que afecten el interés colectivo o difuso de los consumidores, que el tribunal aplique una multa por cada uno de los consumidores afectados, siempre que se tratare de infracciones que —por su naturaleza— se produzcan respecto de cada uno de ellos. Esto último, se cumple en el caso de las ventas atadas de servicios de telecomunicaciones, ya que es completamente factible identificar la afectación de cada consumidor".

ARTÍCULO 13

PROHIBICIÓN AL PROVEEDOR
Los proveedores no podrán:

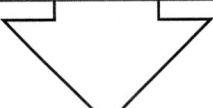

Negar injustificadamente la venta de bienes o la prestación de servicios comprendidos en sus respectivos giros en las condiciones ofrecidas.

DOCTRINA SOBRE ARTÍCULO 13

• **Momberg, Rodrigo y Varas, Juan Andrés (2006): "La oferta en Chile: un ordenamiento, tres regímenes", en Cuadernos de Análisis Colección Derecho Privado Universidad Diego Portales, vol. III, pp. 67 s.:** Sin embargo, particularmente en el caso de las ofertas relativas a este tipo de negocios, diversas normas de la ley n° 19.496 permiten concluir que existe respecto del proveedor una presunción de seriedad de sus ofertas, en el sentido que el hecho de poner a disposición del público bienes o servicios relativos a su giro comercial, implica perse intención de obligarse en caso de aceptación. Así, el artículo 3 letra c) establece como derecho básico del consumidor: "el no ser discriminado arbitrariamente por parte de proveedores de bienes y servicios", de manera que el proveedor se encuentra obligado, en caso de aceptación por parte del consumidor, a ejecutar las prestaciones ofrecidas en el marco de su actividad comercial, sin que pueda excusarse alegando que su oferta no era seria". Los artículos 12 y 13 son aplicaciones claras de este principio. Puede decirse que en esta materia, el legislador ha estimado como suficiente para determinar la seriedad de la oferta el hecho que el proveedor, el marco de su actividad comercial, ponga a disposición del consumidor determinados bienes o servicios".

• **Nasser, Marcelo (2013): "Artículo 13", en Iñigo De La Maza; Carlos Pizarro (Dirs.) y Francisca Barrientos (coord.)** *La protección de los Derechos de los consumidores. Comentarios a la ley de protección a los derechos de los consumidores.* **Santiago: Editorial Thomson Reuters, pp. 283-288:** "El Artículo 13 y la intangibilidad de la oferta: La norma que comentamos es una especie de corolario natural de la obligación genérica contenida en el artículo 12 de la LPDC, aunque limitada al supuesto de la oferta. Se trata de una obligación especial o "típica" del proveedor, y no sólo de una manifestación general de intangibilidad de la oferta y de la convención como establece el artículo 12 analizado más arriba. (…) Como hemos señalado, el proveedor está constreñido por su propia oferta, pero puede introducir condiciones, plazos y términos de cualquier especie que no comporten una cláusula abusiva o publicidad engañosa. De tal suerte, el proveedor queda inmune a una reclamación por infracción de ley o de contrato si es que cumple fielmente con lo ofrecido. El artículo 13 sanciona, precisamente, **al proveedor que se aparta de esa obligación, negándose sin causa justificada a suscribir el contrato.** Negativa injustificada: La norma supone tres circunstancias, todas relacionadas entre sí: La primera circunstancia presupuesta por el artículo 13 es la más amplia ya que prohíbe al proveedor negarse "injustificadamente" a la venta o prestación de servicios. La falta de justificación ha sido identificada como veremos en algunos fallos, con una arbitrariedad. Sin embargo, el concepto es menos exigente, ya que dice relación con circunstancias objetivas que impiden la contratación, más allá del arbitrio puro del proveedor. En efecto, la negativa es justificada cuando se produce por un caso fortuito u otra causa no imputable al proveedor. Como consecuencia de ello, la responsabilidad del proveedor cesa por cualquier causa justificada. Como en todo caso judicial complejo, el problema radica en trazar la línea entre lo justificado y lo injustificado. Este ejercicio ha sido requerido de nuestros tribunales en numerosos casos, algunos de ellos de alta exposición mediática, precisamente por comportar discriminaciones arbitrarias a personas o grupos de personas. (…) La negativa de contratación, en consecuencia, si bien dice relación con la situación de permanente oferta en que se encuentra el proveedor quien no puede alterar unilateralmente su posición de oferente calificado por causas injustificadas, ilegales ni mucho menos arbitrarias, conoce de causas de exoneración, normalmente fundadas en la ejecución de buena fe que debe darse a los contratos".

SENTENCIAS SOBRE ARTÍCULO 13

- **Lavaseco Firenze Limitada con Carlos Segundo Torres Salgado (2011)**: Corte de Apelaciones de Concepción, 18 de abril de 2011, Recurso de Apelación, Rol nº 81-2011, LTM19.090.435: "OCTAVO: Que, por todo lo relacionado en los considerandos que anteceden, la denuncia interpuesta y la demanda civil planteada, deberán ser desechadas, tal cual se dirá en lo resolutivo de esta sentencia, en atención a la ocurrencia de un caso fortuito que hace imposible al proveedor cumplir con su obligación de hacer entrega de la prendas de vestir; sin existir responsabilidad de su parte, no procediendo, en consecuencia, indemnización alguna".

- **Servicio Nacional del Consumidor con Octava Sala de la Corte de Apelaciones de Santiago (2009)**: Corte Suprema, 15 de julio de 2009, Recurso de Queja, Rol nº 6838-2008, LTM11.574.826, LTM6.600.243: "DECIMOTERCERO: (…) pero la situación fáctica acreditada en el proceso en ningún caso justificaba la reacción desplegada por los empleados de la demandada, ya que se le manifestó en todo momento, por las encargadas del grupo que los integrantes de la Compañía de Teatro eran en su totalidad mayores de edad y que sólo requerían la venta de comestibles y bebidas no alcohólicas, por lo que sólo corresponde calificar ese actuar como una negativa a la prestación de una venta o consumo, como asimismo, una discriminación arbitraria que se gestó desde el momento mismo que los usuarios se aprestaban a ocupar las mesas para ser atendidos, sin lograr su objetivo".

- **Viviane Ribeiro Simoes con Sociedad Pacific Ltda. (2007): Corte de Apelaciones de La Serena, 07 de diciembre de 2007, Recurso de Apelación, Rol n° 28-2007, LTM19.090.427: "SEXTO:** Que el hecho que se ha tenido por probado en el fundamento precedente es constitutivo de la infracción contemplada en el artículo 13 de la Ley 19.496, al haberse negado injustificadamente el proveedor denunciado, Sociedad Pacific Limitada, a través de su administradora, Estela Soto Jiménez, a la prestación de un servicio comprendido dentro del giro del establecimiento".

ARTÍCULO 14

EXPENDIO DE PRODUCTOS CON ALGUNA DEFICIENCIA, USADOS O REFACCIONADOS:

Cuando con conocimiento del proveedor se expendan **productos con alguna deficiencia, usados o refaccionados** o cuando se ofrezcan **productos en cuya fabricación o elaboración se hayan utilizado partes o piezas usadas,** se deberán **informar de manera expresa** las circunstancias antes mencionadas al consumidor, antes de que éste decida la operación de compra. Será bastante constancia el usar en los propios artículos, en sus envoltorios, en avisos o carteles visibles en sus locales de atención al público las expresiones "segunda selección", "hecho con materiales usados" u otras equivalentes.

Efectos (inc. 2)

El cumplimiento de lo dispuesto en el inciso anterior eximirá al proveedor de las obligaciones derivadas del derecho de opción que se establecen los artículos 19:20, sin perjuicio de aquellas que hubiera contraído el proveedor en virtud de la garantía otorgada al producto.

DOCTRINA SOBRE EL ARTÍCULO 14

- **Barrientos, Marcelo (2013): "Artículo 14", en Iñigo De La Maza; Carlos Pizarro (Dirs.) y Francisca Barrientos (coord.)** *La protección de los Derechos de los consumidores. Comentarios a la ley de protección a los derechos de los consumidores.* **Santiago: Editorial Thomson Reuters, pp. 293-295** "Con esta norma es claro que para el legislador los criterios de conformidad lo son tanto para bienes nuevos como usados, limita con ello la concreta exención de responsabilidad del vendedor, ya que el consumidor deberá ser informado de manera expresa cuando, con conocimiento del proveedor, se expendan productos con alguna deficiencia, usados o refraccionados o cuando se ofrezcan productos en cuya fabricación o elaboración se hayan utilizado partes o piezas usadas.

En la venta de cosas usadas, refraccionadas o fabricadas con partes usadas, lo que el legislador busca es proteger al adquirente, ya que puede ser objeto de abusos de profesionales dedicados a este tipo de tráfico. El problema más grave que se presenta en la compraventa de bienes usados, es que cualquier desperfecto que se produce por un deterioro progresivo de los componentes del bien vendido no se sabe si proviene de su mala calidad o su desgaste natural. Es cierto que el adquirente de un bien usado no puede exigir que los pedazos o componentes de lo que adquiere sean nuevos, pero sí que estén en condiciones de uso, al menos durante el período de garantía otorgado al producto.

No debe confundirse la obligación de saneamiento y obligación de garantía que tienen una función y una regulación diferentes en los artículos 19 y 20 de la misma ley 19.496. Precisamente este artículo 20 es el que nos obliga a hacer una aclaración, ya que si se lee con atención se reparará que en el caso de los productos señalados en el artículo 14, y en cumplimiento de su normativa, se excluye la posibilidad de reclamar el derecho de opción de los artículos 19 y 20. En el artículo 20 esto significa optar entre la reparación gratuita del bien o, previa su restitución, su reposición o la devolución de la cantidad pagada. Sin embargo, ello es sin perjuicio de la indemnización por los daños ocasionados, la que queda a salvo, porque no forma parte del derecho de opción del inciso primero. Estimamos que esta debiera ser la interpretación correcta, porque en contratos de consumo como este no hay una equivalencia de las prestaciones realmente, sino que ésta es más bien hipotética. Es más, debido a la falta de reciprocidad del contrato en su conjunto, sobre todo si el producto usado o refaccionado falla, será útil para apreciar el perjuicio del consumidor analizar si la cosa comprada causa daños que estos puedan resarcirse a causa de su mal funcionamiento o calidad.

Es bastante claro que el que adquiere algo usado, informado sobre la clase de bien que está comprando, acepta el riesgo de que pueda padecer algún defecto debido al uso previo, pero ello no significa que no se le repare si no funciona en modo alguno. Comprar cosas usadas no puede equivaler a comprar cosas en mal estado. El proveedor del bien o servicio no debiera responder del desgaste natural del uso previo manifestado al consumidor, pero sí debiera indemnizar de los que imposibilitan un uso eficaz y causen perjuicios.

La limitación del inciso segundo del artículo 14 de la ley 19.496, tiene otra explicación más, la reposición o devolución se hace en la mayoría de los casos imposible, ya que pueden no existir bienes con los que proceder a efectuar la sustitución. Sí es cierto que en este caso, debiera considerarse que ya que el vendedor es un profesional, dedicado expresamente a la venta de bienes usados, y se trate de un producto común o genérico, debiera admitirse la sustitución sin límite, pero en esta ley no es así. Aunque ello puede acarrear otro problema, ya que los proveedores de estos bienes acumularían bienes usados y defectuosos que, aunque fuesen reparados, tendrían una dudosa salida comercial en sociedades medianamente desarrolladas como la nuestra.

De acuerdo a este artículo 14 de la ley 19.496, el consumidor puede pedir y acordar garantías al proveedor que modifiquen las condiciones de su compra, favoreciéndole. Es, en este sentido, de uso ordinario ofrecer al consumidor una garantía limitada. Visto así, ciertamente, quien vende productos usados puede y debe otorgar garantías convencionales, si pretende que alguien compre sus productos, ya que no hay garantía legal para esta compraventa.

En la Jurisprudencia este artículo se aplica con relación al artículo 20 en sus diferentes letras, por lo que su mejor estudio comprenderá los comentarios que sobre el mencionado artículo se hagan. Sólo comentaremos un fallo en el que un consumidor de la tienda Johnson's en Temuco, compró una moto a baterías, pagando el precio al contado, como regalo de navidad para su hijo, la cual no obstante haberle cargado la batería conforme al manual de instrucciones, la Nochebuena no funcionó. En esta compra no se especificó, entre otras cosas, que la moto era de segunda mano o usada. Para el tribunal *"esta información es fundamental en la toma de decisión del consumidor, constituyendo dicha información un elemento fundamental en las políticas de protección del consumidor"*. El Tribunal agrega que *"aún cuando fuere efectivo de que se hubiere contado con la publicación de que se trataba de productos de segunda selección sin derecho a devolución o cambio, ello no puede significar que el proveedor, amparado en dicho aserto, y en lo que señala el artículo 14 de la ley 14.946, quede cubierto por un manto de impunidad respecto de cualquier abuso que pueda cometer".*

El fallo del juez de Policía Local, confirmado por la Corte de Apelaciones respectiva, deja muy claro que *"la circunstancia de que se trate de productos de segunda selección dice relación con aquellos que tienen fallas o defectos que no alteran su naturaleza para ser aptos para el consumo o el uso al que están destinados (…) lo contrario significaría que la ley (de protección al consumidor) ha creado una norma que permite al proveedor actuar con total impunidad en perjuicio del acreedor, vendiendo especies que no sirven o no pueden usarse".* Se condenó a la empresa infractora al pago de una multa a beneficio fiscal de 20 UTM y a pagar al demandante $200.000 por daño extrapatrimonial y $132.990 por daño emergente. (Segundo Juzgado de Policía Local de Temuco, 18/06/2009, Rol 94.385-M; Corte de Apelaciones de Temuco, 2/10/2009, Rol 992-2009)".

SENTENCIAS SOBRE ARTÍCULO 14

- **José Irureta Uriarte con Comercial Eccsa S.A. (2016): Corte de Apelaciones de Santiago, 16 de diciembre de 2016, Recurso de Apelación, Rol n° 1621-2016, LTM17.341.187: "CUARTO:** Que en los términos del artículo 14 de la Ley n° 19.496, el proveedor será eximido de las obligaciones derivadas del derecho de opción que se establece en los artículos 19 y 20 de la misma ley, sin perjuicio de aquellas que hubiera contraído el proveedor en virtud de la garantía otorgada al producto, cuando ha tomado conocimiento el comprador de que, en la especie, se trataba de bienes de segunda selección (…)".

ARTÍCULO 15

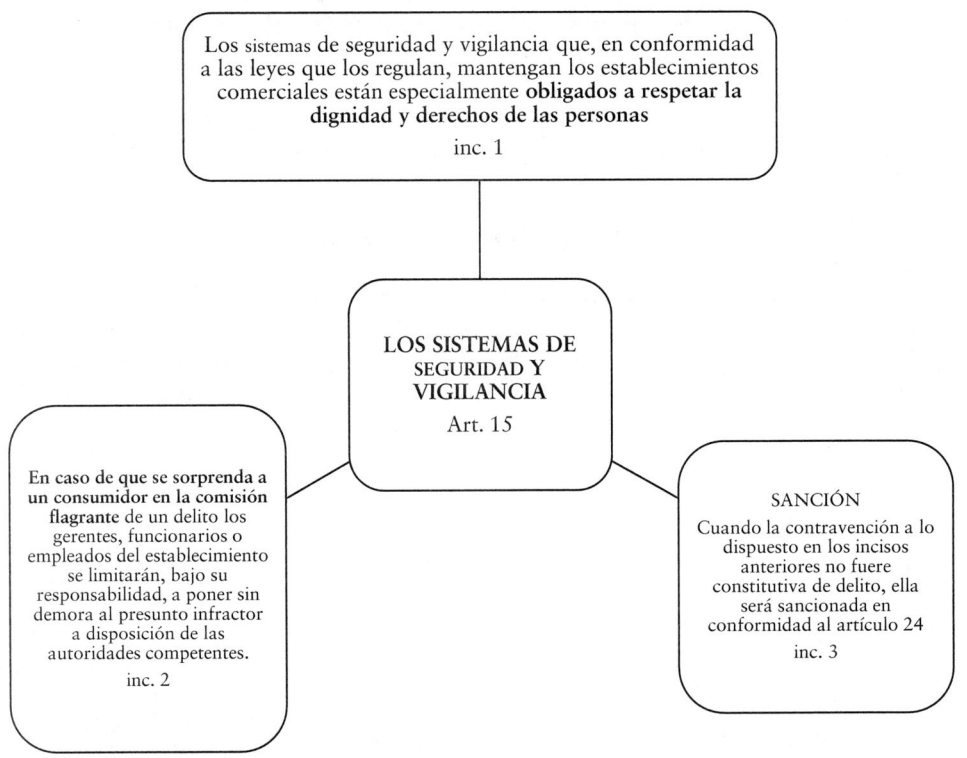

Los sistemas de seguridad y vigilancia que, en conformidad a las leyes que los regulan, mantengan los establecimientos comerciales están especialmente **obligados a respetar la dignidad y derechos de las personas**

inc. 1

LOS SISTEMAS DE SEGURIDAD Y VIGILANCIA
Art. 15

En caso de que se sorprenda a un consumidor en la comisión flagrante de un delito los gerentes, funcionarios o empleados del establecimiento se limitarán, bajo su responsabilidad, a poner sin demora al presunto infractor a disposición de las autoridades competentes.

inc. 2

SANCIÓN

Cuando la contravención a lo dispuesto en los incisos anteriores no fuere constitutiva de delito, ella será sancionada en conformidad al artículo 24

inc. 3

DOCTRINA SOBRE ARTÍCULO 15

- **Isler, Erika (2020):** *Jurisprudencia de Derecho de Consumo Comentada.* **Santiago: Rubicón Editores, p. 109. "La infracción consagrada en el Art. 15 LDPC:** Esta norma establece dos hipótesis: un mandato y una facultad. Se trata, entonces, de dos enunciados distintos, no copulativos, por lo que si el proveedor ha vulnerado la dignidad del consumidor de cualquier forma —salvo el caso excepcionalmente permitido por el inciso segundo— será pasible de ser condenado infraccional y civilmente. (…) En segundo término, el Art. 15 LPDC consagra, la única facultad que esta normativa le otorga al proveedor, y solo para el caso de la comisión de un delito flagrante, consistente en "poner sin demora al presunto infractor a disposición de autoridades competentes". De esta manera, no se encontrarían permitidos los tratos vejatorios, acusaciones públicas, atentados contra la integridad o seguridad del presunto infractor, o bien con cualquier otra conducta que no sea el ejercicio de la facultad concedida por la norma".

- **Brantt, María Graciela y Mejías, Claudia (2013): "Artículo 15", en Iñigo De La Maza; Carlos Pizarro (Dirs.) y Francisca Barrientos (coord.)** *La protección de los Derechos de los consumidores. Comentarios a la ley de protección a los derechos de los consumidores.* **Santiago: Editorial Thomson Reuters, pp. 300-304** "Por su parte, en lo que refiere a las conductas constitutivas de infracción al tenor del artículo 15, podemos afirmar que ellas son dos:

En primer lugar, la circunstancia de que el sistema de seguridad y vigilancia instalado por el proveedor sea, en sí mismo, por sus características, atentatorio de la dignidad o derechos de las personas.

En segundo lugar, cuando ante la detección de un consumidor en la comisión flagrante de un delito, la actuación del proveedor o sus dependientes sobrepase el deber que el inciso segundo del artículo 15 les impone, esto es, limitarse a poner sin demora al presunto infractor a disposición de las autoridades competentes.

Así por ejemplo, la primera conducta constitutiva de infracción podría presentarse en aquellas hipótesis en las que los consumidores que salen de un establecimiento son objeto de registro en su persona o pertenencias; o si los sistemas de seguridad implican afectar la privacidad al interior de los probadores de prendas de vestir. En tal sentido, se ha descartado reiteradamente —lo que en nuestra opinión parece correcto a la luz de la disposición— que la sola activación de la alarma sonora al pasar por los habituales sistemas electrónicos de control de seguridad, en razón de no haberse retirado de un producto un dispositivo con dicho fin, no puede estimarse como constitutivo de una infracción a la regla del artículo 15.

Y en lo que refiere a la segunda infracción, puede afirmarse que ella se configura cuando la actuación del proveedor, al detectar la comisión de un delito flagrante por un consumidor, no se restrinja a aquello a que lo autoriza la ley, de modo que en vez de poner al presunto infractor rápidamente a disposición de las autoridades, lo retenga excesivamente, lo someta a agresiones físicas o verbales, y en general, despliegue cualquier conducta que suponga vulnerar ese deber que la ley le impone.

En sentido similar a lo expuesto precedentemente se han pronunciado nuestros tribunales. Así la Corte de Apelaciones de Temuco ha expresado que "los sistemas de seguridad y vigilancia que mantienen los establecimientos comerciales no se encuentran facultados para registrar a las personas que ellos suponen han cometido un ilícito, únicamente pueden retenerlos para ponerlos sin demora a disposición de las autoridades competentes".

Responsabilidad civil.

Como se ha anticipado, esta disposición se vincula además, con la responsabilidad civil extracontractual que puede surgir a consecuencia de la lesión a la dignidad y derechos de las personas, con ocasión de una infracción al artículo 15.

En este contexto, uno de los aspectos relevantes a determinar es la noción misma de daño. Éste, como presupuesto de la responsabilidad, debe configurarse jurídicamente, es decir, el menoscabo o detrimento de que se trata debe revestir una determinada entidad, que logre efectivamente lesionar intereses patrimoniales o extrapatrimoniales, excluyéndose las molestias o turbaciones que no tienen este carácter.

Nos parece relevante esta precisión porque en un número elevado de casos resueltos por nuestros tribunales de justicia, en los que se invoca el artículo 15, se rechaza la demanda —infraccional y civil— por no considerarse infringida la referida norma. Sin embargo, se advierte que la razón de fondo, desde la perspectiva civil, es que las conductas y/o hechos en los que se basa la demanda no son generadores de daño en su sentido jurídico. Hay que recordar que es la propia ley la que faculta a los establecimientos comerciales para contar con sistemas de seguridad, por lo que la sola existencia o su solo funcionamiento no puede ni constituir ni ser causante de daño. En esta línea se ubican diversas sentencias en las que se resuelve que no resulta infringido el artículo 15 si los guardias de seguridad del establecimiento comercial solicitan, si se activan las alarmas electrónicas al salir del mismo, la exhibición de la boleta y cotejan los productos que en ella se consignan con los portados, aunque la activación se deba a un error del vendedor. Estos procedimientos no vulneran la dignidad u honor de los consumidores, aunque puedan generarles molestias o incomodidad, mas ello no trae aparejada una responsabilidad ni infraccional ni civil de los referidos establecimientos.

En segundo término, conviene tener presente que tanto la doctrina como la jurisprudencia mayoritaria son contestes en que el daño moral, como todo daño, requiere de prueba, exigencia que se aplica a la responsabilidad surgida de la infracción al artículo 15. Tampoco se encuentra en duda la procedencia de esta clase de daño en sede contractual, no obstante que la norma parece estar referida a una responsabilidad extracontractual, lo que resulta coherente con la interpretación amplia de la noción de consumidor a la que hemos aludido previamente.

Luego, también en el plano de la responsabilidad, cabe destacar que la infracción a lo previsto en el artículo 15 puede dar lugar a un supuesto de responsabilidad por el hecho ajeno, concretamente, de los dependientes. En efecto, el consumidor que sufre un daño como consecuencia de tal infracción podrá ejercer la acción directamente en contra del proveedor, fundado en el artículo 2320 del Código Civil, invocando la culpa de sus dependientes encargados de la seguridad. Ello es coherente con la diligencia que razonablemente puede exigírsele al proveedor en la elección y control de aquellos a quienes encarga su sistema de seguridad. En este sentido, la Corte de Apelaciones de Concepción ha afirmado: "que, no está de más señalar que no parece aceptable, dada la gran envergadura comercial y económica de la empresa denunciada, que no haya tomado las providencias necesarias o la implementación técnica requerida para que las especies compradas y pagadas en el interior del local en lugares especiales, y no en las cajas generales, puedan dar lugar a situaciones como la sub judice, en que el personal de seguridad de la empresa no se percató oportunamente que el comprador había pagado el artículo. No parece justo ni equitativo para los consumidores que dependan, en estos casos, de la acuciosidad del sistema de vigilancia, ni menos razonable que si el supermercado permite el pago en el interior del local en lugares especiales, no adopte las medidas técnicas indispensables para controlar dichos pagos de una forma más adecuada y prudente, que la que actualmente emplea". Se recoge la idea de que el proveedor, autorizado para el uso de sistemas de seguridad, debe actuar diligentemente en el manejo de los mismos, y por ello responde de los daños ocasionados por sus dependientes, que en definitiva son atribuibles a su propia negligencia.

Para finalizar, también conviene hacer presente que no es indiferente la conducta que el consumidor despliegue con ocasión de los hechos constitutivos de la infracción y, en particular, del ilícito civil. En efecto, mirado desde la responsabilidad aquiliana, puede justificarse la aplicación del artículo 2330 del Código Civil, si la conducta o hecho de la víctima se interpone en el nexo causal, ya sea excluyendo la responsabilidad o bien autorizando una reducción prudencial de la indemnización, si se concluye que se ha expuesto imprudentemente al daño. En este sentido, los consumidores deben adoptar —al entrar y salir, así como al interior de un establecimiento comercial— un comportamiento compatible con la existencia y funcionamiento de los sistemas de seguridad, en términos de evitar sufrir una vulneración en su dignidad o derechos. Así, se ha fallado que si consumidor ingresa a un establecimiento con un producto adquirido previamente, lo razonable es que informe a los guardias de dicha circunstancia o bien, que haga uso de los casilleros destinados a la custodia de objetos, de modo de no exponerse a sufrir un daño a consecuencia de la activación de los sistemas de seguridad".

SENTENCIAS SOBRE ARTÍCULO 15

- **Ministerio Público con Juan Guarda Alveal (2020): Corte Suprema, 21 de febrero de 2020, Recurso de Nulidad, Rol nº 33252-2019, LTM18744947:** "QUINTO: (...) el artículo 15 de la Ley 19.496 establece que 'Los sistemas de seguridad y vigilancia que, en conformidad a las leyes que los regulan, mantengan los establecimientos comerciales están especialmente obligados a respetar la dignidad y derechos de las personas. En caso que se sorprenda a un consumidor en la comisión flagrante de un delito los gerentes, funcionarios o empleados del establecimiento se limitarán, bajo su responsabilidad, a poner sin demora al presunto infractor a disposición de las autoridades competentes'. Esta última disposición contiene una norma de protección general en favor de las personas que ingresan a un local comercial, que pone de relieve la dignidad y sus derechos por sobre las necesarias medidas de resguardo que los proveedores pueden adoptar para precaver eventuales delitos. La magnitud de la preeminencia que la ley le reconoce a la dignidad de las personas es posible de advertir en su inciso segundo, puesto que aún en el caso de verificarse un delito flagrante, únicamente permite la detención por particulares para la sola finalidad de poner al hechor a disposición de las autoridades competentes y, en caso alguno, faculta para limitar otras garantías fundamentales o para efectuar diligencias investigativas autónomas que el Código Procesal Penal ha entregado de manera excepcional a los funcionarios policiales".

- **Roxana Vera Videla con Ministros de la Corte de Apelaciones de Valparaíso (2015): Corte Suprema, 30 de septiembre de 2015, Recurso de Queja, Rol n° 10546-2015, LTM6.557.306, LTM10.147.488: "TERCERO:** Que para resolver adecuadamente el arbitrio, es relevante dejar constancia que la decisión dictada por los recurridos se basa en el relato de los hechos efectuado por la denuncia, del que desprende que tales presupuestos fácticos no configuran las hipótesis de infracción a los derechos de los consumidores contenidas en los artículos 23 y 15 de la ley del ramo. (…) A su turno, el artículo 15 de la Ley n° 19.496 establece que 'Los sistemas de seguridad y vigilancia que, en conformidad a las leyes que los regulan, mantengan los establecimientos comerciales están especialmente obligados a respetar la dignidad y derechos de las personas. En caso que se sorprenda a un consumidor en la comisión flagrante de un delito los gerentes, funcionarios o empleados del establecimiento se limitarán, bajo su responsabilidad, a poner sin demora al presunto infractor a disposición de las autoridades competentes'. CUARTO: Que esta última disposición contiene una norma de protección general en favor de los consumidores, que pone de relieve la dignidad y sus derechos por sobre las necesarias medidas de resguardo que los proveedores pueden adoptar para precaver eventuales delitos. La magnitud de la preeminencia que la ley le reconoce a la dignidad de las personas es posible de advertir en su inciso segundo, puesto que aún en el caso de verificarse un delito flagrante, permite la detención por particulares para la sola finalidad de poner al hechor a disposición de las autoridades competentes. En ese contexto, resulta claro que la detección de un presunto hurto de un medicamento que es lo que creyeron los trabajadores de la farmacia que había ocurrido, es una circunstancia que se encuadra dentro de las hipótesis del mentado artículo 15, ya que al revelarse la supuesta comisión de un hecho ilícito, opera en favor de los consumidores el mecanismo de protección consagrado en dicho precepto. En esas condiciones, aparece que los recurridos han limitado la procedencia de la disposición sólo a los sistemas de seguridad y vigilancia que se encuentren dentro de un establecimiento comercial, a pesar que su texto no reduce su aplicación al interior del espacio físico en que el proveedor ofrezca sus bienes y servicios. Ello implica una interpretación restrictiva del precepto afectando los derechos de la consumidora, contrariando la finalidad de la ley, en cuanto a otorgarle un estatuto de protección ante el proveedor, al ser la parte más débil de la relación contractual de consumo".

ARTÍCULO 15 A

| Art. 15 A | • Los proveedores que ofrezcan servicios de estacionamiento de acceso al público en general, cualquiera sea el medio de pago utilizado, se regirán por las siguientes reglas: |

1)
- El cobro de uso del servicio de estacionamiento por periodos inferiores a veinticuatro horas, se podrá efectuar optando por alguna de las siguientes modalidades:
- a) Cobro por minuto efectivo de uso del servicio, quedando prohibido el cargo por periodos, rangos o tramos de tiempo
- b) Cobro por tramo de tiempo vencido, no pudiendo establecer un periodo inicial inferior a media hora. Los siguientes tramos o periodos no podrán ser inferiores a 10 minutos cada uno

2)
- Cualquiera sea la modalidad de cobre que utilice el proveedor del servicio de estacionamientos, no podrá, bajo circunstancia alguna, redondear o aproximar la tarifa al alza

3)
- Los proveedores de servicio de estacionamiento podrán fijar un periodo de uso del servicio sin cobro, de acuerdo sus políticas comerciales o a las condiciones de uso de dicho servicio.

4)
- En caso de pérdida del comprobante de ingreso por parte del consumidor, corresponderá al proveedor consultar sus registros con el fin de determinar de manera fehaciente el tiempo efectivo de utilización del servicio, debiendo cobrar, en tal caso, el precio de tarifa correspondiente a este, quedando prohibido cobrar una tarifa prefijada, multas o recargos.
- En este caso, el proveedor deberá solicitar al consumidor cualquier antecedente que permita acreditar o identificar al propietario del vehículo

5)
- Si, con ocasión del servicio y como consecuencia de la falta de medidas de seguridad adecuadas en la prestación de éste, se producen hurtos o robos de vehículos, o daño en éstos, el proveedor del servicio será civilmente responsable de los perjuicios causados al consumidor, no obstante la responsabilidad de infracción al que corresponde de acuerdo a las reglas generales de esta ley.
- Cualquier declaración del proveedor en orden eximir o a limitar su responsabilidad por hurtos, robo o daños ocurridos con ocasión del servicio no producirá efecto alguno y se considerará como inexistente.

6)
- El proveedor deberá exhibir de forma visible y clara, en los puntos donde se realice el pago del estacionamiento, y en los ingresos del recinto, el listado de los derechos y obligaciones establecidos en esta ley, haciendo mención del derecho del consumidor de acudir al servicio Nacional del consumidor o el juzgado de policía local competente, en caso de infracción.

DOCTRINA SOBRE ARTÍCULO 15 A

- **Barrientos, Francisca (2017): "Los problemas que denunciaban los consumidores y la regulación vigente: ¿qué pasó con el redondeo, el cobro derivado de la pérdida del ticket y el régimen de responsabilidad del concesionario?" Boletín especial ADECO, abril 2017, disponible en:** http://derechoyconsumo.udp.cl/wp-content/uploads/2017/06/Estacionamientos-Barrientos.pdf: "Desde hace tiempo, por cierto antes de iniciar la discusión parlamentaria de lo que ahora es la ley de estacionamientos, los problemas que denunciaban los consumidores eran fundamentalmente dos: el redondeo al alza y el excesivo valor que cobraban las empresas concesionarias cuando se perdía el ticket de ingreso al recinto. Junto con ello, hay que señalar que desde el plano judicial, las pérdidas de objetos o del automóvil dentro de los estacionamientos constituían uno de los temas más judicializados. Pienso que eso se debe a que, entre otros factores, los consumidores o usuarios deciden emprender el largo camino que significa iniciar acciones judiciales, a diferencia de lo que ocurre cuando los daños tienen menor cuantía. Pues bien, en la praxis judicial (análisis de sentencias de los portales de sentencias nacionales) se advierte una tendencia importante a responsabilizar a los empresarios por los daños producidos por el extravío de objetos o del automóvil bajo su cuidado. De allí que sea posible decir que, en materia de consumo, no existe una especial detención en el análisis de la diligencia empresarial (o lo que se conoce en esta área como el deber de profesionalidad), por lo que el número de guardias, cámaras de vigilancia, sistemas computacionales o medidas de seguridad no se considera para imputarle negligencia a la empresa; en cambio, sí se toma en consideración para categorizar los daños. Por eso, pienso que más bien estaríamos frente a un ámbito objetivado de responsabilidad profesional, sea porque opera una forma de culpa contra legalidad o porque los jueces han comenzado a emplear algunos expedientes paliativos de la responsabilidad por culpa (en palabras de Zelaya). Asimismo, desde hace algún tiempo ya no se consideraba el argumento que "los estacionamientos forman parte integrante del servicio" porque teníamos que pagar por la mayoría de ellos, al menos así ocurría en la ciudad de Santiago. Con ello, quiero decir que el tema de la gratuidad u onerosidad no importaba para imputarle daños a la empresa infractora. Así, entonces, los problemas que se presentaban en los juicios decían relación con la carga de la prueba, toda vez que algunos jueces la ponían de cargo del consumidor, y por la determinación del responsable cuando el concesionario arrendaba el recinto, de manera que no se sabía la forma de determinación de la responsabilidad cuando existía pluralidad de deudores. En suma, se advertía la necesidad de prohibir el redondeo y el alto costo por la pérdida del ticket, y por el otro, configurar un sistema de responsabilidad infraccional y civil que ayude a los consumidores a equilibrar la posición en el juicio. La Ley nº 20.967 de 2017 que regula el cobro de servicios de estacionamiento, desde su nombre ya advierte sus propósitos. Tal como lo dice, este nuevo articulado (artículos 15 A, B y C de la ley de consumo) tiene por objeto disciplinar la forma de cobro de los proveedores de estacionamientos. Y dentro de ella, normar algunos de los problemas que mostraba con anterioridad. Dentro del texto se regularon los problemas denunciados, pero en algunos casos empleando una dudosa técnica legal. Primero, el artículo 15 A nº 3 proscribe el redondeo al alza, cualquiera sea el método de cobro. En esta parte, estimo, que la regulación satisface el problema denunciado. Segundo, en lo que dice relación con el cobro de un precio exorbitante por la pérdida del ticket del estacionamiento, el artículo 15 A nº 4 de la ley prohibió. En efecto, la disposición consagra una carga para el proveedor. Ahora este sujeto deberá consultar sus registros para proceder al cobro. Lo que dicho en otras palabras significa que sólo podrá cobrar el tiempo efectivo de utilización del servicio. Además, se regló que pueda fijar una tarifa prefijada, multas o recargos. Pero estableció una regla curiosa, pues "En este caso, el proveedor deberá solicitar al consumidor cualquier antecedente que permita acreditar o identificar al propietario del vehículo". Y con ello, inmediatamente surgen una serie de cuestionamientos que evidencian problemas de técnica legal, ¿sólo se identificará al propietario? ¿por qué el proveedor deberá solicitar estos antecedentes, si se supone que tiene o debería tener las medidas de seguridad necesarias? o incluso ¿en qué aporta la identificación del propietario del vehículo si se trata del supuesto de un cobro por pérdida del ticket? Al parecer, porque no queda claro, esta regla debería estar en el nº 5 y no el nº 4. Y más allá de esto, preocupa los problemas de interpretación que pueda presentar, por ejemplo ¿qué sucederá si el usuario no es propietario? ¿qué documentos deberá —ese es el tenor de la ley- presentar? ¿qué pasará si no lo hace? Luego, en lo que dice relación con el régimen de responsabilidad se ha dispuesto en el artículo 15 nº 5 un sistema, al parecer, subjetivo pues exige que el proveedor actúe "a consecuencia de la falta de medida de seguridad". Aunque debo señalar que esto último puede ser discutible, ya que si se considera la separación que establece entre el régimen infraccional y civil, y que la sanción infraccional genérica (artículo 23 inciso primero) expresamente exige una imputación subjetiva, y que esta disposición en ninguna parte se refiere a la culpabilidad, podría considerarse lo contrario. Incluso, puede considerarse que la descripción del artículo 15 nº 5 parece atender a la causalidad más que a la culpabilidad. De esta forma, podemos comentar que la norma es obscura, pues no queda claro el régimen de responsabilidad que regula. Y como había mencionado con anterioridad, algunas tendencias judiciales actuales avanzaron hacia la objetivización del sistema de responsabilidad. Esto muestra, en esta parte, un cierto retroceso respecto de lo que sucedía en la praxis, toda vez que la nueva regulación podría traer aparejada ciertas dudas interpretativas, que antes no existían. Por otra parte, nada se ha dispuesto sobre la pluralidad de deudores, y la forma en que concurren a la responsabilidad, ni sobre el tema de la carga de la prueba existen voces que promueven que el consumidor se vería perjudicado con estas reglas (ver columna de este boletín de Juan Antonio Peribonio). Para finalizar, es posible observar que nos encontramos frente a soluciones parciales respecto de los problemas que denunciaban los consumidores. En algunos casos la regulación precipitó fuertes alzas de precios, como ocurrió con la proscripción del redondeo (ver columna de Adeco); en otros contiene reglas incomprensibles que no favorecen al consumidor (acreditación de propiedad cuando se pierde el ticket); luego se advierte que no se definió el sistema de responsabilidad civil; y por último, se omitió disciplinar reglas probatorias y de concurrencia de deudores. Es de esperar que las seis iniciativas parlamentarias que ahora existen en el Congreso solucionen estos problemas y otros que se han presentado".

- **Peribonio, Juan Antonio (2017): "Estacionamientos y Ley nº 20.967". Boletín especial ADECO, abril 2017, disponible en: http://derechoyconsumo.udp.cl/wp-content/uploads/2017/06/Estacionamientos-Peribonio.pdf:** "Como se observa, la mesa de trabajo tuvo como objetivo buscar soluciones concretas respecto a las brechas que se constataron en la realidad de los consumidores de los centros comerciales, y no tenía por finalidad pretender fijar precios o impedir el ejercicio a esa actividad económica, claramente los derechos y garantías constitucionales que establece nuestra carta magna en ese sentido son inequívocos. Como resultado del debate en la mesa técnica sobre estacionamientos y baños instaurada en el Ministerio de Economía, Fomento y Turismo, se arribaron a los siguientes acuerdos: 1. Los propietarios de los centros comerciales debían respetar los derechos de los consumidores consagrados en la ley nº 19.496, particularmente asumir la responsabilidad por daño a los clientes, resolver problemas de accesibilidad, por ejemplo para ciertas personas y/o clientes en circunstancias determinadas, como tomar y dejar niños, personas con movilidad limitada, compras de bienes de difícil traslado y, permitir el libre ejercicio del derecho de garantía legal del art. 21 de la LPC. Como se puede apreciar, se pasó a regular de mejor forma el ejercicio de los derechos del consumidor sin impedir el libre ejercicio de la referida actividad económica. 2. Eliminar letreros que eximen de responsabilidad por robos o daños; adecuar sistemas de cobro que calculen el precio a pagar según tiempo efectivamente usado y no nominal o "redondeado"; instaurar un adecuado sistema de asistencia, consultas y reclamos para los eventos de pérdida o daño a los vehículos. Asimismo, se plantearon casos puntuales conocidos por el SERNAC, en que algunas empresas no tomaron medidas oportunas en caso de decretarse su evacuación por emergencia, ya que existían reclamos porque no se levantaron las barreras ante alertas de tsunami. 3. Se coincidió con que existían problemas para los consumidores, tales como: pagos por saldos de tiempo que no eran devueltos ni ocupados, pérdidas de tiempo en servicios contratados por causas no imputables al consumidor, tales como las generadas por atochamientos o problemas en el acceso y salida de playas de estacionamientos de los centros comerciales, en la búsqueda de espacios y cobro por perdida de ticket o comprobante del sistema de pago de los estacionamientos. A fin de subsanar parte importante de los problemas anteriormente descritos y que afecta los derechos de los consumidores, como conclusión principal de dicho trabajo se propuso otorgar a los clientes de estos centros un período inicial de exención de cobro de al menos media hora, si bien la Cámara Chilena de Centros Comerciales lo expresó como "establecer un sistema de cobro por plazo vencido de 30 minutos para el primer tramo". Los acuerdos resolvían los problemas principales que afectaban a los consumidores y, a su vez, se armonizaban las posturas de los representantes de los Ministerios de Vivienda y Transportes en la referida mesa de trabajo, que postulaban mantener el cobro para fomentar el uso del transporte publico y evitar atochamiento en las calles aledañas, es decir, resolvimos un problema urgente que afectaba a miles de personas, con serios argumentos y voluntad real de los actores. Aun cuando la discusión jurídica de fondo quedaba abierta y habían fundamentos que quedaban por dilucidar, ya se sabía de algunas iniciativas legislativas que podían zanjarla y/o para casos especiales, por los tribunales de justicia en virtud del principio de inexcusabilidad, aplicando a falta de norma expresa el espíritu general de la legislación y a la equidad natural, a favor de los consumidores. La ley n° 20.967, que recientemente ha entrado en vigencia y que regula el cobro en los estacionamientos, lamentablemente no resolvió el problema y estimo constituye un retroceso para los derechos de los consumidores respecto del referido acuerdo suscrito en 2012 con los centros comerciales. Lo anterior, al menos en dos puntos. Uno en el sistema de cobro de los mismos, particularmente en el primer tramo de 30 minutos que es el de mayor rotación, y dos, porque como se explicó casi no se discutía que eran las empresas las que debían responsabilizarse por los robos o accidentes, materia que ya estaba resuelta por los tribunales, ya que el peso de la prueba recaía en ellos. Además de la accesibilidad garantizada por los 30 minutos, dado el desequilibrio y asimetrías existente entre las partes, particularmente de costos de transacción para hacer exigibles sus derechos, al menos en caso de robos y daños en vehículos, los centros comerciales debiesen, además de adoptar las medidas eficaces, responderle espontáneamente a los consumidores evitando dilaciones, esa obligación forma parte del servicio ofrecido y por el cual se está pagando un precio. En efecto, las directrices dadas por la OECD a las empresas, en cuanto a los intereses de los consumidores, les recomiendan "establecer procedimientos transparentes y eficaces para dar respuesta a las quejas de los consumidores y contribuir a la resolución justa y rápida de los litigios con los consumidores sin costos o trámites excesivos".

- **Contardo, Juan Ignacio (2017): "El alza en el precio de los estacionamientos: ¿un fracaso en la protección al consumidor?". Boletín Especial ADECO, abril 2017, disponible en línea: http://derechoyconsumo.udp.cl/wp-content/uploads/2017/06/ Estacionamientos-Contardo.pdf:** "El punto es si de esta nueva política pública debe esperarse un alza en el precio del servicio de estacionamiento, o bien la Ley debió cuidar, además, del precio cobrado. La cuestión de fondo es si la protección al consumidor debe involucrar una protección del patrimonio del consumidor regulando de alguna forma el precio cobrado. El hecho ineludible frente a la entrada en vigencia de la Ley es que, por regla general, el precio de los estacionamientos ha subido. Los proveedores de servicios frente a la disyuntiva entre cobrar por minuto o por tramo, las que son las únicas formas de cobro permitidas, decidieron optar por una de las dos subiendo el precio ante la prohibición del denominado "redondeo" que era la mala práctica detectada y que se quiso eliminar. De esta manera, la restricción del redondeo y la imposición de una forma de cobro (por minuto o por tramo) llevó a los proveedores de los estacionamientos a subir los precios. Así, lo que en la práctica sucedió, es que la nueva Ley estableció un estímulo para subir los precios. En el fondo, el costo del redondeo fue incorporado por los proveedores en el precio del minuto o del tramo respectivo. De lo anterior se sigue que la eliminación de una mala práctica (el redondeo) y la imposición de una forma determinada de cobro termina validando la incorporación de su precio (el de la mala práctica) en una forma legalmente admisible. El alza en el precio de los estacionamientos, en consecuencia, se trató de una respuesta racional (y ahora legal) de los proveedores frente a la nueva realidad que establecería la LE. El legislador fue cándido en no anticipar esta consecuencia de la nueva legislación. Si volvemos a la pregunta que nos hemos formulado, esto es, si la LE protege, o no, a los consumidores, la respuesta es negativa: la LE no terminó protegiendo a los consumidores. Pero no por el hecho del alza misma del precio, pues en Chile no hay permisión general al legislador de fijación de precios, y éste se regula por las reglas de la oferta y la demanda. La LE es perjudicial a los consumidores porque estableció estímulos para validar la conducta que se estimaba indeseable. Lo que salió por la puerta terminó entrando por la ventana. Pero más aún. Como el costo del redondeo termina por incorporarse en el precio por minuto o por tramo, su aumento resulta acumulativo en el tiempo. En otras palabras, la mala práctica no sólo no se eliminó, sino permitió extenderla. Y, junto con ello, como todos los proveedores se encontraban en condiciones de hacerlo, la respuesta de ellos fue general al estímulo creado. Sin llegar a pensar que puede haber alguna afectación a la libre competencia, lo cierto es que la LE termina perjudicando a los consumidores pues buena parte de los proveedores de estacionamientos han adoptado la misma conducta de alza de precios. Ahora bien, pueden existir buenas razones para el alza de los precios. Por ejemplo, la implementación de medidas de seguridad, o la imposición de estímulos para no utilizar el automóvil. Respecto de las medidas de seguridad, la LE reconoce y cristaliza la jurisprudencia existente sobre la responsabilidad de los proveedores de estacionamientos. Aun cuando creemos que es muy positivo este reconocimiento legislativo, no hay nada de nuevo en la materia. En consecuencia, no hay estímulos en este punto para subir los precios. El alza de los precios, por lo tanto, no se debe a la implementación forzosa de medidas adicionales de seguridad de los proveedores de estacionamientos, sino a la prohibición del redondeo. Por otra parte, podría estimarse que es positiva el alza, pues con ella podría estimularse la no utilización del automóvil. Así, podría pensarse que si es muy caro el precio del estacionamiento, el consumidor preferirá no utilizarlo y ocupar vías alternativas de movilización, como la locomoción pública formal o informal (Uber, Cabify, etc.). El punto es que queremos atacar es que una legislación de protección al consumidor no tiene por qué hacerse cargo de esta materia, pues no es una política pública destinada a la protección del consumidor, sino a la regulación del tráfico. Y, por otra parte, el alza de los precios de los proveedores va en su exclusivo beneficio y no le compete a ellos regular el tráfico vehicular. En suma, creemos que la LE no constituye una buena política de protección al consumidor, que debiera ser corregida. Por el contrario, la Ley terminó más que protegiendo al consumidor, perjudicándolo. De manera bien increíble, la situación anterior a la LE, desregulada, era mejor que la actual. Habrá que ver si es posible todavía corregirla, o bien si nos encontramos en un punto de no retorno, pues el mercado ya pudo haber internalizado el nuevo esquema de manera definitiva".

- Hernández, Gabriel (2021): "Comentario al artículo 15 B", en Iñigo De La Maza; Carlos Pizarro y Francisca Barrientos (Dirs.) *La protección de los Derechos de los consumidores. Comentarios a la ley de protección a los derechos de los consumidores*. Santiago: Editorial Thomson Reuters (en prensa): "En relación con el aludido punto, el artículo 15 A de la LPC indica en su encabezado que "(l)os proveedores que ofrezcan servicios de estacionamiento de acceso al público general, cualquiera sea el medio de pago utilizado, se regirán por las siguientes reglas". A continuación, regula en detalle la manera en que debe operar el cobro por dichos servicios. Así, en aplicación del artículo 15 A de la LPC, la regla matriz en materia de pago del servicio de estacionamiento de acceso al público general consiste en que puede cobrarse por su prestación bajo las reglas en él contenidas. Con anterioridad a la Ley n° 20.967, uno de los debates suscitados en relación con el servicio de estacionamiento de acceso al público general estuvo centrado en determinar si, siendo gratuito y accesorio a otro servicio (por ejemplo, al prestado por centros comerciales o de salud), quedaba regido por la LPC. En efecto, a la luz de las definiciones de consumidores y proveedores del artículo 1°, números 1 y 2, de la LPC, que exigen, para configurarlas, que la utilización o disfrute de un servicio se efectúe en virtud de un acto jurídico oneroso o del cobro de un precio o tarifa, se planteó la duda relativa a si quien presta el mencionado servicio y quien accede a él debían considerarse proveedor y consumidor, respectivamente, en orden a la aplicación de dicha ley a la relación jurídica entablada, por ejemplo, en materia de responsabilidad por ilícitos patrimoniales cometidos en el recinto en que se hubiera prestado el servicio. En relación con la apuntada duda, autorizada doctrina y jurisprudencia concluyó, sobre todo en aplicación del principio de la accesoriedad, que el aludido tipo de servicio está regido por la LPC al representar una relación dependiente de una principal onerosa claramente gobernada por dicha ley, que, por lo demás se beneficia del servicio de estacionamiento y lleva dentro de su precio el valor del aparcamiento. Adicionalmente y por lo que concierne, en general, al servicio de estacionamiento accesorio a otro servicio, subyacía la idea de que el primero sería gratuito al ser oneroso el segundo y resultar favorecido con la provisión de aquel.

Al reglamentar la Ley n° 20.967 el servicio de estacionamiento de acceso al público general en los términos en que lo ha hecho, hoy no cabe duda de que, pese a que sea gratuito y dependiente de otro, está regido por la LPC. Se trata de una conclusión que constituye un avance en la protección de los usuarios del mencionado servicio en cuanto actualmente no es discutible que esté gobernado por la LPC, no solo cuando se presta como principal, sino también como accesorio. Así, todo usuario del servicio de estacionamiento de acceso al público general se encuentra beneficiado sin discusión con los derechos e instituciones establecidos por la LPC, por ejemplo, con la aplicación del control de inclusión de condiciones generales de la contratación y con la posibilidad de solicitar la nulidad de cláusulas abusivas. No obstante, el hecho de que el art1a o 15 gracias a dicha reformidad ro por el servicio de estacionamiento. Las normas incorporadas a la LPC gracias a dicha reformí-culo 15 A de la LPC haya otorgado genéricamente al proveedor la facultad de cobrar por el servicio de estacionamiento —lo que incluiría al dependiente de otro servicio— constituye un retroceso en la referida protección, ya que antes de su vigencia resultaba discutible que la tuviera".

ARTÍCULO 15 B

Los prestadores institucionales de salud, sean estos de carácter público o privado, **no podrán realizar cobro alguno por los servicios de estacionamiento cuando:**

Éstos sean utilizados con ocasión de servicios de urgencia o emergencia y durante el tiempo que duren estas

O cuando sean utilizados por pacientes que presentan dificultad física permanente o transitoria para su desplazamiento, circunstancia que deberá ser acreditada por el profesional a cargo del tratamiento o atención de salud

DOCTRINA SOBRE ARTÍCULO 15 B

- **De Grange, Louis (2017): "Reflexiones sobre la nueva ley de cobro por estacionamientos". Boletín especial ADECO, abril 2017, disponible en: http://derechoyconsumo.udp.cl/wp-content/uploads/2017/06/Estacionamientos-Grange.pdf:** "La nueva ley que establece un mecanismo específico por cobro de estacionamientos en lugares como Centros Comerciales y Clínicas, ha generado un intenso y amplio debate, desde diferentes perspectivas y con encontradas posiciones. Esto se debe básicamente a que, al modificar la unidad de cobro (antes se cobraba por bloques de media hora o una hora, mientras que hoy se cobra por minuto), hay un número no menor de usuarios de estos estacionamientos que empezaron a pagar una mayor cantidad de dinero por el mismo servicio recibido que antes de la implementación de esta nueva ley. En términos generales, creo que la discusión se ha desarrollado básicamente en dos principales dimensiones: una de tipo conceptual, y otra de tipo pragmática. La discusión conceptual presenta argumentos a favor y en contra de la nueva ley de estacionamientos. Los argumentos a favor, expuestos principalmente por el mundo académico y por activistas opositores al automóvil, se basan principalmente en los negativos efectos para la sociedad que tendría un uso excesivo del automóvil, y que decretar gratuidad por el uso de estacionamientos o reducir sus tarifas incentivaría el uso del automóvil, lo que iría en contra de las políticas de sustentabilidad del transporte y de las ciudades en todo el mundo. Por otra parte, los argumentos en contra, expuestos principalmente por usuarios afectados y por autodenominados representantes ciudadanos o políticos, se basan en que el estacionamiento es un servicio complementario sin el cual no se podría adquirir el producto o servicio final que se busca en el Centro Comercial o Clínica, y que por lo tanto estos lugares están obligados a ofrecerlos. Además, la ley exige una cantidad mínima de estacionamientos en este tipo de dependencias.

  Bajo esta dimensión conceptual, difícilmente habrá un acuerdo entre ambas posiciones, ya que son formas absolutamente diferentes de observar las necesidades y deseos de las personas que conforman nuestra sociedad. Desde el punto de vista conceptual, también se ha generado una distinción entre Centros Comerciales y Clínicas. Básicamente, el argumento acá incluye la obligatoriedad que muchas personas tienen de asistir a las clínicas, por ejemplo, a servicios de urgencias, muchas de las cuales están obligadas a llegar en vehículo y estacionarlo. Este sería el argumento para excluir a las clínicas del pago y exigir gratuidad al menos en estos casos. Sin embargo, desde la dimensión pragmática, creo que la postura es básicamente en favor de la nueva ley. Y los argumentos son varios. En primer lugar, estos lugares son recintos privados, cuyo dueño ha ejercido el legítimo derecho de ofrecer un servicio por el que puede cobrar una determinada tarifa, la cual a su vez puede ser o no aceptada por el cliente. En caso de no ser aceptada, este último simplemente tiene la posibilidad de buscar otro lugar que le ofrezca los productos o servicios buscados a un menor costo. El argumento de que la ley exige una cantidad mínima de estacionamientos no tiene relación alguna con el valor de dichos estacionamientos: exigir estacionamientos es muy distinto a exigir estacionamientos gratis. Por otra parte, siempre ha existido libertad absoluta para la fijación de precios por uso de estacionamientos en recintos privados que cuenten con permiso para ello (como ocurre en los Centros Comerciales y las Clínicas). Luego, ¿qué sentido tendría pensar que sólo como consecuencia de una ley los privados que explotan los estacionamientos se hayan dado cuenta que podrían aumentar sus ingresos aumentando tarifas? ¿Por qué no pudieron hacerlo antes? La verdad es que siempre lo han podido hacer, y sin duda que lo han hecho; es decir, antes de la nueva ley, los privados ya cobraban una tarifa que maximizaba la rentabilidad de su negocio global (rentabilidad que incluye los ingresos por su servicio primario más la recaudación por estacionamientos).

Un tercer antecedente práctico es que, en muchos casos, decretar gratuidad o reducir precios de estacionamiento generaría simplemente un exceso de demanda por usar estos estacionamientos, y la aparición de los "free riders" u oportunistas, que son individuos que usarían estos estacionamientos para realizar fines distintos a los asociados al centro comercial. Imagínense que se decretara gratuidad por dos horas en el Costanera Center, en pleno Providencia. Sin duda que se llenaría de vehículos cuyos propietarios se aprovecharían de esta gratuidad, deteriorando la calidad del servicio de los verdaderos clientes del mall".

- Hernández, Gabriel (2021): "Artículo 15 B" en Iñigo De La Maza; Carlos Pizarro y Francisca Barrientos (Dirs.) *La protección de los Derechos de los consumidores. Comentarios a la ley de protección a los derechos de los consumidores.* Santiago: Editorial Thomson Reuters (en prensa): "En cuanto al servicio de estacionamiento operado por prestadores institucionales de salud, que regula el artículo 15 B de la LPC, cabe tener en cuenta que el precepto se limita a mencionar los casos en que no están facultados para cobrar por él.

De la circunstancia de que el artículo 15 B de la LPC se refiera a los supuestos en que los prestadores institucionales de salud no están habilitados para cobrar por el servicio de estacionamiento, se colegiría que sí lo están en los demás supuestos, que representan la mayoría. Además, asumiendo que el servicio de estacionamiento operado por dichos prestadores está destinado al público en general (quienes concurren al respectivo establecimiento por razones de salud, propias o no), dicha conclusión estaría avalada por la regla matriz en materia de pago por el servicio de estacionamiento —el artículo 15 A—, que permite cobrar por él.

Así, cabe reiterar que el hecho de que la nueva normativa haya contemplado la posibilidad de que dichos prestadores cobren por el servicio de estacionamiento, pese a depender de otro, constituye un retroceso en la protección de los usuarios de estacionamientos accesorios a otros servicios, en este caso, de salud, puesto que antes de la Ley n° 20.967 resultaba discutible que la tuvieran. En mi opinión, los aludidos proveedores no deberían haber sido habilitados por la ley para cobrar por dicho servicio a quienes concurren a sus establecimientos por razones de salud, mientras dure la correspondiente prestación, porque se trata de un servicio accesorio a uno principal oneroso. A lo cual cabe agregar que, atendida la naturaleza del servicio gestionado por aquellos prestadores, no es razonable que cobren por los estacionamientos que ponen a disposición de quienes asisten a sus establecimientos por razones de salud, sin que en este sentido corresponda discurrir a su respecto bajo la misma lógica aplicable a los centros comerciales. Por lo demás, la actividad desarrollada por los referidos prestadores, cuando explotan el servicio de estacionamiento, se beneficia con su provisión, cuyo valor, adicionalmente, incorporan en el precio que se paga por dicha actividad.

Ahora bien, conforme a lo expuesto, al cobro por el servicio de estacionamiento provisto por prestadores institucionales de salud, en la medida de que el artículo 15 B de la LPC solo se refiere a los casos en que no procede, cabría aplicar las tres primeras reglas del artículo 15 A, que son las disposiciones matrices en cuanto a dicho cobro.

Teniendo en cuenta que el artículo 15 A de la LPC ha sido objeto del precedente comentario en esta obra, cabe simplemente apuntar que las mencionadas reglas están referidas, respectivamente, a las modalidades de cobro del uso del servicio de estacionamiento por periodos inferiores a veinticuatro horas; la prohibición de redondeo o aproximación de la tarifa al alza; y la posibilidad de fijación de un periodo de uso del servicio sin cobro.

Dicho lo anterior, corresponde hacer referencia a lo señalado expresamente por el artículo 15 B de la LPC, que exime al usuario del pago del servicio de estacionamiento en determinados supuestos.

En primer lugar, la norma se aplica a todo tipo de prestador institucional de salud, público o privado. En este sentido, cabe tener en cuenta que, en conformidad al inciso segundo del artículo 3° de la Ley n° 20.584, Regula los Derechos y Deberes que tienen las Personas en relación con Acciones Vinculadas a su Atención en Salud, de 24 de abril de 2012, los prestadores institucionales de salud "son aquellos que organizan en establecimientos asistenciales medios personales, materiales e inmateriales destinados al otorgamiento de prestaciones de salud, dotados de una individualidad determinada y ordenados bajo una dirección, cualquiera sea su naturaleza y nivel de complejidad. Corresponde a sus órganos la misión de velar porque en los establecimientos indicados se respeten los contenidos de esta ley". Entre estos prestadores destacan los hospitales, las clínicas, los consultorios, los centros médicos y los laboratorios.

Luego, el artículo 15 B de la LPC contempla dos excepciones en que los prestadores institucionales de salud no están habilitados para cobrar por el servicio de estacionamiento.

El primer caso en que dichos prestadores no están habilitados para cobrar por los servicios de estacionamiento que provean se presenta cuando "sean utilizados con ocasión de servicios de urgencia o emergencia, y durante el tiempo que duren éstas". Considerando el ámbito de la referida excepción, cabe tener presente que las "atenciones médicas de emergencia o urgencia" son "aquellas en que la falta de intervención inmediata e impostergable implique un riesgo vital o secuela funcional grave para la persona", según inciso tercero del artículo 10 de la Ley nº 20.584, Regula los Derechos y Deberes que tienen las Personas en relación con Acciones Vinculadas a su Atención en Salud, de 24 de abril de 2012.

Respecto de la comentada excepción, cabe apuntar que, contrariamente a lo que sucede con la siguiente, se aplica en general y no solo respecto de los pacientes afectados por una urgencia o emergencia. De modo que, en concreto, se aplica respecto del vehículo en que arribe el paciente afectado por dicha condición y sus acompañantes al establecimiento del prestador institucional de salud, así como en relación con quienes, con posterioridad, concurran a informarse de su estado o a visitarlo, mientras persista la urgencia o emergencia. Esto puede colegirse de la circunstancia de que la apuntada excepción rige para los casos en que el servicio de estacionamiento sea utilizado *"con ocasión"* de una urgencia o emergencia, sin que se exija que sea empleado por *pacientes*; y del hecho de que la siguiente excepción se refiera exclusivamente a los *pacientes*.

En cuanto a la acreditación de la circunstancia de ser utilizado el servicio de estacionamiento con ocasión de una *emergencia* o *urgencia*, cabe referir que puede llevarse a cabo por quien pretenda beneficiarse con la gratuidad a través de la certificación de dicha situación por un prestador de la salud, o por otros medios idóneos, al no contemplar el artículo 15 B de la LPC limitación al respecto, como en el caso de la excepción siguiente (cuya acreditación debe efectuar "el profesional a cargo del tratamiento o atención de salud").

Luego, cabe tener en cuenta que el beneficio de la gratuidad se mantiene solo hasta que cese la situación de urgencia o emergencia que motivó el ingreso del paciente al correspondiente establecimiento.

Por otra parte, cabe referir que si por alguna circunstancia el paciente finalmente no es atendido por el servicio de urgencia o de emergencia del respectivo establecimiento, igualmente se debería aplicar el beneficio de la gratuidad si se comprueba que ingresó al recinto de salud para atenderse en virtud de una urgencia o emergencia.

El otro caso en que los prestadores institucionales de salud no están habilitados para cobrar por el servicio de estacionamiento concurre cuando sea utilizado "por pacientes que presenten dificultad física permanente o transitoria para su desplazamiento".

Como primera consideración en relación con el indicado caso, cabe apuntar que en él la gratuidad procede tratándose de pacientes con *dificultad física para desplazarse*, pudiendo ser esta *permanente* o *transitoria*. Así, atendida la amplitud de la excepción, no es necesario, en orden a la aplicación de la gratuidad del servicio de estacionamiento, que la dificultad física para el desplazamiento del paciente configure una discapacidad, bastando con que esté afectado por un problema corporal cuya intensidad entorpezca su movilidad, no resultando exigible que la merme completa o gravemente ni de forma duradera.

Por otra parte, cabe señalar que, pese a que la norma circunscribe al paciente el beneficio de la gratuidad por el servicio de estacionamiento operado por prestadores institucionales de salud, es razonable entender que se aplica respecto del móvil en que concurre al establecimiento, aun cuando no sea de su propiedad o no lo conduzca.

En cuanto a la comprobación de la segunda excepción en que rige la gratuidad respecto del servicio de estacionamiento operado por prestadores institucionales de salud, cabe apuntar que el artículo 15 B de la LPC establece que la circunstancia de la dificultad física de desplazamiento del paciente "deberá ser acreditada por el profesional a cargo del tratamiento o atención de salud". Así, el precepto limita la posibilidad de los pacientes afectados por dicha circunstancia de acceder al beneficio de la gratuidad en el servicio de estacionamiento al obstaculizar la prueba de la misma, lo cual puede provocar inconvenientes en los casos en que el profesional a cargo del tratamiento o atención de salud no se encuentre o desempeñe en el establecimiento al que concurre el paciente. Sin perjuicio de esto, las personas que presenten dificultad física para desplazarse y cuenten con la credencial de inscripción en el Registro Nacional de la Discapacidad, que lleva el Servicio de Registro Civil e Identificación, podrán acreditar dicha dificultad a través de este medio al efecto de gozar del beneficio de la gratuidad cuando utilicen como pacientes el servicio de estacionamiento provisto por prestadores institucionales de salud".

ARTÍCULO 15 C

A quien administre el **servicio de estacionamiento en la vía pública**:

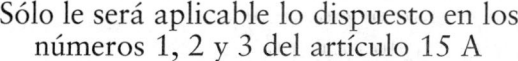

Sólo le será aplicable lo dispuesto en los números 1, 2 y 3 del artículo 15 A

DOCTRINA SOBRE ARTÍCULO 15 C

• **Hernández, Gabriel, (2021): "Artículo 15 C", en Iñigo De La Maza; Carlos Pizarro y Francisca Barrientos (Dirs.)** *La protección de los Derechos de los consumidores. Comentarios a la ley de protección a los derechos de los consumidores.* **Santiago: Editorial Thomson Reuters (en prensa):** "Por lo que atañe al servicio de estacionamiento prestado en la vía pública, cabe tener en cuenta, en primer término, que, desde antes de la mencionada reforma, correspondía aplicarle la LPC en la medida de que se accede a él en virtud de un acto jurídico oneroso o del pago de un precio o tarifa, debiendo considerarse el usuario, consumidor y, el prestador, proveedor, en los términos de las definiciones de cada uno de estos individuos contempladas por el artículo 1°, números 1 y 2, de aquella ley. Así, dicho usuario puede beneficiarse con los derechos e instituciones regulados por la LPC, v. gr., con la aplicación del control de inclusión de condiciones generales de la contratación y con la posibilidad de demandar la nulidad de cláusulas abusivas.

Ahora bien, la mencionada reforma no introdujo ninguna disposición que defina o entregue una noción del servicio de estacionamiento, contrariamente a lo que acaece en otras legislaciones. En todo caso, debe tenerse en consideración que los elementos esenciales de dicho servicio son la cesión de un espacio para aparcar un vehículo motorizado y la obligación de guardarlo y custodiarlo.

En particular, el artículo 15 C de la LPC hace aplicables al administrador del servicio de estacionamiento prestado en la vía pública (municipios o concesionarios) los números (reglas) 1, 2 y 3 del artículo 15 A. Esta aplicabilidad es reiterada por el inciso segundo del artículo 148 del DFL 1, Fija Texto Refundido, Coordinado y Sistematizado de la Ley de Tránsito, de 29 de octubre de 2009, que establece lo siguiente: "(e)n todas las vías públicas donde esté permitido estacionar sujeto al pago de un precio o tarifa, su cobro deberá efectuarse de conformidad a lo dispuesto en los números 1, 2 y 3 del artículo 15 A de la ley n° 19.496. No se podrá exigir al usuario, bajo circunstancia alguna, el pago por rangos o tramos de tiempo superior o distinto del tiempo efectivamente utilizado".

Teniendo en cuenta que el artículo 15 A de la LPC ha sido objeto de un anterior comentario, cabe simplemente hacer una referencia general a sus reglas 1ª, 2ª y 3ª que, por disponerlo el artículo 15 C, se aplican a quien administre el servicio de estacionamiento en la vía pública. En resumen, dichas reglas están referidas, respectivamente, a las modalidades de cobro del uso del servicio de estacionamiento por periodos inferiores a veinticuatro horas; la prohibición de redondeo o aproximación de la tarifa al alza; y la posibilidad de fijación de un periodo de uso del servicio sin cobro".

PÁRRAFO 4º. NORMAS DE EQUIDAD EN LAS ESTIPULACIONES Y EN EL CUMPLIMIENTO DE LOS CONTRATOS

ARTÍCULO 16

Artículo 16. No producirán efecto alguno en los contratos de adhesión las cláusulas o estipulaciones que:

a)

Otorguen a una de las partes la facultad de dejar sin efecto o modificar a su solo arbitrio el contrato o de suspender unilateralmente su ejecución, salvo cuando ella se conceda al comprador en las modalidades de venta por correo, a domicilio, por muestrario, usando medios audiovisuales, u otras análogas, y sin perjuicio de las excepciones que las leyes contemplen;

DOCTRINA SOBRE ARTÍCULO 16

- **Morales, María Elisa y Veloso, Franco (2019): "Cláusulas Abusivas en la Ley n° 19.496. Ley, Doctrina y Jurisprudencia", en María Elisa Morales (Dir.) y Pamela Mendoza (Coord.),** *Derecho del Consumo: Ley, doctrina y jurisprudencia.* **Santiago: Der Ediciones. pp. 149-168, p. 155-158: "Doctrina chilena relativa a la clase de ineficacia a la que da lugar la declaración de abusividad:** Para la postura mayoritaria la clase de ineficacia atribuible a la declaración de abusividad es la nulidad absoluta. Los principales argumentos que esta doctrina ha sostenido son: en primer lugar, que se descarta la nulidad relativa, por tratarse de una sanción aplicable a la omisión de algún requisito establecido en atención a la calidad o estado de las partes que intervienen en el acto, que no es el caso de las cláusulas abusivas que se tratan de un vicio que afecta al negocio; en segundo lugar, que aunque el tenor de la norma del artículo 16 contenga la frase "no producirán efecto alguno" se debe descartar la inexistencia por no encontrarse reglamentada expresamente en nuestro ordenamiento; en tercer lugar, que al no disponer nada la LPDC sobre la ineficacia a la que da lugar la declaración de abusividad se debiera recurrir al régimen común de la nulidad contemplado en el título XX del libro IV del Código Civil y aplicarse las reglas de la nulidad absoluta; y, por último, que como se trata de cláusulas prohibidas por las leyes se trata de una nulidad absoluta por objeto ilícito de acuerdo con el artículo 1466 del Código Civil. En contra de la anterior doctrina se ha dicho que aceptar las reglas de la nulidad absoluta no sería compatible con el Derecho del Consumo. Esta incompatibilidad se derivaría de una diferencia fundamental, cuál es el interés tutelado. En efecto, la nulidad absoluta es una sanción de orden público y mira al interés general de la sociedad en cambio, la ineficacia proveniente de la declaración de abusividad de una cláusula es una sanción que mira el interés de la parte débil —el consumidor— desde que toda la normativa de protección del consumidor se encuentra orientada en dicho sentido de acuerdo con el principio de protección de los derechos de los consumidores. Otra doctrina, sostiene que la sanción por abusividad sería una "ineficacia propiamente dicha", y sus efectos autorizarían al consumidor a desconocer el acto jurídico, como si éste no hubiese tenido lugar. Esta sanción operaría de pleno derecho y sin necesidad de declaración judicial. El argumento que sostiene esta postura es la doble finalidad perseguida por el legislador, esto es, en primer lugar, la protección inmediata del consumidor frente a los abusos que del proveedor; y, en segundo lugar, que el consumidor no vea alterada la satisfacción de su interés ya producida con el cumplimiento del contrato. La consecución de la aludida doble finalidad descarta a la nulidad absoluta, dado su efecto retroactivo que no resulta compatible con la protección del consumidor pues podría implicar la alteración de su interés ya satisfecho, dando así lugar a una ineficacia ab initio de la cláusula respecto del consumidor que logra cumplir con el doble requisito de protegerlo inmediatamente y no alterar, en su perjuicio, el estado de sus intereses".

- **Morales, María Elisa (2019): "Algunas notas sobre la noción de cláusula abusiva", en Carlos Céspedes (Dir.)** *Estudios de Derecho Privado en memoria del profesor Nelson Vera Moraga.* **Santiago: Thomson Reuters, pp. 193-203; pp. 193-197:** La doctrina francesa ha dicho que la noción de cláusula abusiva tiene su fuente en el Derecho de los Estados Unidos, específicamente en el Uniform Commercial Code 1962 que consagra una doctrina jurisprudencial de los contratos y cláusulas unconscionables de acuerdo con la cual el juez puede negarse a hacer cumplir el contrato o una de sus cláusulas por estimarla desmesurado(a) o irrazonable. Según el Black's Law Dictionary un contrato o cláusula unconscionable es un acuerdo que ningún contratante con sentido común, que no esté bajo engaño haría, por un lado, y que ningún contratante honesto y justo aceptaría por el otro. (…)En la Unión Europea las cláusulas abusivas han sido reguladas por la Directiva 93/13 sobre las cláusulas abusivas en los contratos celebrados con consumidores. No obstante, incluso antes de su dictación —sin considerar los controles indirectos de cláusulas abusivas—, varios Estados miembros ya contaban con algún sistema de control de cláusulas abusivas. Así por ejemplo: en el Derecho Alemán, Gesetz über Allgemeine Geschäftsbendingungen, AGBG (1976); en el Reino Unido, Unfair Terms Act (1977); y, en Francia, la Loi Scrivener 1978. El régimen establecido por la Directiva 93/13 consagra lo que se ha denominado un "modelo europeo" de control de cláusulas abusivas caracterizado por una "doble técnica" de control: una cláusula abierta o general y una lista indicativa de cláusulas. Esta cláusula abierta o general, establece el estándar de abusividad, es la disposición central de la Directiva y ha sido vista también como una definición de cláusula abusiva contenida en el artículo 3 § 1 de la Directiva 93/13, que dispone: "[l]as cláusulas contractuales que no se hayan negociado individualmente se considerarán abusivas si, pese a las exigencias de la buena fe, causan en detrimento del consumidor un desequilibrio importante entre los derechos y obligaciones de las partes que se derivan del contrato". (…) "Como lo ha advertido De la Maza, el control legal de cláusulas abusivas dispuesto en la ley 19.496 sobre protección de los derechos de los consumidores (LPDC) sigue de cerca al modelo europeo, pero a diferencia de este, no encontramos en nuestro sistema una definición de cláusula abusiva. Esto se explica porque la LPDC, en la redacción original del artículo 16, establecía una lista negra de cláusulas abusivas, y en estos casos no resulta menester dar una definición por cuanto toda cláusula inscrita en dicha lista debe ser considerada como abusiva. Otra doctrina sostiene que sí es posible encontrar en la letra g del artículo16 de la LPDC (incorporada en la reforma del año 2004 por la ley 19.955) si bien, no precisamente una definición, una idea general de cláusula abusiva que sería " toda aquella que se introduzca en un contrato de adhesión, en contra de la exigencia de la buena fe que, según parámetros objetivos, cause en perjuicio del consumidor un desequilibrio importante de los derechos y obligaciones que para las partes deriven del contrato". Esa idea general a la que se refiere Sandoval se incorporó a la LPDC como una causal genérica o abierta que complementa la lista negra de cláusulas abusivas establecida originalmente en el artículo 16 y no con la voluntad de dotar al ordenamiento de una definición legal de cláusula abusiva. En este sentido, De la Maza, señala que en el artículo citado se identifican dos técnicas diferentes, una lista cerrada (artículo 16 letra a-f) y una cláusula abierta (artículo 16 letra g), sin que sea posible sostener que la cláusula abierta contenga una definición de cláusula abusiva ya que, en ese caso la solución lógica habría sido definir cláusulas abusivas y, a continuación, indicar una lista de cláusulas. Además, no es posible desprender esa intención legislativa al revisar la historia de la ley".

- **Morales, María Elisa (2018):** *Control preventivo de cláusulas abusivas.* **Santiago: Der Ediciones, p. 41:** "La relación entre contrato de adhesión y cláusula abusiva.(...)¿Es necesaria la relación entre contrato de adhesión y cláusulas abusivas? La respuesta es no. La relación entre cláusulas abusivas y contrato de adhesión no es necesaria. Es decir, podemos encontrar cláusulas abusivas tanto en contratos de adhesión como en contratos libremente discutidos. Prueba de ello es que en importantes sistemas de Derecho comparado la regulación se extienda a estos últimos. Por ejemplo, el Código de Consumo francés contempla la posibilidad de que existan cláusulas abusivas en contratos libremente negociados entre consumidor y proveedor. Esta misma solución ha adoptado el Derecho inglés".

- **Baraona González, Jorge (2014): La regulación contenida en la Ley 19.496 sobre protección de los derechos de los consumidores y las reglas del Código Civil y Comercial sobre contratos: un marco comparativo.** *Revista chilena de derecho,* *41*(2), 381-408. https://dx.doi.org/10.4067/S0718-34372014000200002, pp. 395-396: "La nulidad de cláusulas abusivas. i) Ideas generales. Como una acción adicional, y de la que no puede dudarse su función protectora del consumidor afectado, detectamos la declaración de nulidad de las cláusulas abusivas que se establece en la Ley 19.496, conforme con las reglas contenidas en sus artículos 16 y siguientes. Puede advertirse que es la propia ley la que sanciona con amplia ineficacia a las cláusulas de adhesión abusivas introducidas en un contrato de adhesión, bajo los siguientes términos: "No producirán efecto alguno en los contratos de adhesión las cláusulas o estipulaciones que…". Es decir, la ineficacia de este tipo de cláusulas deriva directamente de la ley, y la intervención del juez debe limitarse a constatar el carácter de abusivo de una cláusula y declarar su nulidad, según se desprende del artículo 16 A. (…)Me parece que la función protectora que de la Ley de protección de los derechos de los consumidores tiene, impide aplicar la reglas de la nulidad absoluta sobre saneamiento a la nulidad de las cláusulas abusivas, por distintas de razones, tal vez la más importante porque en general me parece que la nulidad de las cláusulas abusivas contenida en la Ley 19.496, lo que busca es precisamente no darle eficacia a una cláusula abusiva. No me parece razonable aplicar en subsidio el Código Civil en este caso, porque una cláusula abusiva causa un daño permanente a un consumidor y ello justifica que nunca pueda ser saneada, pues, el daño futuro no puede estar amparado nunca, porque con ello se estaría violentando, en su base, el espíritu de la ley, que justamente pretende proteger los derechos de los consumidores, basado en principios de orden público. Ninguna razón lógica podría hacer que una cláusula, que no se ha detectado oportunamente como abusiva, pudiera quedar al margen de la declaración de nulidad, por el hecho de haber estado operativa en el tiempo, en este caso 10 años. Por ello, no creo que el estatuto supletorio que las rige sea el de la nulidad absoluta, contenido en el Código Civil, pues, entre otras cosas, ello supondría estimar que podrían sanearse por el transcurso del tiempo, conforme lo dispone el artículo 1683, in fine. Para confirmar que no puede aplicarse el estatuto de la nulidad absoluta del código Civil, irreflexivamente, téngase presente el inciso segundo del artículo 16 E que dispone que la nulidad de una cláusula de adhesión declaradas como abusivas por el artículo 16 B, no podrá invocarse por el consumidor afectado para eximirse o retardar el cumplimiento parcial o total de las obligaciones que le imponen los respectivos contratos a favor del consumidor. Si se advierte, la limitación es funcional, y no puede derivarse que la cláusula sea válida, sino que el proveedor está inhibido de asilarse en ella para dejar de cumplir o retardar total o completamente sus obligaciones. Se trata de un instrumento legal —la nulidad—, que busca proteger a los consumidores y no causarles un detrimento, el que se derivaría del hecho que un proveedor,asilado en la nulidad,pudiera dejar de cumplir sus compromisos. Entiendo, en consecuencia, que frente a la denuncia de una cláusula como abusiva, y que sea estimada, ella debe ser expulsada del contrato, y ninguna prescripción, caducidad o saneamiento podría reclamarse para conferirle valor. Cuestión distinta son las consecuencias patrimoniales que puedan derivarse de la declaración de nulidad, como por ejemplo las restituciones que pudieran reclamarse, o incluso las acciones contravencionales que pudieran deducirse, que sí están sujetas a prescripción.

(…) Confirmo, entonces, que la sanción de ineficacia por nulidad que la Ley 16.946 establece, es un formidable instrumento de protección de los derechos de los consumidores, que debe ser comprendido en su verdadera peculiaridad y profundidad".

SENTENCIAS SOBRE ARTÍCULO 16

- **Servicio Nacional del Consumidor con Ticket Fácil S.A. (2018): Corte Suprema, 07 de marzo de 2018, Recurso de Casación en el Fondo, Rol nº 79123-2016, LTM18.744.968:** "NOVENO: Que el control acerca del carácter abusivo de una cláusula surge con ocasión del denominado contrato de adhesión, entendido este como aquel acuerdo de voluntades por medio del cual uno de los contratantes, denominado predisponente, impone al otro, llamado adherente, el contenido del contrato sin posibilidad de discutirlo ni de modificarlo, contando únicamente con la facultad de decidir si contrata o no bajo el estatuto ofrecido. Quedan también incluidas en esta calificación aquellos contratos en que se permite al adherente introducir alteraciones menores si por su escasa significación persiste la desigualdad entre los contratantes. La desigualdad en el poder negociador de las partes y las asimetrías informativas han llevado al desarrollo doctrinario y jurisprudencial de la teoría de las cláusulas abusivas, como un mecanismo destinado a que el contrato se mantenga como un instrumento jurídico para la armonización y realización de los intereses de ambos contratantes, esto es, como una herramienta para velar por la indemnidad del equilibrio contractual".

DOCTRINA SOBRE ARTÍCULO 16 letra a)

- **Barrientos, Francisca, y De la Maza, Íñigo (2019): "La configuración del desistimiento del consumidor". Revista de derecho (Coquimbo), 26, 8. Epub: https://dx.doi.org/10.22199/issn.0718-9753-2019-0008:** "Constituye el artículo 16 a) de la Ley de Protección de los Derechos de los Consumidores un obstáculo al reconocimiento del desistimiento en las relaciones de consumo? El artículo 16 literal a) de la Ley de Protección de los Derechos de los Consumidores dispone que: "No producirán efecto alguno en los contratos de adhesión las cláusulas o estipulaciones que: a) Otorguen a una de las partes la facultad de dejar sin efecto…". Por la redacción de esta norma, hay que decir que la doctrina más autorizada ya había cuestionado la disposición española de la cual se extrajo este literal, considerándola "absurda" (Bercovitz Rodríguez-Cano, 1987, p. 205). Aunque de manera menos sanguínea, la doctrina nacional, parece compartir la resistencia de la española frente a la literalidad del precepto en cuestión, señalando que una interpretación que favorezca al consumidor impide concluir que se prohíben las cláusulas que permiten a éste el desistimiento (Caprile Biermann, 2011, pp. 273-275). En realidad, la adecuada interpretación del precepto indica que lo que realmente se prohíbe es el establecimiento de cláusulas abusivas de término unilateral del proveedor; es decir, de aquellas estipulaciones predispuestas por esta persona que le permiten dar término al contrato sin una notificación previa o suficiente antelación. Así, lo sostienen Caprile Biermann (2011, p. 273-274), Momberg (2014, p. 177 y ss.), Pizarro Wilson y Petit Pino (2013, p. 305-306) y Rosas Zambrano (2014, pp. 254-255). Pues bien, tomando en consideración sus argumentos, creemos que la interpretación de la letra a) del artículo 16 que prohíbe el desistimiento unilateral del consumidor es absurda, no sólo porque teleológicamente no tiene sentido hacerlo en una ley tutelar de los derechos de los consumidores, sino porque, además, la misma ley lo permite tratándose de contratos que disciplinen productos y servicios financieros".

- **Barrientos, Francisca (2017): "El concepto de arbitrariedad del artículo 16 a) de la ley de consumo: análisis de los criterios judiciales que examina la cláusula de modificación unilateral".** *Revista de Derecho (Concepción)*, 242 (julio-diciembre), pp. 7-37 p. 32 https://scielo.conicyt.cl/scielo.php?script=sci_arttext&pid=S0718-591X2017000200007: "De este modo, un primer estándar que permite definir la arbitrariedad será la existencia de un perjuicio económico para el consumidor. Este criterio fue empleado en el ámbito de la televisión por cable, cambios de jornadas educacionales, espectáculos públicos, servicios de salud, servicios aéreos, deportivos, funerarios y tiempos compartidos. Es arbitrario suprimir parte de la prestación ofrecida al consumidor para exigir el pago de un precio adicional por ella. Asimismo, debe sancionarse la cláusula que permite al proveedor realizar cualquier clase de alteración de la prestación. En este caso, la arbitrariedad se manifiesta en una falta de certeza e incertidumbre para los consumidores. También resulta arbitrario alzar el precio, sin obtener mayores prestaciones. Incluso, si no hay justificaciones reales que toleren esa alza de precio, ni mejoras en el plan contratado o mayores beneficios para los consumidores. Bajo la órbita de las expectativas razonables no se podría alzar el precio, ni los montos de las cuotas de forma unilateral. Tampoco se pueden ocultar las modificaciones unilaterales. De este modo, se aprecia cómo la abusividad se relaciona con la finalidad del contrato. Por ello, si no se presta el servicio no puede cobrarse. En definitiva, la modificación unilateral y arbitraria se manifiesta en la forma de un perjuicio para el consumidor, el enriquecimiento sin causa y la restricción para disponer de forma libre de sus derechos. Por otra parte, una cláusula que permite la adaptación o modificación de la prestación no debe ser general y vaga, porque dejaría al arbitrio las decisiones contractuales. Precisamente, por esta razón se critica la aceptación del 'desarrollo del negocio', que peca de ambigüedad y lesiona los derechos del consumidor. En fin, deberían estimarse lícitas aquellas cláusulas de modificación unilateral que empleen criterios racionales y objetivos que atiendan a la finalidad del contrato".

- **Morales, María Elisa (2018):** *Control preventivo de cláusulas abusivas.* **Santiago: DER Ediciones, pp. 143:** "La norma referida (artículo 517 del Código de Comercio) señala que las modificaciones no informadas son inoponibles a los asegurados. Pero, igualmente, aunque no se invoque como fundamento de la prohibición el control aquí está operando como control preventivo de cláusulas abusivas, ya que al excluir una cláusula que da valor al silencio del asegurado (consumidor), lo que hace es evitar que se incorpore una cláusula abusiva, si atendemos al tenor de lo dispuesto en el artículo 16 letra a) además de evitar la transgresión del artículo 3 letra a), ambos de la LPDC".

- **Pinochet, Ruperto (2013):** **"Modificación unilateral del contrato y pacto de autocontratación: dos especies de cláusulas abusivas a la luz del derecho de consumo chileno. Comentario a la sentencia de la Excma. corte suprema de 24 de abril de 2013 recaída en el 'caso Sernac con Cencosud".** *Ius et Praxis*, **vol. 19, núm. 1, 2013, pp. 365-377, p. 161:** "Como señalamos, concordamos con lo resuelto, ya que, adicionalmente a lo expresado, la ratio legis presente en el artículo 16 letra a) del referido cuerpo legal, y de numerosas normas de Derecho comparado (al menos toda la Unión Europea) similares a la nuestra, que declaran abusivas aquellas cláusulas que permiten a una de las partes modificar o interpretar el contrato, se encuentra en que esas disposiciones afectan la base misma de la justificación del contrato, en cuanto contenido obligatorio para ambos contratantes, porque si una de las partes interpreta o modifica el contrato a su antojo, sólo será obligatorio lo que en cada momento quiera o desee ese contratante, instante preciso en que el contrato deja de ser obligatorio a su respecto —sólo lo sería mientras quiera— perdiendo el mismo su principio de fuerza contractual, contenido en el artículo 1545 de nuestro Código Civil, desnaturalizando la esencia misma del contrato como fuente natural de obligaciones que se originan en la autonomía privada. El contrato regido por la Ley de Protección de los Consumidores no puede ser modificado unilateralmente sin cumplir cada uno de los requisitos exigidos y cumplidos para la suscripción del contrato original, pues de lo contrario se vulnera la prohibición general presente en todo el Derecho de Consumo —nacional y comparado— que prohíbe la modificación o interpretación unilateral del contrato, lisa y llanamente".

- **De la Maza, Iñigo y Cruz, Sergio (2003): "Chile: Contratos por Adhesión en Plataformas Electrónicas". AR: Revista de Derecho Informático, n° 59, pp. 1-51, p. 44:** "El caso de las cláusulas de modificación unilateral resulta extraordinariamente desafiante y para examinarlo conviene distinguir según se trate de contratos cubiertos por la regulación de la Ley 19.496 o de aquellos a los que esta ley no alcanza. Según lo dispuesto en la letra a) del artículo 16 de la citada la ley, en el caso en que se agreguen este tipo de cláusulas en contratos por adhesión, estas no producirán efecto alguno caso. De aquí debiera seguirse entonces que si un proveedor introduce esta cláusula en un contrato por adhesión celebrado a través de plataformas electrónicas y luego, amparado en esta modifica sustancialmente los servicios ofrecidos por su sitio web, arriesgaría una demanda por incumplimiento de contrato de parte de cualquiera de los usuarios que se sienta vinculado contractualmente a dicho proveedor. ¿Qué sucede en el caso que el contrato no quede cubierto por la Ley 19.496? En este caso deben aplicarse residualmente las reglas del Código Civil. Examinando estas resulta posible advertir que, en aquellos casos en que la modificación no se encuentra supeditada a la aceptación del deudor, se trataría en verdad de un contrato respecto del cual su contenido prescriptivo se encuentra sometido a una condición resolutoria que depende de la voluntad del proveedor. Advirtiendo que estas cláusulas constituyen parte del contenido de la obligación del proveedor, este resulta ser el obligado según lo dispuesto en el artículo 1478 del Código Civil, según el cual: Son nulas las obligaciones contraídas bajo una condición potestativa que consista en la mera voluntad de la persona que se obliga. Aunque el tema resulta discutible, parece existir al menos otro argumento si es que el valor de las obligaciones del proveedor queda condicionado a su sola discreción (ver Multimedios. www.bancosantander.cl, Visitado 22-09-02) la oferta carecería de seriedad. Lo mismo sucedería cuando el proveedor se reserva: el derecho a modificar los términos y condiciones (ver Cuanta.net. www.cuanta.net. Visitado 03-10-02), o bien el derecho a revisar el presente acuerdo y el USUARIO acepta desde ahora cualquier modificación a este acuerdo lo obliga a partir del momento de su inclusión en este contrato (ver Compañía de Seguros de Vida Euroamérica S.A. www.euroamérica.cl. Visitado 03-10-02), o, finalmente, en aquel caso en que el contrato autoriza al proveedor a terminar con este contrato inmediatamente sin notificación alguna si, según su exclusiva opinión, el usuario contraviene alguno de los términos o condiciones de este contrato (ver McDonald's. www.mcdonalds.cl. Visitado 16-02-2003). Aún prescindiendo de este problema y suponiendo que todas las modificaciones quedaran sujetas a la manifestación de la voluntad de los usuarios, persisten una serie de interrogantes, basten por el momento dos: ¿es obligación del usuario examinar todos los términos y condiciones cada vez que ingrese al sitio?, ¿qué sucede si cambian los términos y condiciones y bajo el nuevo estatuto —y sin necesidad de haber ingresado al sitio— el usuario infringe sus nuevas obligaciones? No es el objetivo de estas páginas responder estas preguntas, ellas más bien contribuyen a ilustrar un punto mayor que a estas alturas debería resultar más o menos claro: la envoltura contractual no calza confortablemente con la fisonomía de estos negocios".

- **Tapia, Mauricio y Valdivia, José Miguel (1999): Contrato por adhesión Ley n° 19.496. Santiago: Editorial Jurídica de Chile, pp. 93-94** "Por medio de éstas, el empresario se reserva el derecho a terminar, modificar o suspender unilateralmente el contrato, quedando el consumidor obligado a cumplir su prestación sin tener certeza de si aquél cumplirá la suya. La justificación final de esta limitación es el desequilibrio irrazonable que involucran tales facultades en un contrato por adhesión y, por esta razón, es conceptualmente extensible a cláusulas que otorguen prerrogativas análogas al redactor, como por ejemplo la que permite interpretar unilateralmente el contrato.

Esta clase de facultades, usuales en el contrato libremente discutido, entraña un peligro intrínseco en el contrato por adhesión, ya que el empresario intentará ejercerla cada vez que su ejecución le sea inconveniente. De esta forma, su inserción vulnera el principio de buena fe, por cuanto no es razonable que, a pesar de su carácter accidental, llegue a desvirtuar las obligaciones esenciales del empresario. Además, en términos económicos, es él quien posee ventajas comparativas para prever la totalidad de los costos envueltos en el cumplimiento del contrato y no puede posteriormente excusarse en no haberlos cuantificado.

El legislador, en cambio, consideró que el fundamento de la prohibición de estas facultades se encontraba en la intangibilidad de la "ley del contrato", que justificaría sancionarlas incluso sin importar la parte a quien favorecen. Salvo el caso paradigmático de la condición meramente potestativa dependiente del deudor prohibida en los códigos, no es evidente el carácter abusivo de cláusulas que concedan tales facultades al adherente, ya que en tal supuesto no existirá abuso de poder negociador ni expectativas que puedan defraudarse. Por lo demás, la "ley del contrato" no puede ser el fundamento de esta limitación, ya que esa misma "ley" también legitima, al menos formalmente, cualquier cláusula abusiva pactada en el contrato por adhesión".

SENTENCIAS SOBRE ARTÍCULO 16 letra a)

- **Servicio Nacional del Consumidor con Banco Bilbao Vizcaya Argentaria (2018):** Corte Suprema, 20 de noviembre de 2018, Recurso de Casación en el Fondo, Rol nº 100759-2016, LTM18.744.957: "VIGÉSIMOCUARTO: (...) En estas circunstancias, comparte esta Corte la decisión impugnada de que la articulación en la parte indicada importa infracción al artículo 16 de la ley y específicamente a la situación prevista en la letra a), porque otorga a una de las partes la facultad de dejar sin efecto el contrato o suspender unilateralmente su ejecución, actos que están prohibidos y declarados ineficaces en dicha norma. La fórmula legal "no producirán efecto alguno" tiene indiscutible connotación prohibitiva puesto que veda o proscribe de modo terminante la redacción de cláusulas de esa naturaleza sin que ellas puedan tener lugar bajo ninguna circunstancia o requisito. Siendo tal restricción absoluta, su aplicación debe ser cautelada de modo eficaz y no sólo por los tribunales de justicia en el trance de juzgar la eficacia de estas articulaciones, sino igualmente por los sujetos imperados por esta normativa y por órganos administrativos cumpliendo labores de prevención, revisión y fiscalización".

- **Servicio Nacional del Consumidor con Cencosud Administradora de Tarjetas S.A. (2013):** Corte Suprema, 24 de abril de 2013, Recurso de Casación en la Forma, Rol nº 12355-2011, LTM1.902.694, LTM10.739.647: "QUINTO: (...) Empero, lo que por el artículo 16 letra a) se prohíbe es la posibilidad de que la empresa/proveedor pueda modificar unilateralmente el contrato. En efecto, para esta Corte constituye una alteración unilateral a los contratos, cualquier notificación que se haga a los clientes, si como consecuencia de ella se procede a modificar los términos del mismo, dejándoles la opción de aceptar la modificación o de poner término al contrato, desconociendo así el derecho que les asiste a mantener la convención en los términos inicialmente pactados, sin la modificación propuesta. Una cláusula que autoriza este procedimiento supone darle legitimación a la empresa para modificar la convención unilateralmente, desde el momento que niega al consumidor su derecho a mantener la operación del contrato, tal cual se había inicialmente pactado. No puede ser suficiente para justificar la cláusula en análisis, el hecho que Cencosud no le impuso al cliente la modificación, pues, basta para vulnerar el artículo 16 letra a) que el cliente no pueda continuar con el contrato en los términos inicialmente pactados. Existe, por este sólo hecho, una contravención al artículo 16 letra a), y la cláusula debe considerarse abusiva".

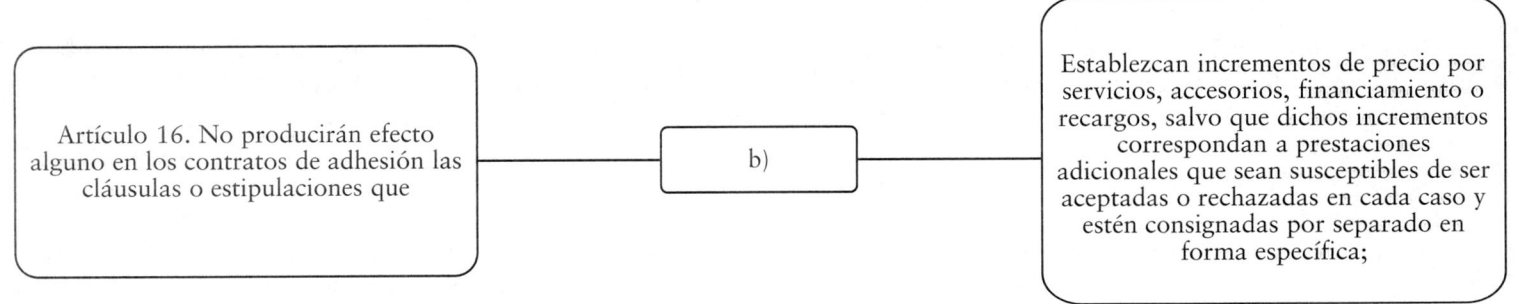

DOCTRINA SOBRE ARTÍCULO 16 letra b)

- **Hubner, Ana (1999): "Derecho de la contratación en la ley de protección al consumidor", en** *Cuadernos de Extensión Jurdíca (U. de los Andes) n° 3,* **pp. 125-144, p. 138:** En seguida el texto del artículo 16 de la Ley, en su letra b) se refiere al aumento de precios, prohibiendo que se establezcan incrementos de precio por servicios, accesorios, financiamientos o recargos, a menos que dichos incrementos correspondan a prestaciones adicionales que sean susceptibles de ser aceptadas o rechazadas en cada caso y estén consignadas por separado o en forma específica. Se puede señalar como ejemplo de esto aquellos casos en que el proveedor que se niega a vender al contado y establece en su contrato de adhesión recargos por el pago diferido. En otras palabras, el precio tiene que ser real, serio y determinado, y no parecería que el precio cumpliera la condición de determinado cuando unilateralmente el proveedor puede incrementarlos por la vía de servicios, accesorios, financiamiento o recargos".

- **Barrientos, Francisca (2013): "Artículo 16 b)", en Iñigo De La Maza; Carlos Pizarro (Dirs.) y Francisca Barrientos (coord.)** *La protección de los Derechos de los consumidores. Comentarios a la ley de protección a los derechos de los consumidores.* **Santiago: Editorial Thomson Reuters, pp. 313-314** "El artículo en comento prohíbe aumentar el precio por "servicios, accesorios, financiamiento o recargos". Esta tipología es amplia. Se trata de dejar sin efecto cualquier aumento unilateral del proveedor en cualquier ámbito de la contratación por adhesión, ya sea de bienes o servicios, siempre y cuando sea un incremento adicional sin aceptación de parte del consumidor. Se trata entonces de contratos que no sean de ejecución instantánea. El contrato exige que la prestación sea diferida en el tiempo, o bien, se trate de un contrato de tracto sucesivo.

Llama la atención la escasez de sentencias de Juzgados de Policía Local y Cortes de Apelaciones que apliquen este numeral. En materia de telecomunicaciones, SALAS CON TELEFÓNICA MÓVIL DE CHILE S.A., sólo se modificó la tarifa sin añadir servicios adicionales. Por este motivo, sin revocar la acción civil (porque no se solicitó en la apelación) se condenó a la proveedora a una multa de 10 UTM por infracción al artículo 12 y 16 letra b) de la ley.

Con todo, sería posible dar cuenta de un fallo que ha sancionado alzas unilaterales que excederían el ámbito de aplicación de la ley de consumo, tal como sucedió en FERNÁNDEZ CON BANMÉDICA, que versa sobre el aumento de un plan de salud. En los hechos, se interpuso una querella infraccional y demanda civil fundado en la modificación unilateral, y aún en contra de la voluntad del afiliado, porque la Isapre reajustó el precio del contrato de salud. El "reajuste" consistía en un alza del 46% anual (de UF 10,52 a UF 15,38), con menores beneficios y sin contraprestaciones equivalentes. De este modo, sin tomar en consideración la normativa de salud, que establecía una tabla de edad con determinados factores, la Corte de Apelaciones condenó a la empresa al pago de una multa de 30 UTM y una indemnización de perjuicios por $5.000.000.

Si no existe una prestación adicional no correspondería aplicar este numeral, más bien otras disposiciones de la ley. De modo que si se prueba en el juicio el pago del curso de idiomas a un precio promocional con dinero en efectivo, sería procedente la restitución de lo cobrado en la letra de cambio dejada en blanco. En realidad, podría sancionarse por lo dispuesto en el numeral f) o g) del artículo 16. Tal como ocurrió, en MOLINA CON THE KINGS LTDA., que se condenó con 10 UTM, extrañamente sin indemnización de perjuicios.

Los términos "servicios" y "accesorios" parecen adecuados, ya que se trata de prestaciones adicionales no consensuadas por el consumidor. Aquí el proveedor impone de manera unilateral una prestación que no existía al tiempo del contrato aumentando el precio. Con todo, hay que observar que la asimetría no siempre se justifica en la relación de principal y accesorio.

Respecto de las expresiones "financiamiento y recargo" hay que hacer una observación. La regla que prohíbe aumento de precio por financiamiento deja dudas. No hay claridad si se trata de un crédito otorgado al consumidor, en cuyo caso regirían las disposiciones de los artículos 37 y siguientes de la ley. En concreto, pienso en las relaciones crediticias y su regulación de los intereses, cobranzas, anatocismo, entre otras. Misma figura si se trata de un refinanciamiento, que ahora goza de prescripciones especiales de información consagradas en los artículos 17. Y, la voz "recargo" ha sido objeto de críticas de parte de TAPIA y VALDIVIA, que comparto. Como esta figura alude a una cantidad o tanto por ciento por el retardo de un pago, no se entiende cómo podría transformarse en una prestación adicional susceptible de un aumento de precio prohibido.

Incluso, la acción podría fundarse en los artículos 3 letra a), 12 y 23, tal como ocurrió en Luna con Presto, en que el sentenciador reconociendo la repactación unilateral del proveedor, ordenó la restitución de los intereses cobrados sin el consentimiento del consumidor. De esta forma, le otorgó una indemnización de $50.000 y condena por 3 UTM.

Por otra parte, tal como lo señalan Tapia y Valdivia, esta clase de cláusulas agravan la obligación del consumidor. Así, se espera impedir una estipulación más gravosa para el consumidor cuando no hay una contraprestación".

- **Tapia, Mauricio y Valdivia, José Miguel (1999): *Contrato por adhesión Ley nº 19.496*. Santiago: Editorial Jurídica de Chile, pp. 99-100:** "En efecto, de esta forma se impide que el proveedor inserte estipulaciones cuyo objeto sea incrementar el precio por prestaciones que están cubiertas en el pago del bien o servicio. Esta norma no prohíbe establecer sobreprecios por prestaciones adicionales no comprendidas en ese pago, siempre que consten de manera separada. En el fondo, esta limitación reprime algunas prácticas comerciales por medio de las cuales el empresario ofrece engañosamente el bien o servicio a un precio reducido que, posteriormente, se incrementa por efecto de tales estipulaciones. Indirectamente, cumple también un propósito de protección de la libre competencia, al excluir "ventas atadas" que impidan al consumidor rechazar prestaciones adicionales si desea adquirir el bien o servicio".

SENTENCIAS SOBRE ARTÍCULO 16 letra b)

- **Alicia Salas Saldes contra Telefónica Móvil de Chile S.A. (2005): Corte de Apelaciones de Santiago, 31 de agosto de 2005, no se resgistra recurso, Rol nº 4523-2004, LTM19.067.138: "PRIMERO:** Que si bien es cierto la cláusula 3 del contrato de prestación de servicio de Telefonía Móvil faculta a la compañía proveedora para que unilateralmente aumente sus tarifas, bastando para ello que de aviso a sus clientes por medios masivos, no lo es menos que dicha cláusula debe ser interpretada restrictivamente en atención a lo que dispone el artículo 16 letra b) de la Ley 19.496, en cuanto éste estatuye que no produce efecto alguno en los contratos de adhesión las estipulaciones que establezcan incremento de precios por servicios, salvo que dichos incrementos correspondan a prestaciones adicionales que sean susceptibles de ser aceptadas o rechazadas y que estén consignadas por separado en forma específica; **SEGUNDO:** Que conforme a lo antes expuesto queda de manifiesto que la facultad del proveedor de modificar unilateralmente la tarifa del contrato, toda vez que dicha modificación debe obedecer a prestaciones adicionales debidamente especificadas, situación que no concurre en la especie ya que en la misma el aumento del valor del plan fue producto de una modificación tarifaría y no de una prestación distinta de la contratada, de lo que es posible concluir que el cambio de tarifa en un contrato de adhesión sino es producto de alguna de las condiciones exigidas por el artículo letra b) del texto legal antes citado, requieren de un acuerdo de las partes, el no se ha producido en la especie".

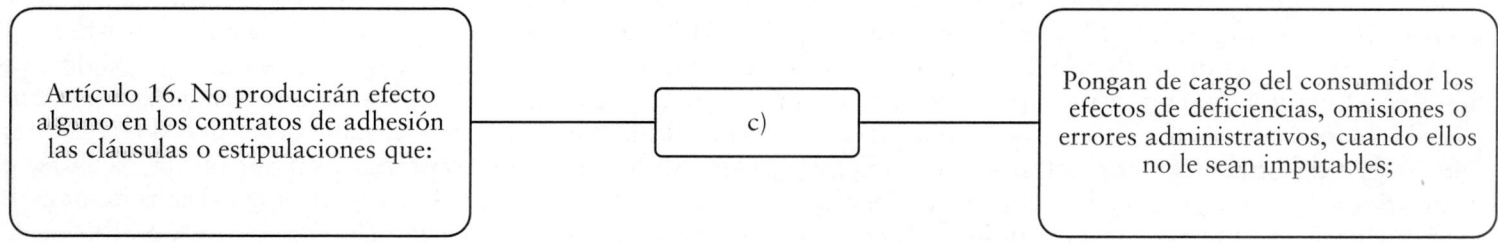

Artículo 16. No producirán efecto alguno en los contratos de adhesión las cláusulas o estipulaciones que:

c)

Pongan de cargo del consumidor los efectos de deficiencias, omisiones o errores administrativos, cuando ellos no le sean imputables;

DOCTRINA SOBRE ARTÍCULO 16 letra c)

- **Hubner, Ana (1999): "Derecho de la contratación en la ley de protección al consumidor", en Cuadernos de Extensión Jurídica (U. de los Andes) nº 3, pp. 125-144, p. 138:** "A continuación, la Ley en la letra c) del artículo 16 se refiere a las eximentes o limitantes de responsabilidad, prohibiendo poner de cargo del consumidor los efectos de deficiencias, omisiones o errores administrativos, cuando ellos no les sean imputables. Esta prohibición resulta de toda lógica, puesto que sería una cláusula abusiva el pretender descargar la responsabilidad cuando la deficiencia no le sea imputable al consumidor. Lo anterior podría acontecer por ejemplo cuando la cuenta por el consumo se paga en el banco y este retarda la entrega de los fondos al proveedor. De acuerdo a esta norma no sería posible aplicar la multa convenida por el retardo en el contrato de adhesión, porque no es imputable al consumidor la tardanza en la remesa de los dineros".

- **Pizarro, Carlos y Petit, Jean (2013): "Artículo 16 c)" en Iñigo De La Maza; Carlos Pizarro (Dirs.) y Francisca Barrientos (coord.) *La protección de los Derechos de los consumidores. Comentarios a la ley de protección a los derechos de los consumidores*. Santiago: Editorial Thomson Reuters, pp. 316-318** "La letra c) del artículo 16 impide que se transfieran al consumidor en los contratos por adhesión, los efectos de deficiencias, omisiones o errores administrativos, cuando ellos no le sean imputables. Esta regla permite excluir las estipulaciones cuyo objeto sea alterar la responsabilidad por deficiencias u omisiones en la ejecución de las obligaciones de cargo del proveedor. (...) Es usual sostener que la interdicción de este tipo de estipulaciones garantiza al consumidor el derecho a la prestación contratada, sin que pueda excusarse el proveedor alegando errores en la gestión o administración de su propio negocio, trasladando el riesgo al consumidor. No puede dejarse del lado del consumidor los posibles errores o deficiencias en que pueda incurrir el proveedor. Esto involucraría infringir el principio de que nadie puede aprovecharse de su propia torpeza o dolo, evocando el aforismo latino nemo auditur. Se alteraría la confianza legítima de todo consumidor en esperar de forma razonable que la ejecución de la prestación o entrega del bien se haga sin errores ni deficiencias, exigiéndole al proveedor que sea vigilante en sus rutinas de gestión y administración de su propio negocio. La alteración de la diligencia por vía contractual estaría vedada al proveedor, quien no puede relajar su compromiso contractual. Lloveras sostiene que "El carácter abusivo de la cláusula —análoga a la nuestra— se debe a que su aplicación negaría las normas más elementales del cumplimiento de las obligaciones y de la responsabilidad contractual, algo que se contradice con el justo equilibrio de derechos y obligaciones entre las partes, además de comportar una derogación particular de normas imperativas". Este razonamiento no es del todo preciso al considerar el derecho común nacional. El artículo 1547 del Código civil permite alterar las reglas de diligencia, pudiendo establecer que el deudor sólo responderá de culpa grave. Mientras exista equilibrio contractual estas cláusulas son válidad y eficaces. El asunto cambia al tratarse de consumidores, quienes ante la fragilidad de su consentimiento se ven expuestos a la imposición de una transferencia de riesgos por los errores que le sean imputables al propio proveedor o a sus dependientes. Debe considerarse, más bien, que no es esperable, por la confianza que le asiste al consumidor al aceptar con ojos cerrados el contenido contractual, que le transfieran dichos riesgos por errores u omisiones en la ejecución de la obligación que le favorece. No hay espacio en los contratos de consumo para que el proveedor deje del lado del consumidor una cierta ligereza en el cometido del contrato. Sólo habrá excusa válida si los errores o deficiencias tiene su origen causal en una hipótesis de fuerza mayor, hecho del tercero o, como lo señala la misma norma de protección, si dichos errores o problemas en la ejecución se deben al propio consumidor. Es necesario considerar esta última posibilidad. Es válido establecer la exoneración de responsabilidad si el consumidor con sus propios actos contribuye a las deficiencias, errores u omisiones administrativas. Constituye parte del derecho común de los contratos que el deudor no pueda reclamar indemnización o la prestación misma si con su conducta ha sido la única causa de su insatisfacción. No debe confundirse esta situación de exclusión total de responsabilidad con aquella parcial, en que habiendo culpa del proveedor convive con la conducta negligente del consumidor. En este caso debe procederse a una rebaja en la responsabilidad conforme a criterios de causalidad".

- **Tapia, Mauricio y Valdivia, José Miguel (1999):** *Contrato por adhesión Ley n° 19.496.* **Santiago: Editorial Jurídica de Chile, pp. 101-102:** "Las estipulaciones a que alude esta norma alteran los principios de responsabilidad del derecho privado. Por medio de ellas, el redactor pretende transferir al adherente la responsabilidad por circunstancias que le son imputables y, eventualmente, el riesgo proveniente del caso fortuito que naturalmente no le corresponde. La justificación de su sanción radica en que la responsabilidad que se atribuye al adherente provoca una pérdida o disminución del valor económico del bien o servicio, que no es compensada con una rebaja en el precio y, por ello, rompe el razonable equilibrio entre las prestaciones. Desde una perspectiva económica, también se fundamenta en que el empresario tiene enormes ventajas comparativas para prevenir estos acontecimientos, reducir sus efectos o, cuando son estadísticamente inevitables, transferirlos al precio.

[...] Las expresiones "deficiencias", "omisiones" o "errores administrativos" son conceptos genéricos que aluden a faltas o errores atribuibles al cumplimiento defectuoso de obligaciones del empresario en la elaboración de los bienes o en la prestación de servicios. De esta forma, por ejemplo, en el concepto de "error administrativo" se comprende todo tipo de "errores de organización" de la empresa".

SENTENCIAS SOBRE ARTÍCULO 16 letra c)

- **Servicio Nacional del Consumidor con Ticketmaster S.A. (2018): Corte Suprema, 09 de abril de 2018, Recurso de Casación en el Fondo, Rol nº 62158-2016, LTM16.126.393: "DÉCIMOQUINTO:** Que de la cláusula transcrita1 y su contraste con lo dispuesto en el artículo 16 letra g) de la ley citada se puede apreciar que se trata de una cláusula que causa en perjuicio del consumidor un desequilibrio importante en los derechos y obligaciones que para las partes se derivan del contrato ya que impone a éste la carga de soportar la pérdida de parte del precio de la venta de entrada a un evento que no se realiza, hecho respecto del cual el consumidor no tiene ninguna injerencia o responsabilidad; la demandada percibe, pues, ese valor mientras el consumidor nada recibe a cambio. En estas condiciones, es la parte más débil de la relación de consumo la que resulta gravada o afectada objetivamente pues no recibió el servicio esperado con la contratación. La demandada sostiene que esa suma la percibe como intermediario y no pertenece al organizador y que, por otra parte, el servicio de venta de la entrada fue prestado. Pero lo primero, suponiendo que así es, no es más que un reparto de lo que egresó el consumidor, de lo cual podría haber aun otras distribuciones que en nada empecen al consumidor, quien simplemente da una suma de dinero por un espectáculo que no le fue exhibido; el tal servicio de la venta de la entrada fue para él algo completamente inútil; además, por su parte también soportó el despliegue de gestiones para —él de compra— que asimismo perdió. Y todo sin perjuicio de su frustración y otros posibles daños. Más aún, el consumidor puede razona-

---

[1]   "En caso de cancelación posposición del evento, el precio establecido en este boleto, con exclusión de los cargos por servicio y por envío, si los hubiere, será reembolsado contra su presentación, en el lugar de la adquisición, partir de las 48 de hrs. siguientes de la fecha de aviso de cancelación o posposición".

blemente suponer que ese despliegue efectuado por la demandada y por el cual nada percibirá al serle devuelto el valor total, es una eventualidad, un riesgo, que la demandada deberá negociar con el organizador, pero no parece aceptable que sea el consumidor el que pague por algo esperado que no llegó a existir. La demandada aún podría insistir sosteniendo que el servicio existe, porque lo prestó. Entonces se ha llegado al fondo; quién debe asumir el costo de ese servicio. Hay tres alternativas principales (sin perjuicio de las alternativas en que es compartido): el organizador, el intermediario o el consumidor; y esta Corte estima que, apreciado el negocio en su conjunto, debe ser asumido por el organizador o por el intermediario según ellos lo acuerden, pero no por el consumidor; y si en el boleto consta que es el consumidor, habiendo sido esa estipulación propuesta a un adherente, es abusiva y carece de valor. Para una mayor claridad del análisis conviene también develar el planteamiento técnico que parece yacer tras la postura de la demandada. Su visión es la de tres partes: el organizador, él y el consumidor; con ella él se sustrae del contrato; recibe (del organizador) el boleto, lo vende, entrega al organizador el que llama precio y cobra (al consumidor) su servicio y se retira. Pero hay otra; la del consumidor. Según él las partes son dos; él sólo tiene al frente a un sujeto con el que negocia; desconoce las relaciones internas que puede haber tras el que aparece como vendedor; no tiene la intención ni el interés, ni le es permitido, entrar a averiguar la efectiva distribución de utilidades y riesgos entre los que intervienen en el espectáculo; por tanto, él da lo suyo: un valor total por un espectáculo; si no lo recibe, salvo situaciones extremas que no vienen al caso, habrá de ser restituido en lo que dio. Y es lo que estima este Tribunal. En el mismo sentido, no habiendo otras justificaciones, la estipulación también implica poner de cargo del consumidor los efectos de variados y él para desconocidos factores conducentes al fracaso del espectáculo, como deficiencias de gestión, controversias entre el organizador y los protagonistas del espectáculo, omisiones, errores administrativos. etc. Más aún, en la pretensión de separar en el ingreso los rubros del organizador y suyo, la demandada debe caer en cuenta que así está incurriendo ostensiblemente en el reproche previsto en la norma en cuanto entonces a su respecto hay una limitación absoluta de responsabilidad frente a los consumidores; por lo que él recibe: si el espectáculo es producido, por cierto no restituye; y si no es producido, tampoco.

La conclusión es que la estipulación contenida en los boletos o entradas que comercializa la demandada constituye cláusula abusiva al tenor de lo dispuesto en las letras c), e) y g) del artículo 16 de la Ley 19.496".

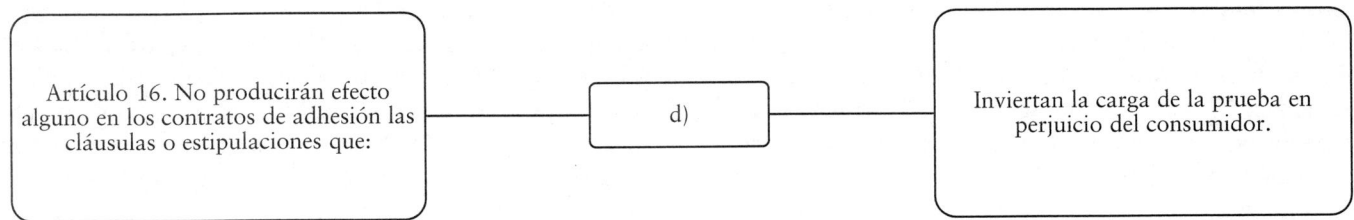

Artículo 16. No producirán efecto alguno en los contratos de adhesión las cláusulas o estipulaciones que:

d)

Inviertan la carga de la prueba en perjuicio del consumidor.

DOCTRINA SOBRE ARTÍCULO 16 letra d)

- **Hubner, Ana (1999): "Derecho de la contratación en la ley de protección al consumidor".** *Cuadernos de Extensión Jurídica (U. de los Andes)* **nº 3, pp. 125-144, p. 138:** "Posteriormente, en la letra d) del artículo 16, la Ley se preocupa de defender al consumidor en lo que se refiere a la prueba de las obligaciones, prohibiendo la estipulación que invierta la carga de la prueba en perjuicio del consumidor. Es de mucha importancia esta norma, porque de haberse permitido cargar al consumidor con la prueba, en la práctica se trataría de una limitante o exención de responsabilidad del proveedor, ya que muchas veces el consumidor no está en condiciones de probar los hechos. Un ejemplo de lo anterior sería el caso de que se pretendiera que el consumidor acreditara que él no efectuó tales llamadas telefónicas".

- **Fuentes, Claudio (2013): "Artículo 16 c)", en Iñigo De La Maza; Carlos Pizarro (Dirs.) y Francisca Barrientos (coord.)** *La protección de los Derechos de los consumidores.* **Comentarios a la ley de protección a los derechos de los consumidores Santiago: Editorial Thomson Reuters, pp. 324-326:** "En este caso nos encontramos con un problema que, como acertadamente identifica el profesor De la Maza, puede ser objeto de la cláusula g) de la ley 19496, pero que no dice relación con una inversión de la carga de la prueba. Ciertamente la dificultad en acceder a ciertos medios de prueba puede hacer considerar que dicha situación es injusta, ya que es el proveedor quien tiene todos los documentos, pero este problema de dificultad probatoria (prueba difícil de obtener porque está en poder de la contraria) no supone una alteración a la carga de la prueba.

En otras legislaciones este tipo de dificultades probatorias se solucionan mediante el establecimiento de presunciones y/o mediante la discutida institución de las *cargas probatorias dinámicas, que lo que hacen realmente es otorgar al juez una facultad amplia para que sea él quien altere finalmente la carga de la prueba. Esta alteración judicial usualmente se justifica en consideraciones extraprocesales, como la facilidad en el acceso de pruebas de una parte o la posición de debilidad contractual.*

Pues bien, hechas estas aclaraciones nos encontramos frente a una cláusula que invierte la carga de la prueba cuando aquel hecho que debe probar el proveedor es "traspasado" al consumidor. Al respecto, es la propia historia de la ley la que explica en qué consiste este "traspaso": "el artículo 1698 del Código Civil en su inciso primero dispone que "Incumbe probar las obligaciones o su extinción a quien alega aquéllas o ésta". Aplicándose este principio general al derecho de los consumidores se entenderá que corresponde al proveedor probar que cumplió la obligación o bien que operó un modo de extinguir las obligaciones y al consumidor probar que pagó por el bien o servicio de que se trate. En consecuencia, se invierta la carga de la prueba en perjuicio del consumidor cuando éste debe probar que no se ha cumplido la obligación por parte del proveedor o bien que no ha operado un modo de extinguir la obligación de aquel, sucitándose las naturales dificultades aparejadas a la prueba de hechos negativos".

Ahora bien, la introducción de reglas que alteren la carga de la prueba no es una cuestión menor, ya que tiene serios efectos en las posibilidades de victoria que tiene el consumidor en un juicio, como explicaré a continuación.

Si tomamos como ejemplo la cita anterior, en una relación contractual normal será el consumidor quien debe probar que el contrato u obligación existe y el proveedor el responsable de probar que se encuentra extinto o cumplido. Esto supone que cada parte tiene una carga de probar los hechos relativamente igual o similar, el consumidor debe alterar el status quo y demostrar que existe un contrato efectivamente (cuestión no menor) y hecho aquello será el proveedor quien ahora debe alterar dicho status y demostrar que cumplió con aquel contrato(cuestión no menor también). Ahora bien, cuando se introduce una inversión en la carga de la prueba esto no significa que ahora cada parte prueba los hechos que les correspondía a la contraria, sino que manteniendo los hechos que originalmente le correspondía probar, ahora debe probar hechos adicionales, aquellos que la inversión de la carga le "cedió". Así vemos un incremento en su carga probatoria procesal o *evidentiary burden (cuantos hechos debo probar). De esta forma la balanza se inclina haciendo más pesada la labor del consumidor.*

Adicionalmente, esta mayor carga procesal se traduce también en un mayor riesgo de perder. En principio, la carga de la prueba es una regla que permite al juez saber quién paga el costo de la incertidumbre en el juicio, esto es, cada parte, al tener que probar ciertos hechos, sabe que si falla en dicho cometido el juez no podrá dar aplicación a la norma que invoca, porque los supuestos fácticos no estarán presentes, por lo tanto hay un riesgo. Nuevamente recurramos al ejemplo. En una relación contractual normal, el consumidor corre el riesgo de fallar en acreditar la existencia del contrato y el proveedor en errar en demostrar que cumplió con este y termine cumpliendo dos veces. Si en este escenario introducimos una regla que invierta la carga de la prueba, en el caso del consumidor no solo deberá correr el riesgo de fallar en demostrar la existencia del contrato, sino que habiéndolo acreditado deberá correr el riesgo de fallar en demostrar que este se encuentra sin cumplir. Como resulta evidente a esta altura, su riesgo de perder el juicio se incrementa.

Ahora bien, la práctica muestra que encontrar cláusulas contractuales que abiertamente alteren la carga de la prueba es difícil. En general no se observan cláusulas que explícitamente indiquen que se presumirá que el consumidor es responsable de un determinado hecho. Esto obliga a quien examine un contrato a buscar formas más sutiles de inversión de la carga de la prueba.

En este sentido es posible observar ciertas cláusulas que alteran la carga de la prueba mediante dejar sin efecto una alteración de la carga de la prueba que el legislador ya estableció a favor del consumidor. Al respecto, en los informes del SER-NAC es posible encontrar algunos contratos de telefonía que incluyen cláusulas como la que sigue:

"GTD Manquehue no se hace responsable en ningún caso de la pérdida de información o daños provocados por manejos realizados por el Suscriptor en la administración y mantención de recursos de hardware y software de su propiedad, como tampoco de los daños, deterioro y/o desperfecto de sus equipos computacionales. Asimismo, tendrá responsabilidad alguna por los daños o perjuicios que pudieran resultar de la utilización inadecuada de su conexión a internet o daños que pudieran afectarle con ocasión de la acción de terceros y/o usuarios o no usuarios de Internet".

Como es sabido cuando el acreedor ha demostrado la existencia de un contrato (esa es su carga de la prueba según el 1698, ya que es un hecho constitutivo), cae en el deudor probar su extinción o cumplimiento (nuevamente por el 1698 al ser un hecho extintivo) y se presume que dicho incumplimiento es culpable en función del artículo 1547 inciso tercero del código civil.

En la común de las situaciones esto supone que bastará para el consumidor probar la existencia del contrato y su incumplimiento por parte del proveedor se presumirá culpable, por lo que será el proveedor quien deberá demostrar que cumplió o que actuó con cuidado o diligencia. El artículo 1698 y el inciso 3º del 1547 constituyen una presunción a favor del acreedor establecida por el legislador con el fin de aligerar la labor probatoria de este, ya que desde el comienzo lo exime de tener que probar que hubo negligencia por parte del deudor o proveedor.

Pues bien, la presente cláusula invierte la carga de la prueba en perjuicio del consumidor porque elimina la presunción que originalmente el legislador estableció a favor de este. Al decir la cláusula que la compañía no se hace responsable en "ningún caso", esto significa que mediante un acuerdo de las partes, consumidor y proveedor, se está dejando sin efecto la presunción simplemente legal del inciso 3 del 1547, al reducir su margen de responsabilidad al mínimo que la ley permite, culpa lata.

En términos prácticos la compañía no logra eximirse de responsabilidad, ya que el dolo futuro no puede condonarse anticipadamente (1465), lo que no obsta a que la cláusula elimina la presunción a favor del consumidor de culpa leve, dejando como única opción para este acreditar la responsabilidad del proveedor por culpa lata, la cual no puede presumirse, obligando así al consumidor a tener que demostrar que hubo una negligencia grave, la que originalmente no debía demostrar porque la ley a priori lo había eximido de aquello. Como muestra el ejemplo la mayor complejidad en esta materia parece estar en identificar con precisión la existencia de cláusulas que de forma subrepticia terminan por alterar la carga de la prueba".

- **Tapia, Mauricio y Valdivia, José Miguel (1999):** *Contrato por adhesión Ley nº 19.496.* **Santiago: Editorial Jurídica de Chile, pp. 105-106** "A diferencia de la Ley, en el derecho comparado se ha considerado ilícita la inserción de cláusulas en el contrato por adhesión que limiten o eximan de responsabilidad al empresario en todos los eventos de incumplimiento de sus obligaciones, Su reprochabilidad se justifica por los mismos criterios que identifican el desequilibrio irrazonable entre las prestaciones, definidos en el párrafo 23, por cuanto envuelven una típica manifestación del ejercicio abusivo del poder del empresario y, a su vez, una defraudación de las expectativas del adherente que confió en contratar al menos en condiciones normales de mercado.

Desde una perspectiva económica, el fundamento de la represión de estas estipulaciones es evidente, pues es el empresario quien tiene ventajas comparativas para prever, reducir o transferir al precio los costos que provienen del incumplimiento del contrato. El argumento que sostiene la validez de estas estipulaciones en función de una rebaja en el precio ha sido desmentido por estudios empíricos que revelan que no existe relación causal entre ellas y la disminución de precio, sino que usualmente el consumidor no recibe una compensación equivalente a los riesgos que es obligado a asumir. Del mismo modo, la posición que estima que la responsabilidad de la cual se exime el empresario puede ser cubierta por un seguro, sólo sería atendible si la prima tuviera menor costo que la asunción de la responsabilidad por este último, pues de otro modo no existirían incentivos para contratarlo".

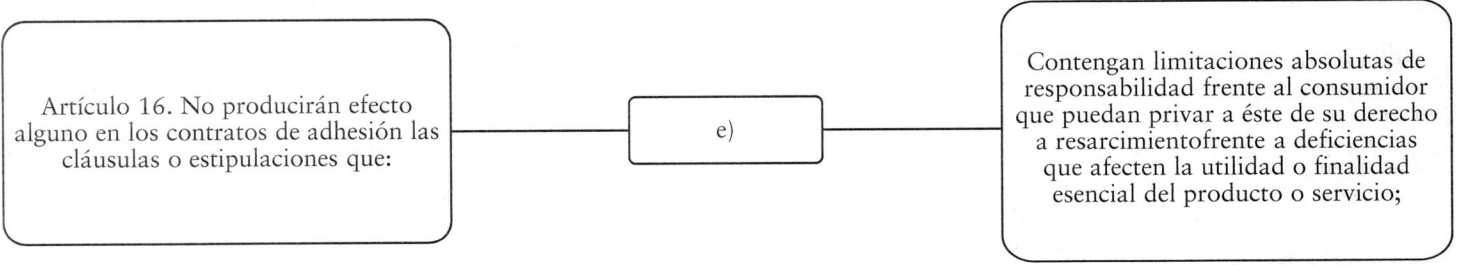

DOCTRINA SOBRE ARTÍCULO 16 letra e)

- **Vidal, Álvaro (2000): "Contratación y consumo. El contrato de consumo en la ley n° 19.496 sobre protección a los derechos de los consumidores". Revista de Derecho de la Universidad Católica de Valparaíso, XXI) pp. 229-255, pp. 251-252:** "Listado de cláusulas abusivas en el contrato por adhesión: "Llama la atención, eso sí, la norma de la letra e) referida a las cláusulas que contengan limitaciones absolutas de responsabilidad frente al consumidor que puedan privarle de su derecho a resarcimiento frente a deficiencias que afecten la utilidad o finalidad esencial del producto o servicio. En efecto, si estamos a su tenor literal debemos, necesariamente, concluir que la ley tolera que el proveedor imponga al consumidor ciertas limitaciones a su propia responsabilidad, siendo plena mente eficaces las cláusulas que contengan; o una limitación relativa de responsabilidad (no absoluta); o una absoluta, pero que no comprenda al daño causado por un defecto que incida en utilidad o finalidad esencial del producto o servicio. Como aparece de manifiesto, esta interpretación entra en plena contradicción con el derecho irrenunciable del consumidor a la reparación plena de los daños materiales y morales provenientes del incumplimiento de las disposiciones de la ley (artículo 4º ,letra e). Hay dos posibilidades: o se acepta que este derecho debe entenderse limitadamente de acuerdo al artículo 16, letra f); o este último precepto debe entenderse, pese a su tenor literal, como aplicable a toda limitación de responsabilidad impuesta unilateralmente por el proveedor. Creemos que debe prevalecer esta última interpretación, de otro modo el consumidor quedaría expuesto a los más graves abusos, como por ejemplo, que el proveedor se declarara irresponsable respecto del daño moral que irrogue el incumplimiento del contrato; o lo mismo con relación a los daños, cualquiera sea su naturaleza, que se deriven de defectos de un producto que no afecten su utilidad esencial".

- **Hubner, Ana (1999): "Derecho de la contratación en la ley de protección al consumidor",** *Cuadernos de Extensión Jurdíca* **(U. de los Andes) nº 3, pp. 125-144, p. 139-140:** "Por su parte, en la letra e) del artículo 16 la Ley se refiere a las limitantes absolutas de responsabilidad frente al consumidor, prohibiendo aquellas que puedan privar a este de su derecho a resarcimiento o deficiencias que afecten la utilidad o finalidad esencial del producto. Es el caso por ejemplo de los lavasecos cuando advierten en recibos que entregan al consumidor que no responderán por los deterioros que experimente la ropa en el tratado de limpieza, de los servicios de custodia que se exoneran de los daños que pueda sufrir la cosa depositada, de los establecimientos de juegos electrónicos o mecánicos en que se pretende liberar de responsabilidad por su mal funcionamiento. Ya se advierte en este punto la debilidad de la norma, pues lo que impide es la limitación absoluta de la responsabilidad, surgiendo la inquietud de determinar cuándo la limitación es absoluta y cuándo no lo es. Al respecto, podríamos decir que la limitación es absoluta cuando el proveedor se libera de toda responsabilidad, no teniendo obligación de reparar ni de pagar monto alguno por la prestación de un servicio deficiente, cualquiera que sea la circunstancia en que se haya prestado, y en cambio será relativa cuando se exonera sólo frente a determinados casos que no afectan la utilidad o finalidad esencial, o cuando excluye la impunidad total, estableciendo indemnizaciones mínimas. Lo anterior puede llevar a una serie de controversias en la práctica, pues podrá ser sistema usual convenir que sólo se responderá hasta determinado monto. Dicha fornía de estipulación, al no contener una limitación absoluta de responsabilidad, será válida".

- Pizarro, Carlos y Pérez, Ignacio (2013): "Artículo 16 c)", en Iñigo De La Maza; Carlos Pizarro (Dirs.) y Francisca Barrientos (coord.) *La protección de los Derechos de los consumidores. Comentarios a la ley de protección a los derechos de los consumidores* Santiago: Editorial Thomson Reuters, pp. 331-332: "Tratándose de contratos por adhesión sujetos a la LPC no existe, al menos no en forma explícita, una prohibición de las cláusulas limitativas de responsabilidad, en contraste a la interdicción general relativa a aquellas de exoneración total. La inspiración para excluir las cláusulas de responsabilidad contra el consumidor se relacionan con la falta de un consentimiento consciente o, al menos voluntario, siendo una característica de esa forma de contratar la preeminencia del proveedor para imponer el contenido negocial. Se asume que el consumidor manifiesta su voluntad en un contrato sin poder negociar su contenido, lo que lo deja en situación de aceptar o rechazar la oferta en términos cerrados. Siendo así, toda cláusula que se estime desproporcionada sería fruto del abuso de la posición dominante del proveedor, debiendo excluirse del contrato. Eso es coherente con tenerlas por no escritas, siendo una manifestación de nulidad parcial del contrato. Aquí lo relevante es el control de la aceptación de la cláusula. Se asume por el legislador que en la situación del consumidor de aceptar o rechazar el contenido del contrato propuesto no le deja margen para excluir las cláusulas que exoneren en forma total al proveedor. En consecuencia, la regla consagra una protección del consentimiento del consumidor.

Si bien la letra e) del artículo 16 sólo refiere a limitaciones absolutas, se ha planteado por la doctrina local que debe comprenderse también la cláusula limitativa, en razón de la fuente de inspiración: ley española, que fue considerada de manera bastante irreflexiva mezclando dos supuestos diversos que quedaron plasmados en nuestra LPC. Así lo muestran los profesores Tapia y Valdivia en su memoria sobre el contrato por adhesión. Sin embargo, parece más pertinente, considerar sospechosa la cláusula limitativa, mas es inapropiado estimarla *per se* abusiva, pues del contexto y circunstancias del contrato puede aparecer justificada su validez, aún en el ámbito del consumo. La distribución de riesgos que puede haberse efectuado por imposición del proveedor, puede estar justificada si uno observa el contrato en su integridad o por la naturaleza del mismo se entiende el límite impuesto.

Así puede ocurrir en actividades riesgosas o peligrosas, por ejemplo deportes extremos, en que la persona asume el riesgo a sabiendas. Pareciera ser que la justifican del límite es aún más apropiada en regímenes de responsabilidad objetiva. Si el proveedor debe responder aún sin culpa, bastando que un acto u omisión de su parte o algún sujeto por el cual responda haya ocasionado un daño a otro, es conveniente en ese contexto otorgar validez a una cláusula limitativa. No hay reproche a la conducta pues la culpa es irrelevante. En contrapartida de facilitar la reparación podría validarse la cláusula limitativa de responsabilidad. Hay un cierto equilibrio que se respeta. Esto no justifica una cláusula limitativa irrisoria que esconda una de exoneración. Y podría siempre excluirse su eficacia si concurre culpa grave o dolo.

En suma, en el ámbito del consumidor debe distinguirse según se trate de cláusulas absolutas o limitativas, cuyo control en las primeras es estricto, dejándolas fuera del contrato, mientras en las segundas sólo cabría excluirlas luego de un análisis de las mismas examinando el contrato y distribución de los riesgos en general. En ambos casos, ya sea en las absolutas o limitativas, el mecanismo para ejercer el control emana de la protección del consentimiento, razón por la cual la sanción es la nulidad de la cláusula. Al concurrir un defecto en la estructura de formación del contrato, la sanción no puede ser sino la nulidad, pues no cabría referirse a la ejecución de las obligaciones".

- **Tapia, Mauricio y Valdivia, José Miguel (1999): Contrato por adhesión Ley n° 19.496. Santiago: Editorial Jurídica de Chile, p. 118:** "De la misma forma que los derechos y obligaciones, las cargas en el contrato por adhesión deben ser distribuidas equilibradamente. El carácter abusivo de esta cláusula radica en el estado de indefensión en que deja al adherente, pues de aceptarse la inversión, si no consigue acreditar que el incumplimiento del contrato es imputable a la culpa del empresario, los perjuicios que sufra no serán indemnizados. En términos económicos, esta estipulación presenta el grave inconveniente de atribuir los costos envueltos en la comprobación de los hechos a quien no posee ventajas comparativas para proveer las pruebas, pues es el empresario el que conoce mejor la naturaleza del bien o servicio y quien controla la organización encargada de cumplir el contrato".

SENTENCIAS SOBRE ARTÍCULO 16 letra e)

- **Servicio Nacional del Consumidor con Ticketmaster S.A. (2018): Corte Suprema, 09 de abril de 2018, Recurso de Casación en el Fondo, Rol n° 62158-2016, LTM16.126.393: "NOVENO:** (...) En cuanto a si el contrato de adhesión que representa cada entrada contiene una cláusula abusiva concluye que no se configuran los presupuestos estatuidos en las letras c) y e) del artículo 16 de la Ley 14.496. La demandada no ha traspasado ningún riesgo al consumidor, pues sólo actúa como intermediaria en la venta de las entradas, no dependiendo de ella sino de la productora que el evento se realice, que es quien ejerce la actividad empresarial; y porque tampoco hay una limitación absoluta de responsabilidad ya que la demandada está obligada a restituir el valor del ticket dentro de 48 horas, descontando únicamente el valor de cargo por el servicio".

- **No se consigna con Concesionaria SubTerra S.A. (2007): Corte de Apelaciones de Santiago, 10 de agosto de 2007, Recurso de Apelación, Rol n° 3437-2007, LTM19.067.134:** "TERCERO: Que de conformidad con lo dispuesto en el artículo 16 letra e) de la Ley n° 19.496, párrafo 4° , sobre las normas de equidad en las estipulaciones y en el cumplimiento de los contratos de adhesión, las cláusulas que contengan limitaciones absolutas de responsabilidad frente al consumidor que puedan privar a éste de su derecho a resarcimiento frente a deficiencias que afecten la utilidad o finalidad esencial del producto o servicio, carecen de todo valor, consecuentemente, los anuncios de la concesionaria en orden a que no se hace responsable por los hurtos, robos o accidentes que ocurran al interior del estacionamiento, no produce efecto alguno respecto del usuario del servicio".

- **Orlando González Oporto con Vinci Park Chile S.A. (2007): Corte de Apelaciones de Santiago, 16 de junio de 2006, Recurso de Apelación, Rol n° 1258-2006, LTM19.091.656:** "SÉPTIMO: Así, se tiene que las cláusulas de limitación de responsabilidad establecidas por el propio prestador de servicios no producen efecto alguno, de acuerdo con el claro tenor de lo dispuesto en el Artículo 16, letra (e) de la Ley n° 19.496. De este modo, resulta intrascendente el aviso al que se hace referencia en la declaración de fs.7, en orden a la que la concesionaria no es responsable por los hurtos, robos o accidentes que ocurran al interior del estacionamiento".

- **Ravinet Patiño con Universidad Andrés Bello (2012): Corte de Apelaciones de Santiago, 14 de mayo de 2012, Recurso de Apelación, Rol n° 1905-2011, LTM19.067.133:** "SEGUNDO: (...) "La cláusula quinta [Las partes dejan expresa constancia que no son responsabilidad de la Universidad los perjuicios derivados de la pérdida o sustracción de efectos personales del alumno, que se introduzcan o mantengan en los recintos universitarios, por lo cual este reconoce su obligación de mantener el debido resguardo sobre dichos elementos], de ese contrato infringe las letras c) y e) del artículo 16 de ese estatuto, pues pone de cargo del consumidor los efectos de determinadas deficiencias u omisiones que no son claramente suyas y, lo que es más importante, contiene limitaciones absolutas de responsabilidad que pueden privarlo de sus derechos —de orden público— por mala prestación de los servicios".

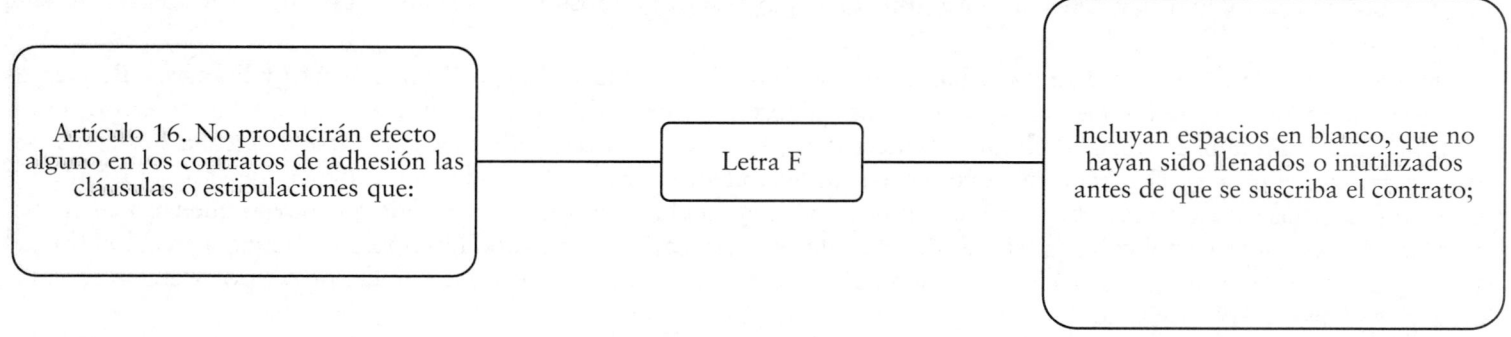

DOCTRINA SOBRE ARTÍCULO 16 letra f)

- **Hubner, Ana (1999): "Derecho de la contratación en la ley de protección al consumidor". Cuadernos de Extensión Jurídica (U. de los Andes) nº 3, pp. 125-144, p. 140:** "Finalmente, la última letra del artículo 16, la f), se refiere a los espacios en blanco, prohibiéndolos. Se trata de un requisito formal, y aquí el consumidor tendría que pedir una copia de su contrato al momento de suscribirlo, cuestión que contempla el artículo 17, dándole valor al documento aun cuando no haya sido suscrito todavía por el proveedor, siendo una excepción al artículo 1702 del Código Civil, que da sólo valor al instrumento suscrito. En efecto, el artículo 17 en su inciso final dispone: "Tan pronto el consumidor firme el contrato, el proveedor deberá entregarle un ejemplar íntegro suscrito por todas las partes. Si no fuese posible hacerlo en el acto por carecer de alguna firma, entregará de inmediato una copia al consumidor con la constancia de ser fiel al original suscrito por este. La copia así entregada se tendrá por el texto fidedigno de lo pactado, para todos los efectos legales". El artículo 17, además de lo anterior, se refiere a la redacción en idioma castellano, y en que en los contratos impresos prevalecerán las cláusulas que se agreguen por sobre las del formulario cuando sean incompatibles entre sí. Esta norma responde a una interpretación clara y lógica, cual es que de alguna manera lo escrito es posterior y está dejando sin efecto lo previamente redactado".

- **Pizarro, Carlos y Petit, Jean (2013): "Artículo 16 c)", en Iñigo De La Maza; Carlos Pizarro (Dirs.) y Francisca Barrientos (coord.) La protección de los Derechos de los consumidores. Comentarios a la ley de protección a los derechos de los consumidores Santiago: Editorial Thomson Reuters, pp. 338-339:** "Esta regla no puede referirse a cláusulas íntegras que podría agregar el proveedor, siendo respecto de ellas indudable que carecen de validez por ausencia de voluntad. También quedan proscritas las cláusulas que entreguen al proveedor la facultad de completar vacíos que hayan quedado en el contrato, siendo en ese caso aplicable la letra a) del artículo 16, verificándose una modificación contractual a su solo arbitrio. La protección en la letra f) alude a cláusulas incompletas, cuyo contenido se deja a merced del proveedor y eso se entiende constituye una cláusula abusiva.

En definitiva no hay misterios en relación a cómo debe entenderse esta prohibición de dejar espacios en blanco en cláusulas insertas en contratos por adhesión con consumidores. El solo hecho que existan esos espacios sin completar habilita al consumidor para reclamar la nulidad de la misma.

En el ámbito judicial hemos encontrado algunas sentencias en que se ha mencionado la letra f) del artículo 16. Se consideran abusivas aquellas cláusulas o estipulaciones que *"incluyan espacios en blanco"*. En presencia de cláusulas con espacios en blanco, el consumidor está impedido de conocer la oferta del proveedor, sin embargo no es el único caso en que la oferta no podrá ser conocida, puesto que en los contratos que contienen estipulaciones sin contenido preciso o en que aparece de manera insuficiente detallado, tampoco se puede conocer en forma íntegra la oferta. Pero en estas hipótesis parece más pertinente lo establecido en el artículo 3 letra a), ya que privan al consumidor de elegir libremente el bien o servicio, puesto que en ninguno de los casos analizados se cuenta con información integra del contrato que se está consintiendo; y en ocasiones se le concedería valor al silencio. La Corte de Apelaciones de Santiago, ha considerado que existe infracción a la letra f) del artículo 16 no sólo cuando existen espacios en blanco, sino también cuando el contrato carece de detalles en los cobros o cargos de una tarjeta de crédito. Se considera que los contratos "sin contenido preciso" o "carente de todo detalle", infringen la letra f).

No es inusual que en contratos por adhesión se encuentren espacios en blanco, relativos a cobros de precio o cargos por servicios. Pero también existen casos en que los espacios en blanco están relacionados con otro tipo de contenidos, como por ejemplo la forma en que se llevará a cabo el servicio, plazos, condiciones de pago, montos indemnizatorios en caso de terminación del contrato, etc.

La circunstancia de establecer con cierto detalle el contenido del contrato constituye un mecanismo de protección al consumidor, ya que entrega certeza respecto del producto adquirido o servicio contratado, de las obligaciones que se contrae y de las prestaciones exigibles al proveedor, además de constituir el mismo contrato un medio de prueba".

- **Tapia, Mauricio y Valdivia, José Miguel (1999): Contrato por adhesión Ley n° 19.496. Santiago: Editorial Jurídica de Chile, pp. 75-76:** "La defectuosa técnica del legislador condujo a incluir en el artículo destinado a sancionar algunas cláusulas abusivas una norma cuyo objeto es invalidar las estipulaciones que contengan espacio en blanco, aunque evidentemente esta regla de la letra f) del artículo 16 consagra un requisito formal [...]".

"Además, como se expone en el párrafo siguiente, para facilitar el control de los eventuales fraudes que pudieran cometerse insertando espacios en blanco en el contrato por adhesión, la Ley obliga al proveedor a entregar copia íntegra del mismo al consumidor, lo que hace posible probar alteraciones a su texto (artículo 17 inciso final)".

SENTENCIAS SOBRE ARTÍCULO 16 letra f)

- **Patricio Peñaloza con Inversiones y Tarjeas de Crédito HITES S.A. (2007): Corte de Apelaciones de Santiago, 01 de octubre de 2007, Recurso de Apelación, Rol n° 4413-2007, LTM19.067.137:** "CUARTO: Que conforme a lo razonado en los motivos anteriores, resulta que al condicionar Hites la venta de un producto a la reclamante, a que ésta aceptase la nueva modalidad de cargos en su Tarjeta, infringió los artículos 12, 13, 16 letras b), f) y g) y 23 de la Ley 19.496 sobre Protección de los Derechos de los Consumidores, pues no respetó los términos o condiciones vigentes del contrato de la reclamante al momento de la compra, exigiéndole que firmara un contrato nuevo y distinto, de adhesión y desconocido por ella, carente de todo detalle y, más grave aún, otorgando carácter y efectos propios de un contrato a una simple comunicación sin contenido preciso alguno, para tratar de no responsabilizarse por el condicionamiento de la venta y cargos y cobros no convenidos, causando menoscabo a la consumidora".

No producirán efecto alguno en los contratos de adhesión las cláusulas o estipulaciones que:

Letra G

Para ello se atenderá a la **finalidad del contrato** y a las **disposiciones especiales o generales** que lo rigen.

En contra de las exigencias de la **buena fe**, atendiendo para estos efectos a parámetros objetivos, causen en perjuicio del consumidor, un **desequilibrio importante** en los derechos y obligaciones que para las partes se deriven del contrato.

Se **presumirá** que dichas cláusulas se encuentran ajustadas a exigencias de la **buena fe**, si los contratos a que pertenecen han sido revisados y autorizados por un órgano administrativo en ejecución de sus facultades legales.

DOCTRINA SOBRE ARTÍCULO 16 letra g)

• **Momberg, Rodrigo, y Morales, María Elisa.** (2019): "Las cláusulas relativas al uso y tratamiento de datos personales y el artículo 16 letra g) de la Ley 19.496 sobre protección de los derechos de los consumidores". *Revista chilena de derecho y tecnología*, 8(2), 157-180. https://dx.doi.org/10.5354/0719-2584.2019.54441: 167-168; 170: Buena fe. "Como se sabe, el concepto de la buena fe ha presentado bastantes dificultades de precisión, debido a la flexibilidad y amplitud propia de un principio general del derecho. Antes de intentar delimitar este concepto, se debe tener en cuenta que, en el ámbito del control de cláusulas abusivas, la buena fe es considerada en su vertiente objetiva, como textualmente lo señala el artículo 16 letra g). En este sentido, es un concepto 'ético-social y jurídico' al servicio del juez para sancionar una conducta como ajustada o no a derecho o, en otras palabras, un patrón de conducta que obliga a comportarse con 'corrección, lealtad, honradez y rectitud' (Boetsch, 2015: 41). En el campo más específico del examen de abuso, la buena fe objetiva se ha relacionado con la razonabilidad. Así, por ejemplo, el Tribunal de Justicia de la Unión Europea, en el caso Aziz, resume bien el examen que el juez debe hacer para evaluar la buena o mala fe de un proveedor, al indicar que el tribunal deberá determinar si el proveedor 'podía estimar razonablemente que, tratando de una manera leal y equitativa con el consumidor, éste aceptaría una cláusula de ese tipo en el marco de una negociación individual'. En un sentido similar, respecto de la redacción de las cláusulas, se ha sugerido que el proveedor debe considerar los intereses del consumidor, y por tanto abstenerse de defraudar sus expectativas razonable".(…) "Darle este alcance a la buena fe permite relacionar el asunto con las denominadas 'cláusulas sorpresivas', que son aquellas que 'el adherente no pudo razonablemente esperar' (Díez-Picazo, 1993: 351) o cláusulas que sorprenden por estar insertas en un contexto donde no debían estarlo de manera natural, como es en efecto el caso de las cláusulas objeto de este trabajo. Así, serían contrarias a la buena fe objetiva las cláusulas en que el consumidor adherente autoriza al proveedor para revelar sus datos personales a terceros, por alejarse esta prestación del objeto principal del contrato, por lo que resulta de esta manera sorpresiva para el consumidor, quien no podía esperar de manera razonable que al contratar un servicio financiero o al comprar la entrada para un evento, estuviere dando aquella autorización. Por otro lado, la infracción de la buena fe objetiva como elemento de abuso permite al intérprete concretar la transgresión del principio desde su faz negativa o por oposición, de acuerdo con la teoría del excluder analysis, según la cual en sede contractual la buena fe funciona excluyendo una amplia gama de formas de mala fe (Summers, 1968: 206-208). Desde esta perspectiva, la función de buena fe objetiva sería proscribir 'conductas deshonestas, oportunistas o abusivas' (Eyzaguirre y Rodríguez, 2013: 144). El propio tenor del artículo 16 letra g) favorece el empleo de esta técnica: 'En contra de las exigencias de la buena fe, atendiendo para estos efectos a parámetros objetivos'. De acuerdo con lo anterior, es contrario a la buena fe insertar ciertas cláusulas consideradas abusivas en el contrato que rige la relación de consumo. Toca al intérprete precisar aquello que constituye esa conducta 'abusiva'". (…) **Desequilibrio importante**. "En cuanto a este elemento, se ha señalado (De la Maza, 2012: 143) que no resulta susceptible de reducir a una fórmula general. Así, la verificación de un desequilibrio importante en los derechos y obligaciones que para las partes se derivan del contrato tiene un carácter eminentemente casuístico. De acuerdo con ello, el juez, dentro del marco que queda a su discreción, concretará este elemento exigido por la letra g) del artículo 16, según las circunstancias que rodeen al caso de que se trata. Por otro lado, si bien la amplitud y vaguedad de la noción 'desequilibrio importante' genera un gran margen para la discrecionalidad judicial (Llamas, 2004: 237), el artículo 16 letra g) provee al juez dos criterios para determinar ese desequilibrio en perjuicio del consumidor: la finalidad del contrato y las disposiciones especiales o generales que lo rigen. La norma señala precisamente que el intérprete 'atenderá' a estos dos criterios".

- **Morales, María Elisa (2018): *Control preventivo de cláusulas abusivas*. Santiago: DER Ediciones, p. 135:** "Por último, en la LPDC uno puede encontrar una manifestación de coordinación en la disposición del artículo 16 letra g) parte final. En virtud de dicha disposición, se presumen legalmente ajustadas a la buena fe las cláusulas de contratos revisados y autorizados por un órgano administrativo en ejecución de sus facultades legales. Es decir que si, por ejemplo, la Subtel conociendo de un reclamo revisa un contrato de adhesión y autoriza que siga vigente en los términos en que fue redactado, dicha cláusula goza de la presunción de buena fe. Sin embargo, el alcance de esta norma es limitado, debido a que se trata de una presunción iuris tantum y, por lo tanto, admite prueba en contrario. De manera que, no obstante haberse efectuado algún control sobre el contrato por parte de un órgano administrativo, a la luz de esta norma, ello no garantiza que sus cláusulas se encuentren ajustadas a la buena fe, pudiendo alegarse igualmente su abusividad de acuerdo a la letra g) del artículo 16, con la carga de probar que no se ajusta a la buena fe, y obtener la declaración de nulidad, lo que parece ser un contrasentido".

- **Barcia, Rodrigo (2016): "Análisis de la letra g) del artículo 16 de la Ley de protección de los derechos de los consumidores a la luz de la jurisprudencia". *Sentencias destacadas*, nº 13 Enero 2017, pp. 103-119, pp. 105-106:** "La norma precedente tiene su origen en el artículo 3.1o de la DE 93/13/ CEE, de abril de 1993, sobre las cláusulas abusivas en los contratos celebrados con consumidores, que establece que: "[L]as cláusulas contractuales que no se hayan negociado individualmente se considerarán abusivas si, pese a las exigencias de la buena fe, causan en detrimento del consumidor un desequilibrio importante entre los derechos y obligaciones de las partes que se derivan del contrato"5. Como se aprecia la redacción de ambas disposiciones no es del todo clara. La norma chilena podría interpretarse de dos formas. Primero, se puede entender que una cláusula es abusiva si atenta contra la buena fe objetiva, pero solo en la medida que "causen en perjuicio del consumidor, un desequilibrio importante en los derechos y obligaciones que para las partes se deriven del contrato". En cambio, en virtud de una segunda interpretación, dicha norma establece supuestos fácticos distintos de cláusula abusiva. En este sentido, se entiende que es una cláusula abusiva tanto la que atenta contra la buena fe, entendida objetivamente, como la que cause "un desequilibrio importante en los derechos y obligaciones que para las partes se deriven del contrato"6. Esta última posición parece estar en contra del tenor literal de la norma, pero en vista que las cláusulas abusivas se inspiran en el Derecho de la Unión Europea y que, conforme a este, sus fuentes son dos: la buena fe objetiva (posición alemana-portuguesa) y la falta total de equivalencia entre la situación de las partes (posición francesa) se debe entender por el sentido de la norma que no se trata de requisitos copulativos, sino de situaciones distintas7. Incluso puede entenderse que el segundo supuesto constituye un caso calificado de mala fe, pero en ningún caso puede comprenderse que ambas situaciones deben concurrir conjuntamente, o sea que se trate de requisitos copulativos".

- **De la Maza, Íñigo (2004): El control de cláusulas abusivas y la letra g).** *Revista Chilena de Derecho Privado* (3), pp. 35-68. **Publicado en: Barrientos, Francisca; De la Maza, Íñigo y Pizarro, Carlos (2012) Consumidores. Santiago: Legal Publishing Chile, pp. 115-147, pp. 136-147:** *"Instrucciones de uso para la letra g).* **El ámbito de aplicación.** Bajo la actual redacción del artículo 16 se identifican siete casos de cláusulas a las cuales el juez puede privar de efecto. Solo una de ellas refiere a las exigencias de la buena fe y a la existencia de un desequilibrio importante entre los derechos y obligaciones emanados del contrato para las partes. ¿Se exigen estos requisitos a las otras seis? La respuesta en mi opinión es negativa. Ya se ha advertido que, como en el caso alemán, las letras a) a f) del artículo 16 constituyen una lista negra y la letra g), en cambio, una cláusula abierta. Resulta entonces posible sostener que el legislador se ha servido de dos técnicas de control diversas respecto de las cláusulas abusivas y que no es legítimo solicitar el cumplimiento de los requisitos de una a la otra. Por otra parte, si esta hubiera sido la voluntad del legislador, lo adecuado hubiese sido definir la cláusula abusiva incorporando como elementos la buena fe y el desequilibrio entre los derechos y obligaciones y, a continuación, indicar a título ejemplar una lista de cláusulas. **La exigibilidad conjunta de ambos requisitos.** Con prescindencia del estrecho vínculo que existe entre ambos requisitos, es posible que una cláusula de aquellas no contempladas entre las letras a) y f) respete las exigencias de la buena fe objetiva y, sin embargo, produzca un desequilibrio importante en los términos de la letra g). Asimismo es posible que una cláusula haya sido incorporada violando los requisitos de la buena fe y, sin embargo, no produzca el desequilibrio. La redacción de la letra g) del artículo 16 sugiere que en ninguno de ambos casos la cláusula resulta abusiva. No obstante lo anterior, existe un estrecho vínculo entre ambos requisitos. Sobre esto se ha sugerido para el caso europeo que *"la referencia al perjuicio inadecuado (desequilibrio importante) es el dato legal revelador de la posible infracción a la confianza y buena fe"*. Este estrecho vínculo justifica que la existencia de un desequilibrio importante pueda utilizarse, como ha sugerido algún autor, como base de una presunción de mala fe por parte del predisponente".

- **Momberg, Rodrigo (2016):** "Ofertas de compra de inmuebles suscritas por consumidores. Prescripción de la acción infraccional y nulidad de cláusulas abusivas. Corte de Apelaciones de Santiago, Rol nº 8281-2013 y Corte Suprema, Rol nº 23092-14". *Revista Chilena de Derecho Privado*, nº 26, pp. 319-328: "La relación entre la contravención a la buena fe objetiva y el desequilibrio entre los derechos y obligaciones de las partes mencionada en el art. 16 letra g) de la LPC ha sido objeto de análisis por la doctrina nacional. Siguiendo el tenor del texto legal, una interpretación posible es que el desequilibrio importante deba ser producto de la contravención a la buena fe objetiva por parte del proveedor. De esta manera, la existencia de un desequilibrio importante, pero sin contravención a la buena fe no sería suficiente para calificar de abusiva la cláusula en el contexto del art. 16 letra g). Así, reconociendo el estrecho vínculo que existe entre ambos requisitos, se sostiene que ambas condiciones deben concurrir conjuntamente para que una cláusula pueda ser considerada abusiva sobre la base de la norma citada. Esta interpretación, sin embargo, no es pacífica. La exigencia conjunta de ambos elementos ha sido criticada, ya que se entiende que una cláusula que cause una ventaja injustificada y significativa a favor del proveedor es incompatible con la idea de buena fe contractual. Se agrega que el carácter abstracto del concepto mismo de buena fe puede generar interpretaciones diversas en cuanto a su significado en el caso concreto, afectando la predictibilidad y certeza de las decisiones judiciales".

- **Barrientos, Francisca (2019):** *Lecciones de derecho del consumidor.* **Santiago: Thomson Reuters, p. 140** "Un concepto de cláusula abusiva que sólo piense en el contenido es incompleto y da lugar a equívocos [...] depende no sólo del contenido, sino que también del procedimiento, del contexto contractual y de si una de las partes es empresario y la otra, consumidor" **Entonces, para detectar si estamos frente a una cláusula abusiva desequilibrada de forma importante, desde el punto de vista del sinalagma funcional del contrato por adhesión, habría que indagar en el derecho supletorio la forma en que está concebida la prestación para determinar si el proveedor la desnaturalizó o no en el contrato de adhesión predispuesto.** "Es decir, se persigue que un equilibrio ideal (representado por el Derecho dispositivo/supletorio formulado o a formular) no haya sido roto por condiciones generales o cláusulas predispuestas sin justificación".

- **Morales, María Elisa (2021): "Artículo 16 letra g)", en Iñigo De La Maza; Carlos Pizarro y Francisca Barrientos (Dirs.)** *La protección de los Derechos de los consumidores. Comentarios a la ley de protección a los derechos de los consumidores* **Santiago: Editorial Thomson Reuters (en prensa):**

"No existe mayor desarrollo en la ley sobre qué debe entenderse por 'autorización y revisión del contrato respectivo'. Tampoco la doctrina se ha hecho cargo de este punto. En cuanto a jurisprudencia de los tribunales superiores de justicia, la Corte Suprema se ha pronunciado al menos en dos oportunidades sobre el alcance de la presunción y específicamente sobre la revisión y autorización por un órgano administrativo. Estos casos son 'Sernac con Cencosud' y 'Sernac con BBVA'. (…) La jurisprudencia citada precisa el alcance del denominado 'hecho conocido' en esta presunción que es la revisión y auotorización de las cláusulas contractuales por un órgano administrativo en el ejercicio de sus funciones. En efecto, según las sentencias citadas, debe existir una constancia fehaciente de que el órgano administrativo ha efectivamente revisado y autorizado la cláusula respectiva, sin que baste un mero registro o incluso autorización simplemente formal de la misma o de los contratos que las contienen. Así, por ejemplo, la presunción podría operar si ha existido una resolución fundada del órgano administrativo, que manifieste las razones por las cuales el contrato o la cláusula pertinente, cumple con las exigencias de la normativa sectorial. En todo caso, corresponde probar la concurrencia de los presupuestos —revisión y autorización— a quien los alega".(…) "En efecto, en el caso 'Sernac con Santander' la Corte Suprema ha entendido que la norma tiene por objeto 'consagrar el principio general de que la buena fe se presume y que todos los actos jurídicos se reputan en principio válidos y eficaces, sin perjuicio de que esa corrección, validez y eficacia pueda ser cuestionada por causas legales ante los tribunales que, inexcusablemente, deben pronunciarse al ser legalmente requeridos para ello, tal como ha sucedido en la especie'. Esta 'consagración de un principio general' plantea la pregunta por la utilidad de la presunción, pues si solo repite una idea prestablecida, en principio no se vislumbra el efecto útil de la norma. En opinión de De la Maza la presunción cuando "el consumidor ha logrado acreditar el desequilibrio al que alude la letra g)' ya que en ese supuesto 'el juez queda autorizado para presumir la inobservancia de las exigencias de la buena fe'. En este sentido se ha dicho que la determinanción por los tribunales de la abusividad de las cláusulas en base al artículo 16 letra g) toma como elemento esencial 'la existencia de una desproporción significativa entre las contraprestaciones, la cual acarrearía la contravención a la buena fe por parte del predisponente'. Entonces, continuando con el razonamiento sobre la utilidad de la presunción, probado el desequilibrio importante, el juez probablemente de por establecida la vulneración de la buena fe, salvo que el proveedor haya logre probar por su parte que el contrato en cuestión ha sido revisado y autorizado previamente por un órgano administrativo, pues allí se configuraría la presunción simplemente legal asumiendo el legislador que la intervención de este 'ha tenido como objeto justamente evitar las vulneraciones a las exigencias de la buena fe' y, en este caso la carga de la prueba volverá sobre el consumidor quien podrá destruir la presunción y esta vez deberá enfrentar la difícil prueba de la vulneración de la buena fe objetiva".

SENTENCIAS SOBRE ARTÍCULO 16 letra g)

* **Servicio Nacional del Consumidor con Banco Santander Chile (2019): Corte Suprema, 01 de julio de 2019, Recurso de Casación en el Fondo, Rol n° 24598-2018, LTM17.777.667:** "QUINTO: (…) Al respecto, cabe consignar que el artículo 16 letra g) de la Ley 19.496, establece que "No producirá efecto alguno en los contratos de adhesión las cláusulas o estipulaciones que:… g)… en contra de las exigencias de la buena fe, atendiendo para estos efectos a parámetros objetivos, causen en perjuicio del consumidor, un desequilibrio importante en los derechos y obligaciones que para las partes se deriven del contrato. Para ello se atenderá a la finalidad del contrato y a las disposiciones especiales o generales que lo rigen. Se presumirá que dichas cláusulas se encuentran ajustadas a exigencias de la buena fe, si los contratos a que pertenecen han sido revisados y autorizados por un órgano administrativo en ejecución de sus facultades legales". Del tenor de la norma transcrita se advierte que ella tiene por objeto consagrar el principio general de que la buena fe se presume y que todos los actos jurídicos se reputan en principio válidos y eficaces, sin perjuicio de que esa corrección, validez y eficacia pueda ser

cuestionada por causas legales ante los tribunales que, inexcusablemente, deben pronunciarse al ser legalmente requeridos para ello, tal como ha sucedido en la especie".

- **Servicio Nacional del Consumidor con Banco Bilbao Vizcaya Argentaria (2018): Corte Suprema, 20 de noviembre de 2018, Recurso de Casación en el Fondo, Rol n° 100759-2016, LTM18.744.957: "DECIMOSÉPTIMO:** (…) teniendo la norma más bien por objeto explicitar el principio general de que la buena fe se presume y que todos los actos jurídicos se reputan en principio válidos y eficaces, sin perjuicio de que esa corrección, validez y eficacia pueda ser cuestionada por causas legales ante los tribunales que, inexcusablemente, deben pronunciarse al ser legalmente requeridos, caso en el cual la revisión administrativa que se hubiere efectuado podrá ser un antecedente importante mas no vinculante para su decisión. (…) **TRIGÉSIMOSEXTO:** "Que sobre tal asunto ha de señalarse que no puede ser atentatorio contra la buena fe ni lesiona el interés del cliente la circunstancia de que la información de que dispone el banco sobre el mismo como sujeto de crédito circule o se comparta entre las diversas unidades de la institución bancaria o personas relacionadas a ella, lo que incluso podrá beneficiarle. No parece justificable, en cambio, la atribución que se confiere al banco para entregar informaciones a toda clase de terceros con quienes el consumidor no ha contratado y que resulta amplia o excesiva, considerando la finalidad indicada como justificación por parte del demandado abrir al cliente la posibilidad de otros productos y servicios sin que aparezca clara la conveniencia de entregar esa información al no haber tampoco seguridad sobre el tratamiento que se dará a ella, sin perjuicio de la que corresponda entregar al Boletín Comercial y al Sistema Nacional de Comunicaciones Financieras. Por lo tanto, no se aprecia que en el aspecto que apunta el demandante la cláusula sea abusiva pues no se advierte que atente contra la buena fe ni provoque desequilibrios en perjuicio del cliente, por tratarse, como lo expresa el fallo, de actos comunicacionales que no colocan al consumidor en posición de indefensión, en la medida que se trate de una información interna que cubra las necesidades de oferta de servicios de diversos departamentos de la misma institución bancaria o personas relacionadas con ella. En cambio, sí parece abusivo que el banco pueda entregar información de su cliente a otros terceros, ámbito en el cual ya no se vislumbra la justificación y propósito invocado por dicha parte. La otra matización que formula el demandante en cuanto a la referencia que la cláusula hace a la trasmisión de datos del cliente 'que el Banco tenga en su poder', y que entiende como aquellos no necesariamente entregados por el deudor, no refleja una clara demostración de irregularidad o abuso, a menos que en la situación particular y de modo expreso el consumidor haya prohibido la trasmisión o divulgación de cierta información, operando en tal evento la normativa de protección de datos reservados. Consiguientemente, la sentencia impugnada no incurre en los errores de derecho que denuncian ambos impugnantes en los aspectos que cada cual censura. **CUADRAGÉSIMO:** Que la sentencia impugnada decidió la anulación por considerar que tal articulación podría motivar ejecuciones contra terceros garantes que carecen de toda información sobre la deuda contraída por el deudor principal y cuyas condiciones ignoran. El banco recurrente justifica esta cláusula de fianza y codeuda solidaria por estimarla una estipulación legítima, de carácter estándar en la industria cuyo objetivo es aminorar los riesgos asociados a la colocación de créditos. Afirma que la eliminación de tal cláusula incrementaría los riesgos de quienes otorgan créditos, lo que traería como consecuencia el alza de los valores cobrados a los clientes. Como el artículo 16 letra g) de la ley estatuye que para determinar si una disposición es contraria a las exigencias de la buena fe, debe, en primer término, atenderse a la finalidad del contrato y a las disposiciones especiales o generales que lo rigen y, en segundo término, que se presume que dichas cláusulas se encuentran ajustadas a exigencias de buena fe cuando los contratos han sido revisados por un órgano administrativo en ejecución de sus facultades legales, entonces, no ser a efectivo que el cliente se halle en situación de desconocimiento o desprotección respecto de las deudas impagas que mantiene con el demandado ya que éste se encuentra obligado a emitir periódicos estados de cuenta, disponiendo aquél de plazos para manifestar sus reparos".

- **Servicio Nacional del Consumidor con inmobiliaria las Encinas de Peñalolén S.A (2014): Corte de Apelaciones de Santiago, 03 de junio de 2014, Recurso de Apelacion, Rol nº 8281-2013: "NOVENO:** Que concordante con lo anterior, conveniente resulta al tenor del precepto del artículo 16 letra g) de la ley citada, destacar que el concepto de desequilibrio que emplea el legislador, ha de entenderse como un "déficit jurídico" de manera que la abusividad no enfrenta lo que puede considerarse contenido económico del contrato, y por tanto no dice relación con las cláusulas de precio o de las condiciones económicas. En suma, lo relevante es la afectación a los derechos y obligaciones de los consumidores, ya sea que se altere el derecho dispositivo en contra del consumidor o, desde la perspectiva de éste, se fractura el propósito práctico del contrato. De tal forma entonces, la adhesión a un contenido contractual predispuesto por el proveedor viene garantizada por el amparo del mecanismo de protección sustantivo a partir de la idea de buena fe y equilibrio contractual".

- **Ramírez Gajardo con Latam Airlines Group S.A. (2017): Corte de Apelaciones de Antofagasta, 16 de octubre de 2017, Recurso de Apelación, Rol nº 109-2017: "SEXTO:** (...) El consumidor paga un pasaje que comprende dos tramos e impedirle tomar alguno de los tramos si por alguna razón no toma el tramo inicial, constituye, de cara a la contraprestación a favor de la aerolínea, un grave desequilibrio y se traduce en una cláusula abusiva evidente por tres aspectos esenciales".

- **Servicio Nacional del Consumidor con Ticket Fácil S.A. (2018): Corte Suprema, 07 de marzo de 2018, Recurso de Casación en el Fondo, Rol n° 79123-2016, LTM18.744.968: DÉCIMOQUINTO:** (…) "Tal como se ha venido analizando, el criterio determinante para calificar una cláusula de abusiva consiste en dilucidar si existe un interés difuso de carácter colectivo que pueda legitimar al demandante para impugnarla, si el contenido de la misma vulnera la buena fe y si en ella se advierte una desproporción entre los derechos de las partes, ya que sólo en la medida que concurran los elementos antes reseñados será posible considerarla como abusiva. (…)".

- **Servicio Nacional del Consumidor con Ticketmaster (2016): Corte Suprema, 07 de julio de 2016, Recurso de Casación en el Fondo, Rol n° 1533-2015, LTM6.556.394, LTM9.587.596: "NOVENO:** Que la cláusula 'Uso comercial' dispone (…)[2]. La sentencia desestimó la demanda respecto de esta cláusula por estimar que 'si bien tiene una redacción poco clara, por si misma no involucra una vulneración manifiesta a la buena fe, sino solo una forma de proteger la utilización de la página web frente a terceros que pudieran obrar en contravención a la legislación vigente'. La recurrente discrepa de esta consideración, y alega que "el derecho de cancelar unilateralmente el proceso de compra de un boleto por parte del proveedor, frente a una mera sospecha de un acto contrario a la ley, atenta primero contra las exigencias de la buena fe contractual, y segundo, provoca un evidente desequilibrio entre las partes contratantes. **DÉCIMO:** Que la cláusula transcrita es una de las condiciones aplicables a la venta de entradas para espectáculos a través de un sitio que opera en la red virtual denominada 'Internet'. Es de la naturaleza de las transacciones a través de esta red que no se produzca un encuentro físico entre dos personas. Esa característica de la red facilita las operaciones fraudulentas. Un tipo de operación fraudulenta es aquella en

---

[2] "Cláusula Sexta: USO COMERCIAL. Ninguno de los anuncios, de este Sitio pueden ser usados por nuestros visitantes dentro de los términos establecidos por Ticketmaster, así como la legislación de la materia por lo que nos reservamos el derecho a bloquear el acceso a este Sitio o a otros servicios de Ticketmaster, o a cancelar el proceso de adquisición de un boleto o boletos en relación con cualquier persona que se cree ser, o que se cree que está actuando en conexión con cualquier persona que se crea que esté violando la ley o los términos establecidos por los derechos de Ticketmaster, o bien que ha ordenado un número de boletos que excede los límites establecidos. El violar cualquiera de las limitaciones o los términos de este Sitio será considerado como una violación de estos Términos".

que una persona realiza una transacción en beneficio propio utilizando, sin autorización, un medio de pago perteneciente a un tercero. Otro tipo de operación fraudulenta es aquella en que una persona realiza una compra masiva de entradas, a objeto de luego revenderlas a un precio mayor. Es cierto, como manifestó la sentencia impugnada, que la redacción de la cláusula 'Uso comercial' es oscura. La gramática utilizada sugiere que se trata de una deficiente traducción del inglés. Aún así, es manifiesto que la cláusula tiene por objeto proteger el sitio de Ticketmaster ante operaciones fraudulentas como las mencionadas o análogas. Por otra parte, ante la creencia de que se está haciendo un uso fraudulento del sitio, el operador del mismo tiene que reaccionar inmediatamente. De lo contrario, inevitablemente se producirá un daño a terceros o al público. En efecto, si ante la sospecha de que un comprador está usando un medio de pago de un tercero, sin su autorización, el operador del sitio no tiene la facultad de bloquear la operación, el tercero resultará defraudado. Y el operador se exculpará de este fraude alegando que estaba legalmente impedido de bloquear la operación. En consecuencia, la cláusula 'Uso comercial' no es contraria a la buena fe, en la medida que otorga al operador del sitio una facultad razonable para protegerse ante su uso fraudulento. Lo anterior no significa que en ejercicio de la cláusula 'Uso comercial' el operador del sitio no pueda cometer errores. Los mecanismos para detectar operaciones fraudulentas pueden ser imperfectos y resultar en el bloqueo de transacciones de buena fe. Pero esto no conlleva la invalidez de la cláusula. Y la validez de la cláusula no impide que quienes en concreto resulten injustamente afectados por ella recurran a la protección que la ley les otorga. Por estas consideraciones, la sentencia impugnada no ha incurrido en error de derecho al desechar la demanda en relación con la cláusula 'Uso comercial'. (…) **DUODÉCIMO:** Que la cláusula "Política de Privacidad de Ticketmaster"[3], al autorizar a

---

[3]   "Cláusula Décimo Quinta: POLÍTICA DE PRIVACIDAD DE TICKETMASTER. 2. Privacidad. Ticketmaster podrá revelar la información proporcionada por sus Usuarios a terceros, incluyendo patrocinadores, publicistas, contratistas y/o socios comerciales. Ticketmaster también recolectará información que es derivada de los gustos, preferencias y en general de la utilización que hacen los Usuarios de los Servicios. Dicha información derivada, al igual que la información personal que los Usuarios proporcionen, podrá ser utilizada para diversos objetivos comerciales, como lo es el proporcionar datos estadísticos (por ejemplo: 50% de nuestros Usuarios son mujeres) a anunciantes potenciales, enviar publicidad a los Usuarios de acuerdo a sus intereses específicos, conducir investigaciones de mercadeo, y otras actividades o promociones que Ticketmaster considere apropiadas. Ticketmaster también podrá revelar Información cuando por mandato de ley y/o de autoridad competente le fuere requerido o por considerar de buena fe que dicha revelación es necesaria para: I) cumplir con procesos legales; II) cumplir con el Convenio del Usuario; III) responder reclamaciones que involucren

recolectar "información que es derivada de los gustos, preferencias y en general de la utilización que hacen los Usuarios de los Servicios", también contraviene la buena fe en los términos proscritos por el artículo 16 g) de la ley de protección de los derechos del consumidor. (...)".

- **Servicio Nacional del Consumidor con Cencosud Administradora de Tarjetas S.A. (2013): Corte Suprema, Recurso de Casación en la Forma, 24 de abril de 2013, Rol n° 12355-2011, LTM1.902.694, LTM10.739.647:** "NOVENO: Que la parte demandada ha alegado, entre otros aspectos, que la cláusula novena no puede infringir la letra g) del artículo 16, puesto que habría sido revisada y autorizada por la Superintendencia de Bancos e Instituciones Financieras. A este respecto, debe decirse que en autos sólo consta el oficio de fojas 748, emanado del Director Jurídico de la Superintendencia de Bancos e Instituciones Financieras, que da cuenta que esa institución, en procedimientos acordados, confeccionados por los auditores externos de Cencosud Administradora de Tarjetas S.A., referidos al 31 de diciembre de 2007 y 31 de diciembre de 2008, para una muestra de contratos de afiliación al sistema y uso de la tarjeta, se verificó una serie de contenidos mínimos exigidos por la circular 17 de esa Superintendencia, entre los que se mencionan los derechos conferidos al titular o usuario de que trata el párrafo 4° del Título II de la Ley 19.496, en materia de normas de equidad en las estipulaciones y en el cumplimiento de los contratos de adhesión, concluyendo que no hay observaciones. La verificación expuesta, realizada por auditores externos a la Compañía, con el acuerdo de la Superintendencia, a contrario de lo sostenido por la demandada, no puede satisfacer el estándar que exige la letra g) del artículo 16, en cuanto manda que la cláusula se haya "revisado y autorizado", por el respectivo órgano administrativo en el ejercicio de sus facultades legales. En efecto, en el oficio se afirma que hubo una revisión que no arrojó observaciones, pero de ese documento no puede desprenderse, ni de dicho oficio concluirse, que la Superintendencia de Bancos e Instituciones Financieras haya autorizado las referidas cláusulas".

- **Servicio Nacional del Consumidor con Banco Bilbao Vizcaya Argentaria (2018): Corte Suprema, 20 de noviembre de 2018, Recurso de Casación en el Fondo, Rol n° 100759-2016, LTM18.744.957:** "DÉCIMO SÉPTIMO: Que la norma que se da por básicamente infringida, el artículo 16 letra g) de la Ley 19.496, establece (...) Desde luego, el alcance de una revisión y

---

cualquier Contenido que menoscabe derechos de terceros o; IV) proteger los derechos, la propiedad, o la seguridad de Ticketmaster, sus Usuarios y el publico en general".

autorización por parte de la referida Superintendencia de las cláusulas de un contrato como el de autos no importa atribuir a las articulaciones una suerte de inmunidad jurídica que impida la revisión y pronunciamiento jurisdiccional a su respecto, teniendo la norma más bien por objeto explicitar el principio general de que la buena fe se presume y que todos los actos jurídicos se reputan en principio válidos y eficaces, sin perjuicio de que esa corrección, validez y eficacia pueda ser cuestionada por causas legales ante los tribunales que, inexcusablemente, deben pronunciarse al ser legalmente requeridos, caso en el cual la revisión administrativa que se hubiere efectuado podrá ser un antecedente importante mas no vinculante para su decisión. Por ello, la propia ley establece que las materias a que se refiere el párrafo 4° sobre "Normas de equidad en las estipulaciones y en el cumplimento de los contratos de adhesión" y de que tratan los artículos 16, 16 A y 16 B son materia de acciones judiciales, pero de las cuales no conocen los jueces de Policía Local sino los tribunales ordinarios de justicia. En efecto, el inciso tercero del artículo 50 A, en su parte final, establece: " Lo dispuesto en el inciso 1° (atribución de competencia a los jueces de Policía Local) no se aplicará a las acciones mencionadas en la letra b) del artículo 2 bis, emanadas de esta ley o de leyes especiales, incluidas las acciones de interés colectivo o difuso derivadas de los artículos 16, 16 A y 16 B de la presente ley, en que serán competentes los tribunales ordinarios de justicia, de acuerdo a las reglas generales". Luego, de la propia normativa legal se desprende que la justicia ordinaria tiene amplia competencia para conocer de la calificación de abusividad y eventual nulidad de cláusulas contractuales contenidas en contratos de adhesión. En consecuencia, la norma del artículo 16 letra g) sólo formula una presunción simplemente legal de una actuación ajustada a la buena fe sin excluir que ella pueda ser desvirtuada (…) "**DÉCIMO OCTAVO:** Que por las consideraciones precedentes tampoco pueden estimarse afectados los principios de confianza legítima, que se fundan en los artículos 3° inciso 2° y 5° inciso 2° de la Ley 18.575 o el de congruencia al que se refiere el banco recurrente, porque el ejercicio de la facultad revisora de la Superintendencia de Bancos e Instituciones Financieras respecto de los contratos cuestionados, además de no estar acreditado que se hubiere efectuado ni que se manifestara en una autorización o pronunciamiento explícito de ese organismo fiscalizador, lleva a entender que no hay una decisión o actuación clara y directa de un órgano público validando las estipulaciones y en que el demandado hubiere podido cifrar confianza en la intangibilidad de las convenciones cuestionadas y que él predeterminó. Tal confianza, en todo caso, no pudo ser tal si el ordenamiento autoriza a la contraparte del contrato de adhesión para que judicialmente, se califique si sus cláusulas adolecen de abusividad y, por ello, corresponda su eventual anulación, al margen de cualquiera instancia administrativa. El artículo 16 A explicita que es posible declarar la nulidad de una o varias cláusulas o estipulaciones de un contrato de adhesión por aplicación de las normas del artículo 16 y la disposición que le sigue precisa (…). Ninguno de estos preceptos permite sostener que la eventual intervención de la Superintendencia de Bancos e Instituciones Financieras en la revisión y autorización de cláusulas de un contrato de adhesión otorgan al predisponente la facultad de sostener la intangibilidad de ese contrato o la imposibilidad de que sea revisado por la justicia ordinaria, de modo tal que pueda entenderse que una decisión contraria de la jurisdicción en orden a estimar abusiva y nula alguna estipulación, altere o contraríe el principio de confianza legítima o el principio de congruencia de los actos jurídicos y de las actuaciones de los entes de Estado".

Artículo 16 inciso penúltimo e inciso final.

Si en estos contratos **se designa árbitro**, el consumidor podrá recusarlo sin necesidad de expresar causa y solicitar que se nombre otro por el juez letrado competente. Si se hubiese designado más de un árbitro, para actuar uno en subsidio de otro, podrá ejercer este derecho respecto de todos o parcialmente respecto de algunos. Todo ello de conformidad a las reglas del Código Orgánico de Tribunales.

En todo contrato de adhesión en que se designe un árbitro, será obligatorio incluir una cláusula que informe al consumidor de su derecho a recusarlo, conforme a lo establecido en el inciso anterior. Lo que se entiende sin perjuicio del derecho que tiene el consumidor de recurrir siempre ante el tribunal competente.

DOCTRINA SOBRE CLÁUSULA COMPROMISORIA O CLÁUSULA ARBITRAL
(ART. 16 INC. PENÚLTIMO Y FINAL)

- Amunátegui, Carlos (2019): "Arrendamiento de apartamentos turísticos por internet". *Revista de derecho (Coquimbo), 26,* 17. Epub 11 de diciembre de 2019.https://dx.doi.org/10.22199/issn.0718-9753-2019-0017: "Las cláusulas compromisorias que otorgan competencia a la American Arbitration Association, por su parte, no son vinculantes para los consumidores, toda vez que ellos pueden recusarla o acudir a la justicia común, a su arbitrio (Ley 19.496, 1997, art. 16, g)".

- Tapia, Mauricio y Valdivia, José Miguel (1999): *Contrato por adhesión Ley n° 19.496.* Santiago: Editorial Jurídica de Chile, pp. 122-123 "La ilicitud de esta cláusula proviene de la parcialidad que envuelve la resolución de la controversia por un tercero que es generalmente de la confianza del empresario, y que tenderá inevitablemente a favorecerlo. Es presumible que el adherente desconoció las consecuencias de esta estipulación al aceptar el contrato por lo que su inclusión defrauda sus expectativas, acarreando un desincentivo a la litigación. Además, en términos económicos, tal como señala De Castro, esta estipulación puede irrogar al adherente costos superiores a los envueltos en la resolución del asunto por la justicia común. Contradiciendo la tendencia del derecho comparado, estas razones jurídicas y económicas para cuestionar su valor han sido conscientemente ignoradas por la Ley. En efecto, esta norma legitima sin restricciones la estipulación del arbitraje en el contrato por adhesión y, lo que es más grave, duplica los costos al obligar al adherente a tramitar dos juicios, uno para recusar al árbitro y otro para resolver la cuestión de fondo. De este modo, transforma en una mera declaración de principios al control material del contrato por adhesión, puesto que bastará que el empresario inserte la designación de un árbitro para que los costos de litigación hagan inobjetable los eventuales abusos de su posición de poder. Incluso, superados los costos de la recusación, como esta norma no distingue, puede estipular el redactor que el árbitro resolverá en equidad, resultando cuestionable si queda afecto o no a los límites legales. Por ello, lo lógico hubiese sido otorgar al consumidor la opción de recurrir alternativamente al árbitro o a la justicia de policía local, que tiene competencia general para la aplicación de la Ley (artículo 50)".

- Jequier, Eduardo (2020): "Sobre la arbitrabilidad del conflicto de consumo en Chile: insumo básico para un replanteamiento estructural". *Revista Chilena de Derecho Privado*, n° 34, julio 2020, pp. 57-92 http://rchdp.cl/index.php/rchdp/article/

view/464, p. 80 "Pues bien, al celebrar un pacto arbitral, como alternativa de solución de los conflictos futuros que pudieren surgir entre las partes, el consumidor no renuncia a ninguno de los derechos establecidos en la LPDC, ya que solo opta por el cauce procesal en el cual esos derechos deberán ser invocados y puestos en acción. Lo irrenunciable son solo los derechos subjetivos que establece la LPDC en favor del consumidor en su calidad de tal, entre los que no figura, obviamente, el de optar libremente por un cauce procesal alternativo de solución de conflictos. Dicho de otra forma, la opción que hace el consumidor al celebrar el pacto arbitral, en cuanto a someter el conocimiento de un conflicto al conocimiento y resolución del árbitro, si bien involucra una renuncia voluntaria al derecho de acudir a los órganos jurisdiccionales estatales (efecto negativo del pacto arbitral), no compromete ninguno de los derechos que la LPDC le confiere al consumidor52, de manera que, en principio, no se observa impedimento alguno para que este pueda celebrar el pacto de arbitraje —incluso de equidad53— bajo la modalidad de una cláusula compromisoria; y se dice en principio, ya que, como ya se señaló, la opción por el arbitraje debe ser en todo caso la fiel expresión de la autonomía de la voluntad del consumidor, lo que justifica, por tanto, el tratamiento especial que se da a la cláusula arbitral incluida en los contratos de adhesión (art. 16 de la LPDC)".

- **Jequier, Eduardo (2020): "Análisis crítico del arbitraje de consumo no financiero en Chile". Presentación a la Comisión de Economía, Senado de la República Sesión de 5 de agosto de 2020, disponible en: file:///Users/user/Downloads/archivo%20 (1).pdf** "1. LA POBRE E INOPERANTE REGULACIÓN CHILENA SOBRE ARBITRAJE DE CONSUMO Y SUS CONSECUENCIAS. Desde luego, la única referencia al arbitraje, como mecanismo alternativo de solución heterocompositiva de los conflictos de consumo en general, se contiene en el artículo 16 de la Ley nº 19.496, sobre Protección de los derechos del consumidor —LPDC—, incisos penúltimo y final, referida concretamente a los contratos de adhesión, norma que se limita a consagrar un derecho de recusación del árbitro respectivo y, en todo caso, "sin perjuicio del derecho que tiene el consumidor de recurrir siempre ante el tribunal competente". […] De lo dicho se desprenden hasta aquí diversas consecuencias gravosas para el consumidor, que pasamos a revisar.

1.1. La regla del art. 16 LPDC se aplica solo a los contratos de adhesión

Primero, la referencia al arbitraje que se hace en la norma transcrita y, con ello, al derecho a recusar sin expresión de causa al árbitro designado en el compromiso, se aplica única y exclusivamente a los contratos "de adhesión", definidos en el art.1°, nº 6, de la misma ley. En los demás contratos de consumo, por ende, las referidas facultades del consumidor simplemente no existen, lo que ha sido destacado precisamente por la jurisprudencia: **"SÉPTIMO:** Que, en todo caso, para que sea aplicable la norma que permite al consumidor recurrir siempre a la justicia ordinaria, debe tratarse de un contrato de adhesión. En efecto, el artículo 16, que contiene la norma debatida, se ubica en el párrafo 4 del Título II, titulado 'Normas de equidad en las estipulaciones y en el cumplimiento de los contratos de adhesión'. Por lo demás, el inciso que inicia el artículo 16, que determina el ámbito de las reglas, se refiere expresamente a los contratos de adhesión. En todo caso, el propio inciso 3º comienza disponiendo que: 'En todo contrato de adhesión en que se designe un árbitro, será obligatorio incluir una cláusula que informe al consumidor de su derecho a recusarlo, conforme a lo establecido en el inciso anterior, para luego agregar 'Lo que se entiende sin perjuicio del derecho que tiene el consumidor de recurrir siempre ante el tribunal competente'. Así pues, esta facultad de recurrir siempre a los tribunales ordinarios aun cuando exista una cláusula arbitral constituye una prerrogativa excepcional para el consumidor en los contratos de adhesión, lo que, por cierto, supone que en el proceso se encuentre establecido que el contrato sobre el que versa el conflicto tenga dicha naturaleza jurídica".

Dicho de otra forma, en aquellos contratos de consumo que no puedan calificarse como "de adhesión", sea porque no lo son derechamente o porque no se han logrado acreditar sus elementos en juicio, el consumidor quedará necesariamente sujeto al pacto arbitral preestablecido (incluso a modo de compromiso), circunstancia que pugna con la voluntariedad reforzada que debe operar en el arbitraje de consumo. Podrá decirse, acaso, que en estos casos el consumidor accedió "voluntariamente" al pacto arbitral, por el solo hecho de suscribir el contrato de consumo, por lo que luego, al producirse el conflicto, no podría desconocer esa manifestación de voluntad (y eso es, por lo demás, lo que señala la sentencia transcrita). Sin embargo, y como ya se adelantó, el referido criterio, además de errado, resulta especialmente perjudicial para el consumidor pues, a fin de cuentas, por esta vía no se hace más que aplicar al ámbito de la contratación de consumo los elementos y postulados del arbitraje civil y comercial, asentado sobre un principio básico y esencial que en las relaciones de consumo simplemente no se da (o no al menos en la gran mayoría de los casos): la simetría de información y recursos y la igualdad de armas que existe entre las partes en conflicto. […]

La magra normativa chilena sobre arbitraje de consumo, en cambio, que extrapola sin más las normas y criterios del arbitraje civil y comercial al conflicto de consumo, se encuentra en las antípodas de estos postulados fundamentales, lo que se refleja en el fracaso que ha mostrado el arbitraje en este ámbito. Paradojalmente, la situación es muy distinta en el caso del sistema de arbitraje financiero introducido a la LPDC por la Ley n° 20.555, similar en parte al sistema de arbitraje de consumo portugués, pues allí es el consumidor el único legitimado para requerir el arbitraje (art. 55 n° 3 LPDC), exista o no un pacto arbitral previo (pues la ley no distingue). Esa decisión del consumidor, por tanto, de requerir o no el inicio del arbitraje, será necesariamente posterior al surgimiento del conflicto, de manera que el problema descrito supra se presenta solo respecto de los pactos arbitrales incluidos en los restantes contratos de adhesión (art. 16) y en aquellos celebrados con bancos e instituciones financieras que no coincidan con el elenco de contratos financieros a que se refiere el art. 55 citado. En suma, el mecanismo de recusación sin expresión de causa del art. 16 LPDC no soluciona el problema de fondo, como es la inclusión de cláusulas de arbitraje en contratos de adhesión. Por lo mismo, y como se dijo supra, en el derecho comunitario europeo los pactos arbitrales incorporados en contratos celebrados por consumidores, que no han sido negociados directamente por estos últimos, son considerados como una forma típica de cláusula abusiva, de manera tal que dichos pactos solo son permitidos cuando la ley los regula especialmente, para un grupo de casos también predefinidos.

1.2. La regla del art. 16 LPDC le impone al consumidor una carga probatoria desproporcionada.

En segundo lugar, aunque relacionado con lo anterior, el mecanismo que regula el art. 16 LPDC involucra una pesada carga probatoria para el consumidor, pues será necesariamente éste quien deba acreditar la concurrencia, en el caso concreto, de los elementos configuradores del contrato de adhesión. Esa carga, sin embargo, en muchos casos es imposible de levantar para el consumidor, dada la asimetría de recursos y a las dificultades para acceder a la información del proveedor, que se presenta típicamente en las relaciones de consumo, lo que se traduce —a fin de cuentas— en la completa ineficacia de la norma legal ya mencionada. Ejemplo claro y representativo de este fenómeno se encuentra en la misma sentencia de la Corte Suprema: "**OCTAVO:** (…) el demandante ha fundado su alegación de que el contrato es de adhesión en la circunstancia que habría sido redactado por la Inmobiliaria demandada y en que existen varios contratos del mismo tipo celebrados por ella con otros promitentes compradores en los que la competencia queda radicada en los tribunales ordinarios mientras, en otros, ante el juez árbitro, lo que en su concepto demostraría que la cláusula de competencia queda entregada al arbitrio de la demandada. Tales postulados resultan insuficientes para evidenciar que en la promesa de venta de que aquí se trata el consentimiento se haya formado mediante la sola aceptación expedida por el actor, de las condiciones dispuestas por la demandada. No hay certidumbre alguna en el proceso que el demandante se haya limitado a adherir a las condiciones ofrecidas por la promitente vendedora. (…) Entonces, se requiere demostrar que el contrato de este litigio fue obra exclusiva del oferente o, al menos, que ha sido éste quien ha impuesto sus cláusulas esenciales, en particular, las relativas a la cosa, el precio, la forma de pago, y al plazo o condición que fija la poca de celebración del contrato prometido en concordancia con lo dispuesto en el artículo 1554 del Código Civil; y, ciertamente, debió demostrarse la presencia de elementos constitutivos de aquel desequilibrio del poder negociador. Pues esa demostración no aparece. Más aún, impuesta la proclama de que los elementos conducentes a calificar un contrato como de adhesión, o al menos los más característicos, deben quedar convincentemente establecidos en la controversia respectiva, puede admitirse incluido un alivio probatorio derivado del ámbito en que se desenvuelven los negocios al que pertenece el discutido, que podrá penetrar, por ejemplo, por la vía de las presunciones judiciales y la noción de hecho público y notorio. Pero ni aun con esa benevolencia puede ser detectada en el proceso aquella demostración". Queda en evidencia, entonces, la conveniencia y pertinencia del estatuto tutelar del consumidor, que pergeña la Directiva 2011/13 en su art. 10º. De lo contrario, y como ocurre precisamente con la sentencia precitada, el consumidor corre incluso el riesgo de quedar vinculado por un pacto arbitral incluido a priori en un contrato de adhesión, por el solo hecho de no haber podido acreditar los elementos configuradores de dicha figura, pues en tal caso no podrá ejercer ninguno de los derechos que le confiere el art. 16 LPDC.

1.3. La regla del art. 16 no cautela debidamente el derecho de tutela judicial efectiva del consumidor, en su vertiente de acceso al juez natural

Sin perjuicio de lo dicho hasta aquí, la LPDC tampoco regula un procedimiento sencillo y expedito para que el consumidor, en los limitados casos ya referidos, pueda ejercer efectivamente los derechos de recusación y de opción competencial ya dichos, como presupuesto de acceso a los órganos judiciales estatales. Primero, debe considerarse que el derecho de recusación que contempla la norma legal solo tiene sentido cuando existe un compromiso, esto es, cuando el pacto arbitral incluido en el contrato de adhesión designa a la persona del árbitro. En tales casos, con todo, el derecho que confiere la norma consiste en que, junto con recusar al árbitro designado, el consumidor deberá "solicitar que se nombre otro por el juez letrado competente", en cuyo caso estará renunciando tácitamente a la jurisdicción estatal. A la inversa, si en vez de un compromiso el contrato contempla una cláusula compromisoria, en donde no existe designación previa de árbitro, el derecho a recursar sin expresión de causa se desarticula completamente pues aquí, el árbitro deberá ser designado de común acuerdo por las partes (con la consiguiente renuncia tácita del consumidor a la jurisdicción estatal) o subsidiariamente por la justicia ordinaria (art. 232 del Código Orgánico de Tribunales) Con el propósito de solucionar lo anterior, y para resguardar por tanto el derecho de acceso del consumidor a la jurisdicción estatal, la Ley n° 19.955 (D.O. de 14 de julio de 2004) agregó el actual incido final del art. 16 LPDC, que establece aquel derecho de "recurrir siempre ante el tribunal competente". Sin embargo, la ubicación de la norma, en el inciso final del art. 16 que trata, específicamente, de los contratos de adhesión, sumado a su confusa redacción y la absoluta falta de análisis y discusión de su texto durante el trámite parlamentario, generan más dudas que certezas. El inciso agregado, recordemos, establece en la primera parte que "En todo contrato de adhesión en que se designe un árbitro, será obligatorio incluir una cláusula que informe al consumidor de su derecho a recusarlo, conforme a lo establecido en el inciso anterior", lo que deja sin respuesta la situación de los contratos con cláusula compromisoria, agregando luego que lo anterior (esto es, el derecho de recusación) "se entiende sin perjuicio del derecho que tiene el consumidor de recurrir siempre ante el tribunal competente", sin precisar no obstante el sentido y alcance de ese "siempre". En este punto, debe reiterarse que la norma referida forma parte de la regulación de los contratos de adhesión exclusivamente, pues así lo dispuso el legislador, de manera que los alcances materiales y subjetivos de este derecho aparentemente irrestricto de acceso a la jurisdicción estatal no pueden buscarse extramuros de la señalada categoría contractual; o al menos no a partir del art. 16 inc. final LPDC. Debe considerarse, además, que ante un pacto arbitral incluido en un contrato de adhesión, el ejercicio de tales derechos presupone una concreta y oportuna actividad procesal por parte del consumidor, sea por vía de recusación en la fase constitutiva del arbitraje o mediante la respectiva excepción de incompetencia, opuesta formalmente en la etapa inicial del procedimiento arbitral. En caso contrario, si el consumidor no ejerce los derechos recién indicados la competencia del árbitro de consolidará válida y definitivamente, sin que aquel pueda desconocerla unilateralmente amparándose en el texto del art. 16 inc. final. Todavía más, toda esta actividad procesal, que la ley pone de cargo del consumidor, supone contar con una asesoría jurídica que aquel no está muchas veces en condiciones de sufragar; o dicho de otra forma, para poder ejercer su derecho de acceso a la jurisdicción estatal, el sistema de arbitraje regulado en el art. 16 LPDC le impone una carga adicional al consumidor, quien deberá contar necesariamente con una asesoría letrada que lo represente o al menos que lo oriente en el ejercicio oportuno de tales derechos. En suma, la fórmula que ofrece el art. 16 LPD en materia de arbitraje de consumo, amén de encontrarse restringida a los contratos de adhesión como ya se dijo, no cumple tampoco con el objetivo que tuvo aparentemente el legislador del año 2004, de garantizar el acceso del consumidor a los órganos jurisdiccionales estatales".

SENTENCIAS SOBRE CLÁUSULA COMPROMISORIA O CLÁUSULA ARBITRAL (ART. 16 INC. PENÚLTIMO Y FINAL)

- **Nicolás Uribe Kunz con CE Inmobiliaria S.A. (2017): Corte Suprema, 02 de marzo de 2017, Recurso de Casación en el Fondo, Rol nº 46551-2016, LTM18.744.948:** "SÉPTIMO: Que, en todo caso, para que sea aplicable la norma que permite al consumidor recurrir siempre a la justicia ordinaria, debe tratarse de un contrato de adhesión. En efecto, el artículo 16, que contiene la norma debatida, se ubica en el párrafo 4º del Título II, titulado 'Normas de equidad en las estipulaciones y en el cumplimiento de los contratos de adhesión'. Por lo demás, el inciso que inicia el artículo 16, que determina el ámbito de las reglas, se refiere expresamente a los contratos de adhesión. En todo caso, el propio inciso 3º comienza disponiendo que: 'En todo contrato de adhesión en que se designe un árbitro, será obligatorio incluir una cláusula que informe al consumidor de su derecho a recusarlo, conforme a lo establecido en el inciso anterior', para luego agregar 'Lo que se entiende sin perjuicio del derecho que tiene el consumidor de recurrir siempre ante el tribunal competente'. Así pues, esta facultad de recurrir siempre a los tribunales ordinarios aun cuando exista una cláusula arbitral constituye una prerrogativa excepcional para el consumidor en los contratos de adhesión lo que, por cierto, supone que en el proceso se encuentre establecido que el contrato sobre el que versa el conflicto tenga dicha naturaleza jurídica".

ARTÍCULO 16 A

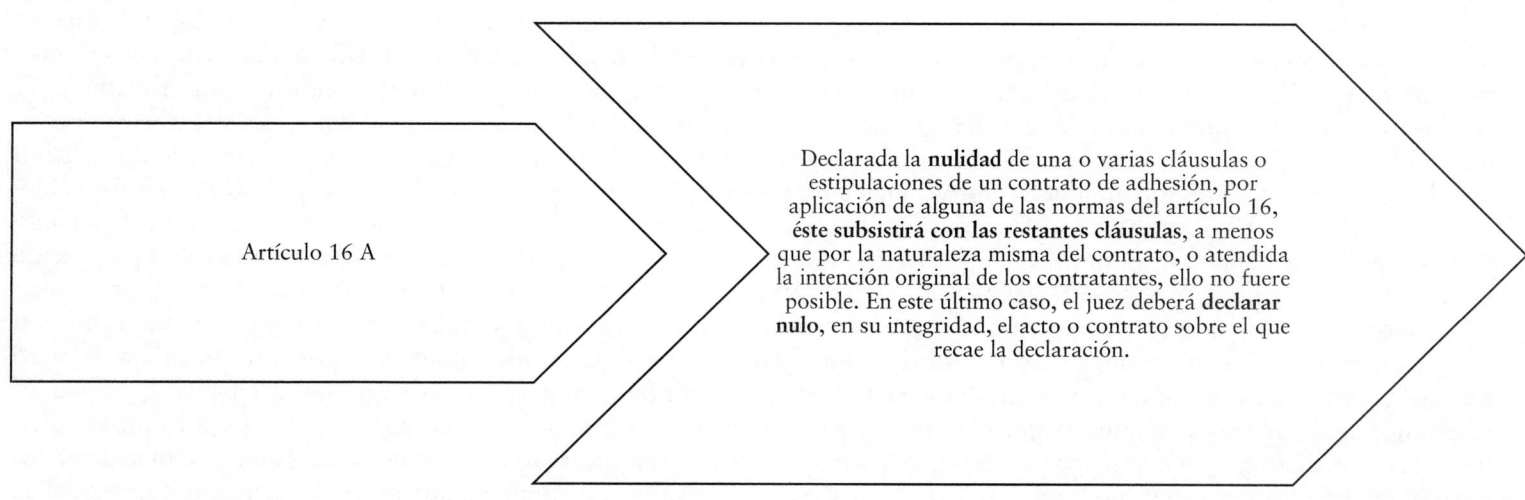

Artículo 16 A

Declarada la **nulidad** de una o varias cláusulas o estipulaciones de un contrato de adhesión, por aplicación de alguna de las normas del artículo 16, **éste subsistirá con las restantes cláusulas**, a menos que por la naturaleza misma del contrato, o atendida la intención original de los contratantes, ello no fuere posible. En este último caso, el juez deberá **declarar nulo**, en su integridad, el acto o contrato sobre el que recae la declaración.

DOCTRINA SOBRE ARTÍCULO 16 A

- Isler, Erika (2016): "La nulidad parcial de la Ley nº 19.496". *Revista internacional foro de Derecho Mercantil* (50) ene-mar, pp. 7-31, 13-15. "Presupuestos de procedencia de la nulidad parcial de acuerdo a la Ley 19.496. Es necesario que se cumplan ciertos presupuestos para que se pueda declarar la nulidad parcial del contrato, a saber, que se trate de un negocio jurídico válido, que la cláusula sea prescindible y que no corresponda declarar la nulidad total. *3.1. Que se refiera a un negocio jurídico válido*. El primero de los requisitos se refiere a que el negocio jurídico, cuya eficacia se busca mantener, sea válido y no adolezca de otro vicio que pudiera acarrear su ineficacia por otra causa. Así por ejemplo, el establecimiento de la nulidad parcial como regla general no impide que se declare la nulidad completa del acto si se configuran los presupuestos de otras causales, tal como podría ser, por ejemplo, un supuesto de vicio del consentimiento o bien la no observancia de solemnidades establecidas por la ley para que nazca a la vida del derecho. *3.2. Prescindencia de la cláusula viciada*. La doctrina ha sostenido tradicionalmente que para que proceda la nulidad parcial la cláusula viciada debe ser prescindible de forma objetiva del resto del contrato, en otras palabras, que la cláusula viciada sea separable de la otra parte del negocio y que no sea esencial. De esta manera, la estipulación inválida no podría ser la principal dentro del acuerdo, como sería, por ejemplo, aquella que contiene la primordial voluntad de la o las personas que intervinieron en su otorgamiento. Así, Elorriaga de Bonis sostiene que "debe existir alguna independencia entre la parte válida del acto y el segmento que no lo es; de modo tal que la estipulación contaminada con el vicio de nulidad no afecte a las que no lo están. La nulidad parcial supone que el contenido normativo del negocio pueda descomponerse en, a lo menos, dos disposiciones distintas, una susceptible de ser mantenida y otra de ser eliminada, o que las varias disposiciones del acto puedan ser tenidas por independientes entre sí, de forma que la invalidez de algunas quede circunscrita solamente a ellas y no influya en la validez de las otras". Palacios Martínez, por su parte, estima que ello exige que la parte afectada, pueda ser excluida sin afectar la estructura y función básica del tipo negocial. Con todo, para poder determinar si la cláusula es prescindible o no, estima este autor que debe atenderse a la identificación del tipo negocial, con base en dos factores: la observancia de su causa —función social— y la determinación abstracta de si una vez extraída la cláusula afectada, puede o no el negocio cumplir con su finalidad. Ahora bien, en el ámbito del Derecho del consumidor, no es necesario que la cláusula cuya eficacia se cuestiona se refiera a aspectos accesorios o accidentales del contrato considerado en su totalidad, sino que se recurre a nociones vinculadas a la justicia distributiva para determinar su procedencia, tales como la "equidad" o el "desequilibrio". Así, por ejemplo, la ley española prescribe que "[s]olo cuando las cláusulas subsistentes determinen una situación no equitativa en la posición de las partes que no pueda ser subsanada podrá declarar la ineficacia del contrato" —art. 10 bis n° 2 LGDCU—. La legislación italiana, entre tanto, prescribe que la nulidad parcial procederá en la medida de que sea ventajosa para el consumidor —art. 36 Codice del consumo—. En nuestro país, el artículo 16 A de la LPDC establece que la regla general es la nulidad parcial, donde procede la ineficacia total únicamente si, eliminada la estipulación viciada, el contrato no pudiese seguir subsistiendo de acuerdo con los criterios que indica, esto es, la naturaleza misma del contrato y la intención original de los contratantes. Se desprende entonces, que ya no se exige la accidentalidad de la disposición viciada, la cual incluso puede recaer sobre el propio objeto del contrato, bien sea el precio —art. 16 letra b LPDC— o bien la misma prestación —art. 16 letra a LPDC—. Con todo, son dos los criterios que nos otorga nuestra legislación para que el intérprete determine la procedencia de la nulidad parcial. El primero de ellos es la naturaleza misma del contrato. Al respecto, Pizarro estima que podría hablarse de propósito práctico del negocio jurídico, donde se debe considerar "si la finalidad del contrato una vez extirpada la o las cláusulas abusivas se ve afectada, careciendo de interés persistir en la relación contractual". Tapia y Valdivia por su parte, sostienen que la ineficacia afectará al contrato en su totalidad, si declarada nula alguna de sus cláusulas, "deja de responder a un equilibrio razonable entre las prestaciones de las partes". Estos últimos autores agregan que, en todo caso, faltará el equilibrio razonable cuando se vean afectados los elementos esenciales del negocio jurídico, determinados".

- **Salazar, Arturo (2018): "La nulidad de las clausulas abusivas en la ley n° 19.496"** *Revista de Derecho de Consumo* n° 1, **pp. 37-52, p. 40:** "Teoría de la nulidad parcial: El artículo 16A, siguiendo al derecho comparado15, dispone que una vez declarada la nulidad de una o más cláusulas aplicando el artículo 16, en principio,el contrato debe subsistir consagrando la nulidad parcial como regla general. La nulidad parcial en contratos libremente discutidos es una excepción a la nulidad de todo el contrato, pues, de lo contrario,se traicionaría la voluntad de las partes. En ese sentido, no existe una norma general en el derecho contractual chileno que estipule la nulidad parcial, sino en casos especiales o aplicación jurisprudencial17. No constituye una nulidad contrapuesta a la nulidad absoluta, sino que es otra clasificación basada en el grado de extensión de los efectos de la nulidad. Si el vicio afecta al acto o contrato en todas sus partes, la nulidad es total. Si sólo afecta a una parte o cláusula del acto o contrato, la nulidad es parcial, por lo que puede consistir tanto en nulidad absoluta como nulidad relativa, atendiendo a la naturaleza del vicio de nulidad en que consista".

- **Baraona, Jorge (2015): "La integración e intervención administrativa del contrato: la lucha contra las cláusulas abusivas".** *Revista Actualidad Jurídica*, **pp. 105-133, 131-132:** "La disposición transcrita por una parte considera al contrato como enteramente nulo, y por lo mismo exige expulsarlo del sistema, pero por otra, permite considerar que el contrato subsista sin la cláusula considerada abusiva, dando lugar a una nulidad sólo parcial. El criterio básico es el de la nulidad parcial, porque lo que debe buscarse es la preservación del contrato.(…) el contrato, y podría concluirse que el contrato no puede subsistir como tal; en este caso, podría pensarse que debe anularse todo el contrato. Para llegar a una conclusión de que el contrato no puede subsistir sin la cláusula considerada nula, debe hacerse una interpretación integral del contrato, indagando en su naturaleza y en la intención original de los contratantes. Como puede apreciarse, esta es una operación residual porque importa terminar con el contrato, lo que puede ser muy perjudicial para el consumidor; lo que debe llevar a preferir una expulsión parcial de la cláusula. Por ello, no debería descartarse, en materia de consumidores, la integración del contrato, en la medida de que no se trate de cláusulas sobre el precio, u otros aspectos. La idea es darle al contrato un contenido acorde a lo convenido, para respetar la esencia de la prestación o servicio ejecutado".

- **Baraona, Jorge (2014): "La regulación contenida en la Ley 19.496 sobre protección de los derechos de los consumidores y las reglas del Código Civil y Comercial sobre contratos: un marco comparativo** *Revista Chilena de Derecho, vol. 41* **(2), pp. 381-408, pp. 395-396:** *"La nulidad de las cláusulas abusivas.* i) Ideas generales. Como una acción adicional, y de la que no puede dudarse su función protectora del consumidor afectado, detectamos la declaración de nulidad de las cláusulas abusivas que se establece en la Ley 19.496, conforme con las reglas contenidas en sus artículos 16 y siguientes. Puede advertirse que es la propia ley la que sanciona con amplia ineficacia a las cláusulas de adhesión abusivas introducidas en un contrato de adhesión, bajo los siguientes términos: "No producirán efecto alguno en los contratos de adhesión las cláusulas o estipulaciones que…". Es decir, la ineficacia de este tipo de cláusulas deriva directamente de la ley, y la intervención del juez debe limitarse a constatar el carácter de abusivo de una cláusula y declarar su nulidad, según se desprende del artículo 16 A. ii) El tipo de sanción. Un tema que es interesante despejar, dice relación con la calificación que debe dársele a la nulidad de las cláusulas abusivas, si inexistencia, nulidad absoluta o, incluso,relativa Me parece que la función protectora que de la Ley de protección de los derechos de los consumidores tiene, impide aplicar la reglas de la nulidad absoluta sobre saneamiento a la nulidad de las cláusulas abusivas, por distintas de razones, tal vez la más importante porque en general me parece que la nulidad de las cláusulas abusivas contenida en la Ley 19.496, lo que busca es precisamente no darle eficacia a una cláusula abusiva. No me parece razonable aplicar en subsidio el Código Civil en este caso, porque una cláusula abusiva causa un daño permanente a un consumidor y ello justifica que nunca pueda ser saneada, pues, el daño futuro no puede estar amparado nunca, porque con ello se estaría violentando, en su base, el espíritu de la ley, que justamente pretende proteger los derechos de los consumidores, basado en principios de orden público. Ninguna razón lógica podría hacer que una cláusula, que no se ha detectado oportunamente como abusiva, pudiera quedar al margen de la declaración de nulidad, por el hecho de haber estado operativa en el tiempo, en este caso 10 años. Por ello, no creo que el estatuto supletorio que las rige sea el de la nulidad absoluta, contenido en el Código Civil, pues, entre otras cosas, ello supondría estimar que podrían sanearse por el transcurso del tiempo, conforme lo dispone el artículo 1683, *in fine*.

Para confirmar que no puede aplicarse el estatuto de la nulidad absoluta del Código Civil, irreflexivamente, téngase presente el inciso segundo del artículo 17 E que dispone que la nulidad de una cláusula de adhesión declaradas como abusivas por el artículo 17B, no podrá invocarse por el consumidor afectado para eximirse o retardar el cumplimiento parcial o total de las obligaciones que le imponen los respectivos contratos a favor del consumidor. Si se advierte, la limitación es funcional, y no puede derivarse que la cláusula sea valida, sino que el proveedor está inhibido de asilarse en ella para dejar de cumplir o retardar total o completamente sus obligaciones. Se trata de un instrumento legal —la nulidad—, que busca proteger a los consumidores y no causarles un detrimento, el que se derivaría del hecho que un proveedor, asilado en la nulidad, pudiera dejar de cumplir sus compromisos.

Entiendo, en consecuencia, que frente a la denuncia de una cláusula como abusiva, y que sea estimada, ella debe ser expulsada del contrato, y ninguna prescripción, caducidad o saneamiento podría reclamarse para conferirle valor. Cuestión distinta son las consecuencias patrimoniales que puedan derivarse de la declaración de nulidad, como por ejemplo las restituciones que pudieran reclamarse, o incluso las acciones contravencionales que pudieran deducirse, que sí están sujetas a prescripción".

SENTENCIAS SOBRE ARTÍCULO 16 A

- **Eduardo Escalona Suárez con Banco de Chile (2018): Corte de Apelaciones de Valparaíso, 02 de febrero de 2018, Recurso de Apelación, Rol n° 557-2017, LTM17.630.836: "OCTAVO:** Que a diferencia de los que ocurría hasta antes de la Ley n° 19.955 de 2004, algunas dudas surgirían del encabezado del artículo 16 de la Ley 19.496 relativo a tener por no escritas las cláusulas abusivas, debiendo resolverse por vía de interpretación si la sanción consistía en la inexistencia o la nulidad de la estipulación. Luego de la introducción de los artículos 16 A y 16 B toda duda se disipó, esclareciéndose que la sanción que le corresponde es la nulidad, la cual puede ser parcial o total. Por tanto, conforme a lo razonado anteriormente se acoge la pretensión del denunciante infraccional y demandante civil que se declare nula y sin efecto alguno la cláusula del Contrato unificado de empresas, versión 8, número 12, capítulo 1, letra A, por ser una cláusula abusiva".

ARTÍCULO 16 B

Artículo 16 B

El procedimiento a que se sujetará la tramitación de las acciones tendientes a obtener la declaración de nulidad de cláusulas contenidas en contratos de adhesión será el contemplado en el Título IV de la presente ley.

DOCTRINA ARTÍCULO 16 B

- **Wahl, Jorge (2006):** "Los contratos de adhesión: Normas de equidad en las estipulaciones y en el cumplimiento". **Cuadernos de extensión jurídica** (U. de Los Andes) nº 12, 2006, pp. 59-77, p. 71: "Procedimiento judicial para la tramitación de esta acción de nulidad: "Esta norma se debe relacionar con el nuevo artículo 50 LPC, que en lo que aquí interesa dispone que el incumplimiento de las normas contenidas en la presente ley dará lugar, entre otras acciones, a aquellas destinadas a "anular las cláusulas abusivas incorporadas en los contratos de adhesión". La misma norma añade que "el ejercicio de las acciones puede realizarse a título individual o en beneficio del interés colectivo o difuso de los consumidores". Sin embargo, contrariamente a lo que ocurre con las indemnizaciones de perjuicio, llama la atención que la LPC no regula los efectos que produce la sentencia de nulidad en los casos de acciones asociadas a los intereses colectivos o difusos, lo que puede ser relevante especialmente respecto de los consumidores que no se hicieron parte en la tramitación del juicio".

- **Campos, Sebastian (2018):** "Sobre el poder-deber de declarar de oficio la nulidad de las clausulas manifiestamente abusivas y su aplicabilidad en Chile" *Revista de Derecho de Consumo* nº 1, pp. 11-36, p. 36. "Por otra parte, el poder y el deber del juez de declarar de oficio la nulidad absoluta de aquellas cláusulas manifiestamente abusivas es procedente ya con ocasión de un procedimiento de cognición, ya con ocasión de un procedimiento de apremio, pues el artículo 1683 del Código Civil no distingue. En base a la misma razón, el destinatario del mandato legal bien puede ser el juez de policía local, bien también el juez de letras en lo civil, con tal que cualquiera de ellos conozca de un asunto en que se acompañe un contrato por adhesión que contenga cláusulas manifiestamente abusivas. Además, en virtud de lo establecido en el artículo 209 del Código de Procedimiento Civil también los tribunales de segunda instancia, previa La interpretación que se propone permite escapar de los estrechos márgenes que establece el artículo 16 B de la LPDC, norma que se limitaría a establecer el procedimiento aplicable a aquellos casos enque la nulidad se alegue por vía de acción. Si la nulidad no ha sido alegada por vía de acción ni por vía de excepción, cualquiera sea el juez que conozca de un conflicto en que incida un contrato por adhesión que contenga cláusulas manifiestamente abusivas, podrá y deberá declarar de oficio la nulidad absoluta, sin importar tampoco el procedimiento ni la instancia en que se ventile la cuestión".

- **Carrasco, Jaime y Contardo, Juan Ignacio (2019):** "Ensayo sobre el ejercicio procesal de la ineficacia de forma (artículo 17 lpdc) y fondo (artículos 16, 16 a y 16 b lpdc) en los contratos por adhesión con consumidores", en **Juan Ignacio Contardo;**

Felipe, Fernández y Claudio Fuentes (Coords). Litigación en materia de consumidores. Santiago: Legal Publishing Chile, pp. 69-89, pp. 79-89 "*C. Sujeto activo* El sujeto activo dependerá del procedimiento aplicable, si de interés individual o de interés colectivo o difuso, tal como se pasará a explicar.

i. Procedimiento de interés individual

En un procedimiento de interés individual, el sujeto activo será, por regla general, el consumidor contratante. Sin embargo, hay que determinar si sujetos distintos al consumidor contratante pueden igualmente alegar la ineficacia de forma. Y aquí cobra interés la naturaleza de la acción.

Si la acción de ineficacia tiene la naturaleza de una nulidad absoluta (lo que llevaría a pensar que la causal de nulidad sería la omisión de solemnidades legales o contratos prohibidos por la ley), es posible concebir que terceros aleguen la ineficacia de forma del contrato, pues puede alegar la nulidad absoluta cualquiera que tenga interés en ello (artículo 1683 CC). Por otra parte, si su naturaleza es de nulidad relativa, la respuesta sería que sólo el contratante/consumidor puede reclamar la ineficacia. Si, por el contrario, la sanción tiene la naturaleza de una nulidad de pleno derecho, o bien, de una ineficacia general, bastará con alegar que tal cláusula le afecta a quien se pretende consumidor, aun cuando no haya contratado con el proveedor, lo que nos lleva a la discusión sobre la naturaleza del denominado "consumidor material".

Por su parte, el Sernac podría denunciar la infracción de forma o fondo en los contratos en conformidad con el artículo 58 g) LPDC, alegando el interés general de los consumidores. La norma dispone en sus dos primeros incisos: "El Servicio Nacional del Consumidor deberá velar por el cumplimiento de las disposiciones de la presente ley y demás normas que digan relación con el consumidor, difundir los derechos y deberes del consumidor y realizar acciones de información y educación del consumidor.

Corresponderán especialmente al Servicio Nacional del Consumidor las siguientes funciones: "Velar por el cumplimiento de las disposiciones legales y reglamentarias relacionadas con la protección de los derechos de los consumidores y hacerse parte en aquellas causas que comprometan los intereses generales de los consumidores, según los procedimientos que fijan las normas generales o los que se señalen en leyes especiales. *La facultad de velar por el cumplimiento de normas establecidas en leyes especiales que digan relación con la protección de los derechos de los consumidores, incluye la atribución del Servicio Nacional del Consumidor de denunciar los posibles incumplimientos ante los organismos o instancias jurisdiccio-*

nales respectivas y de hacerse parte en las causas en que estén afectados los intereses generales de los consumidores, según los procedimientos que fijan las normas generales o los que se señalen en esas leyes especiales" (énfasis añadido).

La legitimación que al Sernac le confiere esta norma está circunscrita con la facultad que tiene dicho organismo para impetrar las denuncias infraccionales, siempre que se vean afectados los intereses generales de los consumidores. Tratándose de defectos de forma en un contrato por adhesión, parece difícil estimar que ésta sea la vía idónea de accionar toda vez que no aparece clara la distinción entre interés general y los efectos que se pretenden con la ineficacia de las cláusulas que contengan defectos de forma. Por esta razón, la vía más idónea debe ser el procedimiento de interés colectivo o difuso.

Con todo, podría estimarse que la intervención del Sernac, en conformidad con el artículo recién transcrito, es similar a la pretendida del Ministerio Público del artículo 1683 CC, el que se sabe ya no tiene intervención en primera instancia hace muchos años y por esta razón no interviene en los juicios de nulidad absoluta de contrato. De hecho, el Sernac, en la práctica, actúa como un ministerio público en materias de consumo y podría alegar interés en el cumplimiento de la ley, razón que podría justificar su legitimación siempre que la ineficacia de forma pueda ser considerada una nulidad absoluta.

Finalmente, queda por resolver si el juez puede declarar de oficio la ineficacia de forma o fondo (el juez, técnicamente no es sujeto activo). Sólo podrá declararla de oficio en la medida que se entienda que la sanción al artículo 16 y 17 LPDC es una nulidad absoluta, caso en el que el vicio debe aparecer de manifiesto en el acto o contrato. La pregunta que surge, entonces, es cuándo el vicio podría aparecer de manifiesto en el acto o contrato.

Tratándose de defectos de fondo del contrato, las cláusulas abusivas se encuentran presentes en el contrato. Otra cosa es que su inclusión sea manifiesta en el acto o contrato de tal manera que el juez, por su sola lectura, estime que la cláusula es abusiva. Piénsese, por ejemplo, en una cláusula que aparenta ser un mandato en blanco, prohibida por la ley de "Sernac Financiero". ¿Tiene el juez facultades para dejarla sin efecto de oficio? Nuestra impresión es que esto quedará a la prudencia del juez en cada caso. Si el tribunal estima que la nulidad puede ser declarada de oficio porque se cumplen los requisitos para actuar de esa manera, entonces la declarará. En caso contrario estará imposibilitado de hacerlo. Si la ineficacia de la cláusula es nulidad relativa, la sentencia que la declare siempre incurrirá en el vicio de *ultrapetita*.

Si nos enfocamos ahora en los defectos de forma, y si volvemos un minuto al artículo 17 LPDC, los defectos que se establecen en él son en general ostensibles: legibilidad, mínimo de tamaño de la letra e idioma castellano. Sin embargo, la claridad del texto no necesariamente lo es, y en consecuencia, creemos que el juez no puede declarar de oficio la nulidad (si esta fuera la sanción pertinente), por lo menos en atención a la falta de claridad del contrato.

ii. Procedimiento de interés colectivo y difuso

Tal como ya es ampliamente sabido, la legitimación en estos juicios se ha reservado para tres tipos de intervinientes en conformidad con el artículo 51 n° 1 LPDC: (a) "El Servicio Nacional del Consumidor"; (b) "Una Asociación de Consumidores constituida, a lo menos, con seis meses de anterioridad a la presentación de la acción, y que cuente con la debida autorización de su directorio para hacerlo", o (c) "Un grupo de consumidores afectados en un mismo interés, en número no inferior a 50 personas debidamente individualizadas".

Si bien formalmente la legitimación de estos intervinientes ha sido determinada por ley, es necesario resaltar que el interés alegado no siempre será el mismo, lo que es importante para los efectos de determinar los sujetos afectados masivamente.

Así, si se intenta realizar un control abstracto de un contrato que se va aplicar a una masividad de consumidores, o que se ha aplicado a un conjunto indeterminado de los mismos (no se sabe a ciencia cierta a cuántos se ha afectado, pero sí se sabe que a un conjunto de consumidores independiente de su determinación), habrá que alegar que el defecto de forma o fondo de los contratos afecta un interés difuso. De esta manera, en un control abstracto, sólo es posible que demande el Sernac o una Asociación de Consumidores. No podrían intervenir grupos de consumidores en un control abstracto, por la sencilla razón que ellos deben estar individualizados y determinar su afectación precisa, y el control abstracto parece no ser la vía adecuada al efecto.

Por el contrario, tratándose de un control concreto, los tres legitimados podrían dirigir las acciones respectivas.

Desde otra perspectiva, en un caso se discutió si el número de consumidores afectados resulta importante para la calificación del interés alegado, y en consecuencia, del procedimiento aplicable. En el caso, un conjunto de consumidores afectados inferior a 50 dedujo demanda de indemnización de perjuicios ante el juez de Policía Local correspondiente por publicidad engañosa. La Corte Suprema determinó que en este caso el interés era colectivo y no individual, y en consecuencia el procedimiento aplicable es el de las acciones de interés colectivo23. Aun cuando el caso no trata de cláusulas abusivas, plantea el problema relativo a la legitimación activa en atención al número de consumidores afectados. Parece ser que la doctrina de la Corte va en la senda de estimar que el interés es colectivo cuando se produce afectación a muchas personas. Así, cuando afecta a muchas personas de la misma manera, el interés sería colectivo, prohibiéndose en este caso el *litis consorcio* activo en policía local. Como se ve, la cuestión es especialmente importante en materia de cláusulas abusivas pues ellas derivan de contratos por adhesión que están llamados a ser aplicados a un conjunto importante de consumidores. De esta suerte, podría estimarse que cualquier problema que afecte a un grupo de consumidores con contratos por adhesión pueda ser considerado como de interés colectivo. Ello obligaría a las Asociaciones de Consumidores a litigar en favor de los consumidores afectados en número inferior a 50, lo que haría depender el acceso a la justicia en sujetos (las Asociaciones de Consumidores) que quizás no quieren patrocinar esos intereses.

D. Sujeto pasivo

El sujeto pasivo de las acciones de ineficacia es el proveedor redactor del contrato por adhesión o en quien se radicarán los efectos propios del contrato. Cuando es el propio proveedor quien redacta los términos del contrato no se han presentado problemas, pero sí cuando ha existido participación de terceros en la celebración de contratos por adhesión.

En este sentido, se discutió en *Servicio Nacional del Consumidor con T4F Chile S.A.*26, si el sujeto pasivo de la acción era el organizador de un concierto que terminó cancelándose, o bien el vendedor de las entradas. La Corte Suprema determinó en este caso que el sujeto pasivo de la acción de nulidad era el organizador del evento, quien sería el propio proveedor del servicio de espectáculo público, toda vez que el intermediario no vendió todas las entradas del concierto.

E. Objeto pedido

El objeto pedido o simplemente el *petitum* consiste en el beneficio jurídico que se solicita al momento de impetrar la tutela jurídica de una determinada situación. El objeto pedido se manifiesta en las peticiones claras y precisas que se someten a la consideración del tribunal (artículo 254 nº 5 CPC). En concreto, lo que se solicita a través de la acción de ineficacia por vicios de forma es la inaplicación de la cláusula que contiene estos vicios hacia el consumidor.

Eventualmente, si todo el contrato no cumple con los requisitos de forma, éste sería inaplicable respecto del consumidor. Entonces, la pregunta que surge es en qué situación se colocarían las partes frente a una situación como la presentada. Imagínese que el proveedor/acreedor intente el cobro acelerado de un crédito por falta en el pago de alguna de las cuotas.

El acreedor demanda ejecutivamente, embarga bienes del deudor, pero éste opone como excepción la ineficacia de todo el contrato fundado en que el tamaño de la letra es inferior al legal. ¿En qué situación teórica quedarían las partes frente a un caso como el descrito?

Nuevamente depende de la tesis que se sostenga sobre la naturaleza jurídica de la nulidad.

Si la sanción al artículo 17 fuere nulidad (absoluta, relativa o de pleno derecho), habría que colocar a las partes en una situación como si el contrato de mutuo no se hubiese celebrado. De esta manera, quedaría sin efecto el contrato (efecto extintivo de la nulidad), y las partes tendrían que restituirse lo recibido en virtud del contrato. Como, en el ejemplo, el contrato es de mutuo, el proveedor/acreedor podrá solicitar la restitución del dinero prestado, pero el consumidor podría obtener la restitución de los intereses pagados, operando entre ambas restituciones una compensación.

Ahora, si la sanción al artículo 17 fuere una ineficacia distinta a la nulidad, cercana a la inoponibilidad, habría que estimar que la obligación contenida en el contrato, aunque válida, es incobrable al consumidor, al estilo de una obligación natural. Se trataría entonces de una sanción fuerte al proveedor, quien a sabiendas de lo dispuesto en el artículo 17 LPDC no podría cobrar las cuotas restantes ni podría obtener restitución de lo pagado. El consumidor no podría obtener la restitución de lo pagado a título de intereses, pero se le habilitaría a retener lo prestado.

F. Causa de pedir

La causa de pedir en las acciones de ineficacia está en estrecha relación con el procedimiento aplicable y la causal de ineficacia esgrimida.

La causa de pedir en este tipo de acciones, de naturaleza constitutiva —en las que se solicita la modificación de un estado jurídico por otro— consistirá en que se verifiquen los supuestos fundantes (vicios, defectos, irregularidades) de la acción de ineficacia establecidos en la ley. Para que pueda acogerse esta acción debe acreditarse el vicio que importa la declaración de ineficacia y que la ley permita el cambio de esa situación jurídica a otra.

La causa de pedir en la ineficacia de forma se funda, precisamente, en la infracción a las leyes que ordenan las formas de los contratos de consumo masivo. Las normas son de aplicación objetiva y, en consecuencia, basta con la identificación de la causal para que se dé lugar a la ineficacia reclamada.

Tal como ya se hizo presente con anterioridad, esto sucederá con las causales de falta de legibilidad, tamaño de letra e idioma castellano. Por el contrario, la falta de claridad del texto supondrá un análisis del texto del contrato y, en consecuencia, la causa de pedir debe encontrarse en una disparidad de criterios hermenéuticos del contrato, los que el juez debe ponderar en conformidad con las reglas de interpretación de los contratos del Código Civil, en especial la regla de interpretación en contra del redactor del artículo 1566 inciso segundo CC.

En las ineficacias de fondo, la causa de pedir encuentra su fundamento en cualquiera de las cláusulas abusivas reclamadas, las que deben alegarse a través de los procedimientos regulares de consumo. Procedimientos distintos no sirven para reclamar la existencia de cláusulas abusivas. Así lo ha resuelto la Corte Suprema. En un caso, el demandante vencido en apelación en contra de un asegurador alegó dentro de otras infracciones en el recurso de casación interpuesto, la existencia de cláusulas abusivas en el contrato las que no habría considerado el fallo de apelación. La sentencia de la Corte Suprema expresó que no podía pronunciarse respecto de ellas, como de las demás materias no alegadas en la demanda, pues de hacerlo estaría violando el principio de congruencia.

G. Aspectos probatorios

Sobre el particular, nuevamente cabe distinguir entre ineficacias de fondo y forma.

i. De las ineficacias de fondo. ¿Control abstracto o concreto?

Uno de los aspectos no discutidos sobre la aplicación de la ineficacia por aspectos de fondo en nuestro país, es si el análisis del contenido contractual debe aplicarse en concreto o en abstracto. La cuestión es la siguiente: ¿la sola apreciación de la cláusula basta para declarar su abusividad, o se requiere, además, que el proveedor la ponga en ejecución? Si sólo basta con la apreciación del contrato, el control será abstracto. Si se requiere además de una conducta del proveedor en su puesta en práctica, el control será concreto.

La LPDC no resuelve esta cuestión, y tampoco hay pistas en la historia legislativa. Por lo pronto, la cuestión es importante respecto a ciertas cuestiones probatorias.

En primer lugar, resulta importante para saber cómo debe probarse la abusividad de la cláusula. Si el control es abstracto, basta con la prueba del contrato, a partir de su aportación en juicio. Si el control se aprecia en concreto, deberá, además, probarse la conducta del proveedor. Como se ve, un control concreto, desde el punto de vista de la prueba es más exigente respecto del sujeto activo.

En segundo lugar, en términos de carga de la prueba, la cuestión se mantiene siempre en manos del sujeto activo de la acción. En conformidad con el artículo 1698 CC, corresponde probar la extinción de una obligación a quien la alega. En consecuencia, compete al sujeto activo de la acción de ineficacia probar la abusividad de la cláusula. Por lo que se viene describiendo, es el sujeto activo quien debe probar que la cláusula es abusiva, a partir del solo contrato (si el control fuera abstracto) o, además, de la conducta del proveedor (si el control fuera concreto).

De lo señalado, la naturaleza de la acción también resulta importante. Si la acción ejercida es la nulidad absoluta, tal como mencionamos anteriormente, el juez puede declarar de oficio la nulidad. En consecuencia, la existencia de la cláusula se trata de una cuestión de hecho, pero la abusividad de la misma se tratará de una cuestión de derecho. En el fondo, si el juez declara de oficio la nulidad, estará realizando un análisis en abstracto de la causal, pues, en conformidad con el artículo 1682 CC, el vicio debe aparecer de manifiesto en el acto o contrato. De esta manera, la conducta del proveedor sería inocua para calificar la abusividad de la cláusula. Por el contrario, si a la ineficacia se le confiere otra naturaleza (nulidad relativa, u otra), podría discutirse en estos demás casos si el control es en abstracto o en concreto.

ii. De las ineficacias de forma

La prueba en materia de defectos de forma es eminentemente documental. El contrato será la prueba fundamental sobre la materia.

A este respecto cabe tener presente varias cosas.

En primer lugar, prevalece el contrato firmado por todas las partes si subsiste en poder de cualquiera de ellas. En principio, esta prueba debería obrar en poder del consumidor en conformidad con el artículo 17 inciso cuarto parte primera, pues la norma dispone que tan pronto como se firme el contrato por el consumidor, el proveedor es obligado a entregarle la copia firmada por todas las partes.

En segundo lugar, la misma norma dispone que cuando ello no fuera posible, el proveedor debe entregar una copia con constancia de ser fiel al original. Esta copia entregada al consumidor puede no estar firmada por ninguna de las partes, y en consecuencia debe contener los datos necesarios para su acertada inteligencia, como lo será, por ejemplo, la individualización de las partes, aun cuando no haya sido firmado por ninguna de ellas. Este documento, que normalmente será un instrumento privado que emana de las partes, debe acompañarse bajo el apercibimiento establecido en el artículo 346 No 3 del Código de Procedimiento Civil.

En tercer lugar, en los contratos formularios, lo manuscrito y las agregaciones al contrato prevalecen por sobre las cláusulas originales del mismo, en conformidad con el artículo 17 inciso segundo. Sobre las agregaciones o modificaciones al contrato, deben aplicarse las mismas reglas anteriores, esto es, que la agregación o modificación del contrato, en principio deben ser firmadas por todos los otorgantes, a menos en que ello no sea posible de tal suerte que la que se tiene por copia auténtica de la agregación o modificación prevalece por sobre el contrato original.

En cuarto lugar, se ha discutido en tribunales si el tamaño de la letra es un hecho notorio, o bien, debe ser verificado a través de un peritaje29. Recordemos que, según dispone el artículo 17 inciso primero LPDC, el tamaño de la letra debe ser *"no inferior a 2,5 milímetros"*, lo que supone que el tamaño de la letra debe ser al menos de 2,5 milímetros para que el proveedor cumpla con este requisito de forma. Nos parece que esto puede ser de manera fácil evidenciado por el tribunal colocando simplemente una regla sobre la letra del contrato. Si éste tiene un tamaño inferior a 2 milímetros, al parecer no habría lugar a dudas que hay infracción al artículo 17 LPDC. Por el contrario, la diferencia entre 2 mm y 2,5 mm pudiera ser sutil, y en ese caso lo conveniente es acudir a un peritaje.

En quinto lugar, como la falta de claridad del contrato pudiera ser una cuestión hermenéutica, un informe en derecho ratificado por una declaración testimonial, pudiera ayudar a esclarecer la idoneidad de la cláusula en atención a su forma, pero la sola prueba documental debiese ser suficiente para tener por acreditada la falta de claridad del contrato.

Finalmente, en sexto lugar, las demás pruebas (testigos y absolución de posiciones) podrían ayudar a confirmar si la cláusula no se ajusta a la forma del contrato, pero la prueba fundamental es la documental.

Sobre el particular, cabe hacer presente que, tanto en el procedimiento de interés individual como en el procedimiento de interés colectivo y difuso, la prueba se aprecia en conformidad con las reglas de la sana crítica (artículos 14 Ley No 18.287 y 51 inciso segundo LPDC). De esta manera, cuestiones como la falta de claridad del contrato o la legibilidad del contrato deben ser ponderadas por el tribunal en atención a las máximas de la experiencia, los conocimientos científicamente afianzados y a las reglas de la lógica.

Sin embargo, si la alegación de la ineficacia de forma se produce en juicio civil distinto a los expresados (como un juicio ejecutivo) la prueba se apreciará de acuerdo a las reglas de la prueba tasada contenidas en el CPC".

ARTÍCULO 17

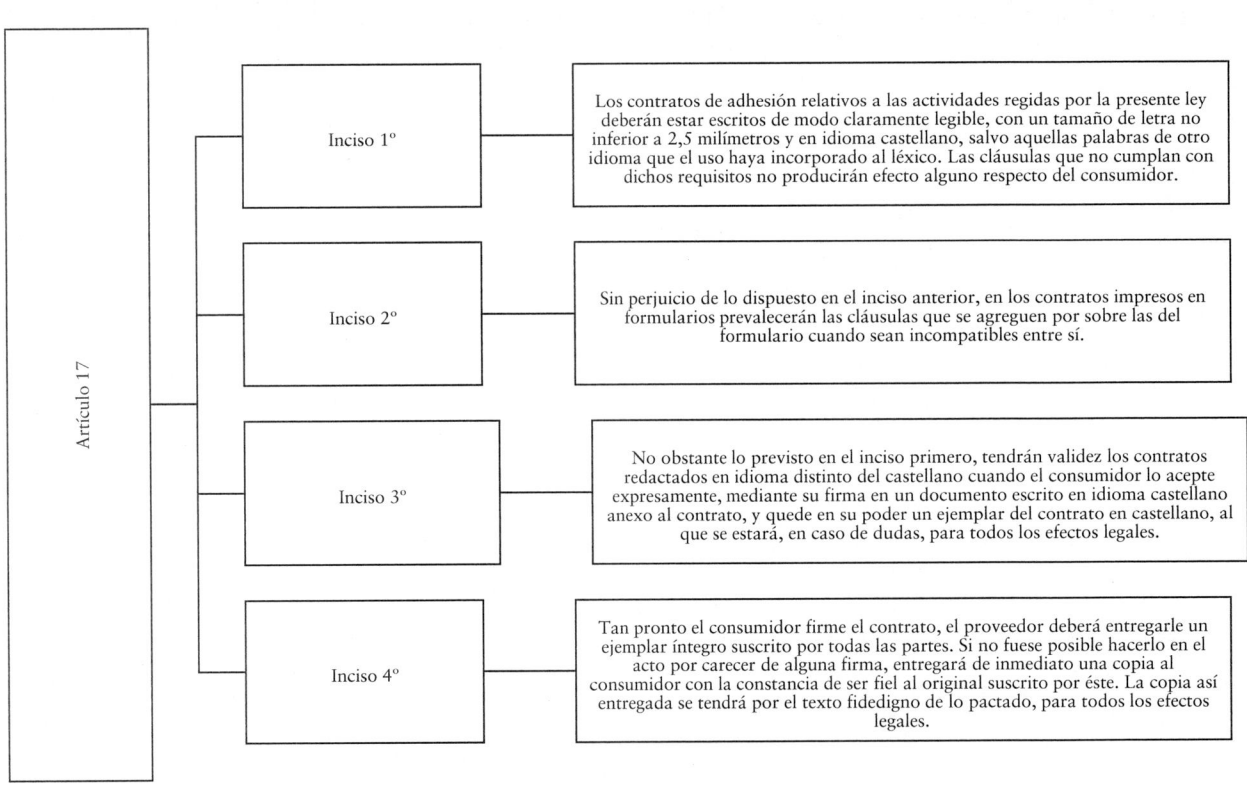

Artículo 17

Inciso 1°
Los contratos de adhesión relativos a las actividades regidas por la presente ley deberán estar escritos de modo claramente legible, con un tamaño de letra no inferior a 2,5 milímetros y en idioma castellano, salvo aquellas palabras de otro idioma que el uso haya incorporado al léxico. Las cláusulas que no cumplan con dichos requisitos no producirán efecto alguno respecto del consumidor.

Inciso 2°
Sin perjuicio de lo dispuesto en el inciso anterior, en los contratos impresos en formularios prevalecerán las cláusulas que se agreguen por sobre las del formulario cuando sean incompatibles entre sí.

Inciso 3°
No obstante lo previsto en el inciso primero, tendrán validez los contratos redactados en idioma distinto del castellano cuando el consumidor lo acepte expresamente, mediante su firma en un documento escrito en idioma castellano anexo al contrato, y quede en su poder un ejemplar del contrato en castellano, al que se estará, en caso de dudas, para todos los efectos legales.

Inciso 4°
Tan pronto el consumidor firme el contrato, el proveedor deberá entregarle un ejemplar íntegro suscrito por todas las partes. Si no fuese posible hacerlo en el acto por carecer de alguna firma, entregará de inmediato una copia al consumidor con la constancia de ser fiel al original suscrito por éste. La copia así entregada se tendrá por el texto fidedigno de lo pactado, para todos los efectos legales.

DOCTRINA SOBRE ARTÍCULO 17

- **Morales, María Elisa. (2018):** *Control preventivo de cláusulas abusivas.* **Santiago: Der Ediciones, pp. 68 y 85:** "El control de inclusión busca garantizar que el consumidor esté en condiciones de obtener la información necesaria antes de la conclusión del contrato y supone el cumplimiento de una serie de requisitos formales. Es un mecanismo de control de cláusulas abusivas, porque busca evitar que el contrato sea el continente propicio para alojar este tipo de cláusulas. Este mecanismo de control se ha denominado también "control de consentimiento", porque estos controles formales además favorecerían la correcta formación del consentimiento del adherente. Otra denominación utilizada es "control de incorporación". (…) Manifestaciones de este tipo de control en la LPDC encontramos en los artículos 12 A, 17, 17 B y 17 C de la LPDC. (…) En cuanto al artículo 17, este es una manifestación en nuestro ordenamiento del principio de transparencia. Esta norma, aplicable —al igual que en la Directiva 93/13— a contratos de adhesión, exige que estén escritos de modo claramente legible, con un tamaño de letra no inferior a 2,5 milímetros y en idioma castellano, salvo aquellas palabras de otro idioma que el uso haya incorporado al léxico. A diferencia de la Directiva, la norma prevé una sanción para el caso de que alguna cláusula no cumpla las exigencias descritas, disponiendo que "no producirá efecto alguno respecto del consumidor".

- **Barrientos. Francisca (2019):** *Lecciones de derecho del consumidor.* **Santiago: Thomson Reuters, pp. 106-107:** "El principio de transparencia parte de algunas reglas de información, pero es más que eso. Se trata de un segundo nivel de protección —si se quiere exponer de esa forma— que intenta asegurar no sólo el adecuado suministro de información al consumidor, sino que además comprensión, concreción y claridad de todas las instituciones relacionadas con el consumo, como ofertas, promociones, publicidad, contratos por adhesión, entre otras.

  Con la transparencia se pretende que cualquier adherente medio no entendido en derecho tenga las herramientas suficientes para que pueda comprender las condiciones contractuales predispuestas. O, desde el punto de vista del proveedor, que cumpla con su obligación de redactar contratos claros, legibles y transparentes.

  Por eso, quizás es posible citar esta sentencia que, sin pronunciarse sobre la transparencia habla de ella, al exigir que sea posible conocer los términos y condiciones de un contrato consignados en un reglamento oculto para el consumidor. Se trata de *Camus con Comercializadora con Aldo Manatagua S.A. (2007),* en que se reclamó la falta de entrega del reglamento del plan vacacional protocolizado en una Notaría de Santiago. En ella, se incluían ciertas cláusulas que permitían cobrar un pago adicional por el uso del sistema, pactos comisorios, cuotas de mantención de servicios. Sin mayores fundamentos se declararon abusivos por desequilibrar los derechos de las partes y por estar "casi ocultos" para los consumidores.

De esta forma, los jueces por la vía represiva, y el Servicio Nacional del Consumidor y todos los entes que participarán en procedimientos voluntarios colectivos, de manera extrajudicial, podrían (y deberían) tutelar la recta transparencia de los contratos celebrados con consumidores. Con ello, habría que considerar que este control operaría de forma especial en nuestro país, porque no se trata de abogar por su incorporación como una regla de interpretación contractual. En realidad, sería algo más que eso, toda vez que la disposición en estudio expresa que estas cláusulas "no producirán efecto alguno" (artículo 17 inciso 1°)".

- Baraona González, Jorge. (2014): "**La regulación contenida en la Ley 19.496 sobre protección de los derechos de los consumidores y las reglas del Código Civil y Comercial sobre contratos: un marco comparativo**". *Revista chilena de derecho*, *41*(2), 381-408. https://dx.doi.org/10.4067/S0718-34372014000200002, p. 390: "En materia de contratos de adhesión la norma contenida en el artículo a 17 de la Ley 19.496 es exigente, pues requiere que los contratos de adhesión consten por escrito de modo claramente legible, con letra no inferior a 2,5 milímetros y en idioma castellano. Es más, la aceptación del consumidor debe darse por medio de la firma estampada en el mismo contrato. Tenemos una aceptación expresa, mediante la firma, frente a un contrato que debe ser escriturado, bajo las reglas indicadas, de otra manera las cláusulas no producirán efecto alguno "respecto del consumidor". Esto último significa que el contrato tiene efecto eventualmente contra el proveedor, y por lo mismo, todo el sistema que se configura busca proteger solo al consumidor, en términos de asegurar su asentimiento libre, equilibrado y sin daño. Como se aprecia, y siguiendo a Wahl, "el contrato de adhesión desafía los principios tradicionales de autonomía de la voluntad, libertad contractual y formación del consentimiento".

- De la Maza, Íñigo (2004): "**El control de cláusulas abusivas y la letra g).** Revista Chilena de Derecho Privado (3), pp. 35-68", en Francisca Barrientos; Íñigo De La Maza y Carlos Pizarro. *Consumidore*s. Santiago: Legal Publishing Chile, pp. 115-147, 132-133: "El artículo 12 A regula los contratos a distancia es doble. En primer lugar exige que el acceso a las condiciones generales del contrato sea claro, comprensible e inequívoco. En segundo exige que el consumidor pueda almacenar o imprimir el contenido del contrato (…)Respecto de la segunda exigencia, el requisito tiene por objeto que el consumidor conserve un soporte material del contrato que ha celebrado y una interpretación sistemática de la ley indica que el cumplimiento de este requisito no exime al proveedor del envío de una copia a que refiere el inciso final del artículo 17 de la Ley, en cuyo caso la firma debería ser electrónica".

- **Vidal, Álvaro (2000): "Contratación y consumo el contrato de consumo en la ley nº 19.496 sobreprotección a los derechos de los consumidores".** *Revista de Derecho de la Universidad Católica de Valparaíso*, **XXI, pp. 229-255, pp. 251-252:** "Listado de cláusulas abusivas en el contrato por adhesión: Hay una regla especial para la interpretación de los contratos de consumo: "En el inciso segundo del artículo 17, se reconoce que no todos los contratos por adhesión, en los términos de la ley, están contenidos en textos impresos en formularios, ésta sólo es una posibilidad. Perfectamente, puede haber un contrato por adhesión que se haga constar por escrito en el momento de la celebración. Ahora bien, para los primeros, es decir, los contratos impresos en formularios, puede suceder que se agreguen cláusulas no previstas en su texto, sea que se haga en manuscrito, o por algún medio de escritura tipográfica. Si este es el supuesto y existe incompatibilidad entre la cláusula impresa y la agregada por las partes la ley ordena preferir la segunda por encima de la primera. Tal como se ha afirmado precedentemente, la ratio legis de esta norma es que la ley presuma que en la cláusula que se agrega a posteriori está contenida la verdadera voluntad de las partes, pues entiende que nace como resultado de un acuerdo particular (cláusula libremente discutida). Esta presunción explica la regla de interpretación contractual prevista por nuestro legislador. Se instaura la regla de interpretación de la prevalencia45. Sin perjuicio de esta norma particular, la doctrina nacional sostiene esta misma regla de interpretación, recurriendo a la norma básica en la materia del artículo1560 del Código Civil que ordena preferir la intención común de las partes por sobre el tenor literal de las palabras de la declaración negocial, a condición que la primera sea conocida claramente. Apoyándose en la citada disposición, se afirma que en la cláusula que se agrega al contrato por adhesión se encuentra la intención común de las partes y por ello, si hay incompatibilidad entre una y otra, deberá preferirse ésta por sobre el tenor literal del texto del contrato (formulario impreso). Esta interpretación sigue siendo de utilidad para los contratos por adhesión celebrados fuera del ámbito de la presente ley".

- **De la Maza, Iñigo y Cruz, Sergio (2003): "Chile: Contratos por Adhesión en Plataformas Electrónicas". AR:** *Revista de Derecho Informático*, **nº 59, pp. 1-51, p. 12-13:** "Según puede advertirse de la lectura del precepto, el control formal de las cláusulas abusivas puede desagregarse en los siguientes requisitos exigidos al proveedor: legibilidad, idioma y entrega o envío de la copia del contrato. Junto a esto, el precepto contiene una norma interpretativa que dispone la prevalencia de las cláusulas agregadas sobre el formulario. Respecto a la legibilidad. Por razones que ya se han mencionado, el conocimiento de las cláusulas abusivas no elimina ni en el mundo del papel ni en las plataformas electrónicas el problema de las cláusulas abusivas en los contratos por adhesión. En el caso chileno la situación es aún más dramática. Al tenor de la discusión parlamentaria sobre la Ley 19.496, parece claro que la legibilidad del contrato a que alude el artículo 17 de la Ley refería al tamaño de la letra y no con una redacción clara e inequívoca como si sucede, por ejemplo, en el caso de la Directiva 93/1335, del Código Civil italiano o la ley española de Condiciones Generales de Contratación.37Idioma castellano y entrega de copia. presentan menos dificultades que la anterior en el mundo del papel. En plataformas electrónicas, la exigibilidad del idioma castellano resulta particularmente desafiante cuando el proveedor es extranjero.38 El envío de la copia del contrato resulta también atractivo en el caso de los proveedores electrónicos chilenos toda vez que estos suelen no remitirla al consumidor. Prevalencia de las cláusulas agregadas. Como se advierte del precepto, aquí se trata de una instrucción para el juez, quien en aquellos casos en que, siendo ambas cláusulas —la redactada por el proveedor y aquella agregada— eficaces, exista algún grado de oposición entre las condiciones impresas en el formulario y una cláusula agregada por las partes, deberá preferir esta última".

- **Campos, Sebastián y Hernández, Gabriel (2020): "Abusividad por falta de transparencia, nulidad de cláusulas no incorporadas e improcedencia de responsabilidad infraccional 17º Juzgado de Letras en lo Civil de Santiago, 27 de enero de 2017, rol nº 15092-2015. Corte de Apelaciones de Santiago, 7 de septiembre de 2018, rol nº 8261-2017. Corte Suprema, 27 de diciembre de 2019, rol nº 114-2019".** *Revista Chilena de Derecho Privado*, nº 34, pp. 335-349. p. 339-344: "La falta de transparencia como causal de abusividad de una cláusula no negociada individualmente: (...) En efecto, tal como ha sugerido cierta doctrina, cabe entender que la exigencia de que el clausulado esté redactado "de un modo claramente legible", contemplada en el art. 17 de la LPDC, supone que las cláusulas no negociadas de manera individual que el proveedor pretenda incorporar a los contratos que celebre en el marco de su actividad, deben satisfacer cargas de comprensibilidad, relativas, entre otros aspectos, a la claridad, la concreción y la precisión en la redacción, así como a la presentación adecuada y destacada de las cláusulas. (...)En el caso del derecho chileno, la situación es distinta de la reseñada respecto del alemán, ya que, en nuestro medio, sin perjuicio de que, en principio, podría recurrirse al control de fondo o de abusividad respecto de las cláusulas no transparentes (esgrimiendo el art. 16 g) de la LPDC), en definitiva, se protegerían de mejor forma los intereses de los consumidores mediante el control de incorporación regulado en el art. 17 de la LPDC (aplicable a favor de adherentes consumidores y de ciertas empresas17), que tiene un alcance amplio, al evaluar el cumplimiento de diversas cargas de comprensibilidad, entre las que —según dijéramos— se encuentra la de redactar las cláusulas de manera precisa. Así, en Chile, antes que realizar un juicio de abusividad respecto de las cláusulas no negociadas individualmente, cuyos supuestos o alcances no estén definidos con precisión, bastaría aplicar el control de inclusión al efecto de no tenerlas por incorporadas en el contrato. **Improcedencia de responsabilidad infraccional ante cláusulas no negociadas que no superan los controles de incorporación o de contenido:** En primer lugar, si acaso no se comparte que toda infracción a alguna disposición de la LPDC da lugar a responsabilidad administrativa, resulta claro que, como mínimo, dan lugar a dicha clase de responsabilidad las infracciones que afecten los intereses generales de los consumidores, consistiendo ellas, fundamentalmente, en la inobservancia de deberes que el proveedor ha de cumplir en beneficio tanto de consumidores en la actualidad interesados en contratar con él como de consumidores con quienes potencialmente resulte vinculado. En este sentido, los controles de incorporación (art. 17 de la LPDC) y de contenido (art. 16 de la LPDC) imponen al proveedor deberes de conducta que se encaminan a la consecución de estándares mínimos de transparencia y confianza en los mercados. Así, no se trata de deberes fundados, ante todo, en el interés individual de los consumidores que hayan contratado con un proveedor, sino en el interés público de que el consumo se desarrolle bajo condiciones que permitan, en general, la libertad de elección —resguardada por el control de incorporación— y la satisfacción del propósito típico que determina a contratar —resguardada por el control de contenido—. En consecuencia, la utilización de condiciones generales de contratación que no superen los controles instaurados en los arts. 17 o 16 de la LPDC, además de afectar a los consumidores que hayan contratado, perjudica a los que potencialmente celebrarán contratos con el proveedor infractor, lo que justifica la imposición de una sanción administrativa. Así, mientras la afectación del interés general de los consumidores por infracción de los indicados preceptos justifica la imposición de una sanción administrativa, la afectación del interés particular de los consumidores que hayan contratado con el proveedor incumplidor justifica la aplicación de la nulidad de las cláusulas que no hayan superado dichos controles; pudiendo y debiendo ambas sanciones aplicarse de manera conjunta. En relación con lo señalado y en orden a despejar toda duda, resulta claro que la nulidad de las cláusulas de un contrato, por ejemplo, la aplicable ante el incumplimiento de los arts. 16 o 17 de la LPDC, no tiene la naturaleza de una sanción administrativa, que es el tipo de sanción a que refiere el art. 24 de la señalada ley, por lo que aquella nulidad no puede considerarse como la clase de sanción que impide aplicar la multa instaurada por dicho precepto, al no ser —insistimos— una sanción administrativa. Esto es así porque la nulidad de las cláusulas de un contrato no constituye ni un gravamen ni un castigo ni una consecuencia disuasiva para el infractor, que son las características propias de las sanciones administrativas. En efecto, una sanción administrativa es un acto de gravamen que un órgano de la administración del Estado —o, excepcionalmente, uno jurisdiccional—, luego de la sustanciación de un procedimiento administrativo —o, excepcionalmente, de uno jurisdiccional—, impone a una persona natural o jurídica por incurrir en una infracción administrativa. Como es evidente, la nulidad de cláusulas contractuales (que es absoluta y radical tratándose de las abusivas) no constituye un gravamen para el proveedor que incurre en una infracción a la LPDC al no implicar un auténtico perjuicio para él, sino solo la constatación de que una cláusula no ha producido jamás efectos jurídicos. Además, cabe insistir en que la nulidad no constituye un acto de gravamen que sirva de castigo al infractor y amenaza disuasiva a los demás proveedores que participan en el respectivo mercado. Luego, la nulidad de las cláusulas de un contrato, por ejemplo, la aplicable ante el incumplimiento de los arts. 16 o 17 de la LPDC, no constituye una de las sanciones a que se refiere el art. 24 de la LPDC porque, cuando este precepto dispone que las infracciones a lo dispuesto en dicha ley se sancionarán con la multa que especifica, "si no tuvieren señalada una sanción diferente", solo está precisando la sanción administrativa que, a falta de regla especial, debe soportar un proveedor por incurrir en una infracción administrativa. Así, la expresión "si no tuvieren señalada una sanción diferente", utilizada por el señalado art. 24, solo impide la aplicación de la multa que él establece si la ley dispone una sanción administrativa distinta para el caso de que se trata (por ejemplo, una multa diferente), que, por ser especial, primaría sobre la general prescrita por dicho precepto. De este modo, la sanción administrativa a que se refiere el indicado artículo solo podría no aplicarse si el legislador ha establecido otra sanción del mismo carácter respecto de la infracción que se haya materializado, pero no si ha establecido una sanción de otra índole, como la nulidad de cláusulas contractuales, v. gr., por incumplimiento de los arts. 16 o 17 de la LPDC. Con base en lo señalado, opinamos que la nulidad de cláusulas no negociadas que no superen alguno de los controles establecidos por la ley no obsta a la imposición de las correspondientes sanciones administrativas, sobre todo por ser dicha nulidad una sanción civil".

- Contardo, Juan Ignacio (2014): "Ensayo sobre el requisito de la escrituración y sus formas análogas en los contratos por adhesión regidos por la Ley n° 19.496" en Francisca Barrientos (coord.). *Condiciones generales de la contratación y cláusulas abusivas.* Cuadernos de análisis jurídico VIII. Colección Derecho privado. Santiago: Ediciones Universidad Diego

Portales, pp. 123-127: "Luego, bien cabe preguntarse ¿Qué sentido tiene que el consumidor haya podido tener acceso a las condiciones generales? Porque, tal como se desprende del pensamiento del mismo autor, la sanción parece que no debiera ser la falta de eficacia de todo el contrato en todas las situaciones. En esto estamos de acuerdo".

"Por cierto, la escrituración o una forma análoga, cumple una función de información. Se busca que el consumidor pueda haber tenido un acceso a las condiciones del mismo. Pero, no se requiere que el consumidor haya tenido conocimiento efectivo de ellas, solo que haya podido tener acceso a las mismas, de forma previa. Esto puede llevar a pensar que en realidad los requisitos de inclusión son irrelevantes (puesto que no garantizan que el consumidor se informe), en la medida que existan cláusulas que no cumplan estos requisitos de forma y que no sean, además, irrazonables, la verdad es que todo podría reconducirse al plano ya sustantivo, el de la abusividad de la cláusula. Sin embargo, reivindicamos la necesidad de la forma: el problema de la justicia sustantiva está supeditada a si se guardó o no la forma".

"De esta manera, la posibilidad de que el consumidor tenga un *acceso previo* a las condiciones generales debiera erigirse como el único requisito exigido por la ley. La sanción por falta de ella, no debe estar relacionada con la falta de exigibilidad de todo el contrato, sino solo de aquello que no pudo haber tenido conocimiento el consumidor. En el resto, debieran aplicarse las normas supletorias, tanto de la LPDC como las del *Código Civil* en cuanto sea posible".

"Este, a nuestro entender, es el criterio que se encuentra detrás del artículo 12 A. Los demás requisitos (como la entrega de la copia o la confirmación) en nada suman a la norma".

"Con ello, se puede hacer una lectura integradora de los artículos 12 A y 17 de la LPDC para todos los contratos de consumo. La necesidad de que las condiciones generales estén a disposición del consumidor *antes* de la celebración del contrato a través de un medio escrito o análogo permite solo establecer que esas condiciones serán aplicables al contrato, y no otras. No afectaría, entonces, la validez del mismo en cuanto a la forma, no a una ineficacia por falta de voluntad del consumidor. Este sería el requisito común a todos los contratos de consumo".

"Desde el plano opuesto, es decir, desde la sanción por la omisión de la escrituración de *las condiciones generales*, habría que estimar que las que no han sido escrituradas *no son exigibles respecto del consumidor*. Nada más. Lamentablemente, la técnica legal de los artículos 12 A y 17, lleva a pensar otra cosa, pues establecen que no habría consentimiento (nulidad o inexistencia de todo contrato). Sin embargo, el llamado "principio de conservación de los actos jurídicos" confirma la interpretación propuesta. Cuando un acuerdo ha tenido eficacia práctica, independientemente de la escrituración o no de las condiciones generales, debiera preferirse la integración del contrato a través de otros medios".

"Así las cosas, lo que debe verificarse en realidad es si el consumidor *pudo* haber tenido conocimiento de estas condiciones generales, a través de medios que pudieren garantizar el debido conocimiento Piénsese, por ejemplo, en los denominados "contratos ticket" muy frecuente en materia de espectáculos públicos y transporte. O, bien, en las políticas generales que establecen las casas comerciales sobre cambios, reparación y devoluciones de productos (en aquello que favorece al consumidor por sobre las normas legales de garantía de productos). O, aun, en materia de promociones, ofertas y concursos. En este tipo de acuerdos, en que se piensa normalmente que el contrato de consumo se agota en la sola celebración de la prestación de servicios o de la compraventa, es frecuente que se asocien a él un conjunto de estipulaciones anejas al contrato. Pues bien, ¿cómo cobran eficacia? En la medida que el consumidor *pueda* haber tenido acceso a ellas. La ausencia de ellas en el medio físico en que se da cuenta el contrato, v.gr., boleta, factura, *ticket*, cupón de descuento, *ticket* de cambio, no anula el acuerdo, pero sí hace inejecutable, inexigible, lo que el proveedor establezca respecto del consumidor".

"Hasta el momento, hemos omitido tratar, de forma consciente, qué debe entenderse por escrituración para los efectos de los artículos 17 y 12 A. Como ha podido apreciarse, el sustrato en el que deben constar las condiciones generales en ambos artículos es distinto. En el caso del artículo 17 parece ser equivalente a una constancia en papel; en cambio, en el artículo 12 A, en un medio que permita su transformación al papel a través de su almacenamiento y posterior impresión".

"Parece ser, entonces, que la idea subyacente a ambas disposiciones es que el consumidor pueda obtener en *papel* las condiciones generales. No bastaría un simple aviso al consumidor en carteles o en instrumentos que no permitan su almacenamiento y posterior impresión. Luego, al hablar de escrituración, debería entenderse que ella se cumple siempre que el consumidor pueda, en cualquier tipo de contrato de consumo, acceder a las condiciones e imprimirlas, es decir, obtenerlas en papel".

"De lo anterior se desprende que el formato físico inmediato es irrelevante. Basta con que el consumidor pueda acceder a ellas de forma previa, normalmente en formato electrónico, y poderlas traspasar a un formato similar al papel. No se trata de que se considere como un anexo complementario al mismo formato del contrato, sino que de algún modo se garanice la fiabilidad de la imposición contractual. Con ello, las condiciones generales podrían ser exigibles tanto respecto del consumidor como del proveedor".

"Sin embargo, a nuestro entender, lo conveniente en este caso sería distinguir, entre la exigibilidad que pueda efectuar el consumidor y el proveedor a las condiciones generales, lo que será concordante con lo que se señalará a propósito de la función de prueba".

"Como hablamos de contratos *por adhesión*, es decir, aquellos cuyas cláusulas son impuestas por el proveedor de tal suerte que el consumidor no pueda discutirlas, frente a la prescripción hecha por el proveedor deberían hacérsele aplicables ciertas cargas en los contratos de esta naturaleza. No bastaría con que el proveedor las estableciera en cualquier medio; sino, por el contrario, la necesidad legal de que ellas puedan estar disponibles al consumidor mediante un acceso previo y traspasable al papel, debiera tener una consecuencia jurídica".

"Creemos que este efecto está una vez más relacionado con la exigibilidad de las cláusulas. Mientras ellas no se encuentren disponibles al consumidor de este modo, es decir, que pueda ser almacenada e imprimida por el consumidor, las cláusulas son inexigibles respecto él. Pero, a la inversa, sí serían exigibles respecto del proveedor. Valiéndose de los medios de prueba respectivos, debería el consumidor poder acreditar las condiciones generales. Así las cosas, parece constituirse la escrituración como una carga del proveedor. De esta manera, solo se siguen consecuencias desfavorables para el proveedor, y no para el consumidor, en caso en que no se escriture o se guarde una forma análoga con la posibilidad de almacenaje e impresión. Y estas consecuencias están determinadas por la imposibilidad de exigirlas al consumidor".

"Ahora, bien cabría preguntarse, ¿cómo se identifican los medios que el consumidor pueda almacenar e imprimir? Hoy día los dispositivos móviles permiten fácilmente capturar imágenes, y luego traspasarlas a fotografías u otros medios que sean susceptibles de impresión. Desde este punto de vista, bastaría, por ejemplo, con avisos en locales o páginas web, para que la norma sea cumplida".

"Con todo, creemos que el espíritu de la ley está en que el proveedor otorgue medios al consumidor para que pueda acceder a ellos sin que medie un esfuerzo mayor de su parte en obtenerlas. Así, por ejemplo, no bastaría que el consumidor coloque avisos en su publicidad o en sus locales de compra, sino que publique en sus sitios de internet sus políticas generales a través de los medios usuales que permitan la impresión de ellas. De esta suerte, la carga está en colocar al consumidor de forma previa los medios necesarios para el conocimiento del contenido de las condiciones generales".

"Ahora, desde el punto de vista del proveedor, no podría hacerlos exigibles respecto del consumidor cuando este no pueda tener acceso a ellas y poder traspasarlas a un medio equivalente al papel".

"La pregunta que naturalmente surge es qué sucede cuando parte, o todo, de las condiciones generales se contienen en la publicidad dirigida al consumidor, por ejemplo, a través de periódicos, mensajes radiales, televisivos, medios digitales, portales de internet u otros. Nos da la impresión que la respuesta está en el reconocimiento e incorporación de la publicidad en el contrato. No se trata acá de la disconformidad entre lo publicitado y lo redactado en el contrato en cuyo caso prevalece lo informado, sino en la ausencia de estipulación contractual de condiciones generales divulgadas a través de propaganda. Siendo coincidentes con lo señalado más atrás, las condiciones generales divulgadas, pero no materializadas en el contrato aun cuando consten en la publicidad no serán exigibles respecto del consumidor".

"En suma, en el Derecho del Consumo la noción de escrituración estimamos que no está relacionada directamente con el sustrato *en papel* sino con la posibilidad que las condiciones generales puedan ser traspasadas a este medio. Y ello se configura como una carga del proveedor".

"De lo señalado anteriormente, la escrituración de las condiciones generales cumpliría solo dos funciones en los contratos de consumo".

"En primer lugar, cumple una función de prueba. El acceso *previo* de las condiciones generales permite al consumidor que puedan ser exigibles dichas condiciones hacia el proveedor, y viceversa. Aun cuando no consten en un documento escrito en papel, lo necesario es la posibilidad de acceso previo. Es decir, puede el consumidor acreditar en juicio la existencia de tales condiciones ya sea cuando ellas consten en papel, en un medio equivalente al papel o, bien, cuando se han integrado a la publicidad".

"Hay una segunda función relacionada con la anterior. La escrituración de las condiciones generales permite otorgar ejecutabilidad a las mismas (lo que Lon Fuller llamaba *channeling function*). De esta manera, cuando no se ha guardado la forma las condiciones generales pierden fuerza obligatoria, solo respecto del proveedor. Esta es una consecuencia que deriva que la escrituración se constituye más bien como una carga del proveedor. Por el contrario, podría el consumidor, en ausencia de escrituración, invocar aquellas condiciones generales no escrituradas, pero informadas a través de algún medio (carteles, avisos, propaganda, etcétera)".

"A nuestro entender, este es el sentido que debe otorgársele a la expresión "las cláusulas que no cumplan con dichos requisitos no producirán efecto alguno respecto del consumidor". Aunque más bien se refiere a los demás requisitos de forma, los que no hemos tratado en esta oportunidad, el hecho de que la ley establezca que "no producirán efecto" quiere decir que no son ejecutables. Pero solo respecto del consumidor. Sí tienen efecto respecto del proveedor. Y ello, a su vez, deriva del incumplimiento de una carga del proveedor".

SENTENCIAS SOBRE ARTÍCULO 17

- **Servicio Nacional del Consumidor con Cencosud Administradora de Tarjetas S.A. (2013):** Corte Suprema, 24 de abril de 2013, Recurso de Casación en la Forma, Rol nº 12355-2011, LTM1.902.694, LTM10.739.647: "SÉPTIMO: Que por último, en relación con lo que se viene diciendo, no puede soslayarse lo dispuesto en el artículo 17 de la ley, que en lo pertinente expresa: 'Los contratos de adhesión relativos a las actividades regidas por la presente ley deberán estar escritos de modo claramente legible, con un tamaño de letra no inferior a 2,5 milímetros y en idioma castellano, salvo las palabras de otro idioma que el uso haya incorporado al léxico. Las cláusulas que no cumplan con dichos requisitos no producirán efecto alguno respecto del consumidor'. Lo dicho supone que bajo la misma forma deben darse sus modificaciones, exigencia que resulta aplicable no solo a la propuesta que se haga por parte del proveedor, sino también a la aceptación del cliente, lo que no se cumple en la cláusula 16º impugnada".

- **Servicio Nacional de Consumidor con "No se consigna" (2011):** Corte de Apelaciones de Santiago, 08 de marzo de 2011, Recurso de Apelación, Rol nº 3669-2010, LTM19.067.136: "SÉPTIMO: Que, como se ha dicho, la denunciada no cumple con los supuestos informacionales obligatorios, pues no entrega información relevante sobre condiciones y operatoria de la oferta, pero tampoco cumple con la obligación referida a que *la publicidad debe estar escrita de modo legible y con un tamaño de letra no inferior a 2,5 milímetros*, lo que representa un inconveniente o una limitación a la hora de hacer efectivo el derecho irrenunciable otorgado al consumidor por esta oferta. Consecuentemente, la promesa publicitaria de la denunciada, al utilizar en un tamaño considerablemente inferior la frase 'Solo consumo familiar, no incluye compras facturas', en definitiva, lo que hace es desvirtuar y limitar el sentido del ofrecimiento principal e importa falta de información veraz y oportuna, e induce a engaño al público consumidor" (énfasis agregado).

ARTÍCULO 17 A

Los proveedores de bienes y servicios cuyas **condiciones** estén **expresadas en contratos de adhesión** deberán **informar en términos simples** el cobro de bienes y servicios ya prestados, entendiendo por ello que la presentación de esta información debe permitir al consumidor verificar si el cobro efectuado se ajusta a las condiciones y a los precios, cargos, costos, tarifas y comisiones descritos en el contrato. Además, toda promoción de dichos bienes y servicios indicará siempre el costo total de la misma.

DOCTRINA SOBRE ARTÍCULO 17 A

- **Fernández, Fernando (2013) "Artículo 17 A", en Iñigo De La Maza; Carlos Pizarro (Dirs.) y Francisca Barrientos (coord.) La protección de los Derechos de los consumidores.** *Comentarios a la ley de protección a los derechos de los consumidores* **Santiago: Editorial Thomson Reuters, pp. 370-375:** "La obligación de informar incorporada al artículo 17 A fue incluida en la Ley n° 19.496 el año 2011 mediante la publicación de la Ley n° 20.555, que tuvo por objeto incrementar los niveles de protección del consumidor en el mercado de los productos y servicios financieros. Lo anterior, nos podría llevar a pensar que esta obligación recae únicamente sobre tales servicios.

Sin embargo, no es el caso. En efecto, el artículo 17 A hace referencia a los proveedores de bienes y servicios sin distinguir, por lo que debemos entender que esta **es una norma de aplicación general** a todos los proveedores regidos por la Ley 19.496 que utilicen contratos de adhesión.

Considerando lo anterior, parece desconcertante la aparente inutilidad del artículo 17 A. Ello puesto que no hace otra cosa más que reiterar obligaciones de informar que ya se encontraban establecidas en el artículo 3, inciso primero, letra b) y las normas del Título III de la Ley de Protección al Consumidor.

De ahí que resulta hasta cierto punto incomprensible el afán del legislador de volver a reiterar una obligación que ya estaba contenida en varios principios y normas de la Ley n° 19.496. Asimismo, causa perplejidad el no encontrar ninguna buena razón como para que el legislador haya decidido crear una norma nueva en vez de optar por modificar o precisar las normas ya existentes.

Con todo, si somos más indulgentes con el legislador, se puede señalar que esta norma es, en el peor de los casos, inofensiva. En el mejor de los casos, esta norma al menos explicita la obligación del proveedor de explicar los cobros que hace y acierta, a primera vista, al incorporar el criterio de la "simplicidad" a la hora de proveer dicha información puesto que facilita su comprensión.

Sin perjuicio de la crítica a la calidad de la técnica legislativa empleada debemos, no obstante, hacernos cargo de qué es lo que nos quiere decir esta norma. Atendido a la reciente data de la disposición en cuestión, a la fecha no existe jurisprudencia que nos permita saber la forma en que esta disposición es interpretada por nuestros tribunales superiores de justicia.

Desgraciadamente, además, la historia de la ley no arroja muchas luces sobre el alcance de esta disposición. En efecto, el artículo 17 A ni siquiera vino en el mensaje presidencial. Esta norma se incorporó a través de una indicación presidencial promovida por el Ministerio de Economía en donde no se detalla mayormente qué es lo que realmente se pretende con esta norma.

Sólo sabemos que, durante su discusión, la Comisión de Economía del Senado propuso —sin mucho debate que conste en la Historia de la Ley— *"...incorporar al final del artículo 17 A una oración que incorpora la parte de la disposición que obliga al proveedor a informar siempre en sus promociones el costo total de lo que ofrece"* e *"...insertar las palabras 'en términos simples', entre las expresiones 'deberán informar' y 'el cobro de bienes y servicios'"* quedando definitivamente incluidos en el articulado propuesto inicialmente por la indicación presidencial.

Lo anterior nos deja, pues, sólo con los elementos de exégesis legal establecidos en el Código Civil.

Del tenor literal de la disposición podemos señalar que el artículo 17 A contiene, bien mirado, dos obligaciones de informar. A continuación pasamos a revisarlas:

2.1. Primera obligación: Obligación de informar el cobro de bienes y servicios ya prestados (Artículo 17 L, primera frase).

De la lectura del artículo 17 L, todo indica que lo que se pretende acá es explicitar el derecho al consumidor de pedir explicaciones acerca de los cargos y cobros que se le están haciendo para que éste pueda verificar si acaso tales cobros son indebidos o no, de conformidad a lo acordado por las partes en el propio contrato de adhesión.

Esta obligación reviste las siguientes características:

(i) Tal como lo indicamos previamente, esta obligación es de aplicación general y no está restringida a los proveedores de servicios financieros y/o seguros. La propia Historia de la Ley así lo comprueba.

(ii) Esta obligación recae únicamente respecto de proveedores que establecen sus condiciones de contratación mediante contratos de adhesión. En consecuencia, se excluye de esta obligación a los proveedores que en la venta y/o prestación de sus bienes y/o servicios no suscriben ningún contrato de esta naturaleza.

(iii) La obligación de informar recae *"...respecto de cobros hechos por bienes y servicios ya prestados"*.

Dicha información debe hacerse en términos "simples", entendiendo por *ello "que la presentación de esta información debe permitir al consumidor verificar si el cobro efectuado se ajusta a las condiciones y a los precios, cargos, costos, tarifas y comisiones descritos en el contrato"*.

Tal como comentamos anteriormente, el criterio de la "simplicidad" en que se debe convenir esta información es, en apariencia, un acierto. El problema, no obstante, es que esta información debe ser contrastable con el contrato de adhesión que suscribió el consumidor. Y claro, muy probablemente el contrato de adhesión no fue redactado en términos "sencillos" sino que haciendo uso de un lenguaje jurídico que el consumidor no comprende. Así, atendido a que los contratos de adhesión suelen ser redactados sin considerar las habilidades cognitivas y los niveles de alfabetización de los consumidores, nos lleva concluir que, en los hechos, los consumidores no estarán en condiciones de comparar la información acerca de los cobros y cargos con los términos de dicho contrato.

En suma, todo indica que quedamos igual como estábamos antes de la inclusión de esta norma. La técnica legislativa empleada en esta disposición es ineficaz para reducir la asimetría de información que pretende resolver.

Queda pendiente saber si acaso el proveedor debe informar, en toda ocasión, acerca de los cobros que hace o si, por el contrario, sólo debe informar cuando así lo solicite el consumidor. Lo más seguro para un proveedor, en este caso, debiese ser el de informar en todo caso. Estará por verse, no obstante, los criterios que se irán desarrollando por el Servicio Nacional del Consumidor y los tribunales de justicia a estos efectos.

Otro duda que queda pendiente respecto del artículo 17 A es respecto de quién la información suministrada por el proveedor debe ser "simple" de comprender: ¿respecto de todo el público consumidor (incluido los analfabetos) o un consumidor promedio?

Desafortunadamente, la ley no se refiere a esta materia ni respecto de esta obligación ni de las demás obligaciones de informar o sobre publicidad que establece esta ley, cuestión que no hace sino añadir un alto grado de incerteza legal —con todo lo que ello implica— acerca de cómo y qué es lo que efectivamente se debe informar.

2.2. Segunda obligación: Obligación de informar el costo total de los bienes y servicios promocionados (Artículo 17 L, segunda frase).

La obligación en comento indica que en toda promoción de bienes y servicios, los proveedores deberán consignar el precio total de los mismos.

Nuevamente acá estamos en presencia de una obligación que es redundante puesto que esto ya se encontraba regulado en los artículos 3, inciso primero, letra b), 28 letra d), y 30 inciso cuarto de la Ley n° 19.496.

En suma, nuevamente el legislador de la Ley n° 20.555 al incluir esta disposición actúa como si la Ley n° 19.496 no haya existido, cuestión que nuevamente pone en duda la pulcritud con que se redactó la Ley n° 20.555.

Como último comentario, cabe indicar que esta obligación se pone en el caso de que el proveedor "promociona" determinados bienes y servicios. En este sentido, ¿qué debe entenderse por la voz *"promoción"* utilizada en el artículo 17 A?

Hay dos alternativas. La primera, es que se utiliza esta voz en el sentido empleado por el artículo 1, n° 7 de la Ley n° 19.496 (que define las "promociones" como *"las prácticas comerciales, cualquiera sea la forma que se utilice en su difusión, consistentes en el ofrecimiento al público en general de bienes y servicios en condiciones más favorables que las habituales, con excepción de aquellas que consistan en una simple rebaja de precio"*). Una segunda opción es que debemos entender la voz "promoción" como el acto de publicitar tales productos y servicios al público consumidor.

Pese a que la ley define este término en el artículo antes transcrito, pareciera que el legislador emplea el término "promoción" en el segundo sentido".

ARTÍCULO 17 B

Artículo
17 B

Los contratos de adhesión de servicios crediticios, de seguros y, en general, de cualquier producto financiero, elaborados por bancos e instituciones financieras o por sociedades de apoyo a su giro, establecimientos comerciales, compañías de seguros, cajas de compensación, cooperativas de ahorro y crédito, y toda persona natural o jurídica proveedora de dichos servicios o productos, deberán especificar como mínimo, con el objeto de promover su simplicidad y transparencia, lo siguiente:

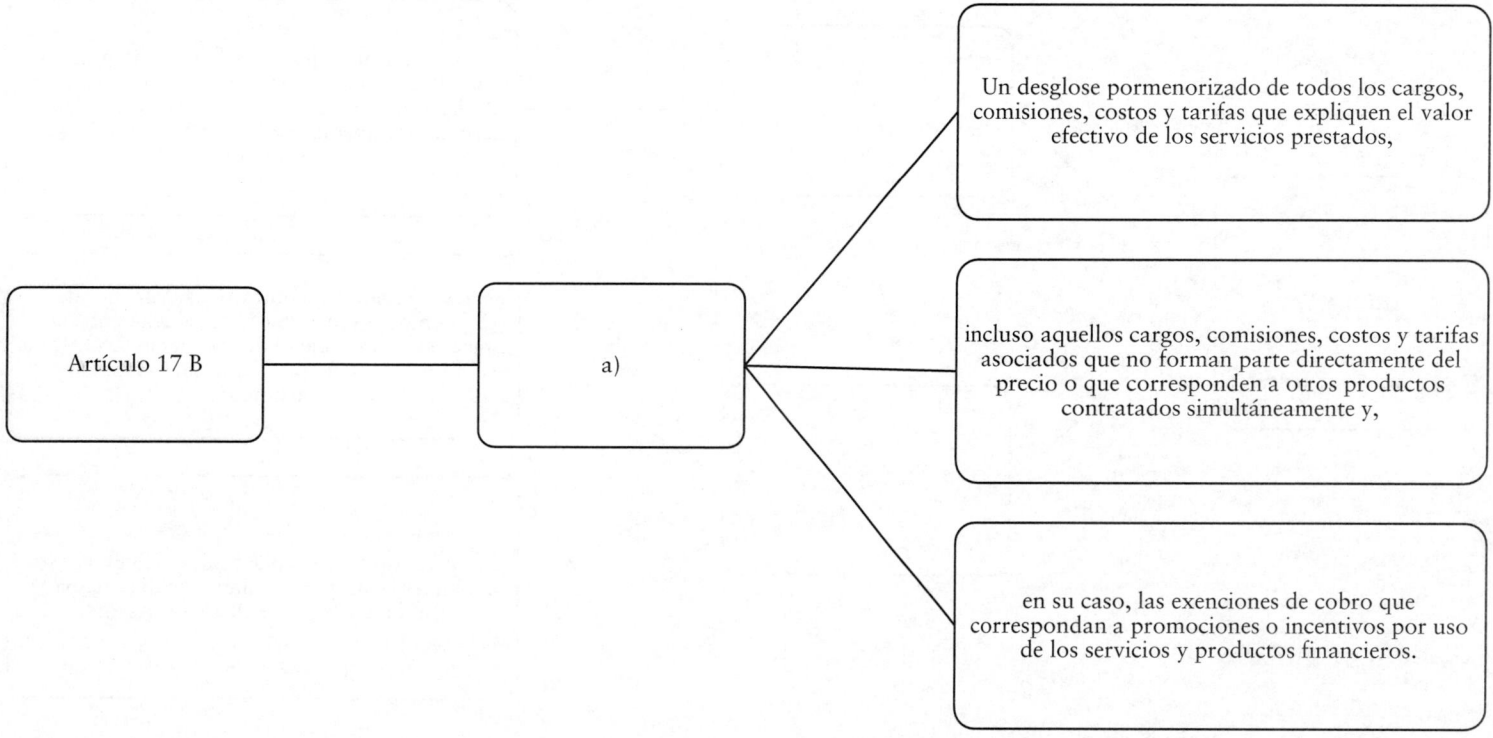

Artículo 17 B

a)

Un desglose pormenorizado de todos los cargos, comisiones, costos y tarifas que expliquen el valor efectivo de los servicios prestados,

incluso aquellos cargos, comisiones, costos y tarifas asociados que no forman parte directamente del precio o que corresponden a otros productos contratados simultáneamente y,

en su caso, las exenciones de cobro que correspondan a promociones o incentivos por uso de los servicios y productos financieros.

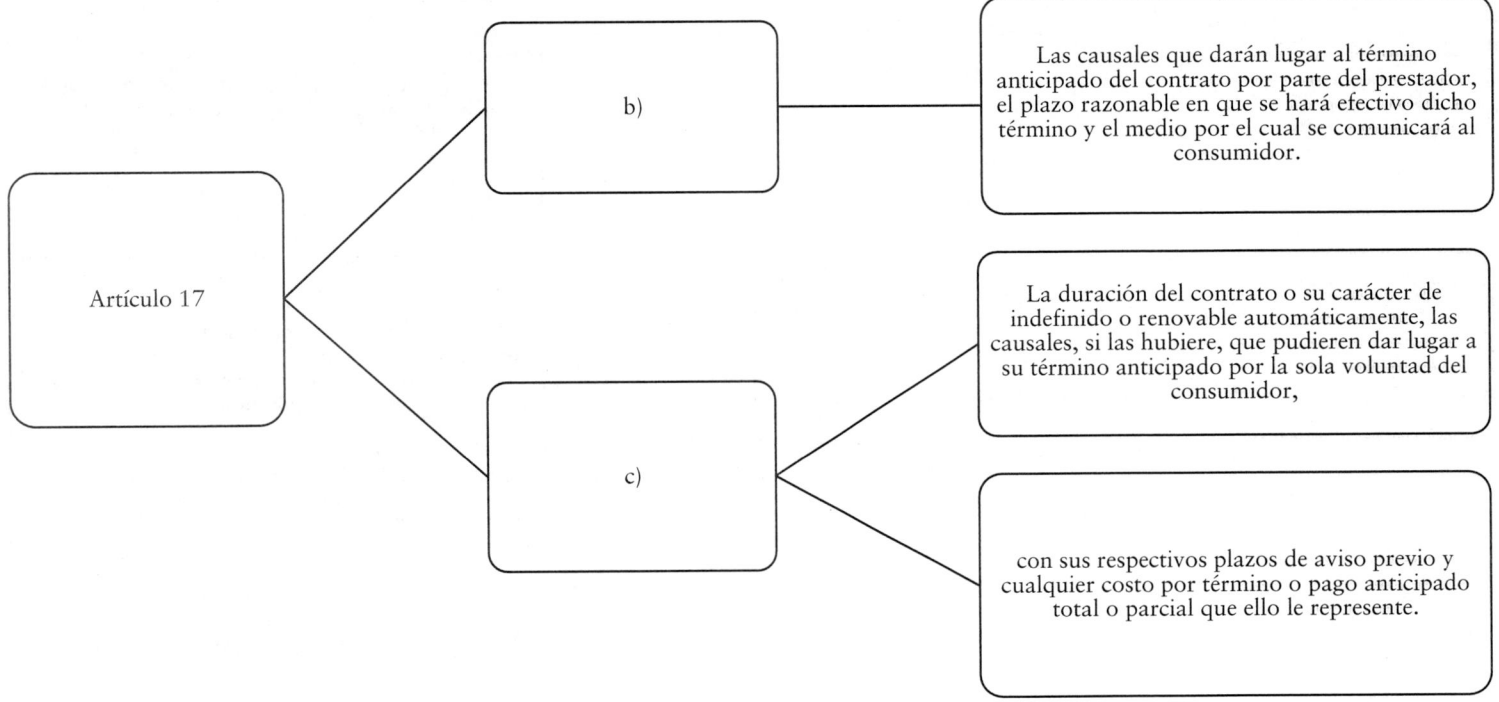

Artículo 17

b)

Las causales que darán lugar al término anticipado del contrato por parte del prestador, el plazo razonable en que se hará efectivo dicho término y el medio por el cual se comunicará al consumidor.

c)

La duración del contrato o su carácter de indefinido o renovable automáticamente, las causales, si las hubiere, que pudieren dar lugar a su término anticipado por la sola voluntad del consumidor,

con sus respectivos plazos de aviso previo y cualquier costo por término o pago anticipado total o parcial que ello le represente.

Artículo 17 B d)

Sin perjuicio de lo establecido en el inciso primero del artículo 17 H, en el caso de que se contraten varios productos o servicios simultáneamente, o que el producto o servicio principal conlleve la contratación de otros productos o servicios conexos,

deberá insertarse un anexo en que se identifiquen cada uno de los productos o servicios, estipulándose claramente cuáles son obligatorios por ley y cuáles voluntarios,

debiendo ser aprobados expresa y separadamente cada uno de dichos productos y servicios conexos por el consumidor mediante su firma en el mismo.

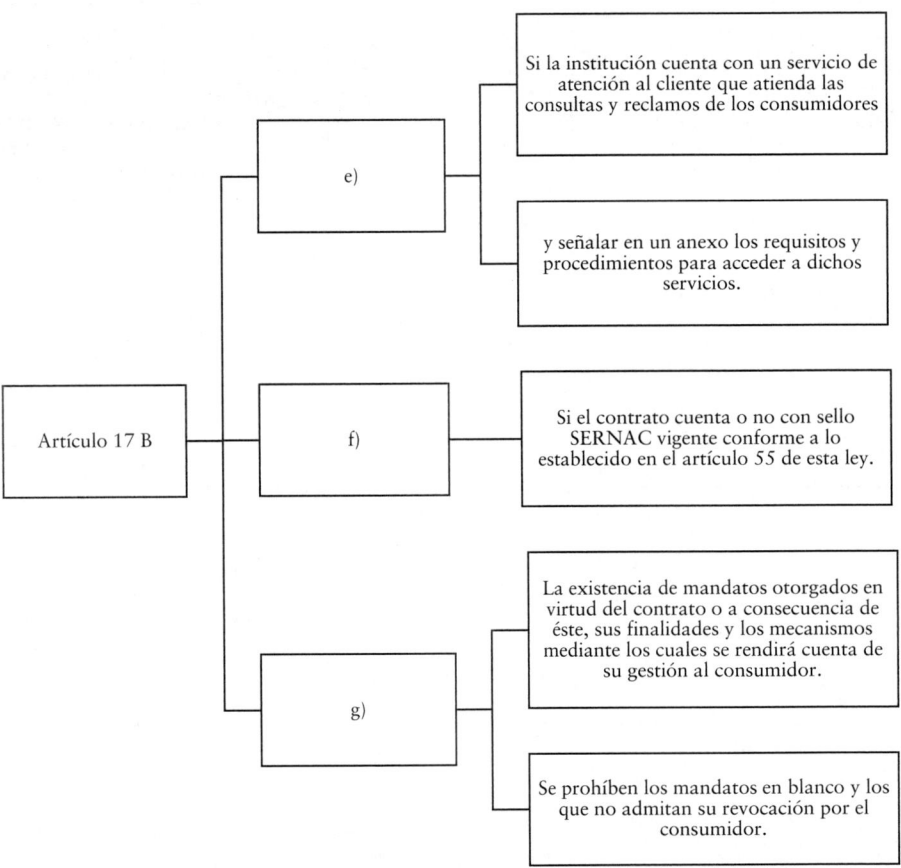

Artículo 17 B
inc Final.

Los contratos que consideren cargos, comisiones, costos o tarifas por uso, mantención u otros fines deberán especificar claramente sus montos, periodicidad y mecanismos de reajuste.

Estos últimos deberán basarse siempre en condiciones objetivas que no dependan del solo criterio del proveedor y que sean directamente verificables por el consumidor.

De cualquier forma, los valores aplicables deberán ser comunicados al consumidor con treinta días hábiles de anticipación, al menos, respecto de su entrada en vigencia.

DOCTRINA SOBRE ARTÍCULO 17 B

Doctrina. Artículo 17 B inciso primero

- **Barrientos, Francisca y Labra, Ignacio (2020):** "Los contratos de consumo financiero: reglas relativas al término de la relación contractual", en Erika Isler (coord,) *GPS Consumo*. **Valencia: Tirant lo Blanch (en prensa):** "De estas normas se podría desprender que los proveedores financieros son aquellos que se caracterizan por la celebración de determinado tipo de actos. Así, para efectos de esta norma, cualquier proveedor que celebre servicios o productos financieros será calificado como proveedor financiero. Así, una interpretación conjunta de estas normas permite sostener que el proveedor financiero sería aquella persona natural o jurídica que, de manera habitual, desarrolla actividades financieras por las que cobre un precio o tarifa. De esta manera, el artículo 17 B complementaría la definición del artículo 1° n° 2, precisando la noción de proveedor.

De lo anterior, destaca la profesionalidad y el ánimo de lucro. Sobre ellos, de la Maza señala que: "para ser considerado proveedor a estos efectos, el contratante debe suministrar los bienes o servicios financiero en ejercicio de su actividad profesional típica" (énfasis agregado). En este sentido, lo relevante es que debe ser parte de la actividad principal del proveedor la prestación de servicios financieros. Como señala Francisca Barrientos la profesionalidad supone la reiteración constante por parte del comerciante de la celebración de actos de consumo, en este caso, de actos o contratos financieros.

Así, la habitualidad y profesionalidad resultan interesantes de estudiar, pues son requisitos fundamentales en los contratos financieros. TAPIA señala que este requisito se vincula, en derecho privado, con la actividad, es decir, con el empresario profesional, concepto utilizado en el Código de Comercio. En sus estudios concluye que la jurisprudencia adopta un criterio amplio permitiendo incluso la intermediación, o lo que él denomina el proveedor "mediato" que en el caso de los servicios financieros destacan su presencia, ya sea en la venta de seguros, viajes, etc. Todos ellos deberían quedar comprendidos, en especial en atención a lo dispuesto en el artículo 43 LPDC.

En definitiva, el ámbito de aplicación subjetivo de la regulación financiera queda radicado en los consumidores destinatarios finales de productos financieros y, los proveedores que de manera principal, habitual y profesional ofrezcan dichos productos.

De esta manera, en relación con la institución objeto de estudio, podrá poner término al contrato financiero aquel consumidor que adquiera, utilice o disfrute como destinatario final los servicios financieros prestados por una institución profesional dedicada a ese rubro, como bancos, instituciones financieras del retail, aseguradoras, intermediarios, entre otros".

- **Barrientos, Francisca (2016): ¿Pueden ser consumidoras las víctimas de "estafas piramidales"? Columna de Opinión en El Mercurio Legal, 04 de mayo de 2016, disponible en: https://www.elmercurio.com/legal/movil/detalle.aspx?Id=904768&-Path=/0D/CE/:** "Así, es posible observar que la calificación de los inversionistas como consumidores o usuarios dependerá, fundamentalmente, de la resolución de dos temas. Por una parte, que esas personas sean concebidas como destinatarias finales de los bienes o servicios que utilizan y, por otra, que no sean estimadas como proveedoras.

Primero. La ley exige que los consumidores o usuarios sean destinatarios finales. Esto significa que utilicen las cosas o servicios para fines domésticos, privados o particulares. Dicho en otros términos, los consumidores no revenden las cosas o servicios, porque aquellos que lo hacen generan ganancias que los consumidores o usuarios, al amparo de nuestra ley, no podrían tener. Esto significa que la destinación final exige que ellos sean los últimos adquirentes de la cadena de consumo masivo.

Entonces, por definición, estos sujetos no pueden lucrar. Y, precisamente, por esta causa quedaría en entredicho la protección para las víctimas de estos hechos: ellos esperaban generar ganancias o lucro mediante las operaciones financieras que realizaban.

En segundo término, desde el año 2010, con una de las reformas a la LPDC, ha quedado claro que quienes no caben dentro de la definición legal de consumidor deben ser calificados, para todos efectos legales, como proveedores. Es decir, aquellos sujetos que lucran.

Por estas razones, en principio, podría considerarse que los usuarios de estos servicios financieros quedarían excluidos de la protección que ofrece la LPDC.

Sin perjuicio de lo anterior, me parece que existen algunos argumentos que podrían dar a entender que los inversionistas y las víctimas de estos casos sí podrían calificar como consumidoras o usuarios, para efectos de LPDC.

Primero, si bien es cierto que el proveedor no sería destinatario final de los bienes o servicios que utiliza, no lo es menos que este sujeto necesita habitualidad. En efecto, la ley señala de forma expresa que son proveedoras: "Las personas naturales o jurídicas, de carácter público o privado, *que habitualmente* desarrollen actividades de producción, fabricación, importación, construcción, distribución o comercialización de bienes o de prestación de servicios a consumidores por las que se cobre precio o tarifa" (énfasis agregado).

Es decir, la ley exige que ellos ejerzan su actividad de forma repetida, de manera constante, al igual que los comerciantes. Estos últimos se encuentran definidos en el artículo 7º del Código de Comercio, que también requiere ejercer un giro habitual o una profesión con este carácter. Por eso, la disposición siguiente, el artículo 8 del mismo código, excluye a los comerciantes ocasionales al expresar: "No es comerciante el que ejecuta accidentalmente un acto de comercio".

De modo que podría considerarse que estos pequeños inversores serían una clase de comerciantes ocasionales, *ergo*, no serían proveedores y, con ello, pese al pequeño ánimo de lucro, deberían quedar amparados por la ley en calidad de consumidores o usuarios.

Otra idea que ayuda a integrar a los pequeños inversores dice relación con los servicios que reciben. Así, cabe mencionar que desde al año 2011 la reforma a la ley conocida como Sernac financiero ha incluido la prestación de servicios financieros en un sentido amplio, dejando espacio para que los jueces incorporen a algunos que no están incluidos, mediante el establecimiento de cláusulas amplias. En efecto, para la ley son servicios financieros: "Los contratos de adhesión de servicios crediticios, de seguros y, en general, de *cualquier producto financiero*, elaborados por bancos e instituciones financieras o por sociedades de apoyo a su giro, establecimientos comerciales, compañías de seguros, cajas de compensación, cooperativas de ahorro y crédito, y *toda persona natural o jurídica proveedora de dichos servicios o productos* (artículo 17 B de la ley). Con ello se lee que cualquier clase de producto financiero prestado por cualquier proveedor financiero relacionado podría insertarse dentro de esta tipología.

Y, sobre este punto, con razón, el profesor Mauricio Baquero de la Universidad de Talca ha interpretado que los servicios de inversión estarían incluidos dentro de los financieros que expresa la norma citada, al considerar que el Acuerdo sobre el Comercio de Servicios de la OMC y una serie de Tratados de libre de Comercio que ha suscrito Chile con otros países, los incluyen".

Doctrina. Artículo 17 B letra a)

• **Barrientos, Francisca y Labra, Ignacio (2019): "El contenido mínimo del contrato de crédito de consumo", en María Elisa Morales (Dir.) y Pamela Mendoza (Coord.), Derecho del Consumo:** *Ley, doctrina y jurisprudencia.* **Santiago: Der Ediciones. pp. 169-194, p. 182-183:** "Los componentes de las cuotas del crédito: Relacionado con el deber precontractual y contractual de información, el legislador previó la necesidad de informar —una vez más— "todos los cargos, comisiones, costos o tarifas por uso, manutención u otros fines" (artículo 17 B letra a]). Es decir, todos los aspectos económicos del contrato de crédito de consumo. Aquí es posible observar que el legislador reguló mediante la introducción de deberes de información los otros gastos asociados al crédito, ya que ellos se encontraban consagrados en las reglas que regulan el crédito directo al consumidor. La regla contempla que se informará: "un desglose pormenorizado de todos los cargos, comisiones, costos y tarifas que expliquen el valor efectivo de los servicios prestados, incluso aquellos cargos, comisiones, costos y tarifas asociados que no forman parte directamente del precio o que corresponden a otros productos contratados simultáneamente y, en su caso, las exenciones de cobro que correspondan a promociones o incentivos por uso de los servicios y productos financieros" (artículo 17 B letra a]). Como está redactada la norma, parece que la claridad en la información se manifiesta en la especificación de sus montos, periodicidad y mecanismos de reajuste. Con todo, puede observarse que es realmente difícil lograr una comprensión de estas variables, pues se exigen mostrar "cargos, comisiones, costos y tarifas que expliquen el valor efectivo de los servicios prestados, incluso aquellos cargos, comisiones, costos y tarifas asociados que no forman parte directamente del precio o que corresponden a otros productos contratados simultáneamente y, en su caso, las exenciones de cobro que correspondan a promociones o incentivos por uso de los servicios y productos financieros" (artículo 17 B letra a]). Y junto con ello, se trata de índices complejos, lo que impacta de forma directa en la comprensión —y avance— de la transparencia de esta reforma".

Doctrina. Artículo 17 B letra b)

• **Barrientos, Francisca y Labra, Ignacio (2020): "Los contratos de consumo financiero: reglas relativas al término de la relación contractual", en Erika Isler (coord,) GPS Consumo. Valencia: Tirant lo Blanch (en prensa):**

"2.1 El desistimiento del proveedor.

Como se podrá apreciar, el desafío de este apartado consiste en dar sentido y armonía a dos normas. La primera, que proscribe todo tipo de cláusula de terminación unilateral arbitraria (artículo 16 letra a) y, la segunda, que obliga a informar las causales de término anticipado (artículo 17 B letra b).

Conforme a lo estipulado en el artículo 17 B letra b), el proveedor deberá informar las causales que darán lugar a término anticipado de su parte, los medios de comunicación por los cuales lo informará al consumidor y el plazo razonable en que se hará efectivo dicho término Tal y como lo señala la norma, su objetivo es promover la simplicidad y transparencia de los contratos. Así, el consumidor se encuentra en conocimiento de aquellas conductas que acarrean una posible terminación anticipada del contrato. Tras lo expuesto, se encuentra la idea de la certeza jurídica. El consumidor cuenta con la información, sabe qué conductas pueden acarrear el término del contrato y, por tanto, acaecido alguno de los supuestos establecidos no podría sorprenderse ante el término de la relación contractual.

Dicho eso, se revisarán los tres aspectos regulados, estos son, (i) las causales que darán término anticipado, (ii) el plazo razonable para hacer efectivo dicho término y, por último (iii) el medio por el cual se comunicará.

i. Causales de término anticipado

Como señalamos al inicio de este acápite (2.1) el desafío de esta parte consiste en ofrecer la debida integración y armonía de estas normas, por eso no puede defenderse que la inclusión de cualquier causal serviría para validar el desistimiento del contrato por parte del proveedor.

En efecto, la norma consagrada en el artículo 17 B letra b) sólo ofrece una regla de información que permite sostener que las causales de término unilateral y arbitrario deben considerarse siempre como abusivas, conforme lo prescribe el artículo 16 letra a) de la LPDC.

En este sentido conforme el artículo 17 b letra b) "…contiene un deber especial de informar el término unilateral del contrato del consumidor financiero, intentando disminuir las asimetrías que suelen caracterizar las relaciones entre proveedores y consumidores, favoreciendo una elección más libre de los bienes y servicios".

A modo de ejemplo, en nuestro tráfico se contemplan como causales de terminación anticipada por parte del proveedor el incumplimiento grave de obligaciones; la insolvencia del deudor; la muerte del cliente; el error, dolo o cambio en la información objetiva y condiciones generales del consumidor; la revocación de mandatos, entre otros. En la práctica estas causales operarían como un pacto calificado o condición resolutoria. Así se lo ha sostenido la Corte Suprema. En efecto, en J.S. con Banco del Desarrollo S.A., a propósito del pacto comisorio, sentenció: "Dicha cláusula, que se encuentra aceptada en nuestro medio, se presenta como una manifestación de la autonomía de la voluntad para modelar los contratos y alterar las reglas dispositivas establecidas en el Código Civil. Autonomía de la voluntad y libertad contractual que se manifiesta en la libertad de conclusión y la libertad de configuración interna de los contratos, por la cual se puede fijar el contenido de la convención y las cláusulas que reflejen en mejor forma la voluntad de las partes" (considerando noveno).

ii. Plazo razonable para el ejercicio

En este supuesto, el legislador, para evitar el factor sorpresa del término unilateral, atendió a un parámetro flexible, esto es, a un plazo razonable, y no en cambio, como ocurre en el CC, a un plazo de días, meses o períodos de renta. En este caso, la protección del consumidor se encuentra en el "plazo razonable", que suspende los efectos el término unilateral por parte del proveedor. De esta manera, si el consumidor incurre en alguna de las causales contenidas en el contrato, el proveedor procederá a terminar el contrato. Dicho término surgirá efectos en un tiempo razonable, para evitar los posibles daños que la ruptura pueda producir en el consumidor.

iii. Medio por el cual se comunicará

La LPDC nada ha expresado respecto del medio por el cual se comunica el desistimiento del contrato. Por eso, aplicando las reglas comunes, entendemos que estamos frente al "preaviso".

Como lo sostienen Francisca BARRIENTOS e Íñigo DE LA MAZA "El preaviso es la noticia anticipada de la parte interesada de ponerle fin al contrato". Y en materia de consumo este deber de denuncia adquiere especial relevancia, toda vez que el consumidor necesita realizar los recaudos y provisiones necesarias para apalear las consecuencias nocivas del ejercicio de este derecho que, dicho sea de paso, siempre el proveedor lo debe ejercer de buena fe".

Doctrina. Artículo 17B letra c)

- **Barrientos, Francisca, y De la Maza, Íñigo(2019): "La configuración del desistimiento del consumidor". Revista de derecho (Coquimbo), 26, 8. Epub.https://dx.doi.org/10.22199/issn.0718-9753-2019-0008:** "Regla que, en materia financiera, cuenta con directrices especiales de información, transparencia y simplicidad. En efecto, los literales b) y c) del art. 17B contemplan algunas formas de término unilateral del contrato. Nos interesa analizar el art. 17B literal c) que reconoce un deber especial de informar: *"la duración del contrato o su carácter de indefinido o renovable automáticamente, las causales, si las hubiere, que pudieren dar lugar a su término anticipado por la sola voluntad del consumidor"*. Muchas dudas nos deja la redacción de esta norma, porque estaría condicionando el ejercicio del derecho a la inclusión que haga el proveedor de esta facultad. Lamentamos que no existan vestigios de ella en la historia fidedigna de su establecimiento. Y, además, que no exista, a la fecha de publicación de este artículo, algún trabajo que se haga cargo de esta situación en el medio nacional. A pesar de lo anterior, sólo se sabe que ella contiene un deber especial de informar el término unilateral del contrato del consumidor financiero, intentando disminuir las asimetrías que suelen caracterizar las relaciones entre proveedores y consumidores, favoreciendo una elección más libre de los bienes y servicios (De la Maza Gazmuri, 2013, p. 24). Sin embargo, al parecer, en este caso no se cumpliría esa directriz, ya que la norma sugiere que las causales de término del consumidor estarán dispuestas en el contrato si el proveedor las contempla. Por eso, cuesta comprender la técnica empleada, ya que la norma obliga a informar las causales de término anticipado del consumidor *"si las hubiere"*. La expresión *"si las hubiere"* insinuaría la posibilidad de abolir la existencia de este derecho al permitirle al prestador financiero agregarlas o no al contrato, con independencia de la naturaleza del vínculo obligacional (ejecución duradera o indefinida). No puede hacerse una lectura de este tipo, porque un proveedor no podría excluir el desistimiento del consumidor en los contratos financieros de ejecución duradera. Una cláusula de ese estilo sería abusiva conforme lo dispone el artículo 16 letra a) de la ley. Por eso, fuerza decir que la disposición comentada sólo establece un deber de información para el proveedor financiero, nada más". (…) "¿Qué podemos concluir del artículo 17 B literal c)? Nuestra impresión es que, tanto la finalidad tuitiva de la Ley de Protección de los Derechos de los Consumidores como el derecho a poner del consumidor a término anticipado a uno o más servicios financieros por su sola voluntad indica que lo que debe informar el proveedor es si *"hubiera"* un derecho de desistimiento establecido en condiciones más ventajosas que el que la ley establece irrenunciablemente para el consumidor".

Doctrina. Artículo 17 B letra f)

- **Barrientos, Francisca y Labra, Ignacio (2019):** "El contenido minimo del contrato de crédito de consumo", en María Elisa Morales (Dir.) y Pamela Mendoza (Coord.), Derecho del Consumo: *Ley, doctrina y jurisprudencia.* Santiago: Der Ediciones. **pp. 169-194, p. 183-184: "La existencia de un Sello (artículo 17 B letra f):** Como su nombre lo establece, la idea de instaurar un sello fue una de las iniciativas más publicitadas por los gestores del proyecto de ley, que estaba a destinada a ser "la forma" de control de los contratos por adhesión por parte del Sernac. De este modo, este mecanismo operaría de forma preventiva (antes de la celebración del contrato) y regiría sólo al ámbito financiero. Su objetivo era certificar la inexistencia de cláusulas abusivas y el cumplimiento de ciertas normas específicas introducidas por la reforma del Sernac financiero. Este sello, conforme se define en su reglamento consiste en la: "distinción otorgada mediante resolución exenta del Director del SERNAC a un contrato de adhesión, en virtud de la constatación previa efectuada por el SERNAC de que se cumplen las condiciones previstas en la Ley de Protección del Consumidor para su otorgamiento, que recae en uno o más de los productos o servicios financieros que se enumeran". Como se mencionó, se destaca de la definición la necesidad de certificar el cumplimiento de la normativa vigente en el ámbito financiero, en especial, de información y cláusulas abusivas. Hasta el momento el sello no ha concedido a ninguna empresa. Quizás, el fracaso temporal puede explicarse por varias causas42. En general, se cuestionaba que se tratara de una facultad voluntaria para los proveedores, por eso no faltaron proyectos de ley que con posterioridad a su fracaso postulaban su obligatoriedad43. También se observó la burocracia y lentitud para aprobarlo y la rapidez para perderlo. Gaspar4criticó las ambigüedades y amplitud de las causales de revocación. Por eso, y otras razones, hoy en todos los contratos por adhesión financieros aparece una cláusula que dice: "este contrato no cuenta con sello sernac".

Doctrina artículo 17 B letra g)

- **Barrientos, Francisca y Labra, Ignacio (2019).** "El contenido minimo del contrato de crédito de consumo", en María Elisa Morales (Dir.) y Pamela Mendoza (Coord.), *Derecho del Consumo: Ley, doctrina y jurisprudencia.* Santiago: Der Ediciones. **pp. 169-194, p. 188: "Los mandatos (artículo 17 B letra g):** Otra de las menciones obligatorias del convenio financiero es la existencia de mandatos. Estos mandatos tienen por objeto gestionar el cobro del empresario, pero solían establecerse en términos tan amplios y ambiguos, que en el tráfico se conocen como "mandatos en blanco". De ahí que la reforma incorporara una norma sobre mandatos. Conforme a esta disposición, en el contrato debe mencionarse la existencia de mandatos para el cobro del crédito, cuáles son sus finalidades y los mecanismos mediante los cuales se rendirá cuenta de su gestión al consumidor. Esta mención es importante, pues muchos abusos se cometieron con la introducción de estas cláusulas que favorecían la confección de un pagaré "en blanco", completado por el propio proveedor, que no constituía novación de la deuda y sin la necesidad de rendir cuenta, lo que evidenciaba la necesidad de transparencia en la información, esta vez en la ejecución judicial de los créditos del deudor consumidor moroso".

SENTENCIAS SOBRE ARTÍCULO 17 B

- **Banco de Crédito e Inversiones con Marcelo Cruz y Compañía Limitada (2020): Corte Suprema, 04 de mayo de 2020, Recurso de Casación en el Fondo, Rol nº 14804-2020, LTM18.744.946:** "SÉPTIMO: Que respecto de la infracción del artículo 17 B letra g) de la Ley 19.496, incorporado por la Ley 20.555, cabe señalar que la Ley 19.496 prohíbe los mandatos en blanco y los que no admiten su revocación, en la medida que vayan asociados a un contrato de adhesión de servicios crediticios, de seguros y financieros, elaborados entre otros por bancos e instituciones financieras. Es decir, se trata de una prohibición excepcional que rige exclusivamente para los referidos contratos de adhesión, lo que supone que se encuentre probado no sólo la existencia del mandato en blanco sino también la del respectivo contrato de adhesión, presupuestos que, no se encuentran establecidos en la especie, lo que desde luego permite desestimar su pretendida nulidad y con ello la reclamada falta de validez de la obligación de que da cuenta el aludido título de crédito".

- Claudio Ortega Loyola con Caja de Compensación de Asignación Familiar Los Andes (2017): Corte Suprema, 02 de febrero de 2017, Rol nº 68880-2016, LTM16.124.945: "PRIMERO: Que el artículo 17 B letra g) de la Ley nº 19496 señala: "Los contratos de adhesión de servicios crediticios, de seguros y, en general, de cualquier producto financiero, elaborados por bancos e instituciones financieras o por sociedades de apoyo a su giro, establecimientos comerciales, compañías de seguros, cajas de compensación, cooperativas de ahorro y crédito, y toda persona natural o jurídica proveedora de dichos servicios o productos, deberán especificar como mínimo, con el objeto de promover su simplicidad y transparencia, lo siguiente: g)

La existencia de mandatos otorgados en virtud del contrato o a consecuencia de éste, sus finalidades y los mecanismos mediante los cuales se rendirá cuenta de su gestión al consumidor. Se prohíben los mandatos en blanco y los que no admitan su revocación por el consumidor". 2º Que conforme ha quedado establecido, el recurrente obtuvo un crédito social de la recurrida, el que de acuerdo la norma citada precedentemente corresponde calificar como un producto financiero, motivo por el cual, le resultan plenamente aplicables las normas de protección a los derechos de los consumidores. En razón de lo expuesto, cabe señalar que la interpretación que sostiene la recurrida, en el sentido de estimar irrevocable el mandato es contraria a lo dispuesto en el artículo citado en el considerando precedente, el que prohíbe expresamente la irrevocabilidad del mandato, circunstancia que torna en ilegal su actuar al no aceptar la revocación de mandato comunicada por la recurrente".

ARTÍCULO 17 C

"Hoja Resumen"
Artículo 17 C

Los contratos de adhesión de productos y servicios financieros deberán:

Contener al inicio una hoja con un resumen estandarizado de sus principales cláusulas

Los reglamentos que se dicten de conformidad con esta ley deberán establecer el formato, el contenido y las demás características que esta hoja resumen deberá contener, los que podrán diferir entre las distintas categorías de productos y servicios financieros

Y los proveedores deberán incluir esta hoja en sus cotizaciones, para facilitar su comparación por los consumidores.

DOCTRINA SOBRE ARTÍCULO 17 C

- **Barrientos, Francisca y Labra, Ignacio (2019):** "El contenido mínimo del contrato de crédito de consumo", en María Elisa Morales **(Dir.) y Pamela Mendoza (Coord.), Derecho del Consumo:** *Ley, doctrina y jurisprudencia.* **Santiago: Der Ediciones. pp. 169-194, p. 175-176:** "Hoja de resumen (artículo 17 C): El establecimiento de una hoja de resumen constituye un nuevo deber de información para el proveedor de bienes o servicios financieros. El artículo 17 C establece la obligación de incorporar, al inicio de los contratos, una hoja con un resumen. Este extracto debe contener las cláusulas principales del contrato y, además, los proveedores deberán incluir en él sus cotizaciones para facilitar su comparación por los consumidores. El Reglamento de Sello Sernac define la hoja de resumen aplicable a todos los productos financieros como aquella "hoja inicial que antecede a los contratos de adhesión de productos y servicios financieros, que contiene un resumen estandarizado de sus principales cláusulas y que los proveedores deben incluir en sus cotizaciones para facilitar su comparación por los consumidores". Así, estas disposiciones exigen que la hoja de resumen esté presente en los contratos por adhesión, especialmente en el contrato de crédito al consumidor, lo que lleva a pensar que se trataría de una genuina parte del contrato por adhesión y no un acto diverso. Como tal, pensamos que podría ser una de las partes más importantes del contrato, cuestión que podría importar a la hora de su exigibilidad o interpretación con las demás cláusulas del convenio obligacional".

- **Morales, María Elisa (2018):** *Control preventivo de cláusulas abusivas.* **Santiago: Der Ediciones, pp. 95-96:** "Los artículos 17 B y 17 C son otras expresiones del principio de transparencia aplicables a contratos de adhesión de productos o servicios financieros. Así, el artículo 17 B contempla el contenido mínimo que estos contratos deben tener con el fin de promover simplicidad y transparencia. En caso de que el proveedor no respete este contenido mínimo, el consumidor puede solicitar la nulidad de la respectiva cláusula. Por su parte, el artículo 17 C exige que este tipo de contratos contengan, al inicio, una hoja de resumen estandarizado de sus principales cláusulas. No hay sanción especial en este último caso, pero para la infracción de cualquiera de ellos se dispone una multa agravada, respecto a las que proceden en general, y sin perjuicio de la indemnización de perjuicios".

- **Fernández, Fernando (2013):** "Artículo 17 C", en Iñigo De La Maza; Carlos Pizarro **(Dirs.) y Francisca Barrientos (coord.)** *La protección de los Derechos de los consumidores.* **Comentarios a la ley de protección a los derechos de los consumidores Santiago: Editorial Thomson Reuters, p. 414:** "Ahora, en lo que concierne al Artículo 17 C de la Ley 19.496, su propósito es facilitar la comprensión de los servicios que se ofrecen, disminuir los costos de tiempos en la comprensión y lectura de la información y, en consecuencia, permitir la comparación de este producto con otros que se encuentren en el mercado. Así, no solo se protege la libertad de elección sino que, además, se establece una herramienta que —en teoría– incrementa la competitividad del mercado financiero. Ello dado que los consumidores con esta información estarían en mejores condiciones de comparar las diferentes ofertas del mercado, generando incentivos para que los oferentes bajen sus precios, incrementen la calidad de sus servicios y mejoren sus condiciones de contratación".

- **Subdirección de Consumo Financiero Coordinación de Economía del Comportamiento SERNAC, Rediseño de la Comunicación Trimestral del Estado del Crédito Hipotecario y su Impacto en la Cotización de Ofertas Crediticias: Evidencia Experimental, https://www.sernac.cl/portal/619/articles-58737_archivo_02.pdf, pp. 2-13:** "La contratación de un crédito hipotecario es probablemente la decisión financiera más importante que un consumidor adoptará en su vida. En teoría, esto debería motivar a que los consumidores busquen, comparen y contraten la mejor oferta de crédito, considerando el costo total del crédito y la carga anual equivalente (CAE) más conveniente. Sin embargo, durante la duración del crédito es probable que existan oportunidades de refinanciamiento que sean favorables al consumidor, pero que éste desconozca o no logre comprender. En efecto, evidencia nacional y comparada indica que la mayoría de los consumidores continúan dejando pasar oportunidades financieras ventajosas en el mercado hipotecario, especialmente entre consumidores de ingreso medio y bajo, y con menores niveles de educación (Andersen et al. 2020, Devine et al. 2015, Alexandrov & Koulayev 2018; Montoya, Noton & Solis, 2017; Johnson et al, 2016). En Chile, en los últimos 10 años la tasa de colocación hipotecaria promedio se redujo consistentemente, desde 5,92% en enero 2009 a 1,99% en noviembre de 2019; y entre diciembre 2018 y noviembre 2019 la tasa promedio bajó desde 3,28% a 1,99%. Sin embargo, en promedio, el flujo de refinanciamientos representó solo un 6% de las operaciones de crédito hipotecario (Banco Central, 2019). [...]

A fin de reducir asimetrías de información en el ámbito financiero, en 2011 la Ley n° 20.555 y sus reglamentos establecieron como obligaciones de los proveedores financieros entregar a los consumidores cartillas de información sobre los elementos más relevantes de sus productos y servicios. Estas obligaciones son aplicables en la etapa precontractual, contractual y durante la ejecución de un contrato de producto financiero. En particular, por vía reglamentaria se estableció el formato y contenido de, entre otros, la Comunicación del Estado del Crédito Hipotecario que debe remitirse, a lo menos, trimestralmente al consumidor financiero (Decreto Supremo nº 42, de 2012, del Ministerio de Economía, Fomento y Turismo). Esta Comunicación comprende la obligación de informar al consumidor, a través de este documento, de indicadores estándar creados para reflejar y comparar el costo del crédito, entre ellos, la Carga Anual Equivalente Vigente (CAEV). La CAEV es definida por la regulación como el indicador expresado en forma de porcentaje que posibilita al Consumidor comparar, determinar y verificar la conveniencia de contratar un nuevo Crédito Hipotecario para pagar anticipadamente o prepagar un Crédito Hipotecario vigente. […]

La información contenida en la comunicación trimestral del estado de crédito hipotecario debería facilitar a los consumidores comparar mejores ofertas en el mercado hipotecario, incentivándolos a cotizar y portar sus créditos a entidades financieras con mejores condiciones cuando se producen bajas significativas en la tasa de interés, como ha ocurrido en Chile en el último tiempo. Sin embargo, el impacto de la Comunicación Trimestral del Estado del Crédito Hipotecario en las decisiones financieras del consumidor no ha sido medido. Como se mencionó anteriormente, organismos internacionales promueven la aplicación de los hallazgos de las ciencias del comportamiento al momento de diseñar productos de información para el consumidor financiero (OECD, 2017, World Bank, 2017). La razón es que se ha demostrado la efectividad de políticas públicas que modifican el contexto en que los consumidores toman decisiones, a través de la aplicación de un estímulo —o empujón Servicio Nacional del Consumidor Ministerio de Economía, Fomento y Turismo 6 (nudge)— para evitar decisiones sub-óptimas (Thaler y Sunstein, 2008), así como potenciar las capacidades del consumidor para adoptar una decisión financiera. […]

Agencias reguladoras y organismos internacionales recomiendan explorar el diseño de información al consumidor financiero en base a estudios en economía y psicología del comportamiento, y levantar evidencia experimental sobre su impacto (OECD, 2017; World Bank, 2017; Timmins et al, 2020; Johnson & Leary 2017). En particular, una revisión del trabajo formulado por el Banco Mundial (World Bank, 2017; Chien, 2018), así como la Reserva Federal de los EE.UU. (Hogarth & Merry, 2011) enfatizan la relevancia de diseñar la política de difusión de información al consumidor financiero en base a, entre otras, las siguientes buenas practicas relevantes para la regulación nacional: Servicio Nacional del Consumidor Ministerio de Economía, Fomento y Turismo 9 i) Recomendación 1. Contextualizar información a través de gráficos simples que permitan comparar las condiciones de una oferta de crédito, para potenciar la toma de decisiones personales (Chien,

2018; Hogarth & Merry, 2011). La ayuda gráfica permite al consumidor tener punto de referencia, lo que es especialmente relevante cuando los consumidores toman decisiones considerando pocas alternativas u ofertas. En ese sentido, en 2009 la Reserva Federal de los EE.UU. propuso un rediseño de la cartilla de información al consumidor hipotecario en la que incluye un gráfico mostrando el annual percentage rate (APR) ofertado al consumidor en comparación al APR promedio en ofertas similares a consumidores con excelente puntaje o score crediticio —como lo muestra la Figura 2. Además, indica que un crédito con un APR de alto costo es usualmente ofertado a un consumidor con mal historial crediticio. La incorporación de este gráfico en las cartillas de información financiera también ha sido destacada por el Banco Mundial (Chien, 2018). ii) Recomendación 2. Destacar indicadores del costo del crédito que sean efectivos informando a los consumidores, particularmente a aquellos más vulnerables. Adicionalmente, el Banco Mundial recomienda que, a fin de potenciar la comprensión y transparencia de los costos de los productos financieros, las cartillas de información pueden incorporar figuras informativas como operaciones matemáticas simples y directas para expresar el costo total del crédito y sus componentes. iii) Recomendación 3: Ser conciso, usar lenguaje claro y términos comprensibles. Esto supone usar aquel lenguaje que un consumidor común de un producto financiero, con un nivel de lectura y escritura promedio y mínima experiencia financiera, es esperable que le permita comprender el contenido y relevancia de la Comunicación, sin mayor esfuerzo. iv) Recomendación 4: Las cartillas informativas deben visualizar prominentemente mensajes de relevancia para los consumidores de cara a la regulación nacional (Chien, 2018). v) Recomendación 5: Probar el diseño del formato y contenido de las cartillas informativas a fin de asegurar su efectividad y actualizar su diseño en el tiempo (World Bank, 2017). […]

Como resultado de la revisión de la experiencia comparada y la evaluación cualitativa de la Comunicación Trimestral vigente, a través de 2 focus groups y 37 entrevistas personales se generaron y testearon con consumidores Servicio Nacional del Consumidor Ministerio de Economía, Fomento y Turismo 11 diversos prototipos de rediseño. Como resultado se elaboró un prototipo de rediseño de la Comunicación Trimestral del Estado del Crédito Hipotecario para su posterior estudio a nivel experimental. El prototipo se compone de una hoja de dos planas (Figura 3). Su anverso se divide en las siguientes 5 secciones: i) Introducción: Especifica la utilidad de la cartilla para conocer el estado del crédito, así como para cotizar ofertas en el mercado. A fin de prevenir desconfianza sobre el mensaje, se indica que la información es enviada por el proveedor financiero en cumplimiento de una obligación legal y ésta fue diseñada por SERNAC y el MINECON. ii) Resumen de su deuda vigente: Contiene información básica sobre el estado del crédito hipotecario. En ella se modifican términos actualmente vigentes como "saldo del crédito" por "monto adeudado", y "cuota" por "dividendo", por ser éstos de más fácil comprensión para los lectores. Los valores son expresados tanto en pesos como U.F., y se informa tanto el número de dividendos pendientes (v.gr. 44/300) como el tiempo que resta por pagar el crédito (v.gr. 21 años y 4 meses), por ser éste último la unidad de medida que los consumidores estiman más importante. iii) Estado de su crédito en comparación a otros consumidores del país. La segunda sección incorporó dos estímulos o nudges para incentivar la cotización. El primero es un termómetro que indica la distancia entre la tasa de interés promedio del mercado, informada por el Banco Central en el mes previo a la fecha de emisión de la Comunicación, y la tasa aplicada al deudor —al efecto se consideró créditos con tasa fija. Este primer estímulo considera la relevancia de los puntos de referencia o anchoring para estimular la toma de decisiones (Tversky & Kahneman, 1974; Furnham & Boo, 2011). Atendido que no se encuentran disponibles estadísticas públicas que informen una CAE promedio, metodológicamente se optó por utilizar la tasa de interés promedio informada por el Banco Central al mes de emisión de la Comunicación, a fin de confeccionar un termómetro basado en datos reales del mercado hipotecario4. El segundo estimulo contenido en la Comunicación es el monto en pesos que la persona podría ahorrar en el Costo Total de su Crédito si renegocia su crédito y logra reducir un punto porcentual su tasa actual, manteniendo todas las demás condiciones del crédito constantes. Esto 4 Una explicación sobre los parámetros utilizados para el diseño de la versión final del termómetro como estímulo a la cotización, sus ventajas y limitaciones, se encuentra en la sección IV.5 de este informe. Servicio Nacional del Consumidor Ministerio de Economía, Fomento y Turismo 12 considera el poder de la aversión a las perdidas como explicación de las decisiones del consumidor, por lo que es esperable que información destacada o saliente sobre las pérdidas (o posibilidad de ahorro) asociadas a una decisión, motive a los consumidores a cotizar nuevas ofertas. iv) Información para comparar las condiciones de su crédito. Utilizando una diagramación que replica una operación aritmética simple, esta sección expresa el "Monto Adeudado", el "Costo del Crédito" y el "Costo Total del Crédito (CTC) por pagar. Este último es equivalente y fácilmente comparable con el Costo Total del Crédito (CTC) que debe ser informado en las simulaciones y cotizaciones de todo crédito hipotecario con el que un consumidor compare el estado de su crédito. Asimismo, se destaca la "Carga Anual Equivalente (CAE) vigente", expresada bajo la sigla "CAE vigente" y no como "CAEV", pues el objetivo es hacerla equivalente a la CAE informada en la simulaciones y cotizaciones entregadas por las instituciones financieras. Finalmente, estos indicadores se resaltan, informando la relevancia y utilidad del CTC y la CAE para comparar ofertas. v) Paso a paso para comparar y buscar mejores ofertas de crédito. Su objetivo es facilitar al deudor usar la Comunicación durante el proceso de cotización de ofertas, permitiéndole proyectar los pasos siguientes y motivarlo a seguirlos. Por su parte, el reverso del prototipo de se divide en las siguientes 3 secciones: vi) Cobros por atraso. La primera sección expresa en pesos el monto máximo del que podría ser objeto de cobros el consumidor, en el evento de atraso por un mes de mora. Para ellos se suman los intereses moratorios aplicados; el límite máximo de cobros por concepto de gastos de cobranza extrajudicial que puede transferir un acreedor a un deudor; y los valores del dividendo vencido y el dividendo correspondiente a la cuota siguiente a pagar. Esta información busca advertir sobre los potenciales efectos de la mora. La segunda parte, relativa al "Historial de Dividendos Atrasados", detalla la situación del consumidor que, efectivamente, se encuentre en mora, indicando los días de atraso y los cargos aplicados. vii) Información sobre la garantía de su crédito. Esta sección indica y define el tipo de hipoteca al que se encuentra sujeto el crédito. Servicio Nacional del Consumidor Ministerio de Economía, Fomento y Turismo 13 viii) Seguros asociados a su crédito hipotecario. Mantiene la mayor parte del formato vigente para informar sobre los seguros asociados al crédito, pero adiciona (i) la fecha de renovación del seguro; (ii) el número de póliza del seguro —para permitir su consulta en el sitio electrónico de la Comisión de Mercado Financiero; y (iii) un mensaje de advertencia sobre la posibilidad de nuevas ofertas de seguro".

ARTÍCULO 17 D

Inciso 1°

Los proveedores de productos o servicios financieros pactados por contratos de adhesión deberán comunicar periódicamente, y dentro del plazo máximo de tres días hábiles cuando lo solicite el consumidor, la información referente al servicio prestado que le permita conocer: el precio total ya cobrado por los servicios contratados, el costo total que implica poner término al contrato antes de la fecha de expiración originalmente pactada, el valor total del servicio, la carga anual equivalente, si corresponde, y demás información relevante que determine el reglamento sobre las condiciones del servicio contratado. El contenido y la presentación de dicha información se determinarán en los reglamentos que se dicten de acuerdo al artículo 62.

Inciso 2°

Los mencionados proveedores deberán entregar al respectivo consumidor un certificado de liquidación para término anticipado, dentro del plazo de cinco días hábiles contado desde que éste lo solicite. El consumidor podrá solicitar el certificado presencialmente o de manera remota al respectivo proveedor de productos o servicios financieros, y requerirle que se le entregue de manera física o virtual. Sin perjuicio de lo anterior, el consumidor podrá solicitar el referido certificado respecto de solo un producto o servicio financiero determinado. En dicho caso, el certificado deberá ser entregado dentro de tres días hábiles desde la respectiva solicitud.

Inciso 3°

Este certificado será gratuito y deberá contener a lo menos la siguiente información relativa a cada uno de los productos o servicios financieros vigentes, según corresponda:

a) Plazo o vigencia.
b) Valor total del producto o servicio.
c) Indicación de si corresponde a deuda rotativa.
d) Monto de crédito disponible y efectivamente utilizado.
e) Tipo y tasa de interés.
f) Carga anual equivalente.
g) Valor de última cuota vencida.
h) Garantías reales otorgadas, especificando su otorgante, datos de inscripción, datos de escritura pública o de instrumento privado protocolizado, en caso de haber sido otorgada por tales medios, y si contienen cláusulas de garantía general.

i) Monto total a pagar para poner término al producto o servicio financiero según la fecha de pago, incluyendo la respectiva comisión de prepago, si corresponde.

j) Si el crédito se encuentra en etapa de cobranza judicial.

k) La demás información que determine el reglamento.

Inciso 4º

En caso de existir una garantía real con cláusula de garantía general, el certificado de liquidación también deberá especificar el monto a pagar para ponerle término a todas las obligaciones vigentes que el consumidor tenga con el proveedor que no provengan de productos o servicios financieros.

Inciso 5º

Adicionalmente, el certificado deberá contener el monto total a pagar para ponerle término a la totalidad de los productos o servicios financieros y las obligaciones referidas, según la fecha de pago, incluyendo la respectiva comisión de prepago, si corresponde, la fecha de emisión y de vigencia del certificado, la que no podrá ser menor a treinta días corridos, la forma en que el proveedor desea ser notificado y la información necesaria para realizar el pago en caso de iniciarse un proceso de portabilidad financiera o refinanciamiento. El contenido, los requisitos y la presentación de dicho certificado se determinarán en los reglamentos que se dicten de acuerdo al artículo 62.

Inciso 6º

El consumidor podrá requerir al proveedor de productos o servicios financieros, en el momento de solicitar el certificado de liquidación para término anticipado, que bloquee los productos o servicios financieros con créditos disponibles no desembolsados o créditos rotativos, tales como líneas de crédito asociadas a cuentas corrientes o tarjetas de crédito, durante el tiempo de vigencia del certificado, de manera que la información contenida en el certificado de liquidación no se vea modificada durante su vigencia. El certificado deberá señalar expresamente los productos o servicios financieros que han sido bloqueados. Dicho bloqueo será sin costo para el cliente.

Inciso 7°

Los proveedores no podrán efectuar cambios en los precios, tasas, cargos, comisiones, costos y tarifas de un producto o servicio financiero, con ocasión de la renovación, restitución o reposición del soporte físico necesario para el uso del producto o servicio cuyo contrato se encuentre vigente. En ningún caso dichas renovación, restitución o reposición podrán condicionarse a la celebración de un nuevo contrato.

Inciso 8°

Los consumidores tendrán derecho a poner término anticipado a uno o más servicios financieros por su sola voluntad y siempre que extingan totalmente las obligaciones con el proveedor asociadas al o los servicios específicos que el consumidor decide terminar, incluido el costo por término o pago anticipado determinado en el contrato de adhesión.

Inciso 9°

Los proveedores de productos o servicios financieros no podrán retrasar el término de los productos o servicios financieros, su pago anticipado o cualquier otra gestión solicitada por el consumidor que tenga por objeto poner fin a la relación contractual entre éste y la entidad que provee dichos productos o servicios financieros. Se considerará retraso cualquier demora superior a cinco días hábiles una vez extinguidas totalmente las obligaciones con el proveedor asociadas al o los servicios específicos que el consumidor decide terminar, incluido el costo por término o pago anticipado determinado en el contrato de adhesión. Asimismo, los proveedores estarán obligados a entregar, dentro del plazo de cinco días hábiles, a los consumidores que así lo soliciten, los certificados y antecedentes que sean necesarios para renegociar los créditos que tuvieran contratados con dicha entidad.

Inciso 10°

En el caso de los créditos hipotecarios, en cualquiera de sus modalidades, no podrá incluirse en el contrato de mutuo otra hipoteca que no sea la que cauciona el crédito que se contrata, salvo solicitud escrita del deudor efectuada por cualquier medio físico o tecnológico.

Inciso 11°

En el caso de créditos caucionados con hipoteca específica, una vez extinguida totalmente la obligación garantizada, el proveedor del crédito deberá, a su cargo y costo, otorgar la escritura pública de alzamiento de la referida hipoteca y de los demás gravámenes y prohibiciones que se hayan constituido al efecto e ingresarla para su inscripción en el Conservador de Bienes Raíces respectivo, dentro de un plazo que no podrá exceder de cuarenta y cinco días contado desde la extinción total de la deuda. De tal circunstancia y de la realización de los señalados trámites, el proveedor deberá informar por escrito al deudor, a través de cualquier medio físico o tecnológico idóneo, al último domicilio registrado por el deudor con el proveedor, dentro de los treinta días siguientes de practicada la cancelación correspondiente por el Conservador de Bienes Raíces respectivo. Los comprobantes de pago emitidos por el proveedor de un crédito caucionado con hipoteca específica, correspondientes a las tres últimas cuotas pactadas, harán presumir el pago íntegro del crédito caucionado con dicha garantía, debiendo seguirse respecto de su alzamiento y cancelación lo dispuesto precedentemente.

Inciso 12°

En el caso de créditos caucionados con hipoteca general, una vez pagadas íntegramente las deudas garantizadas, tanto en calidad de deudor principal como en calidad de avalista, fiador o codeudor solidario respecto de las cuales dicha caución subsista, el proveedor deberá informar por escrito al deudor tal circunstancia, en el plazo de hasta veinte días corridos, a través de cualquier medio físico o tecnológico idóneo, al último domicilio registrado por el deudor con el proveedor, de conformidad a lo dispuesto en el Título IV del decreto supremo N° 42, de 2012, del Ministerio de Economía, Fomento y Turismo, que contiene el Reglamento sobre Información al Consumidor de Créditos Hipotecarios. Efectuada dicha comunicación por parte del proveedor, el deudor podrá requerir, por cualquier medio físico o tecnológico idóneo, el otorgamiento de la escritura pública de alzamiento de la referida hipoteca y de los demás gravámenes y prohibiciones que se hayan constituido al efecto, y su ingreso para inscripción en el Conservador de Bienes Raíces respectivo, gestiones que serán de cargo y costo del proveedor y que éste deberá efectuar dentro de un plazo que no podrá exceder de cuarenta y cinco días, contado desde la solicitud del deudor. El proveedor deberá informar por escrito al deudor, a través de cualquier medio físico o tecnológico idóneo, al último domicilio registrado por el deudor con el proveedor, del alzamiento y cancelación de la hipoteca con cláusula de garantía general y de todo otro gravamen o prohibición constituido en su favor, dentro de los treinta días siguientes de practicada la respectiva cancelación por el Conservador de Bienes Raíces respectivo.

Inciso 13°

Si no existieren obligaciones pendientes para con el proveedor caucionadas con hipoteca general, el deudor no estará obligado a mantener en favor de éste la vigencia de una hipoteca con cláusula de garantía general ni de otros gravámenes o prohibiciones ya constituidos para los efectos de obtener un nuevo crédito, y podrá en todo momento, y sin esperar la comunicación del proveedor de que trata el inciso precedente, solicitar el respectivo alzamiento por cualquier medio físico o tecnológico idóneo, el cual se efectuará en la misma forma y plazo previstos en dicho inciso. Sin perjuicio de lo anterior, el deudor podrá conservar la vigencia de esta garantía general y los demás gravámenes y prohibiciones asociados, a su sola voluntad.

Inciso 14°

Los alzamientos de hipotecas y de cualquier otro gravamen o prohibición constituidos en favor de un proveedor de servicios financieros podrán efectuarse por el respectivo acreedor de forma masiva. Para tales efectos, bastará otorgar una escritura pública que contenga un listado o nómina de gravámenes o prohibiciones, individualizando la foja, número, año, registro y el Conservador de Bienes Raíces a cargo del mismo, sea que tales gravámenes o prohibiciones se refieran a uno o más deudores. En caso de que una o más de las solicitudes no pudieren cursarse, dicha situación no impedirá la tramitación de las restantes, y el o los deudores interesados podrán resolver las insuficiencias o errores que fundaron el rechazo del Conservador de Bienes Raíces y concluir su tramitación. La cancelación de los gravámenes o prohibiciones solicitada deberá ser practicada e inscrita por el Conservador correspondiente en un plazo que no podrá exceder de diez días, contado desde el ingreso a su oficio de la escritura respectiva.

Inciso 15°

Los notarios y Conservadores de Bienes Raíces no podrán oponerse, en su caso, a autorizar y otorgar las escrituras públicas o practicar las cancelaciones que correspondan, tratándose de alzamientos otorgados de forma masiva, sin perjuicio de percibir los respectivos honorarios determinados de acuerdo a la ley N°16.250 y sus modificaciones.

Inciso 16°

Si el acreedor hipotecario se negare a efectuar los respectivos alzamientos de conformidad al presente artículo, el deudor podrá solicitar judicialmente tales alzamientos ante el tribunal competente, sin perjuicio de las sanciones e indemnizaciones que procedan de conformidad a la presente ley.

Inciso 17°

Lo dispuesto en los incisos precedentes se aplicará a los cesionarios de los créditos hipotecarios, cuando proceda.

Inciso 18°

Los proveedores de créditos que soliciten una tasación o estudio de títulos de un bien sobre el cual se constituirá una garantía en su beneficio deberán entregar al consumidor que solicitó el crédito los respectivos informes de tasación y estudio de títulos del bien, según corresponda. La entrega de dicha documentación deberá realizarse de manera física o virtual, conforme a lo solicitado por el consumidor. Asimismo, el consumidor podrá realizar la referida solicitud de manera presencial o remota.

Inciso 19°

Los proveedores de créditos que ofrezcan la modalidad de pago automático de cuenta o de transferencia electrónica no podrán restringir esta oferta a que dicho medio electrónico o automático sea de su misma institución, debiendo permitir que el convenio de pago automático o transferencia pueda ser realizado también por una institución distinta.

DOCTRINA SOBRE ARTÍCULO 17 D

Doctrina artículo 17 D

- **Goldenberg, Juan Luis (2021): "Artículo 17 D", en Iñigo De La Maza; Carlos Pizarro y Francisca Barrientos (Dirs.)** *La protección de los Derechos de los consumidores. Comentarios a la ley de protección a los derechos de los consumidores* **Santiago: Editorial Thomson Reuters (en prensa):** "En lo que nos ocupa, se trata el artículo 17 D de uno de los artículos más variopintos incluidos por la citada Ley n° 20.555, cruzando una multitud de temas que van desde las obligaciones de información periódica al establecimiento de modalidades de pago automático. Normas que tenían en común, sin embargo, el referirse de algún modo al contenido del contrato que da origen al servicio o producto financiero, pero cuyas reformas, especialmente con motivo de la Ley n° 21.236, sobre portabilidad financiera ("LPF"), ha quedado bastante desdibujada. La técnica pasa, por una parte, por impedir la incorporación de ciertas cláusulas al contrato de adhesión (sujetándolas a ciertos requisitos), solución ya visitada por el artículo 16 LDPDC, y, por la otra, por la integración del contrato por medio de ciertos deberes establecidos por la propia ley. Con la LPF se agregan algunos aspectos especialmente conducentes a facilitar los procedimientos de portabilidad, con y sin subrogación, sobre la base de la información de los productos y servicios que se pretende terminar con el proveedor original.

  El sentido de esta normativa, por tanto, se dirige generalmente al corazón de la relación de consumo financiero, a fin de moldearla en términos que al legislador, de antemano, le han parecido más equilibrados. Y lo hace, por una parte, mediante la revisión de ciertas cláusulas que la práctica bancaria, con mayor o menor recelo por parte de la autoridad supervisora, se había habituado a incorporar en esta suerte de contratos, haciendo gala de su mayor poder negociador. Y, por la otra, profundizando en la idea de que el consumidor financiero requiere de mayor apoyo informativo que en las demás relaciones de consumo, basado en la complejidad de esta clase de operaciones, desarrollando algunos aspectos ya tratados genéricamente en el artículo 3°, inciso segundo, LDPDC".

Doctrina artículo 17D inciso primero

- **Goldenberg, Juan Luis (2021): "Artículo 17 D", en Iñigo De La Maza; Carlos Pizarro y Francisca Barrientos (Dirs.)** *La protección de los Derechos de los consumidores. Comentarios a la ley de protección a los derechos de los consumidores.* **Santiago: Editorial Thomson Reuters (en prensa):** "En este sentido, el artículo 17 D LDPDC, en su inciso primero, contiene una obligación de carácter legal que se inserta en el clausulado contractual de toda suerte de productos financieros. Se sigue, en este sentido, una técnica de incorporación de cláusulas a la relación que proviene de un contrato de adhesión, como medio de protección de los intereses del consumidor. Se supera la idea del resguardo únicamente centrado en el control de contenido del texto contractual (artículo 16 LDPDC). Ello implica que su incumplimiento puede dar lugar a una sanción de carácter infraccional en los términos del artículo 17 K LDPDC, pero que esencialmente constituye una violación de las obligaciones que, conforme al artículo 1.546 del Código Civil, han pasado a integrar el contenido obligacional del contrato. Lo anterior, sin perjuicio de que, conforme al artículo 17 L LDPDC, podrá sancionarse también al proveedor en caso que la información entregada con motivo de esta obligación induzca a error al consumidor, con las multas previstas en el artículo 24 LDPDC, sin perjuicio de las indemnizaciones que pueda determinar el juez competente de acuerdo a la misma ley.

  Ya en relación a la finalidad para la cual el artículo 17 D obliga al proveedor a hacer entrega de esta clase de información, ella se revela por medio de la indicación de su contenido. Sobre el particular, cabe advertir que todo ello encuentra de algún modo un paralelo en el artículo 17 B, pero se diferencia en su proyección temporal:

  (i) Por una parte, el artículo 17 D LDPDC se refiere a hechos pasados, al tratar del *"precio total ya cobrado por los servicios prestados"*.

  Las razones que llevan a informar sobre este punto se refieren a la necesidad que el consumidor pueda vigilar el cumplimiento de las estipulaciones contractuales, calculadas conforme a la información ya recibida en el contexto delos citados artículos 3, inciso segundo, y 17 B LDPDC.

  Esta obligación de información también viene en desarrollar el deber expuesto en el artículo 17 A LDPDC, que obliga a los proveedores de bienes y servicios cuyas condiciones estén expresadas en contratos de adhesión a informar en términos simples el cobro de bienes y servicios ya prestados. Esta norma resulta esencial para la comprensión de la obligación dispuesta en el artículo 17 D, ya focalizada en los productos y servicios financieros, en tanto nos concede un parámetro formal para la entrega la información pertinente, como es la que se refiere a su simplicidad, al tiempo que da cuenta de su finalidad: permitir al consumidor verificar si el cobro efectuado se ajusta a las condiciones y a los precios, cargos, costos, tarifas y comisiones descritas en el contrato respectivo.

El legislador entiende, en consecuencia, que el consumidor debe ser el primer guardián del cumplimiento del tenor económico del contrato por parte del proveedor financiero. Si bien se crea una organicidad para estos efectos, no puede negarse que sigue siendo el consumidor quien mejor custodie sus propios intereses, pero, habida cuenta de la complejidad de la operación financiera, debe ser asistido para llevar a cabo esa función autotutelar. En estos términos, las disposiciones en comento deben ser leídas a efectos de que la información provista se encuentre expresada en una forma tal que sea fácil al consumidor revisar, ojalá ítem por ítem, que los cobros ya efectuados por la entidad financiera se ajusten plenamente a las cláusulas contractuales.

El consumidor de un servicio o producto financiero puede permanecer ciego a este respecto, especialmente en aquellos casos en los que se han otorgado mandatos o autorizaciones para descontar de los dineros del consumidor en poder del proveedor financiero (por ejemplo, en cuenta corriente), en los términos expresamente permitidos en el inciso final del artículo 17 D LDPDC, y de ahí que pueda resultar conveniente solicitar y recibir periódicamente información particular sobre este punto.

(ii) Luego, el artículo 17 D LDPC se refiere a situaciones eventuales, *"el costo total que implica poner término al contrato antes de la fecha de expiración originalmente pactada"*. Esta regla debe ser coordinada con aquélla dispuesta en el octavo inciso de la misma disposición, que se refiere precisamente a la posibilidad que el consumidor termine anticipadamente el contrato, y a la que nos referiremos más adelante. El costo anunciado debe ser aquél indicado en el contrato de adhesión, como indica el inciso octavo antes señalado. De este modo, da la impresión de que la información a otorgar no será sino una reiteración de aquélla con la que el consumidor ya cuenta, y que podría haber obtenido de la sola lectura del contrato correspondiente. Sin embargo, creemos que debemos detenernos en la idea de "costo total", que facilita los cálculos a ser realizados por el consumidor al tiempo de pretender ejercer su derecho de terminar anticipadamente el contrato.

Es por ello que los Reglamentos definen este "costo total" como aquél que incluye todo cuanto el consumidor debe pagar para liberarse definitivamente de sus obligaciones en forma anticipada (por ejemplo, capital, intereses, comisiones, etc.), como asimismo, de tratarse de operaciones de créditos de dinero, los términos del artículo 10 de la Ley n° 18.010. La noción de costo debe plantearse entonces en los términos más amplios posibles, dado que sólo a partir de ella el consumidor puede tener real conocimiento de lo que involucra, en términos monetarios, la finalización anticipada de la relación financiera.

(iii) Y, finalmente, información permanente, como la referida al *"valor total del servicio, la carga anual equivalente, si corresponde"*. Esta carga anual equivalente, desarrollada en el artículo 17 G LDPC, tiene por finalidad que el consumidor, en cada momento, pueda realizar una comparación entre el costo total que implica la celebración (o, en este caso, la mantención) de su relación financiera. En la fase precontractual, ello importa en tanto el consumidor podrá comparar la "CAE" entre diferentes oferentes, transparentando la competencia. En la fase contractual, la finalidad es idéntica, pero necesariamente debe vincularse con la posibilidad de que el consumidor ponga término anticipado al producto o servicio financiero para acceder a otro con una carga menor".

Doctrina artículo 17 D inciso 2 y 3ª

- **Goldenberg, Juan Luis (2021): "Artículo 17 D", en Iñigo De La Maza; Carlos Pizarro y Francisca Barrientos (Dirs.)** *La protección de los Derechos de los consumidores. Comentarios a la ley de protección a los derechos de los consumidores* **Santiago: Editorial Thomson Reuters (en prensa)**: "2.2. Certificado de liquidación para efectos del término anticipado en el contexto de la portabilidad financiera. "Las reglas contenidas en los incisos segundo a sexto de este artículo 17 D fueron incorporados por la LPF. Para comprender su contexto, se han de tomar en consideración las trabas que se detectó existían, en términos de costos y tiempo, para el refinanciamiento de los créditos. Ello, en el contexto de un país con altas tasas de endeudamiento, provocando muchas veces que los consumidores y las empresas de menor tamaño quedasen cautivos con el proveedor original y no pudiesen beneficiarse de mejores condiciones financieras ofrecidas por el mercado. A la vista de lo anterior, y con el fin de rebajar dichas barreras y de favorecer la competencia, el Ejecutivo presentó un proyecto de ley (tramitado bajo el Boletín n° 12.909-03), para facilitar el cambio de proveedor, bajo la lógica de la "portabilidad", haciendo un símil con la denominada "portabilidad numérica" (Ley n° 20.471, de 2010).

Aunque en principio el centro de interés está en la "portabilidad con subrogación", esto es, el *"proceso por el cual el cliente contrata un nuevo crédito con un nuevo proveedor con la finalidad de pagar un crédito que el cliente mantiene con un proveedor inicial, produciéndose con ello una subrogación especial de crédito"*, también se incluye la posibilidad de utilizar estos mecanismos para *"contratar productos o servicios financieros con un nuevo proveedor y obtener el término de uno o más productos o servicios financieros que el cliente mantenga vigentes con el proveedor inicial, extinguiendo en consecuencia todas las garantías que caucionan dichos productos o servicios"* (artículo 4 LPF). Con ello, su campo de aplicación se extiende a productos y servicios financieros que no tengan necesariamente un carácter crediticio, ofreciéndose a su respecto una simplificación de las gestiones de terminación de los contratos vigentes, que ahora podrán ser realizadas por el nuevo proveedor en representación del cliente.

En lo que respecta al establecimiento de un sistema de refinanciamiento, una de las principales preocupaciones se encuentra en asegurar que, con el solo hecho del pago, el nuevo crédito quede cubierto de las garantías reales que aseguraban el cumplimiento de la obligación primitiva a pesar de su extinción (artículo 14 LPF). El principal atractivo de esta fórmula, muy cercana al pago con subrogación previsto en el artículo 1610, núm. 6° del Código Civil, es que resuelve un antiguo debate sobre el momento en que se produce el efecto subrogatorio aparejado al pago que hace el segundo proveedor al primero. Lo anterior, por medio de la denominada *"subrogación especial"*, o *"subrogación por la cual un crédito inicial es subrogado por un nuevo crédito, pasando este último a sustituir jurídicamente al primero, de conformidad con las características y condiciones señaladas en el Título III de esta ley"* (artículo 3° , núm. 13 LPF).

En este marco, las reglas incorporadas a la LDPDC se refieren a uno de los instrumentos que posibilita dicha portabilidad, como es la emisión de un certificado de liquidación de los productos o servicios financieros que el cliente desea terminar por parte del proveedor inicial. Para estos efectos, el inciso segundo del artículo 17 LDPDC dispone que los proveedores deberán entregar el certificado a los consumidores dentro del plazo de cinco días hábiles contados desde su solicitud, sea esta presencial o por medios remotos, pudiendo aquel requerir que su entrega sea física o virtual. Como regla de excepción, la norma agrega que si el certificado se refiere a un único producto o servicio financiero determinado, dicho plazo se reduce a tres días hábiles.

Ahora bien, la regla olvida que, conforme a lo dispuesto en el inciso segundo del artículo 5 LPF, todo cliente que quiera iniciar un proceso de portabilidad financiera deberá presentar una solicitud ante el nuevo proveedor, y, recibida que haya sido, este último deberá requerir al proveedor inicial el respectivo certificado de liquidación, en caso de que este no hubiere sido entregado por el cliente o hubiere perdido su vigencia. Como podrá observarse, el problema se produce porque la regla del artículo 17 D LDPDC sólo se pone en el caso que la solicitud haya sido presentada por el propio consumidor, sin hacer referencia al requerimiento del proveedor inicial, lo que implica que no se ha fijado legalmente un plazo para responder a dicho requerimiento. Podría indicarse que, en este caso, el nuevo proveedor estaría actuando en una suerte de representación del cliente, pero esa conclusión se oscurece si se aprecia que la relación entre proveedores se sujeta a los términos de un mandato implícito sólo desde el momento en que el cliente ha aceptado la oferta de portabilidad (artículo 8 LPF), y que tal mandato sólo se refiere al pago (cuando corresponda) y a la terminación propiamente tal (artículo 3, núm. 5 LPF). En el caso de que tratamos estamos en una etapa anterior, donde ni siquiera se ha presentado una oferta de portabilidad.

La emisión de dicho certificado tiene el carácter de gratuito, sin importar cuántas veces es requerido por el cliente ni cántas otras es necesaria su actualización. Si acaso es solicitado por el nuevo proveedor, en los términos señalados en el artículo 5 LPF, suponemos que se mantiene la idea de la gratuidad, aunque la ley calla sobre este punto. Adicionalmente, el contenido del certificado está fijado por el artículo 17 D, aunque en términos de mínimos que pueden ser complementados por un reglamento dictado de conformidad al artículo 62 LDPDC, haciendo referencia a un cierto contenido alusivo a los términos y condiciones de cada uno de los productos y servicios financieros vigentes, estimando el legislador que ellos son suficientes para que el nuevo proveedor pueda entender todos los extremos de la relación contractual cuyo término se propone, especialmente en los casos en los que tal entidad ofrezca el otorgamiento de un crédito para la cobertura del que podría encontrarse vigente, sumado a los costos de terminación. Si se observa, la mayor parte de los datos referidos en el inciso segundo del artículo 17 D están suponiendo que se trata de una operación de crédito de dinero (o simplemente "crédito", como le define en artículo 3, núm. 4 LPF), o, al menos, un instrumento crediticio en términos más amplios, tales como la indicación de si corresponde a deuda rotativa, el monto de crédito disponible y efectivamente utilizado, el tipo y tasa de interés, la carga anual equivalente, el valor de la última cuota vencida, las garantías reales otorgadas, la eventualidad de estar el crédito en etapa de cobranza judicial. Lo anterior, puesto que este es el principal foco de la LPF, a pesar de que es posible "portar" otro tipo de productos o servicios financieros. Piénsese, por ejemplo, en las cuentas de ahorro, tarjetas de débito y, debatiblemente, seguros.

Sin embargo, lo que más llama la atención es que dicha información está enfocada en el nuevo proveedor y no en dotar de mayores datos al consumidor, especialmente si éste quisiese comparar los términos del producto o servicio financiero por terminar y el que le podría ser ofrecido por parte del nuevo proveedor. De hecho, como ya anticipábamos, el artículo 5 LPF admite que el consumidor ni siquiera tenga conocimiento del contenido de dicho certificado de liquidación si acaso es directamente solicitado por el nuevo proveedor, y, si llega a obtener una copia del mismo, es probable que el reglamento siga la senda de entender que su funcionalidad se encuentra en la dotación de información a una entidad financiera. El consumidor deberá contentarse con la información periódica o solicitada en los términos del inciso primero del artículo 17 D, antes analizado, cuyo contenido es bastante más acotado".

Doctrina artículo 17 D inciso 7ª

• **Goldenberg, Juan Luis** (2021): "Artículo 17 D", en Iñigo De La Maza; Carlos Pizarro y Francisca Barrientos (Dirs.) *La protección de los Derechos de los consumidores. Comentarios a la ley de protección a los derechos de los consumidores*, Santiago: **Editorial Thomson Reuters (en prensa)**: "2.3. Imposibilidad de modificar los términos económicos del contrato por reemplazo del soporte físico del producto o servicio financiero. El inciso séptimo del artículo 17 D advierte de la imposibilidad de modificar los términos centrales de la relación de consumo financiero (referidas a sus precios, tasas, cargos, comisiones, costos y tarifas), aunque relativo a un determinado contexto temporal. Es evidente que el proveedor del servicio no podrá efectuar tales modificaciones si, al amparo del artículo 1.545 del Código Civil, el contrato es ley para las partes, y, en consecuencia, sólo podrá ser modificado por el acuerdo alcanzado por ellas. Resulta claro entender, entonces, que una de las principales preocupaciones de una normativa de consumo se manifiesta en impedir que el proveedor logre efectuar cualquier alteración unilateral del contenido del contrato, pues, de ser admisible, toda la estructura tutelar perdería sentido. Pero este aspecto ya se encontraba recogido en el artículo 16, letra a) LDPDC.

La nueva norma se refiere a la imposibilidad de que el proveedor, aprovechándose de la necesidad de renovar, restituir o reponer el soporte físico necesario para el uso de un producto o servicio cuyo contrato se encuentre vigente, incluya modificaciones al contrato que terminen por alterar el "valor total" del producto o servicio. Son múltiples los casos en que podemos imaginar la existencia de tales soportes, no centrados únicamente en tarjetas de crédito o débito, sino incluyendo, por ejemplo, los dispositivos para transferencias *online*. En este sentido, supone que si fuere necesario reemplazar el soporte que permite el uso del correspondiente producto financiero (sea por su expiración, pérdida, etc.), no puede el proveedor aprovecharse de este hecho para aumentar, por ejemplo, la tasa de interés aplicable o las comisiones por uso. Se abre, sin embargo, espacio a la duda respecto a cualquier otra mención contractual que no se refiera expresamente a su valor, en tanto la referencia de la norma a precios, tasas, cargos, comisiones, costos y tarifas del producto o servicio financiero podría entenderse limitativa.

En el supuesto típico, el contrato sigue vigente, de modo que no es de suponer que el cliente quisiere modificar sus términos sólo en razón de la necesidad de reemplazo del soporte físico. Aunque ello no impida que, efectivamente, las partes puedan llegar a un nuevo acuerdo, modificando el tenor contractual, o, incluso, celebrando un nuevo contrato, dejando sin efecto el anterior. Pero ello siempre requerirá del consentimiento de ambas partes, y no la imposición oportunista del proveedor del producto o servicio financiero.

En este sentido, la norma se refuerza con su disposición final, al indicar que la renovación, restitución o reposición antes señaladas no pueden condicionarse a la celebración de un nuevo contrato. Si así se permitiese, el consumidor se encontraría en el peor de los mundos, por cuanto la pérdida o expiración del soporte físico implicarían que no puede hacer uso del producto o servicio contratado (recordando que la norma exige que el contrato se encuentre vigente), al tiempo que sólo podría obtener un nuevo soporte si accede al "chantaje" de la celebración de un nuevo contrato".

Doctrina artículo 17 D inciso 8ª

- **Barrientos, Francisca y De la Maza, Íñigo (2019): La configuración del desistimiento del consumidor. *Revista de derecho (Coquimbo)*, 26, 8. Epub 30 de octubre de 2019.https://dx.doi.org/10.22199/issn.0718-9753-2019-0008:** "Junto con ello, hay que recordar que el art. 17 D inc. 3ero consagra la existencia del desistimiento propiamente tal, sin establecer ninguna limitación respecto de las causas (causales si las hubiere). Esta disposición señala que: "Los consumidores tendrán derecho a poner término anticipado a uno o más servicios financieros por su sola voluntad y siempre que extingan totalmente las obligaciones con el proveedor asociadas al o los servicios específicos que el consumidor decide terminar, incluido el costo por término o pago anticipado determinado en el contrato de adhesión". Como se lee, ella reafirma la existencia del derecho de desistimiento del consumidor. La ley lo trata como un derecho, que opera por la sola voluntad del consumidor financiero, sin expresión de causa. Y gracias a ello, se puede desahuciar toda clase de contratos financieros. La existencia de este derecho, junto con la aplicación general y supletoria del derecho común que prohíbe la contratación a perpetuidad, hace posible la configuración de un desistimiento general".

- **Barrientos, Francisca y Labra, Ignacio (2020). Los contratos de consumo financiero: reglas relativas al término de la relación contractual, GPS (inédito):**

"El artículo 17 D inciso tercero consagra una especie de derecho de desistimiento. Su configuración *sui generis* responde al ámbito especial de aplicación para el cual fue considerado, esto es, la contratación de productos y servicios financieros. Este apartado tiene por objeto estudiar los requisitos que el consumidor financiero debe cumplir para poder ejercer su derecho de desistimiento. Así, conforme a la configuración clásica del derecho de desistimiento se ha considerado que los requisitos para su ejercicio son: (i) determinada fisonomía o tipo contractual; (ii) la manifestación de voluntad; (iii) que dicha manifestación se realice conforme a la buena fe y; (iv) que se realice con un período de antelación o pre aviso. De manera adicional, el legislador incorporó de manera expresa: (v) la extinción total de las obligaciones, lo que suele estudiarse bajo los efectos del desistimiento en el derecho común y; (vi) el pago de una comisión, ambos poco frecuentes en los estudios dogmáticos sobre desistimiento

i. Fisonomía o tipo contractual

El artículo 17 D inciso tercero señala: "Los consumidores tendrán derecho a poner término anticipado a *uno o más servicios financieros* (...)" (énfasis agregado).

De la lectura del artículo es posible destacar tres cosas. Primero, que la facultad queda limitada al ámbito financiero (revisar *supra*). Segundo, que no se distingue entre contratos de duración indeterminada de aquellos de duración determinada. Y, tercero, que se autoriza al consumidor a poner término parcial a la relación obligatoria. A continuación se examinarán los dos últimos.

A. Contratos de duración definida e indefinido.

La clasificación entre contratos de duración definida e indefinida tiene importancia en la admisibilidad del derecho de desistimiento. Como explica la doctrina clásica, la indeterminación del plazo constituiría una especie de compromiso perpetuo y, por tanto, se autorizaría a las partes a poner término al contrato. Por su parte, CAPRILE explicó que en los contratos de duración determinada el plazo es ley para las partes y debiese respetarse el principio *pacta sunt servanda*. Con todo, la norma objeto de estudio prescindió de dicha distinción, autorizando al consumidor financiero a poner término unilateral a cualquier servicio financiero, independiente de su duración. La intención del legislador fue permitir al consumidor poner término unilateral al contrato sin importar su duración. Ello se desprendería de la historia de la ley.

En efecto, el texto original de la norma (16 ter en el proyecto) señalaba que los consumidores tendrían el derecho a dar término anticipado "en la medida que se trate de contratos de duración indefinida". Así, se habrían replicado las exigencias del derecho común, condicionando el ejercicio del derecho de desistimiento a la presencia de contratos de duración indefinida. Sin embargo, tras la discusión en el Senado se decidió eliminar dicha frase de la norma, dando origen al texto actual que no distingue entre contratos según su duración. GOLDENBERG señaló que con la eliminación de la frase transcrita, debe entenderse que la facultad contenida en el artículo 17 D inciso tercero debe aplicarse a todo contrato, sin importar su duración: "esta disposición, se podrá observar, resulta contradictoria con la que contiene el artículo 17 D, en tanto aquélla supone que las causales que den lugar a la terminación anticipada por el consumidor deben estar establecidas contractualmente, al tiempo que la regla en comento establece la facultad legal de terminación como un derecho del consumidor. La razón de ser de esta contradicción parece encontrarse en el hecho que, en su texto original, la norma hoy consagrada en el artículo 17 D sólo establecía el derecho a la terminación anticipada para el supuesto de los contratos de duración indefinida, de manera que la coordinación con la disposición del artículo 17 B parecía más simple de realizar. Con la eliminación de este requisito, el artículo 17 D debe entenderse aplicable a todo contrato de adhesión en que se pacte un producto o servicio financiero, sin atender a su duración".

De esta manera, respecto de este punto, el artículo 17 D inciso tercero representa un avance en la protección de los consumidores en comparación con la configuración del derecho de desistimiento del derecho común que implica, en virtud de la fuerza obligatoria del contrato, respetar los términos pactados durante la celebración del contrato.

a. El término parcial del contrato

La norma señala que el consumidor puede dar término a "uno o más" servicios financieros. La inserción de las frases, "uno o más" y "asociadas al o los servicios específicos" darían a entender que el consumidor puede, a su sola discreción, dar término a ciertos servicios, pero conservar otros, manteniendo así la relación obligatoria con el proveedor.

Así, quien mantiene varios servicios contratados podría, a su arbitrio, cerrar un servicio, algunos de ellos, o todos. En este escenario, el consumidor podría poner término unilateral a su crédito hipotecario, y mantener vigente los demás servicios, o bien, cerrar su cuenta corriente y créditos y mantener sólo los seguros contratados.

Dicho esto, corresponde referirse al segundo requisito, esto es, la manifestación de voluntad de desistirse del consumidor.

i. La manifestación de voluntad

El artículo 17 D inciso tercero señala: "Los consumidores tendrán derecho a poner término anticipado a uno o más servicios financieros *por su sola voluntad* (…)" (énfasis agregado).

De la lectura de la norma es posible destacar dos aspectos. En primer lugar, que el ejercicio del derecho no requiere de expresión de causa. Y, en segundo lugar, siguiendo que el ejercicio de este derecho supone el aviso a la otra parte de la intención de dar término al contrato. A continuación, se examinarán ambas cuestiones.

La facultad de desistimiento unilateral puede ser causada, es decir, que se exija a quien desea poner término unilateral al contrato la expresión de una justa causa que motiva su decisión o, puede ser *ad nutum*, esto es, que quede al arbitrio de la parte. Se diferencian en la discrecionalidad de su ejercicio. En la disposición objeto de estudio no se aprecia que la intención del legislador fuera exigir al consumidor la manifestación de voluntad causada. El artículo señala como requisito que el consumidor exprese su voluntad para poner término al contrato, pero nada dice respecto de justificar o explicar los motivos que lo llevan a tomar la decisión, al contrario de lo que ocurre con el desistimiento del proveedor ya revisado.

Lo anterior se ajusta al sistema en los casos de contratos indeterminados, en los cuales la autorización a poner término al contrato se otorga por consideraciones especiales, como lo es la libertad contractual. Sin, embargo, no sucede lo mismo en los contratos de duración determinada, donde la regla general es la primacía de la obligatoriedad del contrato. Con todo, la regla del artículo 17 D inciso tercero no distingue y se debería entender que el consumidor puede dar término unilateral, sin expresión de causa, a cualquier servicio financiero, sin importar su duración.

En consideración a la falta de regulación sobre la forma en que debe manifestarse la voluntad, y en orden a las ideas expuestas, la manifestación de voluntad del consumidor debiese, por integración de normas, ser expresa. Así lo ha señalado CAPRILE que, en razón de la certeza jurídica e incluso como mecanismo de prueba, consideró que sería razonable exigir a quien se desiste que su manifestación sea expresa. En un sentido similar, para Francisca BARRIENTOS y DE LA MAZA: "Es de esperar que su voluntad [la del consumidor] se exteriorice de forma expresa, para evitar inconvenientes con el ámbito de aplicación de la aceptación tácita y su distinción con el silencio, aun cuando sea en su propio beneficio".

En consecuencia, a falta de texto expreso, pero en consideración a las reglas generales del derecho de desistimiento, así como por la protección del consumidor, esto es, seguridad jurídica y como mecanismo de prueba, la manifestación del consumidor debiese ser expresa.

Dicho esto corresponde referirse al tercer requisito, esto es, la buena fe.

ii. Buena fe

Este requisito no se desprende expresamente del artículo 17 D inciso tercero. Con todo, conforme a las reglas generales, el consumidor debería ejercer su derecho de buena fe, aunque de manera obvia esta buena fe no opera de la misma forma que la buena fe que se le exige al proveedor, que tiene una intensidad mayor por las asimetrías que se verifican en toda relación de consumo.

Respecto de la facultad de desistimiento, interesa la buena fe objetiva como una regla de comportamiento. Como explica KLEIN: "este principio impone —aparte de las posibles matizaciones que aconseje la casuística—, que la utilización de esta facultad no se haga bruscamente, extinguiendo el contrato sin comunicación previa; que no se persiga un daño al otro contratante, ya sea como único propósito o como medio para obtener un lucro propio; que no se generen gastos innecesarios a causa de la extinción".

Así las cosas, la buena fe intenta establecer deberes recíprocos de lealtad, procurando avisarle a la contraparte la intención de terminar de forma anticipada el contrato y para evitar gastos innecesarios.

iii. Deber de preaviso

El artículo 17 D inciso tercero no hace mención expresa al deber de preaviso. Su omisión podría considerarse como la exclusión de este requisito en materia financiera, es decir, que no sería necesario que el consumidor de aviso anticipado de su intención de poner término unilateral al contrato. Pero, el artículo 17B letra c) si lo contempla en los siguientes términos"… las causales, si las hubiere, que pudieren dar lugar a su término anticipado por la sola voluntad del consumidor, *con sus respectivos plazos de aviso previo…*" (énfasis añadido).

El establecimiento de un deber de preaviso apunta a proteger la razonabilidad en el ejercicio del derecho de desistimiento. En efecto, no parece prudente que el término de una relación obligatoria sea inmediata, sino que, por el contrario, se trate de un término paulatino. De esta manera, se intenta proporcionar un tiempo de protección al acreedor equivalente al que usualmente le beneficiaría una renta.

En este sentido, la idea central del deber de preaviso se encuentra en el ejercicio razonable o, de buena fe, del derecho de desistimiento. De ahí que se intente proteger al contratante mediante la idea de un plazo.

Con todo, para la configuración del derecho de desistimiento del consumidor financiero el legislador autorizó al proveedor a que en un periodo de 10 días hábiles se puedan realizar las gestiones necesarias para liquidar el contrato. Según la opinión de GOLDENBERG la idea es trasladar todo el riesgo de la terminación del contrato al proveedor, esto pues, es quien se encuentra en mejor posición para soportar los efectos del término de la relación jurídica. Con todo, siguiendo las ideas del autor, la posición económica del proveedor no queda sin protección.

Por último, como se revisó a raíz de la facultad de término unilateral por parte del proveedor, éste puede establecer plazos para el ejercicio de estos derechos. En definitiva, la ley no establece el deber de preaviso como mecanismo de protección. En cambio, establece un período de liquidación del crédito, que obliga al proveedor a terminar de manera rápida el contrato.

iv. La extinción total de las obligaciones

El primero de los requisitos adicionados por ley se refiere a la extinción total de las obligaciones pendientes. El artículo 17 D inciso tercero prescribe que los consumidores tendrán derecho a desistir "siempre que *extingan totalmente las obligaciones* con el proveedor *asociadas al o los servicios específicos* (…)" (énfasis agregado).

El legislador optó por condicionar el ejercicio del derecho de desistimiento. Por ello, el consumidor deberá, previo a poner término al contrato, extinguir "totalmente" las obligaciones con el proveedor. Así, conforme al tenor literal del precepto, el consumidor tiene que pagar las sumas correspondientes a las obligaciones pasadas (simple retraso o mora) y pendientes de pago aún no exigibles (presentes y futuras) que caducan. Es menester señalar que dicha exigencia se encuentra limitada al servicio que se desea dar término. En este sentido, el proveedor no podría exigir al consumidor el pago de sumas por concepto de otros contratos o deudas contraídas a otro título que no sea el contrato que se pretende terminar.

El fundamento de este tipo de caducidad en nuestro medio es la posibilidad cierta de imposibilidad en el pago de las obligaciones. El legislador, ante casos en los cuales el deudor no tiene capacidad económica suficiente le priva a éste de su beneficio (el plazo). De esta manera, podría admitirse la caducidad legal del plazo en sede de consumo en aquellos casos en los cuales se estime que el consumidor no podrá cumplir con sus obligaciones de la forma pactada. Así, si el consumidor que manifiesta su voluntad extintiva ha dado varios indicios que darían a entender que no puede mantener sus obligaciones como fueron pactadas debiese acelerarse el crédito. De modo contrario, la integración de la caducidad del plazo con el desistimiento no parece posible.

Con esta decisión del legislador se producen consecuencias perjudiciales para el consumidor.

Un primer perjuicio para el consumidor consiste en utilizar el derecho del consumidor como una especie de caución o garantía del proveedor. El procedimiento para regular el cobro de las obligaciones es la cobranza, ya sea mediante un juicio ejecutivo o cobranzas extrajudiciales. Sin embargo, mediante la inclusión de este requisito la ley establecería un mecanismo de cobranza a través de un derecho, lo cual pugna con su naturaleza.

Un segundo perjuicio ocasionado es la excesiva onerosidad de este derecho. Si el consumidor no puede dar término al contrato, éste sigue produciendo efectos jurídicos. Así, se le sigue cobrando una tarifa, comisión o incluso intereses, aumentando la deuda y "dejando cautivo" al consumidor. De esta manera, el consumidor sin la posibilidad de mantener económicamente el contrato y privado de la posibilidad de ponerle término ve cada vez más oneroso el ejercicio de este derecho.

En este orden de ideas, creemos que, en realidad, el legislador confundió el desistimiento ad nutum del consumidor con otros mecanismos como la cláusula de aceleración o simples formas de incumplimientos resolutorios, que producen una desnaturalización de la institución. Por eso, somos de la opinión de no condicionar el ejercicio de este derecho y permitir a los consumidores continuar con el pago conforme a lo pactado, y tolerar el término del contrato *ad nutum*.

Dicho esto, corresponde referirse al sexto requisito, esto es, el pago de la comisión por término anticipado del contrato.

v. El pago de la comisión

El segundo requisito agregado por ley es pago de la comisión. El artículo 17 D inciso tercero prescribe, en lo que interesa: "siempre que extingan totalmente las obligaciones con el proveedor asociadas al o los servicios específicos *incluido el costo por término o pago anticipado* determinado en el contrato de adhesión" (énfasis agregado).

La comisión por término anticipado del contrato no es novedosa en nuestro medio. La Ley nº 18.010 ya establece una "comisión de prepago". Su inserción se habría justificado por el interés que representa para ambas partes el contrato, "al deudor porque se le presta dinero y al acreedor porque su dinero gana el interés pactado, esto es, hace una inversión entre varias que podría haber elegido".

La frustración del contrato podría traer aparejada la obligación del pago de una comisión o penalización por desistimiento. En particular se trataría de una "contrapartida que debe recibir la otra parte (compensación económica) por el ejercicio del desistimiento".

Producto del término unilateral del contrato por parte del consumidor, la LPDC autoriza al proveedor a cobrar una suma de dinero para los intereses económicos que sin ella se hubiesen materializado en el patrimonio de éste o bien, a traspasar al deudor los costos administrativos de dicha situación. La onerosidad de este tipo de facultades se justifica en la frustración del contrato y el carácter arbitrario de la facultad. En este sentido, el contrato no llega a cumplirse por el deseo de una de las partes y produce la frustración del mismo. Por el contrario, se estima que estas facultades deben ser gratuitas para garantizar la indemnidad del consumidor.

Así las cosas, el legislador decidió otorgar el carácter de oneroso a la facultad de desistimiento, justificado en el carácter *ad nutum* del mismo.

Por eso, la técnica legislativa empleada es deficiente, toda vez que la avaluación de la comisión queda al arbitrio del proveedor sin imponerse un límite. La norma no incorporó una tarificación, como ocurre por ejemplo en materia de cobranzas extrajudiciales o en la comisión de prepago, ni tampoco mecanismos de ajuste del precio o restauración del equilibrio contractual, como lo es la lesión enorme. Por el contrario, se limitó a incorporar la obligación de informar al consumidor los costos que el ejercicio de su derecho trae aparejados.

En este sentido, se considera que se genera un eventual perjuicio grave al consumidor, toda vez que conforme a estas estipulaciones el proveedor podrá, a su arbitrio, establecer un costo demasiado oneroso y con ello conculcar el derecho del consumidor a poner término unilateral al contrato. Goldenberg explica que la limitación pareciera ser formal, bastando su indicación en el contrato; de ahí su preocupación por la posibilidad del proveedor de impedir el ejercicio del derecho de desistimiento mediante la estipulación de costos elevados y sin justificación. El autor relaciona este punto con la opinión de la jurisprudencia respecto de establecer un criterio de proporcionalidad (como límite) a las cláusulas penales incorporadas en contratos por adhesión.

Así las cosas, debiese incorporarse un límite legal al establecimiento de dicho cobro, como el que se establece en el artículo 10 de la Ley n° 18.010, donde el valor de la comisión de prepago no puede exceder el valor de un mes de intereses pactados para las obligaciones no reajustables y mes y medio para las obligaciones reajustables".

- Goldenberg, Juan Luis (2021): "Artículo 17 D", en Iñigo De La Maza; Carlos Pizarro y Francisca Barrientos (Dirs.) *La protección de los Derechos de los consumidores. Comentarios a la ley de protección a los derechos de los consumidores.* Santiago: Editorial Thomson Reuters (en prensa): "Esta norma debe necesariamente redirigirse a las cláusulas mínimas exigidas a los contratos de adhesión que sirven de base al producto o servicio financiero, en tanto el artículo 17 B exige, en su letra c), la indicación de *"la duración del contrato o su carácter de indefinido o renovable automáticamente, las causales, si las hubiere, que pudieren dar lugar a su término anticipado por la sola voluntad del consumidor, con sus respectivos plazos de aviso previo y cualquier costo por término o pago anticipado total o parcial que ello le represente"*. Pero esta disposición, se podrá observar, resulta contradictoria con la que contiene el artículo 17 D, en tanto aquélla supone que las causales que den lugar a la terminación anticipada por el consumidor deben estar establecidas contractualmente, al tiempo que la regla en comento establece la facultad legal de terminación como un derecho del consumidor. La razón de ser de esta contradicción parece encontrarse en el hecho que, en su texto original, la norma hoy consagrada en el artículo 17 D sólo establecía el derecho a la terminación anticipada para el supuesto de los contratos de duración indefinida, de manera que la coordinación con la disposición del artículo 17 B parecía más simple de realizar. Con la eliminación de este requisito, el artículo 17 D debe entenderse aplicable a todo contrato de adhesión en que se pacte un producto o servicio financiero, sin atender a su duración.

En cualquier caso, permitir al consumidor la terminación anticipada en una relación financiera es una facultad que, hasta cierto punto, estaba recogida en el artículo 10 de la Ley n° 18.010, para las operaciones de crédito de dinero, idea que termina trasladando todo el riesgo de la terminación anticipada en cabeza del proveedor, especialmente considerando que se trata éste de quien puede soportarlo de mejor manera. De hecho, el proveedor podrá resguardar su posición económica en el contrato, como reza la misma norma, en el hecho de que, por una parte, el consumidor haya extinguido totalmente las obligaciones derivadas del servicio que se pretende terminar, y, luego, por el costo por término o pago anticipado determinado en el contrato de adhesión".

Doctrina artículo 17 D inciso 9ª

- **Goldenberg, Juan Luis (2021): "Artículo 17 D", en Iñigo De La Maza; Carlos Pizarro y Francisca Barrientos (Dirs.)** *La protección de los Derechos de los consumidores. Comentarios a la ley de protección a los derechos de los consumidores.* **Santiago: Editorial Thomson Reuters (en prensa):** "Ahora bien, el inciso noveno de este artículo 17 D establece ciertas normas de protección adicional al derecho otorgado al consumidor para poner término anticipado a la relación contractual. Con la reforma de la LPF se ha subsanado un problema técnico puesto que la redacción original se refería únicamente a la terminación de contratos de crédito, referencia normalmente asociada a las operaciones de crédito de dinero, pareciendo restringir la amplitud del concepto de "producto o servicio financiero" tantas veces utilizadas por la Ley n° 20.555 para circunscribir el ámbito objetivo de aplicación de la reforma. Para subsanar dicho defecto, la regla ha sido reformada en términos de ampliarla a cualquier clase de "producto o servicio financiero", también en línea con el ámbito de aplicación de la LPF.

En cualquier caso, la norma se pone en todos los supuestos que pueden llevar a dicha terminación, referidos en forma genérica como *"cualquier otra gestión solicitada por el consumidor que tenga por objeto poner fin a la relación contractual entre éste y la entidad que provee dichos productos o servicios financieros"*. Sin calificar dichas gestiones, estas podrían incluir la entrega de certificados y liquidaciones, el otorgamiento de finiquitos y alzamientos, la restitución y cancelación de soportes físicos, entre otros, siempre destinadas a dar constancia de la terminación de la relación contractual.

Incluso más, a fin de evitar interpretaciones más o menos abiertas respecto a la existencia o no de retraso por parte del proveedor, el legislador ha tenido la prudencia de establecer un plazo que, a partir de la entrada en vigencia de la LPF, es de cinco días hábiles, el que ha de contarse desde que estén extinguidas totalmente las obligaciones con el proveedor asociadas al o los servicios específicos que el consumidor decide terminar, incluido el costo por término o pago anticipado determinado en el contrato de adhesión. Esta norma, nuevamente, debe ser asociada a la dispuesta en el inciso inmediatamente anterior del mismo artículo 17 D LDPDC, en tanto, conforme a lo indicado, el pago de dichos importes constituyen los requisitos indispensables para el ejercicio del derecho de la terminación anticipada por parte del consumidor.

La parte final del inciso noveno, no obstante, puede dar lugar a dudas. Este se refiere, nuevamente, a la necesidad de entrega de información por parte del proveedor al consumidor sobre su relación contractual, teniendo por finalidad establecer un plazo para los casos en que el consumidor desee "renegociar" sus créditos. Al respecto, la historia de la norma da cuenta de que su finalidad fue poner freno a los retrasos injustificados en tal entrega cuando el consumidor la hubiese solicitado para cambiarse de institución. Por ello, más que una renegociación de las deudas (que da la idea de una nueva negociación entre las mismas partes), la figura parece más cercana a un refinanciamiento con una entidad diferente a aquélla con la que originalmente ha contratado. Será para ese refinanciamiento para el cual el consumidor solicitará, por ejemplo, las correspondientes liquidaciones y antecedentes crediticios, que son los que precisamente solicitará la nueva entidad para evaluar la concesión del crédito. Sin embargo, se produce aquí una nueva disonancia. Como señalamos, conforme al nuevo inciso segundo del artículo 17 LDPDC, el plazo para la entrega del certificado es normalmente de cinco días hábiles, pero en el caso de tratarse de un único producto o servicio financiero determinado, se reduce a tan solo tres días hábiles contados desde la solicitud. Esto no queda reflejado en esta parte de la norma".

Doctrina artículo 17 D inciso 10ª

- Goldenberg, Juan Luis, (2021) **"Artículo 17 D"**, en **Iñigo De La Maza; Carlos Pizarro y Francisca Barrientos (Dirs.)** *La protección de los Derechos de los consumidores. Comentarios a la ley de protección a los derechos de los consumidores.*

Santiago: Editorial Thomson Reuters (en prensa): "En suma, la disposición incluida en el artículo 17 D LDPC sólo ha pretendido elevar a rango legal una regla de carácter meramente reglamentario, y dejar en manos de los organismos generales de control su aplicación, más que a la sola supervisión de la Comisión para el Mercado Financiero. Con ello, el alcance también pasa a ser ciertamente mayor, en tanto se refiere a cualquier proveedor de un servicio financiero (que, conforme al ordenamiento vigente, pueda celebrar "contratos de crédito hipotecario"), y no únicamente a las entidades sujetas a la fiscalización de la citada entidad regulatoria. [...]

En segundo lugar, la limitación se refiere a la inclusión en el contrato de crédito de otra hipoteca que no sea la que cauciona el crédito que se contrata. En este sentido, aunque el propósito original de la norma parecía referirse únicamente a la inclusión de "cláusulas de garantía general", el texto resulta bastante más generoso. De este modo, cabe incluir los siguientes supuestos:

(i) *Obligaciones existentes entre el deudor y el proveedor financiero con anterioridad a la celebración del contrato de crédito hipotecario*. Este supuesto es el que genera menores inconvenientes, aunque nos traiga a la memoria el posible ejercicio de las acciones revocatorias concursales cuando la hipoteca tiene por objeto caucionar obligaciones preexistentes (artículos 287 y 290 de la Ley n° 20.720);

(ii) *Obligaciones que se contraen entre el deudor y el proveedor financiero al mismo tiempo que la celebración del contrato de crédito hipotecario*. Al respecto, sólo cabe advertir que la cobertura de la garantía no se encuentra limitada por un aspecto meramente temporal, sino por la extensión de la obligación garantizada. De este modo, en el hipotético caso en que el contrato de mutuo incluyese cualquier tipo de obligación que no puedan ser técnicamente reconducidos a la figura del "crédito hipotecario" no pueden resultar garantizadas por la hipoteca, sino se ha cumplido con el requisito de la solicitud escrita del deudor.

(iii) *Obligaciones que se contraigan entre el deudor y el proveedor financiero con posterioridad a la celebración del contrato de crédito hipotecario*. Para este supuesto, resultará indistinto de si las obligaciones futuras se encuentran o no previamente identificadas, porque, como veremos, queda igualmente limitada la cláusula de garantía general. Sobre el particular, sólo nos parece prudente indicar que esta norma no debe entenderse derogatoria del artículo 2.413 CC, que dispone que la hipoteca "*podrá asimismo otorgarse en cualquier tiempo antes o después de los contratos a que acceda, y correrá desde que se inscriba*".

(iv) *Toda obligación que se haya contratado o se contraiga a futuro con el proveedor financiero, por cualquier causa o motivo, bajo la idea de la denominada "cláusula de garantía general"*

Esta cláusula, centro principal de preocupación de la norma, no es definida por ésta, ni precisamente conceptualizada por la normativa bancaria. No obstante, la práctica la ha recogido a modo de fórmula que permite que las obligaciones garantizadas por la hipoteca sean todas aquellas que el deudor tenga o llegue a tener con la entidad financiera. No es este el lugar para tratar sobre su legitimidad, pero sí dar cuenta de cómo se ha aproximado nuestra doctrina y jurisprudencia al punto.

La doctrina ha vacilado en torno a su procedencia, sobre todo debatiendo sobre las implicancias del carácter necesariamente accesorio de esta clase de garantías, y a la determinación de su objeto que, para parte de la doctrina, no estaría constituida por el inmueble sobre el cual recae, sino por el derecho real que debe constituirse en razón del título hipotecario. Los resultados de las posiciones encontradas no pueden ser más opuestos, en tanto se pretende establecer, por una parte, la validez y utilidad de esta práctica, al tiempo que la posición contraria llega a sostener su nulidad absoluta.

Nuestra jurisprudencia, sin embargo, ha terminado por aceptar su incorporación, sin indagar mayormente en sus fundamentos. Asume el debate como resuelto, muchas veces remitiéndose a fallos anteriores en el mismo sentido, basándose esencialmente en lo dispuesto en el artículo 2.314 CC. Los fallos se centran en cuestiones como la delimitación de su amplitud, en su irrelevancia en supuestos de ampliación de plazos o en la oportunidad de su alzamiento.

Nuestra Corte Suprema ha vuelto a sostener la validez de esta cláusula, incidiendo algo más en su configuración. De esta manera ha resuelto que "*La cláusula en comento, indudablemente, está dirigida a favorecer el desarrollo del crédito, permitiendo que la garantía no cubra únicamente una obligación existente, sino también una futura eventual. Desde luego, y en aplicación del principio de accesoriedad, la eficacia de la garantía estará sujeta a que la obligación futura e incierta se convierta en una obligación que en un momento determinado tenga existencia y que sea cierta. De otro modo, no habrá forma de hacer efectiva la garantía, pues según se ha dicho esta presupone una obligación que le es principal. Se señala, por algunos, que en las hipotecas que garantizan obligaciones futuras o eventuales por la simple aplicación del principio de accesoriedad inherente a la naturaleza misma del gravamen hipotecario, si bien la hipoteca puede encontrarse inscrita, esta no se encuentra en el hecho completamente configurada jurídicamente; sólo si la obligación futura eventual llega a existir, la hipoteca será eficaz, caso contrario será un continente sin contenido".*

Al respecto, la discusión parlamentaria de la Ley n° 20.555 parece desconocer el debate doctrinal, y, acogiendo la legalidad de la cláusula sostenida repetidamente por nuestra jurisprudencia, somete el punto a una cuestión eminentemente práctica. Lo que se pretende, en definitiva, es proteger al consumidor para la constitución de nuevas garantías hipotecarias, y así facilitar que este pueda obtener un nuevo financiamiento garantizado al tiempo que ha terminado de pagar el crédito que ha dado origen a la hipoteca.

Con la incorporación del texto normativo comentado, entonces, la legitimación jurisprudencial de la figura se verá ciertamente reforzada, en tanto ésta reconoce la posibilidad de la incorporación de la cláusula de garantía general, aunque con las limitaciones señaladas.

Finalmente, debemos referirnos al requisito impuesto por el artículo 17 D para la validez de este tipo de cláusulas, como es la solicitud por escrito por parte del deudor. Al parecer, la idea detrás de esta referencia, que toma como antecedente la regulación bancaria, se fundamenta en que pueden existir ciertos casos en los que al deudor puede interesar la existencia de cláusulas que permitan la extensión de la garantía a obligaciones no cubiertas por el contrato de mutuo. Ello ocurriría, por ejemplo, en caso de que el deudor sea un consumidor habitual de productos y servicios financieros, que, conociendo de antemano que el proveedor le solicitará la constitución de garantías hipotecarias como condición del otorgamiento de tales productos o servicios, prefiere liberarse de los costos de transacción y operativos para la constitución de garantías.

El problema redunda entonces en que esos casos podrán ser los menores, y quizás se encuentren circunscritos únicamente a la operatividad de la norma en concordancia con el denominado *"Estatuto Pyme"* (artículo noveno de la Ley n° 20.514, que hace aplicable estas disposiciones a las relaciones con las micro y pequeñas empresas). De este modo, siendo la solicitud escrita del deudor el único requisito formal para la validez de esta suerte de cláusulas, no sería de extrañar su incorporación a gran parte de la documentación y formularios que el futuro deudor debe suscribir para el posterior otorgamiento del crédito hipotecario. La pregunta que surge entonces es si esta condicionante meramente formal libera al proveedor del crédito hipotecario del control de la cláusula, en caso de que esta resultare abusiva en razón de la vulneración del artículo 16, en su formulación genérica bajo el literal g) LDPDC.

Doctrina artículo 17 D inciso 11º

- **Goldenberg, Juan Luis (2021): "Comentario al artículo 17 D", en Iñigo De La Maza; Carlos Pizarro y Francisca Barrientos (Dirs.)** *La protección de los Derechos de los consumidores. Comentarios a la ley de protección a los derechos de los consumidores.* **Santiago: Editorial Thomson Reuters (en prensa):** "El carácter accesorio de la hipoteca determina que la extinción de la obligación principal acarree la necesaria terminación de la garantía. Por ello, toda la regulación dada por los incisos undécimo y siguientes del artículo 17 D no se refieren concretamente a la extinción de la garantía, cuestión que parece suficientemente resuelta en el artículo 2.434 CC, sino a la necesidad de proceder a la cancelación de la inscripción hipotecaria, entendiendo que ella ha sido necesaria para el surgimiento del derecho real de hipoteca (artículo 2.410 CC). La cancelación en sí, ya nos informa Somarriva, "no es entonces en sí un modo de extinguir la hipoteca, sino una consecuencia de la extinción que de ella haya operado por los distintos modos que venimos en estudiar".

  De ello se derivan dos consecuencias relevantes: por una parte, la idea de que, mediada la extinción de la obligación principal, la hipoteca se habrá extinguido consecuencialmente, de modo que la cancelación de la inscripción hipotecaria tendrá una finalidad de publicidad y coherencia registral; y, por la otra, que los deberes que estas disposiciones agregan al acreedor hipotecario se referían únicamente al caso en que la hipoteca se hubiese extinguido en razón de la extinción total de la obligación principal, y no motivada en cualquier otra causal de extinción contemplada por el ordenamiento jurídico.

  La citada cancelación, agrega el inciso final del artículo 2.434 CC, debe otorgarse por medio de escritura pública, y es indicativa de un acto de carácter unilateral por medio del cual el acreedor hipotecario da cuenta de la extinción del contrato de hipoteca, que, como hemos dicho, ya ha tenido lugar producto de la extinción de la obligación principal. El artículo 17 D LDPDC, por tanto, se está refiriendo precisamente al otorgamiento de esta escritura pública de cancelación, cuya finalidad, en este caso, es meramente instrumental, teniendo por finalidad que pueda practicarse la correspondiente anotación conservatoria que dé cuenta de la extinción del gravamen real. Sin esta constancia, difícilmente podrá el conservador de bienes raíces dar cuenta del hecho de la terminación de la garantía, y así ponerla en conocimiento de las partes por medio de la entrega de la correspondiente copia vigente de la inscripción conservatoria o de la certificación de hipotecas y gravámenes sobre el inmueble hipotecado. […]

Respecto a las hipotecas con cláusulas de garantía general, el régimen es ligeramente diverso. Así, una vez pagadas íntegramente las deudas garantizadas, tanto en calidad de deudor principal como de avalista, fiador o codeudor solidario respecto de las cuales dicha caución subsista, el proveedor deberá informar por escrito al deudor tal circunstancia en el plazo de hasta veinte días corridos. Tal información deberá transmitirse a través de cualquier medio físico o tecnológico idóneo, al último domicilio registrado por el deudor con el proveedor, de conformidad a lo dispuesto en el Título IV del Reglamento sobre Información al Consumidor de Créditos Hipotecarios contenido en el Decreto n° 42, de 2012. Efectuada dicha comunicación, el deudor podrá requerir, por cualquier medio físico o tecnológico idóneo, el otorgamiento de la escritura pública de alzamiento de la referida hipoteca y de los demás gravámenes y prohibiciones que se hayan constituido al efecto, y su ingreso para anotación en los registros del conservador de bienes raíces, gestiones que serán de cargo y costo del proveedor y que éste deberá efectuar dentro de un plazo que no podrá exceder de cuarenta y cinco días, contado desde la solicitud del deudor. El proveedor deberá informar por escrito al deudor, a través de cualquier medio físico o tecnológico idóneo, al último domicilio registrado por el deudor con el proveedor, del alzamiento y cancelación de la hipoteca con cláusula de garantía general y de todo otro gravamen o prohibición constituido en su favor, dentro de los treinta días siguientes de practicada la respectiva cancelación por el conservador de bienes raíces.

Si no existieren obligaciones pendientes para con el proveedor caucionadas con hipoteca general, el deudor no estará obligado a mantener en favor de éste la vigencia de una hipoteca con cláusula de garantía general ni de otros gravámenes o prohibiciones ya constituidos para los efectos de obtener un nuevo crédito, y podrá en todo momento, y sin esperar la comunicación del proveedor antes referida, solicitar el respectivo alzamiento por cualquier medio físico o tecnológico idóneo, el cual se efectuará en la misma forma y plazo previstos en la regla antes señalada. Sin perjuicio de lo anterior, el deudor podrá conservar la vigencia de esta garantía general y los demás gravámenes y prohibiciones asociados, a su sola voluntad.

De lo anterior se deduce que, en estos casos, asiste al consumidor financiero un derecho de opción, de manera de poder mantener el registro de la hipoteca con cláusula de garantía general para caucionar obligaciones eventuales que puedan pactarse a futuro. La razón de lo anterior es que si se hubiese seguido igual lógica que en la hipoteca con cláusula de garantía específica y, por tanto, siempre se hubiese procedido al alzamiento y cancelación de la hipoteca, el consumidor hubiese perdido las ventajas que tal cláusula supone y a las que aludimos cuando analizábamos la lógica del inciso décimo del artículo

17 D. Ello significa que la conservación del registro hipotecario le podrá resultar valioso al consumidor financiero puesto que así se libera de los costos que implicaría volver a cumplir con todo cuanto es necesario para el otorgamiento de esta clase de garantías (*i.e.*, estudio de títulos, tasación del inmueble, escritura de constitución y registro conservatorio), si acaso observa que en un futuro requerirá de la obtención de nuevos créditos que cuenten con dicha caución. Sin embargo, como ello es solo una eventualidad y es posible que el consumidor prefiera ver su activo inmobiliario liberado de todo gravamen o prefiera un financiamiento por parte de otra entidad de crédito, siempre podrá requerir que se escriture el alzamiento y se solicite la práctica de las cancelaciones pertinentes, en la medida en que en el tiempo intermedio no se hayan creado nuevas obligaciones que estén resguardadas por la hipoteca.

Dado que el nuevo sistema de alzamientos previsto en la Ley n° 20.855 es bastante más exigente para los proveedores financieros, las nuevas disposiciones se completan con ciertas medidas de alivio y otras que pretenden fijar la órbita de responsabilidad de los notarios y conservadores.

Respecto a las primeras, debe tenerse presente que los alzamientos de hipotecas y de cualquier otro gravamen o prohibición constituidos en favor de un proveedor de servicios financieros podrán efectuarse por el respectivo acreedor de forma masiva. Para tales efectos, bastará otorgar una escritura pública que contenga un listado o nómina de gravámenes o prohibiciones, individualizando la foja, número, año, registro y el conservador de bienes raíces a cargo del mismo, sea que tales gravámenes o prohibiciones se refieran a uno o más deudores. En caso de que una o más de las solicitudes no pudieren cursarse, dicha situación no impedirá la tramitación de las restantes, y el o los deudores interesados podrán resolver las insuficiencias o errores que fundaron el rechazo del conservador de bienes raíces y concluir su tramitación.

Respecto a lo segundo, el artículo 17 D deslinda dos niveles de responsabilidad. El primero atañe al proveedor financiero, de forma tal que si este se negare a efectuar los respectivos alzamientos, el deudor podrá solicitarlos judicialmente ante el tribunal competente, sin perjuicio de las sanciones e indemnizaciones que procedan de conformidad a la LDPDC. El segundo se refiere a que los notarios y conservadores de bienes raíces no pueden oponerse a autorizar y otorgar las escrituras públicas o practicar las cancelaciones que correspondan, tratándose de alzamientos otorgados de forma masiva, sin perjuicio de percibir los respectivos honorarios determinados de acuerdo a la Ley n° 16.250 y sus modificaciones; y que la cancelación de los gravámenes o prohibiciones solicitada deberá ser practicada e inscrita por el Conservador correspondiente en un plazo que no podrá exceder de diez días contado desde el ingreso a su oficio de la escritura respectiva".

ARTÍCULO 17 E

El consumidor afectado podrá solicitar la nulidad de una o varias cláusulas o estipulaciones que infrinjan el artículo 17 B.

Esta nulidad podrá declararse por el juez en caso de que el contrato pueda subsistir con las restantes cláusulas o, en su defecto, el juez podrá ordenar la adecuación de las cláusulas correspondientes, sin perjuicio de la indemnización que pudiere determinar a favor del consumidor.

Esta nulidad sólo podrá invocarse por el consumidor afectado, de manera que el proveedor no podrá invocarla para eximirse o retardar el cumplimiento parcial o total de las obligaciones que le imponen los respectivos contratos a favor del consumidor.

DOCTRINA SOBRE ARTÍCULO 17 E

- Baraona, Jorge (2018): "El régimen jurídico de la nulidad de las cláusulas abusivas en la Ley nº 19.496" en Álvaro Vidal (dir.) y Gonzalo Severin (ed.). *Estudios de derecho de contratos en homenaje a Antonio Manuel Morales Moreno*. Santiago: Thomson Reuters, pp. 373-406: "De las normas transcritas puede concluirse que la ley entiende que la nulidad de una cláusula abusiva debe ser declarada judicialmente y que esa declaración es consecuencia de una acción procesal destinada a tal efecto. Conclusión que es posible confirmarla a partir de la evolución que ha sufrido la ley. Lo que en un principio aparecía como una ineficacia general, con las últimas modificaciones se esclareció para afirmar que se trata de una nulidad, la cual debía ser judicialmente declarada y con operación exclusiva en favor del consumidor".

Por lo visto, queda pendiente determinar con mayor precisión el régimen de esa nulidad judicialmente declarada, que es precisamente el objeto de este trabajo, pues, la vinculación de esta figura con la nulidad del Código Civil es insoslayable. En ese sentido se advierte una insuficiencia en nuestra legislación del consumidor, que atenta contra la seguridad jurídica, siendo disfuncional al objetivo implícito que está en la ley: darle confianza al consumidor.

c) función integradora (salvadora): La adecuación de las cláusulas consideradas como abusivas

La tercera función tiene un sentido inverso a las anteriores, porque no produce la nulidad del contrato, sino que permite su subsistencia. La encontramos en el artículo 17 E que es solo aplicable, por texto expreso, a las cláusulas insertas en los contratos que regula el artículo 17 B (prestaciones de servicios de crédito, seguro y en general financiamiento).

La norma es compleja, porque igual que en el artículo 16 A, dispone que la nulidad de una o más cláusulas debe llevar al juez a declarar la nulidad solo de esas cláusulas, "en caso que el contrato pueda subsistir con las restantes…", lo que hace pervivir el contrato. Agrega el artículo 17 E que en caso contrario "el juez podrá ordenar la adecuación de las cláusulas correspondientes…". El verbo "adecuar" lo debemos entender como sinónimo de moderar o ajustar, y por lo mismo modificar su contenido para permitir la subsistencia del contrato y lograr que la cláusula encaje en la ley. Se trata de salvar la nulidad total del contrato.

Aquí existe una verdadera intervención judicial del contrato, con la finalidad de buscar su sobrevivencia, no obstante la ilegalidad de alguno de sus términos, los que no se eliminan, por el contrario, son corregidos. El juez ejerciendo una función judicial primeramente correctora que luego deviene en integradora, desplaza a la voluntad contractual como fuente principal reguladora del contrato, dándole un nuevo contenido a las normas que se han declarado como ilegales, todo ello para evitar anular todo el contrato.

El criterio básico para configurar el nuevo contenido del contrato y hacerlo subsistir, es que el juez estime que el contrato no puede mantenerse sin las cláusulas que se consideran contrarias al artículo 17 B. Y, a diferencia del artículo 16 B que dispone de manera imperativa la actuación del juez ordenándole que decrete la nulidad parcial o total de contrato, en el artículo 17 E se le ofrece al juez una mayor flexibilidad, reflejada en los términos "podrá" con que la disposición le indica los criterios para actual. Lo que aparece vedado al juez en el artículo 17 E, a nuestro parecer, es la posibilidad de decretar la nulidad total del contrato, a menos obviamente que se trate de un contrato enteramente abusivo.

Uno puede preguntarse si en los supuestos del artículo 16 B, pudiera el juez optar por el camino de la adecuación del contrato en vez de anular parcialmente las cláusulas abusivas o de ir a la nulidad total. Podría pensarse que la norma del artículo 17 E es especial y no puede ser aplicada a un supuesto que naturalmente no le pertenece. Sin embargo, el artículo 1546 del Código Civil si faculta para esa integración, resolviendo las insuficiencias o lagunas del contrato con arreglo a los criterios que allí se describen: la naturaleza de la obligación, la ley supletoria o las costumbres que regulan el contrato.

En consecuencia, cuando se decreta la nulidad parcial por expulsión de una o más cláusulas abusivas, debe distinguirse entre la moderación misma de la cláusula respecto de la integración del contrato. En el primer caso se mantiene la cláusula, pero ella se ajusta o modera para darle viabilidad al contrato, en el segundo se integra el contrato incluyendo nuevo material normativo.

Reconozco que este es un punto que en el ámbito europeo se ha resuelto en sentido contradictorio por parte del Tribunal de Justicia de la Unión Europea. Durante un tiempo se estimó que el juez no debía concederse esta facultad de "moderación" de las cláusulas, sin embargo en los últimos dos años, el mismo TJUE se ha inclinado por reconocer, e imponerle el juez, el deber de integrar la cláusula; es decir que el juez debe tener la facultad para "salvar" el contrato de su nulidad total, si se considera que este extremo puede ser perjudicial para el consumidor.

Por otra parte, el artículo 42 de la Directiva 93/13, dispone "2. La apreciación del carácter abusivo de las cláusulas no se referirá a la definición del objeto principal del contrato ni a la adecuación entre precio y retribución por una parte, ni a los servicios o bienes que hayan de proporcionarse como contrapartida, por otra, siempre que dichas cláusulas se redacten de manera clara y comprensible. Esta limitación busca preservar la libre competencia.

El tema se ha prestado para dificultades en las Audiencias Españolas respecto del control de las denominadas cláusulas sobre intereses moratorios para créditos hipotecarios o comunes y que, por lo tanto, no supongan una anulación total del préstamo que pudiera perjudicar al consumidor, lo que obliga a saber si se integra o simplemente se aplica la normativa nacional de manera supletoria. Cuando ellas se eliminan parcialmente por estimarse abusivas, no quedaba clara la manera de proceder a continuación, es decir, qué tasa de interés imponer y conforme con qué criterios. El Tribunal de Justicia de la Unión Europea, en un auto que se ha estimado una barbaridad por un autor, ha tendido a pensar que no puede aplicarse la legislación nacional para perjudicar al consumidor, aunque esta solución suponga no cobrar al prestatario intereses por la demora, por considerarse que ello perjudica al consumidor.

La cuestión es delicada. Hay situaciones en que la eliminación de una cláusula puede dejar al consumidor en peor situación que antes. Si la adecuación no busca simplemente suprimir el abuso del proveedor, es un camino razonable.

Tal vez por la vía del recurso a la buena fe como fuente de integración, pudiera intentarse una justificación para los casos del artículo 16, teniendo en cuenta la necesidad de proteger al consumidor afectado y considerando lo dispuesto de manera especial en el artículo 17 E. Siempre queda el problema de la congruencia procesal, pues, el juez requeriría una petición en tal sentido del demandante. Obviamente recupera en tal caso en su amplitud la norma del derecho común, que le permite al juez aplicarlo supletoriamente al contrato.

III. Conclusiones

"Como principales conclusiones de este trabajo, puede decirse en primer lugar que el régimen de nulidad de las cláusulas abusivas ha ido tomando mayor claridad, conforme se ha modificado la Ley n° 19.496 tanto con la Ley n° 19.955 y la Ley n° 20.555".

"El régimen de nulidad de las cláusulas abusivas, tiene una regla general aplicable a todas las cláusulas abusivas y una especial, de cláusulas ilegales, aplicable a los contratos de servicios de créditos, de seguros y financieros, solo referida el artículo 17 B".

"La nulidad de una cláusula abusiva o ilegal tiene su régimen propio y no puede asimilarse en bloque a una nulidad absoluta o relativa, del Título XX del L. IV del Código Civil".

"El efecto propio de la nulidad de una cláusula abusiva, es la nulidad parcial del contrato que la contiene sin afectar a la totalidad del mismo, a menos que este no pueda subsistir sin la cláusula expulsada y el juez puede moderar la cláusula o integrar el contrato, cuando el contrato no pueda subsistir sin la cláusula anulada y no deba anularse el contrato como un todo".

"El proveedor no está legitimado activamente para instar por la nulidad de una cláusula abusiva".

"No es posible reconocer el deber del juez de anular de oficio una cláusula abusiva, en virtud del artículo 1683 del Código Civil, por no tratarse de una nulidad absoluta".

"La acción de nulidad de una cláusula abusiva no está sujeta a plazo de prescripción".

"Las acciones restitutorias e indemnizatorias, derivadas de una cláusula abusiva que se anula, prescriben en 4 o 5 años según si la acción es civil o comercial, desde su exigibilidad".

"Los terceros subadquirentes serán afectados solo si se trata de una nulidad de todo el contrato, no así, si solamente se anulan una o más cláusulas pues, en este caso el título no aparece anulado".

"Abogamos por un mejoramiento de la Ley n° 19.496 para darle mayor claridad al régimen de las cláusulas abusivas, que redunde en una mejor protección a los consumidores y con ello mejore la confianza en el consumo".

- **Momberg, Rodrigo (2013): "El control de las cláusulas abusivas como instrumento de intervención judicial en el contrato".** *Revista de Derecho (Valdivia)*, **Vol. XXVI n 1°, pp. 9-27, pp. 22 y 23:** "Sin perjuicio de lo anterior, debe destacarse que la última modificación a la LPC, introducida por la Ley n° 20.555, estableció en el art. 17 E que "El consumidor afectado podrá solicitar la nulidad de una o varias cláusulas o estipulaciones que infrinjan el artículo 17 B. Esta nulidad podrá declararse por el juez en caso de que el contrato pueda subsistir con las restantes cláusulas o, en su defecto, el juez podrá ordenar la adecuación de las cláusulas correspondientes sin perjuicio de la indemnización que pudiere determinar a favor del consumidor". Se concede así expresamente la facultad al juez para adaptar el contrato con el objeto de evitar su extinción. Lamentablemente los numerales del artículo 17B establecen en su mayoría menciones obligatorias que el proveedor de servicios financieros debe incluir en el contrato, para efectos de transparencia y de su adecuada comprensión por parte del destinatario. No se ve entonces cómo podría solicitarse la nulidad o adecuación de una estipulación que infrinja el mencionado artículo, ya que justamente la infracción de la norma se producirá cuando la estipulación no ha sido incluida en el contrato, de manera que no habrá nada que anular o adecuar. En derecho comparado, existen legislaciones que contemplan alternativas a la nulidad como sanción para las cláusulas abusivas. Así, el artículo 83 del citado Texto Refundido de la LGDCU, luego de establecer como sanción principal para las cláusulas abusivas su nulidad de pleno derecho, agrega que "el juez que declare la nulidad de dichas cláusulas integrará el contrato y dispondrá de facultades moderadoras respecto de los derechos y obligaciones de las partes". En Argentina, el artículo 37 de la Ley nº 24.240 de Defensa del Consumidor establece que en caso de declararse la nulidad de una o más cláusulas, es decir, la nulidad parcial del contrato, el juez simultáneamente deberá integrarlo si ello fuese necesario. Asimismo, el Código de Defensa del Consumidor de Brasil reconoce en el artículo 51§2 el principio de conservación de los contratos, al establecer que "la nulidad de una cláusula contractual abusiva no invalida el contrato, excepto cuando de su ausencia, a pesar de los esfuerzos de integración, se genera una carga excesiva para cualquiera de las partes". En principio, por tratarse de una sanción de ineficacia, esta labor de integración solo podría realizarse recurriendo a las normas supletorias contempladas en la ley. Sin embargo, se ha señalado que existe también la posibilidad que el juez recurra no solo a la legislación supletoria, sino también al contrato mismo, para suplir la cláusula 2013] Rodrigo Momberg Uribe: El control de las cláusulas abusivas… 23 respectiva por medio de una interpretación de la voluntad de las partes y crear una nueva (y válida) estipulación40. El incluir la facultad judicial de integrar el contrato como efecto subsidiario o colateral de la nulidad de las cláusulas abusivas parece razonable. Si lo que se busca es preservar el contrato, de manera que la parte afectada por el comportamiento abusivo del otro contratante pueda efectivamente satisfacer el interés que le llevó a contratar, la nulidad como única sanción puede ser insuficiente. El reconocimiento de la nulidad parcial es solo el primer paso para asegurar la conservación del contrato. Además, debería otorgarse a los tribunales facultades para que, en caso de ser necesario, integren el contrato supliendo las cláusulas declaradas nulas con el derecho dispositivo y, si es preciso, a través de la interpretación integrativa de las demás estipulaciones del contrato. Ello se torna más relevante si se admite el control de las cláusulas principales del contrato o de aquellas que se les relacionan directamente, como por ejemplo las que establecen mecanismos de determinación o revisión del precio. En el caso de los servicios, esta situación se hace más evidente, ya que muchas veces se trata de contratos de larga duración, en que las prestaciones se van devengando periódicamente o de manera continua, siendo imposible o inadecuado que la nulidad surta sus efectos normales. El caso resuelto por la Corte de Apelaciones de Santiago con fecha 14 de mayo de 2012, ya citado, proporciona el ejemplo perfecto. En el caso, la estudiante había ya cursado la asignatura que le faltaba para obtener la titulación, titulación que se condicionaba por el prestador del servicio, a base de la transcrita cláusula segunda, al pago del arancel de un semestre completo sin importar el número de asignaturas efectivamente cursadas. La mera declaración de nulidad de dicha cláusula implicaba en la práctica dos alternativas. La primera, la terminación del contrato, ya que dicha cláusula establece la forma en que, en determinados supuestos, se determinaría el precio por los servicios contratados, de manera que el acuerdo no podría subsistir sin ella al afectar una cláusula esencial del contrato. Por cierto, esta alternativa tiene consecuencias nefastas para la parte afectada, quien en el caso particular vería frustrada su legítima expectativa de obtener un título universitario. La segunda, integrar el contrato de modo de ajustarlo a las expectativas razonables y el interés perseguido por las partes (especialmente la perjudicada, por la cláusula abusiva), de manera que la declaración de nulidad de la cláusula abusiva no produzca perjuicios mayores que los que se han tratado de evitar con dicha declaración".

- **Salazar, Arturo (2018) "La nulidad de las clausulas abusivas en la ley nº 19.496". Revista de Derecho de Consumo, nº 1, pp. 37-52, p. 37-p. 49:** "Teoría de la nulidad absoluta: En general, la doctrina entiende que aplica la sanción de nulidad absoluta por objeto ilícito. Las cláusulas abusivas en cuanto actos contrarios a la buena fe, buenas costumbres y orden público, son subsumibles en los "actos que prohíbe la ley" del artículo 10 del Código Civil, sin perjuicio que no se considera un caso de causa ilícita, porque ambas partes debieran conocer los motivos ilícitos al contratar. Y se presume que el adherente desconoció sin culpa dicha ilicitud, que es imputable al proveedor que redactó unilateralmente las cláusulas. Si se aplica la nulidad absoluta no procede la ratificación del acto nulo por las partes y prescribe en diez años contado desde la fecha del acto o contrato. Tal como es aceptado por la doctrina civil, la nulidad absoluta puede alegarse como acción y excepción, lo que debiera aplicar del mismo modo en el derecho de consumo. En cuanto a la legitimación activa, la LPDC se la otorga a los consumidores, para una acción individual y al SERNAC y asociaciones de consumidores, para acciones colectivas y de interés difuso. El artículo 1683 del Código Civil (en adelante CC) establece el principio del nemo auditur, y puede alegar la nulidad absoluta todo aquel que tenga interés en ello, excepto quien celebre el acto "sabiendo o debiendo saber" del vicio que lo invalidaba. Si se siguiera estrictamente el CC, el consumidor no podría accionar siquiera, aunque se entiende que él no debía saber del vicio que lo invalidaba, sino el proveedor. Por tanto, el proveedor nunca podrá pedir la nulidad. Es el consumidor quien decide la subsistencia del contrato viciado. Dicha doctrina es confirmada por el artículo 17E, agregado por la Ley nº 20.555,que le prohíbe invocar la nulidad de una cláusula para eximirse o retardar el cumplimiento de las obligaciones frente al consumidor. No debiera ser admitido que la pidan terceros interesados, al menos a título individual,pues están contemplados dentro del interés difuso o colectivo, el cual es un procedimiento consagrado de forma expresa en la LPDC que no puede asimilarse a los terceros interesados que menciona el artículo 1683 CC. Tampoco debiera ser aplicable la legitimación que entrega dicho artículo al juez para que declare de oficio la nulidad absoluta en el caso de que aparezca de manifiesto el vicio en el acto o contrato; lo mismo vale para el "ministerio público, puesto que podría llevar a una protección disfuncional a los intereses de los consumidores12-13. En lo que respecta a las restituciones posteriores a la declaración de nulidad, se rigen por las normas civiles de los artículos 1687 y 906 y ss. CC. El consumidor tiene derecho a que se le restituya lo pagado en virtud de la cláusula nula o del contrato en su totalidad según sea el caso, reajustado conforme al IPC, devengando el interés corriente. Por ejemplo, que se devuelvan los pagos por modificaciones unilaterales y arbitrarias, comisiones, cobranzas extrajudiciales abusivas, etc. No obstante, el proveedor se encuentra privado de la restitución al caer bajo la excepción del artículo 1468 CC, que impide devolver lo dado o pagado a quien contrató "con un objeto o causa ilícita a sabiendas", entendiéndose que el proveedor celebra el contrato a sabiendas de la cláusula que adolece de objeto ilícito" (…) "En Chile, el artículo 1545 CC, y los principios clásicos, como la autonomía de la voluntad, el pacta sunt servanda y la intangibilidad de los contratos, así como la falta de norma explícita en la LPDC, impiden que el juez revise y modere el contenido. Incluso podría decirse que el juez tiene vedada la adecuación contractual. Si no fuera posible que el contrato subsista, anuladas las cláusulas abusivas del mismo, entonces se debiera entender nulo en su totalidad58. Sin embargo, la Ley nº 20.555,que estableció normas aplicables para relaciones de consumo en el mercado financiero, incorporó la facultad de adecuar el contrato una vez declarada la nulidad parcial (artículo 17E), aplicable sólo dentro del ámbito financiero. Es decir, el artículo 17E se remite a las normas, obligaciones y prohibiciones del artículo 17B, que rigen los contratos financieros, pero no entrega ningún criterio real de adecuación. Es una norma completamente inorgánica,que rompe la coherencia interna de la LPDC al ser aplicable sólo en contratos financieros. No parece razonable excluir a la generalidad de los contratos de consumo, pero mantener dicha facultad reservada para los contratos financieros. A mayor abundamiento, en general el artículo 17E sanciona la infracción a normas de información más que el control de contenido propiamente tal. Es difícil entender cómo se podrían anular o readecuar cláusulas obligatorias de información que se omitieron".

ARTÍCULO 17 F

Los proveedores de servicios o productos financieros y de seguros al público en general, no podrán enviar productos o contratos representativos de ellos que no hayan sido solicitados, al domicilio o lugar de trabajo del consumidor.

ARTÍCULO 17 G

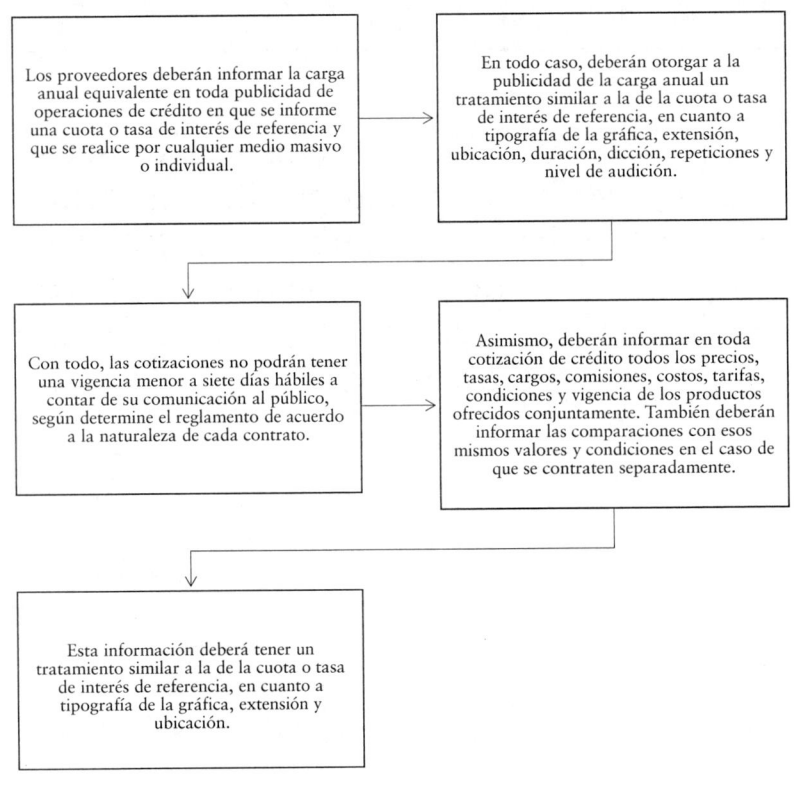

Los proveedores deberán informar la carga anual equivalente en toda publicidad de operaciones de crédito en que se informe una cuota o tasa de interés de referencia y que se realice por cualquier medio masivo o individual.

En todo caso, deberán otorgar a la publicidad de la carga anual un tratamiento similar a la de la cuota o tasa de interés de referencia, en cuanto a tipografía de la gráfica, extensión, ubicación, duración, dicción, repeticiones y nivel de audición.

Con todo, las cotizaciones no podrán tener una vigencia menor a siete días hábiles a contar de su comunicación al público, según determine el reglamento de acuerdo a la naturaleza de cada contrato.

Asimismo, deberán informar en toda cotización de crédito todos los precios, tasas, cargos, comisiones, costos, tarifas, condiciones y vigencia de los productos ofrecidos conjuntamente. También deberán informar las comparaciones con esos mismos valores y condiciones en el caso de que se contraten separadamente.

Esta información deberá tener un tratamiento similar a la de la cuota o tasa de interés de referencia, en cuanto a tipografía de la gráfica, extensión y ubicación.

DOCTRINA SOBRE ARTÍCULO 17 G

- **Barrientos, Francisca y Labra, Ignacio (2019). "El contenido mínimo del contrato de crédito de consumo", en María Elisa Morales (Dir.) y Pamela Mendoza (Coord.),** *Derecho del Consumo: Ley, doctrina y jurisprudencia.* **Santiago: Der Ediciones. pp. 169-194, p. 176-195: "Cotizaciones (artículo 17 G inciso segundo):** La regla contenida en el artículo 17 G inciso segundo de ley hace referencia a un especial deber de informar en las cotizaciones. En efecto, la norma describe cuál será el contenido de la información, la forma en que debe suministrase y el plazo de vigencia del instrumento. Respecto de la configuración del deber de informar se establece que en las cotizaciones se informarán: "todos los precios, tasas, cargos, comisiones, costos, tarifas, condiciones y vigencia de los productos ofrecidos conjuntamente. También deberán informar las comparaciones con esos mismos valores y condiciones en el caso de que se contraten separadamente" (artículo 17 G inciso final)". (…) "Carga anual equivalente: La carga anual equivalente, más conocida por la sigla CAE, es sin duda uno de los logros más importantes de la reforma de 2011, porque constituyó un gran avance en la promoción de la transparencia que intentaba el Sernac financiero. La CAE es un indicador expresado en cifras que permite medir (y conocer) el capital de la operación, la tasa de interés y especialmente todos los gastos asociados al crédito y el plazo de la operación. Su finalidad como indicador es "la comparación entre las distintas alternativas que ofrecen los proveedores de productos o servicios financieros (…) A diferencia de la tasa de interés, la CAE reúne todos los gastos y costos del crédito en un solo porcentaje que permite compararlo con otras empresas que ofrecen el crédito en las mismas condiciones, es decir, mismo monto, plazo y características (por ejemplo, los mismos períodos de gracia o períodos de no pago)". Caballero y Baquero lo definen de un modo similar al señalar que la: "CAE es un indicador que incluye, en base anual, todos los gastos y costos directos e indirectos del crédito y los expresa en un porcentaje". Y el Sernac estableció que: "La CAE se expresa en un porcentaje que revela el costo de un crédito en un período anual, cualquiera sea el plazo pactado para el pago de la obligación". Su finalidad primordial es la comparación. La regla de oro es la siguiente "…en un mismo plazo y sobre un mismo monto, siempre será más barato el crédito que tenga la Carga Anual Equivalente más baja. Por ejemplo, si usted está pidiendo un crédito de \$1 millón a 12 meses, será más barato el crédito que tenga una CAE de un 49% que aquel que tenga una de un 50%. Eso, siempre y cuando el monto y el plazo se mantengan iguales". Como se mencionó con anterioridad, antes de la dictación de esta reforma existía un alto grado de desinformación de parte de los clientes que alegaban la presencia cargos no informados que encarecían el costo del crédito. Sin embargo, como se trata de fórmulas matemáticamente complejas, hacemos presente la opinión de Caballero y Baquero, quienes manifiestan su preocupación por la adecuada compresión de este indicador, pensando que se trataría más bien de un acto de fe para el consumidor medio, lo que se relaciona de forma íntima con la transparencia y su adecuación para los consumidores. Aunque aparezcan pocas menciones en la ley, y que no se regule con la misma intensidad que la CAE, parece conveniente dedicarle algunas palabras al costo total del crédito o CTC, que es el índice más didáctico, a nuestro juicio, que permite leer y comprender los indicadores financieros del contrato de crédito de consumo. Costo Total del crédito: Como su nombre lo establece, se trata del costo total expresado en números finales o totales. A diferencia del instrumento anterior que se materializa en un porcentaje, el CTC informa al consumidor la suma exacta de dinero que pagará por el crédito. Así, pensamos que el consumidor promedio debería comprender de mejor manera el CTC que el índice CAE. Con ello, más el desglose pormenorizado de los cargos, impuestos, seguros, intereses y comisiones, el consumidor debería estar en una mejor posición para cotizar diversos créditos de consumo entre los agentes prestadores del mercado. En efecto, este representa el monto total de dinero que el consumidor deberá desembolsar producto de la operación financiera que está contratando. Este monto, al incluir todos los costos asociados, como seguros e impuestos, permite al consumidor realizar de mejor manera una labor de comparación. En otras palabras, intenta ser una herramienta de información efectiva y útil. Nuevamente, conviene destacar que estos instrumentos sólo sirven de ayuda al consumidor si se trata de dos productos iguales, en cifra y plazos de pago. Por su parte, el reglamento sobre información al consumidor de créditos de consumo define el CTC como: El monto total que debe asumir el Consumidor, y que corresponde a la suma de todos los pagos periódicos definidos como Valor de la Cuota en función del plazo acordado, incluyendo cualquier pago en el periodo inicial o para el caso de Créditos de Consumo con tasa variable, se considerará una tasa de interés de referencia para obtener una cuota de referencia. La tasa de interés de referencia corresponderá a la tasa vigente al momento de la cotización o de la suscripción del contrato, según sea el caso. En el caso de que la tasa sea fija por un periodo determinado y luego cambie a variable, existirán dos tasas a considerar para el cálculo de la Carga Anual Equivalente: la primera, para obtener los flujos donde existe una tasa fija y la segunda, para obtener los flujos donde existe una tasa variable. Para esta última, se considerará la tasa vigente al momento de la cotización o de la suscripción del contrato, y se supondrá fija por todo el periodo en que el contrato estipule una tasa variable".

ARTÍCULO 17 H

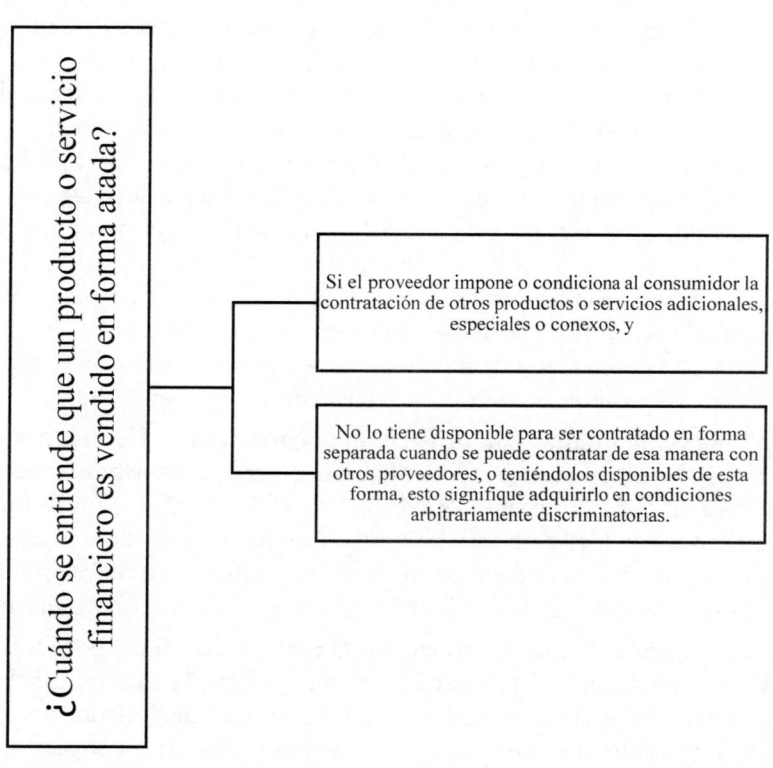

¿Cuándo se entiende que un producto o servicio financiero es vendido en forma atada?

Si el proveedor impone o condiciona al consumidor la contratación de otros productos o servicios adicionales, especiales o conexos, y

No lo tiene disponible para ser contratado en forma separada cuando se puede contratar de esa manera con otros proveedores, o teniéndolos disponibles de esta forma, esto signifique adquirirlo en condiciones arbitrariamente discriminatorias.

DOCTRINA SOBRE ARTÍCULO 17 H

- **Barrientos, Francisca y Labra, Ignacio (2019). "El contenido mínimo del contrato de crédito de consumo", en María Elisa Morales (Dir.) y Pamela Mendoza (Coord.),** *Derecho del Consumo: Ley, doctrina y jurisprudencia.* **Santiago: Der Ediciones. pp. 169-194, p. 180-181:** "Ventas atadas (artículo 17 H): Las ventas atadas o coligadas suponen la compra de un producto subordinando a la compra de otro producto, sin tener la posibilidad de pagarlo por separado. Desde la óptica de la protección al consumidor, esta figura lesiona fundamentalmente el derecho a la libre elección del bien o servicio. Por eso, requiere de una especial atención de parte del legislador. La regulación se encuentra en el artículo 17 H; y sin decirlo de forma expresa, esta disposición distingue entre las ventas conjuntas y las ventas atadas. Las primeras suponen que puede accederse a los productos y servicios de forma conjunta, pero también por separado. De esta forma, salta a la vista que esta figura estaría permitida en la ley. Por su parte, las ventas atadas suponen que la única forma de compra de los productos o servicios es mediante esta atadura; por eso se trata de una figura prohibida por la ley. De allí que la norma en comento disponga que: "Los proveedores de productos o servicios financieros no podrán ofrecer o vender productos o servicios de manera atada". La clave relacionada con esta exposición es que el proveedor tenga la obligación de informarlo. Es decir, el proveedor financiero se encuentra en la obligación de informar y transparentar cuando el producto o servicio que se compra está unido a otro, tomando en consideración que siempre se debe ofrecer por separado".

- **Barrientos, Francisca (2012): "Las ventas atadas y la protección al consumidor. Comentarios críticos a la nueva regulación de la LPDC introducida por la Ley 'Sernac Financiero'" en Fabián Elorriaga De Bonis (coord.).** *Estudios de Derecho Civil VII.* **Santiago: Abeledo Perrot - Legal Publishing, pp. 393-408, 396-403:** "Esta noción se ha trasladado al ámbito del consumo donde el perjudicado es el consumidor (y no otra empresa) que se ve obligado a adquirir el bien o servicio por medio de la adquisición de otro. Por ejemplo en el caso de la banda ancha de internet los consumidores sólo podían contratar este servicio junto a la telefonía, y si contrataban la telefonía debían adquirirla sólo con el servicio de internet.

En nuestro país no existía una regulación de este fenómeno en el ámbito del consumo. Desde ahora, con la dictación de la Ley nº 20.555 se regulan las ventas atadas en la LPDC en el artículo 17 letra H). Lo que se traduce en que los consumidores serán titulares de 7 derechos subjetivos, es decir pasarán a tener la calidad de consumidores concretos. Dicho de otra forma, los consumidores gozarán de la protección del estatuto protector y podrán ser titulares de los derechos y acciones que establece esta ley. Con anterioridad sólo podrían haber iniciado una acción de cesación bajo las reglas y procedimiento de la ley sobre competencia desleal.

Es importante destacar que esta institución sólo será aplicable al sector financiero, lo que excluye por ejemplo al mercado de las telecomunicaciones. [...]

En el ámbito del consumo no se había regulado expresamente el fenómeno de las *ventas atadas*. Sin perjuicio de lo cual, a mi juicio existían una serie de aproximaciones a este fenómeno propio de la libre competencia.

El estatuto protector sí consideraba la protección del consumidor o usuario en los casos en que se viera afectada su voluntad o libertad de elección. Así fue posible que esta institución —que ahora entra en vigor— tuviera protección en la LPDC mediante una serie de instituciones sin que fuera necesaria una reforma legal, ni menos para el ámbito de los servicios financieros.

Por razones de tiempo examinaré tres instituciones que podrían complementar el tratamiento de las ventas atadas: a) el derecho de información del consumidor; b) las normas que protegen el crédito al consumidor; y por último, c) las cláusulas abusivas.

a. El derecho de información del consumidor

El primer y más general espacio de protección que dispone el consumidor se encuentra en el catálogo que recoge sus derechos. Tal como se sabe, la LPDC contiene una tipificación de derechos irrenunciables de forma anticipada para el consumidor (artículo 4).

Para dejar sin efecto las *ventas atadas* se puede invocar el artículo 3 a) que reconoce la libre la elección del bien o servicio. Y es que precisamente las *ventas atadas* carecen de libertad de elección del bien o servicio atado y que se ata. No se puede elegir libremente entre los productos cuando lo que se genera es una conducta de cierre o exclusión de mercado o un abuso de posición dominante. Esto se conoce como un cierre anticompetitivo del mercado.

En este caso la libertad de elección no dice relación con que no pueda comprar o adquirir por cualquier medio oneroso el bien o servicio, más bien es que no se puede adquirir de otra forma que no sea con el producto atado a él, lo que genera un perjuicio al consumidor.

En definitiva, si se configura una infracción a los derechos del consumidor hay por una parte una condena infraccional (artículo 26 LPDC) que se traducirá en una multa a beneficio fiscal (artículo 61 LPDC); y por la otra, una sanción civil ya que se activa otro derecho de los consumidores, el artículo 3 letra e) LPDC que ampara la reparación e indemnización de todos los daños materiales y morales en caso de incumplimiento de cualquiera de las obligaciones contraídas por el proveedor, que en este caso será la infracción de un derecho irrenunciable.

b. Crédito al consumidor

Asimismo es posible mencionar que la LPDC regula el crédito al consumidor y considera las operaciones de crédito directo en los artículos 37 y siguientes. Esta regulación es una aplicación de los deberes de información en el ámbito del crédito.

Las operaciones de crédito al consumidor se definen de forma amplia como toda operación que se conceda crédito directo al consumidor (artículo 37 LPDC). Se trata de una normativa aplicable a todas las empresas que otorguen crédito a los consumidores incluidos los bancos. Estas normas regulan de forma supletoria (cuando sus leyes especiales contengan normas particulares) o general (cuando las leyes especiales no regulen estas materias) la forma de conceder el crédito, los intereses con una importante limitación, los mecanismos de cobranza extrajudicial, entre otras materias.

Una regla importante derivada de este título se relaciona con una de las prácticas que dio origen a la regulación de las ventas atadas y al Sernac Financiero, que dice relación con que en los créditos al consumidor se deben mencionar todos los seguros que han sido contratados. La ley señala que existe la obligación de informar los seguros expresamente aceptados por el consumidor (artículo 37 LPDC).

Ahora bien, tiendo a pensar que esta normativa no se aplicaba en la práctica, ya que toda la regulación del nuevo artículo 16 B tiende a amparar estos mismos casos a través de la imposición de nuevos deberes de información.

Si se infringen estos derechos, el consumidor también podrá hacer efectiva la responsabilidad infraccional y civil del proveedor en un Juzgado de Policía Local.

De este modo, es posible apreciar que al menos desde el ámbito del crédito al consumidor que no son más que los servicios financieros (Sernac Financiero), ya que se encontraban los resguardos necesarios para proteger a los consumidores. Entonces, la raíz de la nueva regulación y la falta de disuasión de las malas prácticas practicas de los proveedores denunciadas por el organismo estatal no hay que fundamentarlas en un *vacío legal* como se ha expresado, sino que en otras razones.

c. Cláusulas abusivas

Por último cabe mencionar que las cláusulas redactadas por los proveedores en los contratos de adhesión que supongan ventas atadas podrían ser calificadas como cláusulas abusivas.

Las ventas atadas cabrían en los supuestos del artículo 16 a) LPDC en el entendido que el proveedor deje sin efecto o modifique a su solo arbitrio el contrato (*sin consentimiento del consumidor*) una parte del contrato e introduzca un bien o servicio atado. Esto ocurrirá en los casos en que las ventas atadas se presenten con posterioridad a la celebración del contrato, en su etapa de ejecución, como por ejemplo podría darse en la contratación de seguros para los créditos de consumo en las empresas de retail. Sin embargo, tiendo a pensar que las ventas atadas se impondrán al momento de la celebración del contrato. También podrían encuadrarse el supuesto en el artículo 16 letra b) LPDC, porque en las ventas atadas hay un incremento en el precio que no es susceptible de ser rechazado por el consumidor, al adquirir forzosamente el bien o servicio atado que no se quiere.

Sin duda el campo de mayor aplicación será lo dispuesto en el artículo 16 letra g) LPDC que contempla la fórmula abierta para controlar las cláusulas abusivas en nuestra legislación al integrar la noción de buena fe y el desequilibrio en las prestaciones del contrato que causen perjuicio al consumidor. Aquí la mirada estará en la finalidad del contrato y las disposiciones especiales o generales que lo rigen. La finalidad del contrato debería integrarse a la noción de la causa o más bien a la base del negocio jurídico que debe subsistir en todo el íter contractual. De manera que si se pierde, el contrato ya no tendría finalidad, ello daría lugar a la nulidad del contrato. Y por otra parte, las normas especiales estarán dadas por el tipo de contrato que se trate y por las disposiciones de la Ley n° 20.555 que entrarán próximamente en vigor (90 días después de su publicación en el Diario Oficial.

SENTENCIAS SOBRE ARTÍCULO 17 H

- **Miguel Aravena Cofré con Banco de Créditos e Inversiones (2019): Corte de Apelaciones de Santiago, 30 de septiembre de 2019, Recurso de Apelación, Rol n° 1279-2018, LTM16.893.877:** "**SEGUNDO:** El fallo estableció que el Banco denunciado incurrió en una infracción al artículo 17 H letra a) de la Ley 19.496, al vender sus productos en forma atada, por cuanto los créditos hipotecarios se ofrecieron bajo condición de que el actor abriera una cuenta corriente en el Banco BCI y que, en caso de no hacerlo, la aprobación de los mismos duraría sólo 15 días, en lugar de 6 meses. El tribunal estimó que ello representaría un abuso en su posición, dado que los departamentos se encontraban aún en proceso de construcción. La sentencia consideró, además, que el Banco no respetó los términos en que se ofreció y obligó a otorgar los mutuos hipotecarios, incurriendo en una vulneración a los artículos 12, 13 y 23 de la Ley 19.496. (…) **SEXTO:** La venta atada, ligada o asociada, constituye, en términos generales, una técnica de marketing para ofrecer al cliente un producto que, por sus características o por su novedad, puede unirse a otro. Desde la perspectiva de la libre competencia las ventas atadas se han definido como la "situación en que la venta de un producto se encuentra subordinada a la compra de otro producto" (OCDE, Centro para la cooperación con las economías europeas en transición, Glosario de economía industrial y derecho de la competencia, Edic. Mundi Prensa, Madrid1995, pág. 89). Ahora bien, desde la óptica de proteger los intereses de un consumidor y considerando la relación de disparidad que se genera entre quien provee el bien o servicio y quien lo recibe, el artículo 17 H de la Ley 19.496 establece en su inciso 1° una prohibición de las ventas atadas, en los términos siguientes: "Los proveedores de productos o servicios financieros no podrán ofrecer o vender productos o servicios de manera atada". A continuación, la norma en comento considera dos supuestos de ventas atadas: "Se entiende que un producto o servicio financiero es vendido en forma atada si el proveedor: a) Impone o condiciona al consumidor la contratación de otros productos o servicios adicionales, especiales o conexos, y b) No lo tiene disponible para ser contratado en forma separada cuando se puede contratar de esa manera con otros proveedores, o teniéndolos disponibles de esta forma, esto significe adquirirlo en condiciones arbitrariamente discriminatorias". Tal artículo fue introducido a través de la Ley 20.555. De su tenor y sentido resulta que para la Ley de Protección al Consumidor, siempre que se imponga o condicione la adquisición de un producto o servicio financiero en forma adicional a otro, en las condiciones expuestas, se está en presencia de una "venta atada" prohibida por la ley. **SÉPTIMO:** De este modo, tal como acertada y fundadamente se indica en el fallo que se revisa, los hechos asentados importan una infracción a lo establecido en el artículo 17 H de la Ley 19.946, sobre Protección a los Derechos del Consumidor, desde que la denunciada supeditó las mejores condiciones de plazo de vigencia de las aprobaciones para el otorgamiento de los créditos hipotecarios solicitados, a la suscripción de un contrato de cuenta corriente con el mismo banco. A ese efecto, resulta elocuente y decidor el empleo de la expresión de operaciones "cruzadas" al que acudiera la persona que actuó en su oportunidad a nombre del banco demandado".

ARTÍCULO 17 I

Cuando el consumidor haya otorgado un mandato, una autorización o cualquier otro acto jurídico para que se pague automáticamente el todo o parte del saldo de su cuenta, su crédito o su tarjeta de crédito,

podrá dejar sin efecto dicho mandato, autorización o acto jurídico en cualquier tiempo, sin más formalidades que aquellas que haya debido cumplir para otorgar el acto jurídico que está revocando.

En todo caso, la revocación sólo surtirá efecto a contar del período subsiguiente de pago o abono que corresponda en la obligación concernida.

En ningún caso será eximente de la responsabilidad del proveedor la circunstancia de que la revocación deba ser ejecutada por un tercero.

La inejecución de la revocación informada al proveedor del producto o servicio dará lugar a la indemnización de todos los perjuicios y hará presumir la infracción a este artículo.

ARTÍCULO 17 J

Los proveedores de productos o servicios financieros deberán elaborar y disponer, para cada persona natural que se obliga como avalista o como fiador o codeudor solidario de un consumidor, un documento o ficha explicativa sobre el rol de avalista, fiador o codeudor solidario, según sea el caso, que deberá ser firmado por ella. Este folleto deberá explicar en forma simple:

a) Los deberes y responsabilidades en que está incurriendo el avalista, fiador o codeudor solidario, según corresponda, incluyendo el monto que debería pagar.

b) Los medios de cobranza que se utilizarán para requerirle el pago, en su caso.

c) Los fundamentos y las consecuencias de las autorizaciones o mandatos que otorgue a la entidad financiera.

DOCTRINA SOBRE ARTÍCULO 17 J

- **Barrientos, Francisca y Labra, Ignacio (2019). "El contenido mínimo del contrato de crédito de consumo", en María Elisa Morales (Dir.) y Pamela Mendoza (Coord.), Derecho del Consumo: Ley, doctrina y jurisprudencia. Santiago: Der Ediciones. pp. 169-194, p. 190-191:** "El artículo 17 J establece la obligación de generar una ficha para los proveedores de productos o servicios financieros. Es decir, se trata de elaborar, para cada persona natural que se obliga como avalista o como fiador o codeudor solidario de un consumidor, un documento o ficha explicativa sobre el rol de avalista, fiador o codeudor solidario. Goldenberg, comentado esta norma, señala que sólo se aplica a las garantías personales dentro del contexto del Sernac financiero. El legislador ha explicitado ciertas menciones que debe contener dicha ficha. Destacan de ellas, los montos que deberían pagar y los medios de cobranza que se utilizarán para requerirle de pago. Goldenberg señala que estos deberes informativos precontractuales están pensados para los garantes, porque en el contexto actual de la masificación de los productos y servicios financieros, no hay que olvidar que este agente también necesita conocer los riesgos jurídicos y económicos de la garantía que está prestando, sobre todo cuando no tiene interés en el crédito, como ocurriría con los fiadores o los codeudores solidarios no interesados. Y en realidad, lleva razón. Por eso, resulta tan importante modelar de forma adecuada la transparencia, que este autor critica".

ARTÍCULO 17 K

El incumplimiento por parte de un proveedor de lo dispuesto en los artículos 17 B a 17 J, en el artículo 17 M, y en los reglamentos dictados para la ejecución de estas normas,

será sancionado con una multa de hasta mil quinientas unidades tributarias mensuales.

SENTENCIAS SOBRE ARTÍCULO 17 K

- **Servicio Nacional del Consumidor contra Entel Servicios Telefónicos S.A. (2005): Corte de Apelaciones de Santiago, 11 de octubre de 2005, Rol n° 5326-2004, LTM19.090.416: "QUINTO:** Que la circunstancia que la ley 19.496 establezca la sanción de privar de efectos aquellas cláusulas de los contratos de adhesión que vulneren las exigencias consagradas en los artículos 16 y 17 de ese cuerpo legal no involucra eximir a dichas infracciones de la sanción contemplada en el artículo 24, siendo ambas sanciones de diferente naturaleza, una de carácter civil y otra de índole infraccional. Lo anterior, sin perjuicio de tener además presente que, como lo señala SERNAC, resulta obvio que una cláusula que infrinja normas legales y amerite una sanción de carácter infraccional no podrá producir efectos por el carácter ilícito de la misma".

ARTÍCULO 17 L

Los proveedores de servicios o productos financieros que entreguen la información que se exige en esta ley de manera que induzca a error al consumidor o mediante publicidad engañosa,

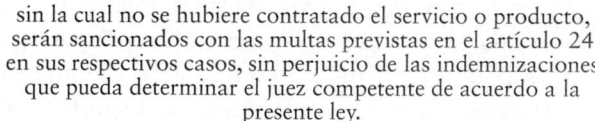

sin la cual no se hubiere contratado el servicio o producto, serán sancionados con las multas previstas en el artículo 24 en sus respectivos casos, sin perjuicio de las indemnizaciones que pueda determinar el juez competente de acuerdo a la presente ley.

DOCTRINA SOBRE ARTÍCULO 17 L

- **Fernández, Fernando (2013): "Artículo 17 L", en Iñigo De La Maza; Carlos Pizarro (Dirs.) y Francisca Barrientos (coord.). La protección de los Derechos de los consumidores. *Comentarios a la ley de protección a los derechos de los consumidores*. Santiago: Thomson Reuters:** "Pareciera que en muchas ocasiones el legislador, al dictar la Ley n° 20.555, no tuvo en consideración las normas ya existentes en la Ley n° 19.496. Este artículo es un magnífico ejemplo de esta aseveración. En efecto, esta es una norma sencillamente innecesaria: el artículo 28 de la Ley n° 19.496 ya regulaba y sancionaba los actos de publicidad engañosa respecto de cualquier proveedor, incluido los proveedores de servicios o productos financieros. En otras palabras, si un proveedor de esta naturaleza incurriere en un acto de publicidad engañosa igualmente habría sido sancionado en caso de no existir la disposición que estamos comentando. […]

De esta manera, y de forma un tanto irreflexiva, el legislador establece un régimen especial de publicidad engañosa. Digo "irreflexiva" puesto que esta disposición abre una serie de preguntas y problemas que deberán ser resueltos por nuestros tribunales. Tales son, a saber:

- ¿Cuándo se aplica el artículo 17 L por sobre lo establecido en el artículo 28?
- ¿Se aplica el artículo 17 L sólo a los actos de publicidad engañosa que hayan sido efectuadas dolosamente?
- ¿Qué características debe cumplir la "inducción a error o a engaño" para que sea sancionable en virtud de esta disposición?
- ¿Cuálesson las sanciones por infringir el artículo 17 L?"
- […]

Una de las diferencias más notables —y problemáticas— entre los artículos 17 L y 28 es que, en el caso de este último, se sanciona al proveedor que ha cometido un acto de publicidad engañosa ya sea que éste haya obrado *"a sabiendas"* (dolo) o *"debiendo saberlo"* (negligencia). En el caso del artículo 17 L, por el contrario,no se hace mención a esta fórmula. Así las cosas, ¿debe, pues, entenderse que la infracción al 17 L sólo sanciona a quien actúa dolosamente? La respuesta a esta pregunta no parece ser sencilla de resolver.

En ese contexto, si asumimos que el ilícito artículo 17 L es penado con una sanción que se rige por los principios del derecho penal, sólo sancionaría los actos de publicidad engañosa que se han cometido dolosamente puesto que los ilícitos cometidos de forma culposa no son punibles salvo en aquellos casos en que hay una ley que explicita lo contrario. Si es que esta tesis es la correcta, estamos pues, en presencia de un cambio mayor en el régimen sancionatorio de publicidad engañosa en materia de prestadores de productos y servicios financieros puesto que el consumidor afectado se encontraría ante la difícil tarea de acreditar que dicho proveedor ha actuado con dolo. [...]

Otra diferencia de importancia del artículo 17 L con el 28 de la Ley 19.496 es que el primero establece, expresamente, que dicha inducción haya sido *determinante*, es decir,que sea tal publicidad o desinformación la que llevó al consumidor a contratar el servicio o producto.

ARTÍCULO 17 M

"Artículo 17 M.- Los proveedores de productos o servicios financieros pactados por contrato de adhesión garantizados por cualquier tipo de garantía estarán...

... obligados a conservar, a lo menos de manera digital, y durante el tiempo de existencia de la garantía en su favor, todos los documentos en que consten dichas garantías"

DOCTRINA SOBRE ARTÍCULO 17 M

- **Goldenberg, Juan Luis (2020): "Ley de portabilidad financiera: aspectos registrales y financieros" Conversartorio organizado por la Fundación Fernando Fueyo y la Corporación chilena de Derecho Registral realizado con fecha 06 de julio de 2020, disponible en https://www.youtube.com/watch?v=75yRsXlPBSs:** " La ley es novedosa, pues no solo toma como base un sistema de que se había dado en el derecho comparado para facilitar la portabilidad, principalmente de los créditos hipotecarios, sino que también se involucra la posibilidad de poner término a ciertos servicios financieros mediante la contratación de otros productos con otra entidad crediticia o con la misma entidad, facilitando un punto de vista práctico, es decir cómo llevar a efecto dicha terminación.

Por ello, la denominación de portabilidad no está tomada solo de la idea de la portabilidad de la garantía, sino que también de la portabilidad del producto. Pero cuando hablamos de la portabilidad del producto, no estamos pensando en lo mismo que pensamos cuando hablamos, por ejemplo, de la portabilidad numérica, sino que estamos hablando de la posibilidad cierta de que un consumidor o una PYME pueda terminar sus contratos con una determinada entidad y reemplazarlos por nuevos contratos celebrados con otra entidad.

Desde este punto de vista, el art. 4 de la Ley hace una distinción y habla de una portabilidad con subrogación o sin subrogación, de alguna manera deslindando los campos de actuación de cuando hablamos de aquellos productos o servicios que gozan de alguna garantía, de aquellos productos o servicios que no gozan de alguna garantía o aún cuando gocen de esa garantía no es la intención hacerla sobrevivir.

Por tanto, si yo lo que quiero es portar un producto o servicio financiero que no tiene el carácter de crediticio; por ejemplo, una cuenta de ahorro, yo simplemente voy a estar accediendo al sistema de la portabilidad sin subrogación, en el cual básicamente le estoy dando un mandato al nuevo proveedor para efectos de que él gestione la terminación con el proveedor original. En cambio, si estoy frente a una relación de crédito propiamente tal, si yo quiero mantener vigente las garantías existentes del crédito anterior, me voy a sujetar al sistema de portabilidad con subrogación que es una portabilidad o subrogación que se califica por la ley como especial.

¿Qué importancia tiene esta regulación en el plano financiero? Más allá de permitir la subrogación o el traspaso de los productos financieros de un proveedor a otro, lo importante es que crea un riesgo cierto de que esto pueda ocurrir, es decir, hoy en día existen ciertas barreras principalmente de los costos que implica cambiar de proveedor financiero que hacen que uno por mucho que esté insatisfecho con su proveedor financiero, diga que en realidad es demasiado complicado cambiarse y se quede de igual forma ahí.

En la medida que se genere un estatuto cuya finalidad sea rebajar esas barreras, se genera este riesgo cierto, y a su vez se van generando incentivos para los proveedores de servicios financieros originales de mantener permanentemente una relación mas cercana o una mejor relación con sus propios clientes.

Lo que se ha visto de otras experiencias comparadas, principalmente en lo referente a créditos hipotecarios, es que por mucho que exista la ley, no aumentan enormemente el numero de clientes que se cambian de bancos, sino que lo que se genera es que cuando se alerta la posibilidad del cambio es el propio acreedor quien me ofrece mejores condiciones en el crédito y trata de retenerme.

Lo anterior significa que esta legislación, su centro de atención, no es propiamente la protección de los derechos del consumidor, sino que mas bien son reglas que tratan de alentar la competencia y como consecuencia se obtiene un mejoramiento en las condiciones crediticias o en las condiciones de servicios que obtendrían los consumidores. Esto queda bastante claro en la historia de la ley, queda inserto que no se regula en una lógica de protección a los derechos del consumidor, sino que lo trata como una forma de fomento a esta competencia, a esta creación del riesgo cierto de salida, y por lo tanto una mejora permanente de condiciones que me ofrece el mercado.

Ahora bien, si vemos el detalle de la normativa, veremos que tiene vicios tremendos porque no se articuló correctamente ni con el Código Civil ni con las normas de protección de los derechos de los consumidores. Entonces, por ejemplo, ocupamos los conceptos de productos o servicios financieros en esta ley de la misma manera que se hace en la ley de protección al consumidor, pero sin otorgar ningún tipo de definición de la misma y esto genera problemas respecto de ciertos productos o servicios financieros en los que no tenemos claridad si puede operar o no este sistema de portabilidad, como ocurre por ejemplo en los contratos de seguro.

No lo tenemos claro porque la ley, si bien hace referencia a estos productos o servicios financieros, cuando enumera los proveedores, también enumera las compañías de seguro, pero no queda claro si esa enumeración la hace para efectos de tratar aquel caso en que las compañías de seguros puedan ofrecer a través de agentes administradores, mutuos hipotecarios o directamente cuando se está ofreciendo un contrato de seguro.

Desde el punto de vista subjetivo, también hay problemas en el ámbito de aplicación. Por ejemplo, cuando identificamos como cliente a la PYME (una micro o pequeña empresa) vamos a tener que revisar cual es su nivel de facturación anual y la ley no aclara de qué manera vamos a tener que hacer esa medición ni tampoco en qué tiempo se debe hacer, es decir, en qué momento vamos a tener que calificar que esta empresa califica como PYME.

Por su parte, en el ámbito también de aplicación subjetiva, el artículo 1° nos ofrece una cierta indicación de la normativa aplicable, para que luego el artículo 3° n° 9 nos indique un listado de entidades que estarían cubiertas por este tipo de portabilidad, evidentemente no sólo los bancos, sino que también las compañías de seguros, agentes administradores, cajas de compensación, cooperativas de ahorro y crédito, instituciones de otorgamiento de créditos masivos y, nos termina indicando el precepto, "toda otra entidad fiscalizada por la CMF conforme a la Ley General de Bancos", y esto dejaría la puerta abierta para cualquier otro tipo de entidad que en un futuro pueda quedar cubierta por esa normativa.

El problema aquí se produce porque hay una doble regulación para saber quién es el proveedor, porque también tenemos una enumeración de las leyes aplicables en el artículo 1° que nos va indicando caso a caso cuál es la legislación aplicable respecto de cada una de estas entidades para terminar con una frase que indica otras normas de igual naturaleza; y, hasta donde se sabe, la naturaleza de la ley o distintas naturalezas de las leyes se refiere a la jerarquía de las mismas.

Ahora bien, existen ciertas normas que van en detrimento a las normas de protección del consumidor. Por ejemplo, todo este procedimiento de portabilidad se inicia con una solicitud que hace el propio consumidor, pero por algún motivo el consumidor debería saber si lo que quiere elegir es una portabilidad con subrogación o sin ella, cuando no tiene claro si lo que se quiere es o no mantener las garantías si, por ejemplo, estamos frente a un crédito, o si alguno de los productos que quiere portar es una línea con disponibilidad, por ejemplo, una línea de crédito o un crédito rotativo, por ejemplo, una tarjeta de crédito, la normativa establece la posibilidad de bloquear el monto máximo de endeudamiento, pero supuestamente ésta es una decisión que toma el consumidor en su casa sin ningún tipo de apoyo, cosa que sabemos que no va a ser real.

Emitida esta solicitud de portabilidad, la entidad financiera debería revisarla y presentar una oferta, y aquí nuevamente se produce un desajuste porque "oferta" en los términos de la ley de protección del consumidor es una oferta más bien en términos coloquiales, es decir, una mejor condición o una rebaja de las condiciones del servicio financiero ofrecido; el tema aquí es que la palabra oferta está tomada más bien en los términos clásicos del Código de Comercio en la idea de formación del consentimiento por medio de oferta y aceptación. Ahora bien, si vemos lo que contiene esta oferta, contendría más bien el ofrecimiento de nuevos productos de servicios financieros, pero cuando el artículo 7º nos indica cuál es el contenido de este ofrecimiento, los datos o la información que hay que entregar es mucho menor que la que correspondería entregar si aplicáramos la ley 20.555 y los reglamentos pertinentes, principalmente si estamos haciendo un símil de la oferta con la cotización.

Luego, realizada la oferta, supuestamente el consumidor va a tomar la decisión y va a aceptar, eventualmente va a aceptar esas condiciones, y en esa aceptación se va a entender que existe un mandato tácito para que el nuevo proveedor actúe frente al antiguo proveedor y ponga término a esa relación. Ese mandato no está regulado directamente en la normativa de protección del consumidor porque esta normativa hace referencia a los mandatos que surgen con motivo del contrato y aquí hablamos de un mandato que se daría en una fase precontractual y cuesta entender entonces como se llevaría a cabo la rendición de cuentas del mandato, toda vez que no podemos aplicar directamente las normas del Decreto del Sernac Financiero.

Adicionalmente, se produce un efecto bastante curioso, porque por mucho que tengamos oferta y aceptación, lo lógico sería que se formara el consentimiento, a menos que estuviéramos frente a un contrato solemne y aquí el legislador parece olvidar que la regla general es que estemos frente a contratos consensuales y, por tanto, el contrato se encontraría perfecto, pero cuando tenemos la concurrencia de oferta y aceptación lo que nos señala la normativa es que se va a producir un deber o una obligación por parte del proveedor del servicio financiero de realizar todas las gestiones necesarias para que se celebre el contrato, y por tanto, por mucho que haya oferta y aceptación, entendemos que no existe el contrato.

Por ello surge una figura que [a criterio del profesor Goldenberg] es algo completamente anexo a nuestros conocimientos generales de formación del consentimiento, que es que puedo arrepentirme de la aceptación, es decir, por mucho que no tengo contrato previo al perfeccionamiento del mismo, todavía como cliente puedo arrepentirme, y esto trae como consecuencia que se elimine por la ley la posibilidad de derecho a retracto del art. 3 bis de la LPDC porque al parecer el ordenamiento jurídico está asumiendo que como ya tuvo "la oportunidad de retractarse o arrepentirse" antes de la celebración del contrato, no debería tener la posibilidad de hacerlo una vez que el contrato haya sido perfeccionado.

El último desajuste relevante es la que se refiere a aquellos contratos de créditos, principalmente hipotecarios, que por normativa de la RAN de la CMF requieren de un estudio de títulos o de la tasación del inmueble, porque en este caso solamente se adiciona un inciso en el art. 17 D de la LPDC en que se señala que el resultado de estos estudios de título o el resultado de la tasación se deben entregar al cliente. Si uno lee la norma, daría la impresión de que se tiene que entregar al cliente tan pronto se hizo, es decir, cuando se celebró el primer contrato y no al momento de estar refinanciando, ni tampoco aclara la ley si efectivamente se puede utilizar ese estudio de título o esa tasación para la celebración del nuevo contrato porque si fuese así, estaríamos pensando que podría haber alguna vulneración, a menos que se modifique, a las normas internas del sistema bancario.

Por último, tenemos un problema desde la lógica de la subrogación, porque si bien se cambió el título, es decir, ya no se llama subrogación real sino que subrogación especial, si uno observa la definición obtenida en el artículo 3° , nos daremos cuenta que seguimos hablando de una subrogación real y, por tanto, se produce un quiebre lógico respecto a las formas en que siempre se había entendido que se hacía la subrogación cuando estamos frente a un tercero que cumplía la obligación y los términos de los artículos 1608 y ss. del Código Civil y el problema que se produce es que no entendemos que hay un cambio de acreedores, sino que entendemos que hay un cambio de objeto (el crédito).

Al tiempo en que se produce esta ruptura lógica, es que tampoco se toma en suficiente salvaguarda para evitar fraudes respecto de terceros porque la ley no exige que se trate de un mismo tipo de créditos (un mismo tipo de relación), tampoco exige que tengamos una proporcionalidad en cuanto a los montos, es decir, yo puedo estar subrogando un monto que finalmente era por $1.000.000 por un nuevo crédito que es por $10.000.000 y se va a entender que todo ese crédito efectivamente va a estar cubierto por la prenda o hipoteca original y eso, en ciertos casos, va a producir efectos nocivos respecto de terceros y no solamente aquellos que son señalados en el artículo 18 en las garantías específicas cuando tenemos acreedores de peor derecho o terceros constituyentes".

COMENTARIOS AL PÁRRAFO 4º SOBRE NORMAS DE EQUIDAD EN LAS ESTIPULACIONES Y EN EL CUMPLIMIENTO DE LOS CONTRATOS

CONTROL Y SANCIÓN DE CLÁUSULAS ABUSIVAS

María Elisa Morales Ortiz

En este comentario me haré cargo de tres asuntos. Partiré refiriéndome al control de cláusulas abusivas. Luego, me referiré a la sanción por abusividad y cerraré este comentario haciendo alusión a los efectos de esta declaración.

Control de cláusulas abusivas. De acuerdo con la tipología de controles de cláusulas abusivas, encontramos el control legal de contenido, que a su vez puede ser concreto y/o abstracto. El control concreto es aquel que recae sobre cláusulas contractuales vigentes. El denominado control abstracto recae sobre cláusulas generales de la contratación. La fórmula legal empleada varía de sistema en sistema. En el ordenamiento jurídico chileno, el encabezado del artículo 16 de la LPDC —en relación a la definición de contrato de adhesión del artículo 1 nº 3— resulta estar más emparentado con la primera clase de control. Sin embargo, lo anterior no ha impedido que la Corte Suprema aplique control de contenido abstracto.

En el caso "Sernac con Ticket Fácil"[4], el Sernac accionó por el interés difuso de los consumidores y solicitó la declaración de abusividad de condiciones generales de la contratación contenidas en la página web de la ticketera. Al recaer el control sobre cláusulas generales, se trata de un control abstracto de cláusulas abusivas. Es un supuesto muy similar al caso "Sernac con

---

[4]   Servicio Nacional del Consumidor con Ticket Fácil S.A. (2018): Corte Suprema, 07 de marzo de 2018, Recurso de Casación en el Fondo, Rol nº 79123-2016, LTM18.744.968.

Ticketmáster"[5], en el cual el máximo tribunal aplicó también un control de abusividad abstracto. En este último caso, el Sernac accionando por el interés difuso de los consumidores alegó, entre otras infracciones, la abusividad de varias cláusulas, una de las cuales era la cláusula denominada "Política de privacidad de Ticketmáster" que era una de los términos y condiciones aplicables a la venta de entradas compradas por internet en el sitio web de la demandada. Se trataba no de una cláusula contractual propiamente tal, sino de una cláusula general y la Corte, al declarar abusiva una condición de esta naturaleza, aplicó un control abstracto. Aunque en ambos casos la Corte Suprema aplicó control abstracto, no lo declaró así expresamente. Cabe notar que el efecto de esta clase de control es diferente que el del control concreto, porque el control abstracto al recaer sobre cláusulas generales que, por definición, fijan el contenido de una cantidad indeterminada de futuros contratos, evita la incorporación de cláusulas abusivas a relaciones contractuales futuras, en cambio, el control concreto, actúa represivamente para relaciones contractuales vigentes, siendo su alcance más limitado en ese sentido.

El alcance del control de abusividad es precisado por el máximo tribunal en el caso "Sernac con BBVA"[6], en que ejerciendo control concreto se evalúa la justicia de una "cláusula contractual" de acuerdo con los siguientes parámetros:

1. La extensión de las prerrogativas que confiere a una de las partes, y a la posición en que coloca o puede colocar a la contraparte.
2. La posibilidad de un abuso exorbitante de acuerdo con la posición de las partes con correlativo riesgo de detrimento y subordinación de la contraparte débil, sin que se requiera la prueba de un abuso.
3. El espacio o ámbito de acción que entrega a las partes atendidas las características de la relación.

Sanción de una cláusula abusiva y sus efectos. Sobre la sanción dispuesta para una cláusula absusiva, la ley señala que la consecuencia de la declaración de abusividad es la nulidad. Así se desprende de los artículos 16 A, 16B, 17E, 50 y 55C. Esta nulidad puede ser total o parcial. Así, es posible que la declaración de abusividad recaiga sobre una o más cláusulas del contrato

---

[5] Servicio Nacional del Consumidor con Ticketmaster (2016): Corte Suprema, 07 de julio de 2016, Recurso de Casación en el Fondo, Rol n° 1533-2015, LTM6.556.394, LTM9.587.596.

[6] Servicio Nacional del Consumidor con Banco Bilbao Vizcaya Argentaria (2018): Corte Suprema, 20 de noviembre de 2018, Recurso de Casación en el Fondo, Rol n° 100759-2016, LTM18.744.957.

por adhesión y no, necesariamente, sobre todo el instrumento contractual. Sobre esto no hay discusión y lo anterior es mérito de la claridad del artículo 16A. No ocurre lo mismo con los efectos y características de la sanción los cuales se vinculan a la decisión de calificar esta nulidad como nulidad absoluta, relativa u otra clase de ineficacia.

Una primera postura[7] postula que la clase de ineficacia atribuible a la declaración de abusividad es la nulidad absoluta. Los principales argumentos que esta doctrina ha sostenido son: primero, que se trata de un vicio que afecta al negocio; segundo, que al no disponer precisamente la LPDC sobre la ineficacia a la que da lugar la declaración de abusividad se debiera recurrir al régimen común de la nulidad contemplado en el título XX del libro IV del Código Civil y aplicarse las reglas de la nulidad absoluta; y, tercero, como se trata de cláusulas prohibidas por las leyes es una nulidad absoluta por objeto ilícito de acuerdo con el artículo 1466 del Código Civil.

Una segunda tesis[8] sostiene que la sanción por abusividad es la nulidad *ab inicio*, *ab radice* y judicialmente declarada. Los argumentos de esta doctrina se resumen en los siguientes: primero, que actualmente no cabe duda que la clase de ineficacia a la que da lugar el control de contenido de clausulas abusivas en nuestro ordenamiento es la nulidad judicialmente declarada (de acuerdo con los artículos 16, 16 A, 17 E y 50 de la LPDC); segundo, que de acuerdo al tenor del artículo 16 de la LPDC, la cláusula estimada abusiva "no produce efecto alguno" y, frente a ese claro tenor no sería posible considerar la nulidad absoluta que, al requerir declaración judicial, goza de una validez provisional y se puede sanear por el transcurso del tiempo; tercero, que la posibilidad de validez provisional y saneamiento contrarían la *ratio legis*, pues las cláusulas en cuestión podrían utilizarse válidamente en contra del consumidor mientras no se declare su nulidad e incluso, si es que opera el saneamiento, adquirir validez definitiva; cuarto, que el régimen de la nulidad absoluta no es funcional en cuanto a la legitimación activa para solicitar la nulidad de la cláusula abusiva ya que, de acuerdo con el artículo 1683 del Código Civil, puede ser solicitada por todo aquel que tenga interés en ello, a excepción del que ha ejecutado o celebrado el acto o contrato sabiendo o debiendo

---

[7]   Por todos: Corral, Hernán.(2013) "Notas sobre el caso 'Sernac Con Cencosud': valor del silencio y prescripción de acción de nulidad de cláusulas abusivas". *Revista de Derecho: Escuela de Postgrado.(3), pp. 221-226.*

[8]   Baraona, Jorge (2014) "La regulación contenida en la Ley 19.496 sobre protección de los deerechos de los consumidores y las reglas del Código Civil y Comercial sobre contratos: un marco comparativo". *Revista Chilena de Derecho. Vol. 41 (2), pp. 381-408.*

saber el vicio que lo invalidaba, máxima que no podría aplicarse al consumidor considerando que el artículo 50 de la Ley n°
19.496 lo legitima expresamente para pedir la nulidad ya que se trata de una medida justamente establecida en su favor; por
último, que la existencia de una acción para pedir y declarar la nulidad, se justifica por una cuestión de certeza jurídica y como
una forma de concretar la protección.

En cuanto a la jurisprudencia, el asunto tampoco está zanjado. En el caso "Sernac con Cencosud"[9], el máximo tribunal declara que la sanción por abusividad es la nulidad utilizando la fórmula "es abusiva, y por ello es nula y sin ningún valor", sin
calificar si se trata de una nulidad absoluta y otra clase, y agrega que la consecuencia es la invalidez (nula y carente de valor).
En el fallo "Sernac con Inmobiliaria Las Encinas de Peñalolén"[10] la Corte adscribe a la tesis de la nulidad absoluta, pero sin
desarrollar una argumentación al respecto, limitándose a señalar el estatuto aplicable como una sanción de orden público y de
condena a los actos ejecutados en contra de intereses generales. En "Sernac con Ticket Fácil" la Corte realiza una declaración
genérica señalando que las cláusulas en cuestión quedan "sin efecto". Sin embargo, cabe notar que, a la postre, precisa los efectos de esa ineficacia para el caso concreto: "debiendo la empresa ajustar su conducta futura a lo dispuesto en la norma citada".
Al disponer efectos hacia el futuro, la Corte innova respecto del tradicional efecto de la nulidad de cláusulas en Derecho Común, cual es el efecto retroactivo en virtud del cual las partes se retrotraen al momento inmediatamente anterior a la celebración del contrato. En este caso la Corte dispone un efecto exactamente inverso al tradicional efecto retroactivo de la nulidad.

---

[9]   "II. Se confirma, en lo demás apelado la referida sentencia, con las siguientes declaraciones: a) Que la cláusula 9° del Contrato de la Tarjeta Jumbos
      Mas es abusiva, y por ello es nula y sin ningún valor y, por tanto, no forma parte del contrato en la que se encuentra inserta y su reglamento; b) Que
      igualmente, la estipulación 16° del Reglamento del Contrato de la Tarjeta Jumbo Mas, en atención a la abusividad declarada, es nula y carente de valor,
      de manera que no es parte del contrato en cuestión y su reglamento;(…)". Servicio Nacional del Consumidor con Cencosud Administradora de Tarje-
      tas S.A. (2013): Corte Suprema, 24 de abril de 2013, Recurso de Casación en la Forma, Sentencia de reemplazo, Rol n° 12355-2011, LTM1.902.694,
      LTM10.739.647.
[10] "Considerando décimo: (…)No cabe duda alguna que, la nulidad constituye la sanción más drástica en el ámbito contractual y tratándose de esta
      materia que nos ocupa —relaciones de consumo— no admite discusión que se trata de la nulidad absoluta, al incidir en una cuestión de orden público
      e interés general, lo que se configura precisamente con la inserción de cláusulas abusivas". Servicio Nacional del Consumidor con Inmobiliaria Las
      Encinas de Peñalolén S.A. (2014): Corte de Apelaciones de Santiago, 03 de junio de 2014, Recurso de Apelación, Rol n° 8281-2013, LTM19.090.421.

Una postura doctrinal diferente a las antes mencionadas, planteada al inicio de la vigencia de la LPDC, es la sostenida por Vidal[11]. Este autor señala que la sanción por abusividad es una ineficacia propiamente tal o propiamente dicha, entendida como aquella que "autoriza a las partes desconocer los efectos del acto jurídico, como si éste no hubiese tenido lugar" y que "opera de pleno derecho sin necesidad de declaración judicial, sin perjuicio de que pueda hacerse valer en juicio (...) por aquella persona en cuyo beneficio se ha establecido". El fundamento de esta postura se encuentra en los fines de la norma que, en este caso son dobles: en primer lugar, "la protección inmediata del consumidor de los abusos que pueda cometer el proveedor que le impone los términos del contrato; y segundo, que el consumidor, pese a infracción de la ley, no vea alterada la satisfacción de su interés, ya producida con el cumplimiento del contrato de consumo".

Aunque esta última postura fue planteada antes de las modificaciones del año 2004 (Ley n° 19.955) a la LPDC que han incorporado expresamente la designación de la "nulidad" como sanción por abusividad, estas mismas normas no han precisado suficientemente ni sus características ni sus efectos y, siendo efectivo que los efectos de la nulidad podrían resultar contrarios a la *ratio legis*, la solución más adecuada al fin protector de la norma es optar por la ineficacia propiamente dicha planteada por Vidal. Así, de acuerdo con el citado autor, los efectos de la declaración de abusividad se producirían desde el perfeccionamiento del contrato y el rol del juez se reduce simplemente a declarar que la cláusula en cuestión "sea considerada como no incorporada al contrato, es decir, que se prescinda de ella, en tanto es ineficaz por el solo ministerio de la ley".

---

[11]   Vidal, Álvaro (2000). "Contratación y consumo. El contrato de consumo en la ley n° 19.496 sobre protección a los derechos de los consumidores". *Revista de Derecho de la Universidad Católica de Valparaíso, XXI)* pp. 229-255, pp. 253-255.

PRESUNCIÓN DE BUENA FE EN EL ARTÍCULO 16 LETRA G)

María Elisa Morales Ortiz[12]

La parte final del articulo 16 letra g) señala, en lo pertinente: "Se presumirá que dichas cláusulas se encuentran ajustadas a exigencias de la buena fe, si los contratos a que pertenecen han sido revisados y autorizados por un órgano administrativo en ejecución de sus facultades legales".

Esta es una presunción simplemente legal; lo anterior se infiere del tenor de los incisos segundo y tercero del artículo 47 del Código Civil que establecen que "se permitirá probar la no existencia del hecho que legalmente se presume, aunque sean ciertos los antecedentes o circunstancias de que lo infiere la ley; a menos que la ley misma rechace expresamente esta prueba, supuestos los antecedentes o circunstancias. Si una cosa, según la expresión de la ley, se presume de derecho, se entiende que es inadmisible la prueba contraria, supuestos los antecedentes o circunstancias". En efecto, la norma del artículo 16 letra g) no señala que "se presuma de derecho" u otra fórmula similar que permita revelar esa intención del legislador[13], por lo tanto es una presunción *iuris tantum*.

Ahora, como se sabe, "toda presunción legal supone la declaración por el legislador de la relación de dos hechos"[14]. En el caso del artículo 16 letra g) estos dos hechos son:

---

[12] En este comentario, tomo algunas ideas de: Morales, María Elisa (2021) "Comentario al artículo 16 letra g), extracto" en Iñigo De La Maza; Carlos Pizarro y Francisca Barrientos (Dirs.) La protección de los Derechos de los consumidores. Comentarios a la ley de protección a los derechos de los consumidores Santiago: Editorial Thomson Reuters (en prensa).

[13] Alessandri, Arturo; Somarriva, Manuel y Vodanovic, Antonio (2015). Tratado de Derecho Civil. Partes Preliminar y General. Tomo Segundo. Santiago: Ediciones Jurídicas de Santiago, p. 489.

[14] Alessandri, Arturo; Somarriva, Manuel y Vodanovic, Antonio (2015). Tratado de Derecho Civil. Partes Preliminar y General. Tomo Segundo. Santiago: Ediciones Jurídicas de Santiago, p. 487.

a) La revisión y autorización del contrato respectivo por un órgano administrativo en ejecución de sus facultades legales (hecho conocido);

b) Las cláusulas de dicho contrato se encuentran ajustadas a las exigencias de la buena fe (hecho desconocido que se deriva del primero).

Lo anterior requiere ciertas precisiones y para ello resulta útil revisar un par de pronunciamientos de la Corte Suprema.

Sobre el alcance de la presunción del artículo 16 letra g), el máximo tribunal se ha pronunciado al menos en dos oportunidades y, específicamente, sobre la revisión y autorización por un órgano administrativo. Estos casos son "Sernac con Cencosud"[15] y "Sernac con BBVA"[16]. De los citados fallos se pueden desprender las siguientes conclusiones.

En primer lugar, para que la presunción resulte aplicable, debe existir una constancia fehaciente de que el órgano administrativo ha efectivamente revisado y autorizado la cláusula respectiva, sin que baste un mero registro o incluso autorización simplemente formal de la misma o de los contratos que la contienen. Así, por ejemplo, la presunción podría operar si ha existido una resolución fundada del órgano administrativo, que manifieste las razones por las cuales el contrato o la cláusula pertinente, cumple con las exigencias de la normativa sectorial.

En segundo lugar, otro aspecto importante es que corresponde probar la concurrencia de los presupuestos de la presunción a quien los alega y, como se dijo, se trata de una presunción simplemente legal o *iuris tantum*, que admite prueba en contrario. En consecuencia, puede ser desvirtuada por las demás pruebas o antecedentes que consten en el juicio, teniendo los tribunales amplia competencia para conocer y determinar la eventual abusividad de una cláusula contenida en un contrato de adhesión.

En tercer lugar, la naturaleza simplemente legal de la presunción y las facultades que la Ley nº 19.496 entrega a los tribunales para examinar la validez de las cláusulas contenidas en los contratos de adhesión, implica que la declaración judicial de

---

[15]   Servicio Nacional del Consumidor con Cencosud Administradora de Tarjetas S.A. (2013): Corte Suprema, Recurso de Casación en la Forma, 24 de abril de 2013, Rol nº 12355-2011, LTM1.902.694, LTM10.739.647.

[16]   Servicio Nacional del Consumidor con Banco Bilbao Vizcaya Argentaria (2018): Corte Suprema, 29 de noviembre de 2018, Rol nº 100759-2016, LTM18.744.957.

abusividad no puede afectar los principios de confianza legítima ni de congruencia que rigen los actos jurídicos y las actuaciones de los entes de Estado.

Por último, la norma consagra legalmente un principio general del derecho, lo que plantea la pregunta por la utilidad de la presunción, pues si solo repite una idea prestablecida, en principio no se vislumbra el efecto útil de la norma.

Sobre lo último, en opinión de De la Maza[17] la presunción cobra utilidad cuando "el consumidor ha logrado acreditar el desequilibrio al que alude la letra g)" ya que en ese supuesto "el juez queda autorizado para presumir la inobservancia de las exigencias de la buena fe"[18]. En este sentido se ha dicho que la determinánción por los tribunales de la abusividad de las cláusulas en base al artículo 16 letra g) toma como elemento esencial "la existencia de una desproporción significativa entre las contraprestaciones, la cual acarrearía la contravención a la buena fe por parte del predisponente"[19]. Entonces, continuando con el razonamiento sobre la utilidad de la presunción, probado el desequilibrio importante, el juez probablemente de por establecida la vulneración de la buena fe, salvo que el proveedor haya logrado probar por su parte que el contrato en cuestión ha sido revisado y autorizado previamente por un órgano administrativo, pues allí se configuraría la presunción simplemente legal asumiendo el legislador que la intervención de este "ha tenido como objeto justamente evitar las vulneraciones a las exigencias de la buena fe" y, en este caso la carga de la prueba volverá sobre el consumidor quien podrá destruir la presunción y esta vez deberá enfrentar la difícil prueba de la vulneración de la buena fe objetiva.

---

[17] De la Maza, Iñigo (2004). "*El control de cláusulas abusivas y la letra g. Revista Chilena de Derecho Privado (3) pp. 35-69*", en Francisca Barrientos; Iñigo De la Maza y Carlos Pizarro. Consumidores. Santiago: Legal Publishing Chile, pp. 146-147.

[18] De la Maza, Iñigo (2004). "*El control de cláusulas abusivas y la letra g. Revista Chilena de Derecho Privado (3) pp. 35-69*", en Francisca Barrientos; Iñigo De la Maza y Carlos Pizarro. Consumidores. Santiago: Legal Publishing Chile, pp. 146.

[19] Momberg, Rodrigo (2013). "El control de cláusulas abusivas como instrumento de intervención judicial en el contrato". *Revista de Derecho (Valdivia)*, *Vol. XXVI nº 1, p. 18.*

LA DIFERENCIA ENTRE INTERPRETAR UNA CLÁUSULA VÁLIDA Y UNA INEFICAZ EN SEDE DE CONSUMO

Francisca Barrientos Camus

La abusividad o ilegalidad de las cláusulas o condiciones generales de la contratación —que, para efectos de este comentario, se miran como equivalentes, sin perjuicio de lo expresado en la opinión anterior— supone un examen de contenido de dichos textos contractuales —en abstracto o concreto— que toma en consideración cierto contexto, mercado, las demás cláusulas, entre otras cosas[20].

Con todo, de inmediato corresponde hacer la distinción entre "interpretar" una cláusula y considerar que ella podría ser declarada nula[21], nula de pleno derecho[22], o incluso inexigible[23], según la ineficacia que se considere pertinente.

En efecto, interpretar o hacer aplicable las reglas de la hermenéutica legal supone que el texto contractual por adhesión prerredactado por el proveedor es ambiguo, obscuro o no hay plena claridad respecto de sus efectos; de allí que sea necesario

---

[20]   En Chile no existen normas. Por eso, corresponde citar el artículo 4 n° 1 de la Directiva 93/13/CEE del Consejo, de 5 de abril de 1993, sobre las cláusulas abusivas en los contratos celebrados con consumidores, que disciplina ciertos criterios. La disposición señala "… el carácter abusivo de una cláusula contractual se apreciará teniendo en cuenta la naturaleza de los bienes o servicios que sean objeto del contrato y considerando, en el momento de la celebración del mismo, todas las circunstancias que concurran en su celebración, así como todas las demás cláusulas del contrato, o de otro contrato del que dependa".

[21]   Como lo señalan algunas disposiciones de la LPDC como los artículos 16A y 17E, aunque el artículo 16 y 17 expresan que "no produce efecto alguno".

[22]   Baraona, Jorge (2014): "La regulación contenida en la ley 19.496 sobre protección de los derechos de los consumidores y las reglas del código civil y comercial sobre contratos: un marco comparativo". *Revista Chilena de Derecho,* vol. 41 n° 2, pp. 381-408. p. 396.

[23]   Contardo, Juan Ignacio (2014): "Ensayo sobre el requisito de la escrituración y sus formas análogas en los contratos por adhesión regidos por la Ley n° 19.496", en Francisca Barrientos (coord.). *Condiciones generales de la contratación y cláusulas abusivas.* Cuadernos de análisis jurídico VIII. Colección Derecho privado. Santiago: Ediciones Universidad Diego Portales, pp. 113-127. p. 124.

"mostrar su verdadero sentido y el alcance". Marta Carballo lo expresa de esta forma, "No obstante el sistema arbitra aún un expediente orientado a preservar la validez de aquellas [cláusulas] que, incorporadas formalmente al contrato, presentan una redacción oscura o ambigua que puede ser salvada a través de una interpretación favorable al consumidor, a quien la falta de transparencia no es imputable"[24]. Se trata, entonces, de procurar la validez de esas cláusulas. Y, a falta de reglas expresas de interpretación en la LPDC, por integración, deberían aplicarse las normas de los artículos 1560 y siguientes del Código Civil, siempre y cuando tomen en consideración la relación de consumo y beneficien una interpretación "pro consumidor". Por eso, la primera regla de interpretación es la establecida en el artículo 1566 inciso primero del Código Civil que consigna que las cláusulas ambiguas se interpretan a favor del deudor; o sea, *contra proferentem* o contra el proveedor. Tal como lo he expuesto en otras ocasiones "Esto quiere decir que en materia de consumo no pueden aceptarse interpretaciones literales o exegéticas que desmedren los derechos de los consumidores, sino que sólo aquellas que lo beneficien. Lo mismo ocurrirá con el sistema de interpretación consagrado en el artículo 1562 del CC, que prefiere el sentido que una cláusula tenga efectos a aquel que no se les atribuye, siempre y cuando no lesione los derechos del consumidor. Además, como en este ámbito existen deberes de información, publicidades, ofertas, promociones y una serie de deberes tipificados de información, hay que examinar la cláusula y el contrato en su contexto (artículo 1564 CC). Esto significa darle relevancia a la interpretación teleológica o finalista del contrato, tomando en consideración su propósito práctico; y, por cierto, la aplicación del principio pro consumidor"[25].

Por su parte, "interpretar" —expresión utilizada no en sentido riguroso— una cláusula abusiva supone que dicho texto contiene alguna ilegalidad, conforme lo establecido en el artículo 16 letras a) a la g) de la ley 19.496; y que por, lo tanto debe sancionarse su ineficacia, o nulidad, nulidad de pleno o inexigibilidad, como se ha expuesto en la primera parte de este comentario.

Un ejemplo para clarificar la diferencia entre la interpretación de una cláusula ambigua y la ilegalidad por abusividad puede encontrarse en el caso Sernac con Banco Santander (Corte Suprema, 01 de julio de 2019, Rol n° 24598-2018, LTM17.777.667), fallo paradigmático, en que la Corte Suprema, consideró que la petición en torno a declarar abusiva una cláusula ambigua no correspondía. En el fondo, declaró que las cláusulas no eran abusivas, en sus palabras "…concluyen que su sentido y alcance

---

24   Carballo, Marta (2013): *La protección del consumidor frente a las cláusulas no negociadas individualmente*. Navarra: Bosch., p. 92.
25   Barrientos, Francisca (2019): *Lecciones de Derecho del Consumidor. Santiago: Thomson Reuters*, p. 93.

no importa una falta de reciprocidad en las obligaciones y derechos que emanan para las partes de los contratos sublite..."
(considerando tercero). Ello, porque el requerente denunciaba la existencia de cláusulas contradictorias, ambiguas, pidiendo
su nulidad, porque en las que se otorgaba al consumidor un plazo de diez días para pagar el dividendo sin recargo de intereses
moratorio y por otro lado se autorizaba a cobrar intereses a contar desde el día 01 de cada mes, no obstante caer en moroso
al día undécimo.

Dicho todo eso, ahora conviene repasar una de las clases de abusividad que más impacto tiene en el tráfico, toda vez que
se ha constatado que dicha cláusula se encuentra presente en los mercados de prestación de servicios de canales televisivos,
servicios educacionales, servicios de internet, servicios telefónicos, servicios de salud, tiempos compartidos, entretenimiento,
servicios de transporte aéreo, deportivos, funerarios y por cierto financiero[26].

Se trata de la cláusula de modificación o término unilateral por arbitrariedad (se subsume la hipótesis de la suspensión
dentro de la modificación por el término más amplio) contemplada en el literal a) del artículo 16 de la LPDC. Esta disposición
contiene unía a expresión que hay que "interpretar", más bien habría que decir "integrar o calificar" para llenarla de contenido, puesto que no siempre, ni en todos los casos la abusividad será evidente. De allí que no comparta la visión en torno a la
calificación de negra de esta tipología[27].

Por eso, la arbitrariedad supone un acto caprichoso, carente de razón, que se puede integrar con los criterios de laletra g),
tal como lo realizado nuestros tribunales[28], e incluso con algunas reglas civiles que contendrían el principio de "interdicción
de arbitrariedad".

Es interesante proyectar que las reglas civiles, cimentadas bajo el paradigma de la contratación libre, paridad de información y negociación, ya contemplan la protección contra los posibles "abusos" que pueden generar conductas caprichosas de

---

[26]   Barrientos, Francisca (2017): "El concepto de arbitrariedad del artículo 16 a) de la ley del consumo: análisis de los criterios judiciales que examina la
       cláusula de modificación unilateral". *Revista de Derecho*, 242, pp. 7-37, p. 12.

[27]   De La Maza, Íñigo (2004). "El control de las cláusulas abusivas y la letra g)", en: *Revista chilena de Derecho privado*, nº 3, diciembre, pp. 35-67.

[28]   Barrientos, Francisca (2017): "El concepto de arbitrariedad del artículo 16 a) de la ley del consumo: análisis de los criterios judiciales que examina la
       cláusula de modificación unilateral". *Revista de Derecho*, 242, pp. 7-37, p.32.

una de las partes en los contratos bilaterales, como por ejemplo en algo tan importante como la fijación del precio que, según el artículo 1809 inciso segundo del Código Civil, dispone que el "no podrá dejarse el precio al arbitrio de uno de los contratantes". Luego puede examinarse la poco valorada regla que proscribe las condiciones de querer, o como las conocemos en nuestro sistema las condiciones meramente potestativas que (de)penden de la voluntad del que obliga. En este caso, la regla consignada en el artículo 1478 reza "son nulas" estas clases de obligaciones, y que mejor ejemplo que "me obligo si quiero", en el sentido que el mero capricho o arbitrariedad pura se sanciona por la ley civil. Y, por último, podría proyectarse que si no hay intención de obligarse por una conducta unilateral y/o arbitraria de una de las partes, se genera una indeterminación del objeto del negocio jurídico, *ex* artículo 1461 del Código Civil.

En definitiva, interpretar una cláusula ambigua u obscura supone darle un sentido que prefiere la validez de la cláusula, pero tomando en consideración que el ejercicio hermenéutico debe valorar la relación de consumo, instando a interpretación pro consumidor. Por otra parte, la labor de calificación de una cláusula abusiva supone verificar el test que el legislador ha dispuesto, que puede verse desde la perspectiva de los equilibrios o desequilibrios en las prestaciones del contrato (letra g] del artículo 16), o como ahora se propone valorando el concepto de arbitrariedad consignando en el artículo 16 letra a) de la LPDC.

PÁRRAFO 5º. RESPONSABILIDAD POR INCUMPLIMIENTO

ARTÍCULO 18

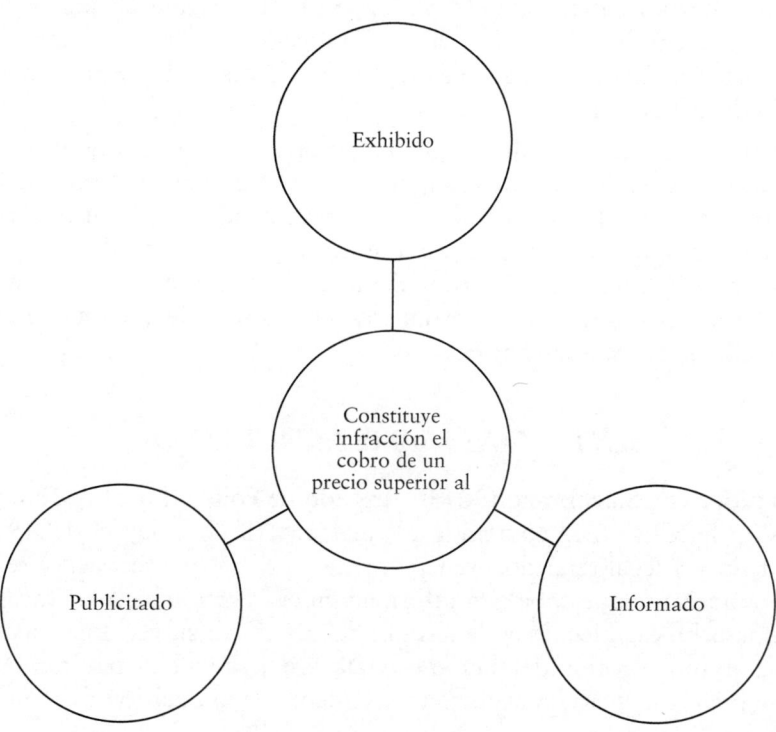

DOCTRINA ARTÍCULO 18

- Brantt, María Graciela y Mejías, Claudia (2013). "Artículo 18" en Iñigo De La Maza; Carlos Pizarro (Dirs) y Francisca Barrientos (coord.). La protección de los derechos de los consumidores. Comentarios a la ley de protección a los derechos de los consumidores. Santiago: Thomson Reuters, pp. 513-517, p. 514. "El resguardo que el legislador brinda al consumidor en este artículo se proyecta en diversos ámbitos: información entregada, publicidad realizada por el proveedor en relación con el precio, así como las ofertas realizadas, todas ellas reguladas en distintas disposiciones de la Ley, en cuyo contexto puede verificarse la infracción del artículo 18".

  "Conforme a lo anterior, la infracción del artículo 18 puede, en primer lugar, configurarse por el cobro de un precio de un precio distinto al informado o exhibido [...] Otro supuesto en que puede configurarse la infracción dice relación con el precio publicitado por el proveedor. [...] Otro plano en que puede producirse la infracción es el de las ofertas... [...] Es importante precisar que en nuestra opinión no se configura la infracción del artículo 18 en caso de errores manifiestos en la información, publicidad u oferta, que no puedan razonablemente ser ignorados por el consumidor, como por ejemplo, en supuestos en lo que —atendidas las características del producto— no es posible que un consumidor actuando diligentemente pueda tener por real un precio excesivamente bajo".

SENTENCIAS SOBRE ARTÍCULO 18

- Servicio Nacional del Consumidor con Salcobrand (2015): Juzgado de Policía Local de Iquique, 20 de agosto de 2015, Rol nº 10514-L, LTM19.091.787: "DECIMO: El contenido del artículo 18 de la ley nº 19.496 se encuentra asociado a una serie de otras disposiciones del texto legal referido, esencialmente aquellas que recogen y reglamentan el derecho-deber de información, dado el rol preponderante que cabe a la información en relación al consumo. El artículo 18 referido, constituye una materialización del derecho establecido en la letra b) del art. 3 y, a su vez, una forma de asegurar el cumplimiento del derecho del consumidor a la libre elección del bien o servicio previsto en el artículo 3 letra a) del cuerpo legal que nos ocupa, por ser el precio de un bien o servicio un aspecto trascendente en la decisión del consumo".

- **La Dehesa Store Limitada con Carlos San Martín Camiruaga (2007): Corte de Apelaciones de Santiago, 23 de agosto de 2007, Rol n° 3721-2007, LTM19.091.657: "SEXTO (VOTO DISIDENTE):** Que el artículo 18 de la ley n° 19.496 expresa lo siguiente: "Constituye infracción a las normas de la presente ley el cobro de un precio superior al exhibido, informado o publicitado". Es lo cierto que dicha disposición no está contemplada para el caso de errores manifiestos, como el de autos, sino a conductas de mala fe por parte del proveedor del bien o el servicio, tendientes a engañar al consumidor en el precio de las cosas que ofrece para la venta. Y en la especie se trató, tantas veces lo hemos dicho, de un simple error de transcripción o de imprenta, oportunamente rectificado y publicada dicha rectificación, de modo que imponer una multa a La Dehesa Store Limitada y obligarla a vender al denunciante un bien cuyo verdadero precio es $ 2.600.000 en $ 899.000, constituye un caso de abuso del derecho por parte de aquél que, en concepto del que disiente, no puede ser amparado por la judicatura".

ARTÍCULO 19

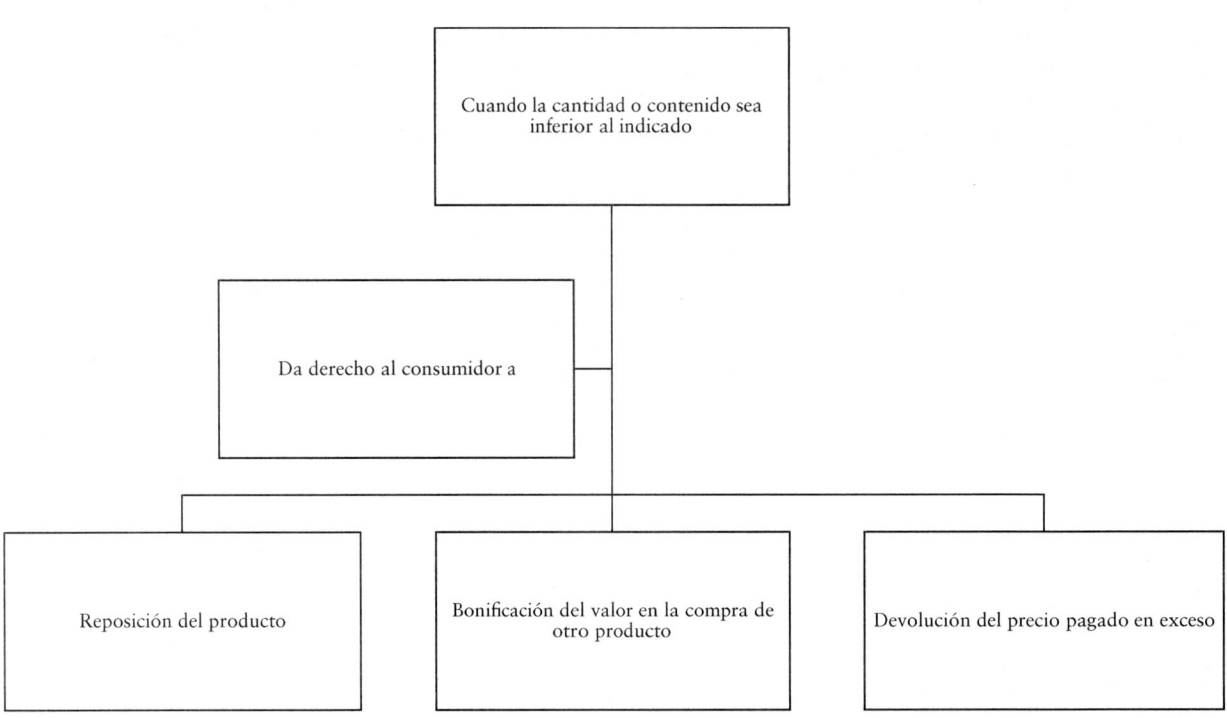

DOCTRINA ARTÍCULO 19

- **Barrientos, Francisca (2013): "Artículo 19" en Iñigo De La Maza; Carlos Pizarro (Dirs) y Francisca Barrientos (coord.).** *La protección de los derechos de los consumidores. Comentarios a la ley de protección a los derechos de los consumidores* **Santiago: Thomson Reuters, pp. 518-523, p. 519:** "Dicho de otra forma, la ley incluye los denominados 'vicios de cantidad'. Tal como está descrita esta parte, la inadecuación material del objeto de la compraventa se refiere al envase o empaquetado en relación con las cosas. Sin embargo, y a diferencia con el artículo siguiente, no se configura un vicio propiamente tal; al menos como una clase de vicio redhibitorio del contrato de compraventa del Código Civil (artículo 1858), que hace inservible la cosa para uso, sino que se trata de una deficiencia de información que será examinado a continuación".

- **Barrientos Camus, Francisca (2019):** *Lecciones de Derecho del Consumidor.* **Santiago: Thomson Reuters, p. 159.** "Se ha escrito que este sistema [la garantía legal contemplada en los artículos 19 y 20 de la ley] se erige sobre tres ejes importantes. Primero, se trata de un sistema de libre elección. Segundo, los remedios son de ejercicio extrajudicial. Y tercero, se encuentra articulado en torno a un concepto unitario de incumplimiento que contempla los mismos remedios, salvos las faltas de conformidad cuantitativas" (como es el supuesto regulado en el artículo 19).

- **Corral, Hernán (2006): "La responsabilidad por incumplimiento y por productos peligrosos en la ley de protección de los derechos de los consumidores", en Baraona, Jorge y Lagos, Osvaldo (eds.). La protección de los derechos de los consumidores en Chile. Aspectos sustantivos y procesales luego de la reforma contenida en la ley nº 19.955 de 2004. Cuadernos de Extensión Jurídica, Universidad de los Andes, nº 12, Santiago, pp. 95-110, pp. 98-99.** "La ley exige aquí que el consumidor pida en primer lugar la reposición; y sólo a falta de ésta, le permite optar o por la bonificación de su valor en la compra de otro o por la devolución del precio pagado en exceso".

SENTENCIAS SOBRE ARTÍCULO 19

- **Servicio Nacional del Consumidor con Comercial BBC S.A. (2018): 5º Juzgado de Policía Local de Santiago, 26 de febrero de 2018, Rol nº 14499-2016-ANS, LTM18.764.796:** "CUARTO: Que este Tribunal considera que la denuncia por la comisión de las infracciones de los artículos 19, 20 y 21 de la Ley 19.496 requieren, necesariamente, de la existencia de alguna relación comercial específica para configurarse, es decir, un proveedor solo puede incurrir en las infracciones denunciadas cuando entregue un bien o servicio con las falencias establecidas en el artículo 20 de la Ley 19.496; que, en abono de lo anterior, las hipótesis descritas en el artículo 20 de la Ley 19.496, hipótesis que permiten operar a los artículos 19 y 21 de la Ley 19.496, requiere de un presupuesto fáctico como, por ejemplo, que después de la compra de un producto el derecho a la triple elección del consumidor se puede hacerse efectivo 'cuando cualquier producto, por deficiencias de fabricación, elaboración, materiales, partes, piezas, elementos, sustancias, ingredientes, estructura, calidad o condiciones sanitarias, en su caso, no sea enteramente apto para el uso o consumo al que esta destinado o al que el proveedor hubiese señalado en su publicidad".

- **Hugo Esteban Jaque Hernández con Pedro Medina y Compañía Ltda. (2015): Juzgado de Policía Local de Coronel, 20 de enero de 2015, Rol n° 10548-2013, LTM18.762.810:** "OCTAVO: Que la ley 19.496 en sus artículos 19 y 20 establece la obligación de garantía general de los proveedores o garantía legal. En la especie existe una garantía voluntaria (6 meses que ofrece el proveedor del producto). Sobre este punto el profesor Ricardo Sandoval López en su obra 'Derechos del Consumidor', establece que la garantía legal se caracteriza por ser general, esto es, comprende toda clase de bienes muebles duraderos; ser obligatoria, en cuanto a que debe ser dada por todo comercio establecido; ser limitada en el tiempo, en el sentido que el comercio establecido tiene que responder durante un plazo mínimo de tres meses contados desde que el consumidor recibió el producto; por producir efectos u operar de pleno derecho, sin necesidad de ser convenida en forma expresa, y por carecer de formalidad específica, en cuanto a que no requiere póliza, de manera que el consumidor que ejercer las acciones propias de la garantía solo debe acreditar el acto o contrato con la documentación respectiva".

- **Servicio Nacional del Consumidor con Ecotec S.A. y Walmart Chile S.A. (2014): 2° Juzgado de Policía Local de San Bernardo, 19 de diciembre de 2014, Rol n° 5759-04-2014, LTM18.764.845:** "OCTAVO: (...) En relación a la infracción al artículo 19, señalo que ningún consumidor, ni el denunciante han solicitado la reposición del producto adquirido, en dicho contexto, no es procedente imputarles la infracción a la normativa, si no se ha generado el hecho basal y tipificado por el Legislador, esto es el derecho del consumidor de solicitar la reposición del producto. (...)".

ARTÍCULO 20

En los siguientes casos, sin perjuicio de la indemnización por daños, el consumidor puede optar: (i) la reparación gratuita del bien (ii) reposición o devolución del precio (previa restitución

a) Productos sujetos a normas de seguridad o calidad obligatorias que no se cumplieron

b) Materiales, partes, piezas, elementos, sustancias o ingredientes que constituyen o integran el producto, que corresopden a las del rotulado.

c) Productos que no sean aptos para el uso o consumo al que están destinados o que el proveedor señalare en la publicidad

d) Productos que no reunen las especificaciones convenidas entre consumidor y proveedor

e) Productos que subsisten después de la primera vez que se hace efectiva la garantía y el servicio técnico. Estas deficiencias deben ser distintas a las que fueron objeto del técnico y hacer inapto el bien para el uso o consumo

f) Objeto con defectos o vicios ocultos, que imposibilitaren su uso habitual

g) Artículos de orfebrería, joyería y otros en que la ley de metales sea inferior a la indicada.

DOCTRINA ARTÍCULO 20

- **Barrientos, Francisca (2019). Lecciones de Derecho del Consumidor. Santiago: Thomson Reuters, pp. 162-177:** "... se estudiarán con especial detención los vicios de cantidad, porque los fallos recientes discurren en torno a ellos. Primero se repasarán [...] [la] falta de especificaciones y publicidad, y luego las anomalías relacionadas con la falta de calidad, conforme lo dispone el artículo 20 letras f), c), y e).... Las faltas de especificaciones constituyen un supuesto especial, difícil de encansillar en alguna de las categorías jurídicas del derecho común. La ley tipifica como vicio o defecto cuando no se cumplen con las especificaciones legales (artículo 20 literal a) o menciones que ostente el rotulado (artículo 20 letra b), especificaciones convencionales acordadas por las partes (artículo 20 d) y cuando no se cumpla con la Ley de los Metales (artículo 20 g). Tomando en consideración esta tipología legal, se ha expresado que las faltas de especificaciones coincidirían con lo que la civilística conoce como entrega diversa a la pactada, Es decir el aliud pro alio se resolvería en el ámbito de consumo mediante la aplicación de las 'faltas de especificaciones'. [...]

La Ley de Consumo también considera como un vicio la frustración emanada de las declaraciones publicitarias. De este modo, las declaraciones que el proveedor hubiese señalado en su publicidad, que no exigen calificarla como una oferta, constituyen el supuesto de hecho que activa la protección del consumidor, siempre y cuando incumplan ciertas condiciones objetivas. Y como se aprecia, este es un criterio de determinación de la no conformidad, que dice relación con la confianza depositada por el consumidor relacionada con las cualidades de la cosa. La ausencia de ellas genera responsabilidad para el proveedor. En otras palabras, nace la garantía legal cuando lo declarado en la publicidad no es conforme con el bien entregado. [...]

Para la ley de consumo constituye un vicio de calidad: 'Cuando la cosa objeto del contrato tenga defectos o vicios ocultos que imposibiliten el uso a que habitualmente se destine' (artículo 20 literal f). Las referencias al derecho común se encuentran en la expresión vicios ocultos. Desde el punto de vista objetivo la ley los asimila a los vicios redhibitorios del Código Civil, porque considera como defectos los 'vicios ocultos' (artículo 20 letra f].

La calidad también comprende algunos aspectos subjetivos, como 'el uso o consumo al que está destinado' (artículo 20 letra c]); cuando 'subsistieren las deficiencias que hagan al bien inapto para el uso o consumo' (artículo 20 letra e]); cuando existan 'vicios ocultos que imposibiliten el uso a que habitualmente se destine' (artículo 20 letra f]). Incluso, puede agregarse el supuesto que considera la existencia de un vicio 'Cuando el proveedor y consumidor hubieren convenido que los productos objeto del contrato deban reunir determinadas especificaciones y esto no ocurra' (artículo 20 letra d]). No se han detectado fallos recientes que se pronuncien sobre esta disposición. También se contempla una forma especial de protección: 'Cuando cualquier producto, por deficiencias de fabricación, elaboración, materiales, partes, piezas, elementos, sustancias, ingredientes, estructura, calidad o condiciones sanitarias, en su caso, no sea enteramente apto para el uso o consumo al que está destinado...' (artículo 20 literal c). Tal como se observa se trata de una tipología más amplia que la descrita con anterioridad, ya que contempla todas las partes del producto. A título de diferencia es posible concebir que bajo este supuesto la cosa no es enteramente apta para el uso o consumo al que está destinado (artículo 20 c) mientras que bajo la regla anterior se hace referencia al uso habitualmente destinado (artículo 20 f). Esta disposición es la norma es la más citada en las sentencias de consumo. Los fallos discurren en torno al entendimiento de la expresión 'enteramente apto.'. Y se ha dicho que esta ineptitud es lo 'no apto ni a propósito para una cosa' y lo apto es lo 'idóneo, hábil a propósito para hacer alguna cosa' (considerando 3º). Se ha escrito que la ineptitud o que la cosa no sea 'enteramente apta' se relaciona con la gravedad de los vicios redhibitorios o la entidad del incumplimiento de la obligación de la cosa vendida. Por eso, se decía que ni en el ámbito civil, ni en bajo lo dispuesto en el artículo 20 letra c) los pequeños defectos tendrían la entidad suficiente para activar la garantía legal. Esta tendencia se mantiene en materia de automóviles, que dicho sea de paso, constituye el ámbito más judicializado tal como se observa en las sentencias de estos años. Así, en *Jaramillo con Automotriz Tecno Sur Limitada (2016)* en carácter de *obiter dictum se* consideró: que '... resulta útil considerar que los desperfectos mencionados en la denuncia, no constituyen deficiencias de tal magnitud que permitan colegir que el vehículo no se encuentra apto para transporte de pasajeros [...] tanto más si se tiene presente que la denunciante en la mayoría de las ocasiones que llevó el minibús al servicio técnico de la demandada lo retiraba al mediodía, y en tan escaso tiempo no estuvo en condiciones aquella para efectuar una revisión en profundidad...' (considerando 4º). Misma idea tiene *Muñoz con Automotriz Salfa Sur Limitada (2016)*, en que se demostró el desperfecto alegado por la consumidora se solucionaba moviendo manualmente el conector del automóvil; con eso se corregía la desconexión existente entre el empalme y el conector de módulo de control de transmisión. De modo que el automóvil ya no aparecía —embrujado o totalmente descontrolado—' (considerando 8º), como se expuso. Se requiere, entonces '... una cierta connotación con la naturaleza y destino del producto, es decir, tratándose de un vehículo para su trasporte…' (considerando 9º). Y en *Navarro con E. Kovacs y Compañía Limitada (2016)*, se consideró que: '… la apertura del motor y el cambio de solo parte de las piezas móviles del sistema de distribución […] permite afirmar la existencia de una falla de fábrica que no garantiza que esté apto para la circulación en el tiempo' (considerando 10º). […]

En materia de calidad se incluye lo dispuesto en el artículo 20 letra e) que activa la garantía legal: 'Cuando después de la primera vez de haberse hecho efectiva la garantía y prestado el servicio técnico correspondiente, subsistieren las deficiencias que hagan al bien inapto para el uso o consumo a que se refiere la letra c). Este derecho subsistirá para el evento de presentarse una deficiencia distinta a la que fue objeto del servicio técnico, o volviere a presentarse la misma, dentro de los plazos a que se refiere el artículo siguiente'. Una lectura rápida de esta norma sugiere que su ámbito de aplicación serían los casos de subsistencia de defectos, lo que sería coherente con las reglas generales del sistema de responsabilidad civil, toda vez que los derechos que nacen para el consumidor deben cumplirse en plenitud por parte del proveedor. […] Pero, por su técnica, surgen una serie de cuestionamientos de diversa índole. Por ejemplo, ¿por qué sólo contempla los defectos del artículo 20 letra c)? ¿esto quiere decir que para los demás literales del artículo 20 se permite la subsistencia de defectos o vicios? Luego, ¿qué quiere decir "primera vez de haberse hecho efectiva la garantía"? ¿acaso esto implica que hay otras garantías legales? Y si es así ¿prima la reparación en circunstancias que el artículo 20 inciso primero contempla un sistema de libre opción? Junto con ello, ¿cuál es el servicio técnico correspondiente? La idea que, para hacer efectiva la garantía legal, se tiene que haber reparado previamente la cosa ha permeado en los Jueces de Policía Local y Cortes de Apelaciones, quienes han efectuado una generalización de ella a todos los supuestos de garantía legal. Así consideran que la reparación siempre primaría sobre los demás remedios. Lo que dicho de otra forma significa que se ha formado una jerarquía judicial o pretoriana de la reparación aplicable a todos los literales del artículo 20, sin respetar el derecho a la libre elección del consumidor. Tal como es posible apreciar, esta tendencia ha arrojado graves consecuencias para el consumidor. Y si a esto, además, se añade la problemática que existe sobre la forma de compatibilizar el ejercicio de la garantía legal con otras garantías voluntarias, en la práctica, se produce una imposición de la reparación del fabricante frente a las obligaciones del vendedor.

Las consecuencias jurídicas de la garantía legal dicen relación con los remedios, derechos o acciones que surgen por falta de conformidad con la cosa entregada. Como se ha escrito, este sistema se erige sobre tres ejes importantes. Primero, se trata de un sistema de libre elección. Segundo, son de ejercicio extrajudicial. Y tercero, se encuentra articulado en torno a un concepto unitario de incumplimiento que contempla los mismos remedios, salvo las faltas de conformidad cuantitativas. De este modo, en lo que dice relación con la primera característica, hay que mencionar que nuestro sistema legal contempla libertad elección para el consumidor. Esto es, el comprador afectado dispone del remedio que mejor satisfaga a sus intereses. Se sabe que esto opera así, entre otras razones, porque el artículo 20 no ha establecido ninguna jerarquía en la elección del derecho. Así, el consumidor debe optar de forma libre y voluntaria al remedio que mejor se avenga con sus intereses. Cualquier intento de limitación o exclusión del *ius variandi* debería ser objeto de infracción. De todas formas, la opción se ejerce una vez. Por eso, si prefiere la reparación del automóvil, no puede cambiarse a la resolución del contrato, aun cuando se haya tomado la decisión de modificarlo en la instancia administrativa promovida en el Servicio Nacional del Consumidor, tal como se falló en *Arancibia con Automotriz Carmona y Compañía Limitada (2016)*. Con todo, al parecer, los hechos descritos en esta sentencia dan cuenta que el consumidor quería la reparación y el personal de la empresa le señaló que la 'única solución' era la reparación. Si esto ocurrió así, se critica este pronunciamiento judicial. En segundo lugar, se ha escrito que los derechos que nacen de la garantía legal serían de ejercicio extrajudicial, deducción que se obtiene a *contrario sensu* de la regulación de la garantía legal por servicios que exige intervención judicial para determinar la procedencia de los remedios. En efecto, el artículo 41 de la ley le otorga al consumidor la posibilidad de reparar el servicio o resolver el contrato al señalar que: 'Si el tribunal estimare procedente el reclamo, dispondrá se preste nuevamente el servicio sin costo para el consumidor o, en su defecto, la devolución de lo pagado por éste al proveedor' (énfasis agregado). Marcelo Nasser comenta que más bien estaríamos frente a un 'derecho de naturaleza prejurisdiccional, como derechos de ejecución directa por parte del consumidor', para enfatizar su carácter extrajudicial y su distinción con las acciones infraccionales, tan frecuentes en esta ley. Y en tercer término, se ha dicho que este sistema se articula en torno a una noción unitaria de incumplimiento, pero que no ofrece los mismos remedios, pues los vicios de cantidad no gozan de los mismos derechos que las demás anomalías de calidad, faltas de especificaciones y frustración de expectativas por lo declarado en la publicidad. Junto con eso corresponde insistir en que el régimen de responsabilidad civil es de corte objetivo, sin que se requiera el establecimiento de la negligencia del proveedor para dar lugar a ella. En efecto, las obligaciones de reparación y sustitución son de resultado para el proveedor. Y la rebaja del precio o la resolución del contrato no exigen la concurrencia de culpabilidad en el actuar del vendedor. Sólo se exigiría este requisito para la determinación de la indemnización de perjuicios. Por eso, corresponde observar lo fallado en *Plotz con Automotores Gildemeister S.A. (2016)*, que basándose en el artículo 23, y no en el 19 o 20 de la ley, declara que '… el sistema de responsabilidad de la Ley sobre Protección a los derechos de los Consumidores se construye, en lo que interesa a este proceso, sobre la base de que sea posible imputar al menos culpa al proveedor de un bien o servicio. El criterio de imputación mínimo, por consiguiente, es la negligencia o culpa o imprudencia…' (considerando 1°)".

SENTENCIAS SOBRE ARTÍCULO 20

- **Servicio Nacional del Consumidor con Movil Point Ltda. (2018): 1° Juzgado de Policía Local de Copiapó, 18 de abril de 2018, Rol n° 8047-2017, LTM18.774.635:** "SEXTO: que de los hechos acreditados en los considerandos precedentes, se acredita que efectivamente la empresa denunciada restringe los derechos consagrados en el artículo 20 de la ley 19.496, a únicamente la reparación gratuita del bien en caso de fallas, no siendo posible solicitar la devolución de la cantidad pagada o el cambio del equipo por uno nuevo, hechos que claramente infringen las normas citadas. En efecto, el articulo 20 consagra el derecho del consumidor a optar entre la reparación gratuita del bien o, previa restitución, su reposición o la devolución de la cantidad pagada, de manera que si el proveedor impone alguna de dichas opciones o las restringe necesariamente incurre en infracción y vulneración al derecho en comento".

- **Claudio Belmar Rojas con Titan Carpas y Eventos Limitada (2016): Corte de Apelaciones de Temuco, 28 de octubre de 2016, Recurso de Apelación, Rol n° 254-2015, LTM19.091.633:** "TERCERO: Que, así las cosas, sólo en el caso que se opte por la resolución del contrato, esto es, en la hipótesis en que al actor no le interese perseguir el cumplimiento de la obligación infringida, o bien, porque, aun interesándole no consigue que su deudor efectué la prestación debida, estando dispuesto por ese hecho a devolver el bien defectuoso adquirido, resulta admisible demandar la devolución del precio convenido, absteniéndose, además de pagar el saldo de precio adeudado, junto a la indemnización de perjuicios compensatoria, ya que sin la resolución el deudor solamente se encuentra obligado a dar aquello a que se comprometió conforme a la obligación que voluntariamente adquirió al dar nacimiento o formación al contrato. Es la resolución de contrato la que extingue, la obligación primitiva del contrato, teniendo lugar la devolución del precio pagado condicionado a la obligación de restituir el bien defectuoso (art. 20 inc. 1°)".

- **Mauricio Alfredo Reyes Gallardo con Salfa Salinas y Fabres S.A. (2013): Juzgado de Policía Local de Calama, 11 de octubre de 2013, Rol n° 64574-2013, LTM18.763.468: "CUARTO:** que probados los desperfectos debe dejarse sentado que el articulo 20 letra b) de la ley del consumidor establece que sin perjuicio de la indemnización por los daños ocasionados el consumidor puede optar entre la reparación gratuita del bien o previa restitución, su reposición o la devolución de la cantidad pagada cuando después de haberse hecho efectiva la garantía para reparaciones precisas y prestado el servicio correspondiente, las deficiencias permanecen al punto que hagan inapto el uso o consumo estatuido en la letra c) de la disposición en comento".

ARTÍCULO 21

Inc. 1
- El ejercicio de los derechos de los art. 19 y 20 se hace efectivo ante el vendedor. Dentro de los 3 meses siguientes a recibido el producto.
- El deterioro no puede ser por hecho imputable al consumidor y prevalece el plazo de la garantía del producto si fuere mayor.

Inc. 2
- En el caso del art. 20 si se opta por la reparación puede dirigirse al vendedor, fabricante o importador. Estos no podrán derivar el reclamo.

Inc. 3
- Son solidariamente responsables por perjuicios al consumidor el proveedor que comercializó el producto y el importador que lo suministra o vende

Inc. 4
- Si se solicita la reparación al vendedor, goza del derecho a resarcimiento del art. 22

Inc. 5
- Las acciones del inc. 1 también pueden hacerse valer contra el fabricante o importador, en caso de ausencia del vendedor por estar sometido a procedimiento concursal de liquidación, término de giro o similares.
- La devolución de la cantidad pagada solo se hace efeciva ante el vendedor

Inc. 6
- El venedor, fabricante o importador, deberá responder al ejercicio de los derechos en el mismo loscal de venta u oficinas o locales en que atiende a clientes. No puede ser otro lugar o condiciones menos cómodas para el consumidor, salvo acuerdo.

Inc. 7
- Respecto de productos perecibles o que por naturaleza sean usados o consumidos en plazo breve, el plazo del inc. 1 será impreso en el producto o su envoltorio, en su defecto, 7 días.

Inc. 8
- El plazo de la póliza de garantía que entregue el proveedor y aquel del inc. 1, se suspenderán el tiempoen que el bien esté siendo reparado en ejercicio de la garantía.

Inc. 9
- Respeceto de bienes amparados por garantía otorgada por el proveedor, el consumidor deberá hacerla efectiva y agotar sus posibilidades antes de ejercer los derechos del art. 20

Inc. 10
- La póliza de garantía del inciso anterior produce plena prueba si ha sido fechada y no timbrada a la entrega del bien. Si no lo está, tendrá el mismo efecto si se exhibe con la correspondiente factura o boleta.

Inc. 11
- Tratándose de la devolución del precio pagado, el plazo se cuenta desde la fecha d ela factura o boleta, y no se suspende
- Si la devolución se acuerda expirado ya el plazo del art. 70 DL N° 825, solo tendrá derecho a recuperar el precio neto, excluidos los impuestos.

Inc. 12
- Para ejercer estas acciones, se debe acreditar el acto o contrato con la documentación respectiva, salvo que el proveedor tribute bajo el régimen de renta presunta, en tal caso se puede acreditar por los medios conducentes.

DOCTRINA SOBRE ARTÍCULO 21

- **Nasser, Marcelo (2013):** "Artículo 21" en Iñigo De La Maza; Carlos Pizarro (Dirs) y Francisca Barrientos (coord.). *La protección de los derechos de los consumidores. Comentarios a la ley de protección a los derechos de los consumidores.* **Santiago: Thomson Reuters, pp. 539-552, p. 542:** "El artículo que ahora comentamos es fecundo en establecer a favor del consumidor derechos directamente exigibles ante un proveedor, sin que primero deba acudir a un tribunal ni a una repartición pública a denunciar al segundo. El recurso jurisdiccional por infracción de ley o de contrato solamente se hace necesario en los casos en que el proveedor incumple sus obligaciones de satisfacción directa o bien cuando, habiendo cumplido, persisten los problemas. Evidentemente que el recurso jurisdiccional siempre tendrá lugar en los casos en que el consumidor solicite una indemnización de perjuicios, derecho que siempre tiene a salvo por disposición del artículo 20 LPDC".

- **Barrientos, Francisca (2019):** *Lecciones de Derecho del Consumidor.* **Santiago: Thomson Reuters, pp. 179-201:** "La ley ha dispuesto que la reparación es gratuita. Así lo establece el artículo 20. La gratuidad tiene una serie de manifestaciones en la ley, pero, en términos generales, quiere decir que el consumidor no debe pagar por los gastos o costos de ninguna clase, sean piezas, materiales, traslado y envío que directa o indirectamente se derive de su elección por la reparación. Asimismo, la mano de obra, los materiales y piezas utilizados para reparar la falta de conformidad son de cargo del proveedor. Dicha gratuidad es una forma de protección para el consumidor, pues si hubiera sido onerosa este sujeto debería pagar por las piezas o materiales de los bienes. Otra manifestación de la gratuidad se encuentra en el inciso sexto del artículo 20 de la ley, que impide la generación de costos para el consumidor por conceptos de traslados.

  Este remedio se ejerce en el mismo local donde se efectuó la venta o en las oficinas o locales en que habitualmente el proveedor atiende a sus clientes, el cual no puede condicionar el ejercicio de los referidos derechos a efectuarse en otros lugares o en condiciones menos cómodas que las que se le ofreció para efectuar la venta, salvo que éste consienta en ello (artículo 21 inciso penúltimo). [...]

  Además, la ley favorece al consumidor, el cual puede ejercer el derecho a la reparación de la cosa indistinta o conjuntamente contra el vendedor, fabricante o al importador (artículo 21 inciso 2°). De este modo, el consumidor goza de una acción contra el deudor del contrato por la ejecución imperfecta de la cosa entregada y también tiene otra acción directa contra el fabricante o el importador, lo que rompe la relatividad del contrato (artículo 1545 del Código Civil).

Hecha la opción, el requerido no podrá derivar el reclamo (artículo 21 inciso 2°), lo que supone que alguno de estos agentes debe reparar la cosa sin que tenga la facultad de alegar alguna eximente o atenuante de responsabilidad. […]

[Respecto de la sustitución] A diferencia de la reparación, en que el consumidor puede optar entre perseguir la responsabilidad del vendedor, el fabricante o importador (artículo 21 inciso 2°), aquí sin mayores fundamentos se impone una restricción. El artículo 21 inciso 5° considera que todos los remedios de la garantía legal podrán hacerse valer indistintamente en contra del fabricante o el importador, siempre y cuando el vendedor se encuentre ausente, ya sea por quiebra, término de giro u otra circunstancia semejante. Entonces, para acudir a la sustitución hay una responsabilidad subsidiaria. Primero responde el vendedor, y a falta de éste (ausencia) contra el fabricante o importador. Para finalizar este apartado hay que decir que no se conocen sentencias recientes que hayan discutido alguna institución relacionada con la sustitución o la bonificación.[…]

Nuestra ley no regula los términos, ni las condiciones de la póliza. Sólo el artículo 21 inciso 9° se refiere a ella en términos que: 'Tratándose de bienes amparados por una garantía otorgada por el proveedor, el consumidor, antes de ejercer alguno de los derechos que le confiere el artículo 20, deberá hacerla efectiva ante quien corresponda y agotar las posibilidades que ofrece, conforme a los términos de la póliza'.

Por esta razón, agotar las posibilidades que ofrece supone dar una cuidadosa lectura a los remedios incluidos en la póliza (y sus exclusiones), ya que según se sabe, los proveedores sólo contemplan la reparación en determinados supuestos, y por excepción la sustitución del producto. Las garantías extendidas no incorporan la rebaja del precio, ni la resolución del contrato.

En las sentencias de los tribunales se presentan dos tendencias marcadas. La expresión agotar se ha interpretado, en primer lugar como un ejercicio *prima facie* de todos los remedios de las pólizas de garantía convencional y en segundo lugar, como un ejercicio parcial. La primera vertiente muestra un análisis exegético y literal de las normas; mientras que la segunda, tiende a favorecer una interpretación finalista que ampara los intereses del consumidor, aunque utiliza el artículo 20 letra e) para provocar el renacimiento la garantía legal.

La primera tendencia ordena a cumplir la totalidad de los derechos que otorga el garante. Esto quiere decir que el consumidor debe cumplir con todos los términos y condiciones de la póliza; y sólo si subsiste la anomalía, podría invocar los derechos de la garantía legal (lo que se relaciona con forma de concebir a la garantía legal según la interpretación del artículo 20 letra e).

Como se trata de contratos por adhesión, los términos y condiciones podrían restringir los derechos de la garantía legal. Así, es posible identificar un grupo de sentencias que invocando el artículo 20 letra e) limitan los derechos de garantía legal, y con ello hacen primar el ejercicio de las garantías convencionales. Esta solución supone aceptar una limitación convencional a las garantías irrenunciables de la ley. En *Langanbach con Supermercado Jumbo (2007)* se trató de una plancha defectuosa. Como existía una garantía entregada por el vendedor, el consumidor debió ejercerla antes de solicitar algunos de los remedios de la garantía legal.

En el ámbito de los refrigeradores es posible encontrar más sentencias. Al tratarse de bienes duraderos, los consumidores optan por contratar pólizas onerosas convencionales para asegurar la calidad y buen uso de los bienes adquiridos. En *Alarcón y Sernac con Comercial Eccsa (2009)* se hicieron efectivos todos los derechos de la póliza convencional, pero antes de dar lugar a la indemnización de perjuicios, la consumidora tuvo que esperar diez meses la respuesta del servicio técnico que recomendaba la sustitución del producto, junto con ello, la negativa del vendedor al cambio. Tan sólo por este motivo, como se agotaron los términos de la póliza se concedió la indemnización[3]. De este modo, el tribunal accedió a la petición de indemnización de perjuicios y multó a la proveedora con 50 UTM, considerando que la reparación se tornó inviable gracias al aporte del servicio técnico. Si bien este remedio nació por la garantía extendida, esto no fue obstáculo para que el sentenciador diera lugar a la indemnización de perjuicios al configurar una infracción a los artículos 12 y 23, por los daños patrimoniales y morales, aun cuando estos últimos no fueron objeto de prueba.

Hechos de similares características ocurrieron en *Román con Paris S.A. (2009)* que también se trataba de un refrigerador con una garantía extendida ofrecida por tres años que empezó a fallar a partir del segundo. El producto comenzó a botar agua y luego presentó problemas de congelación a los dos años, luego a los tres años desde la fecha de la entrega. El tribunal dio lugar a la sustitución y junto con ello otorgó una indemnización de perjuicios a título de daño moral. Para acceder a tales peticiones entendió que se habían agotado las posibilidades de la póliza convencional, y que por aplicación del artículo

20 letra e), se activó de nuevo la garantía legal. Asimismo, configuró la sanción infraccional mediante la aplicación de los artículos 12 y 23 y condenó con una multa de 50 UTM.

En estos casos podría decirse que los consumidores agotaron los términos de la póliza y luego optaron por la resolución, la sustitución o indemnización de perjuicios. Es decir, tuvieron que cumplir con todos los términos de la póliza, y esperar a que se mantenga la anomalía para volver a reclamar la garantía legal invocando el artículo 20 letra e).

El problema, entonces, se presentará cuando el consumidor no quiera recurrir a todos los remedios ofrecidos en el pacto convencional.

Por las consideraciones expuestas, me parece que no sería posible justificar desde la óptica de la legislación protectora del consumidor una interpretación que restrinja los derechos emanados de la garantía legal cuando se ha suscrito una póliza convencional (o del fabricante)".

SENTENCIAS SOBRE ARTÍCULO 21

- **Nelson Romo Soto con Importadora y Exportadora Aaarti Ltda. (2012):** 3° **Juzgado de Policía Local de Iquique, 26 de diciembre de 2012, Rol n° 5229-L, LTM18.764.209:** "CUARTO: Que, se hace presente que el inciso 1° del artículo 21 establece un plazo de caducidad respecto de Derechos consagrados en el artículo 19 y 20 del mismo cuerpo legal, los cuales deben ser ejercidos dentro de los tres meses siguientes a la fecha en que se haya recibido el producto, es decir, en la especie, el consumidor estaba facultado para ejercer el derecho a reparación del bien defectuoso hasta el día 12 de mayo de 2012, situación que no se visualiza de los antecedentes rolantes en autos. Que, el inciso 1° del artículo 21 señala asimismo que en el caso de haberse vendido un producto con una determinada garantía, mayor en plazo mayor a la garantía legal, prevalecerá dicho plazo por sobre el de la garantía legal".

- **Scheihing con Paris S.A. (2011): Corte Suprema, 23 de marzo de 2011, Recurso de Queja, Rol n° 9357-2010, LTM1.898.623, LTM11.313.479:** "QUINTO: Que, en este entendido, como expresa la quejosa en su libelo y reitera en estrados, la decisión de los recurridos restringe el ámbito de aplicación de la ley en perjuicio del consumidor alejándolo del amparo que le franquea, dotando a la situación de hecho comprobada de un alcance diverso, imponiéndole exigencias que en el caso concreto están satisfechas. Se han infringido las disposiciones de los artículos 20 y 21 de la Ley n° 19.496, antes citada, que autorizan al consumidor, en situaciones como la que sirve de fundamento al presente proceso, para requerir, entre otras posibilidades, a su elección, al vendedor, la devolución de la cantidad pagada".

ARTÍCULO 22

Los productos que los proveedores (sean comerciantes o distribuidores)

Hubieren dabido reponer a los consumidores y por los que debieron devolver la cantidad recibida en pago

Siendo se cargo de los anteriores el resarcimiento de los costos de restitución o devolución e indemnizaciones en virtud de sentencia condenatoria

Deberán ser restituidos, contra entrega, por la persona de quien los adquirieron o fabricante o importador

El defecto que dio lugar a estas les debe ser imputable

DOCTRINA SOBRE ARTÍCULO 22

- **Nasser, Marcelo (2013): "Artículo 22"** en Iñigo De La Maza; Carlos Pizarro (Dirs.) y Francisca Barrientos (coord.). *La protección de los derechos de los consumidores. Comentarios a la ley de protección a los derechos de los consumidores* **Santiago: Thomson Reuters, pp. 553-555:** "El presente artículo contiene dos derechos a favor del vendedor que respondió a un consumidor que hizo uso de la triple opción. Por una parte, la norma contiene un derecho de reposición, a todo evento, del producto inidóneo. El proveedor, para hacer uso de este derecho de reposición simplemente debe haber tenido que reponer al consumidor un producto inidóneo por otro en buen estado. En segundo término, el proveedor deberá, a su vez, entregar el producto defectuoso a aquel de quien lo adquirió para poder ejercer este derecho. De la misma manera en que opera este derecho a favor de los consumidores, se trata de un derecho prejurisdiccional que el vendedor puede exigir a su expendedor sin necesidad de denuncias ni demandas de ninguna clase. Nos parece, asimismo, que cuando el vendedor solicita a su distribuidor directo o al importador o fabricante que le reponga el producto por el que el que ha tenido que responder, no debe acreditar la culpa sino que el derecho se ejerce pura y simplemente, bastando la entrega del producto defectuoso. [...]

Por otra parte, además del derecho a la reposición, este artículo contiene una acción de regreso de costos, gastos e indemnizaciones por las que el proveedor requerido por la triple opción ha debido responder frente el consumidor. De esta suerte, la ley consagra un régimen de reembolso para el proveedor que ha tenido que soportar frente al consumidor no sólo alguna de las tres opciones que le ofrece la ley sino que los demás pagos hechos por causa del producto defectuoso, entre los cuales sobresale, por la cuantía a la que podría llegar, el pago de la indemnización. En este último caso, la ley exige que el vendedor haya sido condenado por sentencia judicial al pago de dichas indemnizaciones, y que el defecto que haya dado lugar a los referidos costos e indemnizaciones sea imputable a la distribuidora título de culpa o dolo.

Una cuestión que resulta interesante de analizar es la validez de la renuncia anticipada a este derecho. Nos parece que la norma, si bien no lo expresa, no deja lugar a dudas respecto a la irrenunciabilidad para el afectado. En efecto, el tenor literal del artículo 22 es claro en el sentido de que el producto 'deberá' ser restituido, y que 'asimismo son de cargo de los fabricantes e importadores, o aquellos de quienes se hubiera adquirido, el resarcimiento de los costos, gastos e indemnizaciones'".

- **Barrientos, Francisca (2010): "La responsabilidad civil del fabricante bajo el artículo 23 de la Ley de Protección de los Derechos de los Consumidores y su relación con la responsabilidad civil del vendedor",** *Revista Chilena de Derecho Privado,* **nº 14, pp. 16-17:** "El artículo 22 de la ley contempla una acción de regreso contra el fabricante. De la lectura de esta norma podría interpretarse que ella se aplica al supuesto de los productos defectuosos, porque permite que el fabricante restituya los costos e indemnizaciones que haya debido pagar el proveedor, por los defectos de las cosas. Es una acción de regreso del vendedor en contra del fabricante. Aun cuando esta norma habla de los defectos de los productos, la verdad es que si se lee con detención, se puede apreciar que se refiere a supuestos de garantía legal o incumplimiento de las obligaciones del vendedor. Pese a la mala técnica legislativa, debe entenderse que las expresiones distribuidores o comerciantes se refieren al vendedor de la cosa. Así, se entiende la mención a la reposición que efectúa el citado precepto. Si se trata de productos defectuosos, el consumidor no querrá la reposición o cambio del producto, sino que una indemnización que cubra las lesiones que el producto le infligió. Si el consumidor opta por la reposición, es porque el producto era inidóneo, no inseguro. Lo mismo acontece respecto de la devolución de la cantidad recibida en pago.

Ahora bien, podría sostenerse que sería más fácil demandar al vendedor y luego en virtud del artículo 22 de la LPDC hacer que operen las respectivas indemnizaciones contra el fabricante. Sin embargo, tal como nos informa Guillermo Alcover Garau, el hecho de que el consumidor pueda dirigirse únicamente contra el vendedor constituye una insuficiencia del sistema, ya que, a lo menos en Europa y Norteamérica, la posición del vendedor ha ido perdiendo importancia, resaltando la figura del fabricante, que es el auténtico responsable del defecto y el protagonista del actual mercado de bienes. En sus palabras: 'Ello determina que el adquirente solo se podrá dirigir contra una persona que será más débil económicamente que el productor y que se generen una serie de reclamaciones posteriores y sucesivas a través de toda la cadena de distribución hasta llegar al fabricante, que muchas veces no responderá por el transcurso de los plazos de ejercicio de las acciones pertinentes'. Además, hay un problema de prueba, al vendedor le sería muy fácil demostrar que no conocía el defecto que afectaba la seguridad de la cosa. En Chile, Hernán Corral, al tratar el supuesto del artículo 22 de la LPDC, lo encuadra dentro del título de los productos inidóneos. Agrega el citado autor, que esta acción de reembolso tiene naturaleza contractual, en la que el demandante debe probar la culpa o dolo del fabricante o importador, y se indemniza sólo hasta la concurrencia del daño que pueda ser atribuido al otro proveedor. Por estas razones, pareciera que el artículo 22 de la LPDC no trata un supuesto de productos defectuosos, sino que es un caso de acción de regreso contemplada a propósito de las normas que regulan la garantía legal, pero ni siquiera en favor del consumidor, sino que opera entre los intervinientes de la cadena de consumo. Y como es sabido, la LPDC no rige las relaciones entre los proveedores".

- **Historia de la Ley nº 19.496. Segundo trámite constitucional: Senado. Primer Informe de Comisión de Economía. 15 de marzo de 1995. Sesión 45, legislatura 330, p. 44:** "El señor Director del Servicio Nacional del Consumidor hizo presente que el artículo consagra la 'acción de regreso', que le compete al proveedor que ha debido responder al consumidor que ha ejercido su derecho a restitución o devolución y que no es responsable de la anomalía que originó tal derecho. Esa acción se traduce en el derecho del proveedor de repetir en contra de distribuidores o comerciantes, en cuanto la anomalía les sea imputable".

SENTENCIAS SOBRE ARTÍCULO 22

- **Víctor Araya Angulo con Dercocenter S.A. (2015): Juzgado de Policía Local de Quilicura, 31 de marzo de 2015, Rol nº 44.195-2, LTM19.091.791:** "CUARTO: Que, analizando el merito de los antecedentes de la causa, es decir, los documentos agregados por el actor a fs.1 a 3, ambos inclusive, y los agregados por la querellada y demandada a fs. 34 a 39, ambas inclusive, el sentenciados ha llegado a la convicción de que en los hechos materia de la litis no hubo por parte de la parte querellada y demandada infracción a la Ley de Protección de los Derechos del Consumidor, en especial, los artículos 20, 21 y 22, que se transcriben en la querella de fs. 4, toda vez que con ellos queda de manifiesto que ante los desperfectos que presentaba el primer vehículo adquirido por el actor, (station wagon, marca Geely, modelo EX7 2.0 4X2 GL, al que le fue asignado la placa única FRKT-91) la querellada y demandada respondió respetando la garantía reemplazándole por el automóvil por otro de la misma marca, color blanco, modelo Engrand S 1.8 (al que le fue asignado la placa única GTCW-61) haciéndole un excepcional descuento de $2.198.893. y prepagando a la empresa Forum el crédito solicitado por el actor para la adquisición del primer automóvil por un valor de $6.610.817. lo que suma la cantidad de $8.809.710 valor levemente superior al pagado por el querellante y demandante".

- **Carlos Luis González Zavala con Automotora CIDEF (2014): 4º Juzgado de Policía Local de Santiago, 27 de junio de 2014, Rol nº 20527-5/2013, LTM18.762.808:** "TERCERO: Que los hechos que fundamentan la denuncia, Station Wagon Joyear

Cross 1.6, marca DFM año de fabricación 2013 color plata, patente FWTR 53, recibido por el denunciante el 17 de octubre de 2013 inscrito e identificado en la factura, acompañada a fojas uno, fue devuelto al comprador haciendo efectiva la garantía legal (FS 5) por las razones siguientes: A. Presentar una hendidura leve en el (capot), B. Asiento trasero descuadrado, faltando pieza plástica. C. Vehículo lento en el andar y a los 80 km por hora vibrada. Agrega el denunciante a fojas 5 otras cuatro causales; **CUARTO:** Que los hechos descritos en el considerado anterior configuran la contravención a los artículo 22 y 23 de la Ley n° 19.496, estableciendo el segundo de ellos: 'Comete infracción a las disposiciones de la presente ley el proveedor que, en la venta de un bien o en la prestación de un servicio, actuando con negligencia, cause menoscabo al consumidor debido a fallas o deficiencias en la calidad, cantidad, identidad, sustancia, procedencia, seguridad, peso o medida del respectivo bien".

ARTÍCULO 23

Inc. 1 .- Comete infracción el proveedor que en la venta de un bien o prestación de servicios actua con negligencia

Causando menoscabo al consumidor

Debido a fallas o deficiencias en la calidad, cantidad, identidad, sustancia, procedencia, seguridad, peso o medida del bien o servicio

Inc. 2.- Los organizadores de espectáculos públicos, incluidos los artísticos y deportivos

Que pongan en ventan una cantidad de localidades que supere la capacidad del respectivo recinto

Incurrirán en una sanción de hasta 2.250 UTM

La misma sanción se aplicará a la venta de sobrecupos en los servicios de transporte de pasajeros, excepto el aéreo.

DOCTRINA SOBRE ARTÍCULO 23

- **Barrientos, Francisca y Contardo, Juan Ignacio (2013):** "Artículo 23 inciso 1° ", en Iñigo De La Maza; Carlos Pizarro (Dirs) y Francisca Barrientos (coord.). *La protección de los derechos de los consumidores. Comentarios a la ley de protección a los derechos de los consumidores* Santiago: Thomson Reuters, pp. 556-582, pp. 558 y 559: "En términos generales, se distinguen los problemas del vicio (o anomalías) de la cosa y los derivados de su falta de seguridad (defectos). Esta distinción tan conocida en la legislación y derecho comparado, no tiene reconocimiento en nuestra legislación nacional. Tan sólo algunos autores aluden a ella. Así las cosas, no es casualidad que el artículo 23 sea la norma más citada en las demandas y sentencias. En general, se suele vincular con el derecho a indemnización (artículo 3 letra e) y con el deber de respetar los términos y condiciones del contrato (artículo 12), siempre en el ámbito de la responsabilidad contractual, más bien como una fuente ambigua de responsabilidad que exige que el daño se produzca *en la venta o en la prestación del servicio*".

- **Barrientos, Francisca (2009): "La función del artículo 23 como fuente ambigua de responsabilidad en la LPC", en Carlos, Pizarro (coord.).** *Estudios de Derecho Civil IV.* **Santiago: Legal Publishing, pp. 625-642:** "Si bien esta norma describe la conducta y los requisitos del ilícito en caso de infracción a la LPC, se ha elegido su estudio ya que es el supuesto más utilizado para fundamentar la pretensión indemnizatoria en materia de consumo.

La doctrina que ha estudiado este tema, sostiene que la infracción al artículo 23 genera responsabilidad civil extracontractual. En Chile así lo establece Corral, que en una primera etapa divide el régimen de responsabilidad civil de la Ley n° 19.946 de conformidad a las categorías de los productos: productos inidóneos, peligrosos e inseguros, y los servicios que causan daño. Dentro de los productos peligrosos (aquellos que por su misma naturaleza importan riesgos para la seguridad de las personas o sus bienes) estudia la responsabilidad civil derivada del ilícito infraccional de la Ley n° 19.946 y ahí cita el caso del artículo 23 LPC, como un régimen de responsabilidad extracontractual. [...]

Este tema que tan claro se dibuja en doctrina, no ha tenido la misma consistencia en los fallos de nuestros tribunales. A partir de un estudio de la jurisprudencial se ha logrado constatar que la infracción al artículo 23 LPC, desde el punto de la responsabilidad civil genera una serie de ambigüedades. Los fallos de los tribunales actualmente condenan con multas a los proveedores, pero confunden el régimen de responsabilidad civil que este hecho ilícito genera. En concreto, resarcen los daños extracontractuales pero calificados como contractuales. Así, condenan al vendedor de un producto defectuoso a reparar los daños que están más allá del contrato. [...]

Principalmente son argumentos de texto los que dificultan la recta calificación del ilícito civil derivado de la responsabilidad contravencional del artículo 23 LPC.

Un primer error legislativo considera como sujeto activo de la acción de responsabilidad extracontractual exclusivamente al consumidor, siendo que precisamente el régimen orbita fuera del contrato. Por ello, no sólo los consumidores son legitimados activos, sino que todos aquellos que han sufrido daños a causa de un producto o servicio defectuoso.

Sobre este punto la jurisprudencia más reciente ha tendido a proteger los derechos de los consumidores afectados. Hay fallos que amplían la noción del consumidor y también otros, menores, que la restringen. En Sandoval, Sernac con Supermercado Santa Rosa, fallo paradigmático, ya que extendió la responsabilidad del proveedor a los servicios complementarios e inseparables a su giro, por formar parte integrante e inseparable del acto jurídico de venta. En los hechos, fue el hermano de la demandante el que concurrió al supermercado a efectuar compras, y cuando volvió al vehículo de propiedad de la demandante se percató que lo habían sustraído. El demandado se excepcionó mediante la falta de competencia, arguyendo que Sandoval no había efectuado acto de consumo alguno que la ligue o vincule a él. Expresamente señaló que los hechos que contienen la pretensión de la demandante son de carácter general, "propios de la responsabilidad extracontractual, pero no de la Ley n° 19.496". En su lugar, el Sernac apeló la excepción de falta de competencia, y la Corte de Apelaciones de San Miguel revocó la resolución que acogió la excepción, declarando competente para conocer la denuncia y demanda civil al Juzgado de Policía Local respectivo (Corte de Apelaciones de San Miguel, 04 de mayo de 2008, Legal Publishing n° 39349). [...]

En segundo lugar, me refiero a otro vicio de la norma del artículo 23 LPC consistente en la exigencia que el perjuicio se cause "por la venta de un bien" o "prestación de un servicio". A este respecto, la doctrina nacional ha sostenido que la presencia del contrato de venta constituye un presupuesto del tipo de la infracción, pero no transforma la responsabilidad civil en contractual. Sin embargo, la jurisprudencia de nuestros tribunales lo entiende de modo distinto... [...]

El artículo 23 LPC configura una fuente ambigua de responsabilidad. Dependiendo de como se mire, la ambigüedad se manifestaría a través de dos vertientes. O se concluye que en estos casos existe una errada calificación de la responsabilidad, o bien que se configura un supuesto de concurso de responsabilidad.

Si se atiene a la errada calificación de responsabilidad, se supone aceptar sin más que la infracción al artículo 23 genera un ilícito civil extracontractual, pese a lo que señale la jurisprudencia.

También puede considerarse como ambigua, si se toma en consideración que la infracción a la norma puede originar supuestos de concurrencia de responsabilidad. A mi juicio, en estos casos habría que aceptar que el artículo 23 LPC genera responsabilidad extracontractual y contractual, a la vez, y que el juez elegirá la vía de solución más apta para el consumidor, la que en la mayoría de los fallos será la hipótesis de responsabilidad extracontractual, pero sin siquiera entrar a analizar los requisitos de su concurrencia, sobretodo la prueba de la negligencia".

- **Gatica, María Paz y Hernández, Gabriel (2019). Protección del consumidor y responsabilidad civil por producto o servicio defectuoso.** Revista de Estudios de la Justicia, (31), 17-43. **doi:10.5354/0718-4735.2019.51413:** "En nuestra opinión, en materia de responsabilidad civil por producto o servicio inseguro, la interpretación correcta del inciso 1 del artículo 23 de la Ley sobre Protección de los Derechos de los Consumidores conduce a que la acción indemnizatoria no solo pueda deducirse contra el vendedor de un bien o el prestador de un servicio, sino contra el o los proveedores a quienes resulte imputable el correspondiente defecto. A continuación, damos cuenta de los argumentos que sustentan esta conclusión.

Considerando que conforme a la noción amplia de consumidor son legitimados activos para demandar indemnización el sujeto ligado con un proveedor por un acto jurídico oneroso o un contrato y asimismo el no vinculado de esa forma, ambos tipos de consumidor están habilitados para demandar responsabilidad civil por producto o servicio defectuoso, lo que implica que pueden ser legitimados pasivos de la acción proveedores que no sean el vendedor de un bien o el prestador de un servicio.

Por su parte, teniendo en cuenta que de acuerdo con la noción de proveedor son legitimados pasivos de la acción indemnizatoria los productores, fabricantes, importadores, constructores, distribuidores y comercializadores de bienes y servicios, pueden ser demandados por los daños ocasionados por un producto o servicio defectuoso tanto los que ostenten la calidad de vendedor o prestador como los que no la tengan, a condición de que a su respecto concurran los requisitos de la responsabilidad civil, destacadamente, el factor de imputabilidad.

En cuanto atañe al referido factor, cabe tener en cuenta que tratándose de un producto o servicio defectuoso, en multitud de ocasiones la imputabilidad concurrirá en relación con proveedores distintos del vendedor o prestador cuando en la cadena productiva han intervenido sujetos diversos. En efecto, es frecuente que el sujeto que provee directamente un bien o servicio al consumidor sea diferente de aquel a quien resulta imputable el respectivo defecto, sobre todo si se trata de uno de fabricación o diseño, pero también de información (Barrientos, 2010: 3). Si solo se aceptara la legitimación pasiva del vendedor o prestador de un servicio, considerando que la responsabilidad civil se funda en la negligencia, resultaría relativamente sencillo para él exonerarse probando que no fabricó ni diseño el respectivo bien o que no tomó parte en la elaboración de la información proporcionada al consumidor. De ser así, sería prácticamente imposible que hubiera responsabilidad civil por producto o servicio defectuoso.

A lo anterior cabe agregar que resultaría ilógico que la Ley sobre Protección de los Derechos de los Consumidores, cuyo fin es proteger al consumidor, lo hubiera puesto en una situación inferior a la que lo posiciona el Código Civil, ya que en virtud del estatuto de la responsabilidad civil contenido en dicho cuerpo normativo, podría demandar a cualquier proveedor a quien pueda imputarse el correspondiente daño y no solo al vendedor del bien o prestador del servicio.

Adicionalmente, sustenta la tesis de la legitimación pasiva de todo proveedor en el campo de la responsabilidad civil por producto o servicio defectuoso la teoría de los contratos conexos, en cuya virtud todos los intervinientes en la cadena de consumo están ligados a través de una serie de actos que, pese a ser jurídicamente autónomos entre sí, están económicamente vinculados. De este modo, en virtud de la referida teoría, aun cuando no hayan celebrado un acto jurídico oneroso o un contrato, es posible establecer una conexión entre el consumidor y proveedores distintos del vendedor y el prestador de un servicio y, así, por ejemplo, entre el fabricante de un bien y quien lo utiliza o disfruta (consumidor material). Esto implica, de modo particular, que en la cadena de ventas o transferencias del bien defectuoso se traspasan también las garantías a los sucesivos adquirentes, "operando una especie de cesión de la posición del acreedor intermediario" (Barrientos, 2010: 41).

Considerando estos argumentos, cabe concluir que cuando el inciso 1 del artículo 23 de la Ley sobre Protección de los Derechos de los Consumidores se refiere al proveedor que, en la venta de un bien o en la prestación de un servicio, causa menoscabo al consumidor, simplemente está exigiendo la comprobación de que en algún punto de la cadena productiva ha tenido lugar una venta. De acreditarse esta circunstancia, no habría inconveniente para asumir que el sujeto pasivo de la acción de responsabilidad civil por producto o servicio defectuoso puede ser cualquier proveedor de la cadena en que se haya materializado una venta, si le resulta imputable el respectivo defecto. Como se ve, se trata de una conclusión coherente con la interpretación amplia de la noción de consumidor y proveedor a la que nos hemos referido".

SENTENCIAS SOBRE ARTÍCULO 23

- **Edgardo San Martin con Promotora CMR (2018): Corte de Apelaciones de Valdivia, 19 de enero de 2018, Recurso de Apelación, Rol nº 277-2017, LTM17.606.714:** "SÉPTIMO: Que, el artículo 23 de la de la Ley nº 19.496, dispone que comete infracción a las disposiciones de esta ley, el proveedor que en la prestación de un servicio causa menoscabo al consumidor debido a fallas o deficiencias en la seguridad del servicio. La denunciada no presentó pruebas ni acreditó haber adoptado las medidas de seguridad tendientes a brindar seguridad a su cliente en el servicio de la tarjeta contratada con la empresa, limitándose a responsabilizar de los hechos al propio consumidor. En consecuencia, la circunstancia de no adoptar medidas de protección por parte de la denunciada, para evitar fraudes como el que es materia de autos, que son además de ocurrencia no aislada, hizo incurrir al denunciado en infracción a su deber como proveedor".

- **Carlos Nuñez con Automotriz Portillo S.A (2017): Corte de Apelaciones de Santiago, 15 de febrero de 2017, Recurso de Apelación, Rol nº 32-2017, LTM19.090.429:** "PRIMERO: Que de conformidad con lo dispuesto en el inciso primero del artículo 23 de la Ley nº 19.496, comete infracción a este cuerpo normativo el proveedor que, en la venta de un bien o en la prestación de un servicio, actuando con negligencia, causa menoscabo al consumidor debido a fallas o deficiencias en la calidad, cantidad, identidad, sustancia, procedencia, seguridad, peso o medida del respectivo bien o servicio. Como puede apreciarse de la transcripción de la norma, el sistema de responsabilidad de la Ley sobre Protección a los Derechos a los Consumidores se construye, en lo que interesa a este proceso, sobre la base de que sea posible imputar al menos culpa al proveedor de un bien o servicio. El criterio de imputación mínimo, por consiguiente, es la negligencia, la culpa o la imprudencia, de modo que la sanción y la indemnización de los perjuicios causados resultará procedente únicamente en tanto el resultado dañoso el menoscabo del consumidor en las palabras de la ley sea efecto de un acto al menos culposo del proveedor que objetivamente sea su causa".

- **Servicio Nacional del Consumidor con Inmobiliaria Las Encinas de Peñalolén S.A. (2014): Corte de Apelaciones de Santiago, 03 de junio de 2014, Recurso de Apelación, Rol nº 8281-2013, LTM19.090.421: "SEXTO:** Que, la interpretación señalada, se encuentra también corroborada con lo que el artículo 23º de la citada ley dispone: " 'Comete infracción a las disposiciones de la presente ley el proveedor que, en la venta de un bien o en la prestación de un servicio, actuando con negligencia, causa un menoscabo al consumidor debido a fallas o deficiencias en la calidad, cantidad, identidad, sustancia, procedencia, seguridad, peso o medida del respectivo bien o servicio……'. De la atenta lectura del precepto transcrito, es posible inferir, que es requisito para que la conducta del proveedor califique como infracción que se haya causado un menoscabo, vale decir un daño, en suma no hay infracción sin daño. Vale decir entonces, la infracción en el presente caso, no se produjo, con la sola suscripción de los contratos de compraventa, entrega de folletos publicitarios, firma de las ofertas de compras etc.; es necesario que los compradores de las viviendas —consumidores— hayan sufrido un menoscabo o daño, situación que sólo ocurrió cuando las referidas viviendas presentaron los defectos tangibles para ellos".

ARTÍCULO 24

Las infracciones a esta ley

- Serán sancionadas con hasta 300 UTM
- Salvo se señale otra distinta

La publicidad falsa o engañosa difundida por medios de comunicación social

- En relación a cualquier de los elementos del art. 28 hará incurrir en multa de hasta 1500 UTM
- Si incide en las cualidades de productos o servicios que afecten la salud o seguridad de la población o medio ambiente, hará incurrir en multa de hasta 2.250 UTM

Para la determinación de las multas señaladas en la ley

- El tribunal correspondiente aplicará las normas de los incisos siguientes
- Sin perjuicio de las reglas especiales para determinadas infracciones

Circunstancias atenuantes

- a) Haber adoptado medidas de mitigación sustantivas, como reparación efectiva del daño, antes de dictarse la resolución o sentencia sancionatoria, lo cual deberá ser acreditado
- b) La autodenuncia, proporcionando antecedentes precisos, veraces y comprobables que permitan el inicio de un procedimiento sancionatorio
- c) La colaboración sustancial del infractor al Sernac antes o durante el procedimiento sancionatorio administrativo o judicial. Habrá colaboración sustancial cuando el proveedor contare con plan de cumplimiento específico en las materias que refiere la infracción, previamente aprobado por el Servicio, y se acredite su efectiva implementación y seguimiento.
- d) No haber sido sancionado anteriormente por la misma infracción en los últimos 36 meses desde ejecutoriada la resolución o sentencia. Si es una micro o pequeña empresa, el plazo será de 18 meses.

Son circunstancias agravantes

- a) Haber sido sancionado anteriormente por la misma infracción en los últimos 24 meses desde ejecutoriada la resolución o sentencia. Si es una micro o pequeña empresa el plazo es de 12 meses
- b) Haber causado daño patrimonial grave a los consumidores
- c) Haber dañado la integridad física o psíquica de los consumidores o, en forma grave su dignidad
- d) Haber puesto en riesgo la seguridad de los consumidores o de la comunidad, aun no habiendo causado daño

El Sernac o tribunal, según corresponda

- Deberá ponderar racionalmente cada una de las atenuantes y agravantes para aplicar una multa proporcional a la intensidad de la afecetación provocada en los derechos de los consumidores

Efectuada la pondereación de atenuantes y agravantes

- Se considerarán los siguientes criterios:
- Gravedad de la conducta, parámetros objetivos que definan el debe de profesionalidad del proveedor, el grado de asímetria de información existente entre el infractor y la víctima, el beneficio económico obtenido con motivo de la infracción si lo hubiere, la duración de la conducta y la capacidad económica del infractor.

Respecto de la atenuante de la letra a)

- Si consiste en la reparación del daño causado al consumidor antes de dictarse resolución o sentencia que imponga sanción, se considerará como una atenuante calificada.

La resolución o sentencia

- Señalará los fundamentos que sirvan de base para la determinación de la multa.

DOCTRINA SOBRE ARTÍCULO 24

- **Soto, Pablo y Durán, Carolina (2019): "El ámbito infraccional en el Derecho del Consumo: práctica jurisdiccional y modificaciones introducidas por la Ley nº 21.081", en Juan Ignacio Contardo; Felipe Fernández y Claudio Fuentes (coords.)** *Litigación en materia de consumidores. Dogmática y práctica en la reforma de fortalecimiento al SERNAC.* **Santiago: Thomson Reuters, pp. 241-282, pp. 253-272:** "La LPDC contiene un precepto que se ha utilizado para ampliar el esquema contravencional presentado, a saber, su artículo 24 inciso primero, según el cual: '[l]as infracciones a lo dispuesto en esta ley serán sancionadas con multa de 300 unidades tributarias mensuales, si no tuvieren señalada una sanción diferente'. Como se aprecia, se asocia, se asocia una medida sancionatoria pecuniaria como respuesta institucional a las 'infracciones lo *dispuesto en esta ley'. En buenos términos, esto significa que, cuando pueda constatarse un incumplimiento a cualquier parte de la LPDC, debe sancionárselo con arreglo a esa misma norma, mediante la aplicación de una multa de hasta 300 UTM.* [...]

  Los casos revisados dan cuenta de que los tribunales utilizan, como base para fundar las contravenciones, normas que no traen una remisión expresa al artículo 24 inciso primero de la LPDC, ni se encuentran formuladas bajo la modalidad clásica de construcción de los tipos infraccionales confirmándose lo que se ha dicho: que cualquier disposición de dicha ley, respecto a la cual pueda construirse un deber para el proveedor, es susceptible de considerarse incumplida y, por ende, se la debe sancionar con una multa residual que, luego de la modificación a la LPDC, ha aumentado a su tope a 300 UTM. [...]".

- **Guerrero, José Luis (2013): "Artículo 24", en Iñigo De La Maza; Carlos Pizarro (Dirs.) y Francisca Barrientos (coord.).** *La protección de los derechos de los consumidores. Comentarios a la ley de protección a los derechos de los consumidores.* **Santiago: Thomson Reuters, pp. 591-603, pp. 596-597:** "Inciso segundo: sanción a la publicidad falsa o engañosa. Esta disposición fue introducida en la LPDC nº 19.496 de 1997 en que salvo el cambio en las cuantías de las multas, fue promulgada en la forma propuesta en mensaje presidencial. Luego, la ley nº 19.955 de 2004 modificó el texto incorporando la expresión 'engañosa' y respecto de los medios de comunicación agregó la expresión 'social' quitó la calificación de 'masivos'. Asimismo, se estableció una hipótesis más general ya que antes sólo se circunscribía a casos en que la publicidad falsa incidía en las cualidades de productos o servicios que afecten la salud o seguridad de la población o medio ambiente. Desde el año 2004, estos casos, constituyen una infracción agravada y no única".

- **Del Villar, Lucas (2017) "Planes de cumplimiento en la reforma a la Ley n° 19.496", en Francisca Barrientos (dra.) Felipe Fernández (cood.).** *Boletín especial ADECO Proyecto de Ley de Fortalecimiento del Sernac y las Asociaciones de Consumidores,* www.derechoyconsumo.udp.cl, http://derechoyconsumo.udp.cl/wp-content/uploads/2017/12/Lucas-del-Villar. **pdf, (fecha de consulta 23 de junio de 2020):** "En efecto, se expresa entre las circunstancias atenuantes, particularmente permite establecer la colaboración sustancial con el Sernac o en el procedimiento judicial, la que se entenderá que existe si la empresa contare con un plan de cumplimiento en las materias que a se refiere la infracción respectiva, que haya sido 'previamente validado por el Servicio y se acredite su efectiva implementación y seguimiento'. [...]

Los referidos planes de cumplimiento pueden estar diseñados así para cada infracción o como modelos para un conjunto de ellas. Como puede advertirse, se genera una nueva función administrativa para el Sernac, consistente en que el plan o modelo debe ser revisado y autorizado previamente, el que deberá ser considerado como atenuante en caso de acreditarse su debida implementación. La colaboración con la autoridad se cumple exhibiendo un modelo que en su conjunto contemple un plan para cada potencial infracción, lo cual constituye una herramienta efectiva y moderna de fiscalización, que creemos debe ser integrada en sistemas de gestión de cumplimiento según las normas internacionales existentes. [...]

Entre los beneficios que significa la implementación de modelos o planes de cumplimiento normativo, en materia de derechos de los consumidores, podemos destacar la obtención del máximo estándar de cumplimiento al menor costo posible. En efecto, la mayor eficiencia y eficacia en el cumplimento de la normativa del consumidor se logra, por lógica económica y de procesos, cuando el diseño del mecanismo de control se produce al interior de la cadena o flujo de producción y soporte de la empresa de forma integral, ya que es precisamente allí donde se genera el mayor riesgo de incumplimiento y de afectación de consumidores.

En conclusión, algunos de los beneficios que reportan los modelos o planes de cumplimiento normativos eficaces en materia de consumidores serán: 1. Introduce en las empresas proveedoras un cambio cultural en relación con los consumidores, generando una forma más eficiente de elevar el estándar de cumplimiento. 2. Se generará una mayor eficiencia en los procesos internos de la empresa para detectar riesgos de incumplimiento, prevenirlos y controlar sus efectos, dando como resultado la mejor fiscalización posible, costeado por los privados y controlado a través de la revisión de modelos por el Sernac. 3. Disminuye las ineficiencias en el tratamiento de las vulnerabilidades detectadas para el cumplimiento de los deberes (obligaciones) de cumplimiento de los proveedores. 4. Permite aprovechar los beneficios legales frente a eventuales sanciones y medidas coercitivas, así como adecuar eficazmente los procesos de la empresa a los planes de fiscalización de la autoridad. 5. Los recursos de la empresa serán utilizados para asegurar cumplimiento y un estándar de servicio al consumidor, evitando el pago de altas multas y encarecimiento de los servicios. 6. Un modelo permite preconstituir prueba del actuar profesional, diligente y previsor de la empresa ante tribunales y sancionadores. Especialmente para acreditar que no existió participaciones de ejecutivos y directores ante eventuales comisiones de infracciones lo que evita que respondan con su patrimonio solidariamente (artículo 50 Ñ inciso 4°). 7. En caso de ser necesario, permitirá acogerse en tiempo y forma al procedimiento voluntario colectivo (ex "mediaciones colectivas") del Sernac, evitando así la aplicación de multas, así como el respectivo juicio colectivo".

SENTENCIAS SOBRE ARTÍCULO 24

- **Servicio Nacional del Consumidor con Ticketmaster Chile S.A. (2018): Corte Suprema, 09 de abril de 2018, Recurso de Casación en el Fondo, Rol n° 62158-2016, LTM16.126.393: "VIGESIMOSEGUNDO:** Que respecto de la denuncia por infracción al artículo 24 en relación al 53 C letra b) de la Ley n° 19.496, la primera de las disposiciones citadas establece que: 'las infracciones a lo dispuesto en esta ley serán sancionadas con multa de hasta 50 unidades tributarias mensuales, si no tuvieren señalada una sanción diferente'. ¿Para su determinación el legislador ha dispuesto que 'el tribunal tendrá especialmente en cuenta la cuantía de lo disputado, los parámetros objetivos que definan el deber de profesionalidad del proveedor, el grado de asimetría de información existente entre el infractor y la víctima, el beneficio obtenido con motivo de la infracción, la gravedad del daño causado, el riesgo a que quedó expuesta la víctima o la comunidad y la situación económica del infractor'? Como puede apreciarse, y tal como es frecuente en el ámbito sancionador, disponiendo un limitado rango el legislador confiere al juez una potestad para individualizar la sanción que finalmente será impuesta, y para el ejercicio de esa atribución le instruye con ciertos factores o criterios que el aplicador debe considerar, sin perjuicio de los habituales elementos interpretativos cuando el tenor de las normas lo requiera, entre los que deben ser mencionados los principios que han inspirado las reglas que están siendo blandidas".

- **Servicio Nacional del Consumidor con Inversiones y Tarjetas S.A. (2017): Corte de Apelaciones de Santiago, 12 de octubre de 2017, Recurso de Apelación, Rol n° 660-2017, LTM19.091.652:** "CUARTO: Que no obstante lo señalado, establecido el hecho que constituye la infracción, ha de reflexionarse en torno a la multa que se condenara pagar a las denunciadas. Debiendo atenderse en la aplicación de una sanción administrativa al principio de proporcionalidad, que con el fin de impedir que la ley autorice y que la autoridad adopte medidas innecesarias y excesivas impone a las potestades llamadas, primero, a establecerla y, en su oportunidad, a asignarla, un cierto nivel de correspondencia entre la magnitud de la misma y la envergadura de la infracción por la cual se atribuye, a través de la observancia de criterios de graduación basados en diversas razones, incluso derivadas de otros principios, como son, entre otros, la intencionalidad, la reiteración, los perjuicios causados y la reincidencia en la misma sanción en períodos de tiempo acotados, debe entonces reflexionarse que no aparece del mérito de los antecedentes que obran en el expediente que las denunciadas hayan tenido conductas infractoras pretéritas de la misma índole y teniendo, además, en consideración la no acreditación de perjuicios causados a terceros y la época en que se verificó la contravención, es que se la sancionará en esta oportunidad mediante la imposición de la multa que prevé el artículo 24 de la Ley 19.496, en un rango menor".

- **Banco Falabella con Cecilia García Torres (2009): Corte de Apelaciones de Rancagua, 28 de diciembre de 2009, Rol n° 89-2009, LTM19.091.616:** "SÉPTIMO: Que el cúmulo de elementos mencionados permite sostener que, si es que no se ha operado con dolo en este caso, al menos sí se ha actuado con gravísima negligencia, que amerita la máxima sanción posible, por lo que cabe confirmar el fallo, en lo relativo a su parte infraccional. Como bien dice la Sra. Juez a quo, no sólo la cuantía de lo indebidamente cobrado —que en una carta, al menos, alcanzó una suma sideral— sino especialmente el grado de la negligencia, la gravedad del daño causado, que se mide también por el tiempo en que se ha mantenido a la cliente en la inadmisible situación de deudora morosa de un crédito inexistente, y la situación económica de la entidad infractora, son parámetros que la Ley 19.496 considera en su artículo 24, para los efectos de regular la sanción pecuniaria".

ARTÍCULO 24 A

Tratándose de infracciones que afecten el interés colectivo o difuso, el tribunal graduará la multa de acuerdo a lo señalado en el artículo precedente y el número de consumidores afectados.

El tribunal podrá, alternativamente, aplicar multa por cada uno de los consumidores, siempre que se trate de infracciones que por su naturaleza se produzcan respecto de cada uno.

No procede lo anterior si consta en el proceso que el proveedor reparó de manera íntegra y efectiva el daño causado a todos los consumidores, debiendo aplicarse por concepto de multa un monto global.

El monto de la multa de los dos incisos anteriores se determinará tomando en consideración el número de consumidores afectados y los criterios a que se refiere el inc. 7 del art. 24, y no podrá exceder de 45.000 UTA

Si el proveedor pertener a las categorías contenidas en el inc. 2 del art. 2 de la Ley 20.416, el total de las multas no puede exceder el 10% de las ventas indicadas anteriormente.

El total de las multas en estos casos no podrá exceder el 30% de las ventas de la línea de producto o servicio objeto de la infracción, efctuados durante el período en que ésta se haya prolongado, o el doble del beneficio económico obtenido como resultado de la infracción.

DOCTRINA SOBRE ARTÍCULO 24 A

- **Historia de la Ley nº 21.081. Segundo trámite constitucional: Senado. Informe de Comisión de Hacienda. 22 de agosto 2017. Sesión 40, legislatura 365, pp. 709-710:** "El Director Nacional del Sernac, señor Muñoz explicó que ' ... el artículo 24 A aborda la imposición de sanciones por infracciones que afecten el interés difuso o colectivo de los consumidores. Puso de relieve que se trata de una facultad ya contemplada en la ley vigente (en el artículo 53 C), que habilita al tribunal para aplicar una multa por cada consumidor afectado. Tal facultad, agregó, es objeto de una mayor regulación en esta oportunidad, para lo que se fijan criterios y límites; ellos son:

  - Que será posible aplicar una multa por cada uno de los consumidores afectados, siempre que se tratare de infracciones que por su naturaleza, se produzcan respecto de cada uno de ello. Esto permitirá distinguir, por ejemplo, aquellas infracciones que no afectan específicamente a cada consumidor, como las originadas en publicidad engañosa, de aquellas que si lo hacen, como las emanadas de un contrato que contiene cláusulas abusivas.

  - Que no se podrá aplicar dicha multa cuando conste que el proveedor ha reparado íntegra y efectivamente el daño a todos los consumidores. Lo que, en general, se persigue, es que existan incentivos para que este tipo de casos sean solucionados antes de que deban ser conocidos por los tribunales de justicia, y que los afectados vean compensado el daño sufrido.

  - Que el monto global de las multas no podrá exceder el 30% de las ventas de la línea, producto o servicio objeto de la infracción o el doble del beneficio económico obtenido. Dicho límite porcentual se reduce al 10% tratándose de PYMES.

  - Que el monto final de la multa no podrá exceder de 45.000 UTA".

- **Historia de la Ley nº 21.081. Segundo trámite constitucional: Senado. Informe de Comisión de Constitución. 1 de agosto 2017. Sesión 40, legislatura 365, pp. 550-552:** "... respecto del tope de la multa relativa a los 45.000 UTA, el Director Nacional, señor Muñoz, connotó que 'la proposición del Ejecutivo para este artículo tiene como finalidad el establecimiento de parámetros máximos y criterios de guía al tribunal. Sobre este último punto, puso como ejemplo la regla que señala que en el caso de que se repare efectivamente el daño causado a los consumidores, la multa se determinará mediante un monto global. [...]

En último término, planteó que 'el tope máximo que se consigna en el inciso quinto, no se aplicará de forma directa, sino que para que se determine una multa de esa entidad debe haberse aplicado previamente una serie de criterios diversos, como el parámetro de profesionalidad del proveedor, el grado de asimetría de información entre el infractor y la víctima, el beneficio económico obtenido, la duración de la conducta, la cantidad de infracciones y la capacidad económica. Ese sistema, a su juicio, permitirá que en cada caso se fije de forma justa la multa que corresponda aplicar".

- **Martabit, María José y Hube, Constanza (2019) "Acciones colectivas y multas: una mirada constitucional tras la entrada en vigencia de la Ley nº 21.081". Revista de Derecho y Consumo. nº 3, pp. 51-72, pp. 56-61:** "¿Se condice la determinación de la sanción infraccional en acciones colectivas, en virtud de la aplicación del artículo 24-A, con criterios objetivos que le permitan al juez arribar a un quántum razonable? Para analizar esta pregunta, resulta útil tener en cuenta ciertos elementos: i) pareciera ser de carácter facultativo para el juez aplicar una multa por cada consumidor afectado, o fijar un monto global en un procedimiento colectivo en que exista una infracción que afectó a varios y a cada uno de los consumidores; ii) en caso de aplicar multas individuales o un monto global, también resulta facultativo para el juez imponer una limitación de un 30 por ciento de las ventas de la línea del producto o servicio objeto de la infracción, u optar por limitar la multa al doble del beneficio económico obtenido como resultado de la infracción; y, iii) el monto de la multa, de todos modos, no podrá exceder el irrisorio monto de 45.000 UTA. [...]

En consecuencia, del análisis de la historia fidedigna del establecimiento de la ley de protección a los consumidores, no existe justificación para tan elevado monto en relación con una infracción que afecte el interés colectivo o difuso de los consumidores, por lo que su formulación pareciera malamente querer ampararse en el efecto disuasivo pretendido por la reforma".

SENTENCIAS SOBRE ARTÍCULO 24 A

- **Servicio Nacional del Consumidor con Ticketmaster Chile S.A. (2018): Corte Suprema, 09 de abril de 2018, Recurso de Casación en el Fondo, Rol nº 62158-2016, LTM16.126.393: "VIGESIMOSEGUNDO:** Que respecto de la denuncia por infracción al artículo 24 en relación al 53 C letra b) de la Ley nº 19.496, la primera de las disposiciones citadas establece que: 'las infracciones a lo dispuesto en esta ley serán sancionadas con multa de hasta 50 unidades tributarias mensuales, si no tuvieren señalada una sanción diferente.¿Para su determinación el legislador ha dispuesto que 'el tribunal tendrá especialmente en cuenta la cuantía de lo disputado, los parámetros objetivos que definan el deber de profesionalidad del proveedor, el grado de asimetría de información existente entre el infractor y la víctima, el beneficio obtenido con motivo de la infracción, la gravedad del daño causado, el riesgo a que quedó expuesta la víctima o la comunidad y la situación económica del infractor. Como puede apreciarse, y tal como es frecuente en el ámbito sancionador, disponiendo un limitado rango el legislador confiere al juez una potestad para individualizar la sanción que finalmente será impuesta, y para el ejercicio de esa atribución le instruye con ciertos factores o criterios que el aplicador debe considerar, sin perjuicio de los habituales elementos interpretativos cuando el tenor de las normas lo requiera, entre los que deben ser mencionados los principios que han inspirado las reglas que están siendo blandidas. Lo anterior determina que las multas por infracciones a la Ley de Protección a los Derechos del Consumidor no pueden ser aplicadas mediante un simple cálculo numérico de las normas conculcadas por la demandada, sino que debe atenderse a los caracteres de las conductas involucradas, si ellas son subsumibles en otras y si está establecida una sanción especial en razón de los principios de tipicidad y especialidad. Lo dicho es también aplicable a los conflictos de protección de los intereses colectivos o difusos, en que la sanción de multa también debe ser determinada en razón de la (s) infracción (es) acreditada(s) y no necesariamente por cada consumidor afectado, sin perjuicio de que el número de éstos y la magnitud del resultado lesivo constituyan elementos importantes para determinar la envergadura de la sanción que será impuesta. Es cierto que el texto del artículo 53 C letra b) de la Ley de Protección al Consumidor puede generar confusión al disponer que: 'En la sentencia que acoja la demanda, el juez, además de lo dispuesto en el artículo Art. 170 del Código de Procedimiento Civil, deberá: b) Declarar la responsabilidad del o los proveedores demandados en los hechos denunciados y la aplicación de la multa o sanción que fuere procedente. La suma de las multas que se apliquen por cada consumidor afectado tomará en consideración en su cálculo los elementos descritos en el artículo 24 y especialmente el daño potencialmente causado a todos los consumidores afectados por la misma situación'. Pero la norma no está ordenando como pudiere ser entendido que la multa deba ser aplicada por cada consumidor; sólo dispone que si la multa va a ser aplicada por cada consumidor afectado, la suma de las multas tomarán en consideración en su cálculo los elementos descritos en el artículo 24 y, especialmente, el daño potencialmente causado a todos los que han sido afectados por la misma situación. La conclusión precedente, de que la aplicación de sanciones en los procedimientos de protección de intereses colectivos o difusos de los consumidores no supone necesariamente la imposición de multas por cada consumidor afectado, queda reforzada con lo dispuesto en el inciso 2° del artículo 24, en cuanto esta norma, en el caso de la publicidad falsa o engañosa difundida por medios de comunicación social, permite elevar la sanción pecuniaria hasta 1.000 unidades tributarias mensuales si ella incide en las cualidades de productos o servicios que afecten la salud o la seguridad de la población o el medio ambiente. Si, en el caso de la publicidad falsa, para aumentar la multa la ley considera el hecho de que aquélla pueda alterar la salud o la seguridad de la población o el medio ambiente, la consideración de esos factores implica que hay una sanción general, no sanciones individuales; el precepto es incompatible con la aplicación de sanciones individuales por cada consumidor afectado".

- **Servicio Nacional del Consumidor con Créditos Organización y Finanzas S.A. (2015): Corte Suprema, 8 de octubre de 2015, Recurso de Casación en la Forma y en el Fondo, Rol n° 27802-2014, LTM10.185.627: "VIGESIMO SEGUNDO:** Que en cuanto a la multa que corresponde aplicar por las infracciones constatadas, el artículo 24 de la Ley 19.496 dispone que las infracciones a lo dispuesto en esta ley serán sancionadas con multa de hasta 50 unidades tributarias mensuales, si no tuvieren señalada una sanción diferente. Y en relación a lo previsto en el artículo 53 C letra b) de la misma ley, en cuanto refiere que 'la suma de las multas que se apliquen por cada consumidor afectado tomará en consideración en su cálculo los elementos descritos en el artículo 24', esta Corte ya ha expresado (en la causa Rol 9025 2013) que dicho artículo sólo ordena que la suma de las multas que eventualmente se apliquen por cada consumidor afectado, tomarán en consideración en su cálculo los elementos descritos en el artículo 24, sin que de él pueda colegirse que en los procedimientos de protección de intereses colectivos o difusos de los consumidores necesariamente haya de imponerse multas por cada consumidor afectado (Sentencia de 23 de julio de 2014)".

- **Servicio Nacional del Consumidor con Aguas del Altiplano S.A. (2014): Corte Suprema, 23 de julio de 2014, Recurso de Casación en el fondo, Rol n° 9025-2013, LTM6.580.358, LTM10.275.946: "VIGÉSIMO PRIMERO:** Que, en cuanto al error de derecho denunciado por la demandada al aplicar el fallo recurrido una multa de 300 unidades tributarias mensuales por infracción al artículo 25, por cada uno de los 321 usuarios reclamantes, primeramente cabe considerar que el total de los usuarios o clientes afectados por la suspensión del suministro y distribución de agua potable ascendió a un total de 31.705. Ahora bien, el punto a dilucidar consiste en determinar si debe aplicarse una sola multa por infracción al artículo

25, como lo postula la demandada en su recurso o tantas multas como usuarios afectados existen, según lo sostiene el Servicio Nacional del Consumidor. Al emprender dicho análisis, ha de considerarse que la norma básica que contempla la Ley 19.496 en materia de aplicación de sanciones la constituye el artículo 24, cuyos incisos 3 y 4, disponen: 'El juez, en caso de reincidencia, podrá elevar las multas antes señaladas al doble. Se considerará reincidente al proveedor que sea sancionado por infracciones a esta ley dos veces o más dentro del mismo año calendario. Para la aplicación de las multas señaladas en esta ley, el tribunal tendrá especialmente en cuenta la cuantía de lo disputado, los parámetros objetivos que definan el deber de profesionalidad del proveedor, el grado de asimetría de información existente entre el infractor y la víctima, el beneficio obtenido con motivo de la infracción, la gravedad del daño causado, el riesgo a que quedó expuesta la víctima o la comunidad y la situación económica del infractor'. A su vez, en el caso del procedimiento especial para protección del interés colectivo o difuso de los consumidores, el artículo 53 C letra b), dispone que: 'En la sentencia que acoja la demanda, el juez, además de lo dispuesto en el artículo Art. 170 del Código de Procedimiento Civil, deberá: b) Declarar la responsabilidad del o los proveedores demandados en los hechos denunciados y la aplicación de la multa o sanción que fuere procedente. La suma de las multas que se apliquen por cada consumidor afectado tomará en consideración en su cálculo los elementos descritos en el artículo 24 y especialmente el daño potencialmente causado a todos los consumidores afectados por la misma situación'. De la relación de las normas citadas, es posible concluir que no existe la pretendida obligación legal de aplicar multas por cada consumidor afectado, pues la letra b) del artículo 53 C, sólo mandata que la suma de las multas que —eventualmente— se apliquen por cada consumidor afectado, tomarán en consideración en su cálculo los elementos descritos en el artículo 24. Es decir, sólo dispone que en caso que se apliquen multas por cada consumidor afectado, la suma de las mismas debe considerar en su cómputo los parámetros del artículo 24 y especialmente el daño potencialmente causado a todos los consumidores afectados por la misma situación. La conclusión precedente, en torno a que la aplicación de sanciones en los procedimientos de protección de intereses colectivos o difusos de los consumidores no supone necesariamente la imposición de multas por cada consumidor afectado, se refuerza a partir de lo dispuesto en el inciso 2° del artículo 24, en cuanto esta norma, en el caso de la publicidad falsa o engañosa difundida por medios de comunicación social, permite elevar la sanción pecuniaria hasta 1.000 unidades tributarias mensuales, si ella incide en las cualidades de productos o servicios que afecten la salud o la seguridad de la población o el medio ambiente. De este modo, si en el caso de la publicidad falsa, que eventualmente puede afectar intereses colectivos o difusos de los consumidores, la ley considera para aumentar la multa, el hecho de que aquélla pueda alterar la salud o la seguridad de la población o el medio ambiente, lógicamente estamos frente a una infracción cuyo castigo comprende la afectación del colectivo involucrado, pues precisamente incorpora como plus de punición el afectar intereses colectivos o difusos, como son la salud o la seguridad de la población o el medio ambiente, lo que hace incompatible poder aplicar sanciones individuales por cada consumidor afectado".

ARTÍCULO 25

El que suspendiere, paralizare o no prestare, sin justificación, un servicio previamente contratado y por el cual se hubiere pagado derecho de conexión, instalación, incorporacón o mantención, se sancionará con multa de hasta 750 UTM

Cuando el servicio fuere de agua potable, gas, alcantarillado, energía eléctrica, telecomunicaciones, teléfono o recolección de basura, residuos o elementos tóxicos, serán sancionados con hasta 1500 UTM

El proveedor no podrá efectuar cobro alguno por el servicio durante el tiempo que se encuentre interrumpido, y estará obligado a descontar o reembolsar el precio del servicio en la proporción que corresponda.

DOCTRINA SOBRE ARTÍCULO 25

- *Guerrero, José Luis (2013): "Artículo 25" en Iñigo de la Maza y Carlos Pizarro (Directores); Francisca Barrientos (coord.). La protección de los derechos de los consumidores. Comentarios a la ley de protección a los derechos de los consumidores.* **Santiago: Thomson Reuters, pp. 604-606, p. 605:** "En estas materias muchas veces se produce una colisión entre la normativa de la LPDC con normativas especiales que regulan servicios públicos. Sin embargo, en estos casos, se deberá al art. 2 bis de la LPDC que dispone que, no obstante la existencia de leyes especiales, se aplicará la LPDC en lo relativo al derecho del consumidor o usuario para recurrir en forma individual, a fin de ser indemnizado de todo perjuicio originado en el incumplimiento de una obligación contraída por los proveedores, siempre que no existan procedimientos especiales indemnizatorios en dichas leyes especiales.

  En mi opinión en casos establecidos en el art. 25 de la LPDC, y no obstante la existencia de leyes especiales que dispongan procedimientos indemnizatorios, es igualmente posible invocar para el caso específico contemplado en la norma señalada, que ésta prime por especialidad, en particular, por el hecho que la situación contraria vulnera los derechos del consumidor que busca una reparación e indemnización adecuada y oportuna conforme al art. 3º de la LPDC, el excluir la aplicación de la LPDC para aplicar normativas especiales sectoriales, hace poco adecuado y oportuno el derecho a la recuperación e indemnización por la especialidad de esas normativas, por otro lado, no considerarlo así conllevaría a letra muerta el art. 25 considerando que la mayoría de los casos de servicios de suministro vía conexión se trata de servicios básicos regulados".

- **Soto, Pablo y Durán, Carolina (2019): "El ámbito infraccional en el Derecho del Consumo: práctica jurisdiccional y modificaciones introducidas por la Ley nº 21.081", en Juan Ignacio Contardo, Felipe Fernández y Claudio Fuentes (coords.) Litigación en materia de consumidores. Dogmática y práctica en la reforma de fortalecimiento al SERNAC. Santiago: Thomson Reuters: pp. 258-260:** "A partir de lo que dispone la LPDC, y como también lo muestra la práctica, es posible constatar la existencia de distintos regímenes que establecen infracciones para unos mismos hechos, así como potestades sancionatorias concomitantes. Se trata de situaciones en las cuales, junto con tener aplicación la regulación infraccional de la LPDC, puede regir también otro régimen administrativo sancionatorio especial, a cargo de un órgano de la Administración del Estado, con competencia para imponer las respectivas medidas, concurriendo, en consecuencia, con los Juzgados de Policía Local y los Juzgados Civiles cuando corresponde. [...]

Una cuestión importante es que, desde la perspectiva del cumplimiento de la regulación —la LPDC—, se puede defender, por ejemplo, una hipótesis en la que se imponga una sanción por infracción al Derecho del consumo, además de la sectorial, si se logra argumentar que ella se basa en bienes jurídicos protegidos distintos. En efecto, la LPDC no tiene como fin regular actividades económicas sectoriales, sino establecer un orden público de protección en beneficio de los consumidores, disponer infracciones a sus derechos y fijar el marco orgánico de protección, propósitos distintos de los dispuestos por la ley orgánica de una agencia sectorial. De ahí que el hecho configurador de una infracción (como el corte del suministro de agua potable) pueda ser sancionado por la Superintendencia de Servicios Sanitarios —al vulnerar las normas contempladas en la Ley nº 18.092—, como por los Juzgados de Policía Local y los tribunales civiles —al infringir la LPDC— toda vez que cada órgano estatal lo hará sobre la base de fundamentos y bienes jurídicos distintos: por una parte, el estatuto orgánico de la superintendencia y el cumplimiento de la regulación de los servicios sanitarios que en el caso cautela el abastecimiento continuo de éstos; y por otro lado, la defensa de los consumidores. Como no hay, entonces, triple identidad, al no existir los mismos fundamentos normativos ni bienes jurídicos protegidos, la doble valoración se encuentra admitida".

SENTENCIAS SOBRE ARTÍCULO 25

- **Servicio Nacional del Consumidor con Aguas del Altiplano S.A. (2014): Corte Suprema, 23 de julio de 2014, Recurso de Casación en el Fondo, Rol nº 9025-2013, LTM6.580.358, LTM10.275.946: "TERCERO:** (…) De esta forma, si bien es efectivo que en la apelación formulada por el SERNAC en el primer otrosí de fojas 807 contra el fallo de primer grado, el actor circunscribió su pretensión de multa por cada infracción hasta 50 UTM, tal restricción no importa un límite infranqueable para el tribunal en la imposición de las multas, desde que el marco sancionatorio posible corresponde al establecido por la Ley 19.496, en particular, al estatuido en su artículo 25, cuyo inciso 2º dispone: 'Cuando el servicio de que trata el inciso anterior fuere de agua potable, gas, alcantarillado, energía eléctrica, teléfono o recolección de basura o elementos tóxicos, los responsables serán sancionados con multa de hasta 300 unidades tributarias mensuales'. **VIGÉSIMO:** (…) Por su parte, el artículo 25 sanciona expresamente la suspensión, paralización o no prestación, sin justificación, de un servicio de agua potable previamente contratado y por el cual se hubiere pagado derecho conexión, de instalación, de incorporación o de mantención, imponiendo al efecto una sanción particular, de hasta 300 unidades tributarias mensuales. En este sentido las autoras Paula Ibáñez y Marcela Opazo, destacan que: 'En este artículo lo que se tipifica es la no prestación de un servicio por un tiempo y sin justificación aparente, protegiendo de este modo a los consumidores de la actuación arbitraria por parte del proveedor de un servicio, que en su mayoría pueden tener el carácter de servicios básicos, y por lo tanto un corte no previsto y que no se justifique por caso fortuito o fuerza mayor podría generar graves daños o perjuicios a los consumidores, ya sea de modo directo o indirecto. De ahí que se genera una responsabilidad de las empresas prestadoras de estos servicios (Responsabilidad Infraccional de los Proveedores en la Ley 19.496 y su vinculación con el Ámbito Penal, Memoria de Prueba, Facultad de Derecho, Universidad de Chile, año 2004, p. 20)".

ARTÍCULO 25 A

En los casos de paralización o no prestación de servicios del art. 25 inc.2, el proveedor deberá indemnizar de manera directa y automática, por cada día sin suministro, con un monto equivalente a 10 veces el valor promedio diario de lo facturado en el estado de cuenta anterior al de la suspensión, paralización o no prestación. El monto se descontará del siguiente estado de cuenta.

Se entiende como día sin suministro cada vez que el servicio sea suspendido, paralizado o no prestado por 4 o mas horas contínuas en un período de 24 horas desde el inicio del evento.

La indemnización solo tendrá lugar en casos en que las leyes especiales no contemplen una indemnización mínima legalmente tasada, y se entenderá sin perjuicio del contenido en la letra e) del inc. 1 del art. 3. Con todo, se tomará en consideración lo obtenido por el consumidor por aplicación del presente artículo.

DOCTRINA SOBRE ARTÍCULO 25 A

- Corral, Hernán (2019): "**Indemnizaciones por no prestación de servicios básicos. A propósito de la crisis de agua en Osorno**", en **Blog de Hernán Corral, fecha de consulta 23 de junio de 2020, https://corraltalciani.wordpress.com/tag/articulo-25-a-ley-no-19-496/:** "De la norma se deduce que los requisitos para que se genere el derecho son cuatro: 1°) Debe tratarse de una empresa mencionada en el art. 25 inc. 2°, esto es, aquellas que prestan servicios "de agua potable, gas, alcantarillado, energía eléctrica, telecomunicaciones, teléfono o recolección de basura, residuos o elementos tóxicos", siempre que se trate de un "servicio previamente contratado y por el cual se hubiere pagado derecho de conexión, de instalación, de incorporación o de mantención" (cfr. art. 25 inc. 1°). 2°) Debe producirse una suspensión, paralización o no prestación del servicio: en realidad hubiera bastado con esta última expresión ya que ella engloba las demás: cuando se suspende o paraliza el servicio no hay prestación del mismo; 3°) Que esta no prestación sea "injustificada", es decir, que sea imputable a dolo o negligencia de la empresa, y 4°) Que las leyes especiales que rijan estos servicios no contemplen una indemnización tasada por estos mismos hechos; por eso, la norma no se aplicará a la no prestación de servicios de energía que tienen regulaciones especiales sobre indemnizaciones por cortes del servicio como la electricidad (art. 16 B ley n° 18.410; art. 72-20, D.F.L n° 4/20.018, de 2006) o las telecomunicaciones e internet (art. 27 ley n° 18.168).

El monto de la indemnización se calcula respecto a cada consumidor afectado y en relación al valor promedio diario facturado en el estado de cuenta anterior a la no prestación del servicio y a los días de falta de suministro. Así, por cada día sin servicio, el cliente afectado tendrá derecho a diez veces el valor promedio diario facturado antes del corte. Se entiende por día sin servicio, si contadas 24 horas a partir del inicio de la no prestación, esta se mantiene por cuatro horas continuas o más. La norma agrega que "En los demás casos, el cálculo indicado en el inciso anterior se hará de manera proporcional al tiempo de la suspensión, paralización o no prestación del servicio". No es sencillo entender esta disposición. Al parecer ella se aplicará sólo cuando haya menos de cuatro horas de suspensión del servicio en las 24 horas a partir del evento. Pero queda la duda sobre la cantidad mayor que se debe usar como referencia para calcular la proporción. Nuestra propuesta sería que habría que calcularla en relación con lo que hubiera sido la indemnización si el servicio se hubiera cortado por un día (es decir, más de cuatro horas). Así, si fue una hora, habría que aplicar un 25% de la cantidad que resulte de multiplicar por 10 el valor promedio diario facturado.

Determinada la indemnización debe ahora estudiarse cómo se aplica. La norma del art. 25-A señala que se debe entregar la indemnización "de manera directa y automática". Entendemos que el legislador quiso enfatizar que se trataba de una indemnización que no necesita declaración judicial, sino que se aplica por el solo ministerio de la ley, cuando se dan los requisitos que se establecen para su procedencia. Pero el cliente no puede reclamar el pago en dinero, sino que debe esperar a que la indemnización le sea descontada del siguiente estado de cuenta. Obviamente, si el monto de la indemnización es mayor, el descuento deberá proseguirse en los estados de cuenta que sucedan al siguiente a la reanudación del servicio".

- **Historia de la Ley n° 21.081. Segundo trámite constitucional: Senado. Informe de Comisión de Constitución. 1 de agosto 2017. Sesión 40, legislatura 365, p. 554:** "El Director Nacional, señor Muñoz, acotó que el objeto de la presente norma no radica en aplicar dos indemnizaciones cuando éstas son de similar naturaleza, añadiendo que el artículo 25 A constituye una norma supletoria frente a aquellos casos donde no exista ley especial".

SENTENCIAS SOBRE ARTÍCULO 25 A

- **Sernac con Empresa de Servicios Sanitarios de Los Lagos S.A. (Essal) (2020): 1° Juzgado Civil de Puerto Montt, 28 de febrero de 2020, Rol n° V-11-2020, LTM19.091.785:** "Sentencia que aprueba el acuerdo entre Sernac y Essal, el cual dispone lo siguiente: En cuanto al cálculo de las compensaciones; comienza declarando que el acuerdo beneficiaría a un universo total de 47.519 consumidores residenciales de la ciudad de Osorno, afectos a suspensiones e interrupciones del suministro de agua potable durante los días 11 al 20 de julio de 2019. Manifiesta que a modo de compensación, el proveedor restituiría a cada uno de los consumidores beneficiados, por un monto único, total y fijo de $63.250 adicionales a lo que Essal ya habría compensado y restituido de manera automática con cargo a cada facturación mensual, conforme dispone el artículo 25 A de la Ley n° 19.496. Explica, que este monto de $63.250 sería abonado en los estados de cuenta mensuales de los consumidores beneficiados y que sería imputado con cargo a cada facturación mensual hasta su completa extinción para cada consumidor, sin límite de tiempo. Adiciona, que a todos los consumidores residenciales de la ciudad de Osorno que hayan presentado un reclamo ante el Servicio Nacional de Consumidores hasta antes de la presentación de la propuesta de solución ofrecida por Essal el 17 de octubre de 2019, se les compensaría por un monto equivalente a 0,15 Unidades Tributarias Mensuales, por concepto de 'costos del reclamo'".

ARTÍCULO 26

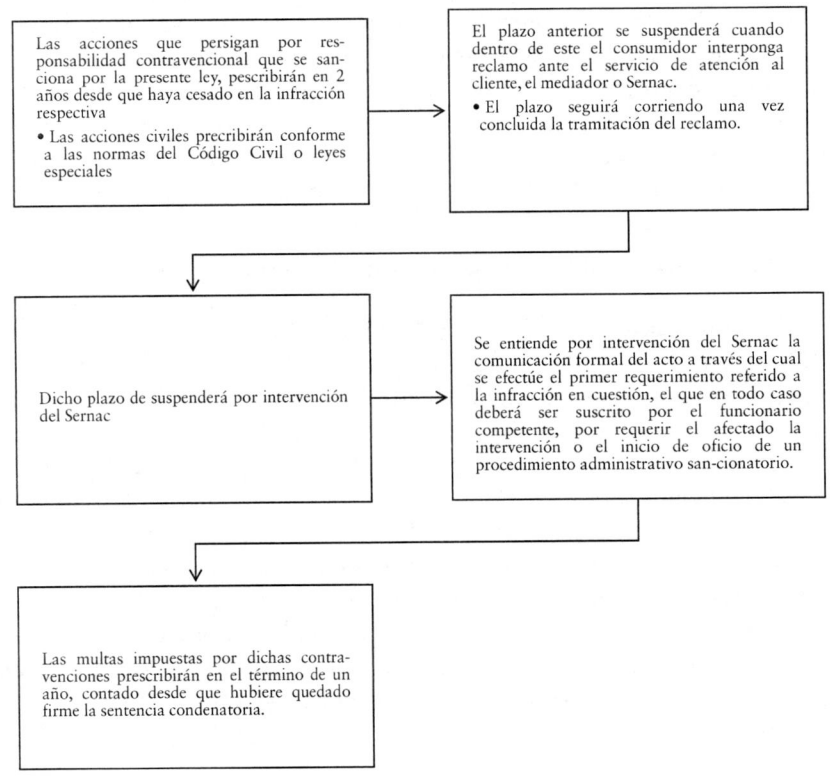

Las acciones que persigan por responsabilidad contravencional que se sanciona por la presente ley, pescribirán en 2 años desde que haya cesado en la infracción respectiva
• Las acciones civiles precribirán conforme a las normas del Código Civil o leyes especiales

El plazo anterior se suspenderá cuando dentro de este el consumidor interponga reclamo ante el servicio de atención al cliente, el mediador o Sernac.
• El plazo seguirá corriendo una vez concluida la tramitación del reclamo.

Dicho plazo de suspenderá por intervención del Sernac

Se entiende por intervención del Sernac la comunicación formal del acto a través del cual se efectúe el primer requerimiento referido a la infracción en cuestión, el que en todo caso deberá ser suscrito por el funcionario competente, por requerir el afectado la intervención o el inicio de oficio de un procedimiento administrativo san-cionatorio.

Las multas impuestas por dichas contravenciones prescribirán en el término de un año, contado desde que hubiere quedado firme la sentencia condenatoria.

DOCTRINA SOBRE ARTÍCULO 26

• Isler, Erika (2019): "La prescripción extintiva en la Ley n° 21.081: logros y desafíos", en Juan Ignacio Contardo, Felipe Fernández y Claudio Fuentes (coords.) *Litigación en materia de consumidores. Dogmática y práctica en la reforma de fortalecimiento al SERNAC*. Santiago: Thomson Reuters, pp. 139-146, pp. 140-145: "El estatuto de responsabilidad de la LPDC se compone en primer lugar por las acciones contravencionales, que son aquellas que tienen por objeto sancionar al proveedor infractor, con fines de prevención general y especial. [...] Con todo, de acuerdo al texto posterior a la reforma, la acción contravencional prescribe en el plazo de dos años contado desde que cesó la infracción (artículo 26 LPDC), pudiendo señalarse que las problemáticas que surgen a propósito de la prescripción, en general se refieren a dos aspectos: el momento de inicio y los concursos de infracciones. 1. El momento de inicio de la prescripción. El primero de ellos — o dies a quo—, corresponde a la determinación del hecho o acto a partir del cual, el plazo de prescripción extintiva comienza a correr. La decisión que se tome al respecto incidirá naturalmente en la eficacia de la acción, puesto que, rigiendo en todo caso un término de dos años, la posibilidad de la aplicación de una sanción se desplegará más o menos en el tiempo, según su momento de inicio.

El legislador en esta ocasión ha tomado partido por su fijación conforme a la consumación del ilícito, esto es, si es instantáneo, permanente o continuado. En efecto, la expresión 'desde que haya cesado la infracción respectiva' nos devela su decisión de radicarlo en el último hecho que lo compone, de tal manera que la prescripción no principiará, mientras alguno de los presupuestos del tipo infraccional se encuentre en ejecución. [...]

De acuerdo al texto reformado, las acciones civiles prescriben conforme a las reglas del Código Civil o a las leyes especiales que resulten procedentes (artículo 26 LPDC). De esta manera, el legislador buscó suplir el vacío que presentaba el texto previo a la reforma de la LPDC, en orden a explicitar el plazo de prescripción aplicable a las acciones civiles. [...]

Teniendo como premisa la regla de remisión del artículo 26 LPDC, es que la acción civil indemnizatoria, consagrada de manera amplia en el artículo 3° letra e) LPDC prescribirá en tres o cinco años (artículo 2515 CC) o bien en cuatro años (artículo 2332 CC), según se trate de responsabilidad contractual o extracontractual, respectivamente. Ahora bien, ello se aplica a la acción autónoma que tiene por fuente el artículo 3° letra e) LPDC, por lo que se entiende sin perjuicio de aquellas que pudieren desprenderse de otras disposiciones de la LPDC (por ejemplo, a propósito de la garantía legal)".

- Barcia Lehmann, Rodrigo (2013): "Artículo 26" en Iñigo De La Maza; Carlos Pizarro (Dirs.) y Francisca Barrientos (coord.) *La protección de los Derechos de los consumidores. Comentarios a la ley de protección a los derechos de los consumidores.* Santiago: Thomson Reuters, pp. 607-648, p. 614: "Entre nosotros, el artículo 26 de la LPDC diferencia entre la prescripción contravencional, que puede generar responsabilidad civil, que está regulada en el inciso primero, y la obligación que trae aparejada la condena civil infraccional, de la que se ocupa el inciso 3°. Esta técnica legislativa por la cual se distingue entre un plazo de prescripción (en el inciso 1° de la norma precedente) y de caducidad (en el inciso 3°), como hemos podido analizar, nos es familiar. Así, el acreedor, en este último supuesto, puede ejercer el derecho potestativo, que reconoce la sentencia judicial, dentro del período de un año a contar desde que la sentencia produce el efecto de cosa juzgada o queda a firme. Esta norma establece una forma de caducidad que afecta un derecho personal ya constituido y que puede ejercerse potestativamente por el titular del derecho. En cambio, el inciso primero establece un plazo de prescripción de la acción más breve".

SENTENCIAS SOBRE ARTÍCULO 26

- Servicio Nacional del Consumidor con Ticketmaster S.A. (2018): Corte Suprema, 09 de abril de 2018, Recurso de Casación en el Fondo, Rol n° 62158-2016, LTM16.126.393: "VIGESIMOPRIMERO: Que siendo el artículo 26 de la Ley 19.496 únicamente aplicable al ámbito contravencional, la prescripción allí regulada no puede regir para las acciones interpuestas que no tienen esa naturaleza, como la que pretende la declaración de abusividad de una cláusula, pues esta calificación la estatuye directamente la ley en su artículo 16, y la acción correspondiente es regulada en los artículos 16 B y 50 A, inciso segundo. Por lo mismo, aunque pudiera ser entendida prescrita la responsabilidad contravencional que corresponda para los efectos de condenar a la infractora al pago de una multa conforme la ley lo establece, esta circunstancia no conduce a estimar prescrita la acción destinada a que se declare nula la respectiva cláusula, pues se trata de acciones distintas. Por la misma razón también quedan excluidas de tal regulación las acciones de reparación, nulidad y cese de la conducta, rigiéndose su prescripción por la normativa común. Por otra parte, la declaración de prescripción tampoco era procedente en lo que respecta al ámbito contravencional, por haber tenido lugar en el caso la situación especial de suspensión del plazo contemplado en el artículo 26 de la Ley 19.496, configurada por la existencia de reclamos (101) interpuestos por consumidores afectados ante el Servicio Nacional del Consumidor por las infracciones que han sido denunciadas, consistentes en la conducta de la demandada de no restituir las sumas enteradas por cargo de servicio cuando los espectáculos son suspendidos o cancelados, tal como lo consideró el fallo de primer grado".

- **Sociedad Troncoso González y Compañía con Telefónica Chile S.A. (2016): Corte de Apelaciones de La Serena, 08 de febrero de 2016, Recurso de Apelación, Rol n° 119-2015, LTM19.091.619: "TERCERO:** Que esta querella por infracción a la Ley n° 19.496, en lo que toca a la prescripción se rige por su artículo 26, que previene que las acciones que persigan responsabilidad contravencional sancionada en la ley prescribirán en el plazo de 6 meses contado desde que se haya incurrido en la infracción respectiva, de lo que se sigue que este artículo 26 sólo se refiere a las acciones que persiguen la responsabilidad contravencional que se sanciona por la aludida ley y a las sanciones que procedieren en definitiva, de manera que para el cómputo del plazo debe estarse a los seis meses (…)".

- **Alejandra Elena Rivera Campos con Constructora Santa Beatriz (2015): Corte de Apelaciones de Concepción, 15 de diciembre de 2015, Recurso de Apelación, Rol n° 659-2015, LTM19.091.651: "DÉCIMO:** Que sobre la materia en estudio la Excma. Corte Suprema ha dicho que: 'Que la excepción de prescripción opuesta por la demandada está basada en el artículo 26 de la Ley n° 19.496, norma que únicamente se refiere a la responsabilidad contravencional () No puede entenderse, entonces, aplicable el artículo 26 en análisis para estimar prescrita la acción por la cual se pretende se declare abusiva una determinada cláusula, pues, esta sanción la estatuye directamente la ley en su artículo 16, y la acción correspondiente se regula en lo dispuesto en los artículos 16 B y 50 A, inciso segundo. Por lo mismo, aunque se pudiera entender prescrita la responsabilidad contravencional que corresponda, para los efectos de condenar a la infractora al pago de una multa, conforme la ley lo establece, de ninguna manera este hecho obligaría a estimar prescrita la acción destinada a que se declare nula la respectiva cláusula, pues se trata de acciones distintas' (Corte Suprema. 24 de abril de 2013. Rol 12355 2011. Considerando 11). **DECIMOPRIMERO:** Que en doctrina sobre el aspecto en análisis se ha manifestado que 'La distinción efectuada por la Corte Suprema entre los diversos estatutos de responsabilidad contemplados en la LPDC debe ser bienvenida. No es lógico ni acorde con una adecuada protección al consumidor que la norma del art. 26 de la LPDC, expresamente establecida para la responsabilidad contravencional derivada de infracciones a la ley, con un plazo de prescripción muy breve, se extienda indiscriminadamente a las acciones civiles que la ley concede al consumidor. En esta materia, a falta de norma especial, debe regir el Derecho Común' (Rodrigo Momberg U. Derecho del Consumo. Revista Chilena de Derecho Privado. n° 20. Página 253. Julio 2013)".

- **Servicio Nacional del Consumidor con Cencosud Administradora de Tarjetas S.A. (2013):** Corte Suprema, 24 de abril de 2013, Recurso de Casación en la Forma, Rol n° 12355-2011, LTM1.902.694, LTM10.739.647: "UNDÉCIMO: Que la excepción de prescripción opuesta por la demandada está basada en el artículo 26 de la ley 19.496, norma que únicamente se refiere a la responsabilidad contravencional, es decir la responsabilidad en que pudiera haber incurrido la demandada por haber contravenido la Ley 19.496, y conforme con ello, pudiera serle aplicable una multa, que es una de las consecuencias que se derivan de la infracción a la Ley aludida. No puede entenderse, entonces, aplicable el artículo 26 en análisis para estimar prescrita la acción por la cual se pretende se declare abusiva una determinada cláusula, pues, esta sanción la estatuye directamente la ley en su artículo 16, y la acción correspondiente se regula en lo dispuesto en los artículos 16 B y 50 A, inciso segundo. Por lo mismo, aunque se pudiera entender prescrita la responsabilidad contravencional que corresponda, para los efectos de condenar a la infractora al pago de una multa, conforme la ley lo establece, de ninguna manera este hecho obligaría a estimar prescrita la acción destinada a que se declare nula la respectiva cláusula, pues se trata de acciones distintas".

- **Emiliano Arias Madariaga con SODIMAC S.A. (2007): Corte de Apelaciones de Concepción, 24 de diciembre de 2007, Recurso de Apelación, Rol n° 174-2005, LTM19.091.627:** "CUARTO: Que en lo que se refiere a la primera prescripción civil, creemos en la subsistencia de la responsabilidad civil, una vez prescrita la responsabilidad infraccional que le sirve de sustento, del mismo modo que sobrevive a la extinción de la acción proveniente de un ilícito penal. Y no resulta aplicable a la acción civil porque el precepto del artículo 26 antes mencionado sólo se refiere a las acciones que persiguen la responsabilidad contravencional que se sanciona por la presente ley y a las sanciones impuestas en definitiva, pero no alude para nada a las acciones civiles, de que se trata el presente caso y cuya prescripción se gobierna por el derecho común. Lo contrario significaría aceptar que la Ley de Protección al Consumidor, fijó un plazo de prescripción especial para las acciones indemnizatorias de los consumidores de seis meses".

ARTÍCULO 27

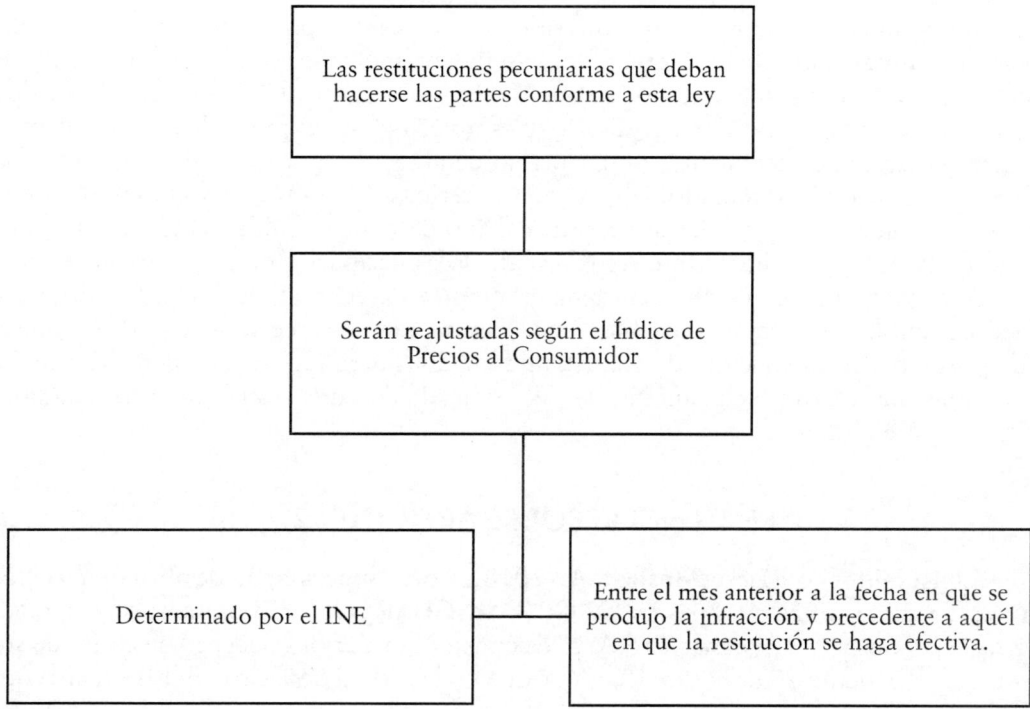

Las restituciones pecuniarias que deban hacerse las partes conforme a esta ley

Serán reajustadas según el Índice de Precios al Consumidor

Determinado por el INE

Entre el mes anterior a la fecha en que se produjo la infracción y precedente a aquél en que la restitución se haga efectiva.

DOCTRINA SOBRE ARTÍCULO 27

- **Guerrero, José Luis (2013). "Artículo 27" en Iñigo De La Maza; Carlos Pizarro (Dirs.) y Francisca Barrientos (coord.) La protección de los Derechos de los consumidores. Comentarios a la ley de protección a los derechos de los consumidores. Santiago: Thomson Reuters, pp. 649-650:** "La mención a la fórmula de cálculo en base al Índice de Precios al consumidor tomado desde el mes anterior a la infracción y el mes anterior a que la restitución se haga efectiva, es simplemente aplicación del método de cálculo de reajustabilidad considerando que el señalado índice se calcula con un mes de desfase, por ello, para efectos de cálculo es necesario tomar el mes anterior en que la cifra ya es conocida. Si bien puede considerarse una situación obvia en nuestro derecho al menos en las últimas décadas, su establecimiento expreso denota una protección al consumidor que normalmente ejerce su acción directamente sin patrocinio de abogado, por lo La mención a la fórmula de cálculo en base al Índice de Precios al consumidor tomado desde el mes anterior a la infracción y el mes anterior a que la restitución se haga efectiva, es simplemente aplicación del método de cálculo de reajustabilidad considerando que el señalado índice se calcula con un mes de desfase, por ello, para efectos de cálculo es necesario tomar el mes anterior en que la cifra ya es conocida. Si bien puede considerarse una situación obvia en nuestro derecho al menos en las últimas décadas, su establecimiento expreso denota una protección al consumidor que normalmente ejerce su acción directamente sin patrocinio de abogado, por lo que puede omitir la solicitud de reajustablidad. Considerando que los derechos de los consumidores son irrenunciables, con esta norma se evita el consumidor sea perjudicado con una restitución afectada por efectos de inflación en el poder adquisitivo equivalente".

SENTENCIAS SOBRE ARTÍCULO 27

- **Servicio Nacional del Consumidor con TicketMaster S.A. (2018): Corte Suprema, 09 de abril de 2018, Recurso de Casación en el Fondo, Rol n° 62158-2016, LTM16.126.393:** "VIGÉSIMO CUARTO: (…) Lo que sí corresponde conceder es la restitución de los dineros cobrados por Ticketmaster S.A. a los consumidores por concepto de cargo de servicio, debidamente reajustados conforme con el artículo 27 de la Ley 19.496, y que no le fueron devueltos en los eventos que fueron cancelados o pospuestos".

TÍTULO III
DISPOSICIONES ESPECIALES
PÁRRAFO 1º. INFORMACIÓN Y PUBLICIDAD

ARTÍCULO 28

Comete infracción a esta ley quien sabiendo o debiendo saber y através de cualquier mensaje publicitario, induce a error o engaño respecto de:

a) Los componentes del producto y el porcentaje en que concurren

b) La idoneidad del bien o servicio para los fines que se pretende satisfacer y que haya sido atribuida en forma explícita por el anunciante

c) Las características relevantes del bien o servicio destacadas por el anunciante o que deban ser proporcionadas de acuerdo a las normas de información comercial

d) El precio del bien o tariga del servicio, su forma de pago y el costo del crédito en su caso, en conformidad a las normas vigentes

e) Las condiciones en que opera la garantía

f) Su condición de no producir daño al medio ambiente, a la calidad de vida y de ser reciclable o reutilizable

DOCTRINA SOBRE ARTÍCULO 28

- **Barrientos, Francisca (2019):** *Lecciones de Derecho del Consumidor.* **Santiago: Thomson Reuters, pp. 67-75:** "Para avanzar hay que decir que la publicidad engañosa se compone de dos requisitos. Primero, que el anunciante, a sabiendas o debiendo saberlo, emita una declaración publicitaria; y segundo, que dicho mensaje induzca a error o a engaño respecto de cierta información. A continuación se examinarán estos requisitos. A. A sabiendas o debiendo saberlo se emitan declaraciones publicitarias.

En principio, podría entenderse que la expresión 'a sabiendas o debiendo saberlo' significa que el anunciante requiere actuar con culpa o dolo en la declaración publicitaria. Sin embargo, Íñigo de la Maza ha demostrado que los tribunales nacionales no suelen aplicar el requisito de la imputación subjetiva del anunciante. En realidad, piden que simplemente la publicidad induzca a engaño o error, sin atender al elemento de la culpabilidad; o que el anunciante 'no haya podido ignorarlo'.

Con todo, hay un caso en que el tribunal entendió lo contrario. Se trata de un supuesto error en el precio en el ámbito electrónico, al parecer cuatro veces menor de lo que se transa en el mercado. Por eso en *Vinambres de la Fuente con Falabella Retail S.A. (2015)*, la Corte de Santiago consideró que el anunciante había actuado con un error excusable o invencible en el precio declarado en su publicidad. Así en carácter de *obiter dictum* dijo que 'Ahora bien, la expresión engañosa posee, por cierto, una carga o contenido valórico del que es difícil desentenderse. Por de pronto, el Diccionario de la Real Academia Española de la Lengua define engañoso como —falaz, que engaña o da ocasión a engañarse— y el verbo engañar como —dar a la mentira apariencia de verdad— o —inducir a alguien a tener por cierto lo que no lo es, valiéndose de palabras o de obras aparentes y fingidas—. Como puede apreciarse, el acto de engañar parece suponer conciencia del engaño en quien lo fragua, es decir, intención de y en tanto *en nuestro Derecho la negligencia grave se asimila a la intención, puede concluirse que engaña no sólo quien quiere hacerlo, sino también el que es a tal grado indolente o descuidado en efectuar la publicidad que provoca en el consumidor esa errada o defectuosa representación de la realidad.* No obstante lo anterior, cuando el defecto en la publicidad, es decir, cuando la discordancia entre lo avisado y la realidad es producto de un error excusable o invencible del anunciante, evidentemente éste no será responsable de las consecuencias que ese defecto genere en el comportamiento del consumidor' (énfasis agregado, considerando 2°).

Por otra parte, Íñigo de la Maza describe que 'El problema no se encuentra exactamente en la verdad o falsedad de los contenidos publicitarios, sino más bien en la idoneidad del mensaje publicitario para que el destinatario se forme creencias falsas acerca de ciertas proposiciones de hecho relativas al producto o servicio'. Por ello, más bien, se trata de examinar si los mensajes publicitarios son idóneos y cuáles son las legítimas expectativas de los consumidores, que es lo que se verá a continuación bajo el epígrafe de inducir a engaño o a error al consumidor. **B. Inducir a engaño o a error** Para iniciar el examen del segundo requisito de la publicidad engañosa hay que decir que las piezas publicitarias podrían cometer error (o engaño) respecto de 'los componentes del producto y el porcentaje en que concurren' (artículo 28 letra a), 'la idoneidad del bien o servicio para los fines que se pretende satisfacer y que haya sido atribuida en forma explícita por el anunciante' (artículo 28 letra b), 'características relevantes del servicio' (artículo 28 letra c), 'el precio del bien o la tarifa del servicio, su forma de pago y el costo del crédito en su caso' (artículo 28 letra d), 'Las condiciones en que opera la garantía' (artículo 28 letra e), 'Su condición de no producir daño al medio ambiente, a la calidad de vida y de ser reciclable o reutilizable' (artículo 28 letra f).

Estos son los elementos que determinan las características esenciales, básicas, las cosas de la esencia y algunos accesorios que son importantes para el consumidor.

Y como se señalaba con anterioridad, lo importante es la idoneidad del mensaje publicitario. Por eso, para determinarla habrá que examinar qué han sentenciado los tribunales en relación con los literales que contiene el artículo 28 de la ley, tema que se verá a continuación. **I. La idoneidad del mensaje publicitario** Así las cosas, hay que verificar si las publicidades cumplen con 'los componentes del producto y el porcentaje en que concurren' (artículo 28 letra a), 'la idoneidad del bien o servicio para los fines que se pretende satisfacer y que haya sido atribuida en forma explícita por el anunciante' (artículo 28 letra b), 'características relevantes del servicio' (artículo 28 letra c), 'el precio del bien o la tarifa del servicio, su forma de pago y el costo del crédito en su caso' (artículo 28 letra d), 'Las condiciones en que opera la garantía' (artículo 28 letra e), 'Su condición de no producir daño al medio ambiente, a la calidad de vida y de ser reciclable o reutilizable' (artículo 28 letra f). Primero, se considera que atenta contra la idoneidad respecto de los componentes del producto y el porcentaje en que concurren (artículo 28 a) el caso *Navarro con Cecinas San Jorge (2013)*. Se trataba de una consumidora que compró en un supermercado 'paté de ave', en circunstancias que los ingredientes del producto eran tocino de cerdo, hígado de cerdo y otros. El tribunal estimó 'Que, al rotular el producto en cuestión como —PATÉ DE AVE—, con caracteres sobre-salientes y llamativos, no existe posibilidad de equívocos respecto al producto que se está promocionando, lo que resulta abiertamente contradictorio con la composición del producto, pues al señalar el fabricante las características del mismo, revela que se compone mayoritariamente de derivados de CERDO y NO DE AVE, como pudiere inferirse de la denomi-nación que destacadamente publicita el envase, y a mayor abundamiento, rotula con menos dimensiones los caracteres de la COMPOSICIÓN DEL MISMO, todo lo cual no permite al consumidor de una manera clara y objetiva, a primera vista, determinar si efectivamente está adquiriendo —PATÉ DE AVE— como es inducido a creer u otro producto, como sucede en la especie" (considerando 6º). Por eso, condenó a la empresa con una multa de 30 UTM. En segundo lugar, dentro del ámbito de las 'características relevantes del servicio' (artículo 28 letra c), pueden citarse una serie de ejemplos. Así, si se declara que un teléfono celular es 'resistente al agua', responderá el proveedor que incumple dicha promesa. Esto fue lo que sucedió en *Salazar con Importadora y Distribuidora de Artículos Electrónicos S.P.A. (2016)*, en que además se declaró engañosa las condiciones en que operaba la garantía (artículo 28 letra e). Con todo, uno de los casos más relevantes dice relación con las expectativas de tener un campo laboral en el futuro, según las declaraciones de la propia Universidad que ofrece una nueva carrera de estudios: perito criminalístico. Uno de los tantos casos fue *Celedón con Corporación Santo Tomás (2012)*, en que la Corte Suprema estimó que ' ...el análisis de la publicidad hace posible concluir que en ella se ase-vera la posibilidad de que llegue a existir en el futuro un campo laboral con ciertas características, pero de ningún modo se asegura su existencia futura con algún grado de certeza, lo que queda especialmente de manifiesto cuando dice —La puesta en marcha de la Reforma Procesal Penal, que está plenamente vigente al año 2005, augura un gran campo ocupacional y muy interesantes expectativas para los Peritos Forenses—. Las expresiones —augura— un gran campo ocupacional y muy interesantes —expectativas— revelan sin lugar a dudas que a la época en que se realiza la publicidad no se sabe a ciencia cierta si la posibilidad de un gran campo laboral se materializará en definitiva, sin perjuicio de que quien la emite señale con tales expresiones que se espera que así ocurra, lo que constituye precisamente una opinión o juicio de valor subjetivo acerca de la probabilidad de que llegue a existir el mencionado campo laboral' (considerando 3º). En otro caso, se ha condenado al pago de una multa a beneficio fiscal de 50 UTM y al pago de $413.000 por los mismos hechos en *Servicio Nacional del Consumidor con Corporación Santo Tomás para el Desarrollo de la Educación (2016)*.

En tercer lugar, cuando el yerro recae en 'el precio del bien o la tarifa del servicio, su forma de pago y el costo del crédito en su caso' (artículo 28 letra d), es posible mencionar a *Servicio Nacional del Consumidor con Entel PCS Telecomunicaciones S.A. (2012)*, pero con la consideración que se estimó la infracción al literal c) del artículo 28, en vez del d); y que más bien parece un problema de modificación unilateral del precio. Empero, se sentenció 'Que [...] Entel PCS Telecomunicaciones S.A., unilateralmente modificó los términos y condiciones del plan tarifario de servicio telefónico pre pagado Plan Comunik, el que según lo ofertado por esta empresa consistía en hablar gratis los primeros cinco minutos da cada llamada realizada entre dos móviles de prepago Entel PCS — el valor del minuto a otros destinos era de $ 200 —previamente establecidos, gratuidad que tenía el tope de 1.000 mensuales, por lo que el minuto seis o bien, sobre el exceso del tope de mil minutos, el minuto entre dichos móviles tenía un valor de $ 30. Y contemplaba el plan en cuestión haber recargado al menos $ 2.000 en los últimos treinta días y tener un saldo mayor a $ 0.— Tales condiciones fueron expresamente impresas por escrito por Entel PCS Telecomunicaciones S.A. — caja del Pack Promocional del Plan Comunik, y cobraron valor al ser esas modalidades específicamente aprobadas por el adherente, pasando tal impreso con anterioridad a la adhesión a ser parte de cada uno de los contratos consensuales suscritos con los consumidores' (considerando 1°). En esta sentencia se condena al proveedor con una multa de 10 UTM por haber incurrido en la conducta sancionada en el artículo 28 letra c) de la LPDC.

En cuarto lugar, se estudian las condiciones en que opera la garantía (artículo 28 letra e). Dichas condiciones ya fueron descritas en el caso del móvil resistente al agua. En *Salazar con Importadora y Distribuidora de Artículos Electrónicos S.P.A.*, se declaró 'Que si bien la garantía expresa que la empresa no responde por defectos o daños producidos por inmersión o derrame de líquidos, comidas u otros, dicha cláusula contractual contradice expresamente las características publicitadas por la demandada para la venta del teléfono celular, el que presenta como resistente al agua, hecho que conlleva a estimar a esta Corte, que dicha cláusula es engañosa' (considerando 3°).

Y hasta este momento no se conocen sentencias relacionadas con declaraciones engañosas sobre 'su condición de no producir daño al medio ambiente, a la calidad de vida y de ser reciclable o reutilizable' (artículo 28 letra f).

Por otra parte, en el derecho nacional se puede decir que también atenta contra la idoneidad del bien el tamaño de la letra. En efecto, una serie de sentencias han ampliado el ámbito de aplicación de lo que se conoce como 'letra chica' de las condiciones generales de la contratación a la publicidad. En *Servicio Nacional del Consumidor con 'No se consigna' (2011)*, la

Corte de Apelaciones de Santiago señaló: 'Que, como se ha dicho, la denunciada no cumple con los supuestos informacionales obligatorios, pues no entrega información relevante sobre condiciones y operatoria de la oferta, pero tampoco cumple con la obligación referida a que la publicidad debe estar escrita de modo legible y con un tamaño de letra no inferior a 2,5 milímetros, lo que representa un inconveniente o una limitación a la hora de hacer efectivo el derecho irrenunciable otorgado al consumidor por esta oferta. Consecuentemente, la promesa publicitaria de la denunciada, al utilizar en un tamaño considerablemente inferior la frase —Solo consumo familiar, no incluye compras facturas—, en definitiva, lo que hace es desvirtuar y limitar el sentido del ofrecimiento principal e importa falta de información veraz y oportuna, e induce a engaño al público consumidor' (considerando 7°). **ii. Las expectativas del consumidor** Y, para finalizar, cuando se hace referencia a las expectativas del consumidor interesa analizar las presuposiciones que una persona promedio puede estimar como creíbles (al menos no engañosas en los términos de la ley). Por eso, hay que analizar '… qué consumidores son los que deben ser engañados para que la publicidad sea considerada como engañosa y allí habrá que utilizar la figura del consumidor promedio debidamente adecuada a las circunstancias del caso'.

Un caso sirve para graficarlo. En *Pincheira con Clínica Universitaria de Concepción S.A. (2015)*, se cuestionaron las expectativas de un paciente (consumidor). Aquí, la empresa formuló descargos fundados en que no hubo publicidad engañosa o errónea, sino que a lo más existió una publicidad incompleta. No obstante lo anterior, y de forma adecuada a mi juicio, el tribunal estimó que el —sticker— publicitado por parte de la empresa en un recuadro que manifestaba que contaba con servicio de urgencias de 24 horas y ambulancia se podía homologar (tal como lo hizo el consumidor afectado) a un servicio de —rescate móvil—, constituía publicidad engañosa. Así, se condenó a la empresa a pagar $2.000.000 por las creencias que generó, y podría haber generado a cualquier paciente (consumidor) las declaraciones emitidas.

En Chile un organismo de autorregulación llamado Consejo de Autorregulación de Ética y Publicitaria, que contiene un Código de Ética, ha caracterizado las formas que atentan contra la idoneidad del mensaje publicitario y describe algunos parámetros para determinar las expectativas de los consumidores. En materia de consumo hay varios ejemplos relacionados con esto, como las zapatillas que por el solo hecho de caminar harían perder peso o pulseras mágicas por citar algunos casos.

Para finalizar este tema, conviene hacer referencia a una Circular Interpretativa redactada por el Sernac, sobre publicidad y prácticas comerciales, que refiere a una serie de "principios" aplicables en materia de publicidad como legalidad, veracidad, comprobabilidad, integración publicitaria, disponibilidad y acceso a la información, autenticidad, respeto de la competencia y autosuficiencia del soporte publicitario".

- **De la Maza, Íñigo (2013) "Artículo 28", en Iñigo de la Maza; Carlos Pizarro (Dirs) y Francisca Barrientos (coord.).** *La protección de los derechos de los consumidores. Comentarios a la ley de protección a los derechos de los consumidores.* **Santiago: Thomson Reuters, pp. 653-671, pp. 659-670:** "3. Sabiendo o debiendo saberlo. La ley 19.496 regula la publicidad engañosa con un marcado carácter infraccional. No es producto del azar que el artículo 28 comience disponiendo 'Comente infracción…' En realidad, el carácter infraccional es una característica que impregna buena parte de la ley y que produce consecuencias nefastas. Desde luego, la publicidad engañosa posee una importante arista infraccional, sin embargo, no se agota en ella.

La consideración anterior resulta útil, en mi opinión, para comprender el papel que debe desempeñar la expresión 'sabiendo o debiendo saber' en el artículo 28.

Como resulta evidente, la función del artículo 28 no es exactamente definir qué debe entenderse por publicidad engañosa, sino más bien precisar el supuesto de hecho de una infracción. Para decirlo de otra manera, lo que aparentemente hace el precepto no es definir la publicidad engañosa, sino establecer el supuesto de hecho de la publicidad de hecho que acarree consecuencias infraccionales.

La importancia de lo anterior es que el conocimiento real o imputado del anunciante resulta irrelevante para determinar otras consecuencias propias de la publicidad engañosa, particularmente los remedios con que cuenta el consumidor frente a ella. Siguiendo a Morales Moreno en esto, puede afirmarse que el criterio para determinar si la publicidad es engañosa es objetivo: 'Podemos calificar de engañosa a una publicidad aunque el anunciante no tenga propósito de engañar, ni sea consciente de que el engaño se está produciendo'. Creo, además, que ésta es la forma en que lo entienden los tribunales. Así, por ejemplo, en el considerando cuarto de una sentencia de la Corte Suprema de 08 de septiembre de 2009 seguida por publicidad engañosa en contra de la Corporación Santo Tomás se lee:

'Que, inducido como está el consumidor con la publicidad tiene derecho, cuando ésta es errónea o engañosa, a que el proveedor se haga cargo y responda de los daños y perjuicios ocasionados'.

Por lo tanto, en opinión de la Corte Suprema, la aplicación del remedio indemnizatorio en casos como éste únicamente requiere que la publicidad resulte errónea o engañosa, no que, además, el anunciante lo haya sabido o no haya podido ignorarlo.

Por otra parte, en el considerando octavo de una sentencia dictada por la Corte de Apelaciones de Santiago con fecha 30 de mayo de 2011 en un caso por publicidad engañosa en contra del Instituto Profesional AIEP S.A. se lee:

'Que lo anterior lleva a concluir que el Instituto Profesional AIEP S.A., no empleó la diligencia ni el cuidado exigibles en la promoción y publicidad de la carrera de Perito Criminalista, teniendo los medios para realizar estudios de factibilidad o de mercado que necesariamente debieron advertirle que no existía el campo laboral promocionado, lo que constituye, a juicio de esta Corte, una infracción a lo preceptuado en los artículos 28 letras b) y c), y 33 de la Ley 19.496. En consecuencia, apreciando estos sentenciadores los antecedentes según las normas de la sana crítica, concluyen que habiéndose establecido dicha infracción, procede que la denuncia formulada por el Servicio Nacional del Consumidor, sea acogida y por ello debe revocarse el fallo en alzada que no dio lugar a ella y conforme lo dispuesto en el artículo 24 de dicha ley, sancionar con multa al Instituto denunciado.'

Como puede apreciarse, en opinión del Tribunal de Alzada, tratándose de la imposición de una multa la evaluación de la diligencia del anunciante si que parece desempeñar un papel.

Aceptado lo anterior, conviene advertir que a efectos infraccionales 'sabiendo o debiendo saberlo' equivale o bien al propósito de engañar o bien a la negligencia. Respecto de la negligencia, en particular sobre el nivel de cuidado exigido al anunciante, resulta útil considerar un caso fallado por el 3º Juzgado de Policía Local de Santiago de 11 de diciembre de 2000, el interés de los hechos y la corrección de los argumentos del sentenciador lo justifican. Se trata de una denuncia en contra de la Polla Chilena de Beneficencia S.A. por un sorteo que organizó a fines del año 1.999 con un 'pozo estimado' a repartir de 2.600.000.000. Sin embargo, los premios efectivamente repartidos ascendieron a algo más de 600.000.000, es decir cerca de un 20% del premio ofrecido. La infracción se justificó en la vulneración de la letra c) del artículo 28. En su defensa, la denunciada señaló que, efectivamente en la publicidad aparecían abultados los premios, pero esto obedeció a un error de estimación. Error que no podía estimarse como un engaño ni una imprudencia temeraria, por lo tanto, no se configuraba el requisito establecido por el inciso primero del artículo 28. Conviene citar extensamente la opinión del sentenciador.

Que, según lo expuesto por las partes, no existió dolo ni malicia por parte de Polla Chilena de Beneficencia S.A. en la realización del sorteo denominado 'Loto Millenium', en lo relativo a la determinación del monto de los premios y su publicidad.

Que (...) respecto del sorteo de la especie, se publicó que el monto de los premios ascendían a la suma de $2.600.000.000 y los efectivamente repartidos equivalían a $581.064.269, correspondientes a un 22,35% del monto publicitado, y a un 47% del total de las apuestas recaudadas efectivamente por la empresa en el mismo sorteo. En definitiva, el monto publicitado de los premios excedió en más de cuatro veces el monto real repartido en el sorteo objeto de la denuncia.

Que, como resulta obvio en esta clase de concursos, el monto de los premios resulta determinante para las personas al momento de efectuar las apuestas siendo, por lo mismo, una característica relevante —y primordial— del bien o servicio destacada por el anunciante.

Que el encabezado del artículo 28 de la Ley n° 19.496, al contener las palabras 'a sabiendas o debiendo saberlo' incluye, para la configuración de la infracción respectiva, no solo una actitud dolosa del infractor, sino que también la culposa o negligente. Para tales efectos, cabe señalar que la expresión 'a sabiendas' importa un conocimiento efectivo y, por lo tanto, dolo por parte del infractor; y la expresión 'debiendo saber' dice relación con la circunstancia que el denunciado no pudo o no debió ignorar la ocurrencia de los hechos que importan una infracción a la ley sin que incurra en una grave negligencia de su parte, asimilándose en este caso al concepto de culpa.

Que, no habiéndose acreditado dolo por parte de la denunciante en los hechos de autos, resta determinar si dicha empresa actuó con culpa. Al respecto, dicho concepto tiene como requisito subjetivo la previsibilidad, es decir, la posibilidad de anticiparse a los hechos. En este sentido, y dada la naturaleza del sorteo de que se trata, esto es, un sorteo 'de pozo', donde el monto de los premios depende del número de apuestas que se hagan, es necesario que la empresa organizadora del sorteo tenga un cuidado mayor al normal al momento de hacer su publicidad, para no infringir el artículo 28 de la Ley n° 19.496. Así como ocurrió en la especie, si los potenciales apostadores están afectados por una crisis económica de carácter nacional, que es de público conocimiento, y si sobre esto existe un sorteo paralelo a cargo de la empresa de la competencia de la denunciada, toda estimación de un pozo conformado por las apuestas hechas por ese público, debe ser efectuada de manera muy prudente, ya que el monto de dicho pozo, parte del cual conforma el total de los premios a repartir, es el motivo principal que tienen los apostadores para participar en el sorteo, por lo que un engaño en tal sentido, o incluso la apariencia de existir engaño en el sorteo, puede afectar de manera importante la credibilidad de los apostadores, reduciendo dramáticamente la calidad de las apuestas, y poniendo en peligro la existencia futura del sorteo en cuestión. Esto es particularmente importante si tenemos presente que una gran parte de los fondos obtenidos por los sorteos hechos por la empresa denunciada se aplican en la manutención de instituciones de beneficencia.

Que fuera de lo anterior, la propia denunciada, Polla Chilena de Beneficencia S.A., expuso en autos que se produjo una estimación que en definitiva resultó ser abultada en el monto de premios que la empresa evaluó como posible de alcanzar y que incorporó a sus elementos publicitarios con la leyenda 'Pozo estimado a repartir de 2.600 millones' También agrega a fojas 141 que dicha estimación se produjo por un error de apreciación respecto a la estimación de los montos recaudados que podría generar dicho sorteo, pero que en ningún caso puede atribuirse a una actitud maliciosa tendiente a generar engaño en la opinión pública. Por último, señala que con posterioridad al concurso 'Loto Millenium', la empresa denunciada ha adoptado criterios rigurosos para determinar el monto de los premios que se publicitan, tomando en cuenta las expectativas más prudentes que arrojen los estudios de mercado respectivos.

Que en el propio informe del estudio de mercado realizado por la empresa FORO, en que se basó la decisión de lanzar el juego Loto Millenium (…) aparece que la encuesta en que dicho estudio se funda fe realizada a un total de 600 personas en los tres principales centros urbanos del país; el Tribunal estima a este respecto que, dado el carácter de masivo que pretendía tener el citado juego de azar, como además de existir previamente un juego similar de la competencia, dicho estudio resulta ser poco representativo de la realidad. En segundo lugar, el hecho de que el citado estudio de mercado (…) señale que los entrevistados mostraron una marcada preferencia por el juego de la competencia, por sobre el 'Loto', de Polla Chilena de Beneficencia, también debió haberse tomado en cuenta, sobre todo al haber bajado las ventas de esos juegos el mes anterior al de realización del estudio. Además de lo anterior, existen en el mismo estudio de mercado varios indicios negativos adicionales respecto del juego 'Loto Millenium', como por ejemplo el hecho que (…) gran parte de los entrevistados encontró caro el valor de la apuesta, y el hecho indesmentible y lógico que si se aumenta el valor de la apuesta, lo normal es que el monto de los premios a repartir también aumente, lo que no ocurrió en la especie.

Que, por lo señalado precedentemente, el Tribunal estima que, dado que en el propio informe o estudio de mercado en cuestión existen varios aspectos negativos sobre el juego Loto Millenium, la empresa que lo creó, esto es, Polla Chilena de Beneficencia S.A., en caso de decidir en definitiva lanzar el citado juego de azar, debió haber tomado más precauciones de lo normal, tanto en la organización del mismo como en la publicidad realizada, para así evitar lo que en definitiva ocurrió y que se tradujo en el desarrollo de publicidad que informaba acerca de premios cuyo monto era incierto, creando expectativas también inciertas al público espectador, y que en definitiva se tradujo en el hecho que el monto de los premiso fue efectivamente cuatro veces menos de lo que se estimó y publicitó. En síntesis, el sentenciador estima que existió una actitud negligente por parte de la denunciada en la organización y promoción del juego de azar 'Loto Millenium'.

4. Respecto de…

No cualquier mensaje publicitario que induzca al error o engaño configura publicidad engañosa en los términos del artículo 28. Debe inducirlo respecto de la información consignada en alguna de las seis letras del precepto. Sin embargo, antes de considerarlas individualmente, convendrá formular algunas consideraciones generales.

La primera de ellas se refiere a las formas que puede asumir la inducción. La primera y más obvia consiste en afirmar ciertas cualidades del bien o servicio de las cuales éste carece. Así, por ejemplo, al ofrecer una carrera universitaria se puede aludir a su campo ocupacional y eso es, precisamente, lo que sucede en las sentencias que ya se han citado. La segunda forma en que puede manifestarse la publicidad engañosa es a través de la omisión. Ya no se trata de lo que se dijo, sino que de lo que no se dijo. El ejemplo del carburante con aditivos que he utilizado más arriba debiese prestar utilidad aquí. Si bien era cierto que disminuía las emisiones contaminantes visibles, no disminuía las invisibles, que resultan ser las más tóxicas. Para decirlo de otra manera, entonces, la inducción puede tener lugar tanto a través de la acción como de la omisión. Así queda capturado, explícitamente, por ejemplo en la Directiva 2005/29 sobre prácticas comerciales desleales se refiere en su artículo 6 a las acciones engañosas y en el artículo 7 a las omisiones engañosas.

La segunda consideración, que puede aplicarse tanto a acciones como a omisiones, se refiere a la ambigüedad. Como resulta evidente los consumidores asignan diferentes significados a los contenidos del mensaje publicitario. Por lo mismo, por así decirlo, un cierto grado de ambigüedad resulta inevitable. Sin embargo sobre el umbral de lo inevitable, la ambigüedad debe ser evitada. Un ejemplo tomado de las sentencias del Consejo de Autorregulación y Ética Publicitaria permite ilustrar perfectamente el punto. En los hechos UNILEVER CHILE S.A. impugnó cierta publicidad gráfica de la empresa COL-GATE-PALMOLIVE, respecto de su producto crema dental, en la que se señalaba que era 'La marca de crema dental más vendida en Chile", el Tribunal estimó que:

Que al tenor de los antecedentes tenidos a la vista, este Directorio ha podido concluir que, en efecto, no corresponde afirmar que Colgate es 'la marca de crema dental más vendida en Chile'. En efecto, la más probable interpretación que harán los consumidores y comerciantes de tal frase es que Colgate es la marca que más unidades vende en el país, cuestión que no es así, por lo que la misma induce al público a confusión, infringiendo con ello lo dispuesto en el artículo 4° del CCHEP.

Que, según los antecedentes aportados por la reclamante y no objetados por la reclamada, si bien Colgate, en el período enero-marzo de 2010, fue la marca que vendió más en dinero, no fue la que más unidades vendió, lo que se explica por el mayor precio de su producto.

Por lo tanto, aún cuando se estimare que vender más en dinero transformaba a la crema dental en la más vendida parece evidente que no es eso lo que inferirán los consumidores de la publicidad. La ambigüedad no resulta inevitable, sino que, más bien deliberada con el objeto de crear una apariencia errónea.

La tercera consideración se refiere a aquellos contenidos que no deben ser considerados como publicidad engañosa aún cuando, de alguna manera, se refieran a la información consignada entre las letras a) y f). A este respecto, cierto desarrollo propio del derecho estadounidense puede resultar útil. Así, por ejemplo, tratándose de litigios al abrigo de la LanhamAct, burns señala que la ausencia de una afirmación fáctica constituye una defensa completa en contra de la acusación de publicidad engañosa y, por lo mismo, quedan excluidas las exageraciones evidentes (*puffing*), las opiniones y, en fin, cualquiera afirmación que no sea susceptible de verificación.

Una cuarta consideración se refiere a las insuficiencias del catálogo de información respecto de la cual la inducción a error constituye publicidad engañosa. Si se compara, por ejemplo, con la Directiva 2005/29, llama la atención que el precepto chileno no incluya, como sucede con la letra a) del número uno del artículo 6 de la Directiva la existencia y naturaleza del producto. La letra a) del precepto nacional se refiere a los componentes del producto y el porcentaje en que concurren. Antes de eso, sin embargo, debiese importarnos que el producto exista. En segundo lugar, hubiese resultado deseable considerar la identidad del proveedor, característica que, tratándose de ciertos productos o servicios puede resultar relevante para el consumidor. En tercer lugar, aunque la ley 20.169 si se refiere a ella, se echa en falta alguna mención a la publicidad comparativa. La razón es que el hecho de que, bajo ciertas condiciones, se trate de una práctica atentatoria contra la transparencia del mercado no obstaculiza que también suela constituir una práctica atentatoria contra la libertad de elección del consumidor.

Una quinta consideración se refiere esta vez al alcance excesivamente amplio que pretende asignarle el legislador al precepto. Como ha sugerido Gómez Pomar, respecto de la extensa lista que los artículos 6 y 7 de la Directiva 2005/29 considera como engañosa, la técnica de establecer una lista de elementos que determinan el carácter engañoso de la publicidad resulta innecesariamente rígida toda vez que cada mercado y cada producto pueden presentar sus propias peculiaridades. Pretender encapsularlas todas en una sola lista rigidiza excesivamente la lista. En el ámbito nacional esta crítica se agudiza toda vez que la lista no sólo se refiere a bienes, sino que, además, incluye servicios.

Realizadas estas consideraciones preliminares convendrá ahora decir algo respecto de las seis letras del artículo 28.

La primera de ellas se refiere a los componentes del producto y el porcentaje en que concurren. Nada hay de enigmático en esta primera hipótesis, se trata de un caso de falta de conformidad tratado en el artículo 20 de la ley y parece adecuado disponer de ella, parece plausible pensar que un número significativo de consumidores orientará sus decisiones por este tipo de menciones que, probablemente, sean de las más frecuentes en ciertos mercados como el de los medicamentos, los alimentos y el de los bebestibles. Así, por ejemplo, la Corte de Apelaciones de Santiago conoció un caso en el que se alegaba publicidad engañosa respecto del producto Gingsen Coreano Rojo, señalándose que sus componentes no se compadecían con lo anunciado en la publicidad y en el envase. En la sentencia se lee:

Que los hechos acreditados en la causa, precisados en el fundamento primero de este fallo constituyen a juicio de esta Corte una clara infracción a estas normas, bastando para ello reiterar que el producto ofrecido en el mercado por la denunciada no contiene auténtico gingseng, ni siquiera raíz del mismo.

La segunda hipótesis se refiere a la idoneidad del bien o servicio para los fines que se pretende satisfacer y que haya sido atribuida de forma explícita por el anunciante. La primera parte de esta hipótesis parece razonable, los bienes o servicios se contratan con vistas a alguna finalidad que se busca satisfacer. Lo segundo —que haya sido atribuida en forma explícita por el anunciante— debe significar, en mi opinión, que el mensaje debe estar planteado de tal forma que un consumidor pueda confiar razonablemente en que el bien o servicio resulta adecuado para una cierta finalidad. Esto supone que el mensaje publicitario se refiere tanto a la idoneidad como a los fines del bien o servicio y que la relación que establece entre ellos es falsa. Así, por ejemplo, en la sentencia de la Corte Suprema de 8 de septiembre de 2009 el Tribunal estimó que la publicidad de un centro de estudios que se refería a las oportunidades laborales disponibles para los egresados de la carrera de investigador forense o perito criminalístico no correspondían a aquellas publicitadas por el centro de estudios, en este sentido el servicio no resultaba idóneo para el fin atribuido explícitamente por el anunciante.

Resulta interesante considerar esta sentencia de la Corte Suprema con otra de la Corte de Apelaciones de Santiago de 10 de mayo de 2011. Los hechos son muy similares, se publicita la misma carrera y se señala la existencia de un amplio campo ocupacional. Sin embargo, la decisión del Tribunal es que no ha existido publicidad engañosa. En opinión de esa Corte:

Decimoquinto: Que a estos sentenciadores no les parece que pueda estimarse inductiva a error o engaño una publicidad que, como la divulgada por la denunciada, sólo da a conocer el amplio campo ocupacional de una carrera técnico profesional;

Decimosexto: Que, en efecto, tal es lo que se aprecia de la lectura íntegra del texto de la misma, junto a la información complementaria recibida por los educandos referida a los programas y planes de estudios, mallas curriculares, entre otras.

Siendo así, no es posible entender que la misma garantizara un desempeñó como perito judicial, única expresión concreta a que la publicidad alude, pues las restantes hacen mención genérica al sistema judicial, procesal penal y civil, para destacar luego que los investigadores criminalísticas podrán desarrollar su actividad en el ámbito público, pero sin referencia a una institución en particular, señalándose también que podrán hacerlo en empresas o instituciones privadas, en el sector seguros, financiero, bancario, isapres, o en el ejercicio libre de la profesión apoyando el trabajo de abogados, defensorías públicas y colaborando a la labor de los Tribunales como auxiliares de la justicia en materias penales y/o civiles;

Decimoséptimo: Que tales referencias no son en caso alguno inductivas a error o engaño acerca del campo ocupacional de un investigador criminalístico, y la mención que se hace al desempeño como perito judicial debe entenderse en el sentido de que para detentar tal calidad el interesado debe ser inscrito en las nóminas respectivas que las Cortes elaboran periódicamente, siendo evidente que su inclusión en ellas solo dependerá del interesado y de su solvencia técnico profesional

¿Se trata de sentencias contradictorias o resulta posible organizar una convivencia pacífica entre ellas? En mi opinión, resulta posible que convivan en paz. La razón es la siguiente, resulta distinto afirmar que una carrera tiene un amplio campo ocupacional a afirmar detalladamente en qué puestos puede desempeñarse quien ha cursado esa carrera. Que una carrera tenga un amplio campo ocupacional es una cuestión más bien vaga, difícil de verificar y, por lo tanto, difícil de falsear. Sin embargo, si se detallan los puestos en que puede desempeñarse resulta sencillo —al menos en este caso— comprobar la veracidad o falsedad de la afirmación.

La tercera hipótesis se refiere a las características relevantes del bien o servicio destacadas por el anunciante o que deban ser proporcionadas de acuerdo a las normas de información comercial. Dos cosas llaman la atención en esta tercera hipótesis. La primera de ella es que no se ofrezca un cierto detalle acerca de cuáles son las características relevantes del bien o servicio. La segunda es que se refiere a características relevantes destacadas por el anunciante. Respecto de lo primero, es posible percibir la diferencia, por ejemplo, con el artículo 6. 1 b) de la Directiva 2005/29 que, conviene reiterarlo, se refiere únicamente a productos:

"las características principales del producto, tales como su disponibilidad, sus beneficios, sus riesgos, su ejecución, su composición, sus accesorios, la asistencia posventa al cliente y el tratamiento de las reclamaciones, el procedimiento y la fecha de su fabricación o suministro, su entrega, su carácter apropiado, su utilización, su cantidad, sus especificaciones, su origen geográfico o comercial o los resultados que pueden esperarse de su utilización, o los resultados y características esenciales de las pruebas o controles efectuados al producto".

Algo similar sucedía en el Proyecto original de la ley 19.496 enviado por el Ejecutivo al Congreso. Sus artículos 22 c y d (actual 28 c) disponían:

c) Las características básicas del producto, en cuanto a dimensión, capacidad, cantidad u otro atributo, el origen geográfico o comercial del producto o el lugar de prestación del servicio, o las características relevantes del mismo.

d) Las fechas de elaboración o fabricación, cosecha, envasado, plazo de durabilidad mínima o fecha de vencimiento del producto.

Cuando se observan estos últimos preceptos, se advierte que si una hipótesis ya se refiere a las características relevantes del bien o servicio no es necesario que otra hipótesis se refiera a los componentes del producto y el porcentaje en que concurren (letra a del artículo 28). La razón es que la composición del producto —qué duda cabe— es una de sus principales características. Igualmente, desde a mirada del legislador parece ser que la condición de no producir daño al medio ambiente, a la calidad de vida y de ser reciclable y reutilizable (letra f del artículo 28) debería considerarse aquí.

Con respecto a aquellas características relevantes destacadas por el anunciante, probablemente la primera pregunta que convendrá formularse es qué utilidad tiene, después de todo, inmediatamente a continuación se añade '...*o que deban ser proporcionadas de acuerdo a las normas de la información comercial*'. Tratándose de las cualidades de un bien o servicio, probablemente la principal pregunta será cuáles de sus características resultan relevantes. Así sucede en el derecho de contratos cada vez que se discute sobre anomalías cualitativas, ya sea en sede de error, de vicios redhibitorios, o de resolución. Pues bien, el legislador de la ley 19.496 ha suministrado —aunque con una redacción poco feliz— dos criterios. El primero de ellos es toda aquella información que pueda considerarse como comercial. El segundo se refiere a aquella información que haya sido destacada por el anunciante. Tratándose de la información comercial, una primera constatación que resulta irritante es que la letra en comento es el único lugar en que el legislador emplea la expresión 'información comercial'. Por lo tanto, la primera pregunta que convendrá formularse es a qué se refiere exactamente. La misma expresión es empleada por el artículo 17 de la ley 19.628 sobre protección de datos personales bajo el Título 'De la utilización de datos personales relativos a obligaciones de carácter económico, financiero, bancario o comercial', de manera que una primera lectura podría indicar que se trata de información personal relativa al tipo de obligaciones a que alude dicho Título. Sin embargo, esta no puede ser la lectura correcta, entre otras cosas porque la información no se refiere a datos personales, sino del bien o servicio. La segunda lectura es que se trate de una contracción de la información comercial básica. Una interpretación armónica del articulado de la ley 19.496 debe conducir en este sentido. Ese es, entonces, el primer criterio. Sin embargo, podrá ser posible que el anunciante destaque en su publicidad otro tipo de información, en cuyo caso, ésta también debe considerarse como relevante. Como puede advertirse entonces, la redacción correcta de la norma debiese ser: 'las características relevantes del bien o servicio que deban ser proporcionadas en calidad de información comercial básica y aquellas destacadas por el anunciante.' Así pareciera desprenderse, por ejemplo, de la sentencia de la Corte de Apelaciones de Concepción de 10 de marzo de 2008 en la que se conoce del caso de la venta de un automóvil marca Jaguar en la que se considera como publicidad los catálogos de la marca en que se destacaban las bondades del vehículo. En lo que interesa a este Comentario, el tribunal estimó que:

'Es evidente que cuando un producto no corresponde en un cien por ciento a las virtudes que se indican en la publicidad del proveedor, no cabe más que calificarla de engañosa e inductiva a error de los potenciales compradores sobre la calidad del producto'.

La cuarta hipótesis se refiere al precio del bien o la tarifa del servicio, su forma de pago y el costo del crédito. Se trata de una mención frecuente en la regulación de la publicidad engañosa. Las manifestaciones de la publicidad engañosa a este respecto pueden ser múltiples. Las más sencillas —y, por lo tanto, menos desafiantes en términos dogmático corresponden a supuestos en que el precio avisado no es el que se cobra por el bien o servicio. En este sentido —aunque respecto de la forma de pagar el crédito— la Corte de Apelaciones de Concepción, en una sentencia de 23 de julio de 2009 conoció de un caso en el cual se ofrecía el pago a través de tres cuotas sin intereses, sin embargo, en la práctica, ello no resultaba posible toda vez que el sistema computacional del proveedor no permitía dicha modalidad. El Tribunal consideró que estos hechos eran susceptibles de subsumirse en la letra d) del artículo 28. Una modalidad más compleja tiene lugar cuando el precio al que se ofrece un bien corresponde a aquel efectivamente cobrado por el consumidor, sin embargo, el número de unidades a ese precio es extremadamente pequeño. En tercer lugar, resulta posible que se publicite un precio como si se tratara de una oferta cuando, en verdad, se trata del precio que comúnmente tienen los bienes o servicios.

Especialmente con la modificación que le introdujo la ley 20.555, la ley 19.496 posee una abigarrada regulación de la información que se debe suministrar respecto de los precios, tarifas y costos del crédito. La adecuada comprensión de la publicidad engañosa requiere entonces coordinar la letra d) del artículo 28 con el Párrafo III del Título III respecto del crédito al consumidor y con las numerosísimas reglas que añade la ley 20.555. Por otra parte, en la medida de que se trate de un precio presentado como oferta, resulta necesario coordinar el precepto en comento con el Párrafo II del mismo Título. De allí no se sigue, por supuesto, que el proveedor deba suministrar toda la información que requieren estos numerosos preceptos, esa no es la finalidad del mensaje publicitario. Sin embargo, si el proveedor elige incorporar esa información en su publicidad debe hacerlo de acuerdo a los que exigen las normas pertinentes. Así, por ejemplo, si en la publicidad de un crédito se elige incorporar información sobre su costo dicha publicidad resultaría engañosa en la medida en que no informe el costo total en los términos del artículo 17 G de la ley introducido por la ley 20.555.

La quinta hipótesis del artículo 28, correspondiente a su letra e) se refiere a las condiciones en que opera la garantía. La expresión 'garantía', aparentemente, se utiliza aquí en los términos de los incisos 1º y 9º del artículo 21, es decir como garantía contractual o voluntaria. La mención parece correcta —aunque también podría haber ido en las características del producto. Sin embargo, la garantía se enmarca dentro un concepto más amplio que, quizás hubiese sido útil considerar en esta regla: la asistencia posventa al cliente, incluyendo, por ejemplo los procedimientos de reclamación o las instancias de solución alternativa de conflictos.

La sexta y última hipótesis que, en realidad corresponde a una característica del bien o servicio, es la condición de no producir daño al medio ambiente, a la calidad de vida y de reciclable o reutilizable. Una mirada a la historia de la ley muestra que la justificación de esta norma tuvo menos que ver con la protección de los consumidores que con la protección del medio ambiente. De ahí que pueda criticarse la ubicación de la norma en una ley de protección al consumidor. Probablemente su ubicación más adecuada sea en una ley de protección al medio ambiente. Con todo, resulta probable que, progresivamente, los efectos del uso de ciertos productos sobre el medio ambiente se hayan transformado en una preocupación real de los consumidores, que los induzca a adquirir o no ciertos bienes. Si esto es así, se haría bien en considerar este precepto dentro de las características relevantes del bien o servicio".

- Fernández, Felipe (2019): "La comprensión del mensaje publicitario y la protección de la voluntad del consumidor desde el derecho a la información (Corte de Apelaciones de Santiago)" *Revista de Derecho (Valdivia)* Vol. XXXII —nº 2— Diciembre, pp. 339-345, pp. 344-345: "Así, es relevante que el contenido de la publicidad y del contrato se presente a los consumidores de manera tal que puedan entenderlo, para que puedan manifestar su voluntad de manera libre e informada. En realidad, solo el consumidor informado, que tiene la posibilidad de leer y comprender el mensaje publicitario puede 'conocer' y 'querer' los efectos de ese contrato que se promueve. En este contexto, es posible señalar que si bien la sentencia se refiere a la comprensión de dos cuestiones concretas, esto es, el precio y la cantidad de objetos que daban lugar al descuento, me parece que la exigencia de esta característica debe tener lugar en general respecto de los términos del contrato anunciados en la publicidad, y no solo en estos elementos. Según lo expuesto, me parece que conforme al artículo 3º inciso primero letra b) puede justificarse que deben ser comprensibles todos los elementos necesarios para la contratación, ya sea respecto del objeto mismo del contrato que promueve la publicidad como de las condiciones de su contratación. Ahora bien, como es posible apreciar, la relación entre la posibilidad de entender el alcance de la publicidad y del contrato que se promueve se relaciona, de manera necesaria, con la manifestación de voluntad del consumidor. De ahí que pueda hablarse del 'efecto' de la comprensión del mensaje publicitario. Esta relación se aprecia en el fallo. En efecto, la Corte de Apelaciones de Santiago consideró que un mensaje publicitario incomprensible incumplía con el deber de informar de manera adecuada a los consumidores y provocaba la omisión de elementos relevantes '... para determinar la formulación de una voluntad reflexiva, informada y certera de la real conveniencia a sus intereses al tenor del ofrecimiento' (considerando decimotercero). Es decir, el hecho que el consumidor no entienda la información que se le presenta en la publicidad se traduce, o puede traducir, en un problema en cuanto a su manifestación de voluntad, toda vez que se le priva de la posibilidad de ponderar sus propios intereses. Por eso, sentenció que no precisar el valor referencial del producto ofrecido no permite '... sopesar la conveniencia en la adquisición, en los términos que involucra la oferta. De otro modo, no se garantiza un consentimiento informado al tenor de los términos propuestos por el proveedor'. Estos considerandos dan cuenta de la relación que existe entre la comprensión del mensaje publicitario y la manifestación de voluntad al referirse, en forma explícita, a la reflexión del consumidor y la posibilidad de analizar la conveniencia, provecho o beneficio que le traería la celebración del contrato".

SENTENCIAS SOBRE ARTÍCULO 28

• **Servicio Nacional del Consumidor con A3D Chile S.A. (2016): Corte de Apelaciones de Santiago, 14 de diciembre de 2016, Recurso de Apelación, Rol n° 287-2016, LTM19.091.635: "DÉCIMO TERCERO:** Que, ahora bien, en cuanto al artículo 28° letra b) y c) no existen antecedentes en orden a establecer que en la publicidad del producto la denunciada ha inducido a los consumidores a error o engaño. En efecto, la prueba aportada, documental, no da razón de ello, más aún según documento del Sernac (fojas 3) el producto no presenta reclamos asociados a su base de datos. En relación al artículo 33, fundada en la circunstancia que el recurrente "no hace entrega de información comprobable por parte de los consumidores", atiende a una conducta distinta a la que se ha abocado el Sernac, cual es la publicidad".

- **Pincheira con Clínica Universitaria de Concepción S.A (2015): Corte de Apelaciones de Concepción, 31 de agosto de 2015, Recurso de Apelación, Rol n° 408-2014, LTM19.091.636: "OCTAVO:** Que de lo anteriormente expuesto se desprende que la publicidad que se analiza, apreciada en su conjunto y valorada de acuerdo a la sana crítica, contiene un claro elemento inductivo a error, a tener por cierto lo que en la realidad no lo es en la contratación de servicios, esto es, la existencia de una ambulancia para el traslado de pacientes desde sus domicilios a la Clínica Universitaria de San Pedro, siendo evidente que se llevó adelante la publicidad reprochada sin que, como lo exige el artículo 33 de la Ley sobre Protección de los Derechos de los Consumidores, fuese verídica la información contenida en la publicidad respecto del alcance de los servicios ofrecidos, apreciándose falta de diligencia por parte de la querellada para advertir que la información que figuraba en el 'sticker' era inductiva a error, más aún que 'sabía' (artículo 28 de la Ley de Protección del Consumidor) el alcance real que tenía el servicio de ambulancias con el que contaban la Clínica, y al no advertirlo ni impedirlo, promovió como posible algo que no era verdadero".

- **Navarro con Cecinas San Jorge (2013): 1° Juzgado de Policía Local de Pudahuel, 29 de diciembre de 2013, Rol n° 9712-3: "SEXTO:** Que, al rotular el producto en cuestión como 'PATÉ DE AVE', con caracteres sobresalientes y llamativos, no existe posibilidad de equívocos respecto al producto que se está promocionando, lo que resulta abiertamente contradictorio con la composición del producto, pues al señalar el fabricante las características del mismo, revela que se compone mayoritariamente de derivados de CERDO y NO DE AVE, como pudiere inferirse de la denominación que destacadamente publicita el envase, y a mayor abundamiento, rotula con menos dimensiones los caracteres de la COMPOSICIÓN DEL MISMO, todo lo cual no permite al consumidor de una manera clara y objetiva, a primera vista, determinar si efectivamente está adquiriendo 'PATÉ DE AVE' como es inducido a creer u otro producto, como sucede en la especie".

- **Sernac con Banco Consorcio (2013): Juzgado de Policía Local de Las Condes, 28 de junio de 2013, Rol n° 5718-8-2012, LTM18.764.212: "TERCERO:** Que, como fluye de los artículos 3 letra b) y 28 letra c) de la Ley n° 19.496, el consumidor tiene derecho a una información veraz y oportuna sobre los bienes y servicios ofrecidos, su precio, condiciones de contratación y otras características relevantes de los mismos y el que a sabiendas o debiendo saberlo y a través de cualquier tipo de mensaje publicitario induce a error o engaño comete infracción a sus disposiciones. A su vez el artículo 28ª señala que comete infracción también quien en uso de un mensaje publicitario produce confusión en consumidores respecto de la identidad de empresas, actividades, productos, nombres, marcas u otros signos distintivos de los competidores".

- **Sernac con Industrias Ambrosoli S.A. (2004): Corte de Apelaciones de Valparaíso, 06 de septiembre de 2004, Recurso de Apelación, Rol n° 5037-2002, LTM19.090.414:** "SÉPTIMO: Que, por otra parte, no es posible subsumir los hechos de autos en el tenor de la letra c del art. 28 de la ley 19.496, por cuanto esta norma se refiere a las características relevantes del bien o servicio destacados por el anunciante, y la impresión de la clave o código en el interior de los envoltorios de los chocolates no puede calificarse como una característica del bien, toda vez que, según el Diccionario de la Real Academia, 'característica' significa, en su acepción pertinente, 'que da carácter o sirve para distinguir a alguien o algo de sus semejantes'. Carácter, a su vez, quiere decir, según el mismo diccionario, acepción 6, 'conjunto de cualidades o circunstancias propias de una cosa, de una persona o de una colectividad que las distingue, por su modo de ser u obrar, de los demás'. Como puede apreciarse, el tenor de la citada norma no es atinente a la situación sublite".

ARTÍCULO 28 A

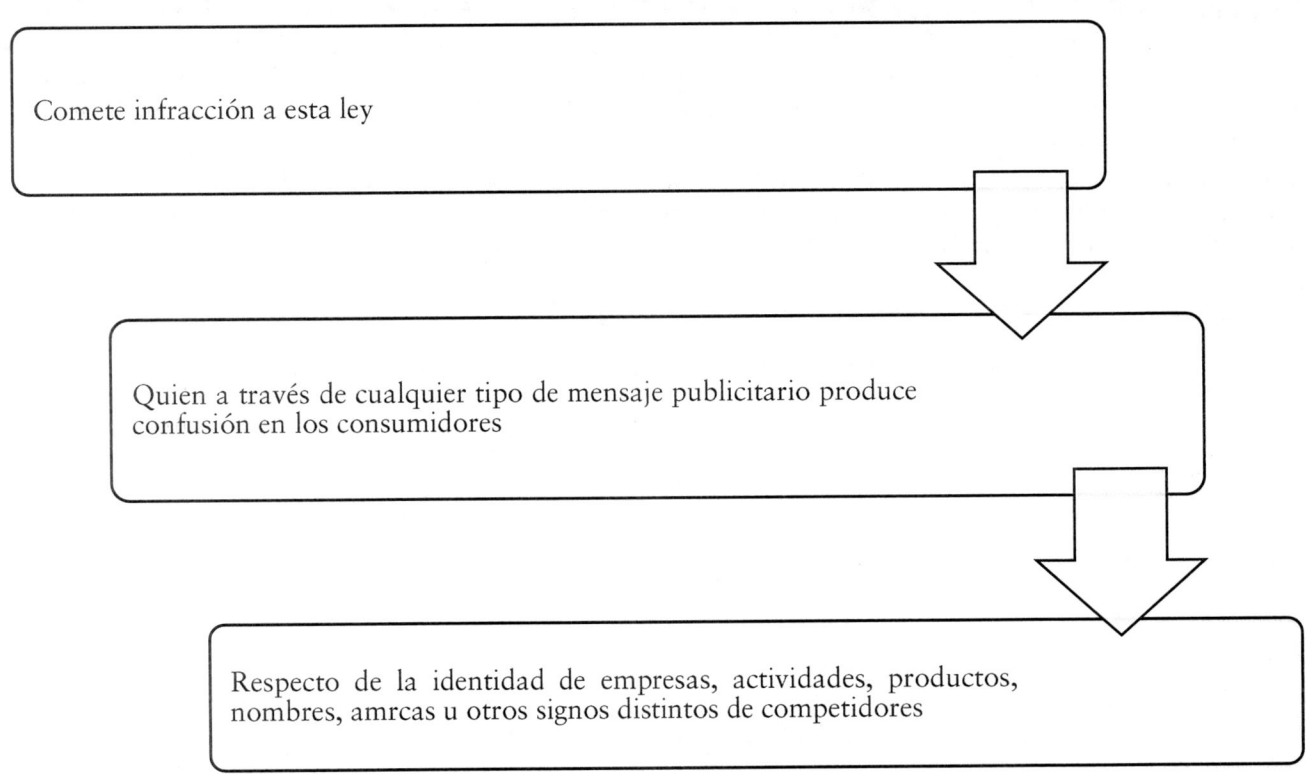

Comete infracción a esta ley

Quien a través de cualquier tipo de mensaje publicitario produce confusión en los consumidores

Respecto de la identidad de empresas, actividades, productos, nombres, amrcas u otros signos distintos de competidores

DOCTRINA ARTÍCULO 28 A

- **Guerrero, José Luis (2013): "Artículo 28 A", en Iñigo De La Maza; Carlos Pizarro (Dirs.) y Francisca Barrientos (coord.)** *La protección de los Derechos de los consumidores. Comentarios a la ley de protección a los derechos de los consumidores.* **Santiago: Thomson Reuters, pp. 672-673:** "Iñigo De La Maza vincula ésta y otras normas de la LPDC en relación al suministro de información a los consumidores a la búsqueda de diversos intereses, entre ellos, la libre competencia, así señala que si se presta atención a los artículos 28 y siguientes de la Ley n° 19.496 se advierte que además de la libertad contractual se disciplina el suministro de información a través de la publicidad. Una de las principales cuestiones que preocupan al legislador es que la publicidad no sea engañosa, es decir que no induzca a error o engaño. Sin embargo, de ahí no se sigue — sería absurdo pretenderlo— que la publicidad se encuentre destinada a suministrar información que permita que el consumidor tome su decisión de la manera más informada posible. La regulación de la publicidad no protege —no predominantemente al menos— la libertad contractual, sino más bien una de las condiciones de la libre competencia: la transparencia del mercado. Como se ha señalado, esta infracción está vinculada al derecho de la libre competencia, más específicamente a la sanción de la competencia desleal, por ello la infracción a esta norma, puede igualmente ser sancionada en aplicación de la Ley de Competencia Desleal n° 20.169 de 2007 que tiene por objeto proteger a competidores, consumidores y, en general, a cualquier persona afectada en sus intereses legítimos por un acto de competencia desleal, en su Art. 2 dispone que una conducta podrá ser calificada como un acto de competencia desleal conforme a las disposiciones de esa ley aunque resulten procedentes respecto de esa misma conducta, y ante los tribunales competentes, una o más de las siguientes acciones, entre ellas, b) Las reguladas en la Ley n° 19.496, que establece normas sobre protección de los derechos de los consumidores".

- **Aimone, Enrique (2013)** *Protección de los derechos de los consumidores.* **Santiago: Thomson Reuters, pp. 101-102:** "Una figura conexa, próxima a la de publicidad engañosa es la abusiva. Esta última es ilícita por afectar injustamente a determinadas personas, o instituciones por su origen raza, religión, preferencia sexual, etc., elementos que ese mensaje califica en forma injusta, denigratoria, irónica o burlona. [...] Otro caso de publicidad abusiva es aquel que recurre en exceso al erotismo en ropaje y actitudes, en especial, de a mujer. Puede ello ser aceptable en términos moderados, y si el producto o servicio promocionados guardan relación con la figura expuesta. Pero el solo señuelo de una figura que linda en la pornografía, sin relación con el producto, es inaceptable".

SENTENCIAS SOBRE ARTÍCULO 28 A

- **Servicio Nacional del Consumidor con Banco Créditos (2017): 1° Juzgado de Policía Local de Las Condes, 27 de junio de 2017, Rol n° 23080-2016-8, LTM19.091.790:** "SÉPTIMO: Que en consecuencia, el Tribunal, apreciando la prueba y antecedentes de la causa conforme a las normas de la sana crítica, según lo dispone el artículo 14 de la Ley n° 18.287, da por establecido que el denunciado infringió los artículos 3 letra b), 28 letra c) y 28 A de la Ley n° 19.496 al no proporcionar en su publicidad una información veraz y oportuna acerca de una característica relevante del servicio ofrecido, cuál es su verdadero prestador, inducir a error o engaño respecto del mismo punto y producir confusión en los consumidores respecto de la verdadera identidad del prestador del servicio publicitado, motivo por el cual procede acoger la denuncia interpuesta en su contra".

- **Servicio Nacional del Consumidor con Universidad Tecnológica Metropolitana y Servicios Educacionales Celta S.A. (2013): 1° Juzgado Civil de Santiago, 30 de agosto de 2013, Rol n° C-27315-2007, LTM10.823.340:** "SEXTOGESIMO NOVENO: Que en relación a la tercera y última infracción denunciada, analizado el artículo 28 A de la ley del ramo, el cual contempla dicha contravención, aparecen en forma nítida los presupuestos requeridos por el legislador para su procedencia, cuales son: a) que la publicidad desplegada produzca 'confusión' en los consumidores respecto de algunos de los elementos señalados en la misma norma, a saber, en la identidad de empresas; actividades; productos; nombres; marcas u otros signos; y b) que ello lo sea respecto de sus competidores; por lo que para dilucidar acerca de la procedencia de la infracción en comento, habrá que pronunciarse acerca de si concurren respecto de la conducta denunciada tales presupuestos".

- **Servicio Nacional del Consumidor con Banco Consorcio (2013): Juzgado de Policía Local de Las Condes, 28 de junio de 2013, Rol n° 5718-8-2012, LTM18.764.212:** "TERCERO: Que, como fluye de los artículos 3 letra b) y 28 letra c) de la Ley n° 19.496, el consumidor tiene derecho a una información veraz y oportuna sobre los bienes y servicios ofrecidos, su precio, condiciones de contratación y otras características relevantes de los mismos y el que a sabiendas o debiendo saberlo y a través de cualquier tipo de mensaje publicitario induce a error o engaño comete infracción a sus disposiciones. A su vez el artículo 28 A señala que comete infracción también quien en uso de un mensaje publicitario produce confusión en consumidores respecto de la identidad de empresas, actividades, productos, nombres, marcas u otros signos distintivos de los competidores".

ARTÍCULO 28 B

Toda comunicación promocional o publicitaria enviada por correo electrónico

Los proveedores que dirijan comunicaciones promocionales o publicitarias a los consumidores

Deberá indicar la materia o asunto sobre el que versa, identidad del remitente y una dirección válida a que se pueda solicitar la suspensión de los envíos.

Por medio de correo postal, fax, llamados o servicios de mensajería telefónicos

Si se solicitare la suspensión de los envíos quedarán desde entonces prohibidos

Deberán indicar una forma expedita en que los destinatarios podrán solicitar la suspensión de las mismas.

Solicitada la suspensión quedará prohibido el envío de nuevas comunicaciones

DOCTRINA ARTÍCULO 28 B

- De la Maza, Íñigo (2013): "Artículo 28 B", en Iñigo De La Maza; Carlos Pizarro (Dirs.) y Francisca Barrientos (coord.) *La protección de los Derechos de los consumidores. Comentarios a la ley de protección a los derechos de los consumidores.* Santiago: Thomson Reuters, pp. 674-684, pp. 673-683: "2. Los problemas del *spam*. La primera constatación es que el spam un problema y un problema serio. Sin embargo, el envío de publicidad no deseada como mecanismo de marketing directo es un fenómeno que antecede con creces a Internet y el *spam*. Diariamente las casas y departamentos son bombardeadas con cartas, a veces nominativas y otras no, que ofrecen servicios no solicitados. Asimismo, aunque quizás con menor frecuencia, no es extraño recibir o recuperar de la contestadora telefónica llamadas a través de las cuales, una vez más, se ofrecen servicios no solicitados. ¿Por qué entonces no tratar al *spam* como una más de estas prácticas? [...] *Opt- out* y *opt-in*. Para comprender la forma en que disciplina el artículo 28 B el *spam* resulta útil tener presente la forma en que se pueden tratar los datos personales de una persona en Chile, después de todo, la dirección de correo electrónico, al abrigo de la definición de datos personales que suminista el artículo 2 f) de la ley 19.628, suele constituir un dato personal. En principio, el tratamiento de esos datos debiese requerir de autorización de su titular. Sin embargo, el artículo 4 establece una conspicua excepción tratándose de datos provenientes de fuentes de acceso público en tres supuestos. El que interesa aquí es el de las 'comunicaciones comerciales de respuesta directa o comercialización o venta directa de bienes o servicios'. Esto significa que no resulta necesaria la autorización del titular de los datos para recolectar su información ni para enviarle correos comerciales no solicitados. No obstante lo cual, según lo dispuesto en el artículo 12 inciso tercero de dicha ley, el titular de los datos puede exigir al responsable de la base de datos en que figura la eliminación o el bloqueo de los datos. La mención a la ley 19.628 resulta útil para comprender el artículo 28 B de la ley 19.496. La lectura de su inciso primero muestra que el legislador chileno desechó disciplinar el envío de comunicaciones comerciales a través de un enfoque *opt-in,* es decir, de un enfoque en el que se exija a quien envía los correos la autorización previa del destinatario para hacerlo. Esta es, por ejemplo, la aproximación a nivel europeo, vertida en las Directivas 95/46 y 2002/58. El legislador chileno optó por un enfoque *opt-out,* es decir uno que permite el envío de correo comercial no solicitados a menos que el receptor le haya informado al *spammer* que no desea seguir recibiendo correos. Al utilizar un enfoque opt-out el legislador de la ley 19.496 es coherente con el de la ley 19.628. Se trata, entonces, de reglas coherentes. Coherentes y defectuosas. Comentando la excepción de la ley 19.628 respecto de las comunicaciones comerciales, JERVIS indica que la única justificación parece haber sido el *lobby* de las empresas de marketing directo, cita, además, otras dos opiniones extremadamente críticas. Por lo que toca a la ley 19.496, la principal herramienta de protección de los usuarios consiste en solicitar la suspensión de los envíos, sin embargo, la respuesta que envía el destinatario muestra que ese correo es utilizado, por lo mismo, le añade valor económico. Por otra parte, los argumentos de ahorro de costos en la publicidad para los pequeños empresarios que justificarían no prohibir este tipo de comunicaciones no parecen persuasivos. Por dos razones. La primera de ellas es que la práctica no se prohíbe, se sujeta a la autorización de los destinatarios. La segunda razón es que, como ya se ha visto, que los pequeños empresarios se ahorren los costos de la publicidad no significa que esos costos desaparezcan, sino que son soportados por personas distintas de quienes anuncian sus productos o servicios a través de esta vía".

- **Aimone, Enrique (2013): *Protección de los derechos de los consumidores.* Santiago: Thomson Reuters, p. 103:** "El spam debe tener un remitente válido que dé la posibilidad al destinatario de reclamar la suspensión de la práctica. Si se advierte sin embargo la debilidad de la norma regulatoria, ya que, por el simple expediente de cambiar el remitente, se puede proseguir con la molesta práctica".

- **SERNAC (2020) "No molestar" https://www.sernac.cl/portal/609/w3-propertyvalue-62998.html (fecha de consulta, 24 de junio de 2020):** "Herramienta dispuesta por el SERNAC para que los consumidores puedan manifestar su voluntad expresa, de ser borrados de los listados de las empresas con el fin de no recibir promociones y publicidad que no desean. Habitualmente esta información la reciben a través de: Correos electrónicos. Llamados o servicios de mensajería telefónicos. Con No Molestar, los consumidores ejercerán el derecho que tienen, como destinatarios de correos electrónicos, llamados o servicios de mensajería telefónicos, a solicitar la suspensión de los envíos de comunicaciones promocionales o publicitarias que no desean Ley del Consumidor Art. 28 B. 3. Descripción. Los consumidores acceden gratuitamente a No Molestar a través del *Portal del Consumidor*. En dicha plataforma deben seleccionar a la(s) empresa(as) que desean bloquear y luego indicar el número de teléfono o correo electrónico que necesitan se elimine de la base de datos de los envíos masivos de promociones o publicidad. El trámite se puede realizar en el sitio web durante todo el año".

SENTENCIAS SOBRE ARTÍCULO 28 B

- **Servicio Nacional del Consumidor con Claro Chile S.A. (2019): Juzgado de Policía Local de Huechuraba, 13 de diciembre de 2019, Rol nº 8418-2019: "CUARTO:** (…) que se encuentra acreditada la responsabilidad infraccional de Claro Chile S.A., por cuanto infringió lo dispuesto en el artículo 28B de la ley 19.496, sobre Protección de los Derechos del Consumidor, pero únicamente respecto del caso reconocido por esta, toda vez que, conforme a la información contenida en el CD (…) contiene una prueba irrefutable de la publicidad entregada por la denunciada a través de un mensaje de texto de Claro Móvil, cuyo detalle se encuentra en la captura de pantalla, acompañada en el mismo CD, bajo IMG_6449, el cual, fue enviado a un numero de celular cuyo titular había solicitado el bloqueo de toda información promocional o publicitaria a la denunciada, con fecha 14 de mayo de 2019, recibiendo nueva información con fecha 4 de junio de 2019, esto es, después de haber solicitado formalmente a la empresa denunciada el bloqueo de llamados y/o envíos de promociones".

- **Servicio Nacional del Consumidor con Entel PCS Telecomunicaciones S.A. (2014): 1º Juzgado de Policía Local de Las Condes, 22 de diciembre de 2014, Rol nº 6495-2013-3, LTM18.764.846: "OCTAVO:** Que, en consecuencia, el Tribunal apreciando la prueba y antecedentes de la causa conforme a las normas de la sana critica, según lo dispone el artículo 14 de la Ley 18.287, da por establecido que la denunciada infringió el artículo 28B inciso 2º de la Ley nº 19.496 al no indicar en el mensaje publicitario una forma expedita en que el destinatario pueda solicitar la suspensión de los envíos y, además, al persistir en ellos a pesar de que el consumidor solicitó dicha suspensión, motivo por el cual procede acoger la denuncia y dictar sentencia condenatoria en su contra".

ARTÍCULO 29

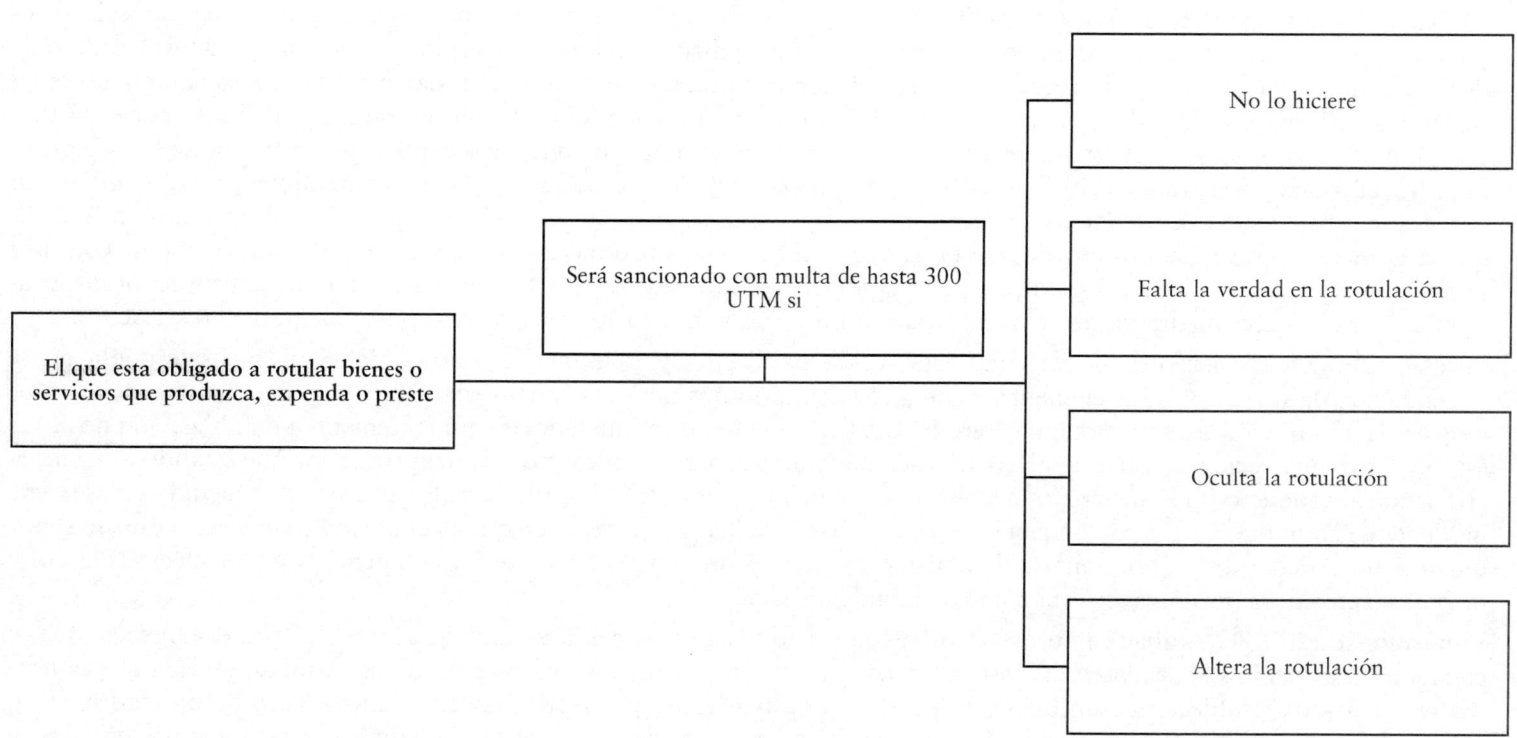

El que esta obligado a rotular bienes o servicios que produzca, expenda o preste

Será sancionado con multa de hasta 300 UTM si

No lo hiciere

Falta la verdad en la rotulación

Oculta la rotulación

Altera la rotulación

DOCTRINA SOBRE ARTÍCULO 29

- Isler, Erika (2013): "Artículo 29", Iñigo De La Maza; Carlos Pizarro (Dirs.) y Francisca Barrientos (coord.) *La protección de los Derechos de los consumidores. Comentarios a la ley de protección a los derechos de los consumidores.* Santiago: Thomson Reuters, pp. 685-705. pp. 685-701: "Nuestra LPC no indica lo que se debe entender por etiqueta, rótulo o rotulado, vacío que es suplido en parte por su normativa complementaria. En este sentido, el Reglamento de Rotulación de Productos Envasados, define a la rotulación como el 'conjunto de inscripciones, leyendas o ilustraciones contenidas en el rótulo que informan acerca de las características de un producto alimenticio'. Rótulo en tanto, es definido por el mismo cuerpo normativo como aquel "marbete, etiqueta, marca, imagen u otra materia descriptiva o gráfica, que se haya escrito, impreso, estarcido, marcado, marcado en relieve o en hueco grabado o adherido al envase de un alimento". El Reglamento del Sistema Nacional de Cosméticos, en tanto lo concibe como aquella "representación gráfica que reproduce la leyenda que se adhiere o inscribe en los envases del producto". Ahora bien, el rótulo o etiqueta, se vincula estrechamente con otra institución regulada por la Ley 19.496, cual es, la publicidad, entendida como "la comunicación que el proveedor dirige al público por cualquier medio idóneo al efecto, para informarlo y motivarlo a adquirir o contratar un bien o servicio".

En efecto, el cumplimiento de la exigencia establecida en el Art. 29 LPC, puede o no contener un mensaje publicitario, dependiendo de si su soporte se encuentra configurado en términos tales que igualmente tenga por objeto motivar al consumidor a la adquisición de un producto determinado. […] El deber de etiquetado, es eminentemente una obligación positiva, esto es, exige una acción del sujeto pasivo. De esta manera, incurrirá en infracción, aquel proveedor que estando obligado a etiquetar un producto no lo hiciere, o lo realizare de manera incompleta o insuficiente. En efecto, 'en la medida que se tiene un deber de comunicar información a la otra parte, y se omite hacerlo, a pesar de que es conocida (o debe ser conocida) por quien tiene el deber de proporcionarla, la omisión da lugar a una reticencia dolosa, que participa de los efectos del dolo, tanto a efectos de la acción rescisoria como de la indemnización'. […]

El mismo Art. 29 LPC establece la prohibición de que la rotulación falte a la verdad, la oculte o la altere, exigencia que se encuentra además incorporada en los instrumentos que regulan ciertos productos específicos. A modo de ejemplo, la normativa sanitaria, establece que un bien sólo puede anunciarse como producto medicinal, nutritivo o de utilidad médica, cuando hayan sido autorizados o reconocidos como tales por el Servicio Nacional de Salud; las etiquetas presentadas al momento de solicitar el registro de los productos farmacéuticos a la autoridad competente, deben corresponder fielmente a la composición tipográfica definitiva que tendrán una vez aprobados; los nombres de fantasía de los productos cosméticos en tanto, no pueden inducir al consumidor a error o engaño en cuanto a sus propiedades cosméticas, composición o que se asocie a un producto farmacéutico; etc. Por su parte, conforme al Reglamento de Rotulación de Productos Alimenticios Envasados, no se deben presentar palabras, ilustraciones u otras representaciones gráficas que puedan inducir al consumidor a equívocos, engaños o falsedades. En el mismo sentido, la información que se encuentre rotulada en juguetes y calzado, debe ser veraz, y presentarse de manera tal que no induzca al consumidor a una representación falsa respecto de su naturaleza y características".

SENTENCIAS SOBRE ARTÍCULO 29

- **Servicio Nacional del Consumidor con Comercial Costa Azul Ltda. (2017): 1° Juzgado de Policía Local de Recoleta, 20 de julio de 2017, Rol n° 202945-5, LTM18.764.844:** "DECIMO: Que, entonces, en virtud a lo razonado precedentemente bajo las exigencias de la sana critica, este sentenciador tiene la convicción que los derechos de los consumidores fueron vulnerados por la denunciada Comercial Costa Azul Ltda., al infringir lo establecido en los artículos 3° letras b) y d), 29 y 32 inciso primero (…). En efecto, el tribunal cree que productos como acetona, quitaesmalte y removedores, al estar compuestos por químicos de distinta índole, por sus características de ser volátiles e inflamables, resultan potencialmente peligrosos para la salud o integridad física de sus usuarios y por ello es que surge la necesidad y obligación de que sean rotulados, en cuanto a advertencias y precauciones sobre su uso para, precauciones de almacenamiento y conservación, cuando fuere necesario, entre otras menciones, de manera tal que los consumidores puedan tener información veraz y oportuna al momento de decidir su compra, como también garantizar un consumo seguro".

- **Servicio Nacional del Consumidor con Cencosud Retail S.A., Park Dan S.A. y Groupon Clandescuento Needish (2016): 2° Juzgado de Policía Local de Las Condes, 26 de mayo de 2016, Rol n° 40330-5-2014, LTM18.764.282:** "DECIMO SEXTO: Que, en cuanto a la supuesta infracción a la obligación de informar veraz y oportunamente a los consumidores respecto de las características del bien, en relación a la información básica comercial, atendido lo señalado en los motivos undécimo y duodécimo de este fallo, se concluye que las empresas denunciadas no han incurrido en infracción al artículo 3 letra b) y 29, especialmente en cuanto a esta última disposición, puesto que no se ha acreditado en autos la omisión de la rotulación requerida, dada por la advertencia previa a la prohibición de comercialización decretada por la SEC, como tampoco que el instructivo de uso del producto haya estado en un idioma distinto al español".

- **Servicio Nacional del Consumidor con Fasa Chile S.A. (2015): 4º Juzgado de Policía Local de Santiago, 24 de marzo de 2015, Rol nº 12334-7-20015, LTM19.091.789: "CUARTO:** (…) Conforme a lo antes expuesto y al tenor de los artículos 28 y 29 de la Ley nº 19.496 y las normas reglamentarias citadas mas arriba, se infiere que la denunciada ha debido informar en el rotulo como nombre del alimento tanto 'Stevia' como 'Sucralosa', y que al colocar solo Stevia no es veraz en la información a la cual tiene derecho el consumidor; asimismo, ello constituye una omisión que induce a equívocos al consumidor, dado que es distinto un producto hecho solo en base a Stevia a uno que tiene una parte similar de Stevia y una parte de Sucralosa, en particular si es de público conocimiento la difusión que en los últimos años ha tenido la Estevia como edulcorante natural saludables, por lo que la libertad de elección a la que tiene derecho el consumidor para elegir según su conveniencia, en particular si se trata de su salud y la de su familia, ha sido vulnerada por la denunciada al no entregarle la información de un modo veraz y que no induzca a un juicio errado del producto (…)".

ARTÍCULO 30

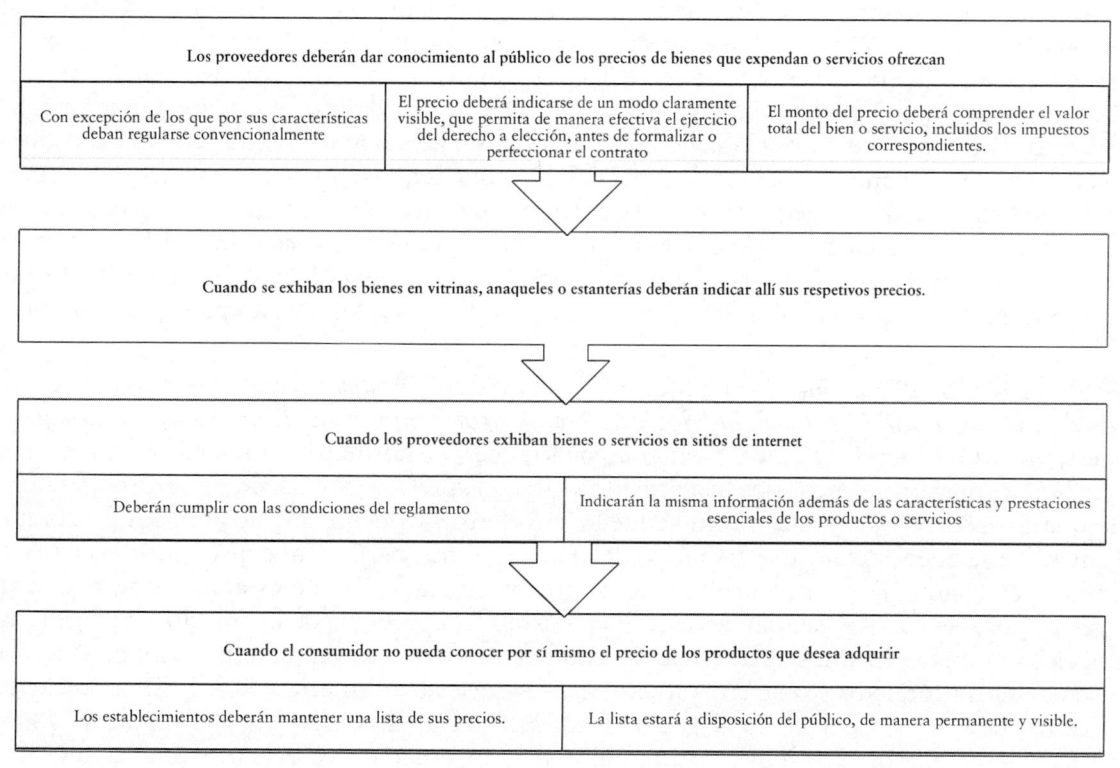

Los proveedores deberán dar conocimiento al público de los precios de bienes que expendan o servicios ofrezcan

| Con excepción de los que por sus características deban regularse convencionalmente | El precio deberá indicarse de un modo claramente visible, que permita de manera efectiva el ejercicio del derecho a elección, antes de formalizar o perfeccionar el contrato | El monto del precio deberá comprender el valor total del bien o servicio, incluidos los impuestos correspondientes. |

Cuando se exhiban los bienes en vitrinas, anaqueles o estanterías deberán indicar allí sus respetivos precios.

Cuando los proveedores exhiban bienes o servicios en sitios de internet

| Deberán cumplir con las condiciones del reglamento | Indicarán la misma información además de las características y prestaciones esenciales de los productos o servicios |

Cuando el consumidor no pueda conocer por sí mismo el precio de los productos que desea adquirir

| Los establecimientos deberán mantener una lista de sus precios. | La lista estará a disposición del público, de manera permanente y visible. |

DOCTRINA ARTÍCULO 30

- **Barrientos, Francisca (2019):** *Lecciones de Derecho del Consumidor.* **Santiago: Thomson Reuters, pp. 53-55:** "Respecto del precio, el artículo 30 también manda a exhibirlo de un modo claramente visible (inciso 2°), incluso en las vitrinas (inciso 4°). Por eso, se comete una infracción si es que el precio debía aparecer en la vitrina, pero no se hace por el protocolo aplicado por la empresa, especialmente si la infracción la detecta un ministro de fe, tal como se sentenció en Servicio Nacional del Consumidor con Empresa de Vestuario Integral Tienda y Afines Limitada (2018)], fallo en que se dijo '... se debe tener presente que el acto de compra y venta que realiza el comprador es un acto complejo que no sólo exige que el cliente adquiera la mercadería directa desde el interior del local comercial, sino que requiere que se encuentre debidamente informado de los precios que se muestran en las vitrinas, entonces, la compra comienza generalmente con el método comparativo de los diversos precios en diferentes locales comerciales con la práctica de vitrinear' (considerando 14°). Por esto, el proveedor fue sancionado con una multa de 10 UTM. Ahora, con la entrada en vigencia de la Ley n° 21.081 el rol que antes asumían los ministros de fe lo podrán ejercer los fiscalizadores, que cuentan con potestades más amplias para cumplir estas sus funciones".

- **Isler, Erika (2013):** "Artículo 30", en Iñigo De La Maza; Carlos Pizarro (Dirs.) y Francisca Barrientos (coord.) *La protección de los Derechos de los consumidores. Comentarios a la ley de protección a los derechos de los consumidores.* **Santiago: Thomson Reuters, pp. 706-720, pp. 712-717:** "Ninguno de los cuerpos normativos indicados, señala sin embargo, cuándo se entenderá que la información se encuentra 'claramente visible', expresión que ha sido interpretada por nuestra jurisprudencia como 'lo que se puede ver', y también como aquello 'tan cierto y evidente que no admite duda'. En todo caso, resulta claro que este antecedente debe encontrarse dispuesto de manera tal que permita al consumidor el ejercicio de su derecho a elección. Ahora bien, en cuanto al lugar donde debe constar el precio, la norma no establece exigencia alguna, razón por la cual no es necesario que se encuentre estampado en el bien mismo. Sin perjuicio de lo anterior, sí exige la disposición, que si los bienes o servicios se ofrecen en sitios de internet, debe indicarse junto a sus características y prestaciones esenciales. Por último, en caso de que los productos se exhiban en vitrinas, anaqueles o estanterías, en la misma ubicación debe constar el precio (Art. 30 inc. 3° LPC). [...] De acuerdo al Art. 30 inc. 5° LPC, cuando el consumidor no pueda conocer por sí mismo el precio de los productos que desea adquirir, los establecimientos comerciales deben mantener una lista actualizada de precios a disposición del público de manera permanente y visible. En materia farmacéutica, esta exigencia reviste especial importancia, por cuanto, la información oportuna del precio puede evitar una eventual tentación del comerciante directo, de recomendar al consumidor la compra de algunos medicamentos particulares —en general más caros- por sobre otros".

- Sandoval, Ricardo (2004), Derecho del Consumidor. Santiago: Editorial Jurídica de Chile, p.142: "El monto del precio deberá comprender el valor total del bien o servicio, incluidos los inpuestos correspondientes. Antes de que se formulara esta exigencia legal, era una mala práctica comercial la de señalar los precios de los productos o de los servicios sin incluir el IVA, para inducir a error al consumidor y al mismo tiempo hacer competencia desleal. Cuando el consumidor no puede conocer por sí mismo el precio de los productos que desea adquirir, los establecimientos comerciales están obligados a mantener una lista de sus precios a disposición a disposición del público, de manera permanente y visible".

SENTENCIAS SOBRE ARTÍCULO 30

- **Servicio Nacional del Consumidor con Ticketmaster Chile S.A. (2018): Corte Suprema, 09 de abril de 2018, Recurso de Casación en el Fondo, Rol nº 62158-2016, LTM16.126.393:** "NOVENO: (…) Estima configuradas por la conducta de la demandada únicamente las contravenciones al artículo 3º letra b) y 30 de la Ley 19.496, por ser incompleta la información entregada en el boleto o entrada al no estar detallado el valor de cargo por servicio omitiéndose así consignar el precio total, e impone una sola multa por estas dos infracciones, ascendente a 5 unidades tributarias, fundada que ambas infracciones están sustentadas en los mismos hechos. La sentencia desestima la concurrencia de las demás infracciones denunciadas".

- **Servicio Nacional del Consumidor con Importadora y exportadora Miyaki Ltda. (2016): 1º Juzgado de Policía Local de Iquique, 18 de octubre de 2016, Rol nº 3472-E, LTM19.091.786:** "SEXTO: Esta sentenciadora establece que logró determinarse que se infringieron las disposiciones del artículo 3 letra b) y artículo 30, toda vez que según los antecedentes y pruebas solo se constató es que el proveedor no tenia en sus vitrinas a disposición del público, la totalidad de los precios de los productos en exhibición, para que el consumidor cotice directamente, como así lo exige la normativa, según lo constata el acta de ministro de fe rolante a fojas 32".

- **Servicio Nacional del Consumidor con Valle Nevado S.A. (2017): Juzgado de Policía Local de Vitacura, 15 de marzo de 2017, Rol nº 32924-1, LTM18.775.101:** "SÉPTIMO: Que, según dispone el artículo 30 de la citada ley, el monto del precio deberá comprender el valor total del bien o servicio, incluidos los impuestos correspondientes; que, no podemos olvidar que el precio reviste especial importancia, por cuanto se trata de uno de los objetos del contrato de compraventa, de manera que, al no estar claramente determinado con anterioridad a su celebración, carecería de uno de los elementos de su existencia".

ARTÍCULO 31

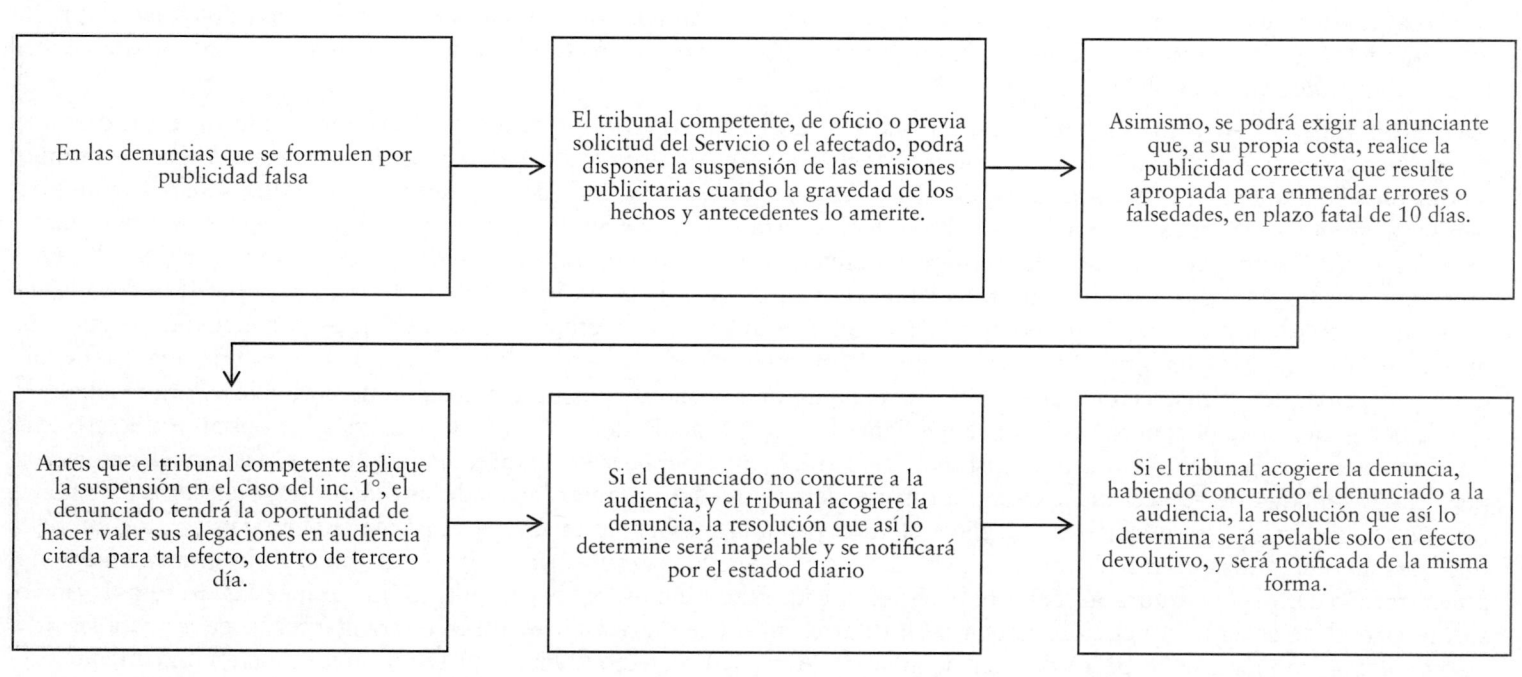

En las denuncias que se formulen por publicidad falsa

El tribunal competente, de oficio o previa solicitud del Servicio o el afectado, podrá disponer la suspensión de las emisiones publicitarias cuando la gravedad de los hechos y antecedentes lo amerite.

Asimismo, se podrá exigir al anunciante que, a su propia costa, realice la publicidad correctiva que resulte apropiada para enmendar errores o falsedades, en plazo fatal de 10 días.

Antes que el tribunal competente aplique la suspensión en el caso del inc. 1°, el denunciado tendrá la oportunidad de hacer valer sus alegaciones en audiencia citada para tal efecto, dentro de tercero día.

Si el denunciado no concurre a la audiencia, y el tribunal acogiere la denuncia, la resolución que así lo determine será inapelable y se notificará por el estadod diario

Si el tribunal acogiere la denuncia, habiendo concurrido el denunciado a la audiencia, la resolución que así lo determina será apelable solo en efecto devolutivo, y será notificada de la misma forma.

DOCTRINA SOBRE ARTÍCULO 31

- **Historia de la Ley n° 21.081. Primer trámite constitucional: Cámara de Diputados. Informe de Comisión de Economía. 13 de noviembre de 2014. Sesión 93, legislatura 362, pp. 87-88:** "El señor Ministro de Economía hizo presente que 'la norma se propone para aclarar que el tribunal puede decretar medidas cautelares específicas en materias de publicidad, y previa solicitud del Servicio'. Asimismo, el señor Chahin recordó que 'ésta es una medida cautelar, y no definitiva, por lo que parece una medida adecuada y el plazo correcto".

- **Isler, Erika (2013): "Artículo 31", Iñigo De La Maza; Carlos Pizarro (Dirs.) y Francisca Barrientos (coord.)** *La protección de los Derechos de los consumidores. Comentarios a la ley de protección a los derechos de los consumidores.* **Santiago: Thomson Reuters, pp. 721-731 pp. 721-728:** "De acuerdo al Art. 31, las medidas contempladas en dicha disposición, pueden ser decretadas, en los juicios iniciados por denuncias formuladas por publicidad falsa. Una primera cuestión que emana de la lectura de la norma así redactada, consiste en dilucidar acerca del tipo de acción que se requiere haber ejercido, para que procedan las medidas que ella indica. Lo anterior, puesto que, de acuerdo al Art. 50 B LPC, los procedimientos derivados de la aplicación de dicho cuerpo normativo, pueden iniciarse —además de la denuncia— por demanda o querella. Surge entonces una pregunta necesaria: ¿sería posible ordenar el cese de la publicidad o bien la emisión de una publicidad correctiva, en aquellos casos en los cuales sólo se dedujere una demanda por indemnización de perjuicios. Para resolver dicha interrogante, se debe tener presente que mediante la incorporación del Art. 31 LPC, el legislador busca proteger bienes jurídicos de orden público —exige que existan hechos graves involucrados—, de tal manera que no se vislumbra razón para negar la posibilidad de que en una acción puramente civil, se puedan decretar las medidas que indica. Pensemos que el ámbito de aplicación de esta norma, se encuentra circunscrito a la publicidad falsa, razón por la cual en general, los intereses jurídicos involucrados tendrán el carácter de difusos y generales. Más grave sería la situación aún si el supuesto infraccional amenazare la salud o la seguridad de la población. Por tal razón incluso se ha permitido que el juez las decrete de oficio, sin necesidad de esperar la petición de una de las partes en tal sentido. Una segunda interrogante, surge a propósito del tipo de ilícito publicitario respecto del cual se aplica el Art. 31. En efecto, dicha disposición hace alusión únicamente a la publicidad falsa, sin referirse a la engañosa, a diferencia del tenor del Art. 34 LPC. [...] De acuerdo al mismo Art. 31 LPC, el Juez competente —conociendo de una denuncia por publicidad falsa o engañosa—, puede ordenar al anunciante que, a su propia costa, emita la publicidad correctiva que resulte apropiada para enmendar la falsa representación de la realidad que se haya configurado en el público consumidor. Cabe señalar a este respecto, que esta potestad se confiere tanto si se trata de publicidad falsa como engañosa, puesto que el legislador a este respecto, sí es claro en señalar que ella tiene por finalidad enmendar 'errores o falsedades' presentes en el soporte publicitario original. En otro orden de cosas, se debe considerar que el legislador no ha exigido para la utilización de esta prerrogativa, que se trate de un caso grave, sino que basta únicamente con que se configure un supuesto de publicidad ilícita sancionada por la Ley 19.496".

ARTÍCULO 32

La información básica comercial de los servicios y productos de fabricación nacional, o de procedencia extranjera.

Tratándose de contratos ofrecidos por medios electrónicos o de que aquellos que se aceptare una oferta realizada por catálogos, avisos u otra forma de comunicación a distancia.

Deberá efectuarse en idioma catellano, en términos compresibles y legibles en moneda de curso legal, y conforme al sistema general de pesos y medidas aplicables en el país.

El proveedor deberá informar, de manera inequívoca y fácilmente accesible los pasos que deben seguirse para celebrarlos.

Sin perjuicio de que el proveedor o anunciante pueda incluir, adicionalmente, esos mismos datos en otro idioma, unidad monetaria o de medida.

También informará, cuando corresponda, si el documento electrónico en que se formalice el contrato será archivado y si éste será accesible al consumidor.

Lo anterior también aplica respecto a la identificación, instructivos de uso y garantías de estos servicios o productos

Indicará, además, su dirección de correo postal o electrónico y los medios técnicos que pone a disposición del consumidor para identificar y corregir errores en el envío o en sus datos.

DOCTRINA SOBRE ARTÍCULO 32

• Isler, Erika (2013): "Artículo 32", en Iñigo De La Maza; Carlos Pizarro (Dirs.) y Francisca Barrientos (coord.) *La protección de los Derechos de los consumidores. Comentarios a la ley de protección a los derechos de los consumidores*. Santiago: Thomson Reuters, pp. 732-749, pp. 733-739: "De acuerdo al Art. 32 de la Ley 19.496, las exigencias en ella comprendidas se aplican a la información básica comercial. La norma además se refiere a la identificación e instructivos de uso y garantías, los cuales —de acuerdo al Art. 1 n° 3 inc. 3° LPC—, se encuentran igualmente contenidos en el concepto señalado, por lo que no requieren de tratamiento particular. Por otra parte, cabe señalar que, la disposición que se comenta, se aplica tanto a los servicios como a los productos, sean de procedencia nacional o extranjera, reiterando la regla de territorialidad consagrada en el Art. 16 de nuestro Código Civil. [...] Tal como se puede desprender de su misma denominación, la información básica comercial, se encuentra conformada por un conjunto de reseñas que el proveedor transmite al consumidor, y que el Art. 1 n° 3 desglosa en las siguientes expresiones: datos, instructivos, antecedentes e indicaciones. [...] Ahora bien, no señala la norma qué se debe entender por 'público consumidor', surgiendo a este respecto, dos corrientes jurisprudenciales que han intentado dar solución a esta controversia [...] Una primera línea de opinión, sostiene que constituirían IBC, únicamente los antecedentes que el proveedor se encuentre obligado a otorgar de manera general, esto es, a todos los consumidores. A modo de ejemplo, se podrían señalar las características generales del producto, su precio, uso, cuidado y términos de la garantía. De acuerdo a esta tesis entonces, no se encontrarían contemplados en el supuesto del Art. 1 n° 3, aquellos datos que los proveedores deban otorgar a un consumidor en particular. En este sentido, se ha fallado que 'la denominada Información Básica Comercial que debe entregar el proveedor, debe ser amplia y una misma para todos los consumidores y referirse a aspectos generales del bien o servicio de que se trata, obedeciendo a una norma jurídica que disponga cuales son los datos, antecedentes, instructivos o indicaciones que deben proporcionarse. A consecuencia de esta línea argumentativa, se ha negado el carácter de IBC a un contrato celebrado entre un particular y un proveedor, tal como se puede desprender de la siguiente sentencia del Segundo Juzgado de Policía Local de Las Condes: 'del tenor de la carta cuya copia rola a fs. 3 enviada por el Sernac al proveedor denunciado, queda de manifiesto que dicho servicio efectúa un requerimiento respecto de un contrato en particular y solicita información acerca del estado de las relaciones comerciales entre la empresa denunciada y el consumidor (...), sin que pueda estimarse que la información requerida tenga el carácter de Información Básica

Comercial'. Una segunda línea argumentativa —que considero correcta— estima que la expresión 'público consumidor' que utiliza la LPC, debe entenderse en un sentido amplio, abarcando tanto a la generalidad de los usuarios, como a uno o más considerados de manera específica. Lo anterior, se entiende, puesto que el legislador no realiza distinción alguna, no pudiendo entonces el intérprete tampoco realizarlo, y menos aún en desmedro de aquél sujeto a quien este estatuto especial protege. En efecto, conforme al principio de interpretación pro consumatore vigente en estas materias, en caso de duda, debe preferirse la exégesis de una norma que sea más favorable al consumidor. Por otra parte, se debe tener en consideración que el mismo Art. 1 nº 3 LPC ya señalado, utiliza indistintamente las voces 'consumidor' y 'público', de tal manera que para estos efectos, los identifica. Reforzando la idea anterior, se encuentra el Art. 3 letra b) LPC, conforme al cual le asiste al consumidor el derecho a una información veraz y oportuna, sobre los bienes y servicios ofrecidos, su precio, condiciones de contratación y otras características relevantes de los mismos. Así las cosas, esta disposición, ubicada precisamente en el Título II de este cuerpo normativo, denominado 'Disposiciones generales', sí establece de manera amplia la garantía a una información correcta y tempestiva. De esta manera, aún cuando algunos antecedentes deban otorgarse a ciertos consumidores específicos, es en virtud de esta norma, que adquieren el carácter de vinculación general. La jurisprudencia minoritaria se ha inclinado por esta interpretación. A modo de ejemplo, encontramos la sentencia recaída en 'Sernac con Compañía de Telecomunicaciones de Chile S.A.', en la cual, el Segundo Juzgado de Policía Local de Providencia, confirmado por la Corte de Apelaciones de Santiago, estimó que podía constituir información básica comercial, no sólo aquellos antecedentes que los proveedores deben otorgar de manera general, sino que también aquella que dice relación con un reclamo en particular, tal como ocurría en el caso que se encontraba conociendo".

- Barrientos, Francisca (2019): *Lecciones de Derecho del Consumidor.* **Santiago: Thomson Reuters, p. 62:** "En general, la transparencia se manifiesta en que los proveedores deben asegurar a los consumidores ciertas condiciones especiales relacionadas con la información de los productos o servicios que compren. Se trata de entregar informaciones verídicas y oportunas (artículo 3 letra b), descritas en idioma castellano, en términos comprensibles y legibles (artículo 32). La expresión 'comprensibles' que evoca el artículo 32 en materia de información básica comercial sintetiza la aplicación del principio de transparencia. No basta sólo con tener acceso (o legibilidad) a la información sobre los bienes y servicios ofrecidos, sino que toda la información que se entregue debe ser comprensible; es decir, transparente. [...] La transparencia parte de algunas reglas de información, pero es más que eso, se trata de un segundo nivel de protección —si se quiere exponer de esa forma—

que intenta asegurar no sólo el adecuado suministro de información al consumidor, sino que además una comprensión, concreción y claridad de todas las instituciones relacionadas con el consumo, como las ofertas, promociones, publicidad, contratos por adhesión, entre otras".

- **Baraona, Jorge (2014): "La regulación contenida en la ley 19.496 sobre protección de los derechos de los consumidores y las reglas del Código Civil y Comercial: un marco comparativo".** Revista chilena de Derecho, vol. 41 nº 2, pp. 384-386: "Si revisamos ahora las reglas de la Ley 19.496, podemos advertir que el paradigma de la autonomía privada no encaja con la misma profundidad en los actos de consumo el supuesto de fondo que se suele invocar para explicar la estricta regulación de los actos sujetos a la ley del consumidor, dicen relación con un desequilibrio que se advierte entre proveedores de bienes y servicios y los consumidores, en términos de una fuerza económica superior o muy superior, dependiendo de los casos, de una falta de equilibrio o asimetría en materia de información y de la necesidad de evitar, por lo mismo, abusos en contra de los consumidores. Más al fondo de la cuestión, aparece un tema de orden público económico, por el cual se postula que el desarrollo de la economía y del consumo exige ofrecer confianza a los consumidores, en donde al proveedor no solo se le exige transparencia en la oferta sino en general lealtad en el cumplimiento de buenas prácticas comerciales, la buena fe llega entonces a exigir una operación comercial respetuosa de los consumidores. No se trata ya de proteger la pura libertad contractual, en el sentido de asegurar libertad a la espontánea decisión de contratar, sino de garantizar a los consumidores que los bienes y servicios que se les ofrecen podrán adquirirlos, o servirse de ellos, en los términos que ellos están siendo ofrecidos, que no serán sometidos a condiciones inicuas, que se les respetarán las condiciones y modalidades ofrecidas, que no serán dañados daños o menoscabados, entre otras cosas, y en general no serán sometidos a prácticas comerciales desleales. Por ello, parece que el bien superior ya no es asegurar la clásica libertad de contratación, sino proteger el acto de consumo masivo, a partir de la confianza que le ha suscitado la propuesta del proveedor. El contraste, por lo mismo, no se hace entre lo que se convino y lo que se recibió, sino entre lo que se ofreció por el proveedor y lo que efectivamente este entregó. Se introduce, así, un principio rector en el derecho del consumo, que es el principio de la transparencia del proveedor. Es una depuración cuya finalidad no busca dar garantía para el logro de un consentimiento libre, sino generar condiciones para un consumo libre y confiado, que no es lo mismo, en mi opinión".

SENTENCIAS SOBRE ARTÍCULO 32

- **Servicio Nacional del Consumidor con Importadora y Exportadora Mi Casa Ltda. (2017): 3° Juzgado de Policía Local de Iquique, 08 de noviembre de 2017, Rol n° 13957-L, LTM18.774.632:** "QUINTO: La letra b) de la Ley 19.496, señala que son derechos y deberes básicos del consumidor, el ser informado en forma veraz y oportuna respecto de los bienes y servicios que le fueren ofrecidos, su precio, condiciones de contratación y otras características relevantes de los mismo. Asimismo, el artículo 32° del texto legal referido, obliga que la información básica comercial de los productos de procedencia extranjera, así como su identificación, instructivos de uso y garantías, y difusión que de ellos se haga deberán efectuarse en idioma castellano, en términos comprensibles y legibles".

- **Servicio Nacional del Consumidor con A3D Chile S.A. (2016): Corte de Apelaciones de Santiago, 14 de diciembre de 2016, Recurso de Apelación, Rol n° 1047-2015, LTM19.067.128:** "DÉCIMO SEGUNDO: Que, de las normas denunciadas, esta Corte comparte la decisión del juez a quo respecto de las infracciones previstas en: a) el artículo 3 letra b), en tanto el producto tiene registro cosmético, no obstante alguna de las propiedades que se publicitan son de carácter terapéuticas; b) el artículo 32 inciso primero de la Ley n° 19.496, en tanto que la información básica del producto relativa a los ingredientes o composición debe serlo en idioma castellano, lo que no ocurría al momento del Informe Técnico de marzo de 2011 (fojas 2); y b) al artículo 29 de la ley citada, ante la inconsistencia detectada por el Servicio en el número de registro sanitario del envase".

- **Servicio Nacional del Consumidor con Lan Airlines S.A. (2016): 2° Juzgado de Policía Local de Providencia, 24 de agosto de 2016, Rol n° 60257-2015, LTM18.774.634:** "SEXTO: (…) Que no se infringió el artículo 32 de la Ley 19.496 toda vez que en los programas se incluyen al menos el pasaje aéreo, traslados terrestres, hotel especificado, alimentación (todo incluido, solo desayuno, etc); que además, en cada caso, se señala el código específico del programa para los efectos de consultar por el valor del mismo, según las fechas definidas para el viaje. Adicionalmente, que el documento entrega información especial del lugar, atracciones y en algunos casos, alternativas adicionales de hoteles con sus valores vigentes en las fechas en las que en cada caso se mencionan; que todo lo anterior deja en evidencia que las piezas publicitarias resultan comprensibles y legibles para cualquier consumidor y de hecho, Sernac no ha señalado donde estaría la ilegalidad, tomando además en consideración que la información se encuentra disponible en la tienda".

ARTÍCULO 33

La información que se consigne en los productos, etiquetas, envases, empaques o en la publicidad y difusión de bienes y servicios

Deberá ser susceptible de comprobación y no contedrá expresiones que induzcan a error o engaño al consumidor.

Expresiones tales como "garantizado y "garantía", solo podrán ser consignadas cuando se señale en qué consisten y la forma en que el consumidor pueda hacerlas efectivas.

DOCTRINA SOBRE ARTÍCULO 33

• Isler, Erika (2013): "Artículo 33", en Iñigo De La Maza; Carlos Pizarro (Dirs.) y Francisca Barrientos (coord.) *La protección de los Derechos de los consumidores. Comentarios a la ley de protección a los derechos de los consumidores.* **Santiago: Thomson Reuters, pp. 750-767, pp. 751-759:** "De acuerdo al tenor del Art. 33 LPC, las exigencias que ella establece, rigen tanto respecto de la información, como de la publicidad que se consigna en los productos, etiquetas, envases y empaques, quedando así su ámbito de aplicación delimitado a las dos instituciones que la LPC regula a propósito del derecho a la información. Por información, se entiende, a aquellos antecedentes de carácter objetivo que el proveedor entrega al consumidor, con la finalidad de ponerlo en conocimiento de ciertas materias. Ahora bien, cuando ello se realiza en cumplimiento de una norma jurídica, adquiere el carácter de básica comercial, de acuerdo a lo señalado en el Art. 1 n° 3 LPC. […] Conforme a la disposición que se comenta, tanto la información como la publicidad de productos y servicios, deben ser susceptibles de comprobación, esto es, debe existir una base científica que permita determinar la efectividad de sus aseveraciones, regla que es replicada por nuestra normativa sanitaria en lo que dice relación con los productos farmacéuticos y cosméticos. […] En segundo lugar, el Art. 33 LPC establece que la información y publicidad de productos y servicios no debe contener expresiones que induzcan al consumidor a error o engaño, consagrando —junto a los Arts. 28 y 28 A LPC— un nuevo supuesto infraccional de publicidad falsa o engañosa, en caso de que los antecedentes se encuentren contenidos en un soporte publicitario. En razón de lo anterior, es que esta disposición presenta particular relevancia, por cuanto —a diferencia de los Arts. 28 y 28 A LPC— no contiene un catálogo taxativo de materias sobre las cuales debe versar la publicidad engañosa, para que sea punible. En efecto, la redacción de la disposición es lo suficientemente amplia, como para permitir que se comprendan en ella todas aquellas hipótesis en las cuales un mensaje publicitario, induzca a los consumidores, a error o engaño".

SENTENCIAS SOBRE ARTÍCULO 33

• **Servicio Nacional del Consumidor con A3D Chile S.A. (2016): Corte de Apelaciones de Santiago, 14 de diciembre de 2016, Recurso de Apelación, Rol n° 1047-2015, LTM19.067.128:** "DECIMOTERCERO: Que, ahora bien, en cuanto al artículo 28° letra b) y c) no existen antecedentes en orden a establecer que en la publicidad del producto la denunciada ha inducido a los consumidores a error o engaño. En efecto, la prueba aportada, documental, no da razón de ello, más aún según documento del Sernac (fojas 3) el producto no presenta reclamos asociados a su base de datos. En relación al artículo 33, fundada en la circunstancia que el recurrente 'no hace entrega de información comprobable por parte de los consumidores', atiende a una conducta distinta a la que se ha abocado el Sernac, cual es la publicidad".

- **Servicio Nacional del Consumidor con Universidad Bolivariana (2016): 3° Juzgado de Policía Local de Santiago, 29 de marzo de 2016, Rol n° 14006-PCM/2012, LTM18.775.100:** "DECIMOSEGUNDO: Que entonces, conforme con lo expuesto en los considerando anteriores, este sentenciador se forma plena convicción de la efectividad de los hechos denunciados, por cuanto existe en el denunciado la capacidad para inducir a error en el aviso publicado, respecto de las características relevantes del servicio que deben ser proporcionadas por el proveedor e acuerdo a las normas de información comercial que disponen los artículos 3 inciso primero letra b), 28 letra c) y 33 Ley n° 19.496, sobre Protección de los Derechos de los Consumidores".

- **Servicio Nacional del Consumidor con Entel PCS Telecomunicaciones S.A. (2015): 1° Juzgado de Policía Local Las Condes, 25 de agosto de 2015, Rol n° 2.661-2015-15:** "DECIMOPRIMERO: Que así, se advierte que la publicidad del proveedor no resulta clara a simple vista, por lo que debe ser calificada como inductiva a error, pudiendo concluir que la información publicitada es susceptible de inducir a confusión a los consumidores respecto del servicio ofrecido, todo lo cual permite tener por configurada infracción a los artículos 3 letra b), 28 letra d) y d) y 33 de la Ley n° 19.496, sobre Protección de los Derechos de los Consumidores".

ARTÍCULO 34

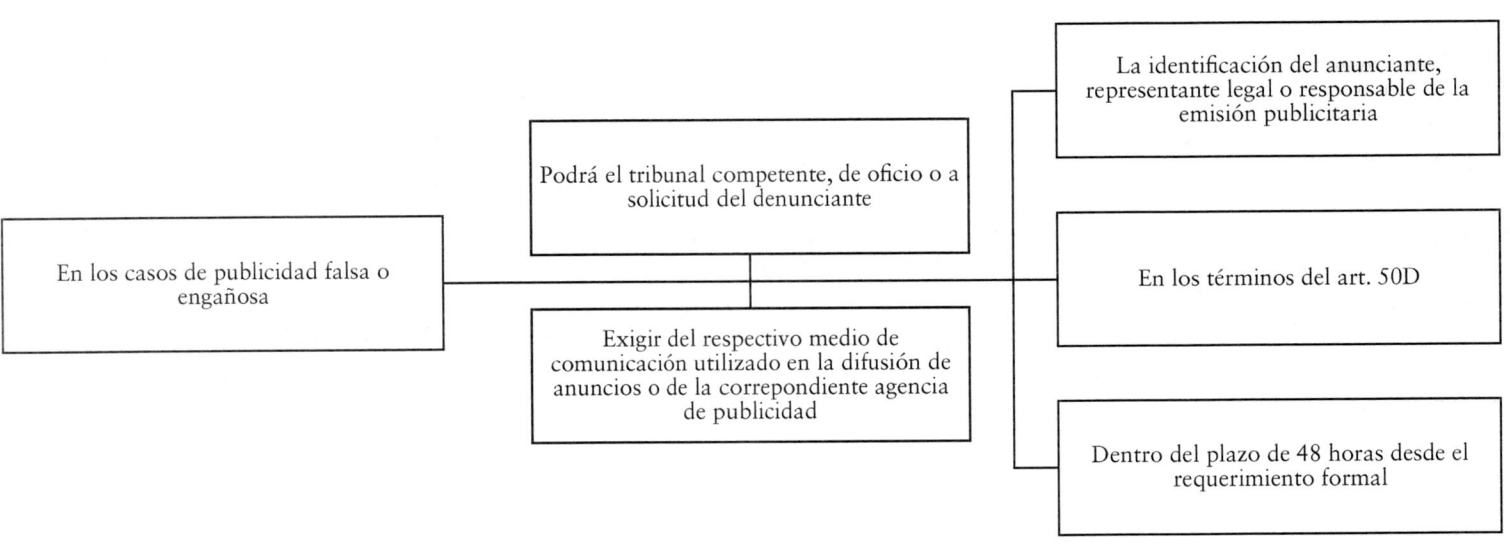

En los casos de publicidad falsa o engañosa

Podrá el tribunal competente, de oficio o a solicitud del denunciante

Exigir del respectivo medio de comunicación utilizado en la difusión de anuncios o de la correpondiente agencia de publicidad

La identificación del anunciante, representante legal o responsable de la emisión publicitaria

En los términos del art. 50D

Dentro del plazo de 48 horas desde el requerimiento formal

DOCTRINA SOBRE ARTÍCULO 34

- **Historia de la Ley n° 21.081. Primer trámite constitucional: Cámara de Diputados. Informe de Comisión de Economía. 13 de noviembre de 2014. Sesión 93, legislatura 362, pp. 88-89:** "La diputada señora Fernández explicó el sentido de la norma señalando que 'se busca identificar de mejor manera al responsable de la emisión publicitaria. Señala también que es necesario regularlo de manera que permita tener certeza del momento en que se debe realizar".

- **Historia de la Ley n° 21.081. Primer trámite constitucional: Cámara de Diputados. Informe de Comisión de Economía. 13 de noviembre de 2014. Sesión 93, legislatura 362, p. 89:** "A su vez, el Director Nacional del Sernac, señor Muñoz, manifestó la necesidad de distinguir entre las facultades del Servicio para solicitar cierta información, la responsabilidad eventual del anunciante que incurre en el tipo descrito en el artículo 28 respecto de la publicidad engañosa y la identificación del anunciante. Se pretende que el Sernac tenga la facultad de solicitar al medio de comunicación a través del cual se ha difundido algo que pertenece a la información básica comercial que se debe entregar al público, y en este caso al Servicio en virtud de una norma jurídica que así lo señala. Agregó que, 'sin esta norma, no se podría pedir la identificación del anunciante con el objeto de poder determinar su responsabilidad.' Precisó que 'es una medida de identificación que se enmarca dentro del marco general de información básica comercial y se aclara que el Servicio tiene la facultad de solicitar esa información, lo que es sin perjuicio de cómo se determina luego la responsabilidad por la emisión publicitaria".

- **Historia de la Ley n° 21.081. Primer trámite constitucional: Cámara de Diputados. Informe de Comisión de Constitución. 6 de mayo de 2015. Sesión 22, legislatura 363, p. 239:** "Posteriormente, en el Informe de Comisión de Constitución, el diputado señor Trisotti peguntó 'cuál es la razón de establecer un plazo tan breve de sólo 48 horas contado desde el requerimiento formal del servicio'. Respecto de ello, el Director Nacional señor Muñoz, explicó que 'el sujeto pasivo del requerimiento del Servicio es el medio de comunicación y la idea es identificar al infractor con prontitud para efectuar las correcciones pertinentes".

PÁRRAFO 2º. PROMOCIONES Y OFERTAS

ARTÍCULO 35

En toda promoción u oferta

Se deberá informar al consumidor sobre las bases de la misma y el tiempo o plazo de duración

No se entenderá cumplida la obligación por el hecho de haberse depositado las bases en el oficio de un notario.

El proveedor podrá disponer una prestación equivalente en caso de no ser posible el cumplimiento en especie de lo ofrecido.

El consumidor podrá requerir del juez competente que ordene su cumplimiento forzado

En caso de rehusarse el proveedor al cumplimiento de lo ofrecido en la promoción u oferta

DOCTRINA SOBRE ARTÍCULO 35

- Lagos, Osvaldo (2013): "Artículo 35", en Iñigo De La Maza; Carlos Pizarro (Dirs.) y Francisca Barrientos (coord.) *La protección de los Derechos de los consumidores. Comentarios a la ley de protección a los derechos de los consumidores.* Santiago: Thomson Reuters, pp. 779-801 pp. 779-786: "Nuestro ordenamiento jurídico es lacónico con respecto a la regulación de promociones y ofertas. No existe, a diferencia de otros países, una determinación de prácticas comerciales lícitas o ilícitas, una regulación expresa de estas prácticas a propósito de una norma que regule al comercio minorista o la competencia desleal, o una prohibición general de estas prácticas, indicando situaciones excepcionales en que se encuentran permitidas. Además de las disposiciones contenidas en LPDC, existen reglas sobre promociones y ofertas en el Código Chileno de Ética Publicitaria, redactado por el Consejo de Autorregulación y Ética Publicitaria (CONAR). [...] En lo que respecta al contenido normativo del artículo 35 LPDC, este sólo se refiere a dos aspectos específicos de las promociones y ofertas: la información que debe entregarse al consumidor con respecto a la promoción u oferta específica, y la acción para exigir el cumplimiento forzado o por equivalencia de la prestación en oferta o promoción. Como he sostenido, se trata de un contenido bastante limitado, que confía nuevamente en los remedios informativos a favor de los consumidores, y no en la ordenación del mercado para que exista una genuina competencia libre y leal, que impacte verdaderamente en beneficios para los consumidores. De este modo, el legislador nacional no ha aprovechado la oportunidad de regular el mercado, a propósito de las promociones y ofertas, por medio de mecanismos como el establecimiento de ciertos períodos para las promociones, la prohibición de ciertos tipos de ofertas o promociones que puedan considerarse prácticas agresivas o que alteran el orden del mercado. En efecto, a mi parecer en nuestro medio usualmente se estima que las promociones y ofertas no son riesgosas para el público, pues simplemente implican un beneficio adicional, usualmente gratuito, a favor de los consumidores. No obstante, en otras legislaciones, el acercamiento a las promociones y ofertas es más bien restrictivo, pues se es consciente de los perjuicios que estas prácticas pueden provocar a los consumidores y al mercado. [...] Por lo tanto, los remedios estrictamente informativos parecen insuficientes. Por un lado, estos tienen el innegable beneficio de tener un alcance, al menos en términos potenciales, mucho más extenso que las tutelas administrativas, es decir, la intervención de la autoridad. No obstante, es evidente que el uso de la información en su beneficio, característico de un hombre culto y racional, es poco esperable de cualquiera de nosotros, expuestos a la estudiada persuasión de los mensajes publicitarios, más aún, de las promociones y ofertas, que tienden a provocar impulsos emocionales o racionalmente erróneos en los consumidores. […] No obstante, puede intentarse un acercamiento más completo a la regulación, a través de la interpretación sistemática de la LPDC. Así, si se interpretan las exigencias informativas sobre promociones y ofertas, a la luz de las normas sobre información y publicidad del párrafo 1º del título III de la LPDC, se puede lograr que, en ciertos casos específicos, promociones y ofertas se estimen engañosas. […]

La LPDC sólo exige que se informe lo relativo a dos caracteres de la promoción u oferta: las bases y el tiempo de duración. El plazo durante el cual la oferta se mantendrá vigente, es un aspecto relevante, pues una manera de defraudar a los consumidores, es realizar una oferta o promoción por un tiempo exageradamente breve, con el fin de lograr captar la atención de éste, y motivarlo a adquirir el producto o a acercarse al establecimiento del proveedor, pero ya sin derecho a la obtención del bien promocionado. […] Como ya se ha dicho, el art. 35 LPDC, en su inciso primero, da a entender con claridad que cada vez que en un medio se divulgue una promoción, debe informarse a cerca de su duración y sobre las bases de la misma".

- **Barrientos, Francisca (2019).** *Lecciones de Derecho del Consumidor.* **Santiago: Thomson Reuters, pp. 86-87:** "Por otra parte, el artículo 35 señala que se debe informar las bases 'en toda promoción u oferta' y 'no se entenderá cumplida esta obligación por el solo hecho de haberse depositado las bases en el oficio de un notario'. Esto quiere decir que no sólo bastaría informar el lugar dónde se encuentran depositadas esas bases, sino que las mismas declaraciones publicitarias deben contener los elementos más importantes de la contratación. Y para complementar la idea que se está desarrollando, es posible considerar que se podrán utilizar, por analogía, los criterios del artículo 17 G que regula la publicidad financiera. Es decir, podrían emplear una gráfica, extensión, ubicación, duración, dicción, repeticiones y nivel de audición de un tamaño acorde con la rebaja del precio. Una regla que aporta es la directriz del Servicio Nacional del Consumidor que señala 'También se deben evaluar en estos aspectos, aquellos mensajes publicitarios que poseen un contraste débil referido al trasfondo en el cual se ubica el mensaje publicitario, lo cual no permite su lectura ni comprensión, haciéndola totalmente ilegible. Al respecto, el contraste debe ser de tal magnitud que debe permitir a cualquier consumidor poder realizar la lectura de la misma".

SENTENCIAS SOBRE ARTÍCULO 35

- **Servicio Nacional del Consumidor con A3D Chile S.A.** (2016): Corte de Apelaciones de Santiago, 14 de diciembre de 2016, Recurso de Apelación, Rol n° 1047-2015, LTM19.067.128: "DECIMOPRIMERO: Que, de las normas denunciadas, esta Corte solo comparte la decisión del juez a quo respecto de la conducta descrita en el artículo 35 inciso primero de la Ley n° 19.496, en tanto con la publicidad televisiva no se cumple con 'informar al consumidor sobre el tiempo o plazo de su duración', puesto que el hecho de señalarse que debe el consumidor efectuar un contacto telefónico inmediato para la compra de un determinado producto, para obtener determinados artículos adicionales, lleva a que quien vea tal oferta proceda rápidamente a la compra, no obstante de permanecer aquella en forma indefinida en el tiempo. Obligación 'tiempo o plazo de duración', que no puede entenderse subsanado con el hecho de haber depositado la denunciada las bases de la oferta ante Notario Público, como ocurre en el caso. Es así como la normativa referida, exige que en toda promoción u oferta se informe al consumidor, el tiempo o plazo de duración, ya que en caso contrario queda al entero arbitrio del proveedor la determinación de concretarse o no la promoción".

- **Servicio Nacional del Consumidor con Canon Chile S.A.** (2016): Corte de Apelaciones de Santiago, 18 de noviembre de 2016, Recurso de Apelación, Rol n° 1231-2016, LTM19.067.130: "CUARTO: (…) Que en esta promoción se emplea la expresión 'hasta agotar stock', la que es sabido ya que resulta asimétrica, vulneratoria de los derechos de los consumidores, pues no puede estimarse satisfecho lo dispuesto en el artículo 3° letra b) de la Ley n° 19.496 cuando el destinatario de la promoción no es informado acerca de este stock, de manera que se trata de una información que solamente conoce el proveedor…".

- **Servicio Nacional del Consumidor con Lan Airlines S.A.** (2016): 2° Juzgado de Policía Local de Providencia, 24 de agosto de 2016, Rol n° 60257-2015, LTM18.774.634: "SEXTO: Por último, según el artículo 35 de la Ley 19.496 se debe especificar que en caso de "promoción", sus condiciones y el plazo de duración, porque es de la esencia de ellas, la existencia de un tiempo limitado, sin embargo no se exige el informar el precio, ya que este no es necesariamente un elemento de la esencia de una promoción, dicho esto y en conformidad a lo señalado con anterioridad, en este caso no existe promoción u oferta, por lo que no es procedente la imputación relativa a la información del plazo de vigencia o el número de unidades disponibles, incluso al no estar frente a una oferta, tampoco es procedente la información del precio".

- **Servicio Nacional del Consumidor con Comercial e Importadora Audio Música S.P.A. (2016): Corte de Apelaciones de Santiago, 08 de julio de 2016, Recurso de Apelación, Rol nº 490-2016, LTM19.091.641: "CUARTO:** Que, por su parte, el artículo 35 de la citada Ley, prevé: "En toda promoción u oferta se deberá informar al consumidor sobre las bases de la misma y el tiempo o plazo de duración...". En este punto, cabe hacer presente que cuando el legislador hace alusión a las bases de la promoción u oferta, ha de entenderse que se refiere al máximo de información disponible, en atención que se trata de prácticas transitorias destinadas a capturar la decisión de compra, en razón de condiciones más favorables que las habituales, o bienes o servicios a precios rebajados, lo que hace conveniente la adquisición para los consumidores; de allí que resulta importante el tiempo o plazo de duración".

ARTÍCULO 36

DOCTRINA SOBRE ARTÍCULO 36

- **Lagos, Osvaldo (2013): "Artículo 36", en Iñigo De La Maza; Carlos Pizarro (Dirs.) y Francisca Barrientos (coord.)** *La protección de los Derechos de los consumidores. Comentarios a la ley de protección a los derechos de los consumidores.* **Santiago: Thomson Reuters, pp. 802-807, pp. 804-807:** "En síntesis, a partir del art. 36 LPDC, sólo deben considerarse lícitos los concursos o sorteos que se utilicen como método para llevar a cabo una promoción, lo que implica un beneficio adicional para el consumidor por la adquisición de un producto o servicio, pero no concursos o sorteos que no tengan por finalidad la expuesta. Lo anterior, en la medida que no exista una norma legal que expresamente autorice esa actividad. 2. Información sobre promociones consistentes en concursos y sorteos. 2.1. Exigencias formales. Supuesto que nos encontramos ante un concurso o sorteo que se utiliza como incentivo promocional, y en razón de que no existe una normativa legal más detallada sobre juegos de azar en general, las exigencias legales para la realización de esta actividad son tres: información sobre monto o número de premios; información sobre el plazo para su reclamo; difusión adecuada de los resultados de los concursos o sorteos. **a) Información sobre el monto o número de premios.** Debe entenderse que la referencia al monto, implica una suma de dinero total que sirve para avaluar los premios (por ejemplo, 'cinco millones de pesos en premios'). La referencia al número, exige una declaración de la cantidad precisa de productos o servicios que serán entregados a título de premio en la respectiva promoción. La conjunción disyuntiva 'o', indica que la obligación legal puede satisfacerse de una u otra manera. En un primer acercamiento, puede pensarse que la información sobre el monto o número de los premios, pretende darle al consumidor nociones sobre a sus posibilidades de ganar el premio ofrecido como incentivo, para poder evaluar la conveniencia o no de la promoción y apreciar con mayor certeza la conveniencia de la promoción. Como ya se ha mencionado en el comentario del art. 35 LPDC, es dudoso que la información sobre el stock de premios pueda producir este efecto. No obstante, la regla es importante para poder precisar la obligación a la que se compromete el proveedor y, en consecuencia, poder exigir su cumplimiento. **b) Información sobre el plazo para su reclamo.** La información sobre el plazo para reclamar el premio tiene una finalidad similar a la expresada en el párrafo anterior: determinar el momento preciso en que se pude exigir la prestación prometida, y la consiguiente posibilidad de ejercer la acción de ejecución forzada contenida en el artículo 35 LPDC. **c) Difusión adecuada de los resultados de los concursos o sorteos.** No existe una norma reglamentaria que especifique la forma en que debe hacerse una difusión adecuada de los resultados de concursos y sorteos.

Por lo tanto, el estándar es fijado por los tribunales, quienes lo determinan a partir de las circunstancias del caso concreto, esto es, exigiendo medios proporcionales a la extensión y envergadura del respectivo concurso o sorteo. Así se desprende del fallo de 9 de septiembre de 2005, rol 7675-2003, de la Corte de Apelaciones de Santiago (cita online legalpublishing CL/JUR/1015/2005), por el cual se absuelve a Bata de denuncia en su contra, por contravenir normas sobre promociones y ofertas. El fallo concluye que 'de los antecedentes se infiere que la denunciada Bata Chile S.A. dio cumplimiento a las normas invocadas de los artículos 35 y 36 de la Ley 19.496, en el sentido de publicitar hacia los consumidores la promoción, informando sobre las bases de esta, el o los premios, fecha y lugar del sorteo y los resultados del mismo, los cuales serían publicados en el Diario La Tercera, con indicación de cómo cobrar el premio, además, se imprimió un póster informativo, el cual se difundió en cada una de las tiendas de la denunciada, junto a la publicación en el Diario La Tercera el día 28 de Abril de 1999, los resultados del concurso o sorteo'. Como se aprecia, para una promoción de una cadena de zapaterías de alcance nacional, se estima suficiente la publicación de los resultados en un diario de circulación nacional, además de la exhibición de un afiche con la información en todos los locales de la cadena. **Exigencias sustanciales:** De la circunstancia que el art. 36 LPDC establezca de manera expresa sólo exigencias de carácter formal para las promociones realizadas a través de concursos y sorteos, podría colegirse que no existen reglas sustanciales para este tipo promociones. Pero esto no es así, criterio que ha sido refrendado la jurisprudencia (como se aprecia en el fallo referido a continuación). Primero, pues el análisis de las reglas sobre concursos y sorteos del art. 36 LPDC está inserta en la regulación sobre promociones, contenida en el título III, párrafo 2° LPDC. Como se ha afirmado, las promociones realizadas por medio de concursos y sorteos, no son más que una especie de promoción. Segundo, porque también se le aplican las demás normas de LPDC, En especial, son pertinentes las reglas del título III párrafo 1° sobre información y publicidad, y el art. 1 n° 4 sobre incorporación de las condiciones objetivas indicadas en la publicidad al contrato. En consecuencia, debe tenerse presente lo expresado, respecto a régimen legal y tutelas, en el comentario al art. 35 LPDC. Una manifestación de lo recién expresado es la sentencia del Primer Juzgado de Policía Local de Iquique, en causa rol n° 1.610-E de 2010 (Delgado contra Paris Administradora Norte Limitada). Los hechos de esta causa consisten en que la querellante y demandante participó en el concurso 'Viaje gratis a Cartagena de Indias', que consistía en el sorteo de un viaje a esta ciudad, para quienes realizaran compras por más de $10.000. La consumidora ganó el sorteo, y se le informó el hecho el día 20 de agosto de 2008. El 5 de septiembre, escribió a la parte demandada (Paris), solicitando información no expresada en las bases con claridad. La demandante fue informada que su premio no contemplaba el traslado desde Iquique a Santiago, traslado especialmente gravoso en esa época del año, precisamente en la época en que debía hacerse efectivo el premio, cuestión que tampoco había sido informada en la promoción ni en las bases. El tribunal iquiqueño, al fallar, hace una fundada relación entre la normativa del artículo 36 LPDC con la del artículo 35 LPDC, señalando que el concurso es una especie de promoción y, al mismo tiempo, al anunciarse por medio de folletos, hace aplicables el art. 28 LPDC, especialmente en su letra b (inducir a error o engaño respecto de la idoneidad del bien o servicio anunciado) y 1 n° 4 (las condiciones objetivas de la publicidad forman parte del contrato). En consecuencia, al afirmarse en la información publicitaria relativa a la promoción la frase 'Viaje gratis a Cartagena de Indias', se infringen las reglas citadas. Esto se produce al no indicarse expresamente, en las bases del concurso establecidas en el folleto por medio de los cuáles se promovía, que el viaje sólo podía hacerse efectivo en septiembre, y que el costo del traslado entre Iquique y Santiago no estaba cubierto en el premio, siendo conocido de todos que el costo de traslados aéreos dentro de Chile en el mes de septiembre es especialmente escaso y caro".

SENTENCIAS SOBRE ARTÍCULO 36

- **Sernac con Industrias Ambrosoli S.A. (2004): Corte de Apelaciones de Valparaíso, 06 de septiembre de 2004, Recurso de Apelación, Rol n° 5037-2002, LTM19.090.414: "DECIMOTERCERO:** Que en lo relativo a lo dispuesto en el art. 36 de la ley en análisis, cabe tener presente que su tenor no obligaba a la empresa denunciada a consignar en cada envoltorio de los chocolates en cuestión cuáles eran el monto o número de premios y plazo para reclamarlos, sino que le imponía el deber de 'informar al público', sin especificar un medio o forma específica, y en autos no se ha demostrado el incumplimiento de esa norma".

PÁRRAFO 3º. DEL CRÉDITO AL CONSUMIDOR

ARTÍCULO 37

Inc. 1º	Inc. 2º	Inc. 3º	Inc.4º	Inc. 5º
En toda operación de consumo en que se conceda crédito directo al consumidor, el proveedor deberá poner a disposición de éste la siguiente información: a) El precio al contado del bien o servicio de que se trate, el que deberá expresarse en tamaño igual o mayor que la información acerca del monto de las cuotas a que se refiere la letra d); b) La tasa de interés que se aplique sobre los saldos de precio correspondientes, la que deberá quedar registrada en la boleta o en el comprobante de cada transacción; c) El monto de los siguientes importes, distintos a la tasa de interés: 1. Impuestos correspondientes a la respectiva operación de crédito. 2. Gastos notariales. 3. Gastos inherentes a los bienes recibidos en garantía. 4. Seguros expresamente aceptados por el consumidor. 5. Cualquier otro importe permitido por ley; d) Las alternativas de monto y número de pagos a efectuar y su periodicidad; e) El monto total a pagar por el consumidor en cada alternativa de crédito, correspondiendo dicho monto a la suma de cuotas a pagar, y f) La tasa de interés moratorio en caso de incumplimiento y el sistema de cálculo de los gastos que genere la cobranza extrajudicial de los créditos impagos, incluidos los honorarios que correspondan, y las modalidades y procedimientos de dicha cobranza. g) Los efectos del incumplimiento del crédito concedido y los efectos procesales del ejercicio de la acción ejecutiva en los casos que corresponda, tales como el embargo, el retiro y remate de bienes, entre otros, de conformidad al reglamento.	No podrá cobrarse, por concepto de gastos de cobranza extrajudicial, cualesquiera sean la naturaleza de las gestiones, el número, frecuencia y costos en que efectivamente se haya incurrido, incluidos honorarios de profesionales, cantidades que excedan de los porcentajes que a continuación se indican, aplicados sobre el monto de la deuda vencida a la fecha del atraso a cuyo cobro se procede, conforme a la siguiente escala progresiva: en obligaciones de hasta 10 unidades de fomento, 9%; por la parte que exceda de 10 y hasta 50 unidades de fomento, 6%, y por la parte que exceda de 50 unidades de fomento, 3%. Los porcentajes indicados se aplicarán transcurridos los primeros veinte días de atraso, y no corresponderá su imputación respecto de saldos de capital insoluto del monto moroso o de cuotas vencidas que ya hubieren sido objeto de la aplicación de los referidos porcentajes. En ningún caso los gastos de cobranza extrajudicial podrán devengar un interés superior al corriente ni se podrán capitalizar para los efectos de aumentar la cantidad permitida de gastos de cobranza.	El proveedor del crédito deberá realizar siempre a lo menos una gestión útil, sin cargo para el deudor, cuyo fin sea el debido y oportuno conocimiento del deudor sobre la mora o retraso en el cumplimiento de sus obligaciones, dentro de los primeros quince días siguientes a cada vencimiento impago. Si el proveedor no realizara oportunamente dicha gestión, la cantidad máxima que podrá cobrar por los gastos de cobranza extrajudicial efectivamente incurridos indicados en el inciso anterior, se reducirá en 0,2 unidades de fomento.	Entre las modalidades y procedimientos de la cobranza extrajudicial se indicará si el proveedor la realizará directamente o por medio de terceros y, en este último caso, se identificarán los encargados; los horarios en que se efectuará, y la eventual información sobre ella que podrá proporcionarse a terceros de conformidad a la ley nº 19.628, sobre protección de los datos de carácter personal.	Se informará, asimismo, que tales modalidades y procedimientos de cobranza extrajudicial pueden ser cambiados anualmente en el caso de operaciones de consumo cuyo plazo de pago exceda de un año, en términos de que no resulte más gravoso ni oneroso para los consumidores ni se discrimine entre ellos, y siempre que de tales cambios se avise con una anticipación mínima de dos períodos de pago.

Inc. 6°	Inc.7°	Inc. 8°	Inc. 10°	Inc. 11°
Las empresas que realicen cobranza extrajudicial, así como también los proveedores de créditos que efectúen procesos de cobro, al iniciar cualquier gestión destinada a la obtención del pago de la deuda, deberán informar al deudor lo siguiente: 1) Individualización de la persona, empresa mandante o proveedor del crédito, según corresponda; 2) Mención precisa del o de los contratos, de su fecha de suscripción, de la fecha en que debió pagarse la obligación adeudada o de aquella en que se incurrió en mora y del monto adeudado; 3) En el caso que se cobren intereses, la liquidación de los mismos, con mención expresa, clara y precisa de las tasas aplicadas, del tipo de interés y del período sobre el cual aquéllos recaen; 4) En el caso que sean aplicables costos o gastos de cobranza, la mención expresa de éstos, su monto, causa y origen de conformidad a la ley, así como también de los impuestos, de los gastos notariales, si los hubiere, y de cualquier otro importe permitido por la ley; 5) La posibilidad de pagar la obligación adeudada o las modalidades de pago que se ofrezcan, y 6) Los derechos que le asisten en conformidad a esta ley en materia de cobranza extrajudicial, en especial el requerir el envío por escrito de la información señalada en los numerales precedentes. En caso que el consumidor guarde silencio al respecto, y una vez transcurridos quince días desde que la información fue entregada, la empresa deberá enviársela por escrito.	En ningún caso la comunicación entregada podrá contener menciones a eventuales consecuencias de procedimientos judiciales que no se hayan iniciado o relacionadas a registros o bancos de datos de información de carácter económico, financiero o comercial, debiendo indicar expresamente que no se trata de un procedimiento que persiga la ejecución de los bienes del deudor.	El proveedor del crédito o la empresa de cobranza deberán resguardar que la información dispuesta en cumplimiento de los numerales precedentes sólo sea de conocimiento del deudor, evitando cualquier acción que haga pública esta información. **Inc. 9°** Un reglamento determinará la forma, condiciones y requisitos que deberá reunir el cumplimiento de las obligaciones señaladas en los incisos precedentes.	Las actuaciones de cobranza extrajudicial no podrán considerar el envío al consumidor de documentos que aparenten ser escritos judiciales; comunicaciones a terceros ajenos a la obligación en las que se dé cuenta de la morosidad; visitas o llamados telefónicos a la morada del deudor durante días y horas que no sean los que declara hábiles el artículo 59 del Código de Procedimiento Civil, y, en general, conductas que afecten la privacidad del hogar, la convivencia normal de sus miembros ni la situación laboral del deudor.	Sin perjuicio de lo anterior, cuando se exhiban los bienes en vitrinas, anaqueles o estanterías, se deberán indicar allí las informaciones referidas en las letras a) y b).

DOCTRINA ARTÍCULO 37

- **Barrientos, Francisca y Goldenberg, Juan Luis** (2014): "Artículo 37 inciso 2° ", en Iñigo de la Maza y Carlos Pizarro (Directores); Francisca Barrientos (coord.). *La protección de los derechos de los consumidores. Comentarios a la ley de protección a los derechos de los consumidores.* Santiago: Thomson Reuters, pp. 1198-1203: "Respecto a la naturaleza de las gestiones, entendemos que la aparente amplitud de la norma no es tal, por cuanto no deberán considerarse aquellas que el propio ordenamiento ha proscrito en el inciso sexto de la misma norma. Lo anterior, puesto que la ilegalidad de dichas actuaciones no sólo deben entenderse comprensivas de la imposición de multas en razón de la infracción de las limitaciones legales (artículo 39 A), sino también como conceptos que no pueden ser realmente tomados en cuenta para ningún efecto en el marco de las gestiones de cobranza, como por ejemplo, el envío al consumidor de documentos que aparenten ser escritos judiciales; comunicaciones a terceros ajenos a la obligación en las que se dé cuenta de la morosidad; o visitas o llamados telefónicos a la morada del deudor durante horas que no sean los que declara hábiles el artículo 59 del Código Procedimiento Civil. Sobre el número o frecuencia de las gestiones de cobro, la nueva normativa pretende que, a pesar que el proveedor haya realizado diferentes actuaciones, todos los gastos deben ser considerados en su conjunto a efectos de aplicar los límites establecidos por la propia norma. Ello implica que los porcentajes aplicables deben tomar en consideración todas las gestiones realizadas, de manera que no pueden considerarse de manera independientes unas de otras, materia que es repetida sobreabundantemente en la misma norma, como veremos en el numeral siguiente. Desde otro punto de vista, debe tenerse presente que la Corte Suprema ha restringido la posible reiteración abusiva en las gestiones de cobranza, en atención a la protección constitucional dada a la integridad psíquica de las personas (artículo 19, n° 1 CPR). Al efecto, en el marco de un recurso de protección, se trató el caso en que la recurrente solicitó el cese de los continuos llamados telefónicos que recibió durante un periodo de ocho meses por deudas incurridas con motivo de la sepultura de su marido fallecido en un accidente laboral. En este caso se falló que '[Q]ue la existencia de la supuesta deuda de la recurrente con la recurrida y su morosidad pueden ser planteadas en la sede judicial respectiva y bajo el procedimiento que la ley prevé para dichos casos. De allí que el cobro extrajudicial de la misma por la vía telefónica, al menos durante los meses de septiembre de 2012 a abril de 2013, es decir en total 8 meses, constituye un ejercicio abusivo de una facultad. En efecto, si el objetivo de los llamados telefónicos es poner en noticias a la deudora de su morosidad, ésta se logra con una de dichas comunicaciones, pero insistir reiteradamente en el mismo lenguaje resulta desproporcionado e intimidatorio. Este ejercicio es el que resulta arbitrario, debe cesar, puesto que afecta la garantía de la integridad psíquica de la recurrente, por lo que el recurso será acogido, en razón de resultar vulnerada la garantía contemplada en el nº 1 del artículo 19 de la Carta Fundamental'. Más oscura parece, sin embargo, la referencia a los costos en que efectivamente se haya incurrido. Lo anterior puesto que, aún sin su alusión, parecía evidente que el proveedor siempre ha podido incurrir en mayores costos por gestiones de cobranza extrajudicial que los límites previstos en la norma, siendo su objetivo que los montos que les excedan no pudiesen ser transferidos de modo alguno al deudor. Al respecto, la norma no indica (ni indicaba en su redacción anterior) que el proveedor no puede efectuar gestiones de cobranza por montos superiores a los allí indicados, lo que dependerá de su exclusivo arbitrio, sino simplemente que 'no podrá cobrarse' en el exceso. En razón de lo anterior, surge la pregunta de si los límites porcentuales antes indicados son establecidos como montos máximos de cobro, o si se trata de una fijación legal de los mismos, sin necesidad que el proveedor los compruebe realmente al deudor, incluso, ante el tribunal que conoce del asunto. La redacción actual envuelve el punto en un aura de duda en tanto la propia norma ofrece expresamente una desconexión entre la cobranza y 'los costos en que efectivamente se haya incurrido', al tiempo que la misma disposición agrega, en su segunda frase, que 'Los porcentajes indicados se aplicarán transcurridos los primeros veinte días de atraso (...)'. [...] Gastos impagos de cobranza judicial: La nueva norma también establece limitaciones relativas a la posibilidad que el deudor no pague al proveedor, además del capital e intereses devengados, el monto aplicable por concepto de cobranza extrajudicial. En este caso, la parte final de la norma dispone, en primer término, que estos no podrán devengar un interés superior al corriente. Obsérvese que el Servicio Nacional del Consumidor había manifestado su opinión que, en ningún caso dicho monto podía dar lugar al devengo de intereses moratorios, probablemente por la redacción restrictiva del artículo 38 LPDC, posición que es controvertida por la nueva norma. En realidad, debemos entender que la nueva regla ofrece una limitación a la aplicación del artículo 1.559 del Código Civil, relativa a toda suerte de obligaciones de dinero, en tanto no permite el establecimiento de intereses convencionales que superen los intereses corrientes (número 1), no haciendo aplicables, entonces, las reglas que regulan el interés máximo convencional en los artículos 6 y 6 bis de la Ley nº 18.010. En segundo lugar, la nueva norma dispone que estos gastos no satisfechos no pueden ser capitalizados para los efectos de aumentar la cantidad permitida de gastos de cobranza. En realidad, estas cantidades no podrían haberse capitalizado, en el sentido de ser incluidos en el monto de la deuda vencida para el devengo de nuevos intereses, puesto que se trata de una obligación de dinero que tiene una fuente diversa al sólo otorgamiento del crédito. Si bien se generan en razón de la existencia de la deuda principal, su importe y existencia no dependen únicamente de tal hecho, sino de la circunstancia que el proveedor haya efectivamente realizado dichas gestiones de cobro. En razón de lo anterior, la capitalización es tratada en nuestro ordenamiento jurídico únicamente en razón de los intereses, sea para impedir su aplicación (artículo 1.559 n° 3 del Código Civil), sea para regular la forma en que ella puede tener lugar en las operaciones de crédito de dinero (artículo 9° de la Ley n° 18.010). Lo anterior, en consonancia con los términos del artículo 38 LPDC, que dispone que los intereses se aplicarán solamente sobre los saldos insolutos del crédito concedido".

- **Barrientos, Francisca y Goldenberg, Juan Luis (2014) "Artículo 37 inciso 3° ", en Iñigo de la Maza y Carlos Pizarro (Directores); Francisca Barrientos (coord.).** *La protección de los derechos de los consumidores. Comentarios a la ley de protección a los derechos de los consumidores.* **Santiago: Thomson Reuters, pp. 1208-1212:** "Así las cosas, de la norma en comento es posible detectar la carga de informar la gestión útil sobre la mora o retraso en el cumplimiento de la obligación de pago del consumidor (cobro del crédito del proveedor), dentro del plazo que estableció el legislador que, de no cumplirse, contempla una reducción de su derecho. Esto será lo que se examinará a continuación.

Noción de la gestión útil sobre la mora o retraso en el cumplimiento de las obligaciones del consumidor: El nuevo inciso tercero del artículo 37 establece que el proveedor del crédito deberá realizar siempre a lo menos una gestión útil cuyo fin sea el debido y oportuno conocimiento del deudor sobre la mora o retraso en el cumplimiento de sus obligaciones. **a) La noción de la 'gestión útil':** Se ha contemplado la realización de al menos una gestión útil para realizar el cobro de lo adeudado. Y lo primero que hay señalar es que no debe confundirse este término con la promoción del incidente del abandono del procedimiento por parte del demandando (consumidor), que también hace referencia a la misma expresión en los artículos 152 y siguientes del Código de Procedimiento Civil. En este último supuesto se está en el contexto judicial, cuando ya se ha iniciado el juicio. A diferencia del ámbito del inciso tercero del artículo 37 que supone una gestión útil extrajudicial de cobro. La idea de legislar sobre la prueba que justifique las acciones y gestiones de cobro nace del Caso Metrogas (Sentencia Corte Suprema, 15 de marzo de 2010, Rol n° 2319-2012), en que se acogió un reclamo interpuesto ante la Superintendencia de Electricidad y Combustible fundado la inexistencia de gestiones de la empresa que justifiquen los gastos de cobranza por $2.277 que aparecían en la boleta de una usuaria. En dicho documento se expresaba: 'comunica al cliente que mantiene pendiente de pago al menos una cuenta de servicio de gas y/o relacionados, y que transcurridos 15 días desde el vencimiento de una boleta o factura, está facultada para cargar en la próxima facturación de gas, los gastos de cobranza correspondientes'. Como la reclamante alegó que como se trataba de un servicio mecanizado, en que no hubo 'gestión de cobro' alguna, es decir, ninguna gestión activa por parte de la empresa y que no bastaba la mera estampa en la misma boleta, se crearon los conceptos de 'acciones de cobranza' o 'gestión de cobranza' para rechazar el cobro efectuado por la empresa proveedora. Y, parece importante destacar que la ley de consumo ya contemplaba un catálogo de 'actuación de cobranza' sancionadas. Por esta razón, la Corte de Santiago declaró que no existía 'acción o gestión de cobro' alguna en el caso particular. Es decir, la empresa no envió un escrito o comunicación, no efectuó visitas ni llamadas telefónicas. Para el tribunal este inserto de cobro en la boleta sólo tenía un carácter noticiario, que no tendría el mérito de configurar una gestión de cobranza. Como se señala que debe hacerse una gestión útil se considera que sólo se realizará una, sin incurrir en mayores gastos por parte de las empresas. La ley no establece cómo debe hacerse dicha gestión para considerarla útil. Por esto es que a partir del caso Metrogas se puede señalar que la 'gestión útil' (una al menos) debería informarse en un medio distinto de la boleta, ya sea en un instrumento aparte como una carta o cualquier forma de comunicación, siempre y cuando asegure que el consumidor deudor entienda dicha gestión y que se efectúe con posterioridad a la mora o retardo en el cumplimiento de la obligación. Con todo, debe tenerse presente que lo útil, conforme a sentido natural de la palabra, significa que trae provecho, de interés. De lo que se infiere que no se trata de cualquier gestión de cobranza, sino la que aproveche al proveedor, pero como estamos en un ámbito protector del consumidor también debe generar frutos para él. De todas maneras quedará sujeto al Juez de Policía Local competente la determinación de cuándo se está frente a una gestión útil. **b)** **La gratuidad:** Uno de los temas polémicos de la sentencia comentada se refería a cómo determinar el gasto, y, por ende, el cobro de las gestiones de cobranza. Esto, porque a juicio de los sentenciadores tal gasto no se había justificado. De allí que en el comentario de sentencia se proponía de *lege ferenda* un nuevo cálculo, sin el establecimiento de un máximo fijado por la ley, pues las empresas internas o externas de cobranza extrajudicial siempre apuntaban a los topes máximos que establecía la ley: los famosos 3%, 6% y 9%. En un plano ideal (distinto del real) una empresa debería cobrar los gastos en que efectivamente incurrió, y además tendría que demostrarlos. Así se justificarían las gestiones o acciones de cobro que realizó. Con todo, el legislador de la reforma optó por una solución diversa, al considerar que la gestión útil sea 'sin cargo para el deudor'. Dicho de otro modo, la acción de cobro debe ser gratuita. No queda claro si todas o la que establece la ley. Todo indica que deberían ser gratuitas todas y cada una de estas gestiones. c) **La mora o retraso en el cumplimiento de la obligación y el término de 15 días:** Para finalizar este apartado cabe mencionar que la gestión útil cumple una doble finalidad. Para el proveedor, la realización de la carga contractual de información impuesta por la ley le permite ejercer la totalidad del derecho, sin sufrir una reducción del mismo. Y para el consumidor, la actuación de cobro se hace con la finalidad de anunciar el cobro. En efecto, el nuevo inciso incorporado por la ley de reforma establece 'cuyo fin sea el debido y oportuno conocimiento del deudor sobre la mora o retraso en el cumplimiento de sus obligaciones'. Se ha considerado una información debida, asimilable a lo veraz y oportuna parecida a lo suficiente. Con ello, no se hace más que volver a concretizar la disposición del artículo 3 letra b) que establece que el mínimo de suministro de la información para el consumidor, en términos que debe ser veraz y suficiente. La veracidad quiere decir que sea cierto lo que se exprese, lo que significa que se anuncie la fecha de la constitución en mora o el día que comenzó retardo en el cumplimiento de la obligación, el monto por gestión o acción de cobranza, la justificación de los cobros, la inserción de los honorarios, entre otros. La suficiencia, dice relación con el tiempo. Y pese a que es fácil determinar que esta información debe ser proporcionada durante el plazo que media entre el incumplimiento del consumidor deudor y la realización de la gestión de cobro, la ley ha deseado entregar una fecha exacta para hacerlo. Se trataría de un plazo fatal para el proveedor, que debe informar el cobro 'dentro de los primeros quince días siguientes a cada vencimiento impago'. [...] **Sanción por inejecución:** Por último, la ley ha señalado que: '[S]i el proveedor no realiza oportunamente dicha gestión, la cantidad máxima que podrá cobrar por los gastos de cobranza extrajudicial efectivamente incurridos indicados en el inciso anterior, se reducirá en 0,2 unidades de fomento'. Una mirada favorable al monto de 0,2 UF podría llevar a pensar que se trata de 'asegurar' el costo de las cobranzas extrajudiciales a favor del acreedor proveedor, ya que siempre podría cobrar al menos el 0,2 UF por concepto de gestiones de cobranzas, aun cuando no las realice en la oportunidad que ha señalado la ley. Con todo, conviene considerar que estamos en el contexto de un retraso o mora del deudor, y que el proveedor debe, antes de hacer efectivo el cobro adeudado, realizar gestiones útiles para asegurar los derechos de información de los consumidores. Por esto, una adecuada interpretación de esta disposición debería justificarse en la noción de equilibrio de las partes del contrato. Así las cosas, la reducción del 0,2 UF debe atender a la existencia de una carga de información del proveedor. De manera que el monto antes señalado, no es más que la sanción por su inejecución, fundado en el sinalagma de estos contratos. Sobre el particular, conviene tener presente que esta sanción fue introducida al proyecto de ley mediante la indicación n° 14 del Ejecutivo, explicando que la norma contemplaría una sanción para el incumplimiento de la obligación de hacer la gestión del modo y en el tiempo indicados. Se dio cuenta que, luego de diversos debates, el Ejecutivo estimó prudente que tal sanción no fuera excesiva, puesto que se reconoció las dificultades que surgen para informar al deudor consumidores su la mora o retraso en el cumplimiento de sus obligaciones. Si bien, podemos comentar que se trata de un monto exiguo calculado en unidades de fomento, hay que reconocer que podría producir ciertos efectos en el mercado del crédito, sobre todo en los pequeños y no bancarios. Quizás por esta razón, se alzaron voces que advertían que esta sanción podría generar una distorsión que afectaría a los créditos o cuotas inferiores a $ 50.000. Tal como está redactada la disposición en estos casos no se podría cobrar comisión de cobranzas, toda vez que matemáticamente no se justifica el cobro del 0,2 UF".

- Escalona, Eduardo (2013): **"Artículo 37", en Iñigo De La Maza; Carlos Pizarro (Dirs.) y Francisca Barrientos (coord.)** *La protección de los Derechos de los consumidores. Comentarios a la ley de protección a los derechos de los consumidores.* **Santiago: Thomson Reuters, pp. 809- 830 pp. 824-825** "El inciso tercero del artículo 37 es una norma imperativa que nuevamente se refiere a un deber de información del proveedor respecto del consumidor. Específicamente, se debe indicar, entre las modalidades y procedimientos de cobranza extrajudicial, si ésta será realizada por el mismo proveedor o por terceros, los que conforme a la práctica mercantil suelen ser empresas especializadas en cobranza, las que normalmente tienen un área de cobranza extrajudicial y otra de cobranza judicial, incluyendo varias de ellas la actividad económica de *factoring*. El numeral bajo análisis implica el deber de identificar a los encargados de la cobranza, situación que se entiende en sentido amplio, esto es, con referencia a la empresa de cobranza y no a las personas naturales que desarrollan la actividad. Además, destacamos en este inciso tercero que deban informarse los horarios en los cuales se realizarán las acciones de cobranza, los que normalmente se ajustan a lo dispuesto en el artículo 59 del Código de Procedimiento Civil, en virtud que esta misma norma es citada por el inciso quinto de este mismo artículo 37 como límite lícito, pudiendo por lo tanto extenderse entre las 08:00 y 20:00 horas de días hábiles, de modo que se incluye el día sábado. La parte final de este inciso es especialmente relevante, pues impone el deber de indicar al consumidor *'la eventual información sobre ella que podrá proporcionarse a terceros de conformidad a la ley n° 19.628 sobre protección de los datos de carácter personal'*. Esta expresa referencia permite el uso de registros de información comercial negativa, obligación que se entiende cumplida por el simple hecho de señalar cuál es la información que sobre la cobranza extrajudicial se dará a los encargados del tratamiento de datos de carácter personal relativos a obligaciones económicas, financieras o comerciales. Por lo tanto, el tratamiento de tales datos debe cumplir rigurosamente lo dispuesto en la Ley n° 19.628 citada y, recientemente, también debe ajustarse a lo dispuesto en la Ley n° 20.575 de 2012, que Establece el Principio de Finalidad en el Tratamiento de Datos Personales. **Inciso Cuarto:** El inciso cuarto del artículo 37 se refiere a la obligación del proveedor de informar que las modalidades y los procedimientos de cobranza extrajudicial pueden ser modificados anualmente en el caso de operaciones de crédito de consumo cuyo plazo de pago exceda de un año, ajustándose a los siguientes requisitos copulativos: a) no puede resultar ser más gravoso ni oneroso para los consumidores; b) no se puede incurrir en discriminación; y c) estos cambios deben avisarse con una anticipación mínima de dos períodos de pago. **Inciso Quinto:** El inciso quinto de este artículo representa el resultado del proceso legislativo iniciado el año 1997 a consecuencia del inciso tercero del artículo 50 de la Ley n° 19.496 declarado inconstitucional y que se reprodujo al comenzar este comentario. Pero, como se puede apreciar, el texto definitivamente aprobado mantuvo exclusivamente el listado no taxativo de acciones de cobranza extrajudicial prohibidas, motivo por el cual será analizado este inciso dentro de la siguiente sección".

SENTENCIAS SOBRE ARTÍCULO 37

• **Servicio Nacional de Consumidor con Julio Silva Campusano con Ripley S.A. y otro (2019): Corte de Apelaciones de Santiago, 07 de junio de 2019, Recurso de Protección, Rol n° 25111-2019, LTM18.742.622:** "CUARTO: (…) pudiendo accionar ejecutivamente contra la recurrente para perseguir el cobro de la referida deuda, optaron por perseguir el crédito por la vía extrajudicial, a través del envío de cartas en los términos ya dichos, actos ciertamente de hostigamiento que vulneran expresamente lo dispuesto en el artículo 37 letra f) de la Ley 19.496, que no contempla dicho procedimiento extrajudicial, sino tan sólo la forma en que el proveedor o acreedor debe poner a disposición del deudor la información que se establece en dicha norma, pero en ningún caso los actos indebidos que se denuncian en el recurso, por lo que dicha conducta es ilegal y con ello se infringe la garantía constitucional de la integridad psíquica de quien recurre, consagrada en el artículo 19 n° 1 de la Carta Fundamental. QUINTO: Que del mérito de los antes colacionado se concluye que, en la actualidad, tanto la empresa Ripley S.A., así como la de cobranza CAR S.A., pudiendo accionar ejecutivamente contra la recurrente para perseguir el cobro de la referida deuda, optaron por perseguir el crédito por la vía extrajudicial, a través del envío de cartas en los términos ya dichos, actos ciertamente de hostigamiento que vulneran expresamente lo dispuesto en el artículo 37 letra f) de la Ley 19.496, que no contempla dicho procedimiento extrajudicial, sino tan sólo la forma en que el proveedor o acreedor debe poner a disposición del deudor la información que se establece en dicha norma, pero en ningún caso los actos indebidos que se denuncian en el recurso, por lo que dicha conducta es ilegal y con ello se infringe la garantía constitucional de la integridad psíquica de quien recurre, consagrada en el artículo 19 n° 1 de la Carta Fundamental".

- **Servicio Nacional del Consumidor con Banco Santander (2018): Corte Suprema, 9 de julio de 2018, Recurso de Casación en la Forma y en el Fondo, Rol n° 1347-2018, LTM16.127.779:** "DÉCIMO: Que como se aprecia de los términos en que se ha é estructurado el recurso, sin perjuicio del orden en que se plantean las infracciones invocadas, lo cierto es que aparece construido al margen y, en cierta forma, en contra de los hechos establecidos en la causa, los que evidentemente se intenta modificar para los efectos de obtener una decisión diversa, esto es, el acogimiento de la demanda. En efecto, del tenor del arbitrio se desprende que los errores de derecho denunciados se sustentan en que se habrá dado por establecido que la demandada incurrió en la conducta que se tipifica en los artículos 3 letra b), 23 y 37 letras c) y e), todos de la Ley N 19.496, esto es, no haber entregado la información oportuna y veraz sobre los créditos financieros que concedan a sus clientes, supuesto fáctico que no se tuvo como asentado en los autos. Por el contrario, los jueces de alzada estimaron que de la prueba rendida —reportaje periodístico— no era posible determinar dicha conducta".

- **Roberto Andrés Duque Sánchez con Caja de Compensación de Asignación familiar los Héroes: Juzgado de Policía Local de Providencia, Rol n° 10.941-4-2015.** "SEXTO: Que, atendido que en el transcurso de los años hubo morosidad de parte del denunciante, la Caja Los Héroes realizó, a través de terceros, la cobranza extrajudicial del crédito. Que el artículo 37 de la Ley 19.496 contempla la posibilidad que el cobro extrajudicial de un crédito se realice a través de terceros, respetando los horarios y la eventual información sobre ella que podrá proporcionarse a terceros de conformidad a la Ley 19.628, sobre protección de los datos de carácter personal".

ARTÍCULO 38

Los intereses

Se aplicarán solamente sobre saldos insolutos del crédito concedido

Los pagos no podrán ser exigidos por adelantado, salvo acuerdo.

DOCTRINA SOBRE ARTÍCULO 38

- Escalona, Eduardo (2013): "Artículo 38", en Iñigo De La Maza; Carlos Pizarro (Dirs.) y Francisca Barrientos (coord.) *La protección de los Derechos de los consumidores. Comentarios a la ley de protección a los derechos de los consumidores.* Santiago: Thomson Reuters, pp. 831-833. pp. 832-833: "Este artículo tiene por objeto impedir la aplicación de intereses sobre intereses, así como restringir la posibilidad de requerir pagos por adelantado. Sin embargo, pueden pactarse por las partes reglas diferentes, en virtud que se acepta expresamente acuerdos en contrario. El legislador manifiesta en definitiva y contrariando la conclusión final de AIMONE, a través de una norma permisiva, que las partes pueden pactar anatocismo y cobro anticipado de obligaciones, pero el silencio de las mismas implica que uno y otro no existen en las operaciones de crédito al consumidor" […] En conclusión, este artículo pareciera estar suficientemente decantado en la práctica de los agentes crediticios, amparados seguramente por la posibilidad de pactar capitalización de intereses, situación consistente con la aplicación de la Ley n° 18.010 respecto de la cual, lejos de pretender excluírsele a los agentes que no son bancos e instituciones financieras, los proyectos que proponen modificaciones a su texto se orientan, precisamente, a incluir el máximo de agentes crediticios para que se rijan por sus disposiciones".

SENTENCIA SOBRE ARTÍCULO 38

- René Orlando Manríquez Binder con Cencosud Administradora de Tarjetas S.A. (2016): 2° Juzgado de Policía Local de Osorno, 20 de junio de 2016, Rol n° 5750-2015, LTM18.764.211: "PRIMERO: Que de la querella de fojas 12 y siguientes, interpuesta por don René Orlando Manríquez Binder, se desprende que en la especie se trata de esclarecer si la empresa querellada, Cencosud Administradora de Tarjetas S.A., habría incurrido en infracción a los articulo 37, 38 y 39A de la Ley 19.496 sobre Protección de los Derechos de los Consumidores, al haberle hecho cobros poco claros, indebidos y excesivos al querellante, en el uso de su Tarjeta Mas Paris".

ARTÍCULO 39

Cometerán infracción a la presente ley

Los proveedores que cobren intereses por sobre el interés maximo convencional indicado en la ley N° 18.010

Sin perjuicio de la sanción civil que se contempla en el art. 8 de la mimsma ley

Y la sanción penal que resulte pertinente.

DOCTRINA ARTÍCULO 39

- Barrientos, Francisca y Goldenberg, Juan Luis (2014): "Artículo 39", en Iñigo de la Maza y Carlos Pizarro (Directores); Francisca Barrientos (coord.). *La protección de los derechos de los consumidores. Comentarios a la ley de protección a los derechos de los consumidores.* Santiago: Thomson Reuters, p. 1217: "En definitiva, la nueva redacción del artículo 39 LPDC sanciona al proveedor que ha infringido cualquiera de dichas tasas máximas convencionales, aplicables según sea el tipo de operación de que se trate. Al señalar que cometen infracción 'a la presente ley', lo que se pretende es que tenga lugar la aplicación de la acción infraccional establecida en la LPDC, que, al no tener establecida una sanción específica, debe entenderse referida a lo dispuesto en el artículo 24 LPDC, que impone una multa genérica por hasta el equivalente a 50 unidades tributarias mensuales [hoy 300 UTM]. Lo anterior, sin perjuicio del efecto civil dispuesto en el inciso primero del artículo 8 de la Ley n° 18.010, que conforme a su nueva redacción, dispone que 'Se tendrá por no escrito todo pacto de intereses que exceda el máximo convencional, y en tal caso los intereses se reducirán al interés corriente que rija al momento de la convención o al momento en que se devenguen los respectivos intereses, en el caso de las operaciones a que se refiere el inciso primero del artículo 6° ter'; y, ahora expresamente, también sin perjuicio de las sanciones penales contempladas en el artículo 472 del Código Penal. Sin intención de redundar en el evidente problema de la confluencia de la sanción impuesta en razón de la infracción a la LPDC y la sanción penal del artículo 472 del Código Penal, que ahora aparece de manera expresa, nuestra normativa agrega otro elemento que dificulta la aplicación de esta clase de sanciones si se atiende al principio del non bis in idem".

- Goldenberg, Juan Luis (2018): "La naturaleza y justificación de los intereses del crédito. Comentario a la sentencia de la Corte Suprema de 8 de octubre de 2015, Rol n° 27802-2014", *Ars Boni et Aequi*, año 14 n° 1, pp. 229-249 pp. 231-241: "En la sentencia de 8 de octubre de 2015, nuestra Corte Suprema ha revisado la tenue separación que en muchas ocasiones existe entre las comisiones e intereses que se adeudan en el marco de las operaciones de crédito de dinero. La cuestión trataba de la calificación jurídica de un monto cobrado por la sociedad 'Créditos, Organización y Finanzas S.A.' (COFISA S.A.), administradora de las tarjetas de la empresa DIN S.A., a título de una —comisión variable mensual—. Si ésta calificase como interés hubiese quedado manifiesto el exceso por sobre la tasa máxima convencional permitida para operaciones de crédito en moneda nacional no reajustables, iguales o inferiores a 200 unidades de fomento, de 90 días o más, que, a la época, ascendía a un 3,78%. Adicionalmente se hubiese tenido por infringido un avenimiento alcanzado entre el Servicio Nacional del Consumidor, DIN S.A. y COFISA S.A. ante el Vigésimo Tercer Juzgado de Santiago, de fecha 2 de marzo de 2006, que pretendía la creación de un nuevo modelo de cobro. [...] ... reseñamos que la Corte Suprema concluyó que la denominada comisión era efectivamente interés, toda vez que ella consistía en un monto aplicable por cada compra o evento de uso de la tarjeta, multiplicado por el mismo número de cuotas que el cliente hubiese elegido en la operación realizada, con dependencia y proporcionalidad respecto del capital. Conforme a lo anterior, acogiendo la demanda, con costas, condenó a la demandada al pago de dos multas de 50 unidades tributarias mensuales, en virtud de lo dispuesto en los artículos 39 y 37 b) de la Ley n° 19.496, y, de conformidad al artículo 8° de la Ley n° 18.010, tuvo por no escrita la estipulación del contrato de apertura de crédito y afiliación al sistema y uso de la tarjeta DIN. [...]... En otros términos, el ordenamiento jurídico puede interceder en la valoración del dinero como capital, principalmente como un medio de estímulo al ahorro, a fin de lograr la generación de intereses, pero siempre como consecuencia de un acto jurídico destinado a tal fin. Siendo éste el pensamiento que se plasma en la codificación civil, queda espacio para sostener que la productividad del dinero, derivado de las operaciones de crédito, constituye el resultado de un planteamiento más bien económico, que supone un complejo encuadre en las categorías jurídicas en las que se encuentra legalmente inserto. En resumen, el punto se resuelve como una premisa que ha pretendido incidir en la construcción de un sistema capitalista, desafiando a quienes históricamente habían optado por la negativa, transformando al dinero en una cosa fructuaria bajo la denominación de 'capital'. El dinero, como capital, supone su configuración como un medio de producción de nueva riqueza, desligándose de su concepción original como medio de cambio. Así, la sentencia en comento parece imprecisa al tiempo que señala que la instrumentalidad del dinero como fuente productora de riqueza se genera precisamente en razón de tratarse de 'su función (y medida) de cambio', la que se presenta ajena a la cuestión de la que tratamos como fundamentación de la producción de intereses". [...] Entendiendo que los intereses no pueden ser realmente constitutivos de frutos en los términos antes indicados, es necesario dar cuenta de otras antinomias que presentan las disposiciones citadas por el fallo y, conforme a ello, la dicción de la sentencia. El problema de tal construcción se basa en la evidencia de que sólo por medio de una transferencia de la titularidad sobre el dinero es que, dependiendo del título, puede surgir la obligación del pago de intereses, dejando a salvo los casos en que el crédito por intereses tenga fuente legal. Así, atendida la fungibilidad del dinero, la entrega del mismo siempre envolverá un título traslaticio de dominio, en razón del cual el mutuario, depositario irregular, acreedor prendario irregular, cuasi-usufructuario, entre otros, irremediablemente devendrá en su propietario, estando obligado a restituir, no las mismas monedas, sino otro tanto del mismo género y calidad (el denominado tantundem). A partir de ello, Guzmán Brito nos indica que 'los intereses no son frutos del dinero capital, porque para ganarlos es necesario transferir la propiedad de aquél (cfr. 2.197 del Código Civil), es decir, perderlo jurídicamente'. Siendo de este modo, parece imposible entender, como ha señalado la sentencia en cuestión, que alguien tenga el dinero en una calidad que implique que éste siga siendo de propiedad del mutuante, de modo que sólo en términos económicos, pero no jurídicos, es comprensible que el mutuario está disfrutando de la productividad de bienes que 'no le pertenecen legítimamente' (como reza la sentencia) y que, por tanto, corresponderían al concedente del crédito. Así, expresar que el interés es el fruto civil del capital y que su propiedad corresponde a su dueño (artículo 648 del Código Civil), no sólo desatiende la necesaria transferencia de la propiedad del dinero, sino también el hecho de que si éste hubiese permanecido en manos de su titular original (como en el caso que no se hubiese prestado) aquél no podría haber generado fruto alguno. Ello, porque no se habría puesto en movimiento la lógica económica para dar productividad al dinero (como capital), ni jurídicamente se hubiese constituido una relación sobre el mismo, que, para estos fines, es un requisito ineludible para la producción de los intereses".

SENTENCIAS SOBRE ARTÍCULO 39

- **Servicio Nacional del Consumidor con Créditos Organización y Finanzas S.A. (2015): Corte Suprema, 8 de octubre de 2015, Recurso de Casación en la Forma y en el Fondo, Rol n° 27802-2014, LTM10.185.627: "DECIMOCTAVO:** Que habiéndose establecido que en sus operaciones de venta a crédito materia de este juicio la demandada cobró un interés por sobre el máximo convencional, al incorporar dentro de los costos de cada operación una comisión de administración mensual variable, calculada en base al número de cuotas, procede concluir que infringió lo dispuesto en el artículo 39 de la Ley 19.496 en relación con el artículo 37 b) de la misma ley, al no haber informado adecuadamente que dicha comisión formaba parte del interés cobrado por el uso del crédito asociado a la tarjeta Din que Cofisa administraba".

ARTÍCULO 39 A

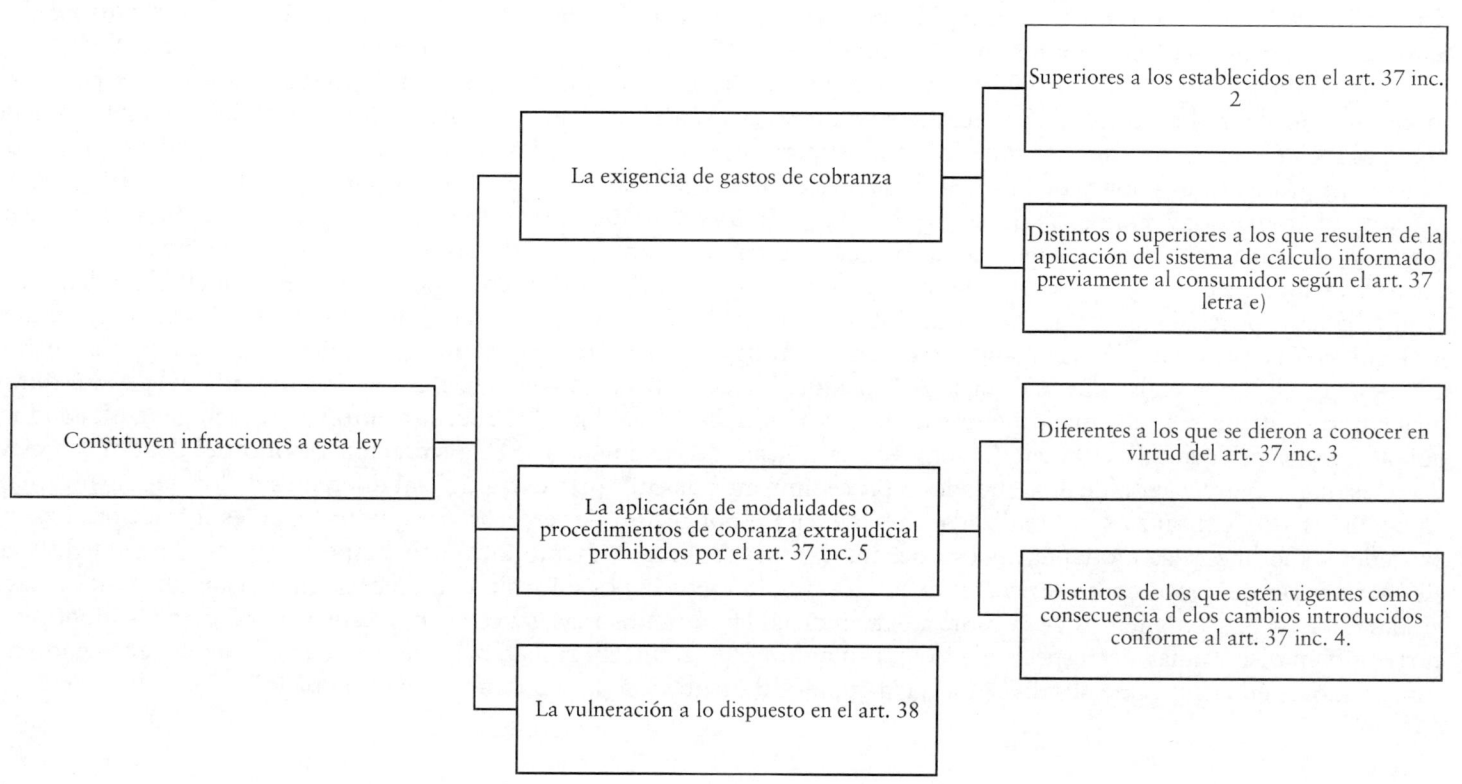

Constituyen infracciones a esta ley

- **La exigencia de gastos de cobranza**
  - Superiores a los establecidos en el art. 37 inc. 2
  - Distintos o superiores a los que resulten de la aplicación del sistema de cálculo informado previamente al consumidor según el art. 37 letra e)

- **La aplicación de modalidades o procedimientos de cobranza extrajudicial prohibidos por el art. 37 inc. 5**
  - Diferentes a los que se dieron a conocer en virtud del art. 37 inc. 3
  - Distintos de los que estén vigentes como consecuencia d elos cambios introducidos conforme al art. 37 inc. 4.

- **La vulneración a lo dispuesto en el art. 38**

DOCTRINA SOBRE ARTÍCULO 39 A

- Escalona, Eduardo (2013) "Artículo 39 A", en Iñigo De La Maza; Carlos Pizarro (Dirs.) y Francisca Barrientos (coord.) La protección de los Derechos de los consumidores. *Comentarios a la ley de protección a los derechos de los consumidores.* Santiago: Thomson Reuters, pp. 838 a 840, pp. 838-839: "En este artículo se describen taxativamente las conductas que constituyen infracción a la Ley n° 19.496 respecto de la cobranza extrajudicial, pero sin especificar sanciones especiales, de modo que rige la multa de hasta 50 unidades tributarias mensuales prevista en el inciso primero del artículo 24. En primer lugar, es ilícita la exigencia de gastos de cobranza superiores a los establecidos en el inciso segundo del artículo 37, esto es, más de un 9% en obligaciones de hasta 10 unidades de fomento; más de un 6% por la parte que exceda de 10 y hasta 50 unidades de fomento; y 3% por la parte que exceda de 50 unidades de fomento. En segundo lugar, es ilícita la exigencia de gastos de cobranza distintos o superiores a los que resulten de la aplicación del sistema de cálculo que hubiere sido informado previamente al consumidor de acuerdo a la letra e) del artículo 37. En tercer lugar, también es ilícita la aplicación de modalidades o procedimientos de cobranza extrajudicial prohibidos por el inciso quinto del artículo 37, esto es, alguna de las siguientes acciones: envío al consumidor de documentos que aparenten ser escritos judiciales; comunicaciones a terceros ajenos a la obligación en las que se dé cuenta de la morosidad; visitas o llamados telefónicos a la morada del deudor durante días y horas que no sean los que declara hábiles el artículo 59 del Código de Procedimiento Civil; y, en general, conductas que afecten la privacidad del hogar, la convivencia normal de sus miembros o la situación laboral del deudor. En cuarto lugar, es ilícita la aplicación de modalidades o procedimientos de cobranza extrajudicial diferentes de los que se informaron en cuanto a si la cobranza sería realizada directamente o por medio de terceros. En quinto lugar, es infracción a esta ley proceder a modificar las modalidades o procedimientos de cobranza extrajudicial: sin respetar que sólo puede efectuarse en operaciones de consumo que excedan de un año y sólo una vez por año; sin comunicarlo al consumidor; modificar las modalidades o procedimientos de cobranza extrajudicial en términos más gravosos u onerosos para los consumidores; incurriendo en discriminación respecto de los consumidores; y, en fin, sin respetar los derechos que la ley ha entregado a los consumidores en el caso que el proveedor haya conferido diputación para cobrar y recibir el pago".

SENTENCIAS SOBRE ARTÍCULO 39 A

- **Servicio Nacional del Consumidor con Banco Santander (2019): Corte Suprema, 01 de julio de 2019, Recurso de Casación en el Fondo, Rol n° 24598-2018, LTM17.777.667:** "TERCERO: Luego y en relación a la infracción a los artículos 37 y 39 A de la Ley n° 19.496 en lo referido al plazo de 20 días para proceder al cobro de los gastos de cobranza extrajudicial, así como a los artículos 39 de ese estatuto legal y 8 de la Ley n° 18.010, por poder el demandado llegar a cobrar un interés superior al máximo convencional en el evento de que sus mutuarios se constituyan en mora por un periodo que exceda al de gracia concedido para el pago periódico de las cuotas o dividendos hipotecarios, expresan que tales imputaciones las realiza el actor en virtud de considerar erróneamente que la fecha de vencimiento para el pago de las referidas obligaciones corresponde al último día del periodo de gracia de nueve días que el banco concede para recibir estos pagos, sin por ello cobrar intereses moratorios, pero, como ya se ha razonado, 'se desprende claramente que la fecha de vencimiento para el pago de las cuotas o dividendos hipotecarios y aquella para pagar estos sin recargo de intereses moratorios, son distintas y corresponden respectivamente a los días 1 y 10 de cada mes', de modo, que verificándose el pago con posterioridad al día 10, el deudor está pagando fuera del plazo de gracia, por lo que la cuota vencida el día 1, genera intereses moratorios, desde el vencimiento de la obligación, esto es, desde el día 1° de cada mes, data que no sufre modificación y no desde el término del plazo de gracia, el que deja de serlo al no hacer uso de éste el deudor".

- **René Orlando Manríquez Binder con Cencosud Administradora de Tarjetas S.A. (2016): Juzgado de Policía Local de Osorno, 20 de junio de 2016, Rol n° 5750-2015, LTM18.764.211:** "Que se hace lugar a la querella por infracción a la Ley n° 19.496 (…) por haber infringido los artículos 37, 38, 39 y 39A de la Ley n° 19.496, por realizar cobros al demandado, de sumas de dinero por gastos inherentes al uso de su tarjeta, que tienen el carácter de desproporcionadas respecto de la cantidad nominal adeudada y respecto de las cuales no ha informado adecuadamente al querellante, explicando la forma de cálculo de dichos cobros".

ARTÍCULO 39 B

Si se cobra extrajudicialmente créditos impagos del proveedor

En los casos mencionados, por la recepción del pago terminará el mandato que hubiere conferido el proveedor

Este artículo 39 B, el art. 37 letra e), e incisos 2°, 3°, 4° y 5°, y el art. 39 A

El consumidor siempre podrá pagar directamente a éste el total de la deuda vencida o de las cuotas impagas, incluidos los gastos de cobranza procedentes

El proveedor deberá dar aviso de inmediato al mandatario para que se abstenga de proseguir en el cobro

Serán aplicables a las operaciones de crédito de dinero en que intervengan las entidades fiscalizados por la Superintendencia de Bancos e Instituciones Financieras

Aunque el proveedor haya conferido diputación para cobrar y recibir el pago, o ambos hayan designado una persona para estos efectos

Sin perjuicio del cumplimiento de las obligaciones que establece el art. 2158 del Código Civil

Sin perjuico de las atribuciones de este organismo fiscalizador

No obsta a que las partes convengan en que el proveedor reciba por partes lo que se le deba.

DOCTRINA SOBRE ARTÍCULO 39 B

- **Escalona, Eduardo (2013): "Artículo 39 B", en Iñigo De La Maza; Carlos Pizarro (Dirs.) y Francisca Barrientos (coord.)** *La protección de los Derechos de los consumidores. Comentarios a la ley de protección a los derechos de los consumidores.* **Santiago: Thomson Reuters, pp. 841-848, p. 842:** "1. Derecho del consumidor en caso que se haya producido diputación para el cobro. Este artículo, introducido por la Ley n° 19.659 el año 1999, tiene como propósito conferir a los consumidores que son sujetos de cobranza extrajudicial respecto de créditos que no han pagado a los proveedores, el derecho a pagar directamente al proveedor el total de la deuda vencida o de las cuotas impagas, incluidos los gastos de cobranza que procedieren, aunque el proveedor haya conferido diputación para cobrar y recibir el pago, o ambos hayan designado una persona para estos efectos. El legislador sólo mantiene en el terreno de la autonomía de la voluntad, el que las partes puedan convenir que el proveedor reciba por partes lo que se le deba. Adicionalmente, el inciso segundo de este artículo 39 B dispone que si se ha producido el pago conforme al inciso primero, la recepción de aquél es una causal legal de término del mandato que hubiere conferido el proveedor, sobre el cual pesa el deber de dar aviso inmediato al mandatario para que se abstenga de proseguir en el cobro, sin perjuicio del cumplimiento de las obligaciones que establece el artículo 2158 del Código Civil".

SENTENCIAS SOBRE ARTÍCULO 39 B

- **Banco de Crédito e Inversiones con Paola Andrea Mora Núñez (2015): Corte de Apelaciones de San Miguel, 28 de enero de 2015, Recurso de Apelación, Rol n° 1045-2014, LTM19.067.127:** "SEGUNDO: Que, el inciso primero del artículo 39 B de la Ley 19496 sobre Protección de los derechos de los Consumidores, dispone que 'Si se cobra extrajudicialmente créditos impagos del proveedor, el consumidor siempre podrá pagar directamente a éste el total de la deuda vencida o de las cuotas impagas, incluidos los gastos de cobranza que procedieren, aunque el proveedor haya conferido diputación para cobrar y recibir el pago, o ambos hayan designado una persona para estos efectos. Lo anterior no obsta a que las partes convengan en que el proveedor reciba por partes lo que se le deba', disposición aplicable al crédito contenido en el pagaré de autos, por mandato del inciso final del citado artículo, que prescribe que 'Lo dispuesto en este artículo, en el artículo 37, letra e) e incisos segundo, tercero, cuarto y quinto, y en el artículo 39 A será aplicable, asimismo, a las operaciones de crédito de dinero en que intervengan las entidades fiscalizadas por la Superintendencia de Bancos e Instituciones Financieras, sin perjuicio de las atribuciones de este organismo fiscalizador".

- **Miriam Jeanette Ruiz Azocar con Banco Santander (2014): 2º Juzgado de Policía Local de Maipú, 30 de octubre de 2014, Rol nº 3127-2012, LTM18.763.469:** "SÉPTIMO: Que teniendo presente el mérito de los antecedentes de autos apreciados conforme a las reglas de la sana crítica y lo dispuesto en el artículo 39 b de la Ley 19.496 este sentenciado lega a la convicción que la denunciada debió recibir el pago de lo adeudado por las actora a octubre de 2012 en lo que se refiere al crédito de consumo número de operación 650018458068 el que a esa fecha no se había judicializado, y por esta política ha incurrido en infracción a lo dispuesto en la norma citada".

- **María Eugenia Hubner Guzmán y otro con Universidad Mayor (2008): Corte de Apelaciones de Santiago, 01 de julio de 2008, Recurso de apelación, Rol nº 8775-2004, LTM19.090.422:** "CUARTO: (...) En el artículo 39 B, la indicada ley contempla precisamente el caso en que el prestador del servicio cobrare extrajudicialmente créditos impagos, disponiendo al efecto que el consumidor siempre podrá pagar directamente a éste el total de la deuda vencida o de las cuotas impagas, dejando así de manifiesto que el pago ha debido corresponder únicamente como contraprestación actual y correlativa a la efectiva prestación del servicio, todo lo cual aparece obvio si se tiene en cuenta que el pago es la prestación de lo que se debe, y no de lo que no se adeuda, cual la aquí pretendida argumentación de la Universidad en cuanto a tener suficiente título para cobrar las cuotas garantizadas o para retener las cantidades que ya se cobraron".

ARTÍCULO 39 C

No obstante lo
señalado en el
epígrafe del
presente párrafo
3°

*[Párrafo 3° "Del
crédito al
consumidor"]*

se aplicará lo
dispuesto en el
inciso quinto del
artículo 37

[artículo 37
*sobre la
información
mínima que debe
proporcionarse
al consumidor de
un crédito]*

a todas las operaciones de
consumo regidas por esta
ley,

aun cuando no involucren
el otorgamiento de un
crédito al consumidor.

DOCTRINA SOBRE ARTÍCULO 39 C

- Escalona, Eduardo (2013): "Artículo 39 C", en Iñigo De La Maza; Carlos Pizarro (Dirs.) y Francisca Barrientos (coord.) *La protección de los Derechos de los consumidores. Comentarios a la ley de protección a los derechos de los consumidores*. Santiago: Thomson Reuters, pp. 849-850 p. 842: "Derecho del consumidor en caso que se haya producido diputación para el cobro: La extensión del referido inciso quinto del artículo 37, pese a la simpleza de la norma, es de amplias consecuencias. En primer lugar, obliga al intérprete a identificar cuáles operaciones de consumo se rigen por la Ley n° 19.496, debiendo revisar cuidadosamente su Título I y, especialmente, los artículos 2° y 2° bis. En segundo lugar, tampoco puede olvidarse que en algunos artículos posteriores de la Ley n° 19.496, se da cuenta de exclusiones de aplicación a ciertos agentes económicos, como es el caso del mismo Párrafo 3° del Título III en que se ubica el artículo comentado, respecto de las entidades fiscalizadas por la Superintendencia de Bancos e Instituciones Financieras, las que están tácitamente excluidas de observar el inciso primero del artículo 37, salvo su letra e), así como también el inciso sexto de dicho artículo, además de los artículos 38 y 39 pues, contrario sensu, expresamente se indican que sí les son aplicables la letra e) del inciso primero del artículo 37 y los incisos segundo, tercero, cuarto y quinto de ese artículo, así como los artículos 39 A y el comentario artículo 39 B. Particularmente relevante en el análisis del alcance de este artículo, es la interpretación correcta del artículo 2° bis de la Ley n° 19.496, en el sentido que no se aplica esta ley '...a las actividades de producción, fabricación, importación, construcción, distribución y comercialización de bienes o de prestación de servicios reguladas por leyes especiales", con las excepciones que se indican en esa disposición. A nuestro juicio, la interpretación correcta es que sólo están excluidas tales actividades en la medida que tengan regulación en una 'ley especial', de modo que no deja de aplicarse a esas actividades si deben cumplir con regulación de rango infra legal o meramente reglamentario, pese a que el mercado en que participan está sometido a una ley especial e, incluso, a un regulador y fiscalizador sectorial. Tal es el caso, por ejemplo, de los servicios bancarios y financieros, eléctricos, de telecomunicaciones y de servicios sanitarios, lo que ha sido expresamente ratificado con motivo de la discusión en el Congreso Nacional de la Ley n° 20.555 de 2011 conocida como 'Sernac Financiero', según consta en la historia de esta ley. Si bien este artículo se ha invocado en solicitudes de inadmisibilidad de algunos bancos en contra de demandas colectivas, no ha existido jurisprudencia que haya hecho expresa referencia a él, pues las sentencias se han fundado exclusivamente en el artículo 2° bis de la Ley n° 19.496.

Y, para finalizar, consideramos que a partir de la entrada en vigencia de la Ley n° 20.473, Relativo al Procedimiento Aplicable para la Protección del Interés Colectivo o Difuso de los Consumidores, habrá menos posibilidades de que sea invocado y, por ende, acogido".

PÁRRAFO 4º. NORMAS ESPECIALES EN MATERIA DE PRESTACIÓN DE SERVICIOS

ARTÍCULO 40

En los contratos de prestación de serveicios cuyo objeto sea la reparación de cualquier tipo de bienes

Se entenderá implícita la obligación del prestador del servicio de emplear en tal reparación componentes o repuestos adecuados al bien de que se trate, ya sean nuevos o refaccionados, siempre que se informe al consumidor de esta última circunstancia.

El incumplimiento de esta obligación dará lugar, además de las sanciones o indemnizaciones que procedan, a que se obligue al prestador del servicio a sustituir, sin cargo adicional alguno, los componentes o repuestos correspondientes al servicio contratado.

Cuando el consumidor lo solicite, el proveedor deberá especificar, en la correspondiente boleta o factura, los respuestos empleados, el precio de los mismos y el valor de la mano de obra.

DOCTRINA SOBRE ARTÍCULO 40

• Contardo, Juan Ignacio (2013): "Artículo 40", en Iñigo De La Maza; Carlos Pizarro (Dirs.) y Francisca Barrientos (coord.) *La protección de los Derechos de los consumidores. Comentarios a la ley de protección a los derechos de los consumidores.* Santiago: Thomson Reuters, pp. 851 a 865, p. 861-864: "La LPDC no ha definido que es un contrato de reparación de bienes. Según la Real Academia Española de la Lengua, 'reparación' es la 'acción y efecto de reparar cosas materiales mal hechas o estropeadas'. Por su parte, 'reparar', en lo pertinente, es 'arreglar algo que está roto o estropeado'. Por tanto, en principio, el servicio de reparación es aquel que tiene por objeto la refacción o arreglo de un objeto que se encuentra roto o estropeado, y el contrato será aquel en que existe un intercambio de ello por un precio determinado. La ley señala que el servicio de reparación puede abarcar cualquier clase de bienes, y por lo tanto, cubre tanto la reparación de bienes muebles, como de inmuebles. Como la reparación es un hecho que se debe se reputa mueble (art. 581 del Código Civil) de tal manera que tiene aplicación la LPDC a éstas, aunque la reparación recaiga sobre inmuebles. [...] La LPDC sólo establece un catastro limitado de deberes del reparador. Básicamente son dos: (i) emplear los componentes o repuestos adecuados al bien de que se trate; y (ii) la especificación de los repuestos empleados, precio y valor de la mano de obra. Pasaremos a comentarlos sucesivamente. Emplear los componentes o repuestos adecuados al bien de que se trate La LPDC estableció el deber del reparador de 'emplear los componentes o repuestos adecuados al bien de que se trate', ya sean nuevos o refaccionados. En todo caso, a partir de esta disposición pueden desprenderse otros deberes no explicitados por el legislador. Lo primero que es necesario señalar, es que es obligación del proveedor emplear en la prestación del servicio repuestos, por regla general, nuevos. Sólo el proveedor podrá ocupar repuestos usados cuando informe de esto al consumidor, información que debería prestarse antes de la ejecución del servicio. El repuesto 'usado' debe estar 'refaccionado' de tal manera que sirva a los intereses del acreedor. [...] Especificación de los repuestos empleados, precio y valor de la mano de obra: La segunda de las obligaciones establecidas en este artículo es el de la 'especificación de los repuestos empleados, precio y valor de la mano de obra'. Este deber tiene lugar sólo cuando el consumidor lo requiera, por expresa disposición de la Ley. Esto se dará cuando sea el propio reparador quien suministre los repuestos objeto de la reparación, designación que debe hacerse en la boleta o factura de conformidad al art. 40[3]. [...] Tratándose de servicios de reparación, hay tres hipótesis legales de incumplimiento: que el servicio sea defectuoso, esto es, que con ocasión de una mala reparación se cause daño al consumidor; que el servicio sea inidóneo, es decir, que el objeto no haya sido reparado adecuadamente, sin embargo no cause daño a la persona o bienes del consumidor; y, en tercer lugar, que no se hayan ocupado en la reparación los componentes o repuestos adecuados. Las dos primeras hipótesis de incumplimiento son comunes tanto a los servicios de reparación como al resto de los servicios y están establecidas en el art. 41[2], por lo que no serán comentadas en este momento. Por el momento, sólo señalaremos que el consumidor de servicios de reparación tiene derecho a la nueva prestación del servicio, la restitución de lo pagado y la indemnización de perjuicios".

- **Severin, Gonzalo (2019): "Las obligaciones específicas del prestador del servicio en los contratos de reparación. Análisis crítico del artículo 40 de la Ley nº 19.496 sobre Protección de los Derechos de los Consumidores", en María Elisa Morales (dir.) Pamela Mendoza (coord.)** *Derecho del consumo: ley, doctrina y jurisprudencia.* **Santiago: Der ediciones, pp. 105-132 pp. 115-120:** "i. No resulta claro qué es lo que la LPDC quiere decir aquí cuando califica como *'implícita'* esta obligación (expresión que, por lo demás, la LPDC solo utiliza en este caso), pues se trata de una obligación que establece la propia ley, precisando, además, su contenido. Esta obligación, por tanto, no es 'implícita, sino que explícita y de fuente legal. ii. Aunque el artículo 40 LPDC obliga al prestador del servicio a emplear componente adecuados, del tenor del artículo no se desprende que esos componentes deban ser proporcionados por el prestador del servicio. La LPDC no considera expresamente el supuesto de que sea el propio cliente quien entregue o proporcione los repuestos que el prestador del servicio deberá utilizar, una situación que es perfectamente posible, en cuanto el suministro de materiales *no* es una obligación caracterizadora o necesaria del contrato de prestación de servicios [...] v. La adecuación del componente o repuesto empleado, por definición, es una cualidad de la cosa que se determina de forma *relativa*; ello es lo que brota de la expresión *'adecuados al bien de que se trate'*. La exigencia específica que contiene este artículo consiste en que el repuesto sea apropiado, es decir, se requiere que sea *'ajustado y conforme a las condiciones o a las necesidades'* del bien a reparar. La obligación de emplear componentes adecuados al bien exige, entonces, una *idoneidad objetiva*, esto es, que la pieza o componente que se va a utilizar sea compatible o sea corresponda con el tipo, marca o modelo del bien que se va a reparar. [...] vii. Podría entenderse que la exigencia de emplear componentes 'adecuados al bien' supone, además, una exigencia en relación con la calidad de la pieza o componente, en cuanto esa pieza no debe tener *vicios o defectos*. Así, podría entenderse que el empleo de un componente, que es obviamente idóneo en los términos arriba indicados, pero *defectuoso*, podría también dar lugar a las consecuencias especialmente establecidas en el inciso 2 del artículo 40 LPDC. Ello permitiría al cliente exigir la sustitución gratuita de la pieza empleada, conclusión que es especialmente relevante en los que sea *el propio consumidor quien provea la pieza o componente*. [...] viii. Finalmente, cabe destacar que la LPDC no exige que los repuestos utilizados sean nuevos, pudiendo utilizarse también piezas usadas o refaccionadas. En el caso de ser componentes usados o refaccionados, surge para el prestador del servicio una obligación de *informar al cliente de ello...*".

SENTENCIAS SOBRE ARTÍCULO 40

- **Benjamín Manzano González con Mototech E.I.R.L. (2015): Juzgado de Policía Local La Reina, 14 de octubre de 2015, Rol nº 2567-2015-6, LTM18.762.806:** "(...) En efecto, en la declaración indagatoria prestada a fs.21 por el representante legal de Mototech, indica que los repuestos empleados no correspondían, esto por error de su proveedor, lo cual radicó en que la reparación quedara defectuosa, constituyendo infracción a lo dispuesto por el art. 40 de la Ley nº 19.496, que dispone 'En los contratos de prestación de servicios cuyo objeto sea la reparación de cualquier tipo de bienes, se entenderá implícita la obligación del prestador del servicio de emplear en tal reparación componentes o repuestos adecuados al bien de que se trate...".

- **Carlos Alfonso Pizarro Ríos con Pacific Coast Cer Limitada (2013): 1º Juzgado de Policía Local de Osorno, 3 de octubre de 2013, Rol nº 2274-13, LTM18.762.807: "CUARTO:** Que, en virtud de lo anterior, se dará lugar a la acción infraccional de lo principal de fojas 27y siguientes de autos, condenándose a Juan Manuel Antonio Muñoz Matamala, como infractor de lo dispuesto en el artículo 23, 40 y 41 de la Ley nº 19.496 en perjuicio de Pacific Coast Cer Ltda., representada por don Carlos Alfonso Pizarro Ríos, a pagar en beneficio fiscal una multa de cinco unidades tributarias mensuales, conforme lo dispuesto en artículo 24 de la Ley nº 19.496, al recepcionar para revisión un notebook de propiedad del querellante y entregárselo inoperativo y no darle respuesta satisfactorias a sus requerimientos con posterioridad a ello".

ARTÍCULO 41

El prestador de un servicio, incluido el servicio de reparación

Estará obligado a señalar por escrito en la boleta, recibo u otro documento el plazo por el cual se hace responsable.

El consumidor podrá reclamar del desperfecto o daño ocasionado por el servicio defectuoso en el plazo de 30 días hábiles

Sin perjuicio, quedará subsistente la acción del consumidor para obtener la reparación de los perjuicios sufridos.

Si el tribunal estimare procedente el reclamo, dispondrá se preste nuevamente el servicio sin costo para el consumidor, o la devolución de lo pagado por éste.

El plazo se contará desde la fecha en que hubiere terminado la prestación del servicio o se hubiere entregado el bien reparado

Para el ejercicio de los derechos del presente párrafo, se debe estar a lo dispuesto en el art. 21 inciso final de esta ley.

DOCTRINA SOBRE ARTÍCULO 41

- Contardo, Juan Ignacio (2013): "Artículo 41", en Iñigo De La Maza; Carlos Pizarro (Dirs.) y Francisca Barrientos (coord.) *La protección de los Derechos de los consumidores. Comentarios a la ley de protección a los derechos de los consumidores.* Santiago: Thomson Reuters, pp. 866-888: "Luego de regular los servicios de reparación (art. 40), la LPDC establece los remedios por incumplimiento de servicios (art. 41). Tal como se señaló en el comentario al artículo anterior, la técnica utilizada por el legislador ha sido imperfecta. En vez de establecer los remedios generales por incumplimiento de cualquier contrato de servicios, los ha regulado a propósito de los contratos de reparación. Sin embargo, ello no impide la configuración de un sistema de remedios que pueda coordinarse adecuadamente con el régimen general aplicable a las ventas de consumo (art. 19 y ss.). En efecto, tal como se expresará, este parece ser el espíritu del legislador a partir de lo dispuesto en el inciso final de este artículo. […] El art. 41 LPDC establece dos clases de incumplimientos de servicios: el "desperfecto" en el servicio y el "servicio defectuoso". […] Garantía para los contratos de reparación: Tal como se ha afirmado anteriormente, la LPDC reguló la garantía legal en materia de servicios a propósito de los de reparación. No sólo esto: el artículo 41 incluso tiene una regulación particular para los contratos de reparación. Por esta razón, y para los efectos del presente comentario, hemos decidido separar el tratamiento de la garantía en los contratos de reparación (por lo que valga todo lo dicho en el comentario del artículo anterior), de la garantía general para los servicios que serán tratados en el apartado siguiente. Por garantía en los servicios de reparación del artículo debe entenderse aquel plazo por el cual el prestador 'se hace responsable' de la reparación. Es decir, se trata del plazo en el que reparador estará obligado a asegurar que el servicio realizado (de reparación, refacción, limpieza, puesta a punto, u otro de similares características) cumplirá el fin por el que fue encargado, independiente de la culpa o dolo en la reparación. En este sentido debe entenderse que el proveedor 'garantiza' la reparación (u otro contrato análogo). Debe entonces entenderse que un servicio de reparación puede verse incumplido, y por lo tanto el proveedor será obligado a la garantía, cuando: (a) éste represente algún 'desperfecto', es decir, cuando la reparación no sea conforme al fin; (b) a propósito de la reparación se causen daños al consumidor, es decir, la reparación sea defectuosa; y (c) cuando el prestador no da cumplimiento al deber de reparación emanado del contrato. Además, debe recordarse que en el art. 40 LPDC se contempla otra hipótesis especial de incumplimiento de contratos de reparación (d): que 'no se hayan ocupado en la reparación los componentes o repuestos adecuados', en cuyo caso el art. 40[2] establece la obligación del proveedor a la sustitución de los repuestos por los adecuados. [...] Como se había adelantado, los remedios por incumplimiento en materia de garantía legal son tres: (i) la prestación del servicio sin costo, (ii) la devolución del precio pagado, y (iii) la indemnización de perjuicios. Pasaremos a comentarlos a continuación. Prestación del servicio sin costo: La 'prestación del servicio sin costo' equivale a la pretensión de específico o cumplimiento en naturaleza, para los efectos del derecho civil. Esto es, se trata de aquel remedio que intenta satisfacer el interés del acreedor a través de la misma prestación prometida, que no se ejecutó o que se ejecutó imperfectamente. Al aludir a la 'prestación del servicio sin costo', la LPDC no abarca, por lo menos en virtud de este remedio, el denominado 'cumplimiento por equivalencia' o 'por equivalente' que es el sustituto dinerario de la obligación, por lo que la posibilidad de su admisión la revisaremos a propósito de la 'indemnización de perjuicios'. Lo primero que es necesario señalar que este remedio opera tanto para los casos de ausencia de la prestación o falta de pago por el proveedor, como en los casos de inidoneidad y defectuosidad del servicio. Esto es, se trata de un remedio general para todas las hipótesis de incumplimiento de contratos de servicio, incluso los servicios de reparación. (1) La nueva prestación del servicio: La formulación genérica de la 'prestación del servicio sin costo', obliga a preguntarse qué contenido específico tiene para el derecho del consumo, es decir, bajo qué formas específicas este enunciado general podría particularizarse para la satisfacción del interés de consumidor. En el marco del Derecho Civil, se mencionan dos formas de cumplimiento específico para las obligaciones de hacer: (a) el cumplimiento específico de la obligación de hacer fungible o no fungible; y (b) el cumplimiento de la obligación de hacer fungible o no fungible a costa del deudor. Bajo las normas del Código Civil encuadraremos la pretensión de cumplimiento en las obligaciones de hacer (sobre las que se generan los servicios) básicamente en dos normas. Por un lado, en el art. 1489 del Código Civil que establece la opción entre cumplimiento y resolución contractual más indemnización de perjuicios; y, por otro lado, en el art. 1553 que establece los derechos del acreedor por incumplimiento de obligaciones de hacer. En virtud de esta última norma, se general la opción del acreedor (además de la indemnización por la mora, según el encabezado de dicho artículo), de optar entre (a) el apremio al deudor para la ejecución del hecho convenido; (b) la ejecución por un tercero, pero a expensas del deudor; y (c) la indemnización de perjuicios. Descrito entonces el panorama normativo necesario para la construcción del remedio del cumplimiento específico (la 'prestación del servicio sin costo') en materia de servicios, podremos ir delimitando su campo de aplicación. Como el art. 41 ocupó un amplio enunciado para graficar el cumplimiento específico, entonces, e integrando las normas del Derecho Civil, debe entenderse que cubre la hipótesis de cumplimiento forzado por el propio deudor, se trate de una obligación de hacer fungible o no fungible. Es decir, podría ser condenado el proveedor a prestar el servicio no prestado, o a prestarlo nuevamente en caso de inidoneidad o de defectuosidad del mismo. En caso de cumplimiento parcial, podría suceder que el proveedor sea condenado al pago de lo que resta para satisfacer al consumidor. Aparentemente sólo estaría contemplada la posibilidad de que el proveedor cumpla de nuevo toda la prestación incumplida. Esto porque no está contemplado expresamente en la LPDC la posibilidad de un derecho a 'reparación' del servicio (denominado en el derecho anglosajón con generalidad tanto para la entrega de bienes como para los servicios 'right to cure'). Esto es, la posibilidad de que el proveedor no preste de nuevo y de forma completa el servicio, sino que preste nuevamente aquello que es inidóneo o defectuoso. Sin embargo, creemos que un ejercicio de buena fe del remedio del cumplimiento pudiere exigir al que el prestador complete o sustituya la parte del servicio mal ejecutada. Y, por otro lado, el control judicial del ejercicio del remedio así también lo aconsejaría. En relación a lo anterior, a pesar que la LPDC, por defectos en la redacción del precepto, parece preferir la pretensión de cumplimiento frente a otros remedios, el juez debe calificar la posibilidad de un ejercicio desproporcionado de esta facultad. Imagínese un contrato de viaje combinado o de paquete turístico en que sólo una pequeña parte de un largo viaje fue mal prestada. ¿Debe ordenar el cumplimiento de todo el viaje? O incluso, ¿debe ordenar la prestación sólo de aquella parte incumplida del viaje? Tal como sucede en otros países, en nuestro ordenamiento no existen normas que permitan de forma expresa la exclusión del derecho del acreedor para obtener el cumplimiento de forma específica cuando el costo de ejecución de la prestación sea superior al daño realmente sufrido por el acreedor. En estas situaciones entonces, deberá integrar el juzgador los principios de la buena fe objetiva en el ejercicio del remedio. La segunda posibilidad que enunciamos en materia de cumplimiento específico es que el acreedor pueda ejecutar la prestación (fungible o no fungible) por un tercero a costa del deudor. Este es el derecho que se le concede al acreedor en el art. 1553 regla 2ª. Debe tenerse en consideración que hoy, más todavía que en el tiempo de redacción del Código Civil, es posible encontrar sustitutos a obligaciones de hacer. No vemos entonces inconvenientes en aplicar esta regla a la 'prestación del servicio sin costo'. La LPDC ordena que se preste nuevamente el servicio, pero no señala específicamente por quién, por lo que no rechaza expresamente la posibilidad que un tercero ejecute la prestación a expensas del deudor, esto es, el proveedor incumplidor. Probablemente revista más dificultad el ejercicio de este derecho tratándose de obligaciones de hacer no fungibles. Sin embargo, no vemos dificultad de aplicar lo que se denomina el cumplimiento parecido o paliativo, es decir, aquel cumplimiento aunque no específico que satisface de un modo equivalente el interés del acreedor, a través de la facultad de solicitar que un tercero ejecute la prestación. Hay que sumar a estas hipótesis el remedio contemplado en el art. 40, es decir, la sustitución de los repuestos inidóneos, que debe enmarcarse más bien dentro de una hipótesis de cumplimiento específico. La prestación del servicio sin costo: Habrá notado el lector que hemos omitido el comentario a la expresión 'sin costo' del artículo en comento. Es tiempo de hacerlo en estos momentos. La expresión 'sin costo' quiere significar que el proveedor deberá ejecutar el contrato no cumplido, o bien cumplirlo nuevamente (si el defecto es total), o aquella parte que pueda subsanarse (servicio imperfecto), o ejecutarse parcialmente (en caso de cumplimiento parcial), sin que el consumidor deba pagar nuevamente por esa ejecución. Es decir, el consumidor no debería, en principio, realizar ningún esfuerzo patrimonial adicional por envío, trabajo o materiales en la nueva prestación del servicio. Cabe anotar que el legislador ocupó la expresión 'costo' y no 'precio'. Aunque en el diccionario de la RAE no se apuntan diferencias, entre ambas expresiones, el Código Civil plantea diferencias. Cuando se habla de costos (en el art. 2003 regla segunda) se quiere hacer alusión al valor de adquisición de los materiales. En cambio, el precio alude a ello más la rentabilidad que el acreedor esperaba obtener por el contrato que es el valor agregado de la prestación del servicio (en el sentido que se le da al 'precio' en la regla primera del mismo artículo). A pesar de esta distinción creemos que el legislador no fue tan sutil para hacer dicha distinción, de tal manera que más bien 'costo' debe corresponder a un aumento del precio. En todo caso, puede suceder que por el hecho del cumplimiento el consumidor quede en una mejor posición que la originalmente pactada. Imagínese, por ejemplo, que se cumple defectuosamente un servicio de pintura. Como la pintura originalmente pactada ya no se encuentra en el mercado, podría el proveedor suministrar una pintura de mejor calidad. En estas situaciones se señala que de conformidad a la buena fe contractual el acreedor debe contribuir proporcionalmente a los costos del cumplimiento que lo dejará en una situación más favorable. Una posible excepción de incumplimiento contractual a favor del proveedor: Analizado el problema de la pretensión de cumplimiento en materia de servicios, cabe cuestionarse si el proveedor tiene a su disposición la excepción de incumplimiento contractual a su favor (o 'excepción de contrato no cumplido'). Esto es, debemos preguntarnos si el proveedor puede rehusar el cumplimiento de su obligación alegando que el consumidor no ha dado cumplimiento a su obligación: el pago del precio o tarifa. El problema se genera, por lo menos desde el punto teórico, porque el consumidor tendría derecho a la prestación del servicio sin costo. Pero bien cabe preguntarse si podría el consumidor exigir el cumplimiento del contrato aun cuando no se haya pagado el precio (el 'costo'). ¿Quiere decir implícitamente la ley que para ejercer la acción de cumplimiento debe el consumidor haber pagado primero el costo? Nótese que la redacción de la norma no alude a que el consumidor no será obligado a 'un mayor costo' por el cumplimiento, sino que se podrá solicitar el cumplimiento 'sin costo'. La normativa ni general ni especial en materia de servicios en la LPDC, soluciona expresamente el tema. Habrá entonces que acudir a los criterios generales en los que la jurisprudencia ha interpretado extensivamente la norma del art. 1552 a los casos de pretensión de cumplimiento. De esta manera, podría el proveedor excusarse del cumplimiento mientras el consumidor no dé por su parte cumplimiento a sus propias obligaciones. Devolución del precio pagado o resolución del contrato de servicios de consumo: El segundo remedio que tiene lugar en materia de servicios es la devolución del precio pagado. Este derecho del consumidor es el equivalente a aquel consagrado en el art. 20 ('previa restitución, su reposición o la devolución de la cantidad pagada'). Este remedio corresponde a la resolución por incumplimiento consagrada en el art. 1489 del Código Civil. Es decir, constituye aquella facultad que se le consagra al acreedor de la obligación incumplida, en este caso el consumidor, para dejar sin efecto el contrato, y obtener, consecuencialmente la restitución de lo pagado, es decir, el precio. Lamentablemente nuestro legislador innovó en su nomenclatura. Hubiese sido preferible que hubiese mantenido la denominación usual (resolución por incumplimiento) para evitar problemas interpretativos. Su denominación corresponde más bien a una descripción de uno de sus efectos: el restitutorio, y en especial, del precio pagado por el consumidor. Sin embargo, a pesar de la deficiencia técnica de nuestro legislador, ello no es obstáculo para la configuración del remedio en la LPDC. Procedencia de la resolución: Tal como ya se ha mencionado anteriormente, el supuesto de hecho que activa la garantía legal es el 'desperfecto' en el servicio y el 'servicio defectuoso'. La ley omitió pronunciarse expresamente por los casos de incumplimiento total. Con todo, siendo coherentes con lo expuesto más arriba, también debe considerarse la falta en la prestación (incumplimiento total) como un tipo de incumplimiento que permita la resolución del contrato de servicios. La operatividad de la garantía, tal como se ha mencionado, es de carácter objetivo. Es decir, los remedios que consagra el art. 41[2] se aplican independientemente de la culpa o dolo del deudor-proveedor. Por tanto, cabe analizar la procedencia del remedio respecto de los requisitos que tradicionalmente se propugnan para la resolución del derecho común. La doctrina nacional, en general, está conteste en los siguientes requisitos de la resolución: (1) incumplimiento de un contrato bilateral válido; (2) incumplimiento imputable al deudor; (3) mora del deudor, (4) que el acreedor haya cumplido o esté llano a cumplir; (5) y que sea declarado por sentencia judicial. A continuación veremos si estos elementos se debieran presentarse de la misma manera en la LPDC. Respecto del primero de los requisitos enunciados, estos es, el incumplimiento de un contrato bilateral, la doctrina nacional viene afirmando hace ya bastante tiempo que no cualquier incumplimiento da lugar a la resolución del contrato, sino solamente los incumplimientos que puedan ser considerados como de importancia. Esta parece ser hoy en día la opinión común de los autores. No vemos razones para que en materia de consumo no pueda aceptarse el mismo criterio. La resolución sólo debe ser relegada para aquellos incumplimientos que de forma ostensible pueda ser considerado como esencial en atención a que se prive al consumidor de lo que tenía derecho a esperar en virtud del contrato de consumo. Para los demás casos, deberían tener lugar los demás remedios consagrados en virtud de la garantía legal, en especial, la indemnización de perjuicios. El segundo de los requisitos que tradicionalmente se propugna para la interpretación es que el incumplimiento sea imputable al deudor, a título de dolo o culpa. Esta exigencia tradicional de la resolución, hoy en día ha sido puesta en tela de juicio por la doctrina más moderna. Sin embargo, la solución a la disputa doctrinal parece de más fácil configuración en el régimen de la garantía legal. Como se trata de un régimen objetivo, basta con la configuración en el vicio en el servicio ('desperfecto' o 'servicio defectuoso') para activar el remedio, siempre que el incumplimiento sea de una gravedad relevante como para resolver el contrato. En tercer lugar, normalmente se ha señalado que la resolución opera en virtud de la constitución en mora del deudor. Sin embargo, si se entiende que la mora es una forma de retraso calificado en el cumplimiento de la obligación, la verdad es que la mora del deudor no cumple ninguna funcionalidad relevante en materia de operatividad de la garantía legal, y por lo tanto, en materia de resolución en virtud de ella. El vicio en el servicio ('desperfecto' o 'servicio defectuoso'), es independiente del retraso en el cumplimiento de la obligación. Lo que importa para los efectos de la garantía es la producción del vicio, sea que se haya cumplido la obligación oportunamente o incluso fuera de plazo. Más problemático resulta la situación de la falta en la prestación. Sin embargo, la falta de cumplimiento en el plazo estipulado constituye en sí misma una especie de incumplimiento, incumplimiento total, suficiente por tanto para solicitar la resolución del contrato, independiente de la constitución en mora del deudor. Sobre el cuarto requisito, esto es, que el acreedor haya cumplido o esté llano a cumplir ya hemos tenido oportunidad de pronunciarnos a propósito de la pretensión de cumplimiento, por tanto, valga lo dicho anteriormente aplicado a la resolución. Por último, el quinto requisito que generalmente se menciona para la operatividad de la resolución, es la sentencia judicial. Este requisito no necesariamente debe ser considerado en la resolución en virtud de la garantía legal. Si se estima que la garantía legal puede ser reclamada directamente al proveedor, entonces, el ejercicio de la resolución, la devolución del precio, también debería guardar el mismo carácter extrajudicial. Esto no se opone a que el consumidor pueda reclamar ante los tribunales la resolución por el incumplimiento del proveedor de la garantía legal. Efectos de la resolución de los contratos de servicios de consumo: Luego de determinar las condiciones de procedencia de la resolución, nos corresponde tratar ahora los efectos de la resolución. Como se apuntó en un principio, la 'devolución del precio' es el nombre que adopta la resolución en la LPDC. Este nombre grafica en realidad un efecto de la resolución, cual es el efecto restitutorio de la resolución, que es en todo caso eventual como se señalará en las próximas líneas. Sin embargo, cabe explorar también en el efecto propio de la resolución, cual es el efecto extintivo y que siempre tiene lugar. En primer lugar trataremos entonces del efecto extintivo. Éste tiene por objeto liberar al acreedor de la obligación asumida. Para estos efectos, se puede explicar desde el punto de vista del acreedor y del deudor. Por una parte, por el evento de la resolución, el acreedor ya no será ni obligado ni responsable de las obligaciones asumidas en el contrato. Y, desde el punto de vista del deudor (que es, a la vez, acreedor de la obligación recíproca), no podrá exigir el cumplimiento, ni tampoco podrá imputar responsabilidad contractual (en sentido estricto) al acreedor de la obligación incumplida. Así, tal como afirma Clemente, obligacionalmente la resolución significa extinción de la relación obligatoria, sin más efectos. En el derecho de la protección al consumidor siempre se analiza el incumplimiento del proveedor, quien es el deudor relevante de la relación de consumo. Y así, desde esta óptica, la resolución guarda interés para el consumidor en el sentido que no será más obligado a cumplir la prestación a la que está obligado (el precio o tarifa). Por lo tanto, la resolución en los contratos de servicios implicará la liberación del consumidor del contrato de consumo, independientemente que haya pagado o no el precio o tarifa. Por lo dicho, en los casos en que el consumidor no haya pagado el precio o tarifa en los contratos de servicios, en virtud de la resolución el consumidor no será obligado más a ella. Por el contrario, cuando el consumidor haya pagado dicho precio o tarifa, entonces tiene lugar el segundo efecto de la resolución, cual es el efecto restitutorio. Esto quiere decir que las partes, por medio de la resolución, pueden recobrar aquello que han pagado en virtud del contrato (art. 1487 Código Civil). En el caso del consumidor, podrá buscar la restitución del precio, que como ya se señaló, da origen al nombre designado por nuestro legislador para la resolución. Puede observarse, a diferencia de lo que sucede en materia de productos, que nuestro legislador no ha establecido la condición previa que se restituya "el servicio" para la operatividad de la resolución. La diferencia de tratamiento de los productos a los servicios en la exigencia de la restitución previa parece ser consciente en nuestro legislador, puesto que es manifiesta la diferencia en los dos ámbitos contractuales. Sin embargo, ello no significa que no puedan operar, en virtud de la resolución, restituciones a favor del proveedor. La operatividad de la resolución respecto de los contratos de servicios no impide que el proveedor tenga derecho a que se le restituyan, en especie, siempre que fuera posible, o bien, en valor, aquello que fue prestado para el consumidor. De lo contrario, podría el consumidor enriquecerse injustamente a partir de la resolución, constituyendo este remedio una verdadera sanción en contra del proveedor, lo que creemos que no está cubierto ni por esta norma ni por el Código Civil. **Indemnización de perjuicios:** El tercer remedio que goza el consumidor en virtud de la garantía legal es la indemnización de perjuicios. Luego de establecer el derecho del consumidor al cumplimiento y a la resolución, prescribe el art. 41[2]: 'Sin perjuicio de lo anterior, quedará subsistente la acción del consumidor para obtener la reparación de los perjuicios sufridos'. Del enunciado normativo, creemos que hay dos cuestiones fundamentales para analizar: (1) qué quiere decir que el derecho a la indemnización de perjuicios queda subsistente, sin perjuicio de los demás derechos del consumidor; y (2) la posibilidad de acumulación de la indemnización con los demás derechos del acreedor. **La subsistencia del derecho a reclamar por los perjuicios:** Como ha podido observarse, la consagración de los remedios del cumplimiento y la resolución, han implicado un reconocimiento de los dos principales derechos del acreedor frente al incumplimiento de contratos bilaterales. Sin embargo, en términos de redacción la norma se alejó de la fórmula general ocupada por el art. 1489 del Código Civil, cuya reproducción hubiese facilitado la tarea interpretativa de la misma. Faltaba, empero, la consagración de la indemnización de perjuicios, para completar el trío de remedios establecidos en el derecho común y en materia de garantía en materia de productos. Para establecer este derecho, la LPDC estableció que la indemnización es un derecho 'subsistente', sin perjuicio de la elección del consumidor por el cumplimiento o la resolución. ¿Qué debe entenderse entonces por esta 'subsistencia' del derecho de reclamar por los perjuicios? Parece ser que esta 'subsistencia' debe interpretarse armónicamente con la expresión 'sin perjuicio de lo anterior' ocupada en la primera parte del artículo. Parece ser que la intención del legislador ha sido otorgar siempre al consumidor el derecho de reclamar por los perjuicios, 'sin perjuicio' de que además pueda reclamar el cumplimiento o la resolución del contrato. De esta manera queda siempre a discreción del consumidor elegir cuál es el remedio que mejor satisfaga su interés. De esta manera, el legislador, aunque con criticable técnica de redacción, ha querido zanjar una de las clásicas discusiones en materia de aplicación del art. 1489 del Código Civil, la que consiste en determinar si la indemnización de perjuicios puede reclamarse autónomamente, o bien, si es necesario que acceda a una petición principal de cumplimiento o resolución. Como es sabido, la opinión clásica de la doctrina y jurisprudencia nacionales ha sido supeditar la acción indemnizatoria a una 'principal', de cumplimiento o resolución, de tal suerte que ella no podría ser interpuesta por sí sola. Con todo, alguna doctrina más moderna ha intentado proclamar una naturaleza autónoma de la indemnización de perjuicios, por lo menos a partir de una lectura más armónica de los arts. 1489, 1555 y 1556 del

Código Civil. La 'subsistencia' del derecho a reclamar por los perjuicios, 'sin perjuicio' del cumplimiento o la resolución, entonces parece otorgarle independencia a la acción de perjuicios frente a los remedios del cumplimiento y la resolución. Con ello, además, se le otorga mayor sentido al enunciado normativo del art. 3 letra e) LPDC que consagra como derecho básico del consumidor el ser reparado en todos los perjuicios, sin más restricciones o condicionantes que accionar de acuerdo a los medios que la ley franquea. Esta independencia de la indemnización, en todo caso, no obsta a que el consumidor pueda instar por la acumulación de la indemnización a la resolución o al cumplimiento, como lo permite el art. 1489 del Código Civil. Es decir, al aludir el legislador con la expresión 'sin perjuicio de lo anterior', establece que el derecho a la indemnización no se agota en el cumplimiento o la resolución. Y así, entonces, la indemnización podrá tener operatividad ya sea con o sin el cumplimiento o la resolución del contrato. Esto abre entonces la interrogante sobre el carácter del remedio: si es extrajudicial, como propugnamos para el cumplimiento o la resolución, o judicial. Siendo coincidentes con nuestro comentario al art. 3 letra e) y con lo dicho más arriba, la indemnización de perjuicios es por su propia naturaleza judicial, ya que será el órgano jurisdiccional el que determine la procedencia y cuantía de la misma. Ahora, la 'independencia' de la acción por perjuicios no impediría que el consumidor haya ejercido, por vía extrajudicial, primero, el cumplimiento o la resolución de forma extrajudicial, y luego, judicialmente la indemnización de perjuicios por vía judicial. **Acumulación de la indemnización de los perjuicios a los demás derechos de la garantía legal:** Luego de tratar el problema de la 'autonomía' de la acción de perjuicios, trataremos el problema de la acumulación de la indemnización a los remedios del cumplimiento o de la resolución. Es decir, trataremos del remedio indemnizatorio cuando el consumidor inste además de la indemnización por la resolución o el cumplimiento. **Indemnización de los perjuicios y valor de prestación del servicio:** Probablemente, una de las cuestiones que más dificultades ha aparejado a la doctrina comparada que ha estudiado la resolución del contrato es qué debe indemnizarse cuando tienen operatividad conjunta los remedios de la indemnización con el cumplimiento o la resolución. En este tópico influyen sustancialmente dos cosas: el concepto de daño indemnizable y el interés indemnizable (positivo o negativo). Más allá de estos dos temas que no es propicio tratar en este comentario, lo único que queremos destacar es que debe abandonarse, para la situación de la acumulación de la indemnización o al cumplimiento o a la resolución, la idea de cumplimiento por equivalencia como sinónimo de indemnización de perjuicios, por lo menos para estos efectos. No parece equitativo que el consumidor (y ningún acreedor) pueda obtener el cumplimiento en naturaleza y además por equivalencia (cuestión que ha sido rechazado por la doctrina nacional unánime); o eventualmente, la resolución más el cumplimiento por equivalencia. Para estas situaciones, debe considerarse como daño contractual únicamente el perjuicio sufrido por el acreedor desligado del valor de prestación o equivalente pecuniario de la prestación. Otra cuestión, muy distinta, es si la indemnización 'autónoma' pueda ser considerada como un 'cumplimiento por equivalencia', lo que es discutido en doctrina (si se trata propiamente de una acción de cumplimiento o de indemnización, lo que excede el ámbito de este comentario). (b) Posibilidad de reclamar la indemnización de perjuicios en un plazo posterior al vencimiento de la garantía legal Un segundo problema que es posible vislumbrar de la redacción del art. 41[2] en relación con la acumulación de la indemnización al cumplimiento o la resolución es el problema del ejercicio de la acción indemnizatoria en el plazo legal de la garantía. Se recordará que el plazo de ejercicio de la garantía es de 30 días hábiles, término que es en extremo breve si se tiene en consideración que el remedio es de carácter judicial. El problema del ejercicio de la acción está en íntima relación con tres materias: (i) si el plazo de la garantía es de prescripción o de caducidad; (2) si a pesar de este plazo es posible intentar una acción fuera del plazo de la garantía; y (3) cuál es la relación entre este plazo, la prescripción de la acción infraccional y la prescripción de la acción civil indemnizatoria. El tema es estudiado en el comentario al art. 24, por lo que reenviamos la problemática a dicho comentario. **La aplicación del artículo 21[f] a los remedios del art. 41:** El artículo 41[3] establece que para el ejercicio de los remedios consagrados en dicho artículo debe estarse a lo establecido en el art. 21[f]. Esta norma establece que: 'Para ejercer estas acciones, el consumidor deberá acreditar el acto o contrato con la documentación respectiva, salvo en casos en que el proveedor tribute bajo el régimen de renta presunta, en los cuales el o contrato podrá ser acreditado mediante todos los medios de prueba que sean conducentes'. La aplicación del art. 21[f] al ámbito de los servicios establece restricciones probatorias para la acreditación del contrato de consumo, al igual que lo que sucede en los contratos de compraventa. Por lo tanto, el tema debe ser estudiado a partir del comentario respectivo".

- **Rodríguez, María Sara (2014): "Responsabilidad por incumplimiento de contratos de servicios. la protección del consumidor y del cliente por prestaciones defectuosas"** Revista Chilena de Derecho, vol. 41 nº 3, pp. 791 a 823, pp. 801-805: "El artículo 41 atribuye responsabilidad por este incumplimiento al proveedor del servicio y las consecuencias del incumplimiento solamente pueden recaer en él, pues estas son: prestar nuevamente el servicio o devolver el precio pagado por él, sin perjuicio del derecho del consumidor a pedir la reparación de los perjuicios sufridos. Además, el consumidor debe acreditar la existencia del contrato, como se lee en la LPC, 'mediante la documentación respectiva' (artículo 21, inciso final). Es decir, en el artículo 41 LPC se está haciendo valer una responsabilidad contractual. Abona la interpretación propuesta el texto mismo del artículo 43, que se lee casi a continuación y pertenece al mismo párrafo. El artículo 43 LPC se refiere a las consecuencias del incumplimiento de obligaciones 'contractuales' del prestador de un servicio contratado a través de un intermediario. El defecto a que se refiere el artículo 43 está asociado al incumplimiento de obligaciones que el proveedor debía satisfacer por contrato. Nuevamente, es una responsabilidad contractual. Los artículos 40 a 43 pertenecen, por fin, al Párrafo 4º del Título III de la LPC: 'Normas especiales en materia de prestación de servicios'. Se advierte claramente la intención del legislador de distinguir el fenómeno de los servicios no hechos conforme a lo pactado de los servicios peligrosos por inseguros, regulados en el párrafo siguiente del mismo título de la LPC. [...] Siempre que se pide el cumplimiento de un contrato de servicios, en realidad se está pidiendo al obligado a prestarlo la subsanación del incumplimiento. El demandado podría rechazar la petición si de algún modo es imposible la repetición o si se trata de un servicio personalísimo, indelegable. La pretensión iría, en este último caso, contra la libertad personal. El deudor no quiere hacer de nuevo el servicio. En este caso, el acreedor tendría que optar por otra sanción como la resolución o la indemnización de perjuicios. En los demás casos, la subsanación del incumplimiento haciendo de nuevo el servicio tiene visos de ser una obligación de garantía del deudor. En el ámbito de servicios a consumidores, el artículo 41 LPC replica esta sanción. El prestador del servicio se hace responsable del servicio o reparación. Es decir, se obliga a la prestación y responder por ella haciéndola de nuevo o indemnizando al consumidor. En consecuencia, el consumidor puede reclamar del desperfecto o daño ocasionado por un servicio defectuoso. Si el tribunal estima procedente el reclamo dispondrá que 'se preste nuevamente el servicio' sin costo alguno para el consumidor. Es decir, que se haga de nuevo el servicio, quedando obligado el prestador a subsanar su incumplimiento cumpliendo con su obligación de garantía. El análisis precedente permitiría concluir que la opción del acreedor por pedir el cumplimiento, si este es posible, se traduce en la posibilidad de exigir al deudor que subsane el incumplimiento o garantice el resultado, haciendo de nuevo el servicio. Y que esta sanción o 'remedio' (como sustituir la cosa defectuosa por otra) es uno de los varios mecanismos de protección del sistema de responsabilidad contractual por incumplimiento de contratos de servicios. [...] La indemnización de perjuicios es una sanción especialmente relevante para el acreedor de unos servicios frustrado por el incumplimiento. En este ámbito, vuelve a adquirir relevancia el régimen aplicable al servicio no cumplido. Los daños y perjuicios por servicios en que no es parte un consumidor quedan sujetos al régimen supletorio general del Código Civil. En cambio, si el acreedor es un consumidor, este puede pedir directamente esta sanción por aplicación de los artículos 3º , letra e) y 41 LPC".

SENTENCIAS SOBRE ARTÍCULO 41

- **Mary Nelly Molina Cárdenas con David Hernan Caigun Calapau (2017): 2° Juzgado de Policía Local de Osorno, 29 de septiembre de 2017, Rol n° 6452-2016, LTM18.763.467:** "**DÉCIMOSEXTO:** Que sin perjuicio de lo expresado en el considerando precedente, y de acuerdo a las declaraciones de las partes en estos autos, y de las pruebas rendidas por cada uno de ellos, en concepto de este sentenciador, don David Caigun Calapay infringió además a la obligación contemplada en el artículo 41 de la Ley 19.496, esto es, señalar por escrito en alguna boleta, recibo u otro documento, el plazo por el cual se hace responsable del servicio o reparación".

ARTÍCULO 42

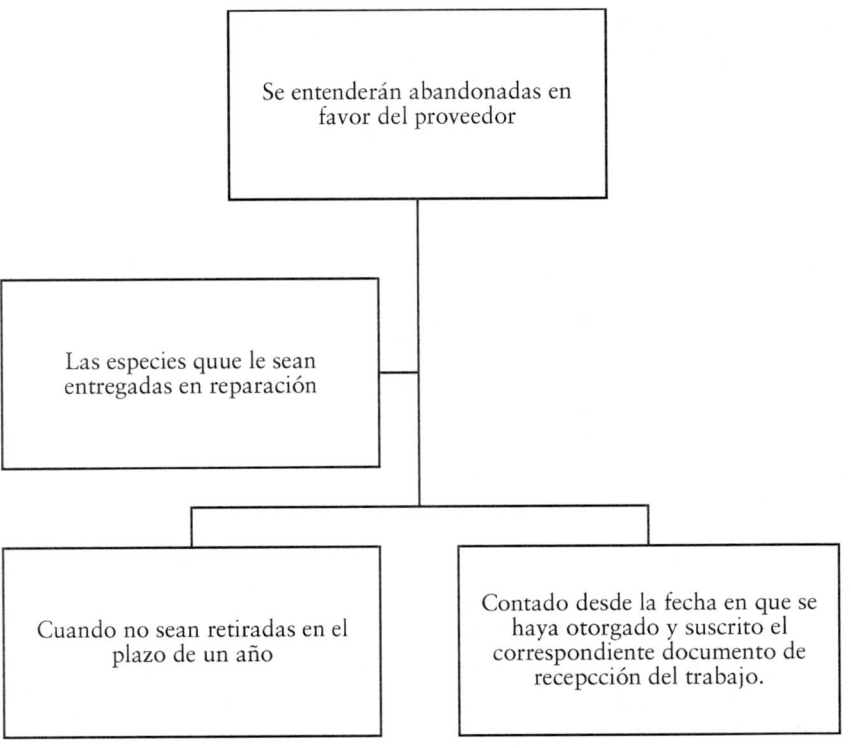

DOCTRINA SOBRE ARTÍCULO 42

- **Contardo, Juan Ignacio (2013): "Artículo 42", en Iñigo De La Maza; Carlos Pizarro (Dirs.) y Francisca Barrientos (coord.) La protección de los Derechos de los consumidores.** *Comentarios a la ley de protección a los derechos de los consumidores.* **Santiago: Thomson Reuters, pp. 889-898** "El art. 42 LPDC complementa la regulación de los servicios de reparación de los dos artículos precedentes (arts. 40 y 41 LPDC) con un supuesto muy particular: la falta de retiro de la especie entregada en reparación por parte del consumidor. El efecto prevenido en la norma es que después del plazo de un año desde el otorgamiento y suscripción del 'documento de recepción' del trabajo, se 'entenderán abandonadas en favor del proveedor' dichas especies. Sin embargo, como se leerá en las siguientes líneas, este artículo también sirve para integrar algunos vacíos de la regulación del 'contrato de reparación' del artículo 40, como del ejercicio de la 'reparación' como remedio en virtud de la garantía legal en los casos establecidos en los arts. 20 y 21 LPDC. [...] Para que tenga lugar a los dispuesto en el art. 42, se requiere: (i) Que el consumidor haya entregado especies en reparación; (ii) que en virtud de la entrega de las especies en reparación se haya 'otorgado y suscrito' un documento de recepción; (iii) Que el consumidor no haya retirado las especies entregadas en reparación; y (iv) que transcurra el plazo de un año desde el 'otorgamiento y suscripción' del documento de recepción. [...] Tal como se ha señalado, la ley establece que transcurrido el plazo de un año desde la suscripción del documento, estas especies 'se entenderán abandonadas en favor del proveedor'. El efecto descrito parece indicar que el consumidor pierde el derecho de dominio sobre las especies entregadas (a través del 'abandono'), dominio que sería adquirido por el reparador ('en favor del proveedor'). Sin embargo, la redacción de la norma merece algunos comentarios sobre las expresiones legales 'se entenderán', 'abandonadas' y 'en favor'. Para abordar la cuestión, debe recordarse que el proveedor es mero tenedor de las especies entregadas en reparación. Por lo tanto, si no existiese la norma en comento, el proveedor no podría hacerse dueño de las especies aun cuando el consumidor no haya pagado el precio de la reparación (si se tratase de un contrato de reparación); o bien, si no las retirase ya que la mera tenencia es indeleble o inmutable, es decir, no muda su calidad a través del tiempo constituyéndose título de posesión (arts. 716 y 719[2] CC). Lo anterior no deja de ser relevante para los efectos del artículo, puesto que la norma parece indicar que el proveedor podrá llegar a detentar la cosa entregada a un título distinto de la mera tenencia. Como la mera tenencia es indeleble, el título en virtud del cual el proveedor debe detentar la cosa debe cambiar. Es decir, para dejar de detentar la cosa como mero tenedor, dicho título debe extinguirse, y debe nacer un nuevo título que le permita al proveedor ostentar la cosa ya no en virtud de la mera tenencia. Pero, además, debe también mutar la relación que tiene el consumidor respecto de la cosa, puesto que la mera tenencia no cambia ni aún por el transcurso del tiempo. Acá es que cobra importancia el 'abandono' del consumidor de la cosa entregada en reparación. Al trascurrir el plazo de un año contado desde la suscripción del documento, la ley presume la voluntad del consumidor ('se entenderá') de no ser más titular de la especie entregada en reparación, a través del 'abandono'. No se requiere en este caso un acto de voluntad del consumidor en aras al abandono de las especies, ya que la ley la presume por no haberlas reclamado dentro del plazo legal. Con todo, es muy dudoso que el 'abandono' sea siempre a título dominical, puesto que no es requisito que el consumidor sea dueño o poseedor (que tiene apariencia de dueño) de las especies. En efecto, podría entregar en reparación las especies tanto el dueño, como el poseedor, como incluso un mero tenedor (por ejemplo, un depositario o un arrendatario). Por esta razón, nos inclinamos a pesar que el 'abandono' se refiere más bien a una renuncia de reclamación del consumidor de la especie entregada, sea cual sea fuere el título que ostenta respecto de ella. De esta suerte, la renuncia podría en algunos casos tener efectos reales, y en otros no. La tendrá cuando el consumidor sea el propio dueño de la cosa, caso en el que el proveedor adquirirá el dominio de la especie. Sin embargo, cuando ello no sea así, todavía subsistirían las acciones del verdadero dueño de la cosa en contra del proveedor. Imagínese el arrendatario o comodatario de un anillo, quien manda a repararlo porque se desprendió la piedra preciosa que formaba parte de él. En este caso, podría todavía el dueño del anillo reclamarla en contra del proveedor ejerciendo la acción reivindicatoria, sin embargo, no podría hacerlo el consumidor (el arrendatario). En este último supuesto, la renuncia tendría efectos relativos (entre consumidor y proveedor) y no afectaría a terceros, puesto que sólo se materializaría respecto del proveedor (es solo 'en favor' del proveedor). En el mismo sentido, de este abandono sólo se podría beneficiar el proveedor y no otros terceros. La presunción de voluntad de abandono de las especies ('se entenderán'), parece cobrar la característica que es una presunción de derecho. Basta sólo con el transcurso del tiempo pára que se materialice el abandono, de tal suerte que no debería ser admitida prueba en contrario acreditados los elementos objetivos de la presunción: la suscripción del documento y el transcurso del plazo. Cuando el 'abandono' tiene efectos reales, esto es, cuando produce la pérdida del derecho de dominio, creemos que el proveedor adquirirá el dominio por ocupación (art. 606 y ss. CC) y no por prescripción adquisitiva. La existencia del plazo de un año no transforma el título de mera tenencia en uno de posesión que permita ganar el dominio por prescripción. Además, no se requiere sentencia judicial en este caso para que se declare que el proveedor ganó el dominio por prescripción. Podría objetarse a esta postura que este caso regula un caso calificado del art. 2510 regla 3ª. Se recordará que este artículo se menciona como excepción (aparente) al hecho que la mera tenencia es indeleble, ya que permitiría al mero tenedor, cumplidos ciertos requisitos, ganar el dominio por prescripción. Con todo, estos requisitos más bien dicen relación con la imposibilidad del verdadero dueño de la cosa de probar su dominio. En cambio, el art. 42 LPDC parte de la base que el proveedor tiene en su poder una cosa ajena, lo que se puede acreditar a través del documento de trabajo. Así guarda más lógica que se trate del modo de adquirir ocupación. Si estamos en lo correcto, esto es, que el modo por el que adquiere el proveedor es la ocupación (debería ser calificada como invención o hallazgo, art. 624[3] CC, sin embargo con una particularidad), el proveedor deberá tener ánimo de señor o dueño sobre la especie 'abandonada' puesto que es requisito de la ocupación Además, por otra razón muy simple: nadie puede adquirir derechos sin su voluntad. En todo caso, tratándose de bienes muebles registrables (como los automóviles), probablemente no baste con la sola voluntad del proveedor en adquirir, sino se requerirá de una sentencia judicial para modificar el registro a favor del proveedor.

Queda por resolver todavía el caso de que el 'abandono' no se haya constituido como una forma de ocupación porque las especies no eran de dominio del consumidor. ¿Podría el proveedor obtener de alguna manera el dominio de la cosa? A pesar de que el 'abandono' no tiene efectos reales cuando el consumidor no es dueño de la cosa, creemos que puede servir de título de constitutivo de posesión. En efecto, según el art. 703 CC, la ocupación sirve de título de posesión y permite al ocupante ganar el dominio por prescripción, cuando la ocupación no ha sido eficaz para originar la propiedad en él. De esta manera, el proveedor podría ganar el dominio por prescripción alegando que la especie le fue 'abandonada'. El plazo de prescripción debería contarse a partir del vencimiento del año previsto en la norma puesto que en ese momento adquirirá la posesión por ocupación. Y el plazo preciso de prescripción dependerá fundamentalmente de su buena o mala fe posesoria (la ocupación no es título injusto). Al presumirse la buena fe (art. 706 CC), lo normal es que debiera adquirir el dominio en el plazo de dos años contados desde el inicio de la ocupación (art. 2508 CC), es decir, tres años contados desde la entrega de las especies en reparación, siempre que no sean reclamadas oportunamente por el consumidor (dentro del primer año, lo que podría implicar posesión como de mala fe), o por el dueño lo que interrumpiría su prescripción".

ARTÍCULO 43

El proveedor que actúe como intermediario en la prestación de un servicio

Responderá directamente frente al consumidor por el incumplimiento de las obligaciones contractuales.

Sin perjuicio de su derecho a repetir contra el prestador de los servicios oterceros que resulten responsables.

DOCTRINA SOBRE ARTÍCULO 43

- **Contardo, Juan Ignacio (2013): "Artículo 43", en Iñigo De La Maza; Carlos Pizarro (Dirs.) y Francisca Barrientos (coord.)** *La protección de los Derechos de los consumidores. Comentarios a la ley de protección a los derechos de los consumidores.* **Santiago: Thomson Reuters, pp. 899-918 pp. 899-914:** "Luego de establecer los remedios del consumidor en caso de incumplimiento de servicios de consumo masivo (art. 41[2]), la LPDC regula un caso de responsabilidad muy particular: la responsabilidad del intermediario de servicios de consumo. Como puede apreciarse, el artículo 43 de la LPDC no guarda relación con la normativa 'especial' de servicios (arts. 40 a 42). En efecto, no trata de la reparación ni de la garantía en la reparación (sobre la cual debe construirse la responsabilidad general por incumplimiento de servicios de consumo, como se apuntó en el comentario al art. 41 LPDC). En vez de regular otros supuestos especiales de incumplimiento de servicios, la ley ocupó una forma general para reglamentar la situación que se presenta cuando participa un intermediario en la relación de servicios de consumo. Es decir, ocupa un supuesto general de incumplimiento para el caso especial de la participación del intermediario de servicios. La norma en comento permite imputar responsabilidad civil al intermediario de servicios de consumo, cuando existe incumplimiento de las obligaciones contractuales. [...] Debe anotarse que el artículo 43 de la LPDC introduce dos conceptos, hasta dicho artículo inéditos en la nomenclatura de la ley: el 'intermediario' y el 'prestador de los servicios'. La LPDC cuidó en definir varias de las palabras de uso común en la misma ley, particularmente en el artículo 2. Sin embargo, tratándose del 'intermediario' y del 'prestador de los servicios' la ley no las definió. [...]creemos que es posible la construcción de un concepto de intermediario uniendo los elementos típicos que configuran la definición de proveedor, del artículo 2 n° 2 y del artículo 43. Así: El proveedor celebra un contrato de prestación de servicios con el consumidor. A. El proveedor cobra un precio o tarifa por el servicio contratado. El consumidor sabe, por estipulación contractual, que la ejecución de las obligaciones será satisfecha por un tercero. En esta situación, a nuestro entender, lo relevante es que el proveedor cobre un precio o tarifa por la intermediación. Ya sea que así se detalle en el contrato, ya se cobre un precio único. En esta situación nos encontraremos en el supuesto de hecho contenido en la norma. En efecto, en esta situación se puede distinguir la relación trilateral generada por el artículo 43 de la LPDC. Se distinguen material y jurídicamente el consumidor, el intermediario-proveedor y el prestador del servicio. Además, se configura la calidad de proveedor del intermediario, ya que por el servicio pactado en el contrato cobra, precisamente, un precio o tarifa. [...] El segundo sujeto que se menciona en la norma en comento es el 'prestador de los servicios'. A este sujeto se hace mención en la parte final del artículo, cuando se establece que la responsabilidad del proveedor-intermediario es 'sin perjuicio de su derecho a repetir contra el prestador de los servicios o terceros que resulten responsables'. De la redacción de la norma parece colegirse que es el 'prestador de los servicios' es aquel que cumple con la prestación contratada entre consumidor y proveedor intermediario, es decir, quien efectúa materialmente la prestación a favor del proveedor. Se trata de aquel sujeto, entonces, distinto del proveedor que realiza la prestación y que el consumidor sabe que la cumplirá. Sin embargo, con la ejecución de la prestación no se hace parte en el contrato. Este supuesto es relevante para los efectos de la aplicación del artículo 43 de la LPDC. Como acabamos de explicar, el sentido de la norma del artículo 43 no puede explicarse a través de las figuras ni de la promesa del hecho ajeno, en que el prestador pudiera ser el tercero ratificante; ni del mandato en que éste obraría como mandante. Ni aún en la situación inversa en que pudiera considerarse el prestador como mandatario para la ejecución de la obra. Si hubiere mandato en estos términos, para que tenga lugar la aplicación del artículo 43 de la LPDC, debería saber el consumidor que el prestador ejecutará la prestación. En caso contrario, si actuara sin pacto expreso en el contrato, por mandato del intermediario, la verdad es que no cabríamos dentro de la hipótesis del artículo 43 sino una de incumplimiento general de un servicio regulado en la LPDC. Para los efectos de la aplicación del artículo 43 de la LPDC, consumidor y prestador efectivo son jurídicamente extraños. Es decir, no existe relación contractual entre consumidor y prestador de servicio. Por esta razón, preferimos llamar al prestador con el calificativo de 'efectivo', puesto que jurídicamente la obligación cumplir el servicio no se encuentra en el prestador, sino en el intermediario. [...] Como ya se había adelantado, el artículo 43 de la LPDC señala que el proveedor que actúa como intermediario en los contratos de prestación de servicios responderá 'directamente' frente al consumidor. [...] Es bien sabido que las infracciones a la LPDC pueden traer aparejadas consecuencias civiles e infraccionales o contravencionales. Éstas últimas consisten en multas a beneficio fiscal (artículos 23, 24 y 26 de la LPDC). Se recordará a partir de comentarios a artículos anteriores, que se ha discutido si la responsabilidad civil es autónoma en la LPDC, o bien si se requiere de una condena infraccional para el acogimiento de la demanda civil. La cuestión también se ha presentado en materia de aplicación del artículo 43 de la LPDC. Creemos que, por lo menos para este supuesto, las responsabilidades son claramente independientes. De esta suerte es posible obtener una condena por vía civil y no infraccional. Es más, en estos supuestos lo normal debería ser que exista condena civil y no infraccional. Si se observa la estructura de la ley, el artículo 43 debe interpretarse armónicamente con la regulación general del incumplimiento, particularmente el artículo

23 que tipifica la sanción infraccional. Según el artículo 23 sólo cuando el proveedor actúa con culpa ('actuando con negligencia'), es responsable de la condena infraccional. Sin embargo, como se señalará en las próximas líneas, el régimen de responsabilidad del artículo 43 es objetivo, es decir, debe prescindirse de la culpa del proveedor para la calificación de la responsabilidad del proveedor-intermediario. Pues bien, para los efectos del artículo 43, un régimen de responsabilidad objetiva no es coincidente con un régimen culposo infraccional si es que se hace depender la acción civil a la infraccional. […] Como se ha expuesto en líneas anteriores, es el proveedor, quien contrata con el consumidor, el deudor de la obligación. Es este sujeto quien promete que las obligaciones serán satisfechas por el prestador del servicio, y por lo mismo, resulta responsable. Como se señaló, el art. 43 no es una situación cubierta por la promesa del hecho ajeno, ya que no es el prestador quien se constituya como deudor de la obligación, sino es el mismo intermediario quien asume por estipulación contractual los riesgos del incumplimiento del prestador efectivo. Partiendo de esta base, puede señalarse que el art. 43 contiene un supuesto de una obligación de resultado para el proveedor-intermediario. Es decir, para los efectos del art. 43 no importa la diligencia del proveedor intermediario para los efectos de la calificación de la responsabilidad. Esto se concluye a partir de la construcción normativa del art. 43. […] Qué régimen es el que cubre el art. 43? Nos inclinamos, de *lege lata*, por entender que la norma analizada establece un régimen de responsabilidad objetiva, de tal manera que la imposibilidad fortuita que afecte sólo al prestador del servicio deba ser soportada por el proveedor intermediario. Las razones de texto son fundamentalmente dos. En primer lugar, la responsabilidad 'directa' del prestador en base a obligaciones de resultado importa sostener que el resultado no obtenido por el consumidor importa imputar los riesgos a la esfera de cuidado del proveedor. Y en segundo lugar, la acción de 'repetición' que le compete al proveedor-intermediario en contra del prestador permite distribuir, entre ellos, los riesgos que le aquejen a la prestación. De esta manera, el proveedor intermediario no puede excusarse de responsabilidad por la imposibilidad fortuita sobrevenida que afecte al prestador del servicio. Con todo, podría eventualmente afectar incluso al proveedor-intermediario. Imagine el caso de un viajero que ha contratado un pasaje de avión a través de una agencia de viajes, pero que el avión no puede despegar a la fecha establecida puesto que el aeropuerto de salida se encontraba cerrado por el paso de un huracán. En este caso, la diferencia radica en que la agencia de viajes no tiene posibilidad razonable de controlar el riesgo: ningún avión podrá despegar de ese aeropuerto, de tal suerte que afecta incluso al proveedor. En cambio, en el primer ejemplo, si bien puede deberse a fuerza mayor la clausura del hotel, podría la agencia tomar medidas para la mitigación del daño del consumidor, por ejemplo, reservar otro hotel de similares

características y que no se encuentre clausurado. [...] Por lo tanto, cuando existe un supuesto de incumplimiento de obligaciones de servicios en las que participa un proveedor-intermediario, parece ser que por razones sistemático-estructurales de la norma en comento en la LPDC (Párrafo 4º , Título III), deben ser aplicables los remedios consagrados en el art. 41[2]. Esta interpretación no restrictiva únicamente a la indemnización de perjuicios, creemos que le da mayor armonía al régimen de remedios consagrados en la LPDC en caso de servicios. En conclusión, tratándose de una obligación de resultado, más un régimen de responsabilidad objetiva por los hechos del prestador, la indemnización de perjuicios procede siempre que el consumidor logre acreditar su daño producto del incumplimiento del proveedor, independientemente de la condena por vía infraccional. Si se trata de un régimen de responsabilidad objetiva respecto de obligaciones de resultado, los riesgos del incumplimiento han sido colocados por ley en el proveedor-intermediario quien debe responder frente al consumidor, incluso en materia de indemnización de daños. Por tanto, bajo el artículo 43, por el hecho del prestador, la índole natural subjetiva de la indemnización de daños no cobra importancia".

- Contardo, Juan Ignacio (2010): *Responsabilidad contractual de las agencias de viajes*. **Santiago: Abeledo Perrot. Legal Publishing, pp. 89-90:** "b) Si el contrato de viaje combinado sí está amparado por la LPDC, el consumidor tendrá la opción de hacer uso de su garantía legal, caso en el que, como expusimos, se trata de un caso de responsabilidad objetiva, o bien reclamar la indemnización de los perjuicios sobre la base del sistema de responsabilidad subjetiva (por su exclusivo hecho propio y no por hecho de terceros como inmediatamente se analizará), pero con el beneficio para el consumidor que la obligación de la agencia de viajes sería de resultado. En este sentido sería aplicable el artículo43 de la LPDC. El artículo 43 de la LPDC es una norma que consagra un sistema de responsabilidad objetiva o estricta respecto del intermediario entre el consumidor y el prestador efectivo de los servicios. Esta norma, claramente de protección al consumidor, impide a la agencia de viajes excusarse aludiendo como caso fortuito la culpabilidad en la inejecución o ejecución defectuosa de la prestación por parte del prestador efectivo de los servicios. Esta norma no establece un sistema de presunciones de derecho de responsabilidad (como sí lo hace, por ejemplo, los artículos 2322 y 2323 en materia de responsabilidad extracontractual), y por tanto, aún permite eximirse de responsabilidad al intermediario-proveedor por un verdadero caso fortuito (volviendo a un ejemplo ya dado, si el avión no puede comenzar su vuelo por problemas climáticos, que de hacerlo pondría en peligro la vida del turista). Un sistema de responsabilidad objetiva requiere de un factor de atribución de responsabilidad objetivo de responsabilidad. Al respecto, nos parece que el factor de atribución de responsabilidad es la garantía. Se ha señalado que en la actualidad la garantía como factor de atribución 'implica la seguridad que alguien brinda a terceros de que al producirse un daño, dentro de ciertas circunstancias, el garante afrontará su resarcimiento".

- **Rodríguez, María Sara (2014): "Responsabilidad por incumplimiento de contratos de servicios. La protección del consumidor y del cliente por prestaciones defectuosas"** *Revista Chilena de Derecho*, vol. 41 n° 3, pp. 791-823 pp. 810-813: "El artículo 43 LPC ofrece un interesante caso de responsabilidad directa del intermediario de servicios al consumidor por incumplimientos imputables al prestador del servicio, con quien el intermediario tiene relaciones de agencia o mandato. Hay una larga lista de sentencias en este campo por responsabilidad de agencias de turismo o de viajes; y alguna contra intermediarios de contratos de seguros. A continuación se ofrece un análisis de este grupo de casos. Esta introducción permite formular algunas reflexiones sobre la naturaleza de la obligación del intermediario como deudor principal en su relación con el consumidor. Casuística judicial resistente a demandas de indemnización civil: Un primer grupo de casos está vinculado a la intermediación de servicios de turismo y viajes combinados. Uno de estos intermediarios es Tije Chile S.A., una empresa especializada en viajes de estudio y trabajo en el exterior para estudiantes. En 2006 esta empresa vendió pasajes aéreos de Air Madrid, de ida y vuelta a España, a diversas personas. Los viajes de regreso a Chile de varios de estos pasajeros quedaron sin cumplirse por quiebra de la aerolínea. Esto los obligó a contratar el viaje de regreso a Chile en otro transporte, con los consiguientes costos y molestias no previstos. Varios de estos clientes llevaron sus reclamos a la justicia, que resolvió en unos casos condenando al intermediario, es decir, a Tije Chile, al pago de multas a beneficio fiscal pero absolviéndolo en cuando a la responsabilidad civil. En otros casos, aplicando a mi juicio correctamente el artículo 43 LPC, los afectados pudieron obtener reparación de los perjuicios causados por los incumplimientos imputables al proveedor del servicio. A continuación examino cuál es el razonamiento para desestimar la pretensión indemnizatoria del consumidor afectado. Lo podemos ilustrar con Grunwald con Agencia de Viajes Tije Chile S.A. (2008). Para configurar la responsabilidad infraccional del demandado, el tribunal aduce la doble relación que tiene el demandado con el demandante proveedor e intermediario. En cuanto proveedor, el demandado se obligó a prestar asesoría para la realización de un viaje en cuanto intermediario, contrató el transporte aéreo a nombre y por cuenta de un tercero (Air Madrid). El incumplimiento de Air Madrid pone igualmente al demandado en situación de incumplimiento, en virtud de los artículos 12 y 23 LPC; pero, además, lo obliga a responder directamente al consumidor, según el artículo 43 LPC. En virtud de estas consideraciones, la Corte de Apelaciones de Santiago acoge la demanda en cuanto condena al demandado al pago de una multa a beneficio fiscal; pero mantiene la desestimatoria en cuanto a la reclamación de perjuicios patrimoniales y morales que reclama el afectado. Estos han sido desestimados por el juez de policía local porque considera que la ley n° 19.496, de 1997, está diseñada 'en torno a la infracción como requisito previo y concomitante al incumplimiento contractual' por lo que 'no existe acción reparatoria sin infracción que la sustente'; en otras palabras, 'no existe indemnización de daños sin infracción'. Anteriormente, en Urra con Tije Chile S.A. (2007) el Juez de Policía Local de Providencia había desestimado la acción del Sernac por considerar que el incumplimiento del proveedor (Air Madrid) no podía imputarse al intermediario. Es decir, en esta línea de razonamiento, las pretensiones de los afectados se ven frustradas; y su única opción para obtener reparación es demandar a la quiebra de la línea aérea, en el extranjero, en un juicio de lato conocimiento para que se determinen los perjuicios. Para ilustrar cuán arraigada está la idea de que se requiere una previa condena infraccional para configurar cualquier responsabilidad civil en el ámbito de protección del consumidor es que les presento otro caso, contemporáneo con los anteriores: Romeo Viajes Limitada (2007). En este caso la Corte de Valparaíso también absuelve al demandado, que es intermediario de servicios de transporte, de la condena a indemnizar el daño moral causado al demandante por un incumplimiento imputable al proveedor del servicio. El tribunal considera que para que se configure la responsabilidad del intermediario según el artículo 43 de la LPC debe establecerse previamente la responsabilidad infraccional del proveedor del servicio. Esta especie de 'solidaridad' del intermediario, afirman los sentenciadores, solo puede hacerse efectiva si se acredita la infracción del proveedor del servicio, a semejanza de lo que ocurre con la responsabilidad del dueño de un vehículo motorizado bajo el artículo 174 de la Ley del tránsito, que solo resulta obligado si el conductor causó los daños mediante infracciones a los preceptos del tránsito. Afortunadamente, hay otra línea en este mismo grupo de casos. Por ejemplo, Pacheco con Tije Chile S.A. (2008). En Pacheco la Corte de Apelaciones de Santiago califica correctamente la función jurídica de la agencia en el negocio como proveedora directa de servicios de asesoría en la realización de un viaje, e intermediaria en la venta de pasajes. La condena al pago de multas se apoya en la infracción por la agencia de sus propias obligaciones que son, a la vez, infracciones de ley en consideración a los artículos 12 y 23 de la LPC. Sin embargo, la demandada también es condenada al pago de los daños patrimoniales que sufre el afectado por el incumplimiento imputable a la línea aérea. 'El eventual incumplimiento de la empresa encargada de efectuar el transporte no es un riesgo que asuma el consumidor, afirma el Tribunal, como sucedería si hubiera contratado directamente con ella, pues de acuerdo [al artículo 43] —que altera la regla general aplicable al simple mandato o comisión— la agencia de viajes está obligada a responder del servicio que como proveedora ha ofrecido al consumidor aun cuando el tercero que debía ejecutarlo no lo cumpla'. Se avalúan los daños del consumidor en el equivalente al monto del pasaje de regreso que tuvo que adquirir para regresar a Chile en otra línea aérea; pero se desestima la demanda en cuanto al daño moral que consiste en las molestias causadas por incumplimiento de la línea aérea. El razonamiento es casi perfecto, si no fuera por la supuesta obligación de configurar una infracción de ley contra el demandado para dictar una condena a indemnizar perjuicios civiles".

SENTENCIAS SOBRE ARTÍCULO 43

- **Despegar.com Chile SpA con Ministros de la Corte de Apelaciones de Arica (2019): Corte Suprema, 22 de agosto de 2019, Recurso de Queja, Rol n° 9816-2019, LTM16.302.259:** "SEXTO: Que a mayor abundamiento resulta útil recordar que, en esta materia, el sistema de responsabilidad contenido en la Ley de Protección de los Derechos de los Consumidores descansa en un sistema objetivo, en el que basta probar el hecho de la infracción para dar lugar a esta responsabilidad, descartando consideraciones a elementos subjetivos cuales serían el dolo o la culpa infraccional, salvo las excepciones que la propia ley se encarga de establecer. Al respecto, el artículo 43 de la Ley n° 19.496 hace responsable directamente al proveedor que actúe como intermediario frente al consumidor por el incumplimiento de las obligaciones contractuales, sin perjuicio de su derecho a repetir contra el prestador de los servicios o terceros que resulten responsables, de manera tal que no se advierte el yerro denunciado en la decisión impugnada por cuanto, es un hecho indiscutido por la quejosa que intervino como intermediaria y que, asimismo, se produjo un incumplimiento en el contrato de trasporte aéreo derivado de la cláusula invalidada, surgiendo la responsabilidad de ambos sujetos pasivos de la obligación".

- **Servicio Nacional del Consumidor con Transportes Chile Bus Arica S.A. (2017): 3° Juzgado de Policía Local de Arica, 18 de enero de 2017, Rol n° 938-2016, LTM19.091.792:** "DÉCIMO: Que, sin perjuicio de lo señalado precedentemente este mandatario mercantil, comisionista, adquiere respecto de los efectos del contrato la calidad de intermediario al tenor de lo dispuesto en el artículo 43 de la Ley n° 19.496, sobre Protección de los derechos de los Consumidores. En este orden de cosas, la denunciada adquiere plena responsabilidad por el incumplimiento de las obligaciones contractuales por parte del mandante, constituyendo una de estas la salida del transporte a la hora debida, en el caso de marras, a las 14:00 horas, lo que no fue cumplido, en cuanto quedo acreditado que la salida del bus interurbano se inició a las 14:25 horas".

- **Pablo Anibal Novoa Fernández y Trinidad Errazuriz Matthaei con Agencias Universales S.A. (2016): 1° Juzgado de Policía Local de Las Condes, 7 de noviembre de 2016, Rol n° 7035-2016-8, LTM18.764.210:** "OCTAVO: Que los querellantes han accionado en contra de Agunsa, aduciendo que, si bien la línea aérea GOL fue el último transportista y, por lo tanto, responsable de la perdida, es lo cierto que jamás contrataron con GOL, sino que solo con AGUNSA, por lo cual y conforme al artículo 43 de la Ley deben asumir la responsabilidad correspondiente en su calidad de intermediario en la prestación de un servicio de transporte aéreo".

- **Aurelio Butelmann Guilof y Lidia Dujovne Gelin con Comercial Promociones y Turismo S.A. (2016): 3° Juzgado de Policía Local Las Condes, 5 de septiembre de 2016, Rol n° 12959-7-2016, LTM18.762.805:** "SÉPTIMO: Que, en consecuencia, teniendo presente lo señalado en los precedentes, que la denunciada detenta la calidad de intermediaria respecto de los seguros complementarios contratados por los denunciantes que motivaron la denuncia, y teniendo presente además lo dispuesto en el artículo 43 de la Ley del Consumidor, se rechaza la excepción de legitimación pasiva opuesta a fs. 68 y siguientes".

PÁRRAFO 5°. DISPOSICIONES RELATIVAS A LA SEGURIDAD DE LOS PRODUCTOS Y SERVICIOS

ARTÍCULO 44

Las disposiciones del presente párrafo

Solo se aplicarán en lo no previsto por las normas especiales que regulan la provisión de determinados bienes o servicios

DOCTRINA SOBRE ARTÍCULO 44

- Corral, Hernán (2013): "Artículo 44", en Iñigo De La Maza; Carlos Pizarro (Dirs.) y Francisca Barrientos (coord.) *La protección de los Derechos de los consumidores. Comentarios a la ley de protección a los derechos de los consumidores.* Santiago: Thomson Reuters, pp. 919-923: "Alcance del párrafo 5º : El epígrafe del párrafo 5º es genérico y amplio: 'Disposiciones relativas a la seguridad de los productos y servicios', de modo que da a entender que en él se contendrán normas que van a concretar el derecho establecido en el art. 3 letra d) sobre la seguridad de todos los productos y servicios, sin distinción. Pero esta impresión se ve desmentida por las reglas que se contienen en él que se refieren preponderantemente sino exclusivamente a aquellos productos y servicios que pueden calificarse de 'peligrosos', es decir, como señala el art. 45, aquellos productos 'cuyo uso resulte potencialmente peligroso para la salud o integridad física de los consumidores o para la seguridad de sus bienes' y aquellos servicios que puedan considerarse 'riesgosos'. Se entiende así que el párrafo 5º pese a la generalidad del epígrafe esté situado dentro del título III de la ley que se refiere a las disposiciones especiales, junto a normativas relativas a publicidad, promociones y ofertas, crédito al consumidor y prestaciones de servicios. Esto mismo explica, nos parece, que se abra el párrafo con una norma como la del art. 44 que previene que las disposiciones aquí contenidas se aplicarán sólo en lo que no se haya previsto por las normas especiales que regulan la provisión de 'determinados' bienes y servicios. El legislador piensa que tratándose de estos productos y servicios que son de por sí peligrosos o riesgosos existe una normativa especial que regula la forma en que son provistos y da preferencia a esta regulación por sobre la que se establece en este párrafo. **Aplicación del principio de especialidad:** El art. 44 es una regla que permite solucionar un eventual conflicto normativo y opta por el criterio de la especialidad. El precepto se justifica porque, de no existir, el intérprete doctrinal o judicial podría haber considerado otros criterios de solución de antinomias como por ejemplo el de la cronología, y estimar así que las reglas legales establecidas en la ley nº 19.496 primaban por sobre las reglas de normativas de seguridad particulares por cuanto la ley posterior se entiende derogar las disposiciones anteriores que sean inconciliables con su texto (cfr. art. 52 del Código Civil). Puede quedar alguna duda sobre el criterio de la jerarquía, es decir, si la colisión se da entre normas legales, como son las del párrafo 5º de la ley, y disposiciones reglamentarias. La cuestión no es baladí porque en muchas ocasiones la provisión de bienes y servicios peligrosos está regulada no por leyes sino por reglamentos. A nuestro juicio, el art. 44 al hablar de que se aplicarán con preferencia las 'normas especiales' y emplear esta expresión amplia que incluye reglas tanto de jerarquía legal como reglamentaria, está estableciendo que en este caso se aplicará con preferencia el criterio de la especialidad por sobre el de la jerarquía. De este modo, prevalecerán sobre las normas del párrafo 5° , aunque estas sean de jerarquía legal, todas las disposiciones que regulen la provisión de determinados bienes o servicios aunque estas no tengan carácter legal y sean de nivel reglamentario".

SENTENCIAS SOBRE ARTÍCULO 44

- **Sernac con Cencosud Retail S.A., Park Dan S.A. y Groupon Clandescuento Needish (2016): 2° Juzgado de Policía Local de Las Condes, 26 de mayo de 2016, Rol n° 40330-5-2014, LTM17.398.652: "DÉCIMOQUINTO:** Que, en relación a la imputación relativa a la falta de seguridad en el consumo, que implicarían infracciones a los artículos 45 inciso 1 y 46 de la Ley n° 19.496, cabe señalar que el artículo 44 de dicho texto legal, dispone expresamente: 'Las disposiciones del presente párrafo solo se aplicarán en lo no previsto por las normas especiales que regulen la provisión de determinados bienes o servicios.'; que al efecto, como lo ha sostenido Sernac en su denuncia, la provisión del producto materia de la causa, esta dada por un conjunto de normas bajo la tutela y fiscalización de la Superintendencia de Electricidad y Combustible, por ser de carácter técnico y de la competencia de esta entidad, dotada de la facultad de imponer sanciones y adoptar las medidas reparatorias y preventivas, como ha ocurrido en relación a los hechos denunciados".

ARTÍCULO 45

Tratándose de productos cuyo uso resulte potencialmente peligroso para la salud o integridad física de los consumidores o la seguridad de sus bienes

Respecto a la prestación de servicios riesgosos

El incumplimiento de estas obligaciones

El proveedor deberá incorporar en los mismos, o en instructivos anexos en idioma español, las advertencias necesarias

deberán adoptarse por el proveedor las medidas que resulten necesarias para que aquélla se realice en adecuadas condiciones de seguridad

Será sancionado con multa de hasta 2.250 UTM

Lo anterior para que su empleo se efectúe con la mayor seguridad posible

Deberá informar al usuario y a quienes pudieren verse afectados por tales riesgos de las providencias preventivas que deban observarse

DOCTRINA SOBRE ARTÍCULO 45

- **Corral, Hernán (2013): "Artículo 45", en Iñigo De La Maza; Carlos Pizarro (Dirs.) y Francisca Barrientos (coord.)** *La protección de los Derechos de los consumidores. Comentarios a la ley de protección a los derechos de los consumidores.* **Santiago: Thomson Reuters, pp. 924-928:** "Para que los productos peligrosos cumplan con los estándares de seguridad el proveedor debe ser especialmente cuidadoso con la información sobre su uso que entrega al consumidor. De allí que la ley especifique que deben proporcionarse "las advertencias e indicaciones necesarias para que su empleo se efectúe con la mayor seguridad posible". Debe contener advertencias sobre los peligros que representa el uso indebido del producto, posibles efectos secundarios, exclusiones de uso, etc. Además debe señalar indicaciones de cómo debe procederse en el empleo del producto para que brinde la mayor seguridad posible (ya sabemos que la exclusión de toda incertidumbre o inseguridad es imposible en este mundo). La información debe incluirse en el mismo producto o en instructivos anexos que se expresen en idioma castellano (español dice la ley). No son suficientes, por tanto, los instructivos que vengan en inglés u otro idioma, salvo que estén correctamente traducidos al castellano. Estas advertencias e indicaciones deben ser suficientemente expresivas y claras para los usuarios más corrientes del producto. Si se trata de juguetes deben estar dirigidas a los adultos que pondrán esos productos a disposición de los niños. [...] Debe tenerse en cuenta que hay incumplimiento de las normas y por lo tanto se genera responsabilidad infraccional aun cuando el consumidor o usuario no haya sufrido ningún daño por la omisión de estas informaciones o medidas. Si producto de incumplimiento se genera efectivamente un daño al consumidor o terceros, procederá, además de la responsabilidad contravencional, la responsabilidad civil, como lo aclara el inciso 1° del art. 49. Debe considerarse como infracción diversa, y que por tanto podría acumularse a esta, la que consiste en que el proveedor haya efectuado publicidad falsa o engañosa difundida por los medios de comunicación social que incida en las cualidades de productos o servicios que afecten la salud o la seguridad de la población o el medio ambiente. Esta contravención está tipificada especialmente en el inc. 2° del art. 24 y es sancionada con multa de hasta 1.000 unidades tributarias mensuales, la que, en caso de reincidencia, puede elevarse al doble. Tanto la contravención del art. 45 como la del 24 deben ser aplicadas por el juez de policía local competente (o el juez civil en caso de procesos colectivos). Para regular el monto se aplicarán los criterios previstos en el inc. final del art. 24, que según su tenor se deben contemplar para la aplicación de las multas 'señaladas en esta ley'. Ellos son: la cuantía de lo disputado, los parámetros objetivos que definan el deber de profesionalidad del proveedor, el grado de asimetría existente entre el infractor y la víctima, el beneficio obtenido con motivo de la infracción, la gravedad del daño causado, el riesgo a que quedó expuesta la víctima o la comunidad y la situación económica del infractor. La jurisprudencia ha aplicado esta norma sobre la base de denuncias y demandas por deficiente prestación de servicios de provisión de energía eléctrica. La Corte Suprema ha estimado, incluso que es la empresa prestadora de servicios la que debe probar su diligencia: '...el inciso segundo del artículo 45 de la Ley n° 19.496, preceptúa que en lo que se refiere a la prestación de servicios riesgosos, deberán adoptarse por el proveedor las medidas necesarias para que aquélla se realice en adecuadas condiciones de seguridad, informando al usuario y a quienes pudieren verse afectados por tales riesgos de las providencias preventivas que deban observarse, incumplimiento que habilita al sentenciador a sancionar al infractor con multa de hasta doscientas unidades tributarias mensuales.— Sólo así se entiende el amparo de derechos fijado por las letras d) y e) del artículo 3° de la Ley n° 19.496, estrechamente vinculado con el inciso primero del artículo 23 del mismo estatuto, de modo que es el proveedor quien debe probar su diligencia y cuidado en el ejercicio de su actividad empresarial, interpelación que este interviniente no demostró en el proceso haber obedecido, como lo evidenció el juez de primera instancia en su veredicto' (C. Sup. 26 de abril de 2010, rol n° 8126-2009, WL CL/JUR/2800/2010, cons. 13)".

SENTENCIAS SOBRE ARTÍCULO 45

- **Lorna I. Isla Olivares con Empresa Frontel S.A. (2010): Corte Suprema, 26 de abril de 2010, Recurso de queja, Rol n° 8126-2009:** "DÉCIMOTERCERO: (…) En igual sintonía, el inciso segundo del artículo 45 de la Ley n° 19.496, preceptúa que en lo que se refiere a la prestación de servicios riesgosos, deberán adoptarse por el proveedor las medidas necesarias para que aquélla se realice en adecuadas condiciones de seguridad, informando al usuario y a quienes pudieren verse afectados por tales riesgos de las providencias preventivas que deban observarse, incumplimiento que habilita al sentenciador a sancionar al infractor con multa de hasta doscientas unidades tributarias mensuales".

- **Gonzalo Bartolomé Luco Vergara con Supermercado Unimarc (2017): 2° Juzgado de Policía Local de Temuco, 19 de junio de 2017, Rol n° 72640-Y, LTM18.762.809:** "SEXTO: (…) la otra norma invocada, esto es el artículo 45 inciso segundo, no es atingente al hecho denunciado, pues tal normativa dice relación con la prestación de servicios riesgosos, que no corresponder a la actividad que realiza el supermercado".

- **Servicio Nacional del Consumidor con Importadora Hong Kong Toys Ltda. (2015): 4° Juzgado de Policía Local de Santiago, 23 de diciembre de 2015, Rol n° 2411-6-2015, LTM18.774.633:** "SÉPTIMO: (…) Asimismo, cobra relevancia en relación a los hechos de la causa, además de la norma citada, el inciso 1° del art. 45 de la Ley n° 19.496, que señala: 'Tratándose de productos cuyo uso resulte potencialmente peligroso para la salud o integridad física de los consumidores o para la inseguridad de sus bienes, el proveedor deberá incorporar en los mismos, o en instructivos anexos en idioma español, las advertencias e indicaciones necesarias para que su empleo se efectúe con la mayor seguridad posible', conforme a esta disposición, resulta indiscutible que es una obligación de todo proveedor entregar bienes y servicios seguros a los consumidores y que debe evitar riesgos para la salud y la integridad personal de los consumidores".

ARTÍCULO 46

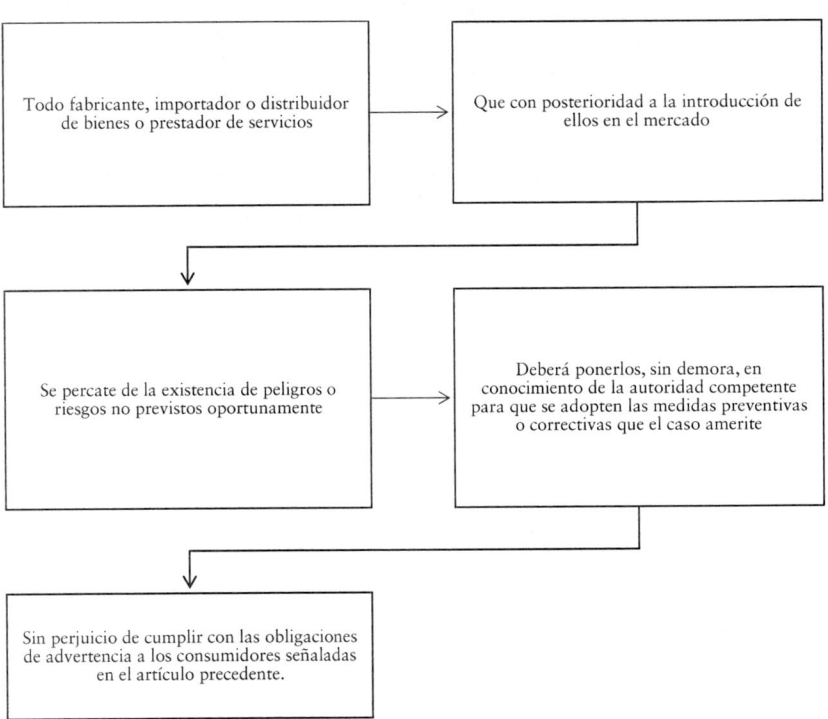

DOCTRINA SOBRE ARTÍCULO 46

• **Corral, Hernán (2013): "Artículo 46", en Iñigo De La Maza; Carlos Pizarro (Dirs.) y Francisca Barrientos (coord.) La protección de los Derechos de los consumidores. Comentarios a la ley de protección a los derechos de los consumidores. Santiago: Thomson Reuters, Págs. 929-932:** "El precepto que comentamos se pone en el caso de que un producto o servicio, que no ha sido considerado peligroso, por algún defecto oculto o un avance científico que pone al descubierto una peligrosidad que no era conocida al momento de ser introducido en el mercado, pone en riesgo la seguridad de los consumidores. Por ello se señala que se trata de 'riesgos no previstos oportunamente' de los cuales el proveedor se percata con posterioridad a la introducción de ellos en el mercado. [...] Nuestra ley ha optado por no hacer responsable de los daños causados por estos riesgos imprevisibles para el proveedor, pero sí le impone obligaciones para advertir y prevenir esos riesgos. Por cierto, el incumplimiento de estas medidas generará responsabilidad por los daños causados y que podrían haberse evitado si el proveedor hubiera cumplido con estos deberes. Si el proveedor dio la información, será de cargo del demandante probar que ella no fue suficiente o adecuada. Las acciones destinadas a ejercer esta responsabilidad se someterán al procedimiento y la competencia judicial prevista en esta ley. En todo caso, la responsabilidad no es solidaria, salvo que pueda aplicarse la norma general del art. 2317 del Código Civil. [...] Sujetos obligados: La ley establece que los obligados a adoptar medidas de prevención, corrección o advertencia, respecto de los bienes o productos, el fabricante, el importador y el distribuidor. Respecto de los servicios, el obligado es el prestador de dichos servicios. [...] Medidas de prevención o corrección: Los sujetos obligados deben, en primer lugar, 'sin demora' poner en conocimiento de la autoridad competente los riesgos sobrevinientes que se temen, a fin de que esta autoridad adopte las medidas preventivas o correctivas que el caso amerite. No especifica la ley cuál es la autoridad competente, porque su determinación corresponderá a la naturaleza del bien o servicio de que se trate y a las regulaciones especiales que existan sobre ellos. Puede ser la autoridad sanitaria, la de transportes, combustibles, pesticidas, etc. En todo caso, el SERNAC no debe ser considerada autoridad competente para estas materias, aunque será conveniente poner en antecedentes lo que ocurre para así evitar posteriores denuncias por parte del Servicio. El SERNAC promueve la notificación mediante un formulario de notificación de alerta de seguridad que se puede descargar de su página web (www.sernac.cl). La autoridad competente es la que debe adoptar medidas preventivas o correctivas. Tampoco se precisan en la ley cuáles serían estas, y dependerán del caso y de las competencias legales y reglamentarias que tenga el servicio público que deba adoptarlas. En última instancia, procederá pedir al juez que proceda conforme al inc. 2º del art. 49 y disponga el retiro del mercado de los bienes u ordenar su decomiso. Obligación de advertencia a los consumidores: El art. 46 obliga también al fabricante, importador, distribuidor o prestador del servicio a cumplir con las 'obligaciones de advertencia a los consumidores señaladas en el artículo precedente'. La norma puede ser entendida en dos sentidos. Primero que el producto podría seguir vendiéndose pero siempre que se incorporen las advertencias e indicaciones necesarias para que su empleo se efectúe con la mayor seguridad posible, en atención al nuevo riesgo detectados. Lo mismo se aplicaría a los servicios. Pero también cabe comprenderla en el sentido de que deben advertirse a los que ya adquirieron el producto o hicieron uso del servicio de los riesgos que se han descubierto con posterioridad, ya sea para que se inhiban de seguir usándolos o para que adopten especiales medidas de cuidado respecto de los riesgos detectados. El retiro voluntario y reposiciones: En la práctica, una de las medidas que suele adoptar el mismo proveedor cuando advierte que un producto o una partida de él tiene defectos que producen riesgos, es el de retirarlos voluntariamente del mercado. Los modos de hacerlo, siguiendo las mejores prácticas recogidas por la experiencia, han sido recopiladas por el SERNAC en un documento denominado 'Guía de retiro voluntario', que puede encontrarse en la página web del servicio (www.sernac.cl). Pensamos que en caso de que proceda este retiro voluntario el proveedor deberá cumplir con la obligación que le impone el art. 48, es decir, la de cambiar el producto por otro inocuo, de utilidad análoga y valor equivalente o, de no ser posible lo anterior, restituir lo que se hubiere pagado por el bien contra la devolución de éste en el estado en que se encuentre".

- **Servicio Nacional del Consumidor, Seguridad de productos, disponible en: https://www.sernac.cl/portal/619/w3-property-name-646.html (fecha de consulta 24 de junio de 2020):** "La Seguridad de Productos es una arista del derecho a la seguridad en el consumo y supone que todos los productos que se comercializan en el mercado deben ser seguros o presentar sólo riesgos mínimos compatibles con el uso del producto".

ARTÍCULO 47

Declarada judicialmente o determinada por autoridad competente

De acuerdo a las normas especiales del art. 44

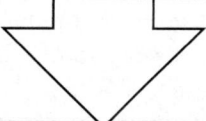

La peligrosidad de un producto o servicio, o la toxicidad de productos o servicios, en niveles considerados como nocivos para a salud o seguridad de las personas

Los daños o perjuicios que de su consumo provengan serán de cargo, solidariamente, del productor importador y primer distribuidor o del prestador del servicio, en su caso.	Se eximirá de la responsabilidad a quien provea los bienes o preste los servicios cumpliendo con las medidas de prevención legal o reglamentarias establecidas y los demás cuidados y diligencias que exija la naturaleza de aquéllos.

DOCTRINA ARTÍCULO 47

- Barrientos, Francisca (2010): "**La responsabilidad civil del fabricante bajo el artículo 23 de la Ley de Protección de los Derechos de los Consumidores y su relación con la responsabilidad civil del vendedor**". *Revista Chilena de Derecho Privado* nº 14, pp. 109-158: "El centro será el examen del artículo 47 de la LPDC, que establece un régimen de responsabilidad extracontractual, solidaria y por culpa presunta, en contra de todos los agentes que participan en la cadena de distribución del producto o servicio, por los productos o servicios peligrosos o riesgosos. Respecto de esta norma, sólo se apuntarán dos ideas. La primera se relaciona con lo referido, exclusivamente, a los productos peligrosos, toda vez que exige la declaración o determinación de: 'la peligrosidad de un producto o servicio, o su toxicidad en niveles considerados como nocivos para la salud o seguridad de las personas'. En segundo lugar, cabe señalar que la ley impuso un requisito muy criticado, cual es la declaración de la peligrosidad del producto. El problema es que no se sabe bien quién debe efectuarla, pues la norma, simplemente, se refiere a la declaración judicial o autoridad competente. Incluso, no se sabe con claridad si la declaración debe efectuarse antes del daño o con posterioridad. A juicio de Hernán Corral: 'De la historia del establecimiento de la ley, parece desprenderse que el legislador tenía presente una declaración previa de peligrosidad, que pusiera sobre aviso al proveedor sobre la necesidad de adoptar las medidas especiales de seguridad'. La verdad, es difícil pensar en casos en que el proveedor ex ante y voluntariamente informe al SERNAC o quien corresponda, la peligrosidad o toxicidad del producto. Además, como el sistema es de responsabilidad subjetiva, si se exige la demostración de peligrosidad con anterioridad, para adoptar medidas de seguridad, sería muy difícil comprobar la culpa del proveedor. Por otra parte, hay que tomar en consideración que en la jurisprudencia los casos en que se invoca el artículo 47 de la LPDC se alejan de la responsabilidad por productos defectuosos. Por lo que, el supuesto de los productos defectuosos tampoco se encontraría en estas normas, aun cuando ellas se refieran a la seguridad de los productos o servicios se trata de la peligrosidad o toxicidad; y por tanto, la seguridad, no es la misma que se exige para los productos defectuosos. Por ello, se impuso el régimen de responsabilidad solidaria contra todos los agentes de la cadena de consumo".

- Corral, Hernán (2013): "Artículo 47", en Iñigo De La Maza; Carlos Pizarro (Dirs.) y Francisca Barrientos (coord.) *La protección de los Derechos de los consumidores. Comentarios a la ley de protección a los derechos de los consumidores.* Santiago: Thomson Reuters, pp. 933-938: "**Responsabilidad por daños de productos o servicios peligrosos:** Este precepto aborda el tema de la responsabilidad civil que se ocasiona cuando un producto peligroso o un servicio riesgoso causa daños a los consumidores o usuarios u otras personas relacionadas con ella. [...] La norma chilena se aplica tanto a los productos como a los servicios pero que sean calificados como peligrosos o tóxicos. La responsabilidad por los daños causados se desmarca sólo parcialmente del factor de imputación basado en la culpa. **Declaración de peligrosidad o toxicidad:** Para que se aplique el régimen de responsabilidad especial la ley exige que la peligrosidad del producto o servicio, o su toxicidad en niveles considerados como nocivos para la salud o seguridad de las personas, sea 'declarada judicialmente o determinada por la autoridad competente de acuerdo a las normas especiales a que se refiere el artículo 44'. Una primera cuestión que puede plantearse es si esta declaración o determinación debe ser anterior al accidente que causa el daño o puede ser posterior a él. La historia del establecimiento de la norma abona la idea de que debe tratarse de una constatación previa que permita al proveedor adoptar medidas especiales de precaución o aseguramiento por los siniestros que pueden causar sus productos. Así se deduce del hecho de que en un primer momento el proyecto de ley disponía que la responsabilidad se generaba cuando por 'cualquier medio idóneo' se comprobaba la peligrosidad. [...] Si se trata de una constatación previa, es muy improbable que opere la declaración judicial, ya que no existen procedimientos encaminados hacia este objetivo. Lo que ordinariamente ocurrirá es que la peligrosidad o toxicidad será determinada administrativamente por la autoridad competente de acuerdo con la normativa especial que regula la producción o provisión de ciertos bienes o servicios de carácter riesgoso. Pensamos que no es necesaria que haya una resolución o acto administrativo por cada producto o servicio, y que muchas veces bastará que se trate de bienes o servicios que son calificados dentro de las categorías reguladas por este tipo de regulaciones especiales de seguridad. **Solidaridad de responsables:** La norma en comento dispone que los daños y perjuicios provenientes del consumo de productos o servicios declarados como peligrosos o tóxicos, 'serán de cargo, solidariamente, del productor, importador y primer distribuidor o del prestador de servicio, en su caso'. Digamos primeramente que esta responsabilidad solidaria no se aplica en el caso del prestador de servicios, ya que se trata de una sola persona, natural o jurídica. Si existieren varios prestadores que por su hecho conjunto han provocado el daño, podrá aplicarse la solidaridad prevista en el art. 2317 inc. 1° del Código Civil. Respecto de los productos la solidaridad tiene justificación: la ley ordena responder por el total de los daños a cualquiera de los siguientes agentes de la cadena de comercialización de un bien: el productor (fabricante), el importador y el primer distribuidor. Como normalmente, si hay importador, el productor estará en el extranjero y será dificultoso emplazarlo en juicio en Chile, en realidad la solidaridad se dará en dos alternativas:

o entre productor nacional y primer distribuidor, o importador y primer distribuidor. [...] **Legitimación activa: las víctimas:** El art. 47 menciona a los responsables de los daños y perjuicios que provengan del consumo de bienes o servicios peligrosos o tóxicos pero sin aludir a los posibles legitimados activos de la acción de responsabilidad. Como se excluye al vendedor o suministrador final hemos de convenir en que estamos ante un caso de responsabilidad extracontractual, de modo que cualquier perjudicado tendrá acción para demandar la reparación de los daños sufridos y no sólo el consumidor jurídico o adquirente del bien o usuario del servicio. Lo importante es que el demandante haya sufrido daños que provienen de (es decir, están causalmente conectados con) el consumo del bien o la prestación del servicio. Podrá ser el consumidor que adquirió el bien o contrató el servicio, o aquel que materialmente lo usó o disfrutó, como también un tercero que sufre daño por el uso que le da al producto otra persona (así el transeúnte que sufre quemaduras por el rompimiento de un extintor que está siendo usado por otro). También cabrá la aceptación de la demanda de víctimas indirectas o por repercusión, por ejemplo, si el producto produce la muerte o la incapacidad del consumidor directo y ello provoca daños a sus familiares o a las personas que dependían económicamente de él. **Daños reclamables:** La norma se refiere en general a 'los daños y perjuicios', de modo que en esta materia se aplicarán las reglas generales y podrán indemnizarse todos los daños patrimoniales (daño emergente y lucro cesante) y también los daños extrapatrimoniales (morales). Hay que tener en cuenta que el art. 3 letra e) dispone que es un derecho básico del consumidor el derecho a la reparación e indemnización adecuada y oportuna de 'todos los daños materiales y morales' en caso de incumplimiento de las obligaciones del proveedor. No siendo un supuesto de responsabilidad contractual no debe aplicarse la limitación de daños contemplada en el art. 1558 del Código Civil que modera la indemnización, salvo caso de dolo, circunscribiéndola a los perjuicios que se previeron o pudieron preverse a la época del contrato. Como se exige que haya una comprobación previa de la peligrosidad o toxicidad no se contemplan los daños de los llamados 'riesgos de desarrollo', es decir, aquellos que se descubren después del ingreso del producto al mercado por el progreso en el conocimiento científico. [...] **Exención de responsabilidad:** La ley contempla como causal de exención de responsabilidad el hecho de haber provisto los bienes o prestado los servicios 'cumpliendo con las medidas de prevención legal o reglamentariamente establecidas y los demás cuidados y diligencias que exija la naturaleza de aquellos'. Se observa que la falta de culpa, que debe acreditarse con el apego a las medidas de seguridad previstas legal y reglamentariamente y además de los cuidados y diligencias que, aunque no aparezcan en los textos, se deduzca de la naturaleza de los productos o servicios peligrosos, opera como causal de exención de responsabilidad. Pero la carga de la prueba de la diligencia, al modo de lo previsto para la responsabilidad contractual en el art. 1547 del Código Civil, incumbe al proveedor que ha sido demandado por los daños sufridos.

El que se contemple expresamente esta causal de exención no quiere decir que no puedan concurrir otras, en especial, el quiebre del nexo causal por la culpa de la víctima, el hecho de un tercero o la fuerza mayor o caso fortuito. No procederá, en cambio, la cláusula de exención de la responsabilidad, ya que sería contraria a la irrenunciabilidad de los derechos del consumidor conforme al art. 4 de la ley y considerada, si es absoluta, cláusula abusiva conforme al art. 16, letra e). **Naturaleza de la responsabilidad:** De lo que queda dicho podemos concluir que estamos ante un supuesto de responsabilidad de carácter extracontractual, con un régimen especial que favorece al consumidor en dos aspectos: primero, en que se aplica una solidaridad legal entre varios posibles responsables, y en segundo lugar, en que se objetiviza moderadamente la responsabilidad mediante una especie de presunción de culpa, la cual sin embargo es simplemente legal y admite prueba en contraria. Pero ahora la carga de la prueba de la diligencia deberá proporcionarse por el demandado. Debe también destacarse que estamos ante un régimen de responsabilidad civil que es autónomo, en el sentido de que no deriva de que se constate una contravención o infracción que merezca sanción de multa. El perjudicado, por tanto, podrá interponer sólo demanda civil, sin tener que deducir querella o denuncia infraccional. **Prescripción:** Nada dice la ley sobre la prescripción de esta responsabilidad. Como hemos establecido que se trata de un régimen de responsabilidad extracontractual, en lo no previsto, debe acudirse a las reglas generales contempladas en el título XXXV del libro IV del Código Civil. Tendrá aplicación, en consecuencia, el art. 2332 que fija un plazo de cuatro años desde la perpetración del acto como plazo de prescripción de la acción de responsabilidad. En muchos casos, se abrirá la polémica que divide actualmente a la doctrina y jurisprudencia sobre el inicio del cómputo del plazo, entre aquellos que piensan que ello ocurre desde que se consuma la conducta ilícita y los que sostenemos que comienza desde que se produce el daño".

- **Isler, Erika (2019): "La responsabilidad por productos en Chile: panorama y desafíos", en María Elisa Morales (dir.) Pamela Mendoza (cood.) Derecho del consumo: ley, doctrina y jurisprudencia, Santiago: Der ediciones, pp. 85 a 104 pp. 95-99** "Nuestro país no cuenta con un cuerpo normativo que se haga cargo de la responsabilidad por productos de manera general, lo que se ve refrendado por una omisión de la LPDC a esta importante parcela del derecho del consumo. En efecto, únicamente es posible encontrar algunas leyes particulares que se hacen cargo de aquellos casos en que se producen daños a causa de la presencia de defectos en productos de determinadas características. **A) El régimen de la Ley n° 19.496 sobre Protección de los Derechos de los Consumidores:** Como se adelantó, la LPDC no incluye dentro de sus disposiciones un estatuto que aborde la responsabilidad civil derivada de los daños causado por un producto defectuoso. No obstante, ello no significa que el consumidor deba soportarlos sin derecho a reclamo alguno [...] **El posible resarcimiento de los daños extracontractuales:** Uno de los primeros problemas sobre el cual aparece una sombra de duda dice relación con el legitimado activo de la acción, en el sentido de que, de las definiciones de consumidor y proveedor del artículo 1 LPDC, parecería desprenderse que debiera celebrarse un contrato de consumo para que dicho estatuto sea invocable [...] **El régimen supletorio aplicable:** Un segundo problema que debe afrontar el perjudicado dice relación con la determinación del régimen jurídico aplicable, lo que se relaciona con una discusión antigua del derecho del consumidor nacional referente a si la responsabilidad civil es dependiente o independiente de la contravencional [...] **Las normas que fundamentan las acciones:** Como se ha venido señalando hasta ahora, la LPDC no contempla un estatuto indemnizatorio que aborde en específico la responsabilidad por productos [...] Con todo, en la práctica los consumidores no han tenido más opción que recurrir a disposiciones que han sido incorporadas a las LPDC con otros fines. [...] **La vigencia de estatutos particulares:** Ya se adelantó que frente a la escasa regulación de la LPDC respecto de la temática planteada encontramos otras normativas que sí aluden a ella en mayor o menor medida, pero que se refieren a algunos mercados en particular. Esta situación da lugar a un problema adicional, cual es la poca claridad que existe respecto de la aplicabilidad de la LPDC a materias que podrían encontrarse reguladas por leyes especiales (art. 2 bis LPDC)[...]"

SENTENCIAS SOBRE ARTÍCULO 47

- **Roberto Jeldes Allendes y Carolina Cano con Cencosud Retail S.A. (2017): 3° Juzgado de Policía Local de Iquique, 14 de marzo de 2017, Rol n° 5310-L, LTM19.091.788: "DECIMOSÉPTIMO:** Por lo expuesto en los acápites precedentes, habrá que analizar la procedencia o improcedencia de la acción indemnizatoria, deducida por los actores, para lo cual, deberá estarse, en primer término a las disposiciones contempladas en la ley n° 19.496. en efecto, dicha normativa contempla dos disposiciones que estatuyen acciones indemnizatorias, o especiales formas de responsabilidad civil, cuales son: acción indemnizatoria consagrada incidentalmente en el artículo 20 de la ley citada y en el artículo 47 de la misma. Las características fundamentales que presenta esta acción indemnizatoria, es aquella que solo se puede dirigir contra el prestador de servicio directo y se funda en la responsabilidad subjetiva del demandado, esto es, el prestador directo responde en base a la culpa subjetiva; y la acción se limita solo al monto indemnizatorio, pues solo se deben cubrir los perjuicios materiales y morales causados al consumidor, no pudiendo hacerse efectivo en los daños extrínsecos al contrato. De esta forma, sol se deberán indemnizar los perjuicios que son una consecuencia directa y necesaria del incumplimiento o tardanza en la observancia de las precisas y concretas obligaciones que emana de la ley de protección a los derechos del consumidor, pero no en aquellos que son una derivación remota y/o anexa a la infracción".

- **Servicio Nacional del Consumidor con Cencosud Retail S.A., Park Dan S.A. y Groupon Clandescuento Needish (2016): 2º Juzgado de Policía Local de Las Condes, 26 de mayo de 2016, Rol nº 40330-5-2014, LTM17.398.652:** "SÉPTIMO: Que, por último, la infracción al artículo 47 de la Ley nº 19.496, se configuraría debido a que establecida la peligrosidad del producto denunciado, no se habría entregado a los consumidores la información de forma veraz ni oportuna que no se habrían preocupado de informar las características fundamentales del bien al momento de su comercialización".

ARTÍCULO 48

En el supuesto del inc. 1 del art. 47

El proveedor de la mercancía deberá, a su costa, cambiarla a los consumidores

De no ser posible, deberá restituirles lo que hubieren pagado por el bien contra la devolución de éste en el estado que se encuentre

Por otra inocua, de utilidad análoga y de valor equivalente.

DOCTRINA SOBRE ARTÍCULO 48

- **Fernández, Francisco (2003):** *Manual de Derecho chileno de Protección al Consumidor.* Santiago: Lexis Nexis, p. 68: "Cuando un producto hubiese sido declarado como nocivo o peligroso para la salud o seguridad de las personas, bien sea por determinación de la autoridad administrativa o por resolución judicial, el proveedor del mismo deberá cambiarlo, sin costo para el consumidor que lo hubiere adquirido, por otro inocuo, de utilidad análoga y de valor equivalente. De no ser ello posible, deberá restituirle lo que hubiere pagado por el bien contra la devolución de éste en el estado en que se encuentre (artículo 48)".

- **Corral, Hernán (2013):** "Artículo 48", en Iñigo de la Maza y Carlos Pizarro (Directores); Francisca Barrientos (coord.). *La protección de los derechos de los consumidores. Comentarios a la ley de protección a los derechos de los consumidores.* Santiago: Thomson Reuters, Págs. 939-943: "Garantía legal del perjudicado con productos peligrosos: Supuestos de aplicación. Se suele dar el nombre de 'garantía legal' del consumidor a los derechos que se le otorgan frente a la presencia de defectos o deficiencias de cantidad o calidad en los bienes que adquiere de parte del proveedor. La garantía legal general del consumidor está prevista en los arts. 19, 20 y 21. Ahora el legislador prevé una forma especial de garantía para el caso de productos (aunque ahora se habla de mercancía) que siendo peligrosa haya causado daños y perjuicios a los consumidores, conforme al art. 47. La garantía especial establece una jerarquía de remedios: en primer lugar, el consumidor afectado tiene derecho a pedir la reposición del producto; solo cuando esto no sea posible puede reclamar la devolución de lo pagado. Es decir, en primer lugar tiene una acción de cumplimiento forzado del contrato; y en subsidio, la resolución. Surge la duda de si esta garantía especial puede aplicarse también en el supuesto del art. 46, es decir, cuando el proveedor se percata de un riesgo del producto y comunica el hecho a las autoridades para que adopten las medidas de prevención o corrección. El art. 48 parece abonar la respuesta negativa, ya que su texto limita la aplicación de la garantía especial al 'supuesto a que se refiere el inciso primero del artículo anterior', es decir, sólo a los productos peligrosos cuyo uso o consumo ha ocasionado daños y perjuicios. Si el daño se produce dentro del plazo de la garantía general (tres meses), el consumidor podrá recurrir a esta invocando los arts. 20 y 21. Si es posterior (lo que será más probable), se produce un vacío legal que puede ser colmado mediante la aplicación analógica (si bien no textual) del art. 48 (ver más abajo párrafo V). **Derecho de reposición:** El primer derecho que tiene el consumidor afectado por el producto peligroso es el de exigir que el proveedor, a su costa, le cambie la mercancía por otra inocua, de utilidad análoga y de valor equivalente. No señala la ley a cuál de los proveedores puede demandarse este derecho. Como se habla en general de proveedor no parece que la demanda deba restringirse al fabricante, importador o primer distribuidor que son considerados solidariamente responsables de los daños y perjuicios ocasionados. De esta manera, bien puede el consumidor demandar la indemnización solidaria a estos responsables y, en cambio, exigir la reposición del producto al vendedor o suministrador final. Con ello sí arriesga que el vendedor no pueda cambiar la mercancía por otra que cumpla las exigencias legales, caso en el cual procederá la reclamación subsidiaria de devolución de la cantidad pagada. Tampoco señala el plazo en el cual debe ejercerse este derecho. No puede aplicarse el plazo de tres meses de la garantía legal general, ya que sería absurdo que se contara desde el contrato. Al estar conectado al supuesto del art. 47, lo más sensato es aplicar aquí el mismo plazo de prescripción, es decir, el de 4 años contemplado en el art. 2332 del Código Civil que se contará desde que se haya producido el daño. Según la norma 'de no ser... posible' el cambio del producto peligroso, se exige al proveedor que restituya lo que hubiere pagado el consumidor por el bien. Para ello, el consumidor deberá devolver el bien en el estado en que se encuentre (obviamente si no se ha destruido o consumido). La imposibilidad deberá acreditarse en el proceso por parte del proveedor. En todo caso, el derecho a la devolución de lo pagado no puede ser exigido en primer lugar por el consumidor, como sucede en la garantía legal general. En todo caso, la cantidad pagada debe ser reajustada conforme a la variación del Índice de Precios al Consumidor, en aplicación del art. 27 de la ley. Igualmente, pareciera que el consumidor sólo tendría derecho al precio neto del bien excluido el impuesto al valor agregado si la devolución tiene lugar después del plazo a que se refiere el art. 70 del D.L. n° 825, de 1974, por aplicación analógica del inc. 10° del art. 21. **Garantía voluntaria:** Nada prevé la ley en esta materia sobre la existencia de alguna garantía voluntaria otorgada por el proveedor. Por aplicación de los principios generales, debemos considerar que el consumidor puede invocar la garantía voluntaria si la considera más beneficiosa para sus intereses. En cambio, si la garantía le perjudica porque limita las facultades que le concede la ley en este precepto, ella debe considerarse nula por vulnerar la prohibición de renuncia anticipada de los derechos del consumidor contemplada en el art. 4 de la ley. **Relación con la garantía legal general:** La garantía legal general prevista en los arts. 19 y ss. resulta ser más generosa con el consumidor que la garantía especial regulada en el art. 48. En efecto, conforme al régimen general, el consumidor tiene un triple derecho cuya elección puede hacer libremente: reparación, reposición y devolución de la cantidad pagada. A la demanda puede añadir la reclamación de los perjuicios (art. 20). Sólo en cuanto a los proveedores que pueden ser objeto de las distintas acciones y los breves plazos en los que proceden, puede considerarse menos favorable el régimen general que el especial. Es claro por lo demás que la garantía general también está pensando en productos peligrosos que presentan defectos de seguridad. Por ejemplo, se dispone que la garantía legal procede 'cuando los productos sujetos a normas de seguridad… no cumplan las especificaciones correspondientes' (art. 20 letra a); 'cuando cualquier producto, por deficiencias de fabricación… sustancias… condiciones sanitarias, no sea enteramente apto para el uso o consumo al que está destinado o al que el proveedor hubiere señalado en su publicidad' (art. 20 letra c); 'cuando la cosa objeto del contrato tenga defectos o vicios ocultos que imposibiliten el uso a que habitualmente se destine' (art. 20 letra f). Se presenta, entonces, el problema de cómo armonizar el régimen de la garantía general con el de la garantía especial prevista en el art. 48. Las situaciones simples son aquellas en que los supuestos de hecho sólo pueden ser recogidos por uno de los dos regímenes: en tal caso, se aplicará el que corresponda; no hay conflicto normativo. ¿Pero qué sucede si los dos regímenes concurren: por ejemplo, si se trata de productos declarados peligrosos que causan daños y estamos dentro de los plazos para ejercer la garantía legal conforme a alguno de los supuestos referidos del art. 20 y que se refieren a defectos de seguridad? En este caso, pensamos que, siguiendo el principio que inspira toda esta legislación, debe estarse a la normativa que el consumidor elija como la más protectora de sus derechos. De este modo, podrá recurrir a la garantía general y excluir la aplicación de la garantía especial del art. 48. En un caso de intoxicación por comida en mal estado, la Corte de Antofagasta ordenó indemnización de perjuicios y sancionó infraccionalmente invocando, además del art. 3 letra d, el art. 20, letra c, es decir la garantía legal general: C. Antofagasta 11 de septiembre de 2009, rol n° 86-2009, WL CL/JUR/3939/2009. Pero esto no sucederá si el plazo de tres meses del art. 21 se encuentra vencido, en tal caso se aplicará necesariamente el régimen especial. Resta el problema de qué sucede con productos peligrosos que presentan defectos de seguridad fuera de los plazos establecidos para ejercer la garantía legal general, pero respecto de los cuales no se ha producido el supuesto previsto el inciso primero del art. 47, es decir, no han sido declarados judicial o administrativamente como peligrosos o tóxicos o no han alcanzado a producir daños. La cuestión puede presentarse en el supuesto a que se refiere el art. 46, es decir cuando el proveedor se percata de riesgos no descubiertos con anterioridad, o si se procede al retiro voluntario. En estricto rigor, no puede aplicarse la garantía general (por vencimiento de los plazos) ni la garantía especial (por no concurrir el supuesto fáctico al que está legalmente limitada). Ante este vacío legal, y suponiendo que la mejor solución es que el proveedor dé satisfacción a los intereses de los consumidores, nos parece que debiera aplicarse por analogía la norma del art. 48 y exigir al proveedor la reposición del producto o, si esto no es posible, la devolución de la cantidad pagada con el debido reajuste. Y si hay daños, la debida indemnización de perjuicios. Nada señala la ley sobre la garantía en caso de servicios peligrosos inseguros, de modo que habrá que remitirse a la garantía general respecto de servicios defectuosos que está prevista en el art. 41 incs. 2° y 3°. El consumidor podrá reclamar dentro del plazo de treinta días y el juez podrá disponer que se preste nuevamente el servicio sin costo o, en su defecto, la devolución de lo pagado. Lo más probable es que en estos casos se ordene la devolución del precio ya que se habrá perdido la confianza en la prestación de un servicio que puede causar tan graves daños. El precepto señala que 'quedará subsistente la acción del consumidor para obtener la reparación de los daños sufridos'. Pareciera, en consecuencia, que incluso pueden demandarse los daños pasado el plazo de 30 días de la garantía legal. Siendo un caso de incumplimiento contractual, la prescripción de la acción se regirá, a falta de norma especial, por el art. 2515 del Código Civil y será de cinco años desde que se hizo exigible la obligación de reparar los perjuicios, es decir, desde que se causaron los daños".

ARTÍCULO 49

El incumplimiento de las obligaciones contempladas en este párrafo

Sujetará al responsable a las sanciones contravencionales correspondientes y lo obligará al pago de las indemnizaciones por daños y perjuicios que se ocasionen

No obstante la pena aplicable si los hechos son constitutivos de delito.

El juez podrá disponer el retiro del mercado de los bienes respectivos

Siempre que conste en el proceso, por informes técnicos, que se trata de productos peligrosos para la salud o seguridad de las personas, u ordenar el decomiso si sus características riesgosas o peligrosas no son subsanables.

DOCTRINA SOBRE ARTÍCULO 49

- **Fernández, Francisco (2003):** *Manual de derecho chileno de protección al consumidor.* **Santiago: Lexis Nexis, pp. 68-69:** "Incluso se contempla una acción de interés público (acción popular para solicitar del juez competente que disponga el retiro del mercado de los bienes que se objeten como riesgosos, siempre que se acredite en el proceso, mediante los informes técnicos correspondientes, que se trata de productos peligrosos para la salud o seguridad de las personas. El tribunal puede disponer el decomiso de los bienes si sus características riesgosas o peligrosas no son subsanables (inciso segundo del artículo 49)".

- **Corral, Hernán (2013): "Artículo 49", en Iñigo de la Maza y Carlos Pizarro (Directores); Francisca Barrientos (coord.).** *La protección de los derechos de los consumidores. Comentarios a la ley de protección a los derechos de los consumidores.* **Santiago: Thomson Reuters, pp. 944-948:** "Responsabilidad infraccional: Aplicación del non bis in idem. Según el inc. 1° del art. 49, las obligaciones contempladas en este párrafo sujetarán al responsable a las sanciones contravencionales correspondientes. Se trata de una norma muy abierta que produce bastante confusión para intentar delimitar los hechos que motivan o hacen surgir esta especial responsabilidad sancionatoria que denominamos contravencional o infraccional. En verdad, si se analizan las disposiciones que componen el párrafo la amplitud de la declaración del inc. 1° del art. 49 resulta bastante reducida. El art. 44 no establece obligaciones sino una remisión de normas; los arts. 47 y 48 son normas de responsabilidad y remedios contractuales por lo que no puede considerarse que su no cumplimiento sea constitutivo de infracción (son deberes ejecutables judicialmente). El art. 45 sí contiene obligaciones de información y medidas de seguridad, pero aquí se ha dicho expresamente que el incumplimiento de estas obligaciones produce una infracción sancionable con multa de hasta 750 unidades tributarias mensuales [hoy 2.250 UTM]. De este modo, el único precepto al que se aplica la disposición que comentamos el art. 46, que efectivamente establece una obligación para el fabricante, importador o distribuidor de bienes o prestador de servicios que se percata de riesgos con posterioridad al ingreso al mercado del producto o servicio, de comunicar esos peligros. Como no hay sanción prevista deberá aplicarse la norma general del art. 24 inc. 1° que establece una multa de hasta 50 unidades tributarias mensuales. La sanción resulta ser absurdamente baja, si se tiene en cuenta la gravedad del incumplimiento y los daños que la demora u omisión puede ocasionar. No resiste la comparación con la multa de hasta 750 unidades tributarias mensuales contemplada para la falta de información general en el art. 45. Se puede presentar un problema de doble incriminación si tanto respecto de la conducta sancionada en el art. 45 como en la del 46, se han impuesto sanciones infraccionales por aplicación de normas especiales que regulan los productos. Pensamos que en este caso no procede que se vuelva a sancionar la misma conducta por aplicación de las normas de la ley del Consumidor. El art. 44 abona esta conclusión, ya que señala que las normas del párrafo 5° sólo se aplicarán en lo no previsto por las normas especiales que regulan la provisión de determinados bienes o servicios. No obstante, la jurisprudencia ha estimado que procede sancionar nuevamente para así posibilitar que los afectados puedan obtener reparación de los perjuicios en el procedimiento ante el juez de policía local (Sentencia de Juez de Policía Local de Quinta Normal, de 22 de mayo de 2007, confirmada por la C. Stgo. 10 de septiembre de 2008, rol n° 4435-2008). **Responsabilidad civil derivada de la infraccional:** La norma en comento añade que además de la responsabilidad infraccional que pueda corresponder por incumplimiento de las obligaciones contempladas en este párrafo, el responsable infraccional será obligado al pago de las indemnizaciones por los daños y perjuicios que se ocasionen. Se expresa así una concurrencia entre la responsabilidad infraccional y la responsabilidad civil que es un criterio general no sólo de esta ley, sino de todo el ordenamiento jurídico. En estos casos, la constatación de la contravención sirve para comprobar el dolo o la culpa y la ilicitud o antijuridicidad de la conducta. De este modo, si se añade la prueba del daño y del nexo de causalidad entre la conducta infraccional y los perjuicios, procederá que se condene al responsable a la reparación de los daños por aplicación de las reglas generales de la responsabilidad civil extracontractual. El procedimiento ante el juez de policía local permite que el afectado deduzca querella y denuncia infraccional y a la vez demanda civil de responsabilidad extracontractual. Algunos han sostenido, sobre la base de esta disposición, que para que exista indemnización de perjuicios en virtud de esta ley es indispensable que se configure previamente una infracción o contravención. Así, por ejemplo, la Corte de Valparaíso entiende que para dar lugar a la responsabilidad solidaria del art. 43, es necesaria la condena infraccional y da como argumento el art. 49: C. Valparaíso 13 de noviembre de 2007, rol n° 1210-2007, *WL* CL/JUR/2492/2007. No estamos de acuerdo con esta conclusión que no se deriva del texto de la norma, que se limita a señalar que si hay responsabilidad contravencional puede haber también responsabilidad civil, pero no condiciona ésta a la presencia de la primera. [...] **Facultades judiciales de retiro o decomiso:** De una manera poco articulada el inciso 2° alude a una materia que no se relaciona con el inc. 2° y dice relación con las facultades del juez que pueda conocer de un proceso por productos peligrosos. Se otorgan dos facultades al juez: la de disponer el retiro del mercado de los bienes respectivos o el decomiso. Este último podrá imponerse en un proceso penal ya que el comiso es una pena accesoria conforme al art. 21 del Código Penal. Pero también podrá ordenarse en juicios civiles, si se entiende la expresión decomiso no como una pena propiamente tal, sino como una medida de prevención de riesgos (el decomiso aparece así en procesos administrativos: cfr. por ejemplo art. 178 del Código Sanitario). El retiro de bienes del mercado se ordenará en la medida en que conste en el proceso, por informes técnicos (es decir, por pericias) que se trata de productos peligrosos para la salud o seguridad de las personas. En realidad, aquí la ley se refiere no al producto meramente peligroso, sino al inseguro, es decir, al que no presta la seguridad que es legítimo esperar de su uso o consumo. Debe tenerse en cuenta que el retiro o decomiso puede ser adoptado por las autoridades administrativas autorizadas para supervisar y controlar la provisión de ciertos bienes. En este sentido resulta interesante el caso fallado por la Corte de Apelaciones de Santiago y la Corte Suprema, con motivo de un recurso de protección interpuesto por un laboratorio farmacéutico interpuso contra funcionarios del Instituto de Salud Pública que ordenaron el retiro de un medicamento por inconsistencias entre la información entregada al público y la aprobada por dicho organismo, sobre la base de las facultades concedidas por el art. 178 del Código Sanitario. La Corte de Santiago acogió la acción de protección por estimar que aunque la acción era ajustada a la ley se habría procedido de un modo arbitrario ya que los defectos de información no ponían en riesgo la seguridad de los posibles usuarios. La Corte Suprema, por el contrario, estimó que no existía tal arbitrariedad ya que 'es de toda evidencia que los folletos de información al paciente del producto ya señalado no contenían las indicaciones que se requerían, lo cual resulta indispensable, ya que, es lógico que a mayor información que se entregue, mayores serán las posibilidades de uso correcto no sólo de este tipo de medicamento, sino que de cualquier otro, evitando así todos los riesgos que podría conllevar un consumo indebido o impropio del mismo' y, por ello, revocó el fallo de primera instancia, denegó la protección y mantuvo a firme el retiro administrativo del producto (C. Sup. 24 de enero de 2005, rol n° 6057-2004, *Gaceta Jurídica* n° 295, p. 64)".

SENTENCIA SOBRE ARTÍCULO 49

- **Servicio Nacional del Consumidor con TicketMaster S.A. (2018): Corte Suprema, 09 de abril de 2018, Recurso de Casación en el Fondo, Rol n° 62158-2016, LTM16.126.393: "DECIMONOVENO:** (…) De hecho, el artículo 49 de la citada ley, que regula la responsabilidad por infracción a las reglas por productos o servicios peligrosos, distingue claramente la acción para hacer efectiva la responsabilidad contravencional, de las acciones indemnizatorias que pudieran surgir por los daños causados".

ARTÍCULO 49 BIS

Los fabricantes e importadores de videojuegos

- Deberán colocar en los envases, soportes o plataformas en que comercialicen dichos productos, leyendas que señalen claramente el nivel de violencia contenida en el videojuego respectivo.
- En el caso de los envases, la advertencia debera ocupar al menos el 25% del espacio de ambas caras del envoltorio

Los fabricantes, importadores, proveedores y comerciantes

- Solo podrán vender y arrendar videojuegos que fueren calificados como no recomendados para menores de una determinada edad, a quienes acrediten cumplir la edad requerida.
- En el caso de la venta o arriendo por medios físicos, se deberá exigir la cédula de identidad respectiva.

La infracción de las disposiciones del presente artículo será sancionada por el juez de policía local competente, con una **multa de hasta 300** unidades tributarias mensuales y comiso de las especies materia de la infracción.

DOCTRINA SOBRE ARTÍCULO 49 BIS

- Corral, Hernán (2021): "Artículo 49 bis", en Iñigo De La Maza; Carlos Pizarro y Francisca Barrientos (Dirs.) *La protección de los Derechos de los consumidores. Comentarios a la ley de protección a los derechos de los consumidores* Santiago: Editorial Thomson Reuters (en prensa): "La norma que se comenta tuvo su origen en una moción presentada el 2007 por varios diputados que tenía por objeto regular la venta y arriendo de videojuegos excesivamente violentos para menores de edad (Boletín n° 5579 03), pero como una ley autónoma.

Fue durante la discusión del proyecto en la Comisión de Economía de la Cámara que se sugirió, por parte del Secretario Ejecutivo de la ONG Derechos Digitales, Francisco Vera, incorporar su normativa a la ley n° 19.496 sobre la base de que se trataba de deberes de información al consumidor final, pero propuso "incorporar las obligaciones que impone este proyecto dentro de la ley del consumidor, en particular dentro del Título III, Párrafo 4° [sic], de la señalada ley, referente a la seguridad de productos y servicios".

La sugerencia tuvo buena recepción y los integrantes de la Comisión concordaron en incorporar este deber en el marco de la ley de protección al consumidor, haciendo ver que "existe una clara concordancia entre las normas de la moción con lo establecido en la ley de protección al consumidor, en especial sobre el deber de entregar información, en los términos que contemplan sus artículos 3 letra b), 28 letra c), 29 y 32. Por ello se considera incorporar su normativa dentro de los preceptos de la señalada ley, como una obligación de información al consumidor final, y de abstenerse de facilitar o publicitar indebidamente estos productos a menores de edad, logrando así una acertada sistematización y evitando la creación de un nuevo texto normativo".

Pero, curiosamente, en vez de establecer la regla entre los deberes de información, se sugiere agregar un art. 49 bis: "se propone, entonces, incorporar las obligaciones que impone este proyecto dentro de la ley de protección al consumidor, en particular dentro de su Título III Párrafo 5° , referente a la seguridad de productos y servicios". (Primer Informe Comisión de Economía de la Cámara de Diputados de 15 de junio de 2009).

No se advirtió que los preceptos del párrafo 5° del título III se refieren a la seguridad de productos o servicios considerados peligrosos para la salud o integridad física de los consumidores y la seguridad de sus bienes (como deja de manifiesto el art. 45), y no se refiere a la necesidad de proteger la formación moral o cívica de los menores de edad. [...]

La norma se refiere a videojuegos sin definirlos, pero conforme a la uso común de las palabras debemos entender que se trata de juegos electrónicos en el que una o más personas interactúan, por medio de un controlador, con un dispositivo que muestra imágenes de video, y en la que los jugadores asumen el rol de uno más personajes de una aventura de ficción. Puede que haya un solo jugador que interactúa con el programa computacional en que consiste el juego, o que haya varios que juegan entre sí incluso sin estar físicamente en el mismo lugar.

Se trata de videojuegos nacionales, fabricados en Chile, o extranjeros que sean importados para comercializarse en el país. Como originalmente el art. 49 bis, dada la época en la que se discutió, sólo se ponía en el caso de comercialización de juegos en formato físico, se decía que era deber colocar "en los envases" leyendas sobre el nivel de violencia, la que debía ocupar al menos el 25% de ambas caras "del envase o envoltorio", y que sólo se podrían vender o arrendar los videojuegos para menores a quienes acreditaran su edad mediante la cédula de identidad. [...]

El art. 49 bis en su segundo inciso dispone que "Los fabricantes, importadores, proveedores y comerciantes sólo podrán vender y arrendar videojuegos que fueren calificados como no recomendados para menores de una determinada edad, a quienes acrediten cumplir la edad requerida. En el caso de cada venta o arriendo por medios físicos se deberá exigir la cédula de identidad respectiva".

Como ya hemos visto, la reforma de la ley n° 21.081, de 2018 decidió extender la obligación de informar los niveles de violencia a los videojuegos comercializados por internet, y por ello distinguió si la venta o arriendo era digital, caso en el cual se exige acreditar la edad requerida, o si la venta o arriendo eran físicos, en que se dispone que se debe exigir que se exhiba la cédula de identidad.

En todo caso, no parece sencillo controlar la edad del adquirente si el videojuego se compra a través de una plataforma virtual de internet. Aunque por los medios de pago, normalmente serán inaccesibles a menores que no tienen tarjetas de crédito ni pueden hacer transferencias bancarias electrónicas".

- Cordero, Luis (2021): "Artículo 49 bis", en Iñigo De La Maza; Carlos Pizarro (Dirs.) y Francisca Barrientos (coord.) *La protección de los Derechos de los consumidores. Comentarios a la ley de protección a los derechos de los consumidores* Santiago: Editorial Thomson Reuters (en prensa): "En nuestro país, los estudios estadísticos al respecto no son tan continuos ni habituales como en Estados Unidos. Según el informe citado en prensa "Conductas de juego y actitudes hacia los videojuegos en Chile" elaborado el año 2011 por el Centro de Estudios Universitarios de UNIAC en conjunto con Adimark, la estadística promedio del videojugador chileno era de 24 años. Por su parte, el estudio presentado por GFK Adimark en junio de 2017 en el marco del evento Festigame 2016, determinó como grupo predominante de jugadores aquellos entre 18 y 24 años de edad.

Si bien la estadística recién expuesta demuestra que entre los videojugadores norteamericanos y chilenos existen, en promedio, 10 años de diferencia, también permite concluir que el público objetivo de los videojuegos es bastante más transversal del que se tuvo en vista al momento de legislar sobre este tema. […]

Si bien se considera acertada la decisión de incorporar esta disposición al texto de la LPDC, con el fin de evitar la dispersión de las normas relativas al consumo, la ubicación del artículo, en las disposiciones relativas a la seguridad de los productos y servicios, no hace más que reafirmar la idea subyacente de que existe algún nexo causal entre los videojuegos y el desarrollo de comportamientos violentos. En efecto, al incluirla en conjunto con disposiciones que regulan, por ejemplo, a los productos cuyo uso resulte potencialmente peligroso para la salud o integridad física de los consumidores o para la seguridad de sus bienes, se presupone un agente potencialmente peligroso en los videojuegos, por sobre otras formas de entretenimiento. Por ello, habría sido más adecuado incorporar el artículo en las disposiciones del Párrafo 1 del Título III, relativas a información y publicidad.

En lo que respecta a la norma en sí misma, el artículo 49 bis establece dos deberes diversos:

El primer inciso establece el deber de los fabricantes e importadores de videojuegos de colocar en los envases, soportes o plataformas en que comercialicen dichos productos leyendas que señalen claramente el nivel de violencia contenida en el videojuego respectivo.

Por su parte, el inciso segundo establece el deber de los fabricantes, importadores, proveedores y comerciantes de sólo vender y arrendar videojuegos que fueren calificados como no recomendados para menores de una determinada edad, a quienes acrediten cumplir la edad requerida. […]

Luego de su entrada en vigencia, la única modificación que ha tenido el inciso primero del artículo 49 bis se produjo de manera circunstancial durante la tramitación de la Ley nº 21.081, publicada en el Diario Oficial el 13 de septiembre de 2018. Si bien el objetivo de la referida modificación legal fue dotar al Servicio Nacional del Consumidor de nuevas facultades e incrementar significativamente el monto de las multas, la Comisión de Hacienda del Senado, en Segundo Trámite Constitucional, amplió el debate a la aplicación de la ley en la venta de videojuegos mediante descargas plataformas digitales.

Para integrar dichos elementos y luego de una breve discusión, los senadores miembros de la Comisión aprobaron por unanimidad incorporar a la norma en comento las expresiones "soportes o plataformas". En la misma línea, se modificó la segunda oración del primer inciso, precisando que la exigencia respecto a que la advertencia ocupe el 25% del espacio de ambas caras del envoltorio solo aplica en el caso de comercialización física de videojuegos.

Con todo, como el deber de informar claramente el nivel de violencia contenida en los videojuegos comercializados por plataformas digitales no quedó vinculado a ningún criterio o reglamento como sí sucede en el caso de los videojuegos físicos, se trata, en la práctica, de una norma claramente superada por la realidad, toda vez que es posible constatar que la totalidad de plataformas digitales en las que se comercializan videojuegos informan, aunque de distintas maneras, el nivel de violencia contenida en el mismo.

Por último, cabe señalar que la incorporación de la comercialización de videojuegos mediante plataformas digitales a la regulación tampoco agota las posibilidades de acercamiento de un usuario a los videojuegos. Así sucede, por ejemplo, en los que se encuentran a disposición del público en parques de diversiones o establecimientos similares, que no están obligados a informar el nivel de violencia del videojuego respectivo y menos a prohibir su uso por parte de personas que no cumplan la edad recomendada para ello".

- **Historia de la Ley nº 20.756. Primer trámite Constitucional: Cámara de Diputados. Primer Informe de Comisión de Economía. 15 de junio de 2009. Sesión 47, legislatura 357, p. 10:** "En un principio el artículo 49 bis disponía lo siguiente: 'Los fabricantes y/o importadores de videojuegos deberán colocar en los envases en que comercialicen dichos productos, leyendas que señalen claramente el nivel de violencia contenida en el videojuego respectivo, según las instrucciones contenidas en el presente artículo. Asimismo, no podrán vender ni arrendar videojuegos que fueran calificados 'sólo para adultos' a personas menores de 18 años, debiendo exigir en cada venta o arriendo la cédula de identidad respectiva. Todo envase o envoltura que contenga un videojuego, sea nacional o importado, destinado a su distribución dentro del territorio nacional, y toda acción publicitaria de los mismos, cualquiera sea la forma o el medio a través del cual se realice, deberá contener en forma clara y precisa la advertencia sobre los grados de violencia contenidos en dicho videojuego, según la clasificación siguiente: Apto para todo público. Juego violento, sólo apto para mayores de 13 años. Juego excesivamente violento, sólo apto para adultos. Esta advertencia deberá ocupar al menos el 50% del espacio de ambas caras del envase o envoltorio del videojuego respectivo. Las consolas de cualquier tipo para videojuegos, deberán disponer de un sistema de control parental, que permita el ingreso de una clave para ser accionado o cualquier otro mecanismo que permita a los padres, apoderados y/o adulto responsable, el tener control sobre el contenido y duración en el uso de videojuegos. La infracción a las disposiciones de este artículo, será sancionada en conformidad a las reglas siguientes: Multa de 1 a 50 UTM y comiso de las especies materia de la infracción, por omitir la obligación de publicidad contenida en el inciso tercero. Multa de 50 a 250 UTM y comiso de las especies materia de la infracción, por no cumplir con la obligación de contener dispositivos de control parental, según lo establece el inciso quinto. Se entenderá que existe reincidencia, cuando el infractor incurra en una misma contravención en dos oportunidades dentro del mismo año calendario, caso en el cual se podrá aplicar el doble de la multa establecida para la infracción respectiva".

- **Historia de la Ley n° 20.756. Primer trámite Constitucional: Cámara de Diputados. Primer Informe de Comisión de Economía. 15 de junio de 2009. Sesión 47, legislatura 357, pp. 5-6:** "Esta ley y las modificaciones que contiene se propusieron producto de los efectos negativos de la violencia desmedida en la televisión y en los videojuegos en los niños. Ello, debido a una serie de estudios y de experiencias de otros países en que se han reportado grandes masacres y tiroteos".

- **Historia de la Ley n° 20.756. Primer trámite Constitucional: Cámara de Diputados. Primer Informe de Comisión de Economía. 15 de junio de 2009. Sesión 47, legislatura 357, p. 9:** "En cuanto al fondo, se estimó que al existir un gran mercado de venta y arriendo de videojuegos con contenidos de violencia explícita en su desarrollo, que tiene como actores principales a menores de edad, que se ven influenciados a repetir ese tipo de conductas agresivas en la realidad, era necesario y urgente adoptar medidas tendientes a lograr su adecuada protección. Sin embargo, se tuvo presente que el proyecto deja fuera y no contempla todas las posibilidades de distribución online del producto, por referirse únicamente a supuestos físicos de distribución, sin considerar que hoy en día se puede acceder a través de la red a múltiples juegos sin que tengan que importarse, distribuirse o autorizarse necesariamente en Chile".

TÍTULO IV
DE LOS PROCEDIMIENTOS A QUE DA LUGAR LA APLICACIÓN DE ESTA LEY

PÁRRAFO 1º. NORMAS GENERALES

ARTÍCULO 50

Denuncias y acciones
Art. 50 inc 1

Presupuesto general:

Se ejercerán frente a actos, omisiones o conductas que afecten el ejercicio de cualquiera de los derechos de los consumidores.

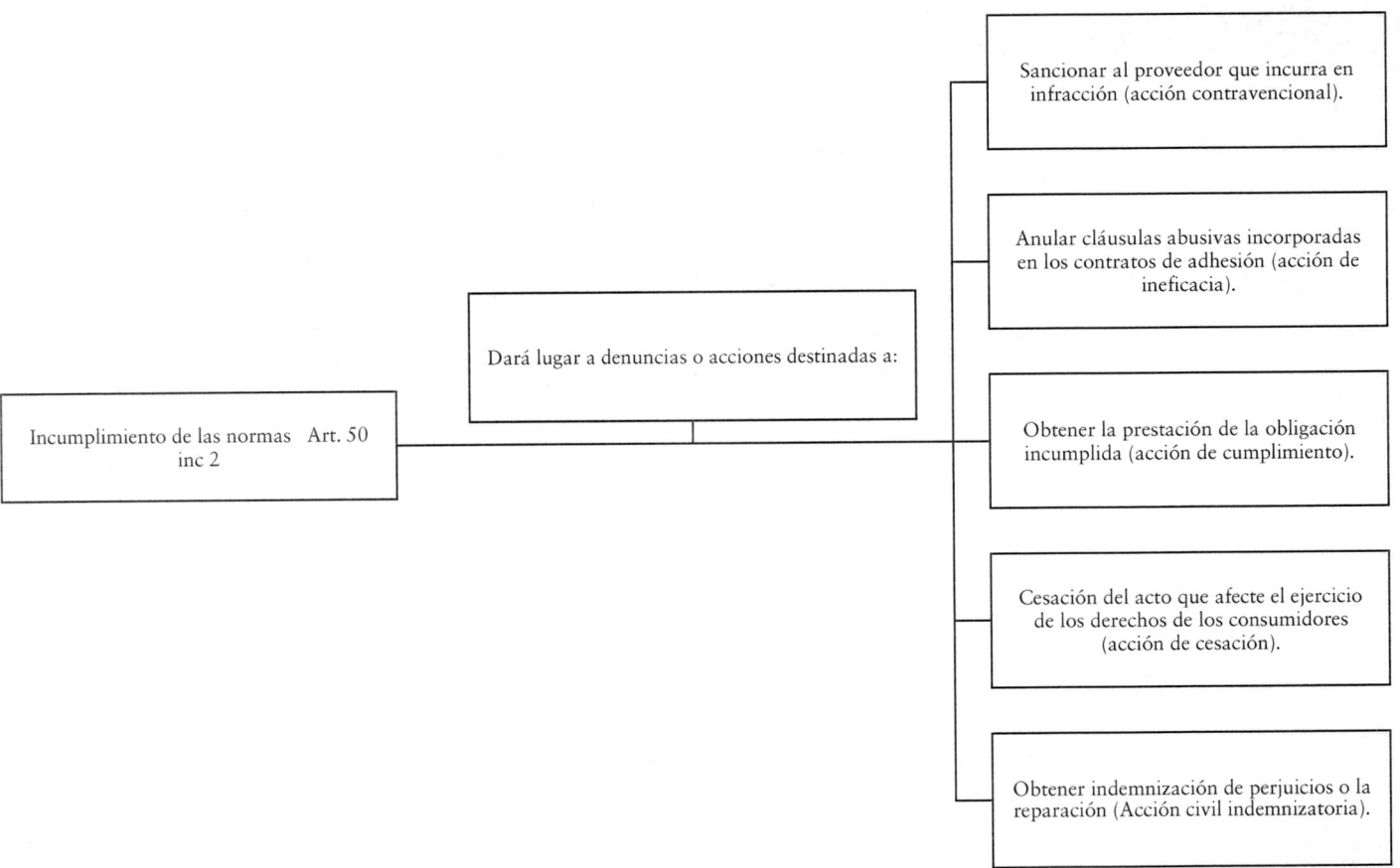

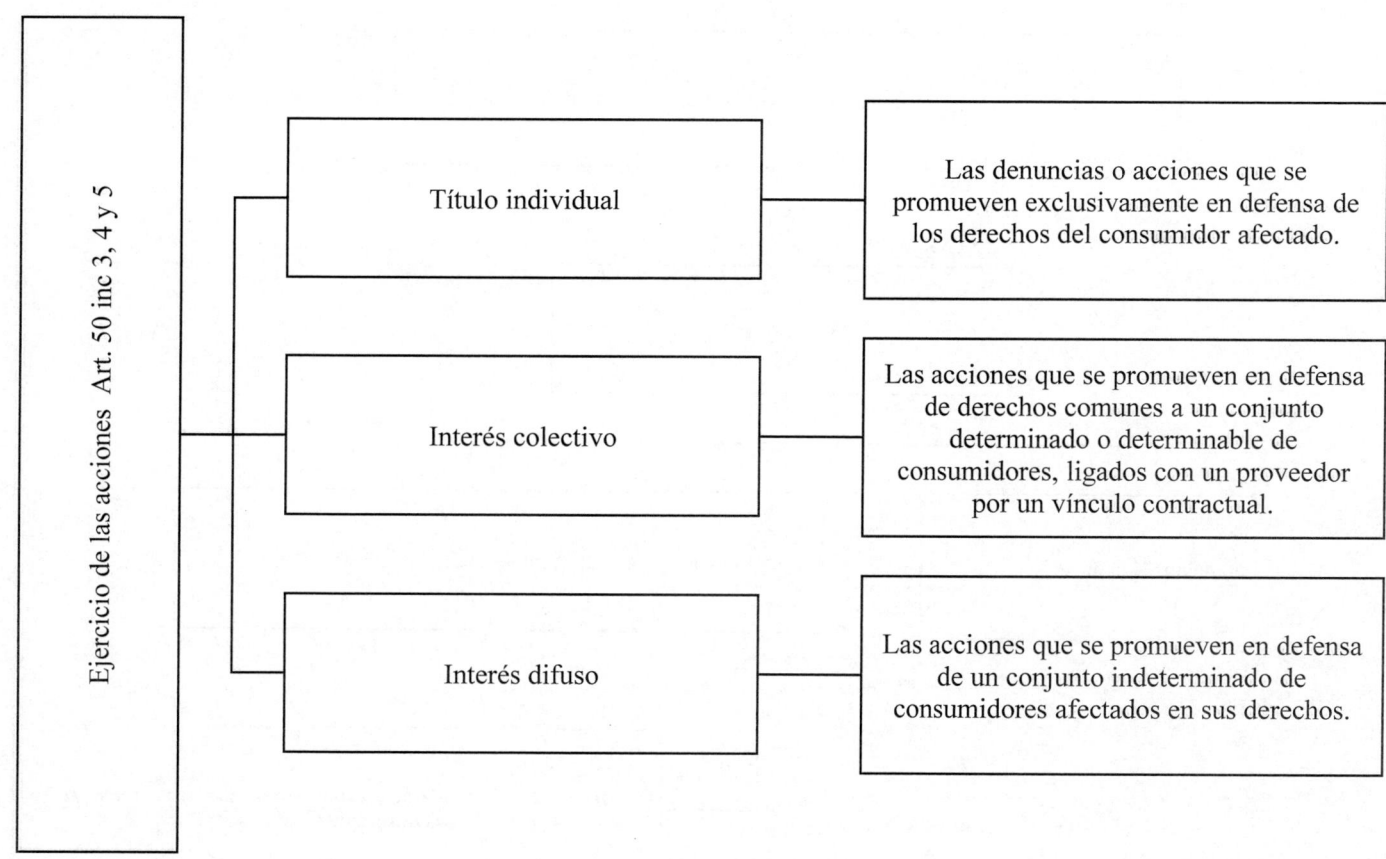

Ejercicio de las acciones Art. 50 inc 3, 4 y 5

Título individual — Las denuncias o acciones que se promueven exclusivamente en defensa de los derechos del consumidor afectado.

Interés colectivo — Las acciones que se promueven en defensa de derechos comunes a un conjunto determinado o determinable de consumidores, ligados con un proveedor por un vínculo contractual.

Interés difuso — Las acciones que se promueven en defensa de un conjunto indeterminado de consumidores afectados en sus derechos.

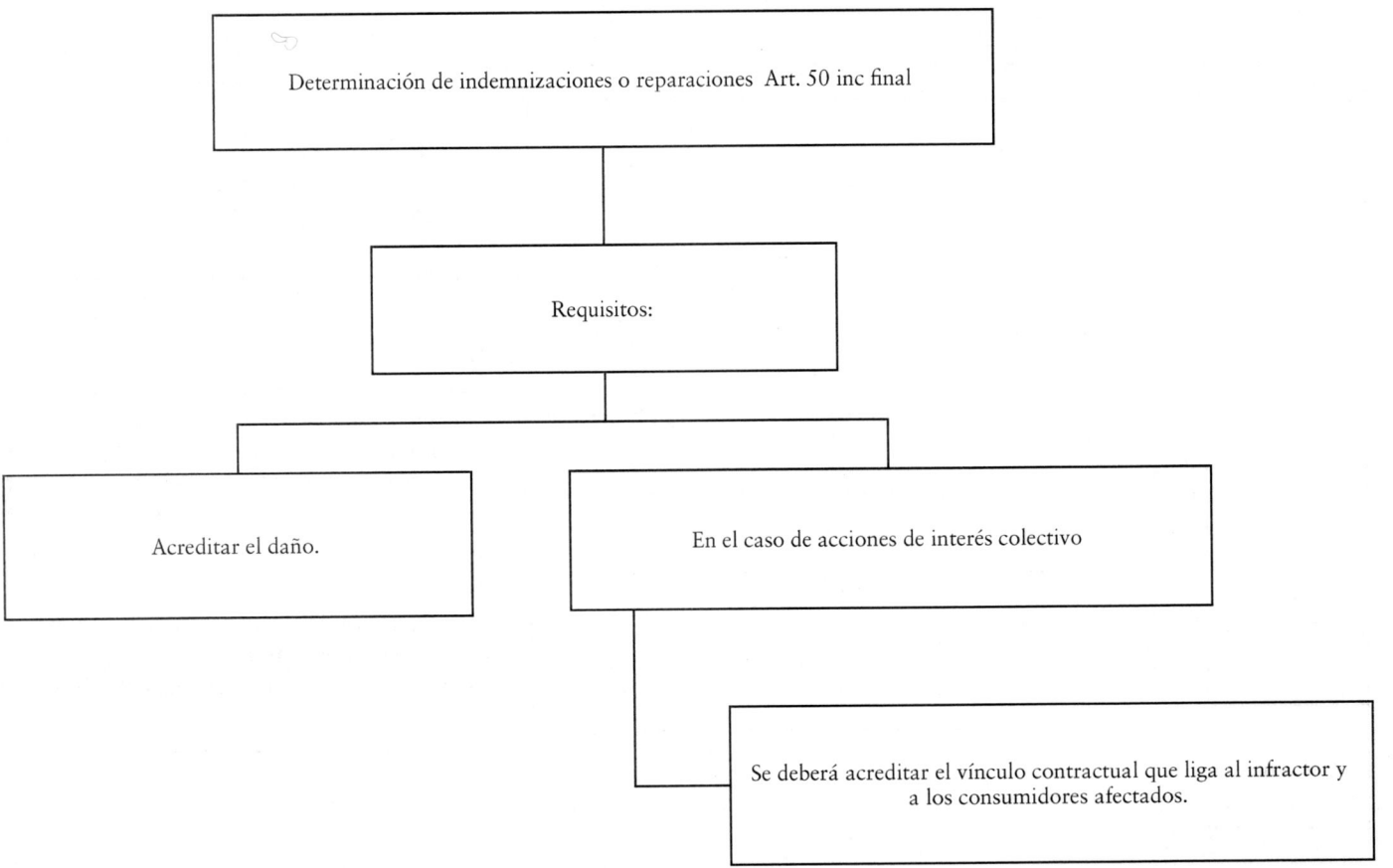

DOCTRINA SOBRE ARTÍCULO 50

- **Aguirrezábal, Maite (2019): "Intereses difusos, colectivos e individuales homogéneos", en Juan Ignacio Contardo; Felipe, Fernández y Claudio Fuentes (Coords). Litigación en materia de consumidores. Santiago: Legal Publishing Chile, pp. 23-32:** "El que un derecho o interés sea supraindividual significa que trasciende la esfera de lo meramente individual, está marcado por la impersonalidad y rompe con el concepto clásico de derecho subjetivo. Estos derechos "no pertenecen a una persona física o jurídica determinada, sino a una comunidad amorfa, fluida y flexible, con identidad social, pero sin personalidad jurídica". Para llegar a obtener una noción de interés supraindividual debe partirse del concepto general de interés y de interés jurídico, analizando qué es lo que se añade a esta noción general para que el interés pueda ser calificado como interés supraindividual. La doctrina ha elaborado varios criterios para definir el concepto, según cuál sea el elemento destacado y en que se fundamenta la noción general de interés, atribuyéndoles un carácter nuevo, pudiendo así distinguir, en general, entre un criterio subjetivo, un criterio objetivo y un criterio normativo. Existen también definiciones que emplean otros criterios. Almagro, por ejemplo, distingue tres planos: un plano subjetivo, referido a colectivos poco precisos en su composición, generalmente anónimos e indeterminados, aunque con dificultades determinables; un plano objetivo, en que el contenido del objeto se difumina, sea porque los mínimos no están fijados legislativamente, sea porque los obligados son múltiples y cada uno tiene que poner algo para el cumplimiento o realización del derecho y un plano formal de accionalidad o justiciabilidad imprecisa, puesto que el problema de la justiciabilidad abre a la doctrina el problema de nuevas formas de acceso a la justicia, porque al ser un grupo el afectado en determinada materia, desborda los esquemas clásicos del Derecho procesal.

Se ha destacado también de este tipo de intereses su naturaleza conflictual, puesto que se trata normalmente de intereses incompatibles o contradictorios entre los que debe llevarse a cabo una función política de mediación y de coordinación, y un cierto grado de indeterminación, que implica una dificultad para circunscribir su difusión, puesto que se repiten y extienden a todos los miembros de una colectividad.[…]

Se ha destacado también de este tipo de intereses su naturaleza conflictual, puesto que se trata normalmente de intereses incompatibles o contradictorios entre los que debe llevarse a cabo una función política de mediación y de coordinación, y un cierto grado de indeterminación, que implica una dificultad para circunscribir su difusión, puesto que se repiten y extienden a todos los miembros de una colectividad.

Tratamiento procesal es distinto por tratarse los segundos de derechos subjetivos clásicos, lo que implica que, en lo que respecta a la legitimación, los límites subjetivos de eficacia de la sentencia y la indemnización de los perjuicios, dependerán de las circunstancias personales del titular del derecho.

El artículo 50 de la LPDC define lo que debe entenderse por acciones de "interés individual", "interés colectivo" e "interés difuso". [...]

Por lo tanto, para diferenciar al interés colectivo del difuso el legislador ha utilizado el criterio de determinación de los miembros del grupo titular de ese interés y el de vinculación jurídica, encontrándonos ante un interés colectivo si los miembros del grupo son determinados o son fácilmente determinables, contractualmente vinculados, y un interés difuso si se trata de un conjunto indeterminado de consumidores afectados".

- **Cortéz, Gonzalo (2013) "Artículo 50", en Iñigo de la Maza y Carlos Pizarro (Dirs) y Francisca Barrientos (coord.).** *La protección de los derechos de los consumidores. Comentarios a la ley de protección a los derechos de los consumidores.* **Santiago: Thomson Reuters, pp. 952-964:** "1. Introducción: Las materias reguladas en el Párrafo Primero del Título IV.

Las normas sobre procedimiento están contenidas en el Título IV, que fue sustituido en su integridad por la Ley nº 19.955. El mencionado Título IV consta de dos párrafos: el primero, destinado a la regulación de las normas generales y el segundo, que reglamenta el procedimiento especial para protección del interés colectivo o difuso de los consumidores.

Las normas del párrafo primero compuesto por un único artículo y 7 literales, desde la A hasta la G, están destinadas de manera preferente a la regulación de la sustanciación de las pretensiones de naturaleza civil que se entablen al amparo de esta normativa de manera que, en el aspecto contravencional, rigen en su integridad las reglas establecidas para el procedimiento por contravenciones y faltas cuyo conocimiento corresponda al Juzgados de Policía Local, con arreglo a lo previsto en la Ley nº 18.287.

No obstante su denominación, en estricto rigor, el primer párrafo regula cuatro órdenes de materias:

Alude a las clases de pretensiones que pueden articularse al amparo de esta normativa.

Contiene ciertos preceptos de carácter general, esto es, aplicables a toda clase de procesos.

Regula el procedimiento a que da lugar el ejercicio de acciones a título individual;

Regula el procedimiento de mínima cuantía o única instancia.

El objeto del proceso regulado en la ley sobre protección de los derechos de los consumidores.

Cuando se habla del objeto del proceso, se hace referencia a los elementos identificadores del asunto, a aquello sobre lo que principalmente se debate y resuelve en un proceso. Es decir, se trata del asunto jurídico fundamental sobre el que el actor pide la sentencia del juez, previa contradicción con el demandado.

Atendiendo a la función identificadora que cumple la noción de *objeto del proceso, desde el punto de vista objetivo, éste queda configurado, por una petición o petitum y por una causa de pedir o fundamento de la pretensión.*

La petición u objeto de la pretensión.

Se alude aquí a la petición o *petitum contenida en la pretensión o, empleando la terminología de nuestro legislador procesal civil, a la cosa pedida en el proceso.* En definitiva, se está haciendo referencia a la clase de protección jurisdiccional que puede pedirse en el proceso.

El tema aparece insinuado en el art. 50 LPC, con arreglo al cual las acciones que derivan de esta ley, se ejercerán frente a actos o conductas que afecten el ejercicio de cualquiera de los derechos de los consumidores.

El inciso segundo de la mencionada disposición hace una enumeración no exhaustiva de las acciones a que puede dar lugar el incumplimiento de las normas contenidas en la LPC, mencionando:

Aquellas destinadas a sancionar al proveedor que incurre en infracción;

Aquellas destinadas a anular las cláusulas abusivas incorporadas en los contratos de adhesión;

Las que persiguen obtener la prestación de la obligación incumplida;

Las que apuntan a hacer cesar el acto que afecte el ejercicio de los derechos de los consumidores;

Las que persiguen obtener la debida indemnización de perjuicios o la reparación que corresponda

Estas acciones pueden ser agrupadas en tres categorías: las acciones punitivas o sancionatorias, las reparatorias y las de cesación.

Acciones punitivas o sancionatorias:

Este tipo de acciones persigue hacer efectiva la responsabilidad contravencional o infraccional, a través de una sanción impuesta al autor de una conducta u omisión que la LPC castiga.

En un sentido estrictamente jurídico, la contravención no está llamada a producir otras consecuencias que la imposición de la sanción legalmente prevista, en este caso, la aplicación de la multa con la que se sanciona penalmente al infractor.

La LPC describe una serie de conductas tipificadas como infracciones a sus preceptos:

Las relacionadas con las organizaciones de consumidores (arts. 9 inc. final y art. 11 parte final LPC.

Directamente relacionadas con las responsabilidades del proveedor.

Art. 12 LPC: La obligación del proveedor de bienes o servicios de respetar los términos, condiciones y modalidades conforme a las cuales se hubiere ofrecido o convenido con el consumidor la entrega del bien o la prestación del servicio.

Art. 13 LPC: La negativa injustificada del mismo a la venta de bienes o la prestación de servicios comprendidos en sus respectivos giros en las condiciones ofrecidas.

Art. 15 LPC: La obligación de que los sistemas de seguridad y vigilancia que mantengan los establecimientos comerciales, sean respetuosos de la dignidad y derechos de las personas.

Art. 18 LPC: El cobro de un precio superior al exhibido, informado o publicitado.

Art. 23 LPC: Referente al proveedor que, actuando con negligencia, causa menoscabo al consumidor debido a fallas o deficiencias en la calidad, cantidad, identidad, sustancia, procedencia, seguridad, peso o medida del respectivo bien o servicio.

Art. 23 inc. 2º LPC: Relativo a los organizadores de espectáculos públicos que pongan en venta una cantidad de localidades que supere la capacidad del respectivo recinto. Lo mismo, en relación a la venta de sobrecupos en los servicios de transporte de pasajeros, con excepción del transporte aéreo.

Art. 25 LPC: La suspensión, paralización o no prestación, injustificada, de un servicio previamente contratado y por el cual se hubiere pagado derecho de conexión, de instalación, de incorporación o de mantención.

Las vinculadas a la publicidad falsa o engañosa (arts. 24 inc. 2° , 28 A, 29 LPC).

En la nueva ley se establecen aumentos de multas por publicidad engañosa y por no informar adecuadamente los riesgos de los productos que se venden en el mercado. Durante la tramitación del Proyecto, se consignó que, después de las cobranzas extrajudiciales, que respondieron a un problema masivo pero solucionado, fueron las infracciones por publicidad engañosa las más numerosas en listado de denuncias a los juzgados por parte del Servicio Nacional del Consumidor. Lo que se pretende entonces es desincentivar esta conducta, aumentando el tope de la multa. Igual sanción se contempla para la no información de los riesgos del consumo, y el tope de las multas se aumenta en el caso de publicidad falsa que afecte la salud, seguridad o medioambiente.

Las que vulneran las normas relativas al crédito del consumidor (arts. 39, 39 A. LPC)

Las relativas a la seguridad de los productos o servicios (art. 45 LPC).

En cuanto a las sanciones con que están conminadas estas infracciones, la regla general está dada por el art. 24 LPC, que establece una norma de clausura del sistema sancionatorio de la Ley, sin perjuicio de otras normas que establecen sanciones específicas más severas, como ocurre respecto de la publicidad falsa o engañosa y en relación al que suspendiere, paralizare o no prestare, sin justificación, un servicio previamente contratado y por el cual se hubiere pagado derecho de conexión, de instalación, de incorporación o de mantención.

Las multas impuestas pueden elevarse al doble en caso de reincidencia, considerándose reincidente al proveedor que sea sancionado por infracciones a esta ley dos veces o más dentro del mismo año calendario.

La ley entrega al tribunal ciertos parámetros para la aplicación de las multas. La legislación anterior exigía atender a la cuantía de lo disputado y las facultades económicas del infractor. Con la reforma, además de los anteriores, se estableció otros aspectos que deben ser considerados por el tribunal, como el grado de negligencia en que haya incurrido el infractor, la gravedad del daño causado, el riesgo a que quedó expuesta la víctima o la comunidad.

Acciones reparatorias.

Como se señaló, en un sentido estrictamente jurídico, la contravención no produce otras consecuencias que la imposición de la sanción legalmente prevista, es decir, la aplicación de la multa con la que se sanciona penalmente al infractor.

El concepto central es el de *hecho ilícito,* el que puede ser considerado desde un doble punto de vista: desde la perspectiva de aspecto contravencional y desde la perspectiva del derecho civil. De ahí que resulte impropio aludir a una responsabilidad civil derivada de la infracción.

Lo que ocurre es que la ley permite acumular al proceso infraccional una cuestión de naturaleza civil, lo que obedece, dejando de un lado las consideraciones de política legislativa, a la existencia de un mismo hecho con repercusión en sectores del ordenamiento jurídico diferentes. Pero es claro que la responsabilidad civil no tiene el mismo fundamento, contenido y fin que la sanción que corresponde a la contravención.

Partiendo, entonces, de la posibilidad de acumular al proceso infraccional, un objeto civil, el contenido de este último será normalmente pretensión del consumidor tendente a la obtención de una sentencia que declare su derecho a ser reparado de los perjuicios que haya sufrido por la conducta del proveedor. Sin embargo, la LPC prevé la posibilidad del ejercicio de otras acciones civiles, distintas de la indemnización de perjuicios que, por cierto, pueden ser complementarias de ésta, como aquellas tendientes a obtener la declaración de nulidad de cláusulas abusivas incorporadas en los contratos de adhesión o las destinadas a obtener la prestación de la obligación incumplida.

En lo que concierne al ejercicio de la pretensión indemnizatoria, es importante destacar que ella comprende, por expresa previsión legislativa, el daño material y el moral derivados del incumplimiento de la normativa (art. 3 letra e) LPC). La norma presenta cierto interés desde que, primero, prevé indemnización por daño moral en sede contractual, y porque, como en el concepto de consumidor se encuentran las personas jurídicas, éstas también podrían demandarlo, cuestiones ambas que fueron discutidas en doctrina. Además, la indemnización debe pagarse debidamente reajustada (art. 27 LPC).

Un primer y fundamental problema se plantea a propósito de las relaciones entre el proceso infraccional y el civil.

La Ley 18.223, la antigua ley del consumidor, disponía en su art. 8°, que *"En todo caso, el delito o infracciones de que trata esta ley darán lugar a la correspondiente indemnización de perjuicios".*

Esta norma fue interpretada en el sentido que la ley admitía que la acción resarcitoria podía intentarse dentro del procedimiento infraccional o fuera de él, ante el juez ordinario y que en este último caso, era requisito de admisibilidad de la acción indemnizatoria, la condena del infractor por sentencia ejecutoriada en el proceso infraccional. Es decir, sin previa condena no era factible perseguir la indemnización. Esta interpretación derivaba de la aplicación del inciso final del art. 9º de la Ley 18.287 sobre procedimiento ante los Juzgados de Policía Local.

Sin embargo, con la ley 19.496 la situación se modificó, entendiéndose que la acción resarcitoria puede deducirse dentro del procedimiento infraccional o fuera de él y, en este segundo supuesto, no es necesaria ni requisito de admisibilidad la condena previa del infractor.

A pesar de lo dicho, se ha sostenido la necesidad del ejercicio conjunto de la acción civil y la contravencional, con base en lo dispuesto en el art. 9º de la Ley 18.287, que señala que *"El juez será competente para conocer de la acción civil, siempre que se interponga, oportunamente, dentro del procedimiento contravencional"*.

Así también lo ha entendido la Corte de Apelaciones de Concepción exigiendo, para admitir la interposición de la acción civil, que ella se entable conjuntamente con la infraccional: *"4. Que, el artículo 50 en su inciso 1º, dispone que será competente para conocer de las acciones a que de lugar la aplicación de la presente ley el juez de policía local de la comuna en que se hubiere celebrado el contrato respectivo, o en su caso se hubiere cometido la infracción o dado inicio a su ejecución. Surge dilucidar cual es la extensión de tal competencia, si ella se aplica tanto a la acción civil como a la contravencional. El autor Enrique Aimone Gibson en su obra Derecho de Protección del Consumidor, Editorial Jurídica Conosur Ltda., página 183, señala: "Solucionamos la cuestión remitiéndonos, como lo exige la ley en su art. 56, a la ley nº 18.287. La cuestión está allí planteada en el art. 9º, inciso 1º, de este texto legal: Art. 9º. "El juez será competente para conocer de la acción civil, siempre que se interponga, oportunamente, dentro del procedimiento contravencional"*.

Si bien la doctrina antes indicada ha sido calificada como la postura jurisprudencial mayoritaria en la materia, a mi juicio, es perfectamente posible articular acciones civiles de manera independiente de la responsabilidad contravencional.

En primer término, hay que considerar que no todo incumplimiento a lo dispuesto en la LPC es constitutivo de infracción, como ocurre con la nulidad de cláusulas abusivas y el ejercicio de ciertos derechos opcionales reconocidos al consumidor. En tales casos, negar el amparo de la LPC para el ejercicio de acciones civiles resultaría discriminatorio y contrario al espíritu de la normativa protectora que, aunque específica, tiene pretensión generalizadora respecto de las relaciones proveedor-consumidor (art. 1 LPC). Por otro lado, a la inversa, en la ley se tipifica una serie de conductas que no requieren de la perfección del acto o contrato de consumo, lo que evidencia la autonomía de una y otra clase de responsabilidad.

En segundo lugar, esta opinión encuentra su fundamento en el reconocimiento expreso del derecho del consumidor a ser reparado de todos los daños materiales y morales que, según la norma, no aparece sujeto a ninguna condicionante.

Finalmente, hay que considerar que hoy son aplicables las normas de la Ley 18.287 sólo en forma supletoria a las normas de procedimiento establecidas en la ley. En cambio bajo la vigencia de la ley 18.223 la única norma de procedimiento aplicable era la ley 18.287. Así se ha resuelto.

En efecto, la Corte de Apelaciones de Puerto Montt ha fallado *"Que, el propósito del legislador al dictar la ley nº 19.496, ha sido fortalecer la protección de los derechos de consumidor. Tal es así, que las acciones resarcitorias que establece esta ley y que tienen por objeto la reparación del daño material o moral que sufre el consumidor, no requieren, siquiera para su interposición condena previa del infractor. Refuerza esta idea el reconocimiento expreso, que la ley hace en su artículo 3º, letra E, del derecho, sin sujeción a condición alguna, a la reparación indemnización adecuada y oportuna de todos los daños, materiales y morales, que sufra el consumidor. En consecuencia, y a mayor abundamiento, basta que un consumidor, experimente un daño ilícito, derivado de la relación de consumo, para que pueda ejercer su derecho a exigir reparación por esta causa".*

En similar sentido se ha resuelto *"...que en esta materia rige la norma especial de la ley 19.496, que en su artículo 50 da competencia al Juez de Policía Local para conocer de las acciones que ella misma establece, entre las cuales está la acción civil de indemnización de perjuicios, como se aprecia de la lectura de su artículo 20, sin que la primera disposición, ni ninguna otra, exija en absoluto que ella se entable conjuntamente con una denuncia infraccional o en el contexto de un proceso de esa naturaleza, de suerte que el Juez a quo sí ha tenido competencia para conocer y fallar el asunto controvertido".*

Más recientemente, la Corte de santiago ha resuelto que *"el artículo 50 B de la Ley del Consumidor señala que "los procedimientos previstos en esta ley podrán iniciarse por demanda, denuncia o querella según corresponda", de cuyo tenor literal se deduce indudablemente que el procedimiento seguido por alguna infracción a la Ley del Consumidor puede ventilarse a raíz de una demanda, o una denuncia, o una querella, sin que la ley exija que necesariamente deba seguirse siempre una denuncia o querella infraccional como sí lo exige la referida Ley 18.287 para el resto de los procesos ventilados ante los Juzgados de Policía Local".*

Acciones de cesación.

Con el ejercicio de estas acciones se persigue —según Pfeffer— mientras se resuelve la demanda o se investiga la denuncia, *"detener el efecto nocivo o dañoso que la acción u omisión de cargo del proveedor o prestador del servicio causen a la comunidad".* La verdad es que el objeto de esta clase de pretensiones tiene una mayor amplitud pues con ellas se obtiene un no hacer, es decir, una cesación o abstención de actividades potencialmente peligrosas, allí donde la declaración de ilicitud del acto o una condena a reparación no satisfacen la tutela de protección de los perjudicados.

Este tipo de pretensión aspira a que junto con la paralización de la actuación se evite que dicha actuación se evite en el futuro.

Las acciones de cesación constituyen un mecanismo de tutela preventiva, esto es, una especie de pretensión de condena a través de la cual *"se permite la adopción de de medidas necesarias para evitar la consumación de un daño eventual".* Como señala Busto Lago, tienen como objeto *"la adopción de una resolución judicial que imponga el cese de una actividad o de una conducta ilícita potencialmente dañosa de los derechos e intereses legítimos de los consumidores y usuarios, impidiendo su reiteración en el futuro al condenar al empresario o profesional demandado a abstener de realizar o de reiterar el comportamiento potencialmente lesivo de los referidos derechos e intereses legítimos en el futuro, sin que tengan una finalidad indemnizatoria o reparadora".*

Suponen la previa demostración de un daño o peligro, incluso aunque éste todavía no se haya concretado, sino que se encuentre en grado de amenaza.

Pertenece a esta clase de acciones, aquella en cuya virtud se faculta al tribunal que conoce de una denuncia por publicidad falsa, para disponer, de oficio o a petición de parte, la suspensión de las emisiones publicitarias, en la medida que la gravedad de los hechos y los antecedentes acompañados lo ameriten. Asimismo, se podrá, exigir al anunciante que, a su propia costa, realice la publicidad correctiva que resulte apropiada para enmendar errores o falsedades (art. 31 LPC). Es decir, se permite la condena judicial a cesar en el comportamiento lesivo y, junto a este no hacer, es posible imponer una conducta positiva de publicidad correctiva.

Nótese que en estos casos no es preciso el ejercicio de una acción civil relacionada con las consecuencias patrimoniales lesivas derivadas de la publicidad falsa —aunque es perfectamente admisible que se interponga acumulada a otras pretensiones declarativas—, siendo suficiente la simple denuncia y, por otra parte, se reconoce la posibilidad de acordar de oficio la resolución, circunstancias ambas que marcan la diferencia con los supuestos de medidas cautelares.

También pertenece a esta clase de acciones, la facultad del juez para disponer el retiro del mercado de los bienes respectivos, siempre que conste en el proceso, por informes técnicos, que se trata de productos peligrosos para la salud o seguridad de las personas, u ordenar el decomiso de los mismos si sus características riesgosas o peligrosas no son subsanables (art. 49 LPC).

La causa de pedir o fundamento de la pretensión.

Como se sabe, la causa de pedir es el fundamento o razón en que el actor basa su petición de tutela. Se la define como aquella situación de hecho jurídicamente relevante y susceptible, por tanto, de recibir la tutela jurídica solicitada.

La LPC ha condicionado la aplicación del régimen para el ejercicio de las acciones resarcitorias fundadas en la responsabilidad contractual, en función de la naturaleza del acto que debe servir de título o causa de pedir de la acción que, en general, puede evidenciarse por *la necesidad de que la acción tenga como título justificador un acto de comercio.*

Conforme lo previsto en el art. 2 LPC quedan sujetos a las disposiciones de esta ley, fundamentalmente *"los actos jurídicos que, de conformidad a lo preceptuado en el Código de Comercio u otras disposiciones legales, tengan el carácter de mercantiles para el proveedor y civiles para el consumidor"* (art. 2 a) LPC).

Se sigue de lo anterior que, para estar comprendido dentro del ámbito de aplicación de la ley, el acto debe reunir una triple condición:

Que las partes del acto jurídico deben ser un proveedor y un consumidor, según se definen por la ley cada una de estas categorías.

Que el acto tenga la naturaleza de mercantil para el proveedor.

Que el acto tenga la naturaleza de civil para el consumidor.

Con ello, quedan excluidas las relaciones jurídicas de producción o intercambio entre proveedores o consumidores entre sí y entre proveedores y consumidores, cuando el acto no tiene el carácter de mixto, por ser civil para ambas partes.

Debe advertirse que, con la reforma de la ley n° 19.955, se incorporó a la definición de proveedor una restricción al consagrarse que *"No se considerará proveedores a las personas que posean un título profesional y ejerzan su actividad en forma independiente"* (art. 1 n° 2 LPC).

Al respecto, durante las sesiones legislativas se consignó que una persona natural profesional que incumple no puede ser demandada acorde a esta ley y si lo puede ser una persona jurídica que ejerce una actividad profesional, por lo que habría un privilegio para una persona natural profesional en desmedro de una persona jurídica y —en definitiva— el usuario queda en la indefensión respecto de los servicios profesionales de un abogado, contador, profesor o dentista, por ejemplo y qué leyes se aplican en esos casos, ya que hoy los colegios profesionales no tienen imperio como antes, en que se podían hacer denuncias respecto de los colegiados por abusos en el ejercicio de la profesión.

Sobre el particular, el Ejecutivo precisó que si se dejó expresamente fuera el tema de los profesionales, es porque en el derecho comparado está fuera de la protección de los consumidores y eso se da toda vez que existe una asimetría, porque se trata de compañías y de empresas, aunque se podría incluir en la medida que efectivamente exista habitualidad, ya que si es un servicio profesional que se da una sola vez y luego ese profesional se dedica a otra actividad, no debería afectarlo la ley de protección al consumidor y eso es tan similar a la venta de autos que cualquiera puede hacer en un momento determinado y no por eso se le aplicará la ley de consumidores, por lo que debe existir habitualidad para que se aplique la ley en estudio.

En resumen, esta restricción recoge una distinción que se establece en derecho comparado, luego recoge una práctica que ya opera en los juzgados de policía local y finalmente hay una diferencia evidente en lo que se conoce como relación de consumo y la relación personal entre un profesional y un consumidor normal, en calidad de su cliente.

En las sesiones legislativas, algunos Diputados opinaron que no hay relación más asimétrica que la que se establece entre un médico y su paciente o entre un abogado y su cliente y se estima que ello es más asimétrico, toda vez que el nivel de información que se maneja en el acto médico, respecto del abogado o de un profesor que hace clases particulares es limitado.

Recomendaron incluir este tipo de relaciones de consumo en esta ley, no así cuando se adquiere un producto en una tienda comercial.

La aplicación de la norma del art. 2° LPC, en cuanto se rige para los actos jurídicos, que de conformidad con lo preceptuado en el Código de Comercio u otras disposiciones legales, tengan el carácter de mercantiles para el proveedor y de civiles, es decir, que se trate de actos mixtos o de doble carácter, ha dado lugar a controversias que la justicia ha debido dilucidar.

Así, se ha resuelto, por ejemplo, que "el giro que desarrolla la Empresa de Correos de Chile es el de suministro de servicios de envío de correspondencia y similares que acuerde el directorio, que se encuentran comprendidos en los actos de comercio del artículo 3 n° 7 del Código de Comercio, esto es las empresas de suministros".

Los actos jurídicos que tengan la calidad de civiles para ambas partes naturalmente que quedan excluidos de la aplicación de la LPC. Hay que tener presente que la determinación de si un acto reviste o no la condición de mixtos o de doble carácter, incide directamente naturaleza de asunto sometido al conocimiento del tribunal, es decir, en la materia, que es un factor de competencia absoluta controlable oficiosamente por el tribunal.

De ahí que, la Corte de Apelaciones de Copiapó, procediendo de oficio anuló todo lo obrado en un proceso que se había tramitado con arreglo a las prescripciones de la LPC, sobre la base de que el contrato cuya infracción sirve de fundamento a la demanda, encargaba la ejecución de una obra civil, correspondiendo su conocimiento a los tribunales ordinarios de justicia.

Aunque la ley califica a las sociedades anónimas siempre de mercantiles, con independencia del objeto a que se dediquen (art. 1° Ley 18.046), se ha resuelto que no revisten el carácter de acto de comercio para una Clínica proveedora constituida como sociedad anónima, las prestaciones realizadas por sus profesionales médicos.

Sin embargo, aplicando el principio de accesoriedad, se ha resuelto lo contrario: *"3° Que no puede a inducir a error la naturaleza propia de la prestación de servicios profesionales que desarrollan los particulares, pues se trata en este caso de actos que, siendo aisladamente civiles, pierden su condición de tales desde que acceden a una actividad principal propia de una empresa, pasando así a participar de la naturaleza mercantil de ésta, particularmente en lo que se refiere al consumidor o destinatario de los servicios".*

Respecto de las actividades de las personas jurídicas si fines de lucro, se ha resuelto que *"Aún cuando el instituto denunciado constituya una persona jurídica sin fines de lucro, organizada bajo la forma de una fundación, ciertamente esta circunstancia no le impide ejecutar habitualmente actos de comercio, y no hay duda que la educación constituye una actividad que se transa en el mercado como cualquier otro servicio remunerado, máxime si se considera que para atender a las actividades propias de la enseñanza, el establecimiento deberá desarrollar las actividades necesarias para obtener utilidades destinadas a financiar infraestructura, sueldos, implementos técnicos, cosos de mantenimiento y otros gastos, como cualquiera otra empresa de suministro de servicios".*

* **Larroucau, Jorge (2019). "La prueba en los procedimientos judiciales de consumo", en María Elisa Morales (Dir.) y Pamela Mendoza (Coord.),** *Derecho del Consumo: Ley, doctrina y jurisprudencia.* **Santiago: Der Ediciones. pp. 209-232, p. 212-213:** "La prueba como actividad: Las pretensiones del consumidor que demanda, denuncia o interpone una querella pueden ser 'sancionar al proveedor que incurra en infracción, anular las cláusulas abusivas incorporadas en los contratos de adhesión, obtener la prestación de la obligación incumplida, hacer cesar el acto que afecte el ejercicio de los derechos de los consumidores, a obtener la debida indemnización de perjuicios o la reparación que corresponda' (art. 50 inciso 2). Este abanico de pretensiones permite clasificar las acciones del consumidor en tres, tomando en cuenta para ello su finalidad y no el punto de vista usual para analizar estas demandas, cual es el de la legitimación activa (en donde las acciones también son tres: individuales, colectivas y difusas). Desde el punto de vista de la pretensión, entonces, el consumidor puede interponer acciones sancionatorias, acciones reparatorias y acciones de cesación. Esta clasificación que atiende al fin de la demanda orienta de mejor manera el análisis del primer debate probatorio de un procedimiento judicial de consumo, el de los hechos a probar".

SENTENCIAS SOBRE ARTÍCULO 50

* **María Rodríguez Córdova con Itaú Corpbanca (2019): Corte Suprema, 22 de mayo de 2019, Recurso de Casación en el Fondo, Rol n° 22876-2018, LTM16.306.737: "CUARTO:** Que la doctrina ha definido las acciones de interés difuso como aquellas cuyos titulares son personas indeterminadas o ligadas entre sí sólo por circunstancias de hecho como, por ejemplo,

cuando se introducen al mercado productos inseguros o riesgosos o cuando por una publicidad engañosa se induce al consumo de bienes que no tienen las cualidades que el consumidor espera encontrar en ellos (Pfeffer Urquiaga Francisco, Tutela Jurisdiccional de los Derechos del Consumidor", Gaceta Jurídica nº 205, pág. 21). Los intereses difusos dicen relación, entonces, con aquellos que detenta un grupo de individuos indeterminados y ligados por circunstancias de hecho, concepto que es recogido por la Ley de Protección de los Derechos de los Consumidores, que en su artículo 50 señala que "son de interés difuso las acciones que se promueven en defensa de un conjunto indeterminado de consumidores afectados en sus derechos".

- **Servicio Nacional del Consumidor con Ticketmaster Chile S.A. (2018): Corte Suprema, 09 de abril de 2018, Recurso de Casacion en la Forma y en el Fondo, Rol nº 62158-2016, LTM16.126.393: "SEXTO:** Que, conforme a lo dispuesto por el inciso segundo del artículo 50 de la Ley 19.946, el incumplimiento de las normas ahí contenidas da lugar a las acciones destinadas a sancionar al proveedor que incurra en infracción, anular las cláusulas abusivas incorporadas en los contratos de adhesión, obtener la prestación de la obligación incumplida, hacer cesar el acto que afecte el ejercicio de los derechos de los consumidores y obtener la debida indemnización o reparación que corresponda. Conforme al objetivo, las acciones pueden ser agrupadas en punitivas o sancionatorias, reparatorias y de cesación. Las primeras persiguen hacer efectiva la responsabilidad contravencional o infraccional a través de una sanción impuesta al autor de la conducta que la ley castiga. Con las segundas se pretende la reparación de los perjuicios (materiales y morales) causados a los consumidores por la conducta del proveedor; a este respecto la ley también contempla el ejercicio de otras acciones civiles, distintas a las indemnizatorias, que incluso pueden complementarlas, como las que persiguen la declaración de nulidad de las cláusulas abusivas incorporadas en los contratos de adhesión o el cumplimiento de la obligación incumplida. Y las terceras pretenden la declaración del cese o abstención de las actividades o conductas estimadas ilícitas; se aspira así que junto con la paralización de la actuación sea evitada su repetición en el futuro, constituyendo un conveniente medio de tutela preventiva. Tienen por objeto, como lo indica un autor, 'el cese de una actividad o de una conducta ilícita potencialmente dañosa de los derechos e intereses legítimos de los consumidores y usuarios, impidiendo su reiteración en el futuro al condenar al empresario o profesional demandado a abstenerse de realizar o de reiterar el comportamiento lesivo de los referidos derechos e intereses legítimos en el futuro'. (Busto Lago, citado por Gonzalo Cortez, en 'Comentarios a la Ley de Protección a los Derechos del Consumidor'.

Edit. LegalPublishing. Santiago, 2014, págs. 959 y 960).' **DECIMONOVENO:** Que en cuanto a la prescripción, como ya ha sido consignado, el artículo 50 de la Ley 19.496 dispone que el incumplimiento de las normas contenidas en dicha ley dará lugar a 'las acciones' allí indicadas, destinadas a sancionar al proveedor que incurra en infracción, anular las cláusulas abusivas incorporadas en los contratos de adhesión, obtener la prestación de la obligación incumplida, hacer cesar el acto que afecte el ejercicio de los derechos de los consumidores, obtener la debida indemnización de perjuicios o la reparación que corresponda. Esto significa que no es necesariamente único el objeto del juicio; puede ser diverso, dependiendo de las infracciones cometidas y de las acciones ejercitadas; y no puede entenderse que el artículo 26 esté referido a todas estas acciones, sino a las que derivan estrictamente de la responsabilidad infraccional, es decir, las que conllevan infracciones a la ley y estén asociadas a sanciones pecuniarias: multas. En este sentido, no pueden ser consideradas contravencionales las acciones que tienen como presupuesto el incumplimiento del contrato, como las de nulidad, de restitución, de cesación, de reparación o de indemnización".

- **Servicio Nacional del Consumidor con Promotora CMR Falabella S.A. (2012): Corte de Apelaciones de Santiago, 15 de marzo de 2013, Recurso de Apelación, Rol n° 176-2012, LTM19.091.629:** "QUINTO: Que el artículo 50 define lo que debe entenderse por acciones de interés colectivo o supraindividual como aquellas que se promueve en defensa de derechos comunes a un conjunto determinado o determinable de consumidores, ligadas a un proveedor por un vínculo contractual (inciso quinto). Por lo anterior, la doctrina les asigna una característica de grupo o clase de personas ligadas por una relación de base con igual contraparte, pero esto no significa que el interés no pertenezca a ninguna persona y que pierda su calidad original de individualidad, porque el sistema jurídico les reconoce una posición preeminente a estos intereses globalmente considerados, unificados en la figura de un interés colectivo, lo que no significa que carezca de relevancia, aisladamente considerado. Son intereses personales homogéneos, perfectamente diferenciados con un origen fáctico común, cuya pluralidad justifica la tutela especial del proceso colectivo que le brinda el ordenamiento legal".

- **Servicio Nacional del Consumidor con Inmobiliaria Las Encinas de Peñalolén S.A. (2014): Corte de Apelaciones de Santiago, 03 de junio de 2014, Recurso de Apelación, Rol n° 8281-2013, LTM19.090.421:** "DECIMOCTAVO: Que en el mismo orden de ideas y al tenor de lo dispuesto en el artículo 50 de la Ley n° 19.496, el concepto central es el del hecho ilícito, el que puede ser considerado desde un doble punto de vista, desde la perspectiva de aspecto contravencional y desde la perspectiva del derecho civil. La citada ley permite acumular al proceso infraccional una cuestión de naturaleza civil, y ello por cuanto un mismo hecho repercute en dos ámbitos del ordenamiento jurídico. De ahí entonces que la responsabilidad civil, en cuanto deber jurídico reparatorio, surge siempre que la conducta humana describe una hipótesis consagrada en la ley. De forma tal, la responsabilidad es una sanción destinada a restaurar el orden jurídico cuando éste se ha alterado como consecuencia de que un sujeto ha dejado de dar cumplimiento a sus obligaciones —responsabilidad contractual— o ha cometido con dolo o culpa una conducta típica y antijurídica. La responsabilidad civil, pretende restaurar el equilibrio originalmente instituido en el ordenamiento jurídico y que se ha quebrantado por el autor del hecho. Desequilibrio que está presente de forma importante en la ley que nos ocupa, dada precisamente las relaciones asimétricas que pueden presentarse en estas materias de consumo".

- **Servicio Nacional del Consumidor con Cencosud Administradora de Tarjetas S.A. (2013): Corte Suprema, 24 de abril de 2013, Recurso de Casación en la Forma, Rol n° 12355-2011, LTM1.902.694, LTM10.739.647: "DECIMOSEGUNDO:** Que el artículo 50 de la Ley 19.496 dispone que el incumplimiento de las normas contedidas en dicha ley dará lugar a 'las acciones' que allí se indican, destinadas a sancionar al proveedor que incurra en infracción, anular las cláusulas abusivas incorporadas en los contratos de adhesión, obtener la prestación de la obligación incumplida, hacer cesar el acto que afecte el ejercicio de los derechos de los consumidores, a obtener la debida indemnización de perjuicios o la reparación que corresponda. Esto significa que no es necesariamente único el objeto del juicio, sino que puede ser diverso, dependiendo de las infracciones cometidas y de las acciones ejercidas, por ello, no puede entenderse que el artículo 26 esté referido a todas estas acciones, sino únicamente a las que derivan estrictamente de la responsabilidad infraccional, es decir las que conllevan infracciones a la ley misma y estén asociadas a sanciones pecuniarias: multas. **DECIMONOVENO:** Que en cuanto a la prescripción, como ya ha sido consignado, el artículo 50 de la Ley 19.496 dispone que el incumplimiento de las normas contenidas en dicha ley dará lugar a 'las acciones' allí indicadas, destinadas a sancionar al proveedor que incurra en infracción, anular las cláusulas abusivas incorporadas en los contratos de adhesión, obtener la prestación de la obligación incumplida, hacer cesar el acto que afecte el ejercicio de los derechos de los consumidores, obtener la debida indemnización de perjuicios o la reparación que corresponda. Esto significa que no es necesariamente único el objeto del juicio; puede ser diverso, dependiendo de las infracciones cometidas y de las acciones ejercitadas; y no puede entenderse que el artículo 26 esté referido a todas estas acciones, sino a las que derivan estrictamente de la responsabilidad infraccional, es decir, las que conllevan infracciones a la ley y estén asociadas a sanciones pecuniarias: multas. En este sentido, no pueden ser consideradas contravencionales las acciones que tienen como presupuesto el incumplimiento del contrato, como las de nulidad, de restitución, de cesación, de reparación o de indemnización".

- **Molina Sandoval, Sergio Eduardo contra Cidef S.A. (2008): Corte Suprema, 06 de octubre de 2008, Recurso de Apelación, Rol nº 3314-2007, LTM11.581.633, LTM6.613.932: "SEXTO: (...)** debe hacerse presente que si bien esta ley (19.496) contempla la posibilidad de perseguir la responsabilidad por incumplimiento, caso en el cual habría de valerse del artículo 3º letra c) y que consiste, en términos generales, en la obligación del proveedor de reparar e indemnizar adecuada y oportunamente al consumidor de los daños materiales y morales en caso de incumplimiento en el caso de autos se ha pretendido una indemnización por el lucro cesante y daño moral, para lo cual ha decidido acogerse al procedimiento ordinario a fin de perseguir la responsabilidad de acuerdo con las normas generales contempladas en el Código Civil y no aquella prevista en la Ley 19.496, empero, aquél ha instado por un procedimiento de lato conocimiento, en el cual, como se adelantó, se habrá de determinar como una asunto de fondo, entre otros, aquél referido a las materias que importan a la excepción planteada".

ARTÍCULO 50 A

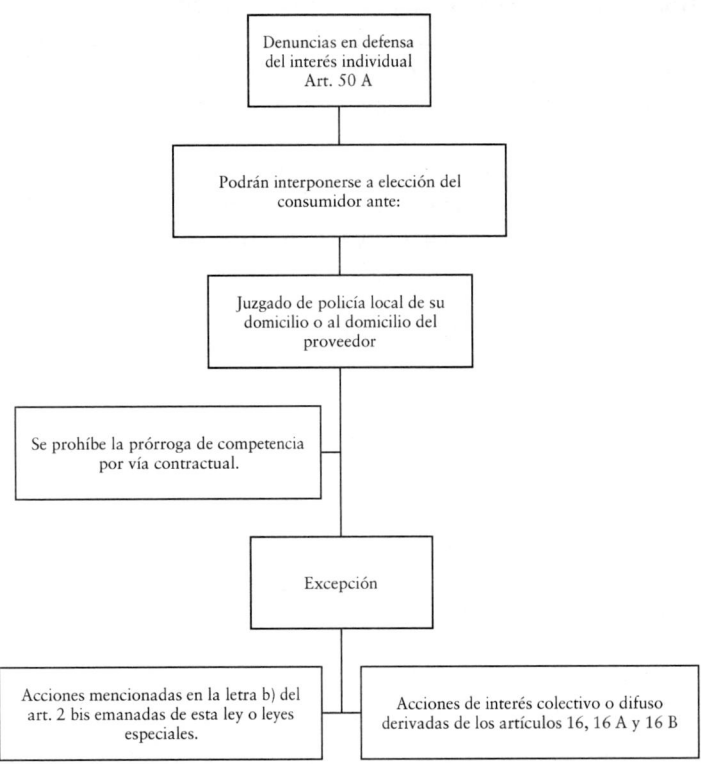

SENTENCIAS SOBRE ARTÍCULO 50 A

- **Sociedad Agrícola y Forestal Vista el Volcán con Coagra S.A. (2017): Corte Suprema, 13 de marzo de 2017, Recurso de Casación en la Forma, Rol nº 30979-2016, LTM16.125.057:** "TERCERO: Que, en consecuencia, al no tener la demandante la calidad de consumidor respecto de los bienes materia de la compraventa de autos, no resulta aplicable el artículo 50 A de la Ley 19.496, por lo que la presente demanda de resolución de contrato basada en el cumplimiento defectuoso de la obligación de entrega de lo comprado no es de competencia de los juzgados de policía local sino de los tribunales ordinarios de justicia, todo lo cual justifica el rechazo del vicio de casación formal que se examina".

- **Claudio Azocar Jiménez y otros con Universidad Tecnológica Metropolitana y otro (2016): Corte Suprema, 04 de enero de 2016, Recurso de Casación en la Forma y en el Fondo, Rol nº 24902-2014, LTM6.556.746, LTM9.584.229:** "DÉCIMO: Que, para el solo efecto de agotar el análisis, incluso de aceptarse que la carga de la prueba únicamente en relación a los hechos que fundamentan la obligación de indemnizar el daño causado por el proveedor a los consumidores al incumplir aquél su deber de entregar una información oportuna y veraz establecido en el artículo 3 letra b), está gobernada por la norma del artículo 1698 del Código Civil, tal supuesta infracción carecería de influencia sustancial en lo dispositivo del fallo en estudio, porque del inciso final del artículo 50 de la Ley nº 19.496 se colige con claridad meridiana, que la carga de la prueba recaída sobre el daño y el vínculo contractual que liga al infractor y a los consumidores afectados, reside siempre en los demandantes y, al no haberse tenido por cierto dicho daño en la especie, el supuesto error en comento carece de relevancia para alterar lo decidido en las instancias".

ARTÍCULO 50 B

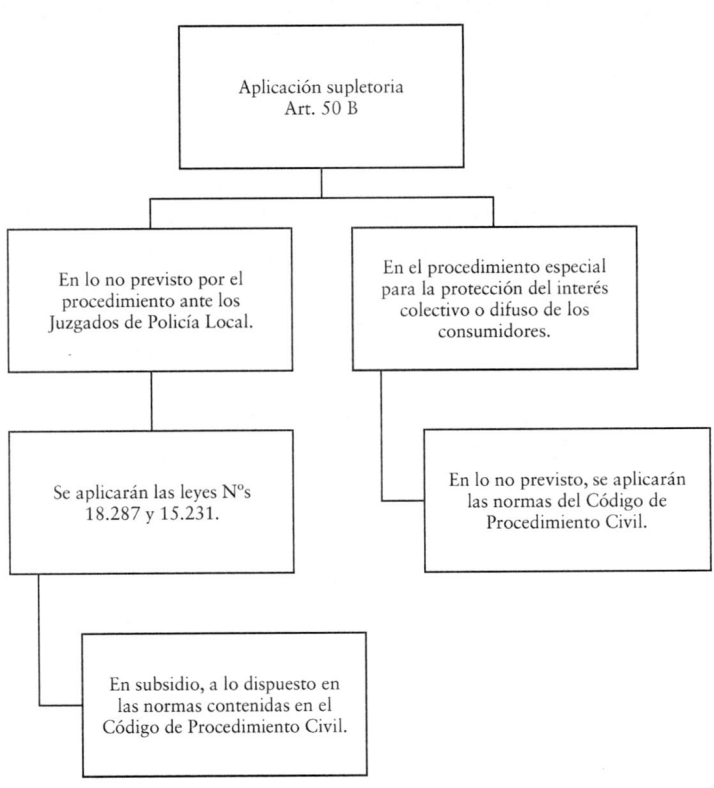

Aplicación supletoria
Art. 50 B

En lo no previsto por el procedimiento ante los Juzgados de Policía Local.

En el procedimiento especial para la protección del interés colectivo o difuso de los consumidores.

Se aplicarán las leyes Nºs 18.287 y 15.231.

En lo no previsto, se aplicarán las normas del Código de Procedimiento Civil.

En subsidio, a lo dispuesto en las normas contenidas en el Código de Procedimiento Civil.

SENTENCIA SOBRE ARTÍCULO 50 B

- **Sociedad Concesionaria Vespucio Norte Express con Juez del Primer Juzgado de Policía Local de Pudahuel (2017): Corte Suprema, 06 de abril de 2017, Recurso de Hecho, Rol n° 46-2017, LTM19.090.430:** "TERCERO: Que, además de lo que esgrime el juez recurrido, argumentos que esta Corte comparte, cabe agregar que el artículo 50 B de la Ley 19.496, establece una clara prelación de las normas supletorias en el procedimiento de infracciones a la Ley de Protección del Consumidor, pues en primer lugar hace aplicables las disposiciones de la ley 18.287 y "en subsidio" se remite a las normas del Código de Procedimiento Civil, de lo que se sigue que si la Ley n° 18.287 contempla una norma que resuelve el punto debatido, no es necesario recurrir al otro cuerpo legal precitado".

- **Carlos Ramos Velásquez con Sociedad Concesionaria Elqui S.A. (2017): Corte de Apelaciones de La Serena, 17 de marzo de 2017, Recurso de Apelación, Rol n° 213-2016, LTM17.224.782:** "CUARTO: (...) Sobre el punto, cabe tener presente que, conforme lo dispone el artículo 50 B de la Ley n° 19.496, en lo no previsto por el Párrafo 1° del Título IV de dicha ley, se estará a lo dispuesto en la Ley n° 18.287, que establece el Procedimiento ante los Juzgados de Policía Local, y sólo en subsidio se aplicarán las normas del Código de Procedimiento Civil. Atendido lo anterior, y en ausencia de norma expresa de la Ley del Consumidor en materia de caducidad de la demanda, deben aplicarse supletoriamente las normas de la Ley 18.287, normativa que regula expresamente tal caducidad en su artículo 9°, disposición que es de aplicación general a todos los casos en que se deduzca demanda civil en un procedimiento que sea de conocimiento del Juzgado de Policía Local y que se rija por la Ley n° 18.287, o por leyes especiales que no tengan señalada una norma especial diversa en esta materia, y no es sólo aplicable a los casos de accidentes de tránsito".

ARTÍCULO 50 C

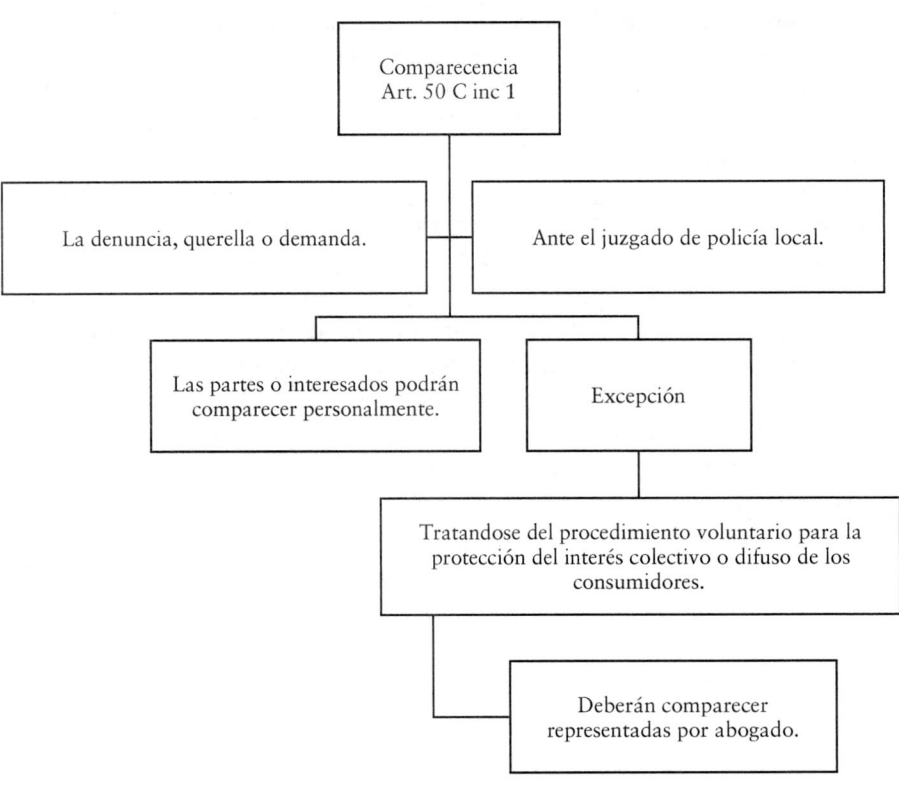

Asistencia judicial Art. 50 C inc 1
En caso que el consumidor no cuente con medios para costear su defensa.

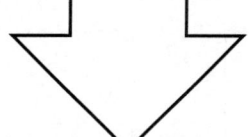

Será asistido por:	
Corporación de Asistencia Judicial.	Cualquier institución pública o privada.

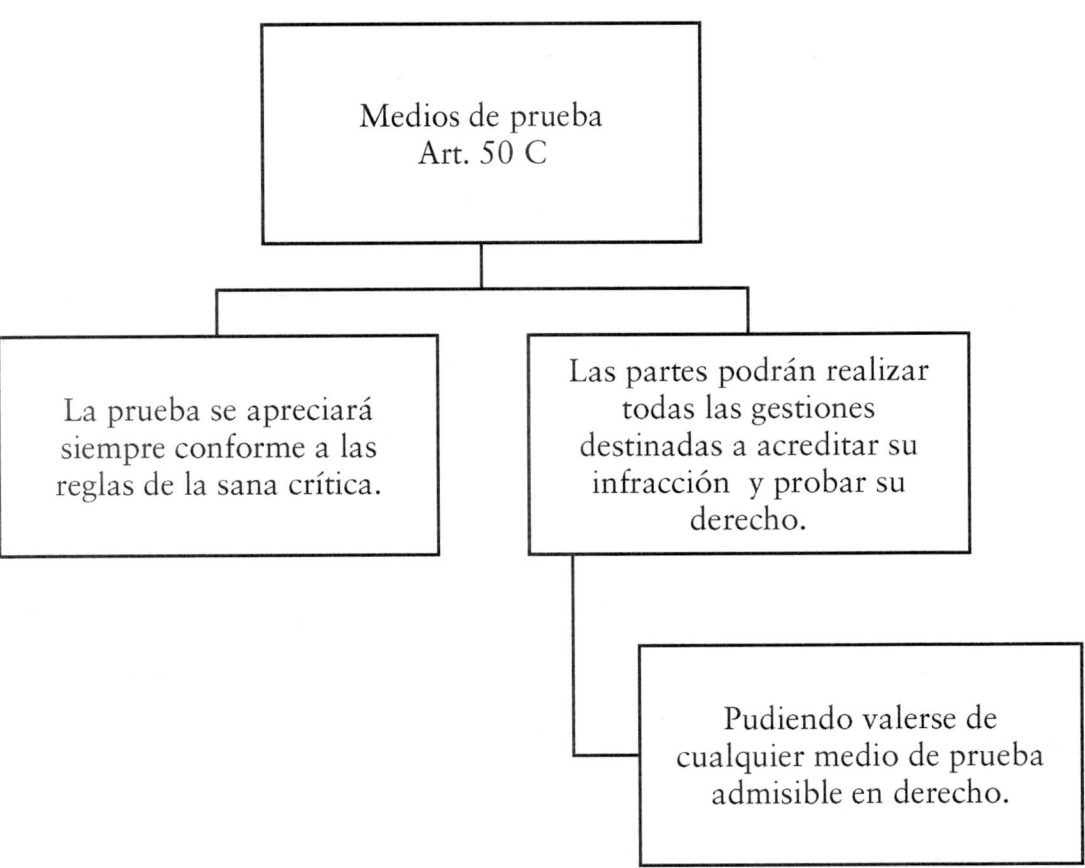

Representación del
proveedor
Art. 50 C inc 3

Presunción:

La persona que ejerce
habitualmente funciones
de dirección o
administración por cuenta
o representación del
proveedor.

ARTÍCULO 50 D

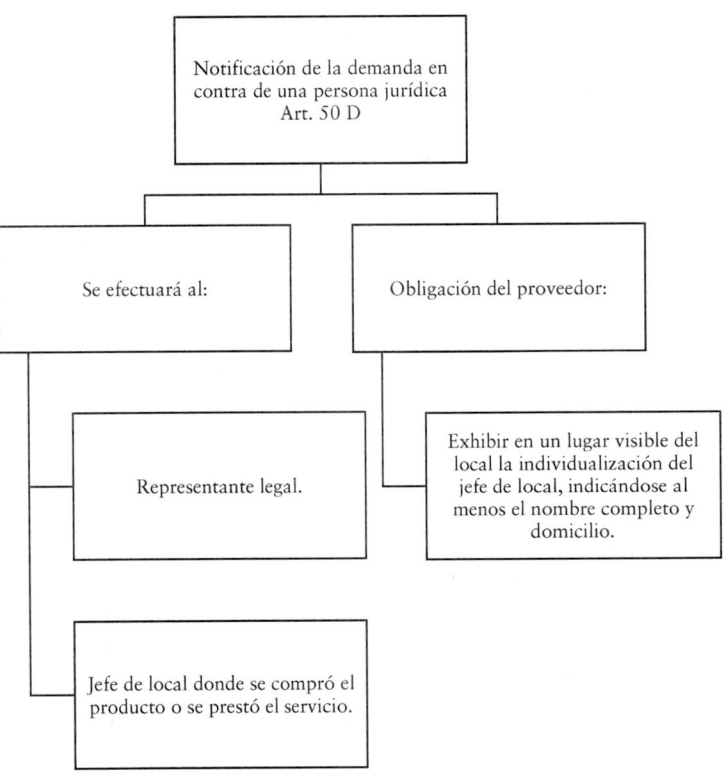

ARTÍCULO 50 E

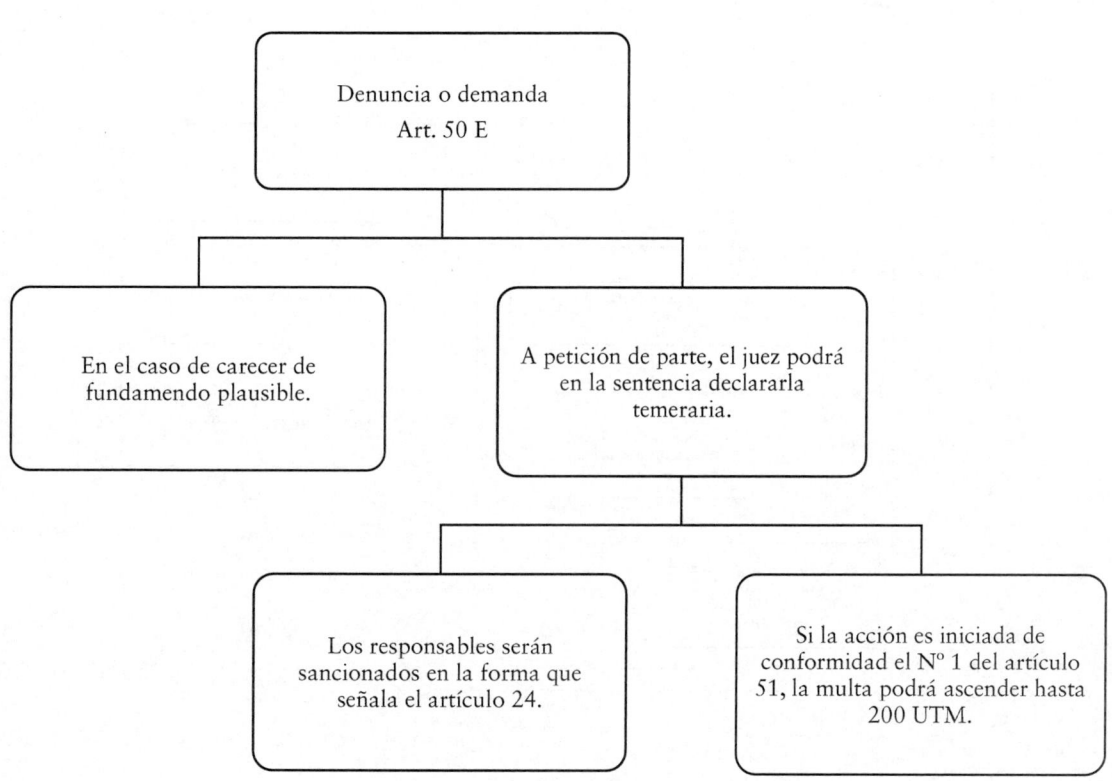

Denuncia o demanda
Art. 50 E

En el caso de carecer de fundamendo plausible.

A petición de parte, el juez podrá en la sentencia declararla temeraria.

Los responsables serán sancionados en la forma que señala el artículo 24.

Si la acción es iniciada de conformidad el Nº 1 del artículo 51, la multa podrá ascender hasta 200 UTM.

ARTÍCULO 50 F

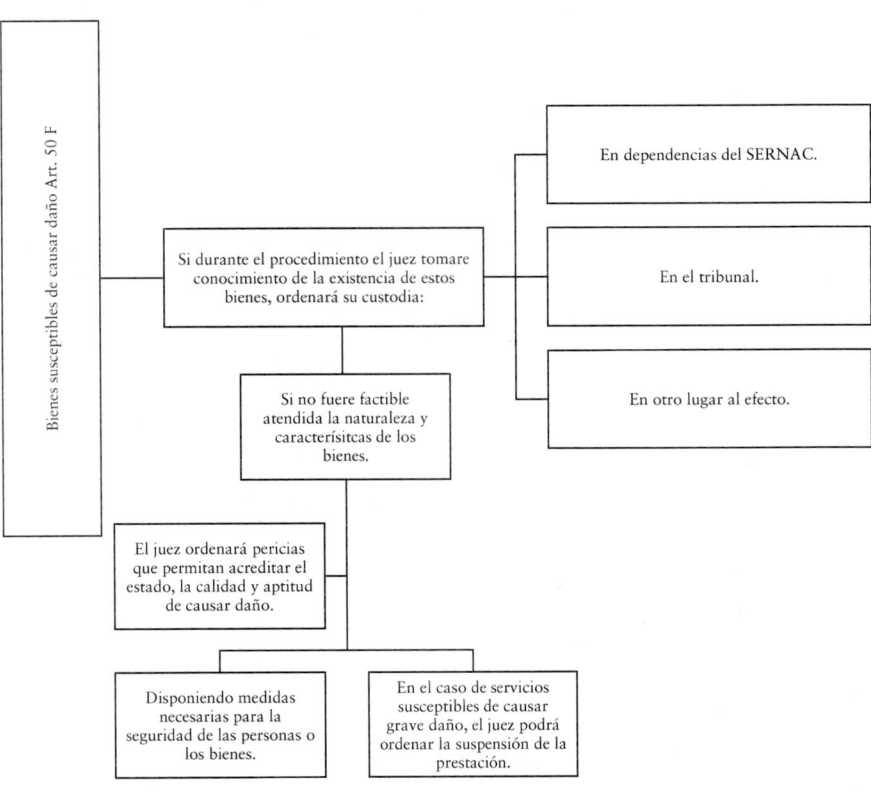

ARTÍCULO 50 G

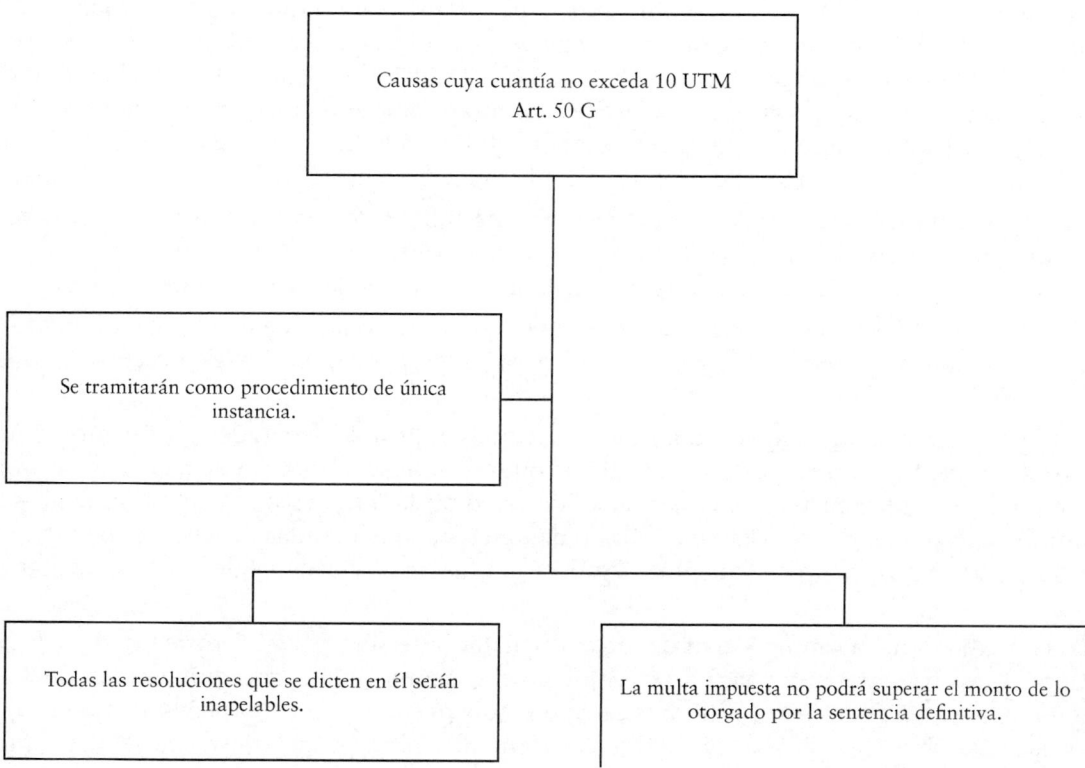

Causas cuya cuantía no exceda 10 UTM
Art. 50 G

Se tramitarán como procedimiento de única instancia.

Todas las resoluciones que se dicten en él serán inapelables.

La multa impuesta no podrá superar el monto de lo otorgado por la sentencia definitiva.

DOCTRINA ARTICULOS 50 A 50 G

- **García, Ramón (2019): "El procedimiento individual de la ley de protección de los derechos de los consumidores a partir de las modificaciones de la Ley no 21.081: otra pieza de un rompecabezas que no termina de encajar", en Juan Ignacio Contardo; Felipe, Fernández y Claudio Fuentes (Coords).** *Litigación en materia de consumidores.* **Santiago: Legal Publishing Chile, pp. 200-208:** "La modificación introducida por la Ley No 21.081 al artículo 50 B, establece un orden de prelación normativo que dispone que en lo no previsto por el procedimiento establecido en el párrafo 2o de su Título IV, se estará a lo dispuesto en la Ley No 18.287 sobre procedimientos ante los JPL y en la Ley No 15.231 de Organización y Atribuciones de los JPL. En subsidio, se aplica supletoriamente el Código de Procedimiento Civil.

  Como se observa, el procedimiento resulta de la articulación y ensamblaje de diversas normativas. Como en una cascada, a falta de solución sobre un aspecto del procedimiento en una normativa se debe recurrir a otra, hasta llegar al cuerpo supletorio general. En esta construcción, los pilares fundamentales lo constituyen la Ley n° 18.287 y el CPC.

  En este contexto aparecen dos grandes complejidades: la dualidad infraccional y civil del procedimiento y la supletoriedad del CPC. Ambas problemáticas se relacionan y convergen para generar un escenario de desencuentro entre estructuras y lógicas procesales.

  En relación con el primer problema, aunque con las modificaciones es posible demandar civilmente sin necesidad de incoar previamente un procedimiento contravencional, consideraciones estratégicas —como ejercer más presión sobre el proveedor y que el actor igualmente se encuentra en la necesidad de acreditar la infracción o incumplimiento— hacen muy probable que en un mismo procedimiento coexistan querellas o denuncias con demandas civiles. La coexistencia de pretensiones infraccionales y civiles en un mismo procedimiento, introduce confusión en el rol que deben desempeñar el juez y las partes. [...]

  En consecuencia, la dualidad infraccional y civil del procedimiento ante JPL y la supletoriedad del CPC, plantea múltiples interrogantes, tanto en los roles del juez y las partes, como en el ensamblaje del procedimiento en diversas materias. Entre otras, ¿es el juez un investigador activo de los hechos de tipo inquisitivo, como en el procedimiento penal vigente a la época de la dictación de las Leyes No 18.287 y No 15.231, o más bien, un árbitro pasivo que resuelve una contienda entre partes, cercano al modelo adversarial del sistema procesal penal actual? ¿Es aplicable la carga de la prueba si el juez tiene la obligación de investigar e importantes potestades probatorias de oficio? ¿Quién debe impulsar el proceso? ¿Puede un proceso terminar en archivo por inactividad de las partes? ¿Cuáles son los límites de las facultades que la Ley No 18.287 confiere a los jueces en la investigación de los hechos? ¿Hay diferencias en el rol del juez cuando se ejercen conjuntamente pretensiones infraccionales junto con civiles? ¿Qué efectos tiene en lo contravencional, la conciliación de las partes en lo civil? ¿Cómo se rinde la prueba si la Ley No 18.287 no contiene normas sobre ello? ¿Qué diferencias en facultades y cargas tiene el denunciante en comparación con el querellante?

Como se aprecia, el juez está inmerso en un escenario bastante complejo.

Si aplica la supletoriedad del CPC, como lo ordena el artículo 50 B, se encontrará con soluciones contradictorias o imposibles de articular. Si no la aplica, será el juez quien terminará decidiendo discrecionalmente cómo llenar el vacío normativo.

En la práctica de los JPL no todos los jueces aplican la supletoriedad del mismo modo. Por este motivo, muchos litigantes tienen la imagen de que cada juez de Policía Local aplica su propio procedimiento.

La complejidad identificada en esta sección emergerá frecuentemente en las secciones siguientes y nos servirá de telón de fondo para comprender cómo se insertan las modificaciones de la Ley No 21.081 en la estructura del procedimiento. [...]

2. *Competencia*

El proyecto original proponía que las infracciones fueran conocidas por el Sernac y las indemnizaciones por los Juzgados civiles, lo que en definitiva no prosperó. La Ley No 21.081 estableció en el artículo 50 A que las *denuncias* en defensa del interés individual podrán interponerse, a elección del consumidor, ante el JPL correspondiente a su domicilio o al domicilio del proveedor, prohibiendo expresamente la posibilidad de una prórroga convencional de la competencia. Además, los artículos 50 H y 50 I, establecen la misma regla de competencia respecto de las *acciones* en que los consumidores, a título individual, ejerzan una acción de indemnización de perjuicios y/o infraccional en contra del proveedor. Esta modificación, que busca facilitar el acceso a la justicia, alterará la actual concentración de causas de protección al consumidor en los grandes centros urbanos, generando una redistribución hacia JPL que tradicionalmente no conocían de estos asuntos. También, en el tiempo es posible que con esta modificación se generen las condiciones para que los litigantes busquen ejercer sus pretensiones en el Tribunal que identifiquen como más favorable para el consumidor, generando lo que la doctrina comparada conoce como *forum shopping. [...]*

3. Importancia de la cuantía

La Ley n° 21.081 contiene dos normas contradictorias en orden a establecer procedimientos de única instancia en razón de la cuantía. Así, mientras el artículo 50 G dispone que se tramitarán como procedimiento de única instancia las causas cuya cuantía, de acuerdo al monto de lo pedido, no exceda de diez (10) UTM, el inciso final del artículo 50 H indica una cuantía de veinticinco (25) UTM. [...]

Por un lado, el artículo 50 G se refiere a las causas cuya cuantía "de acuerdo al monto de lo pedido" no exceda de 10 UTM y que la multa impuesta no puede superar el "monto de lo otorgado" por la sentencia definitiva. Por el otro, el artículo 50 H indica que, para la determinación de la cuantía, no se debe considerar el monto de la multa aplicable. Sin embargo, esta norma es confusa ya que dispone que la cuantía se determinará de acuerdo al monto de lo "denunciado" o demandado, es decir, se pone en la situación que un procedimiento pueda iniciarse por una denuncia, donde la única cuantía posible es la de la multa probable, o sea, el mismo criterio que excluye. Finalmente, el artículo 50 H también señala que las causas que versen sobre materias que no tienen una determinada apreciación pecuniaria, se considerarán para estos efectos de cuantía superior a 25 UTM. [...]".

- Walker, Nathalie (2021): "Artículo 50 A", en Iñigo De La Maza; Carlos Pizarro y Francisca Barrientos (Dirs.) *La protección de los Derechos de los consumidores. Comentarios a la ley de protección a los derechos de los consumidores* Santiago: Editorial Thomson Reuters (en prensa): "Tal como indicó el profesor Gonzalo Cortez Matcovich, en la primera versión de esta obra, el art. 50 A es una disposición de carácter general que comprende dos reglas, una de competencia absoluta y otra de competencia relativa. La regla de competencia absoluta permite determinar la clase de tribunal llamado a conocer del asunto, mientras que la regla de competencia relativa permite determinar el territorio jurisdiccional en donde funciona el tribunal perteneciente a esa clase o categoría.

  Se trata de un artículo de carácter sustantivo que, en sus dos incisos, delimita las competencias de los órganos jurisdiccionales que intervienen en los procedimientos en defensa del interés individual, colectivo y difuso de los consumidores.

La redacción del inciso primero del art. 50 A otorga al consumidor la posibilidad de interponer, en general, las acciones de interés individual ante un solo tipo de juzgados: los Juzgados de Policía local. Esta opción legislativa se sustentó, no sin presencia de detractores, en la necesidad de facilitar el acceso a la justicia de los consumidores.

Hasta aquí, el art. 50 A explicita la regla de competencia absoluta: la clase de tribunal que conocerá las acciones que protejan el interés individual de los consumidores será, por regla general, el Juzgado de Policía Local. Las excepciones a esta regla —casos en que la ley otorga competencia a los tribunales ordinarios de justicia— están dadas en el inciso 2º del art. 50 A, pero no formarán parte de este comentario y de ellas se hará cargo otro especialista.

La regla de competencia relativa, en tanto, señala que las denuncias (entiéndase, en términos procesales, acciones) que afecten el interés individual de los consumidores, podrán ser presentadas, a elección del consumidor, ante el juzgado de policía local correspondiente a su domicilio o al domicilio del proveedor. Son acciones de interés individual, tal como indica el art. 50 inciso 4º de la Ley 19.496, "las acciones que se promueven exclusivamente en defensa de los derechos del consumidor afectado". [...]

Con la vigencia plena de las modificaciones introducidas por la Ley 21.081, la competencia territorial de los Juzgados de Policía local se simplifica, puesto que atiende sólo a un elemento atributivo de competencia: el domicilio. Ello, sin dejar de otorgar un margen de actuación importante al consumidor, puesto que le es posible escoger, a su solo arbitrio, el juzgado de su propio domicilio o el del domicilio del proveedor.

Una importante modificación introducida al texto del art. 50 por la Ley 21.081, es la prohibición expresa de la prórroga de la competencia por vía contractual. Es cierto que las dudas en torno a la viabilidad de prorrogar la competencia relativa por medio de un contrato ya habían sido disipadas en gran medida por la doctrina nacional, siempre es aconsejable que sea la ley quien resuelva o se pronuncie sobre situaciones dudosas. En efecto, la doctrina ya se había pronunciado en torno a la prohibición —antaño tácita— de prorrogar la competencia relativa por contrato. Cortez Matcovich, por ejemplo, señalaba que, a la conclusión de que no es posible prorrogar la competencia, se podía llegar por dos vías diferentes: una primera vía implicaba afirmar que la Ley de Protección a los Derechos de los Consumidores ha establecido normas especiales, que excluyen las generales del Código Orgánico de tribunales, entre las que se encuentran, por cierto, las que establecen la posibilidad de prorrogar la competencia. Una segunda vía era el propio texto del art. 182 del Código Orgánico de Tribunales, que señala que '*La prórroga de la competencia sólo procede en primera instancia, entre tribunales ordinarios de igual jerarquía y respecto de negocios contenciosos civiles*'. Precisamente, los Juzgados de Policía Local pertenecen a la categoría de tribunales especiales, por consiguiente, no es admisible la prórroga de competencia respecto de ellos".

- **Carrasco, Jaime (2021): "Artículo 50 B", en Iñigo De La Maza; Carlos Pizarro (Dirs.) y Francisca Barrientos (coord.) La protección de los Derechos de los consumidores. Comentarios a la ley de protección a los derechos de los consumidores Santiago: Editorial Thomson Reuters (en prensa):** "El actual artículo 50 B complementó la versión anterior introducida por la Ley nº 19.955, toda vez que no sólo se remite a la aplicación supletoria de la Ley nº 18.287 que regula el procedimiento ante los Juzgados de Policía Local sino que, además, incorporó la supletoriedad de la Ley nº 15.231 a las controversias que se substancien de acuerdo al párrafo 2º , del Título IV, de la Ley de Protección de los Derechos de los Consumidores (en adelante LPDC).

En otras palabras, la versión anterior del artículo que se comenta sólo hacía referencia a la supletoriedad de la Ley nº 18.287 pero no mencionaba la Ley nº 15.231, sobre Organización y Atribuciones de los Juzgados de Policía Local. […]

La segunda parte del artículo 50 B indica que en lo no previsto en el párrafo 3º del título IV de la LPDC se estará a lo dispuesto en el Código de Procedimiento Civil.

El párrafo 3º , del Título IV, regula el Procedimiento Especial para Protección del Interés Colectivo o Difuso de los Consumidores.

De esta manera, el actual artículo 50 B también establece la supletoriedad directa de las normas del Código de Procedimiento Civil al procedimiento de interés colectivo o difuso. Con anterioridad a la Ley nº 21.081 no se contenía una mención expresa respecto al carácter supletorio del Código de Procedimiento Civil en los procedimientos en los que se discuten intereses colectivos o difusos. La ley sólo en ciertas ocasiones se remitía al referido Código.

Con todo, no cabe duda que en virtud de lo dispuesto en el artículo 3 del Código de Procedimiento Civil, el procedimiento ordinario se aplica en todos aquellos casos en que un trámite o actuación señalado en una ley especial no tenga una reglamentación particular. Sin embargo, la remisión que hace el artículo 50 B es a toda la normativa contenida en el Código de Procedimiento Civil, llenando este último cualquier vacío que pueda haber dejado la regulación de los procedimientos especiales de los párrafos 1° y 3°, del Título IV, de la Ley 19.496. Esto se apreciará especialmente en diversas materias como, entre otras, las facultades del procurador común, en el régimen de notificaciones, en los incidentes, en la institución de la nulidad procesal, en los requisitos de la demanda, en la rebeldía del demandado y sus efectos, en la aplicación de los medios de prueba, en las medidas precautorias, en el recurso de apelación y casación, en la ejecución de la sentencia, etc".

PÁRRAFO 2º. DEL PROCEDIMIENTO ANTE LOS JUZGADOS DE POLICÍA LOCAL

ARTÍCULO 50 H

Conocimiento de la acción indedemnizatoria
Art. 50 H

Corresponderá a los juzgados de policía local.

Domicilio del consumidor o del proveedor:

- A elección del consumidor.
- Sin que sea admisible la prórroga de competencia.

Procedimiento ante los Juzgados de Policía Local Art. 50 H	Aplicación	Acción individual para obtener indemnización de perjuicios	Responsabilidad contravencional del proveedor Art. 50 I
	Inicio	Demanda del consumidor	Deberá presentarse por escrito
	Notificación	Cuando no resulte posible practicar la primera notificación personalmente por no ser habida la persona.	Se podrá notificar en el mismo acto y sin necesidad de nueva orden • Requisito: • Ministro de fe deje constancia de cuál es su habitación o el lugar donde habitualmente ejerce su industria, profesión o empleo • Se encuentre en el lugar del juicio • El ministro de fe dará aviso de esta notificación a ambas partes el mismo día en que se efectúe o a más tardar el día hábil siguiente, dirigiéndoles carta certificada. La omisión en el envío de la carta no invalidará la notificacion, pero hará responsable al infractor de los daños y perjuicios que se originen.
	Reconvención	No será admisible la reconvención del proveedor demandado	
	Excepciones	Las excepciones se tramitarán conjuntamente y se fallarán en la sentencia definitiva	

Procedimiento ante los Juzgados de Policía Local Art. 50 H (Continuación)	Comparendo y prueba	Las partes podrán realizar todas las gestiones procesales para acreditar la infracción y probar su derecho, incluidas la presentación y el examen de testigos, cuya lista podrá presentarse hasta el inicio de la audiencia de contestación, conciliación y prueba.	El tribunal podrá distribuir la carga de la prueba conforme a la disponibilidad y facilidad probatoria que posea cada una de las partes en el litigio: • Se comunicará a cada parte para que asuman las consecuencias que pueda generar la ausencia o insuficiencia de material probatorio que hayan debido aportar o el no rendir prueba correspondiente de que dispongan en su poder. • Para efectos de rendir esta prueba el juez citará a una nueva audiencia con ese único fin.
	Incidentes	Los incidentes deberán promoverse y tramitarse en la misma audiencia, conjuntamente con la cuestión principal y paralizar su curso, cualquiera sea la naturaleza de la cuestión que en ellos se plantee.	
	Sentencia	El tribunal deberá dictar sentencia definitiva dentro de los 30 días siguientes a la última audiencia, a menos que exista un plazo pendiente para realizar diligencias.	
	Cuantía	En causas cuya cuantía no exceda las 25 UTM se tramitarán como procedimiento de única instancia.	Todas las resoluciones que se dicten serán inapelables. La cuantía se determinará de acuerdo al monto denunciado o demandado por el consumidor.

DOCTRINA SOBRE EL PROCEDIMIENTO ANTE LOS JUZGADOS DE POLICÍA LOCAL

* **García, Ramón (2019):** "El procedimiento individual de la ley de protección de los derechos de los consumidores a partir de las modificaciones de la Ley no 21.081: otra pieza de un rompecabezas que no termina de encajar", en **Juan Ignacio Contardo; Felipe, Fernández y Claudio Fuentes (Coords).** *Litigación en materia de consumidores.* **Santiago: Legal Publishing Chile, pp. 210-217:** "*5. Notificación especial*

El artículo 50 H modificado por la Ley No 21.081, dispone que en los casos en que no resulte posible practicar la primera notificación personalmente, por no ser habida la persona a quien se debe notificar, el ministro de fe encargado de la diligencia debe dejar constancia de cuál es la habitación o el lugar donde habitualmente ejerce su industria, profesión o empleo y que el notificado se encuentra en el lugar del juicio. En tal caso, se procederá a su notificación en el mismo acto y sin necesidad de nueva orden del tribunal, en la forma señalada en los incisos segundo y tercero del artículo 44 del CPC.

Esta norma, a diferencia de los artículos 44 del CPC y 80 de la Ley No 18.287, exige sólo una búsqueda y no dos. Esta simplificación, a mi juicio, se justifica porque los proveedores normalmente disponen de oficinas, locales o establecimientos donde ejercen su actividad, y personal para la atención público en los horarios habituales de funcionamiento comercial.

En suma, esta norma facilita, agiliza y reduce costos para el consumidor, por lo que se ha cuestionado que se someta a un régimen de aplicación gradual en el tiempo. [...]

7. Derechos procesales de los litigantes

El inciso segundo del artículo 50 C modificado por la Ley No 21.081, dispone que "las partes podrán realizar todas las gestiones destinadas a acreditar la infracción y a probar su derecho, pudiendo valerse de cualquier medio de prueba admisible en derecho". Curiosamente esta disposición se repite casi textualmente en el artículo 50 H inciso cuarto.

Una cuestión importante es que estas normas eliminan la expresión "tacha" que contenía el artículo 50 C de la Ley No 19.496. [...]

Con la supresión de la expresión "tacha", aparece un nuevo argumento para justificar su improcedencia. Con todo, la ley pudo haber sido más clara, expresando, por ejemplo, que "no existirán testigos inhábiles", eliminando toda duda derivada de la supletoriedad del CPC y de la idea de unidad en la valoración de la prueba en el ámbito civil.

8. Cargas probatorias dinamicas [...]

Lo relevante del artículo 50 H es que introduce formal y normativamente la carga dinámica de la prueba en los procedimientos de protección al consumidor y con ello, el instituto ha pasado a formar parte del ordenamiento jurídico nacional, pese a que estas ideas ya habían sido recogidas por alguna jurisprudencia.

Con todo, resulta que esta institución aterriza precisamente en el terreno de los procedimientos ante los JPL, lo que agudiza los problemas propios de la incorporación de un mecanismo novedoso. En efecto, a la falta de experiencia en su uso, las dificultades teóricas y prácticas que plantea, se suman las complejidades procesales propias de los JPL.

A continuación, identificaremos y problematizaremos algunas cuestiones teórico-prácticas que plantea la introducción de la carga probatoria dinámica en el procedimiento ante los JPL.

Una primera cuestión dice relación con la forma como se activará la dinamización. Estimo que la dinamización se activará fundamentalmente a petición de parte y muy excepcionalmente, de oficio por el tribunal. En efecto, una buena parte de los Jueces de Policía Local, por razones culturales, tales como la influyente imagen del juez civil y la formación procesal general, operan con una lógica de pasividad. Este contexto hace más probable que los jueces se inhiban de utilizar este mecanismo de oficio, estimando que puede afectar su imparcialidad. A estas consideraciones se suman las complicaciones y exigencias de trabajo que supone su operación práctica, según se verá un poco más adelante.

No obstante, la posibilidad de este escenario presenta otro argumento práctico más poderoso. En efecto, como no es legalmente necesario ofrecer las pruebas conjuntamente con la demanda o querella, resulta que el juez no está en condiciones para deducir que el actor carece de prueba sobre un hecho que afirma, a menos que el mismo se lo haga saber, sea en estos escritos, como suponemos, o después, hasta la audiencia de contestación y prueba, etapa que marca la preclusión de este instrumento procesal.

Esta primera cuestión resulta ser relevante, pues, a partir de ello, aparece un segundo problema, esto es, si constituye una mera facultad del juez, o bien, una regla que debe aplicarse cuando concurren los supuestos legales. El artículo 50 H señala que "el tribunal podrá", lo que parece entregar una facultad —mera potestad— para el juez. Sin embargo, estimo que la dinamización terminará siendo entendida como una cuestión de derechos de los litigantes, ya que si una solicitud de este tipo cumple claramente con la hipótesis normativa, el juez no podría dejar de aplicarla por mero capricho.

Estas discusiones generan una tercera cuestión, también vinculada a las anteriores, esto es, si es posible discutir la disponibilidad o facilidad probatoria.

En la práctica esto probablemente será lo habitual. El demandado alegará no poseer o no estar en condiciones de mayor facilidad para rendir la prueba cuya dinamización se solicita. No debe olvidarse que ampliados significativamente los plazos de prescripción, el proveedor puede verse obligado a mantener videos, registros y documentos por varios años, ya que, en el futuro, puede ser obligado a presentarlos, en razón de la dinamización.

Entendemos que para resolver este asunto debería operar un criterio de normalidad, según el cual, el proveedor debería disponer los medios de prueba cuando ello sea de sentido común, por ejemplo, que el proveedor disponga del video de las cámaras de seguridad o el Banco el registro de las transacciones. No obstante, esto no siempre será tan evidente. Si las partes sostienen versiones contradictorias y ha transcurrido un tiempo considerable desde que ocurrió el hecho, no es claro cómo debe resolver el tribunal, si esta incidencia puede ser objeto de prueba o incluso, si su decisión puede generar una cuestión que sea llevada hasta la apelación de la sentencia definitiva o incluso, al terreno del recurso de queja".

- **Larroucau, Jorge (2019). "La prueba en los procedimientos judiciales de consumo", en María Elisa Morales (Dir.) y Pamela Mendoza (Coord.), *Derecho del Consumo: Ley, doctrina y jurisprudencia*. Santiago: Der Ediciones. pp. 209-232, p. 223:** "Carga de la prueba: (…) Por lo tanto, cuando la reforma de 2018 incluyó una hipótesis de inversión judicial de la carga de la prueba en los procedimientos ante los Juzgados de Policía Local, la LPC comenzó a alinearse con lo que en la experiencia comparada constituye una regla general. La fórmula empleada en el caso de estos juicios que el consumidor plantea en forma individual señala que el Juez de Policía Local puede "distribuir la carga de la prueba conforme a la disponibilidad y facilidad probatoria que posea cada una de las partes en el litigio, lo que comunicará a ellas para que asuman las consecuencias que les pueda generar la ausencia o insuficiencia de material probatorio que hayan debido aportar o el no rendir la prueba correspondiente de que dispongan en su poder. Para efectos de rendir la prueba ordenada conforme a este inciso, el juez citará a una nueva audiencia con ese único fin, la que deberá ser citada a la brevedad posible" (art. 50 H inciso 5, Ley n° 19.496 reformado por Ley n° 21.081)".

- **Carrasco, Jaime y Contardo, Juan Ignacio (2019): "Entrada en vigencia de la ley no 21.081" en Juan Ignacio Contardo; Felipe, Fernández y Claudio Fuentes (Coords). Litigación en materia de consumidores. Santiago: Legal Publishing Chile, pp.**

45-48: "Aun cuando el procedimiento de interés individual seguido ante los Jueces de Policía Local quedó regulado en un párrafo especial (párrafo 2o, título IV, nuevo artículo 50 H y siguientes), lo cierto es que sigue aplicándose más menos con las mismas normas que antes de la reforma.

Tal como se sabe, las normas procesales comienzan rigiendo *in actum*, por regla general. Pero hay dos instituciones que tendrán entrada en vigencia escalonada. Las que no tienen justificación.

La primera, es la notificación especial prevenida en el artículo 50 H a esa misma fecha (14 de marzo de 2019), que facilita y abarata los gastos del procedimiento para el consumidor.

La segunda, es la denominada "carga dinámica de la prueba", establecida en el inciso quinto del mismo artículo 50 H. Podrá ser utilizada sólo en las partes del territorio en que la ley haya adquirido vigencia, pero no en las restantes: no hay justificación para esta entrada en vigencia diferida en el territorio de esta reforma procesal. Más incluso. En conformidad con el artículo segundo transitorio, los procedimientos iniciados antes de la entrada en vigencia de la ley seguirán tramitándose conforme a sus normas hasta su finalización. Esto quiere decir que en los juicios que se inicien en la Región Metropolitana hasta antes del 13 de septiembre de 2020 no podrá aplicarse la "carga dinámica de la prueba".

Sin embargo, la introducción de la carga dinámica de la prueba genera algunas dudas, y aunque no hay justificación para que entre en vigencia escalonada, inciso primero, desde el plano de su aplicación territorial en el país, inciso primero, sí ayudará este plazo a pensar bien sobre la aplicación práctica de la institución.

En resumidas cuentas, la "carga dinámica de la prueba" consiste en que el juez de Policía Local puede distribuir la carga de la prueba dependiendo de la facilidad y disponibilidad de las pruebas que tengan las partes, avisando previamente a las partes de las consecuencias de su no aportación en el juicio. Esta distribución de la carga de la prueba debe realizarse en el mismo comparendo de contestación, conciliación y prueba, y la prueba que corresponda rendirse de acuerdo a la nueva distribución del *onus probandi* o redistribución de la carga legal (artículos 1698 y 1547 del Código Civil), se rendirá en una audiencia especial que tendrá lugar en el plazo más breve posible.

La norma deja varias dudas sobre su aplicación práctica. Esbozaremos algunas.

1o. Si la carga dinámica invierte las reglas legales del *onus probandi* imponiendo a la parte que puede fácilmente probar un hecho, entonces ¿cómo determina el juez quién tiene la complejidad de aportar la prueba y cómo establece a quién le resulta más fácil aportar la prueba? Esta situación, de aplicarse la carga probatoria dinámica, debe ser simultánea, es decir, deberá considerarse tanto la facilidad de una parte como la complejidad de la otra. ¿Cómo se determinan tales circunstancias?; ¿Cómo puede saber el juez quién tiene mejores condiciones de probar? ¿Está sujeta a prueba la disponibilidad y facilidad probatoria?

2o. ¿La aplicación de esta institución será general o excepcional? La norma sólo se limita a señalar que el juez, en caso de aplicar la disposición, debe comunicarlo a las partes con la debida antelación, pero no se refiere a cuáles son las condiciones que deben existir en virtud de las cuales a la parte que no le correspondía probar ahora deberá hacerlo. No hay criterios objetivos para hacer este análisis por lo que ello quedará a la prudencia del juez. La norma tampoco señala si el juez deberá justificar o dar razones para imponer la carga a quien en principio no le correspondía de acuerdo a las reglas generales.

3o. ¿Se trata de una facultad de oficio o también podrá ejercerse a petición de parte? La norma prescribe que "En el aludido comparendo, el tribunal podrá distribuir la carga de la prueba...". El espíritu de toda la reforma de la Ley No 21.081, en especial en materia de "juicios colectivos", ha sido otorgar un carácter más activo a los jueces, pero la duda se mantiene en este caso.

4o. ¿Se hace necesario que el JPL reciba la causa a prueba para redistribuir la carga de la prueba? Es posible evidenciar que en los juicios seguidos en la Justicia de Policía Local no siempre se recibe la causa a prueba. La omisión se justifica en los procedimientos infraccionales de accidentes del tránsito en que el contradictorio es limitadísimo, pero no necesariamente en los de protección al consumidor. Por esta razón, es dudoso si para alterar la carga los JPL deben previamente recibir la causa a prueba y luego redistribuirla o si lo harán directamente al recibir la causa a prueba.

5o. ¿En qué momento preciso del comparendo debe el juez aplicar la distribución o redistribución de la carga? ¿Antes, durante o después de rendida la prueba? Parece claro que la distribución o redistribución debe efectuarse antes de rendirse la prueba. Pero, la observación de la facilidad y disponibilidad probatoria se realiza ¿antes de rendirse el resto de la prueba, especialmente testimonial, o puede tener lugar después de rendirse parte de la prueba? Podría suceder que el juez quisiese esperar la rendición de las pruebas o de parte de ella para observar si realmente habrá o no ausencia probatoria relevante para resolver el pleito y así evitar una audiencia innecesaria. Sin embargo, como el juez debería, primero, recibir la causa a prueba, entonces, será en ese momento o en uno posterior pero antes de la rendición de la prueba cuando debe distribuir la carga. Resulta discutible afirmar que el juez puede redistribuir la carga de la prueba una vez que ésta comenzó a rendirse, porque se perdería la seguridad jurídica que requieren los litigantes y podría afectar, además, el derecho a la prueba e infringir el debido proceso.

6o. ¿Qué es lo que se distribuye? ¿puntos de prueba o medios precisos de prueba? Nuestra impresión es que lo que se distribuye son los hechos sustanciales, pertinentes y controvertidos fijados por el tribunal, imponiendo a una parte la carga de probar un hecho que antes no le correspondía probar.

Cada parte tendrá la carga, entonces, de aportar las pruebas conducentes a probar los hechos indicados en los puntos de prueba y en caso de no hacerlo la carga de la prueba constituirá una regla de juicio.

7o. ¿Puede el tribunal exigir la rendición de determinados medios de prueba? Esto, quizás, es el punto más sensible, sobre todo tratándose de la prueba documental que tiene a su haber el proveedor. Como en materia de litigación ante los Juzgados de Policía Local no existe una norma equivalente al nuevo artículo 51 inciso final que le otorga al juez la facultad de exigirle al proveedor que aporte determinada prueba documental en los juicios de interés colectivo y difuso, parece discutible que se pueda extender esta facultad a los Jueces de Policía Local, pues el artículo 50 H inciso quinto sólo permite la facultad de redistribuir el *onus probandi*, nada más.

En suma, tal como se puede observar, la introducción de la carga dinámica de la prueba exige cuestionarse varias cosas, e incluso es posible pensar en otras más. Sería conveniente que existan consensos previos al interior de la Justicia de Policía Local, sobre todo impulsados por el Instituto de Jueces de Policía Local, para que esta reforma tenga una aplicación uniforme en el país. Queda tiempo, en todo caso, para pensar cómo debe implementarse".

- **Vargas, Macarena (2019): "Mecanismos alternativos y consumo. Análisis de la nueva ley de protección de los derechos de los consumidores", en Juan Ignacio Contardo; Felipe, Fernández y Claudio Fuentes (Coords).** *Litigación en materia de consumidores*. **Santiago: Legal Publishing Chile, pp. 157-158:** "De acuerdo a la nueva ley, este procedimiento tiene por objetivo obtener "… la debida indemnización de los perjuicios…" que tuviere lugar por infracción a la LPDC (artículo 50 H).

Previo a la entrada en vigencia de la Ley No 21.081 este tipo de asuntos era de competencia del juez de Policía Local (a) del lugar donde se hubiere celebrado el contrato de consumo, (b) donde se hubiere cometido la infracción o (c) donde se haya dado inicio a su ejecución, a elección del consumidor. La nueva ley modifica esta regla y otorga competencia al Juzgado del domicilio del consumidor o del proveedor, a elección del primero (artículo 50 H).

El procedimiento se inicia por una demanda escrita contra del proveedor, a quien se notificará personalmente o conforme a lo dispuesto en el artículo 44 del Código de Procedimiento Civil, pero en este caso dicha notificación se realiza en el mismo acto y sin necesidad de una nueva orden judicial.

Las partes son citadas a una audiencia de contestación, conciliación y prueba. Allí, en primer término, el demandado presentará sus excepciones, las que se tramitarán conjuntamente y se fallarán en la sentencia definitiva. En este procedimiento no es admisible la reconvención del proveedor. Luego, el juez llamará a las partes a conciliación. Si no hay acuerdo, se rendirá la prueba, pudiendo éstas solicitar las diligencias probatorias que estimen convenientes. En el caso de la prueba testimonial, las partes deberán acompañar la lista de testigos al inicio de la audiencia.

Como se observa, en términos generales, el procedimiento ante los Juzgados de Policía Local tiene la estructura de un procedimiento civil tradicional y, en particular, es muy similar al que se aplica en la actualidad de acuerdo a la Ley No 18.287 que establece los procedimientos ante dichos tribunales.

Sin embargo, desde el punto de vista de la conciliación, la nueva normativa se limita a señalar las funciones de la audiencia (contestación, conciliación y prueba), sin referirse a otros aspectos que sí se regulan en la Ley No 18.287 o en el Código de Procedimiento Civil para el procedimiento ordinario de mayor cuantía. En efecto, nada dice sobre la facultad del juez de llamar a las partes a conciliación durante el curso del proceso; a la posibilidad del juez de dar opiniones sin que eso lo inhabilite para seguir conociendo de la causa o respecto de la obligación de levantar un acta si se llega a un acuerdo total o parcial ni sobre su mérito ejecutivo.

Todo indica que debiera aplicarse la normativa antes señalada en forma supletoria, de modo de mantener la coherencia del sistema".

PÁRRAFO 3º. DEL PROCEDIMIENTO ESPECIAL PARA PROTECCIÓN DEL INTERÉS COLECTIVO O DIFUSO DE LOS CONSUMIDORES

ARTÍCULOS 51 AL 54 G

| Procedimiento especial para la protección del interés colectivo o difuso de los consumidores

Art. 51	Aplicación	Cuando se vea afectado el interés colectivo o difuso de los consumidores.	
	Competencia	Tribunales ordinarios de justicia.	
	Inicio y legitimados activos	Se inicia por una demanda presentada por:	Sernac. Asociación del consumidores. Un grupo de consumidores afectados.
	Demanda	Cumplir con los requisitos generales de la demanda	En lo que respecta a las peticiones relativas a perjuicios, bastará con señalar el daño sufrido y solicitar la indemnización que el juez determine conforme al mérito del proceso.
		Iniciado el juicio señalado, cualquier legitimado activo podrá hacerse parte en el mismo. Asimismo, podrá comparecer cualquier consumidor que se considere afectado para el solo efecto de hacer reserva de sus derechos.	Cuando se trate del SERNAC o de una Asociación de Consumidores, la parte demandante no requerirá acreditar la representación de consumidores determinados del colectivo en cuyo interés actúa.
		Prohibición: El demandante que sea parte de un procedimiento de los regulados en el presente párrafo, no podrá, mientras el procedimiento se encuentre pendiente, deducir demandas de interés individual fundadas en los mismo hechos.	La presentación de la demanda producirá el efecto de interrumpir la prescripción de las acciones indemnizatorias que correspondan a los consumidores afectados. Respecto de las personas que reservaren sus derechos conforme al art. 54 C, el cómputo del nuevo plazo de prescripción se contará desde que la sentencia se encuentre firme y ejecutoriada.

Procedimiento especial para la protección del interés colectivo o difuso de los consumidores (Continuación)	Admisibilidad art. 52	El tribunal examinará la demanda, la declarará admisible y le dará tramitación. Si cumple los requisitos: – La demanda ha sido deducida por uno de los legitimados activos. – Que la demanda cumpla con los requisitos del artículo 254 del CPC. En contra de la resolución que declare admisible la demanda no procederá recurso de casación. Procediendo el recurso de reposición y el de apelación en el solo efecto devolutivo. Deberán interponerse dentro de 10 días fatales contados desde la notificación de la demanda. En contra de la resolución que declare inadmisible la demanda procederá el recurso de reposición y, subsidiariamente, el de apelación en ambos efectos. Deberán deducirse dentro de 10 fatales desde la notificación por el estado diario de la resolución respectiva.
	Contestación art. 52	La resolución que declare admisible la demanda conferirá traslado al demandado para que la conteste dentro de 10 días fatales contados desde su notificación. Si se deduce recurso de reposición se concederá traslado por 3 días fatales a la demandante, transcurridos el tribunal deberá resolver si acoge o rechaza la reposición, notificada por el estado diario la resolución que la rechaza, el demandado deberá contestar la demanda en el plazo de 10 días fatales. Si en la contestación se ha solicitado que la demanda sea declarada temeraria por carecer de fundamento plausible o por haberse deducido de mala fe. Para que se apliquen al demandante las sanciones prevista en el art. 50 E, el juez deberá incluir este punto como hecho sustancial y controvertido en la resolución que recibe la causa a prueba art. 52.

Procedimiento especial para la protección del interés colectivo o difuso de los consumidores (Continuación)	Procurador común art. 51	En en el caso que juez estime que las actuaciones de los abogados entorpecen la marcha regular del juicio, solicitará a los legitimados que son parte en él que nombren un procurador común de entre sus respectivos abogados en el plazo de 10 días. En subsidio, éste será nombrado por el juez.	Las facultades y actuaciones del procurador común, así como los derechos de las partes representadas por él y las correspondientes al tribunal, se regirán por lo dispuesto en el Título II del Libro I del Código de Proce-dimiento Civil.
		El juez regulará prudencialmente los honorarios del procurador común, previa propuesta de éste, considerando las facultades económicas de los de-mandantes y la cuantía del juicio.	El juez, de oficio o a petición de parte y por resolución fundada, podrá revocar el mandato judicial, cuando la representación del interés colectivo o difuso no sea la adecuada para proteger eficazmente los intereses de los consumidores o cuando exista otro motivo que justifique la revocación.
	Medida precautoria art. 51	En los casos calificados y sólo una vez admitida a tramitación la demanda, el juez podrá ordenar como medida precautoria que el proveedor cese provisionalmente en el cobro de cargos cuya procedencia esté siendo controvertida en el juicio.	Para tal efecto, el demandante deberá acompañar antecedentes que cons-tituyan a lo menos presunción grave del derecho que se reclama.

Procedimiento especial para la protección del interés colectivo o difuso de los consumidores (Continuación)	Publicación del art. 53	En la resolución que se rechace la reposición interpuesta contra la resolución que declaró admisible la demanda y se ordene contestar o se tenga por contestada cuando dicho recuso no se haya interpuesto.
		El juez ordenará al demandante que dentro de décimo día informe a los consumidores que puedan verse afectados por la conducta del proveedor demandado mediante la publicación de un aviso en un medio de comunicación nacional, regional o local, escrito, electrónico o de otro tipo y en el sitio web del SERNAC.
	Contenido mínimo de aviso art. 53	a) El tribunal de primera instancia que declaró admisible la demanda
		b) La fecha de la resolución que declaró admisible la demanda;
		c) El nombre, rol único tribunario y C.N.I, profesión u oficio y domicilio del representante del o los legitimados activos;
		d) El nombre o razón social, rol único tributario o C.N.I profesión, oficio o giro y domicilio del proveedor demandado;
		e) Una breve exposición de los hechos y peticiones concretas sometidas a consideración del tribunal;
		f) El llamado a los afectados por los mismos hechos para hacerse parte o para que hagan reserva de derechos, expresando que los resultados del juicio empecerán también a aquellos afectados que no se hicieran parte en él; y
		g) La información de que el plazo para comparecer es de 20 días hábiles a contar de la fecha de la publicación.
	Efectos de la publicación art. 53	Desde la publicación del aviso, ninguna persona podrá iniciar otro juicio en contra del demandado fundado en los mismos hechos, sin perjuicio de lo dispuesto en el artículo 54 C respecto de la reserva de derechos.
		El plazo para ejercer los derechos será de 20 días hábiles contados desde la publicación del aviso en un medio de circulación nacional.
		El efecto de la reserva será la inoponibilidad de los resultados del juicio.

| Procedimiento especial para la protección del interés colectivo o difuso de los consumidores Art. 53 (Continuación) | Reglas de acumulación art. 53 | Aquellos juicios que se encuentren pendientes contra el mismo proveedor al momento de publicarse el aviso y que se funden en los mismos hechos, deberán acumularse de conformidad a lo previsto en el CPC, con las siguientes reglas especiales: | – Se acumularán al juicio colectivo los juicios individuales.

– Si una o más de las partes hubiere comparecido personalmente al juicio individual, deberá designar abogado patrocinante una vez producida la acumulación, y

– No procederá acumular al colectivo al juicio individual en que se haya citado a las partes para oír sentencia |

Procedimiento especial para la protección del interés colectivo o difuso de los consumidores (Continuación)	Conciliación arts. 52	Contestada la demanda o en rebeldía del demandado, el juez citará a las partes a una audiencia de conciliación, para dentro de quinto día. A esta audiencia las partes deberán comparecer representadas por apoderado con poder suficiente y deberán presentar bases concretas de arreglo.	El juez obrará como amigable componedor y tratará de obtener una conciliación total o parcial del litigio. Las opiniones que emita no lo inhabilitan para seguir conociendo de la causa. La audiencia se llevará a cabo con las partes que asistan. El juez podrá llamar a conciliación cuantas veces estime necesario durante el proceso
		Si los interesandos lo piden, la audiencia se suspenderá para facilitar la deliberación de las partes.	Si el tribunal lo estima necesario postergará la audiencia para dentro de 3ro día, se dejará constancia de ello y a la nueva audiencia las partes concurrirán sin nueva notificación.
	Acta art. 52	De la conciliación total o parcial se levantará un acta que consignará sólo las especificaciones del arreglo.	La cual subscribirán el juez, las partes que lo deseen y el secretario, y tendrá el valor de sentencia ejecutoriada para todos los efectos legales, en especial para los establecidos en el art. 54.

Procedimiento especial para la protección del interés colectivo o difuso de los consumidores (Continuación)	Ofertas de avenimiento del demandado art. 53 B.	Las ofertas de avenimiento que haga el demandado deberán ser públicas. Deberán entregar a lo menos: – Antecedentes suficientes sobre el hecho que las motiva. – El monto global del daño causado a los consumidores. – Las bases objetivas utilizadas para su determinación. – La individualización de grupos o subgrupos de consumidores afectados. – Los montos de las indemnizaciones y devoluciones. – La forma como se harán efectivas las indemnizaciones, devoluciones y reparaciones. – Indicar como acreditará el cálculo íntegro del monto global del daño causado a los grupos y subgrupos de consumidores. – La ejecución de las indemnizaciones, devoluciones y reparaciones equivalentes a dicho monto global.
	Avenimientos, conciliaciones o transacciones que contemplen la entrega de sumas de dinero art. 53 B.	Los avenimientos, conciliaciones o transacciones que contemplen la entrega a los consumidores de sumas de dinero deberán establecer un conjunto mínimo de acciones destinadas a informar a quienes resulten alcanzados por el respectivo acuerdo las acreencias que tienen a su favor, facilitar su cobro y conseguir la entrega efectiva del monto correspondiente a cada consumidor. Estos acuerdos deberán designar a un tercero independiente mandatado para ejecutar, a costa del proveedor, las diligencias previamente señaladas, salvo que otros medios resulten preferibles, en el caso concreto, para lograr la transferencia efectiva del dinero que a cada consumidor corresponde. – Para el cumplimiento del mandato, el proveedor deberá transferir la totalidad de los fondos al tercero encargado de su entrega a los consumidores. – Los acuerdos deberán establecer un plazo durante el cual las diligencias deberán ejecutarse

Procedimiento especial para la protección del interés colectivo o difuso de los consumidores (Continuación)	Aprobación judicial art. 53 B	Todo avenimiento, conciliación o transacción deberá ser sometido a la aprobación del juez. Para aprobarlo el juez deberá verificar su conformidad con las normas de protección de los derechos de los consumidores.
		La aprobación se entenderá sin perjuicio de la eventual aplicación de multas en caso de infracciones de la ley. El tribunal deberá considerar la reparación del daño causado por parte del proveedor para rebajar el monto de la multa hasta en el 50%.
	Prueba	**Recepción de la causa a prueba art. 52:** Si se rechaza la conciliación o no se efectúa la audiencia, y si el tribunal estima que hay hechos sustanciales, pertinentes y controvertidos, recibirá la causa a prueba por el lapso de 20 días. Sólo podrán fijarse como puntos de prueba los hechos sustanciales controvertidos en los escritos anteriores a la resolución que ordena recibirla. Si no hay hechos sustanciales, pertinentes y controvertidos, se citará a las partes a oír sentencia. **Apreciación de la prueba art. 51:** La prueba se apreciará de acuerdo a las reglas de la sana crítica. **Testigos art. 51:** Los consumidores afectados en cualquier caso podrán declarar como testigos sin que les sea aplicable la causal de inhabilidad establecida en el N° 6 del art. 358 del CPC. **Obligación del proveedor art. 51:** Los proveedores demandados estarán obligados a entregar al tribunal todos los instrumentos que éste ordene, de oficio o a petición de parte, siempre que tales instrumentos obren o deban obrar en su poder y tengan relación directa con la cuestión debatida. **Sanción a la negativa art. 51:** En caso de que el proveedor se negare a entregar tales instrumentos y el tribunal estimare infundada la negativa por haberse aportado pruebas acerca de su existencia o por ser injustificadas las razones dadas, el juez podrá tener por probado lo alegado por la parte contraria.

Procedimiento especial para la protección del interés colectivo o difuso de los consumidores (Continuación)	Indemnizaciones art. 51	**Daño moral:** Las indemnizaciones que se determinen en este procedimiento podrán extenderse al daño moral siempre que se haya afectado la integridad física o síquica o la dignidad de los consumidores. Si los hechos invocados han provados dicha afectación, será un hecho sustancial, pertinente y controvertido en la resolución que reciba la causa a prueba. Acceso a la indemnización por daño moral: Con el objeto de facilitar el acceso a la indemnización por daño moral, el Servicio pondrá a disposición de los consumidores potencialmente afectados un sistema de registro rápido y expedito, que les permita acogerse al mecanismo de determinación de mínimos comunes.
	Determinación del daño moral art. 51	**Monto mínimo común:** En la determinación del daño moral sufrido por los consumidores, el juez podrá establecer un monto mínimo común, para lo cual, de oficio o a petición de parte, podrá ordenar un peritaje, sin perjuicio de considerarse otros medios de prueba. El peritaje será de cargo del infractor en caso de haberse establecido su responsabilidad. De no ser así, se estará a lo dispuesto en el art. 411 del CPC. Afectación superior al monto mínimo: En caso de establecerse un mínimo común, aquellos consumidores que consideren que su afectación supera dicho monto mínimo podrán perseguir la diferencia en un juicio posterior que tendrá como único objeto dicha determinación, sin que pueda discutirse en él la procedencia de la indemnización. Este procedimiento se llevará ante el mismo tribunal que conoció la causa principal, de acuerdo a las normas del procedimiento sumario o ante el juzgado de policía local competente de acuerdo a las reglas generales a elección del consumidor.

Procedimiento especial para la protección del interés colectivo o difuso de los consumidores (Continuación)	Propuesta de indemnización del proveedor art. 51	El proveedor podrá efectuar una propuesta de indemnización o reparación del daño moral, la que considerará un monto mínimo común para todos los consumidores afectados.	Dicha propuesta podrá diferenciar por grupos o sub grupos de consumidores, en su caso, y podrá realizarse durante todo el juicio.
	Formación de grupos y sub grupos art. 53 A.	Durante todo el juicio y hasta la dictación de la sentencia definitiva inclusive, el juez podrá ordenar:	De acuerdo a las características que les sean comunes, la formación de grupos. Y, si se justificare, la formación de subgrupos, para efectos de los señalado en las letras c) y d) del art. 53 C • El juez podrá ordenar la formación de tantos subgrupos como estime conveniente.

Procedimiento especial para la protección del interés colectivo o difuso de los consumidores (Continuación)	Contenido de la sentencia art. 53 C	En la sentencia que acoja la demanda, el juez, además de los dispuesto en el art. 170 del CPC, deberá:

En la sentencia que acoja la demanda, el juez, además de los dispuesto en el art. 170 del CPC, deberá:

a) Declarar la forma en que tales hechos han afectado el interés colectivo o difuso de los consumidores.

b) Declarar la responsabilidad del o los proveedores demandados en los hechos denunciados y la aplicación de la multa o sanción que fuere procedente. La suma de las multas que se apliquen por cada consumidor afectado tomará en consideración en su cálculo los elementos descritos en el art. 24 A, y especialmente el daño potencialmente causado a todos los consumidores.

c) Declarar la procedencia de las correspondientes indemnizaciones o reparaciones y el monto de la indemnización o la reparación a favor del grupo o de cada uno de los subgrupos, cuando corresponda. En aquellos casos en que concurran las circunstancias a que se refiere el inciso quinto del artículo 24, el tribunal podrá aumentar en el 25% el monto de la indemnización correspondiente.

d) Disponer la devolución de lo pagado en exceso y la forma en que se hará efectiva, en caso de tratarse de procedimientos iniciados en virtud de un cobro indebido de determinadas sumas de dinero. En el caso de productos defectuosos, se dispondrá la restitución del valor de aquéllos al momento de efectuarse el pago.

e) Disponer la publicación de los avisos a que se refiere el inciso tercero del artículo 54, con cargo al o a los infractores.

Procedimiento especial para la protección del interés colectivo o difuso de los consumidores (Continuación)	Contenido de la sentencia art. 53 C	El juez podrá ordenar que algunas o todas las indemnizaciones, reparaciones o devoluciones que procedan respecto de un grupo o subgrupo, se efectúen por el demandado sin necesidad de la comparecencia de los interesados establecida en el artículo 54 C, cuando el juez determine que el proveedor cuenta con la información necesaria para individualizarlos y proceder a ellas. En este último caso, la sentencia deberá establecer un conjunto mínimo de acciones destinadas a informar a quienes resulten alcanzados por el respectivo acuerdo las acreencias que tienen a su favor, facilitar su cobro y, en definitiva, conseguir la entrega efectiva del monto correspondiente a cada consumidor, pudiendo imponer al proveedor la carga de mandatar a un tercero independiente para la ejecución de dichas acciones, a su costa y con la aprobación del tribunal. El proveedor deberá transferir la totalidad de los fondos al tercero encargado de su entrega a los consumidores. La sentencia deberá establecer, además, un plazo durante el cual las diligencias referidas en este inciso deberán ejecutarse. Transcurridos dos años desde que se cumpla dicho plazo, los remanentes que no hayan sido transferidos ni reclamados por los consumidores caducarán y se extinguirán a su respecto los derechos de los respectivos titulares, debiendo el proveedor, o el tercero a cargo de la entrega, enterar las cantidades correspondientes al fondo establecido en el artículo 11 bis.

Procedimiento del Árbitro financiero art. 56 E	Efectos de la sentencia declaratoria de responsabilidad art. 54	La sentencia ejecutoriada que declare la responsabilidad del o los demandados producirá efecto erga omnes. Con excepción de: – Aquellos procesos que no hayan podido acumularse conforme al número 2) del inciso final del art. 53. – Los casos en que se efectúe la reserva de derechos que admite el art. 53.
	Publicidad de la sentencia art. 54	La sentencia será dada a conocer para que todos aquellos que hayan sido perjudicados por los mismos hechos puedan reclamar el cobro de las indemnizaciones o el cumplimiento de las reparaciones que correspondan.
	Avisos art. 54	La sentencia será dada a conocer por avisos publicados en dos oportunidades distintas, en los diarios locales, regionales o nacionales que el juez determine, con un intervalo no inferior a tres ni superior a cinco días entre ellas. El juez podrá disponer una forma distinta, en aquellos casos en que el número de afectados permita asegurar el conocimiento de todos y cada uno de ellos por otro medio.
	Contenido de los avisos art. 54 A.	Corresponderá al secretario del tribunal fijar el contenido de los avisos, procurando que su texto sea claro y comprensible:. Los avisos contendrán, a lo menos, las siguientes menciones: a) El rol de la causa, el tribunal que la dictó, la fecha de la sentencia y el nombre, profesión u oficio y domicilio del o los infractores y de sus representantes. b) Los hechos que originaron la responsabilidad del o los infractores y la forma en que ellos afectaron los derechos de los consumidores. c) La identificación del grupo, si está o no dividido en subgrupos y la forma y plazo en que los interesados deberán hacer efectivos sus derecho. d) Las instituciones donde los afectados pueden obtener información y orientación, tales como el Servicio Nacional del Consumidor, las oficinas municipales de información al consumidor y las Asociaciones de Consumidores.

Procedimiento del Árbitro financiero art. 56 E	Efectos de la sentencia declaratoria de responsabilidad art. 54	La sentencia ejecutoriada que declare la responsabilidad del o los demandados producirá efecto erga omnes. Con excepción de: – Aquellos procesos que no hayan podido acumularse conforme al número 2) del inciso final del art. 53. – Los casos en que se efectúe la reserva de derechos que admite el art. 53.
	Publicidad de la sentencia art. 54	La sentencia será dada a conocer para que todos aquellos que hayan sido perjudicados por los mismos hechos puedan reclamar el cobro de las indemnizaciones o el cumplimiento de las reparaciones que correspondan.
	Avisos art. 54	La sentencia será dada a conocer por avisos publicados en dos oportunidades distintas, en los diarios locales, regionales o nacionales que el juez determine, con un intervalo no inferior a tres ni superior a cinco días entre ellas. El juez podrá disponer una forma distinta, en aquellos casos en que el número de afectados permita asegurar el conocimiento de todos y cada uno de ellos por otro medio.
	Contenido de los avisos art. 54 A.	Corresponderá al secretario del tribunal fijar el contenido de los avisos, procurando que su texto sea claro y comprensible: Los avisos contendrán, a lo menos, las siguientes menciones: a) El rol de la causa, el tribunal que la dictó, la fecha de la sentencia y el nombre, profesión u oficio y domicilio del o los infractores y de sus representantes. b) Los hechos que originaron la responsabilidad del o los infractores y la forma en que ellos afectaron los derechos de los consumidores. c) La identificación del grupo, si está o no dividido en subgrupos y la forma y plazo en que los interesados deberán hacer efectivos sus derecho. d) Las instituciones donde los afectados pueden obtener información y orientación, tales como el Servicio Nacional del Consumidor, las oficinas municipales de información al consumidor y las Asociaciones de Consumidores.

Procedimiento especial para la protección del interés colectivo o difuso de los consumidores (Continuación)	Comparecencia de los interesados art. 54 B	Los interesados podrán comparecer al juicio ejerciendo sus derechos, con el patrocinio de abogado o personalmente. Habiéndose designado procurador común, los interesados actuarán a través de él. Si no se ha designado, se procederá a designarlo para que represente a aquellos interesados que hubieran comparecido personalmente.
	Ejercicio de los derechos establecidos en la sentencia art. 54 C	Los interesados deberán presentarse a ejercer sus derechos establecidos en la sentencia, ante el mismo tribunal en que se tramitó el juicio, dentro del plazo de 90 días corridos, contados desde el último aviso. La presentación que efectúe el interesado en el juicio, se limitará únicamente a hacer presente y acreditar su condición de miembro del grupo art. 54 D. Dentro del mismo plazo, los interesados podrán hacer reserva de sus derechos para perseguir la responsabilidad civil, tanto por daño patrimonial como moral, derivada de la infracción en un juicio distinto, sin que sea posible discutir la existencia de la infracción ya declarada. La presentación se tramitará de acuerdo al procedimiento ante los juzgados de policía local. En este juicio, la sentencia dictada conforme al artículo 53 C producirá plena prueba respecto de la existencia de la infracción y del derecho del demandante a la indemnización de perjuicios, limitándose el nuevo juicio a la determinación del monto de éstos . Quien ejerza sus derechos conforme al inciso primero del artículo 54 C, no tendrá derecho a iniciar otra acción basada en los mismos hechos. Del mismo modo, quienes no efectúen la reserva de derechos a que se refiere el inciso anterior, no tendrán derecho a iniciar otra acción basada en los mismos hechos.

Procedimiento especial para la protección del interés colectivo o difuso de los consumidores (Continuación)	Incidente acerca de la calidad de miembro del grupo art. 54 E.	Vencido el plazo de 90 días establecido en el art. 54 C, y designado el procurador común, si corresponde, se dará traslado al demandado de las presentaciones de todos los interesados, sólo para que dentro del plazo de 10 días corridos controvierta la calidad de miembro del grupo de uno o más de ellos.	La resolución que confiera el traslado se notificará por el estado diario. Este plazo podrá ampliarse, por una sola vez, a petición de parte y por resolución fundada, si el juez lo considera necesario.
	Término de prueba art. 54 E	Si el juez estima que existen hechos sustanciales, pertinentes y controvertidos, abrirá un término de prueba, que se regirá por las reglas de los incidentes. Contra la resolución que falle el incidente procederá el recurso de reposición, con apelación en subsidio.	Una vez fallado el incidente promovido conforme a este artículo, quedará irrevocablemente fijado el monto global de las indemnizaciones o las reparaciones que deba satisfacer el demandado.

Procedimiento especial para la protección del interés colectivo o difuso de los consumidores (Continuación)	Obligación de efectuar reparaciones o consignar el monto de las indemnizaciones art. 54 F	El demandado deberá efectuar las reparaciones o consignar íntegramente en la cuenta corriente del tribunal el monto de las indemnizaciones. Dentro de un plazo de 30 días corridos, contados desde aquel en que se haya fallado el incidente promovido conforme al artículo 54 E. Cuando el monto global de la indemnización pueda producir, a juicio del tribunal, un detrimento patrimonial significativo en el demandado, de manera tal que pudiera estimarse próximo a la insolvencia. El juez podrá establecer un programa mensual de pago de indemnizaciones completas para cada demandante, reajustadas, con interés corriente, según su fecha de pago. No obstante, el juez podrá determinar una forma de cumplimiento alternativo del pago. Para autorizar el pago de la indemnización en alguna de las formas señaladas, el juez podrá, dependiendo de la situación económica del demandado, exigir una fianza u otra forma de caución. Las resoluciones que se dicten no serán susceptibles de recurso alguno.
	Incumplimiento de la sentencia art. 54 G	Si la sentencia no es cumplida por el demandado, la ejecución se efectuará, a través del procurador común, en un único procedimiento, por el monto global a que se refiere el inciso final del artículo 54 E, o por el saldo total insoluto. El pago que corresponda hacer en este procedimiento a cada consumidor se efectuará a prorrata de sus respectivos derechos declarados en la sentencia definitiva.
	Recursos contra la sentencia definitiva artículo 53 C	Contra la sentencia definitiva procederá el recurso de apelación en ambos afectos. Los recurso que se dedujeren en contra de la sentencia definitiva gozarán de preferencia para su vista y fallo.

Procedimiento especial para la protección del interés colectivo o difuso de los consumidores (Continuación)	Acción de indemnización de perjuicios ante el TDLC art. 51	La acción de indemnización de perjuicios que se ejerza ante el Tribunal de Defensa de la Libre Competencia, con ocasión de infracciones a dicho cuerpo normativo, declaradas por una sentencia definitiva ejecutoriada.	Podrá tramitarse por el procedimiento establecido en este Párrafo cuando se vea afectado el interés colectivo o difuso de los consumidores. • Para interponer la acción, no será necesario que los legitimados activos señalados en el numeral 1 del artículo 51 se hayan hecho parte en el procedimiento que dio lugar a la sentencia condenatoria.
	Recursos art. 51	Las resoluciones que dicho tribunal dicte en este procedimiento, salvo la sentencia definitiva, sólo serán susceptibles del recurso de reposición, al que podrá darse tramitación incidental o ser resuelto de plano.	Sólo serán susceptibles de recurso de reclamación en este caso, para ante la Corte Suprema, la sentencia definitiva y aquellas resoluciones que pongan término al procedimiento o hagan imposible su continuación.

DOCTRINA SOBRE EL PROCEDIMIENTO ESPECIAL PARA PROTECCIÓN DEL INTERÉS COLECTIVO O DIFUSO DE LOS CONSUMIDORES

- Larroucau, Jorge (2019): "La prueba en los procedimientos judiciales de consumo", en María Elisa Morales (Dir.) y Pamela Mendoza (Coord.), *Derecho del Consumo: Ley, doctrina y jurisprudencia*. Santiago: Der Ediciones. pp. 209-232, p. 213-216: "Hechos sustanciales, pertientes y controvertidos: (…) Cabe añadir que la reforma de 2018 exacerbó esta característica de la justicia de consumo, al disponer expresamente que el daño moral sufrido por los consumidores que ejercen una acción colectiva "será un hecho sustancial, pertinente y controvertido en la resolución que reciba la causa a prueba" (art. 51, Ley nº 19.496 reformado por Ley nº 21.081). Esta exigencia parece querer evitar que se reflote en este ámbito una antigua práctica judicial que no exigía prueba del daño moral por considerarlo autoevidente; pero dado que dicha interpretación ya fue superada por la jurisprudencia civil, parece que este nuevo mandato al juez que recibe la causa a prueba quiere hacer frente a un peligro que no existe".

"**Hechos sustanciales, pertinentes y controvertidos:** A diferencia de otras leyes, la LPC contiene varias referencias a los puntos de prueba, que son aquellos enunciados mediante los cuales el juez captura el conflicto jurídico en sus términos relevantes en una etapa temprana del juicio, guiando con ello la restante actividad probatoria. Este interés por los puntos de prueba se observa sobre todo en el procedimiento más complejo, que es el de la acción colectiva, por lo que a este juicio se alude a continuación. En el caso de la acción colectiva el procedimiento se encuentra analíticamente dividido en dos etapas: (1) una fase declarativa de la infracción, del daño sufrido y su monto; y (2) una fase ("eventual") de determinación de los perjudicados para que estos puedan cobrar sus indemnizaciones. Si las partes no logran una conciliación antes, el juez debe fijar los hechos sustanciales, pertinentes y controvertidos sobre los aspectos de ambas etapas, es decir, respecto a la infracción, el daño, su monto y en lo que respecta a los perjudicados. Para hacer esto el juez debe tener en cuenta los escritos iniciales, o sea, la demanda del consumidor (o del Servicio o de una asociación habilitada) y la contestación del proveedor (art. 52 inciso 11, alude a "los escritos anteriores"). En este sentido, si bien la sentencia definitiva es "genérica" porque solo "cierra la primera de sus etapas", ya que de cara a su ejecución todavía falta que se cumpla un requisito —que el acreedor comparezca y acredite su calidad de titular de un derecho a ser indemnizado—, la idea de incluir un punto de prueba sobre los consumidores que fueron perjudicados cuando se recibe la causa a prueba se justifica tanto desde un punto de vista de la eficiencia procesal como para brindarle una mejor posición al consumidor a la hora de tomar dicha decisión. (…) Ahora bien, la ampliación de los puntos de prueba en este procedimiento en una dirección diversa a la recién señalada amerita una justificación propia. Aquí se puede mencionar un ejemplo histórico, ligado a la obligación judicial —que rigió entre 2004 y 2018— de controlar la admisibilidad de la demanda colectiva verificando ciertos requisitos. En efecto, a contar de 2011 dicho estándar de admisibilidad le exigió al juez civil verificar si la demanda contenía o no una exposición clara de los hechos y fundamentos de derecho que justifican razonablemente la afectación del interés colectivo o difuso de los consumidores (art. 52), pudiendo del demandado afirmar en su contestación que la demanda debía ser declarada temeraria por carecer de fundamento plausible o por haberse deducido de mala fe —para que se apliquen al demandante las sanciones correspondientes (art. 50 E)—, lo que obliga al juez a incluir este punto como un hecho sustancial y controvertido cuando recibe la causa a prueba (art. 52 inciso final). Este mandato no solo es inusual en las leyes procesales chilenas, las cuales no acostumbran tipificar los puntos de prueba de un juicio, ni imponer ningún tipo de orden al tribunal a este respecto, sino que además es discutible en lo que se refiere a este debate en particular, ya que, si una acción colectiva sorteó el examen de admisibilidad —que entre 2004 y 2018, reitero, operó como un control de fondo— y fue acogida a tramitación por el juez, ¿qué sentido tiene dedicar una parte del término probatorio a discutir si dicha demanda era o no temeraria? Si bien la Corte Suprema ha sostenido al respecto que "no debe confundirse la admisibilidad de una acción —que es justamente lo requerido por el estatuto de protección a los intereses colectivos o difusos de los consumidores— con la procedencia de la demanda que la endereza, siendo dos ámbitos de diferente graduación, ligados en una secuencia, esto es, que no concurren de manera simultánea ni se entreveran", esta tesis —que la Primera Sala trajo a colación en *Servicio Nacional del Consumidor con S.C.A. Chile S.A.*— solo explica el hecho de que un tribunal pueda terminar desestimando en su sentencia definitiva una acción acogida a tramitación, pero no adelanta razones para justificar que una acción que sorteó el estándar de admisibilidad no solo sea finalmente desestimada en la sentencia, sino que además declarada temeraria. Esta justificación adicional puede hallarse tras la reforma de 2018, porque al limitarse el filtro de admisibilidad a un control formal es más probable que el tribunal de traslado a una demanda temeraria".

[…] **"Hechos sustanciales, pertinentes y controvertidos:** Por último, como la sentencia ejecutoriada que declara la responsabilidad del proveedor produce efecto erga omnes, con excepción de los juicios que no hayan podido acumularse y de los casos en que los consumidores efectúen una reserva de sus derechos (art. 54 inciso 1°), si la sentencia rechaza la demanda se puede volver a demandar colectivamente invocando "nuevas circunstancias" (art. 54 inciso final). El sentido de esta última expresión es discutido, ya que podría referirse tanto a un hecho nuevo como a una evidencia nueva sobre los mismos hechos ya juzgados. La hipótesis más discutida es esta último, ya que tratándose de un hecho nuevo no corresponde hablar de cosa juzgada, dado que la res iudicata deriva de la res iudicanda, de modo que si un asunto no ha sido juzgado no cabe predicar una decisión al respecto".

- **Barrientos, Francisca y Fuentes, Claudio (2019): "La configuración del rol especial del juez de consumo en los procesos colectivos: fundamentos y consecuencias", en Juan Ignacio Contardo; Felipe, Fernández y Claudio Fuentes (Coords).** *Litigación en materia de consumidores.* **Santiago: Legal Publishing Chile, pp. 325-345:** "Por estas razones, en este documento se defiende la postura de que el juez civil que conoce procedimientos o acciones colectivas debe dejar de lado el rol que el libro II del CPC tradicionalmente le ha otorgado, en el cual el principio dispositivo le enseña un rol estrictamente pasivo y distante del proceso y las partes6. Al contrario, existen muy buenas razones —legales e institucionales— que exigen que los jueces civiles cuando conocen acciones colectivas asuman un rol más activo en el proceso. Esto se debe a dos razones distintas y compatibles. [...]

Ahora bien, en este texto seguimos una posición distinta a los autores comparados y sostenemos que en este tipo de procedimientos el juez debe constituirse en un juez "supervisor" del desarrollo de la contienda.

Planteamos esta denominación con la intención de separar nuestra propuesta de otras construcciones doctrinales sobre la materia, tales como el juez inquisitivo, el juez saneador o el juez director del proceso. Sostenemos que en acciones colectivas en materia de consumo el juez no busca de oficio la "verdad", ni tampoco que su función sea exclusivamente evitar la nulidad del proceso y, más bien, estimamos que su rol resulta ser más complejo que asegurar que el litigio del caso cumpla con las etapas procesales establecidas en el procedimiento legal.

Entendemos que el juez civil debe asumir un rol proactivo que se traduce en una directa y permanente supervigilancia del desarrollo del proceso y su litigación, mediante intervenciones procesales de oficio destinadas a controlar su desarrollo, la promoción de la cooperación y acuerdos entre las partes, evitando el abuso del proceso, disminuyendo su nivel de adversarialidad, el tiempo de duración y los costos tanto para las partes mismas como para el sistema de justicia. Es igualmente un juez supervisor en al menos otros dos sentidos. Primero, es responsable de, en un escenario de asimetrías de recursos, asegurar un equilibrio mínimo de las partes en el proceso. Segundo, e igualmente importante, es responsable de que el proceso sea justo no sólo para quienes lo están directamente litigando, sino que también para todos aquellos que serán potencialmente alcanzados por sus efectos. En este tipo de materia y procedimiento especial, el juez es el institucionalmente responsable de verificar el respeto por los derechos de los consumidores ausentes. [...]

1. Verificar la adecuada representatividad de los sujetos legitimados

La LPDC ha dispuesto que los legitimados de los juicios supraindividuales sean a) el Servicio Nacional del Consumidor; b) una Asociación de Consumidores constituida, a lo menos, con seis meses de anterioridad a la presentación de la acción, y que cuente con la debida autorización de su directorio para hacerlo, o c) un grupo de consumidores afectados en un mismo interés, en número no inferior a 50 personas, debidamente individualizados (artículo 51 No 1 letras a], b] y c]).

Hay que señalar que se trata de un sistema mixto, en que el Estado quiso que participaran entes públicos y privados por representación, e incluso los mismos consumidores cuando reúnen el número que establece la ley.

Respecto del rol que le corresponde al juez "supervisor", se piensa que este sujeto debe verificar la "idoneidad" de aquellos que representan a los consumidores.

Se destaca la disposición contenida en el artículo 51 nº 7 inciso final que consagra este rol respecto de la representatividad de los consumidores ausentes en el juicio. El texto expresa que "El juez, de oficio o a petición de parte y por resolución fundada, podrá revocar el mandato judicial, cuando la representación del interés colectivo o difuso no sea la adecuada para proteger eficazmente los intereses de los consumidores o cuando exista otro motivo que justifique la revocación".

Tal como es posible apreciar, estamos frente a una base normativa expresamente consagrada en la LPDC, que permite justificar la hipótesis defendida en estas líneas, que introduce la idea de un juez atento y tutelar, que asume de oficio especiales facultades de permanente supervisión —como lo expresa la disposición en comento—, cuyo propósito es controlar la adecuada representación del interés colectivo o difuso.

Esta facultad, de oficio o a petición de parte, tiene objetivos cualificados, toda vez que exige más que un examen formal de las capacidades técnicas de quienes pretenden asumir la defensa de los consumidores en juicio (o hacerse parte de un juicio ya iniciado por otro representante), porque el texto considera la idoneidad para proteger de forma "eficaz" los intereses de los consumidores u otro motivo que justifique la revocación.

Esto debe contrastarse con el tratamiento que el mandato judicial tiene en procedimientos ordinarios de mayor cuantía, en los cuales el juez carece de poderes así de amplios para revocarlo. Nuevamente la pregunta surge acerca de qué explica la diferencia de trato que hace nuestro legislador.

En términos generales, Porzio explica que la adecuación de la legitimación de los intereses de una clase exige ciertas condiciones personales, profesionales, financieras, entre otras. Benini, comenta que "La importancia de este aspecto radica en que es el legitimado quien asume la gestión, en juicio, de los intereses y derechos de quienes integran el colectivo (afectados, consumidores, usuarios, etc.), cuya presencia en el debate es una ficción", porque como expresa la representatividad adecuada busca garantizar que los ausentes (consumidores) sean defendidos como si estuvieran presentes en el pleito colectivo. [...]

3. *Aprobación judicial de los avenimientos, transacciones y conciliaciones colectivas*

Tomando en consideración el empleo de facultades de autoridad, el juez colectivo goza de un poder inusual en materia de avenimientos, transacciones y conciliaciones colectivas.

La regla o base normativa que, de forma expresa, contempla el empleo de estos poderes de supervisión se encuentra consagrada en el artículo 53 B inciso cuarto, que tras la reforma de la Ley n° 21.081, dispone que "Todo avenimiento, conciliación o transacción deberá ser sometido a la aprobación del juez. Para aprobarlo, el juez deberá verificar su conformidad con las normas de protección de los derechos de los consumidores".

De este modo, se ordena que el juez realice un examen de conformidad con la LPDC. No puede tratarse de un mero repaso formal de la ley, pues integrando esta disposición con la regla que permite el control de la adecuada representatividad en el juicio, se espera que la judicatura someta a consideración la protección "eficaz" de los intereses de los consumidores que serán potencialmente alcanzados por el acuerdo o por una eventual sentencia.

Esto, por cierto, involucra una actitud activa de los jueces. Por eso, en esta parte, también corresponde descartar la férrea aplicación del impulso procesal de parte. Además, el tenor de la ley le exige a los jueces una formación en materia de Derecho del consumidor, pues para aprobar el acuerdo de las partes, cualquiera de ellas, incluido por cierto el Sernac, debe conocer muy bien las reglas del Derecho del consumo".

- **Aguirrezábal, Maite (2019): "Intereses difusos, colectivos e individuales homogéneos", en Juan Ignacio Contardo; Felipe, Fernández y Claudio Fuentes (Coords).** *Litigación en materia de consumidores.* **Santiago: Legal Publishing Chile, pp. 33-35:** "Al establecer el legislador ciertas exigencias para que una Asociación de Consumidores pueda iniciar un procedimiento para la defensa de intereses supraindividuales, introduce un criterio de representatividad adecuada que resulta fundamental en los sistemas anglosajones de las class actions y de las representative actions, y que otras legislaciones como la brasileña han adoptado con éxito. Consagra también la legitimación de un grupo de 50 o más consumidores afectados para iniciar un procedimiento de este tipo. La regulación de este supuesto de legitimación, a juicio de la doctrina, es muy poco satisfactoria e incluso, luego de la entrada en vigencia de la Ley nº 19.946, parte de ella sigue negándola.

La ley no define lo que debe entenderse por "grupo de consumidores afectados", por lo que debemos entender que "cuando un determinado acto afecte de forma global, genérica y solidaria a los intereses de una colectividad determinada o indeterminada de personas; es decir, en esta expresión debe incluirse aquellos casos en los que lo que se pretende realmente es la tutela de un interés propiamente de grupo, entendido éste como interés genérico común a todos los miembros del mismo, que han sufrido una afección unitaria, y del cual son éstos titulares sólo en cuanto tales miembros del grupo".

La disposición tampoco establece cómo se configurará la representación del grupo, y a quién corresponde dicha representación. Así, esta exigencia plantea problemas tales como quién será el representante del grupo, cómo se elegirá a dicho representante y si es necesario que conste el consentimiento expreso de todos los que conforman el grupo en relación con el otorgamiento del poder.

Es así como se ha adaptado el concepto de la "*adequacy of representation*" proveniente del sistema de las *class actions* y se ha establecido en los diversos ordenamientos jurídicos, lo que a su vez conduce a la figura del "*ideological plaintiff*" o demandante ideológico, que viene a ser el portador de los intereses del grupo afectado y que debe ser cualificado y estar en condiciones de representar de la mejor manera posible los intereses del grupo.

El mismo criterio refleja el artículo 51 nº 4, al disponer que "cuando se trate del Servicio Nacional del Consumidor o de una Asociación de consumidores, la parte demandante no requerirá acreditar la representación de consumidores determinados del colectivo en cuyo interés actúa".

Así, el legislador no limita la legitimación de las Asociaciones de Consumidores como sí lo hace a propósito del grupo de consumidores afectados, ya que la Asociación podrá defender los intereses colectivos, pero también los difusos.

Cuando la Asociación de Consumidores y usuarios actúa en defensa de un interés colectivo o difuso afectado, constituye un caso que tiene su fundamento en la finalidad asociativa establecida en sus estatutos, ya que "cuando un acto incide en las necesidades específicas de una categoría de sujetos referidas al consumo (salubridad, información veraz, libre concurrencia, equilibrio de las prestaciones, etc.), que es su función proteger, afecta a un bien jurídico en el que la organización está interesada, por tratarse de su finalidad estatutaria, manifestación inequívoca de un interés legítimo".

Como ya señalamos, para poder ejercer la acción, nuestra actual legislación le exige a la Asociación que cuente a lo menos, con seis meses de anterioridad a la presentación de la acción, y que cuente con la debida autorización de su directorio para hacerlo.

La Corte Suprema ha sentado el criterio sobre el control de la representatividad adecuada de las Asociaciones de Consumidores y Usuarios, cuando se ha pronunciado sobre los recursos de casación en el fondo interpuestos por la parte demandante en dos procesos iniciados en contra del Banco de Chile y en contra del Bank Boston N.A. por la Organización de Consumidores y Usuarios de Chile, Odecu, concluyendo que, en razón de la excepcionalidad que importa el que pueda accionarse colectivamente, la autorización que debe darse para tal efecto debe contar con el mayor número de elementos de convicción para ponderar la conveniencia de ello; agregando que "autorización debida" es sinónimo de decisión informada y justificada.

En este sentido, ha señalado que en lo relativo a la autorización, el concepto de "debida", como adjetivo, implica que no cualquier habilitación permite la interposición de la demanda, sino que aquella que pueda ser calificada de pertinente para tales fines. Se requiere la firme y expresa voluntad manifestada en un sentido determinado, en que se toma partido con determinación, puesto que constituye el consentimiento para enfrentar todas las consecuencias y efectos de la medida acordada".

- **Aguirrezábal, Maite (2019):** *Defensa de los consumidores y acceso a la justicia. 2ª. Edic. actualizada y complementada.* **Santiago: Thomson Reuters, pp. 103-148:** *VIII. Algunas especialidades del procedimiento colectivo. "Generalidades.* Las acciones de grupo son un instrumento de tutela llamadas a producir sus efectos respecto de la totalidad de los integrantes de un grupo o clase, incluidos los miembros que hayan permanecido ajenos a un proceso.

Esta eficacia tan amplia, que bien puede decirse traspasa los límites subjetivos del proceso, entra en tensión con los derechos de defensa de cada uno de los integrantes del grupo y 'exige que, cuando menos, se haga todo lo razonable para permitirles su ejercicio".

La fórmula que el legislador elige para dar cauce al ejercicio de ese derecho de defensa es permitir la intervención procesal de todos y cada uno de los integrantes del grupo, y para que esa intervención sea posible, exige que se dé la debida publicidad a la existencia del proceso en su momento inicial'.

El anterior es un planteamiento generalmente admitido en los ordenamientos jurídicos y constituye una medida complementaria de los derechos y garantías reconocidos a los colectivos. Tiene por objeto evitar que los interesados que no se apersonan en el proceso sean perjudicados en su derecho a ser oídos por el órgano jurisdiccional cuando además pueden resultar afectados por la sentencia que se dicte.

La publicidad de la admisibilidad de la acción colectiva contemplada en el artículo 53 de la ley reviste por lo tanto una importancia capital de cara a los efectos que producirá la sentencia dictada en el proceso, puesto que al producir efecto *erga omnes,* vinculará a todos los miembros del grupo.

Los miembros ausentes pueden ser considerados ficticiamente presentes en juicio a través de res técnicas: la de la presencia obligatoria; la del *opt in* y la del *opto ut,* cada una con sus ventajas y sus desventajas y sobre las que volveremos a propósito de la eficacia de la sentencia dictada en un proceso colectivo.

Si el grupo fue efectivamente perjudicado por el demandado, es de su interés que todos los miembros sean beneficiados.

Si es el demandado quien tiene la razón, estará interesado en que la sentencia de improcedencia de la acción colectiva vincule el mayor número posible de personas, cerrando definitivamente la controversia.

De ahí entonces que las oportunidades para que los consumidores se hagan parte en el proceso resultan fundamentales, no sólo para aquellos que deseen efectivamente intervenir en el mismo, sino también para aquellos que haciendo reserva de sus acciones, no desean verse afectados por la sentencia colectiva.

"**Forma de publicitar la declaración de admisibilidad de la acción colectiva.** El artículo 53 establece que en la misma resolución en que se rechace la reposición interpuesta contra la resolución que declaró admisible la demanda y se ordene contestar o se tenga por contestada la misma, cuando dicho recurso no se haya interpuesto, el juez ordenará al demandante que, dentro de décimo día, informe a los consumidores que puedan considerarse afectados por la conducta del proveedor demandado, mediante la publicación de un aviso en un medio de circulación nacional y en el sitio Web del Servicio Nacional del Consumidor, para que comparezcan a hacerse pare o hagan reserva de sus derechos".

El aviso en el sitio Web del Servicio Nacional del Consumidor se deberá mantener publicado hasta el último día del plazo señalado en el inciso cuarto de este artículo.

Corresponderá al secretario del tribunal fijar el contenido del aviso, el que contendrá, a lo menos, las siguientes menciones:

a) El tribunal de primera instancia que declaró admisible la demanda;

b) La fecha de la resolución que declaró admisible la demanda;

c) El nombre, rol único tributario o cédula nacional de identidad, profesión u oficio y domicilio del representante del o de los legitimados activos;

d) El nombre o razón social, rol único tributario o cédula nacional de identidad, profesión, oficio o giro y domicilio del proveedor demandado;

e) Una breve exposición de los hechos y peticiones concretas sometidas a consideración del tribunal;

f) El llamado a los afectados por los mismos hechos para hacerse parte o para que hagan reserva de sus derechos, expresando que los resultados del juicio empecerán también a aquellos afectados que no se hicieran parte en él, y

g) La información de que el plazo para comparecer es de veinte días hábiles a contar de la fecha de la publicación.

De la norma puede concluirse entonces que la ley exige en definitiva dos avisos: uno en un medio de comunicación nacional, regional o local, escrito, electrónico o de otro tipo, que asegure su adecuada difusión y oro en el sitio web del Servicio Nacional del Consumidor.

El plazo de comparecencia para los efectos fijados en esta norma es de veinte días hábiles contados desde la publicación del aviso en el medio de comunicación nacional, regional o local, escrito, electrónico o de otro tipo que asegure su adecuada difusión y en el sitio web del Servicio Nacional del Consumidor.

La disposición se encuentra en estrecha concordancia con el artículo 51 n° 3, que hasta la Ley n° 21.081 regulaba de forma escueta la intervención procesal de los consumidores en procesos colectivos ya iniciados señalando que 'cualquier legitimado activo o consumidor que se considere afectado podrá hacerse parte en el juicio', sin considerar la forma en que debe producirse esta intervención, por lo que habrá que estar a las reglas generales sobre la materia.

La reforma de 2018 reemplazó este inciso, estableciendo que 'iniciado el juicio señalado cualquier legitimado activo podrá hacerse parte en el mismo. Asimismo, podrá comparecer cualquier consumidor que se considere afectado para el solo efecto de hacer reserva de sus derechos', con lo que se ha fijado una distinción entre los legitimados activos para demandar y que son parte, y los consumidores que comparecen para el solo efecto de hacer reserva de sus derechos, lo que impide que adquieran la calidad de parte.

Esta modificación se enlaza de mejor forma con lo dispuesto por el inciso 4° del artículo 53, que se refiere al plazo para hacer uso de los derechos que establece el inciso 1° de ese artículo, que ya distinguía entre la comparecencia para hacerse parte y la comparecencia para hacer reserva de sus derechos".

"**Prohibición de litis *pendencia* y acumulación de procesos. El artículo 51 n° 5 prohíbe la** *litis pendencia* entre el proceso colectivo ya iniciado y posteriores procesos individuales, cuando dispone que 'el demandante que sea parte en un procedimiento de los reguladores en el presente párrafo, no podrá, mientras el procedimiento se encuentre pendiente, deducir demandas de interés individual fundadas en los mismos hechos.

Además, el artículo 53 inciso 3° dispone expresamente que a contar de la publicación de los avisos, ninguna persona podrá iniciar otro juicio en contra del demandado por los mismos hechos, salvo que comparezca ante el tribunal haciendo reserva de acciones, caso en el cual los resultados del juicio no le son oponibles, o que haya hecho reserva de sus derechos para perseguir la responsabilidad civil del demandado.

En materia de acumulación, en su numeral 9, este artículo dispone que 'las acciones cuya admisibilidad se encuentre pendiente se acumularán de acuerdo a las reglas generales', y para estos efectos, el Servicio Nacional del Consumidor deberá oficiar al juez con el objeto de poner en su conocimiento el hecho de encontrarse pendiente la declaración de admisibilidad de otra demanda por los mismos hechos.

Creemos que el supuesto que contempla este numeral no corresponde propiamente a una acumulación de acciones, sino que a una acumulación de procesos, que además, es el único tipo de acumulación que contempla el Título X del Libro I del Código de Procedimiento Civil.

En este punto, ha dispuesto también el legislador en el artículo 53, que 'aquellos juicios que se encuentren pendientes contra el mismo proveedor al momento de publicarse el aviso y que se funden en los mismos hechos, deberán acumularse de conformidad a lo previsto en el Código de Procedimiento Civil, con las siguientes reglas especiales:

1) Se acumularán al juicio colectivo los juicios individuales. Si una o más de las partes hubiere comparecido personalmente al juicio individual deberá designar abogado patrocinante una vez producida la acumulación, y

2) No procederá acumular al colectivo el juicio individual en que se haya citado a las partes para oír sentencia.

El criterio adoptado por al legislador en materia de acumulación ha sido ratificado por nuestra jurisprudencia, señalando que "se trata en este evento del ejercicio de acciones que miran al interés colectivo, mas no al individual de los consumidores, de tal manera que el proceder el tribunal lleva al exceso de permitir reprimir tantas veces como clientes afectados indique el Servicio demandante en forma separada, no obstante que la responsabilidad infraccional perseguida ha sido la imputada a un prestador de servicios frente a la interrupción del suministro eléctrico en un momento preciso, por lo que necesariamente debió determinarse su responsabilidad de una sola vez, coincidente con la configuración del detrimento y su correspondiente castigo; pensar distinto llevaría a afectar flagrantemente el principio del derecho penal sancionador, en el sentido que nadie puede ser castigado dos veces por un mismo hecho".

"Formación de grupos y subgrupos. Dispone el artículo 53 A de la LPC que durante el juicio y hasta la dictación de la sentencia definitiva inclusive, el juez podrá ordenar, de acuerdo a las características que les sean comunes, la formación de grupos y, si se justificare, de subgrupos, para los efectos de lo señalado en las letras c) y d) del artículo 53 C.

El juez podrá ordenar también la formación de tantos subgrupos como estime conveniente.

La facultad que se entrega al órgano jurisdiccional para la formación de grupos y subgrupos atendiendo a las características comunes de los consumidores demandantes, permite establecer parámetros para resolver la controversia".

"Interrupción de la prescripción. El artículo 51 n° 6 dispone expresamente que 'la presentación de la demanda producirá el efecto de interrumpir la prescripción de las acciones indemnizatorias que correspondan a los consumidores afectados. Respecto de las personas que reservaren sus derechos conforme al artículo 54 C el cómputo del nuevo plazo de prescripción se contará desde que la sentencia se encuentre firme y ejecutoriada.

La ley por lo tanto ha previsto que la presentación de la demanda colectivo interrumpa la prescripción de las acciones indemnizatorias, lo que resulta coherente si se piensa que el proceso colectivo tiene por objeto ofrecer una solución más rápida y económica que la de los juicios individuales.

En este sentido, es lógico que se produzca la interrupción de la prescripción, por cuanto evita que los consumidores asuman riesgos en lo que respecta a la posibilidad de ejercer sus derechos.

El beneficio se extiende a quienes hagan reserva de sus derechos para ejercerlos en un juicio individual posterior, ya que el nuevo plazo de prescripción comenzará a contarse desde que la sentencia dictada en el procedimiento colectivo se encuentre firme".

"Incorporación de la tutela cautelar. La Ley n° 21.081 se ha encargado de introducir una norma en esta materia, incorporando un numeral 10 al artículo 51, en que dispone que 'en casos calificados y sólo una vez admitida a tramitación la demanda, el juez podrá ordenar como medida precautoria que el proveedor cese provisionalmente en el cobro de cargos cuya procedencia está siendo controvertida en juicio. Para tal efecto, el demandante deberá acompañar antecedentes que constituyan a lo menos presunción grave del derecho que se reclama'.

El procedimiento para solicitar la medida debe ajustarse a las reglas que para tales efectos contempla el Código de Procedimiento Civil.

Más que una tutela de carácter precautorio, creemos que la medida posee una naturaleza de tipo innovativa, puesto que no busca asegurar el resultado de la acción en su concepción tradicional, sino que más bien persigue evitar mayores perjuicios a los consumidores afectados alterando la situación de hecho vigente durante la tramitación del procedimiento".

"Supresión de inhabilidades para rendir prueba testimonial. Como una manera de facilitar la prueba de la acción colectiva la Ley n° 21.081 ha introducido también dos incisos finales al artículo 51, en que se permite a los consumidores afectados prestar declaración como testigos sin que les sea aplicable la causal de inhabilidad establecida en el artículo 6° del artículo 358 del Código de Procedimiento Civil.

La norma se justifica si se considera que todos los consumidores afectados son parte en el proceso, ya sea porque han intervenido como parte o porque se les harán extensivos los efectos de la sentencia a aquellos que no han participado como intervinientes, limitando con ello la posibilidad de encontrar terceros extraños a los hechos que puedan declarar sobre los mismos".

"Deber de colaboración procesal. La Ley n° 21.081 agrega también una norma de colaboración procesal, obligando a los proveedores a entregar toda la prueba instrumental que se ordene de oficio o a petición de parte y siempre que tengan relación directa con el asunto controvertido y obren o deban obrar en su poder.

En caso de negativa injustificada a cumplir con dicha obligación, el juez podrá tener por probado lo alegado por la parte contraria respecto del contenido de esos instrumentos.

Este deber constituye una morigeración del principio dispositivo y encuentra su fundamento en la justicia y, en consecuencia, ¿en el proceso las partes tienen el deber moral de contribuir al esclarecimiento de la verdad y a colaborar con el juez para asegurar los resultados inherentes a su función, razón por la cual debe soslayar cualquier actitud que pueda resultar reticente, aun cuando se cobije en principios y supuestos formales'".

"Cumplimiento de los acuerdos y la incorporación del sistema de fluid recovery. La reforma también supone un avance en este punto, por cuanto hasta ahora no existía una norma que regulara el cumplimiento de los acuerdos alcanzados con ocasión del procedimiento.

La ley introduce el sistema del *fluid recovery,* que parte de la premisa de que los beneficios generados por una acción colectiva siempre deben ser adjudicados a alguien, con el objeto de que el proceso colectivo funcione también como instrumento de disuasión.

Por ello, se ha previsto que cualquier tipo de acuerdo que contemple la entrega a los consumidores de sumas de dinero, deberán establecer un conjunto mínimo de acciones destinadas a informar a quienes resulten alcanzados por el respectivo acuerdo, las acreencias que tienen a su favor, facilitar su cobro y, en definitiva, conseguir la entrega efectiva del monto correspondiente a cada consumidor".

Debemos plantearnos que la efectividad del acuerdo no se agota en su alcance y homologación, sino que la verdadera actividad disuasoria de las prácticas lesivas de los derechos de los consumidores se encuentra en la efectiva ejecutabilidad del acuerdo alcanzado, esto es, que los beneficios obtenidos por medio de la condena colectiva sean adjudicados directamente a los miembros de la clase que fueron afectados por la conducta del proveedor.

Por lo anterior, la Ley n° 21.081 ordena que en el caso de que se alcance un acuerdo y con el objeto de garantizar su cumplimiento, deberá designar a un tercero independiente para lograr la transferencia efectiva del dinero que a cada consumidor corresponde.

Para el cumplimiento de dicho mandato, el proveedor deberá transferir la totalidad de los fondos al tercero encargado de su entrega a los consumidores.

Estos acuerdos deberán establecer, a su vez, un plazo durante el cual las diligencias referidas en este inciso deberán ejecutarse. Transcurridos dos años desde que se cumpla dicho plazo, los remanentes que no hayan sido transferidos ni reclamados por los consumidores caducarán y se extinguirán a su respecto los derechos de los respectivos titulares, debiendo el proveedor, o el tercero a cargo de la entrega, enterar las cantidades correspondientes al fondo establecido en el artículo 11 bis".

"Incorporación de la indemnización del daño moral colectivo como pretensión susceptible de reparación. La Ley n° 19.496 desde su dictación ha considerado al daño moral como indemnizable, al reconocer el derecho del consumidor a la reparación e indemnización adecuada y oportuna de todos los daños materiales y morales en caso de incumplimiento de cualquiera de las obligaciones contraídas por el proveedor, según lo dispuesto por el artículo 3° b) de la ley.

Pero hasta ahora, se excluía de modo expreso la posibilidad de reclamarlo en los procedimientos colectivos.

La reforma introducida por la Ley n° 21.081 deja sin efecto esta prohibición y permite que en los juicios colectivos la indemnización pueda extenderse al daño moral siempre que se haya afectado la integridad física, síquica o la dignidad de los consumidores.

Entendemos que el legislador ha seguido una orientación común en torno a indemnizar el sufrimiento físico o moral, sin perjuicio de que la expresión 'dignidad de los consumidores', sea amplia y pueda dar lugar a la reparación de perjuicios que vayan más allá del dolor causado con la infracción.

La ley se aleja de la tendencia mayoritaria en la doctrina que considera que el daño moral es de naturaleza individual y personalísima, al permitir al juez fijar como criterio de facilidad, un daño moral estandarizado mediante un 'monto mínimo común', con el auxilio de un informe de peritos cuyo costo será de cargo del infractor y sin perjuicio de que puedan considerarse otros medios de prueba.

En lo que respecta a la prueba del daño moral, el legislador mantiene la necesidad de que se encuentre debidamente acreditado, estableciendo que debe considerarse como un hecho sustancial, pertinente y controvertido que queda sujeto a la posibilidad de sanción para la parte que lo demanda si la pretensión resulta temeraria o infundada.

Se deja a salvo también la posibilidad de que aquellos consumidores que consideren que su afectación supera el monto mínimo estandarizado, puedan perseguir la diferencia en un juicio individual posterior, en que no podrá discutirse la procedencia de la indemnización si no solamente la determinación del monto mayor por dicho concepto.

En este caso, será competente para conocer de este procedimiento, a elección del consumidor, el juez que conoció del procedimiento colectivo, caso en el cual se aplicaran las reglas del procedimiento sumario, sin que se admita la reconvención, o bien el juez de policía local competente.

El proveedor podrá además efectuar proposiciones de reparaciones del daño moral durante todo el juicio, y deberá considerar un monto mínimo común para todos los consumidores afectados, pudiendo diferenciar para estos efectos entre grupos y subgrupos de afectados.

En atención a lo ya señalado, algunos autores han visto una incompatibilidad entre la reparación del daño moral colectivo estandarizado y su naturaleza personalísima, llevándolos a concluir que mas que una reparación del daño moral en el sentido tradicional, nos encontramos ante una figura de daños punitivos, esta vez identificado como daño moral, para diferenciarlo de los daños punitivos que puede fijar el juez en conformidad con lo dispuesto por el artículo 53 C, que considera el haber dañado la integridad física o psíquica de los consumidores o su dignidad, como una agravante que permite el aumento del monto de las indemnizaciones". [...]

- **Vargas, Macarena (2019): "Mecanismos alternativos y consumo. Análisis de la nueva ley de protección de los derechos de los consumidores", en Juan Ignacio Contardo; Felipe, Fernández y Claudio Fuentes (Coords).** *Litigación en materia de* *consumidores*. **Santiago: Legal Publishing Chile, pp. 165-166 "La nueva regulación contiene un par cuestiones novedosas que llaman la atención.**

En primer lugar, la proposición de las bases de arreglo no las hace el tribunal, sino que las partes y se exige que ellas sean concretas (artículo 52). De este modo, los involucrados deberán llegar a la audiencia con claridad acerca de los mínimos y máximos que barajarán a la hora de sentarse a conversar en la sala del tribunal.

En segundo lugar, se destacan dos facultades que demuestran la voluntad del legislador por fomentar la colaboración entre las partes. Una de ellas —que se encuentra en varias legislaciones nacionales— permite al juez a llamar a conciliación varias veces a lo largo del proceso. Lo que llama la atención es la forma categórica en que está redactada la norma, pues señala expresamente que el juez podrá hacerlo "cuantas veces sea necesario" (artículo 53 B). Pareciera que el legislador quisiera incentivar el empleo de este mecanismo sin establecer límites temporales para ello. La otra facultad que constituye una innovación en materia civil es la posibilidad que se le da al juez de suspender la audiencia. Como sabemos, las controversias que envuelven intereses colectivos y difusos son casos de litigación compleja, donde hay múltiples actores involucrados, numerosos abogados, una extensa prueba para acreditar la causalidad y los daños y luego para cuantificar las indemnizaciones.

En estos casos si hay disposición de llegar a un acuerdo, los litigantes deberán reunirse en varias ocasiones e ir informado a sus "bases" acerca de los avances logrados en cada etapa, de modo de ir paulatinamente acercando sus posiciones. Ello potencia la idea de deliberación que esta ley contiene en forma expresa (artículo 52)".

- **Pino, Alberto (2021): "Artículo 53 C letra c)", en Iñigo De La Maza; Carlos Pizarro y Francisca Barrientos (Dirs.)** *La protección de los Derechos de los consumidores. Comentarios a la ley de protección a los derechos de los consumidores* **Santiago: Editorial Thomson Reuters (en prensa):** "El aumento en la indemnización permite agravar la responsabilidad del demandado, estableciendo una pena privada a favor de los consumidores, ya que atiende a criterios retributivos y no al daño efectivamente causado para la determinación del monto indemnizable. En efecto, durante la tramitación de la Ley n° 21.081 se calificó estas indemnizaciones como punitivas. Ahora bien, la figura no es desconocida para el derecho privado chileno. […]

Resulta interesante tener en cuenta la circunstancia agravante de la responsabilidad del infractor contenida en la nueva redacción del artículo 24 letra c) de la LPC. Señala esta norma que se considerarán como circunstancias agravantes de la responsabilidad del infractor el "haber dañado la integridad física o psíquica de los consumidores o, en forma grave, su dignidad". Teniendo en cuenta el artículo 51 n° 2 y la referencia a la dignidad como requisito de procedencia del daño moral en los procedimientos de acciones colectivas, ¿podría concluirse a que solo se requeriría una afectación a la dignidad suficientemente grave para configurar una circunstancia agravante de la responsabilidad del infractor, y no para determinar la procedencia del daño moral para los consumidores afectados? No parece ser correcta esta conclusión. Ello se debe principalmente a que se trata de dos ámbitos de aplicación distintos, una norma (la del artículo 24) determina cuáles son las circunstancias atenuantes y agravantes de la responsabilidad infraccional, mientras que la otra (la del artículo 51 n° 2) determina la procedencia del daño moral para los grupos de consumidores afectados.

Es cierto que el artículo 24 menciona que la dignidad de los consumidores debe afectarse de manera grave para que proceda la circunstancia agravante, lo cual deja abierta la pregunta de en qué casos podría considerarse que se ha afectado la dignidad de los consumidores de manera no grave, hipótesis que parece bastante dudosa, tanto a nivel teórico como práctico para determinar casos concretos en que ello sea así. De configurarse una hipótesis de afectación de la dignidad de los consumidores en los términos planteados, debiera ser posible para estos demandar la indemnización del daño moral en procedimientos de acción colectiva, sin necesidad de acreditar que dicha afectación tenga el calificativo de grave. Ahora bien, la ley le permite al juez determinar, en aquellos casos que califique como graves, un aumento de la indemnización como una pena privada adicional en contra del proveedor, aunque sin aclarar del todo cuáles serían aquellas circunstancias que permitirían al juez concluir que se trata de una afectación "grave" en caso que se vulnere la dignidad de los consumidores".

- **Munita, Renzo (2021): "Artículo 53 C letra c)", en Iñigo De La Maza; Carlos Pizarro y Francisca Barrientos (Dirs.)** *La protección de los Derechos de los consumidores. Comentarios a la ley de protección a los derechos de los consumidores* **Santiago: Editorial Thomson Reuters (en prensa):** "La norma que comentamos fue objeto de un interesante debate en los trámites y reflexiones que supuso la gestación de la ley n° 21.081. El motivo de la discusión se vincula al reconocimiento que a través del artículo 53 C (c) se brinda, aunque no literalmente, a los daños punitivos; figura resistida por la civilística tradicional tanto chilena como comparada, esta última, al menos de corriente latino continental. Aquello, por como es sabido, en ordenamientos jurídicos de familia anglosajona, la noción en referencia existe desde hace larga data. El cuestionamiento se funda en que a través de ella la responsabilidad civil recupera la función punitiva de la cual gozó en alguna época pretérita, fenómeno que pudiera ser interpretado como un retroceso. En efecto, se ha afirmado que el instituto se desnaturalizaría toda vez que aquel persigue ante todo un propósito reparatorio, y aunque pudiera abarcar colateral o secundariamente una órbita preventiva, jamás sería admisible atribuirle otra de corte sancionatoria o punitiva. Si bien lo dicho empalma con aproximaciones generales de la responsabilidad civil y la forma en como normalmente se aborda el problema de las funciones, los daños punitivos, parecen disponer de mayor tolerancia en materias gobernadas por el derecho del consumo, que, aunque constituyen un reflejo de derecho común, están impregnadas de una asimetría que en principio este último no advierte, razón que probablemente influye en la indulgencia señalada. [...]

Por otra parte, si damos por sentado que el daño punitivo, al menos en el derecho del consumo, encuentra su fundamento mediato en el desequilibrio de las partes del vínculo (pues el inmediato es la misma ley), debemos también hacer presente que el incumplimiento que motiva la condena punitiva no puede ser cualquiera, debe significar una conducta impregnada de una reprochabilidad relevante, ya sea por la indiferencia con la que ha actuado el demandado, por las consecuencias que ha provocado su actuar, o por la potencialidad cierta de dichas consecuencias. Se ha afirmado que: "[P]rocede otorgar daños punitivos al demandante cuando la conducta del demandado es indignante por su maliciosa intención o por una temeraria indiferencia hacia los derechos de otros, pero además debe valorarse: a) la conducta del demandado que cree en el posible resultado dañoso y quiere que se produzca, y b) que el demandado conoce el riesgo con altas probabilidades de daño, y aun así ejerce la actividad". La doctrina trata esta cuestión bajo la expresión **"justo merecimiento" del daño punitivo**, y en nuestro artículo 24, podemos entenderlo desde el prisma de la reincidencia, gravedad de los daños, o riesgo a la seguridad de los consumidores.

De la justicia en el merecimiento, es posible transitar a la justicia en la valoración de la condena punitiva. Aquí la relación entre los artículos 53 C (c) y 24, no es del todo clara. Puede apreciarse que el legislador utiliza la expresión *"En aquellos casos en que concurran las circunstancias a que se refiere el inciso quinto del artículo 24"*. Es posible interrogarse, si el establecimiento de una de las circunstancias del artículo 24 resulta suficiente para que sea justificado el recargo; aquello sería lo normal, pero la ley no lo precisa. La ley tampoco menciona si le es posible al tribunal aplicar el daño punitivo en una cantidad menor al 25 %, solo se refiere cerradamente a que podrá aumentar en dicho porcentaje. Se menciona, además, dentro de las agravantes del artículo 24, a la dignidad de los consumidores, y textualmente, que la vulneración haya afectado *en forma grave, su dignidad,* ¿es posible desprender, en consecuencia, que habría vulneraciones que capaces de afectar la dignidad de forma menos grave? Cabe mencionarse, en este punto, que la órbita punitiva de las disposiciones legales en referencia no establece mayores aproximaciones respecto de la valoración del *quantum* de la sanción civil, solo se refiere al límite del 25%, en circunstancias que bien pudieron haberse indicado las capacidades económicas del responsable del daño, relevancia social de la infracción, lucros alcanzados por el agente o aquellos que razonablemente pueden ser incorporados, ¿la explicación de esta ausencia corresponde a que el juez carece de facultades para no aplicar otro porcentaje de recargo menor al del 25%? Al parecer sí. En fin, la norma en comento hace mención igualmente *a la reparación a favor del grupo o de cada uno de los subgrupos,* sin embargo, no entrega claves en cuanto a cuáles serán los criterios en la determinación de aquellos: la edad, segmento social, naturaleza del bien o del servicio prestado etc., pueden ser algunos ejemplos, que necesariamente en su integración quedan entregados prudencialidad del tribunal, pudiendo haber contribuido la ley en su configuración. En definitiva, como puede verse, son varios los puntos en que la norma es obscura y que en el futuro puede significar problemas en su interpretación y aplicación. [...]

Por último, suscribimos la idea plasmada en la ley, en orden a que el monto indemnizatorio correspondiente al daño punitivo sea atribuido directamente a la víctima, sin que con ello se afecte el principio del *non bis in ídem*, en el entendido que el reproche hubiera sido objeto también de una multa infraccional. Aunque el problema del "no dos veces por lo mismo" sea una cuestión compleja, lo entendemos sorteable desde la perspectiva del afectado como beneficiario de la sanción civil. En rigor, postulamos que de un mismo hecho pueden nacer responsabilidades de diversa naturaleza en la medida en que los bienes jurídicos sean también diferentes. Mientras que sea la vulneración del orden público el que justifique la multa infraccional, y el menosprecio del grupo traducido en alguna de las agravantes del artículo 24, el que justifique el daño punitivo, no vemos colisión. Por lo expuesto, es posible entonces validar que el incremento patrimonial sea ordenado tanto en favor del Fisco (multa infraccional) como del afectado (daño punitivo), toda vez que el fundamento condenatorio es diverso".

SENTENCIAS SOBRE EL PROCEDIMIENTO ESPECIAL PARA PROTECCIÓN DEL INTERÉS COLECTIVO O DIFUSO DE LOS CONSUMIDORES

Sentencias sobre artículo 51

- Servicio Nacional del Consumidor con Cencosud Retail S.A. (2019): Corte Suprema, 27 de noviembre de 2019, Recurso de Casación en el Fondo, Rol nº 25739-2019, LTM18.744.963: "QUINTO: (…) En lo relativo a los perjuicios demandados, resulta que al no haberse considerado abusivas la mayoría de las cláusulas denunciadas como tal, no resulta procedente acoger la pretensión de indemnización de perjuicios planteada, sin que dicha decisión implique infracción a lo dispuesto en el artículo 51 de la Ley de Protección a los Derechos de los Consumidores, toda vez que el primer elemento para analizar la procedencia de la indemnización de perjuicios es la existencia de un hecho ilícito, el cual, de acuerdo a lo razonado, no se ha configurado".

- Servicio Nacional del Consumidor con Banco Santander Chile (2019): Corte Suprema, 01 de julio de 2019, Recurso de Casación en el Fondo, Rol nº 24598-2018, LTM17.777.667: "SÉPTIMO: Que, por último, en el recurso materia de esta sentencia se invoca como tercer vicio la infracción del artículo 51, inciso primero, de la Ley nº 19.496, en cuanto la interpretación errónea de la normativa aplicable que en el fallo impugnado se habría realizado por los jueces del fondo, habría afectado sustancialmente lo dispositivo del mismo en cuanto, en definitiva, en éste se habría infringido el sistema de valoración de la prueba aplicable al caso, esto es, el de la sana crítica. En relación a este tercer vicio, en la medida que su existencia se fundamenta en que habría existido una interpretación errónea por parte de los jueces de la instancia respecto de la normativa aplicable y, por otra parte, ya habiéndose establecido en los considerandos precedentes que en el caso no se ha configurado dicho supuesto errónea interpretación debe entenderse que el mismo no concurre pues, al contrario de lo planteado por la demandante, en el proceso de razonamiento seguido por los jueces de la instancia para llegar a rechazar la respectiva demanda no se advierte de que manera, eventualmente, podrían haber infringido los principios de la lógica y/o las máximas de la experiencia a los cuales se refiere la recurrente en su recurso".

Sentencia sobre artículo 51 nº 2

- **Servicio Nacional del Consumidor con Constructora Santa Beatriz S.A. (2019): Corte Suprema, 27 de diciembre de 2019, Recuso de Casación en el Fondo, Rol nº 114-2019, LTM16.543.945: "DÉCIMO:** Que respecto al rechazo de la indemnización de perjuicios solicitada por SERNAC, los sentenciadores del grado han señalado que de un atento examen de la demanda de autos, es posible concluir que ésta no explicita la naturaleza y monto de los perjuicios sufridos por los consumidores y en tal sentido, si bien el artículo 51 nº 2 de la Ley nº 19.496 prescribe que "en lo que respecta a las peticiones relativas a perjuicios, bastará señalar el daño sufrido y solicitar la indemnización que el juez determine, conforme al mérito del proceso", ello supone la existencia de antecedentes concretos que permitan establecer la obligación indemnizatoria de cargo del proveedor. Que luego, la actora en su libelo ni siquiera señala cuál o cuáles son los daños que a su juicio merecen una reparación civil por parte del proveedor, indicando solamente que ello deberá establecerse conforme al mérito del proceso, por lo que dicha petición no se ajusta a la letra de la ley, que exige, cuando menos, la determinación de la naturaleza de los perjuicios".

Sentencia sobre artículo 52

- **Asociación de consumidores de Tarapacá con Banco Bibao Vizcaya Argentaria S.A. (2017): Corte Suprema, 24 de octubre de 2017, Recurso de Casación en el Fondo, Rol nº 55957-2016, LTM16.125.777: "PRIMERO:** El tribunal de alzada, sostiene, al efectuar el segundo examen de admisibilidad de la apelación debió haber aplicado el artículo 52 inciso sexto de la Ley sobre Protección de los Derechos de los Consumidores atendido que es el precepto que regula los recursos que puede interponer el demandante en contra de la resolución que declara inadmisible la demanda colectiva y que señala la forma cómo deben interponerse, uno en subsidio del otro".

PÁRRAFO 4º : DEL PROCEDIMIENTO VOLUNTARIO PARA LA PROTECCIÓN DEL INTERÉS COLECTIVO O DIFUSO DE LOS CONSUMIDORES

ARTÍCULOS 54 H a 54 S

54H inc. 1º
- El procedimiento a que se refiere este párrafo tiene por **finalidad** la obtención de una solución expedita, completa y transparente, en caso de conductas que puedan afectar el interés colectivo o difuso de los consumidores. Estará a cargo de una subdirección independiente y especializada dentro del Servicio, de conformidad a lo dispuesto en el inciso décimo del artículo 58. Los **principios básicos** que lo regulan son la indemnidad del consumidor, la economía procesal, la publicidad, la integridad y el debido proceso.

54H inc. 2º
- El **procedimiento se iniciará por** resolución del Servicio, la que será dictada de oficio, a solicitud del proveedor, o en virtud de una denuncia fundada de una asociación de consumidores, y será notificada al proveedor involucrado. Esta resolución indicará los antecedentes que fundamentan la posible afectación del interés colectivo o difuso de los consumidores y las normas potencialmente infringidas.

54H inc. 3º
- En la resolución que dé inicio al procedimiento, el Servicio informará al proveedor y a la asociación de consumidores, en su caso, acerca del carácter voluntario del procedimiento, los hechos que le dan origen y su finalidad.

54H inc. 4º
- El **Servicio no podrá iniciar este procedimiento** una vez que se hayan ejercido acciones colectivas respecto de los mismos hechos y mientras éstas se encuentren pendientes. Asimismo, una vez iniciado el procedimiento, ni el Servicio ni quienes se encuentren legitimados para ello de conformidad a esta ley podrán ejercer acciones para proteger el interés colectivo o difuso de los consumidores respecto de los mismos hechos mientras el procedimiento se encuentre en tramitación.

54H inc. 5º
- Se **suspenderá el plazo de prescripción de las denuncias y acciones** establecidas en la presente ley durante el tiempo que medie entre la notificación al proveedor de la resolución que da inicio al procedimiento, y la notificación de la resolución de término.

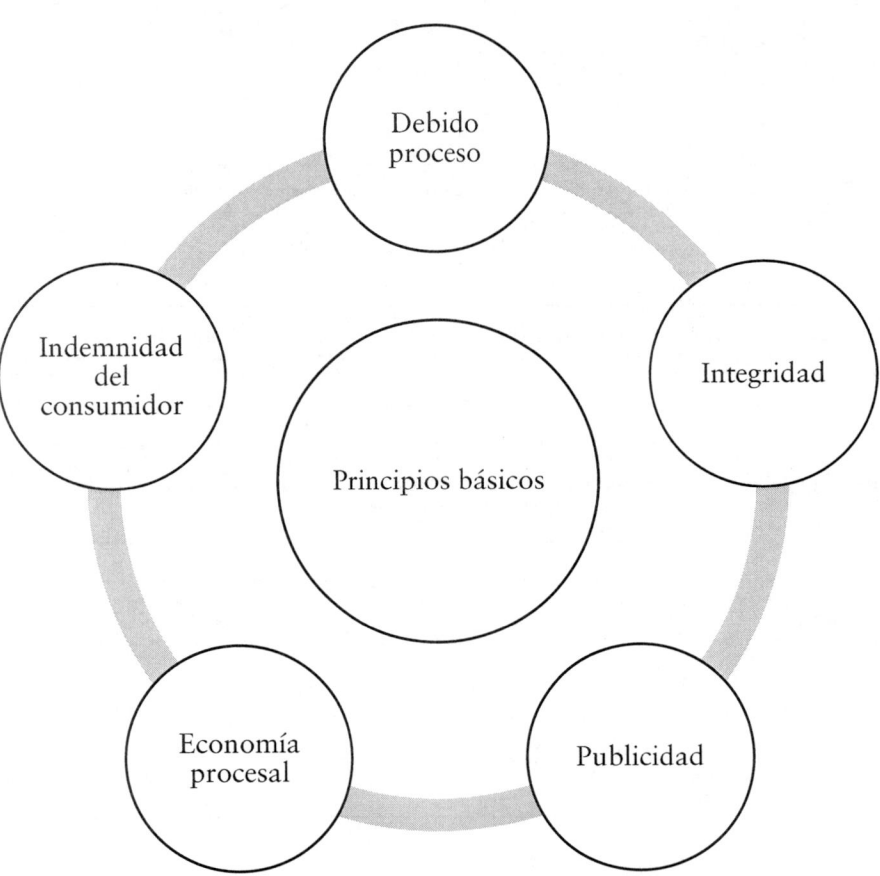

Procedimiento voluntario para la protección del interés colectivo o difuso de los consumidores.	Inicio del procedimiento (art. 54H)	El procedimiento se iniciará por resolución del Servicio, la que será dictada de : – Oficio – A solicitud del proveedor – En virtud de denuncia fundada de una asociación de consumidores
	Resolución que da inicio al procedimiento (arts. 54H y 54I)	Contenido de la resolución del Sernac que da inicio al procedimiento: a) los antecedentes que fundamentan la posible afectación del interés colectivo o difuso de los consumidores; b) las normas potencialmente infringidas; c) información al proveedor y a la asociación de consumidores, en su caso, acerca del carácter voluntario del procedimiento, los hechos que le dan origen y su finalidad; d) cuando la resolución haya sido dictada en virtud de una denuncia fundada de una asociación de consumidores, ordenará su participación, salvo manifestación en contrario de ésta en la misma denuncia (art. 54I). La resolución deberá ser ser notificada al proveedor involucrado.
	Decisión del proveedor sobre participar del procedimiento (art. 54 K)	Notificada la resolución que dé inicio al procedimiento, el proveedor tendrá un plazo de 5 días para manifestar por escrito al Servicio su voluntad de participar en éste. Este plazo podrá prorrogarse por igual término, por una sola vez, si el proveedor lo solicita fundadamente antes de su vencimiento. Si al término del plazo original o prorrogado el proveedor no expresa su voluntad, el procedimiento se entenderá fallido y el Servicio certificará dicha circunstancia mediante la dictación de una resolución de término

Procedimiento voluntario para la protección del interés colectivo o difuso de los consumidores. (Continuación)	Participación en el procedimiento (art. 54 N)	Durante la tramitación del procedimiento, las asociaciones de consumidores que participen y los consumidores potencialmente afectados podrán formular las observaciones que estimen pertinentes.	Cualquiera de ellos podrá, de manera justificada, sugerir ajustes a la solución ofrecida por el proveedor, dentro de los 5 días posteriores a la publicación a que se refiere el artículo 54 L
	Carácter voluntario del procedimiento (art. 54 K)	El proveedor en cualquier momento podrá expresar su voluntad de no perseverar en el procedimiento.	El Servicio podrá no perseverar en el procedimiento en cualquier momento, fundando su decisión. • Estas circunstancias serán certificadas por el Servicio en la resolución de término respectiva.
	Publicidad art. 54 L	La manifestación por la que el proveedor acepte someterse al procedimiento será informada en el sitio web del Servicio en el plazo de cinco días contado desde que ella hubiere tenido lugar	A través del mismo medio se informará el estado en que se encuentra el procedimiento y se publicará la solución ofrecida por el proveedor.
	Incompatibilidad art. 54 H	El Servicio no podrá iniciar este procedimiento una vez que se hayan ejercido acciones colectivas respecto de los mismos hechos y mientras éstas se encuentren pendientes	Una vez iniciado el procedimiento, ni el Servicio ni quienes se encuentren legitimados podrán ejercer acciones para proteger el interés colectivo o difuso de los consumidores respecto de los mismos hechos mientras el procedimiento se encuentre en tramitación

Procedimiento voluntario para la protección del interés colectivo o difuso de los consumidores. (Continuación)	Cómputo plazo de prescripción art. 54 H	Se suspenderá el plazo de prescripción de las denuncias y acciones establecidas en la presente ley	Durante el tiempo que medie entre la notificación al proveedor de la resolución que da inicio al procedimiento, y la notificación de la resolución de término
	Solicitud de antecedentes art. 54 M	Durante el procedimiento, el Servicio podrá solicitar los antecedentes que sean necesarios para el cumplimiento de los fines del primero, especialmente aquellos que se requieran para determinar el monto de las compensaciones que procedieren para los consumidores.	Negativa de entrega: La negativa en la entrega de los antecedentes antes mencionados por parte del proveedor no generará sanción, incluso si en virtud de dicha negativa se declarare fallido el procedimientos.
		Una vez concluido el procedimiento, cada parte podrá requerir la devolución de todos los instrumentos que haya presentado.	Cuando el procedimiento hubiese concluido por falta de acuerdo entre las partes o por haber ejercido el Servicio su derecho a no perseverar en el proceso, éste no podrá presentar en juicio los instrumentos requeridos en virtud de este artículo y que hayan sido entregados por el proveedor en respuesta a dicha solicitud, a menos que haya tenido acceso a ellos por otro medio.

Solicitud de reserva de antecedentes art. 54 O	A solicitud del proveedor, el Servicio decretará reserva de aquellos antecedentes que contengan fórmulas, estrategias o secretos comerciales, siempre que su revelación pueda afectar el desenvolvimiento competitivo de su titular.	Los demás participantes del procedimiento no podrán acceder a estos antecedentes, sino a través de los documentos que contengan el análisis general que de ellos haga el Servicio, los que en ningún caso podrán comprometer la reserva decretada a su respecto.
Deber de reserva durante el procedimiento art. 54 O	Los funcionarios encargados de la tramitación deberán guardar reserva de aquellos antecedentes que hayan conocido con ocasión del procedimiento y hayan sido declarados reservados de acuerdo al inciso primero.	Asimismo, este deber de reserva alcanza a los terceros que intervinieren a través de la emisión de informes.
Sanción al deber de reserva art. 54 O	El funcionario del Servicio que infringiere el deber de reserva, revelando en perjuicio del proveedor aquellos antecedentes, fórmulas, estrategias o secretos que haya conocido con ocasión del procedimiento y respecto de los cuales se haya decretado reserva, será sancionado con las penas indicadas en el artículo 247 del Código Penal, sin perjuicio de la responsabilidad administrativa que corresponda	Si la infracción la cometieren aquellos terceros que han intervenido en el procedimiento mediante la emisión de informes, sufrirán la pena de reclusión menor en su grado mínimo y multa de una a cinco unidades tributarias mensuales.

Procedimiento voluntario para la protección del interés colectivo o difuso de los consumidores. (Continuación)	Acuerdo art. 54 P	En caso de llegar a un acuerdo, el Servicio dictará una resolución que establecerá los términos de éste y las obligaciones que asume cada una de las partes.
		La resolución deberá contemplar, al menos, los siguientes aspectos: 1. El cese de la conducta que pudiere haber afectado el interés colectivo o difuso de los consumidores. 2. El cálculo de las devoluciones, compensaciones o indemnizaciones respectivas por cada uno de los consumidores afectados, cuando proceda. 3. Una solución que sea proporcional al daño causado, que alcance a todos los consumidores afectados y que esté basada en elementos objetivos. 4. La forma en la que se harán efectivos los términos del acuerdo y el procedimiento por el cual el proveedor efectuará las devoluciones, compensará o indemnizará a los consumidores afectados. 5. Los procedimientos a través de los cuales se cautelará el cumplimiento del acuerdo, a costa del proveedor.
	Propuesta del proveedor art. 54 P	La resolución podrá contemplar la presentación por parte del proveedor de un plan de cumplimiento, el que contendrá, como mínimo, la designación de un oficial de cumplimiento, la identificación de acciones o medidas correctivas o preventivas, los plazos para su implementación y un protocolo destinado a evitar los riesgos de incumplimiento. La solución propuesta por el proveedor no implicará su reconocimiento de los hechos constitutivos de la eventual infracción. Cuando el acuerdo contemple la entrega a los consumidores de sumas de dinero, se estará a lo dispuesto en el inciso final del artículo 53 B.

Procedimiento voluntario para la protección del interés colectivo o difuso de los consumidores. (Continuación)	Efectos del acuerdo art. 54 Q	Para que el acuerdo contenido en la resolución dictada por el Servicio produzca efecto erga omnes, deberá ser aprobado por el juez de letras en lo civil correspondiente al domicilio del proveedor.	El tribunal sólo podrá rechazar el efecto erga omnes si el acuerdo no cumple con los aspectos mínimos establecidos en el inciso segundo del artículo 54 P. El tribunal fallará de plano y sólo será procedente el recurso de reposición con apelación en subsidio en contra de la resolución que rechace el acuerdo.
		Ejecutoriada la resolución judicial y efectuada la publicación, el acuerdo surtirá los efectos de una transacción extrajudicial respecto de todos los consumidores potencialmente afectados.	Con excepción de aquellos que hayan hecho valer sus derechos ante los tribunales con anterioridad, hayan suscrito avenimientos o transacciones de carácter individual con el proveedor o hayan efectuado reserva de sus acciones.
	Publicaciones art. 54 Q	La copia autorizada de la resolución del Servicio en que conste el acuerdo tendrá mérito ejecutivo transcurridos 30 días desde la publicación del extracto de la resolución en el Diario Oficial y en un medio de circulación nacional, a costa del proveedor, así como en el sitio web institucional del Servicio, contándose el plazo desde la última publicación.	Las publicaciones deberán efectuarse a más tardar dentro de décimo día desde la fecha de la resolución administrativa en la que conste el acuerdo o desde que quede ejecutoriada la resolución judicial que lo aprueba, según sea el caso.

Procedimiento voluntario para la protección del interés colectivo o difuso de los consumidores.	Reserva de acciones art. 54 Q	En aquellos casos en que el acuerdo tenga efecto erga omnes, durante el plazo a que hace referencia el inciso 4 del artículo 54 Q, los consumidores afectados que no estén conformes con la solución alcanzada, para no quedar sujetos a ésta, deberán efectuar reserva expresa de sus acciones individuales ante el tribunal que aprobó el acuerdo.	Lo que podrán realizar sin patrocinio de abogado, concurriendo personalmente al tribunal o ingresando a la Oficina Judicial Virtual del Poder Judicial o al sistema que lo reemplace.
	Incumplimiento del acuerdo art. 54 Q	El incumplimiento de los términos del acuerdo constituye una infracción de la presente ley.	
	Duración del procedimiento art. 54 J	El plazo máximo de duración del procedimiento será de tres meses, contado a partir del tercer día de la notificación al proveedor de la resolución que le da inicio. Este plazo podrá ser prorrogado por una sola vez, de oficio o a solicitud del proveedor, hasta por tres meses, por resolución fundada, en la que se justifique la prórroga por la existencia de una negociación avanzada o por la necesidad de mayor tiempo de revisión de antecedentes o para el análisis de las propuestas formuladas	• El plazo no podrá ser extendido cuando la necesidad de la prórroga se explique por un comportamiento negligente del proveedor involucrado en la negociación. • Si dentro del plazo original o prorrogado no hubiere acuerdo, se entenderá fracasado el procedimiento, circunstancia que será certificada por el Servicio en la resolución de término.

Procedimiento voluntario para la protección del interés colectivo o difuso de los consumidores.	Comparecencia de los proveedores a las audiencias art. 54 Ñ	La comparecencia de los proveedores a las audiencias que se fijen deberá realizarse por un apoderado facultado expresamente para transigir. En el caso de que el apoderado del proveedor no contare con facultades suficientes, el Servicio citará a una nueva audiencia que deberá tener lugar dentro de quinto día.	Si en dicha nueva audiencia no se subsanare la situación, el procedimiento se entenderá fallido y el Servicio certificará dicha circunstancia mediante la dictación de una resolución de término
	Notificación de las resoluciones art. 54 R	La notificación de las resoluciones que este párrafo establece se efectuará por carta certificada, entendiéndose practicada al tercer día hábil siguiente del despacho de correos.	Podrá también efectuarse por correo electrónico, para lo cual deberá enviarse a la dirección registrada ante el Servicio, y se entenderá practicada el día hábil siguiente a su despacho.
	Expediente del procedimiento art. 54 R	El procedimiento deberá constar en un expediente, escrito o electrónico, en el que se asentarán todos los documentos que lo conformen, con expresión de la fecha y hora de su recepción o envío, respetando su orden de ingreso o egreso respectivamente	
	Reglamento art. 54 S	Un reglamento dictado por el Ministerio de Economía, Fomento y Turismo establecerá las normas que sean necesarias para la adecuada aplicación del procedimiento	

DOCTRINA SOBRE EL PROCEDIMIENTO VOLUNTARIO PARA LA PROTECCIÓN
DEL INTERÉS COLECTIVO O DIFUSO DE LOS CONSUMIDORES

- **Aguirrezábal, Maite (2019):** *Defensa de los consumidores y acceso a la justicia, 2da. Edic. actualizada y complementada.* **Santiago: Thomson Reuters, pp. 153-163:** *Del procedimiento voluntario para la protección del interés colectivo o difuso de los consumidores en la Ley nº 21.081. (…) "3.1. Naturaleza* La ley lo regula como un procedimiento administrativo especial, a cargo de una unidad independiente y especializada dentro del Servicio, cuyo fin es cautelar el interés colectivo o difuso de los consumidores, mediante la obtención de una solución expedita, completa y transparente, en el caso de conducta que los afecten.

En este punto debe señalarse que no resulta claro si se trata de un procedimiento de carácter preventivo o de un verdadero mecanismo alternativo de solución de conflictos.

Lo anterior se debe a que en ciertas oportunidades la normativa se refiere a conductas que puedan afectar el interés colectivo o difuso de los consumidores y usuarios y en otras supone la existencia de una afectación y un conflicto concreto.

Así por ejemplo, el artículo 54 H establece que 'el procedimiento a que se refiere este párrafo tiene por finalidad la obtención de una solución expedita, completa y transparente, en caso de conductas que puedan afectar el interés colectivo o difuso de los consumidores', disociación que se reitera en distintas normas.

Igualmente, el artículo 54 H inciso 2º, dispone que la resolución conforme a la cual se iniciará el procedimiento indicará la 'posible afectación del interés colectivo o difuso de los consumidores y las normas potencialmente infringidas', mientras que el artículo 54 P, que establece el contenido mínimo que debe tener el acuerdo al que arriben las partes, en su nº 1 se refiere al 'cese de la conducta que pudiere haber afectado el interés colectivo o difuso de los consumidores.

Como puede observarse, ambas disposiciones también se refieren de forma condicional a la conducta del proveedor mediante las expresiones 'posible afectación' o 'cese de la conducta que pudiere haber afectado'.

Sin embargo, el artículo 54 H inciso 4º prohíbe al Sernac y a los demás legitimados ejercer acciones colectivas en sede judicial respecto de los mismos hechos mientras el procedimiento se encuentre en trámite; y el artículo 54 M faculta al mismo

Servicio para solicitar los antecedentes necesarios, 'específicamente aquellos que se requieran para determinar el monto de las compensaciones para los consumidores', expresiones que suponen afectaciones concretas de intereses" (…).

"**3.6. Problemas que plantea la ejecución de la transacción alcanzada en un acuerdo colectivo.** Tal como ya se ha señalado, la posibilidad de concluir un procedimiento colectivo mediante una solución alternativa a la sentencia definitiva, es hoy una solución concreta, pero reiteramos que la efectividad del acuerdo no se agota en su alcance y homologación, sino que la verdadera actividad disuasoria de las prácticas lesivas de los derechos de los consumidores se encuentra en la efectiva ejecutabilidad del acuerdo alcanzado, esto es, que los beneficios obtenidos por medio de la condena colectiva sean adjudicados directamente a los miembros de la clase que fueron afectados por la conducta del proveedor.

El legislador recurre en este procedimiento a los mismos mecanismos que ya analizamos a propósito de la ejecución de un acuerdo alcanzado en sede judicial y el pago de las indemnizaciones y reparaciones, haciendo aplicable lo dispuesto por el artículo 53 B".

- **Fuentes, Claudio (2019): "De la mediación colectiva al procedimiento voluntario colectivo", en Juan Ignacio Contardo; Felipe, Fernández y Claudio Fuentes (Coords).** *Litigación en materia de consumidores.* **Santiago: Legal Publishing Chile, pp. 171-195:** "VI. EL ACUERDO COLECTIVO. Posiblemente la principal novedad que establece el procedimiento colectivo dice relación con los efectos del acuerdo al que se llegue. Así, en virtud del artículo 54 Q inciso primero, al cumplirse ciertos requisitos el acuerdo tendrá efecto *erga omnes*, alcanzando así no sólo a quienes participaron en la mesa de negociación, sino que también a toda la clase y subclases de consumidores que el acuerdo determine, impidiendo en el futuro acciones de carácter individual. Debe recordarse que este era el gran defecto de la práctica de las mediaciones colectivas, las cuales no daban garantía alguna al proveedor de que el conflicto eventualmente se cerraría.

Es posible observar que entre la regulación de los artículos 54 P y 54 Q, ambos de gran extensión, se establece realmente un mecanismo complejo que pareciera tratar de conciliar diversos intereses en juego, es decir, los intereses de los proveedores, del Sernac y de los consumidores ausentes. Esto último es una excelente señal de parte de nuestro legislador, quien por fin ha comenzado a entender el diferente trato que acuerdos de esta naturaleza exigen, especialmente para resguardar la posición de aquellas personas que no participan de la negociación y cuyos derechos son limitados. Con todo, hay algunas medidas que claramente benefician los intereses del Servicio y de los proveedores en un claro desmedro de los ausentes. A continuación, se analizará en detalle el contenido de ambos artículos. (…) "2. *La aprobación judicial del acuerdo colectivo*" (…) "El punto por destacar es que debe descartarse que la aprobación judicial del acuerdo sea una revisión exclusivamente formal, un mero trámite superficial. Para la propia Corte materias de orden público y obligaciones internacionales la autorizarían a realizar un análisis más profundo. Será la jurisprudencia la que determinará la profundidad de dicha revisión, la que a juicio de quien escribe, debería ser al mérito y corrección del acuerdo mismo, por las razones previamente aludidas.

En segundo lugar, el mismo inciso establece que la resolución del tribunal será de plano. Esto, tal como indicó en su informe respectivo la Corte Suprema, es llamativo ya que se trata de una forma excepcional en nuestro sistema. Como consecuencia de esta resolución el sistema de justicia previo a la decisión no necesita poner en conocimiento de esta situación a nadie en particular, lo que supone que no se da oportunidad alguna para la recepción de otras peticiones o argumentos, previo a resolver en sede judicial. El legislador no contempla entonces una oportunidad procesal para que en la vía judicial se ejerza una oposición a la solicitud del Servicio de dar efecto *erga omnes* al acuerdo.

En tercer lugar, la legislación establece limitaciones importantes a la posibilidad de recurrir la decisión del tribunal en cuanto al efecto *erga omnes*, al señalar que sólo será procedente el recurso de reposición con apelación en subsidio en contra de la resolución que rechace el acuerdo. Como se observa, sólo se otorga vía de impugnación para el rechazo, no para la aprobación del acuerdo. Esto puede deberse a la interacción entre el procedimiento voluntario y el jurisdiccional, en la medida que la ley respecto del segundo no entrega información alguna acerca de cómo se materializará ésta y la naturaleza del procedimiento.

A mi entender, dado el tenor literal de la ley, la aprobación judicial del acuerdo se asemeja bastante a una gestión no contenciosa, en donde sólo será parte el Servicio, quien someterá al tribunal la solicitud. La regulación de este punto establecida en el artículo 54 Q, no se refiere a nadie más que el Sernac y sólo éste puede dictar la resolución que contiene el acuerdo, por lo que la ley no da señal alguna de que algún otro participante del procedimiento voluntario pueda efectivamente intervenir procesalmente en la tramitación ante el juez civil.

Finalmente, el recurso establecido es una reposición con apelación en subsidio, lo que supone dar al juez de letras la primera opción para corregir el rechazo original y sólo secundariamente llegar a la Corte.

Además de la deferencia que la legislación tiene hacia la aprobación del acuerdo, la forma en que esto ha sido regulado levanta una serie de interrogantes.

El tenor literal del artículo 54 Q sólo hace referencia como razón para rechazar los numerales del artículo 54 P, mas no hace referencia alguna al inciso final del mismo artículo que se refiere a requisitos adicionales de contenido cuando el acuerdo supone la entrega de sumas de dinero a cualquier título. En dicho escenario, ¿puede el juez civil rechazar un acuerdo que cumpla con los numerales, pero no así con el inciso final del artículo 53 B?

Esta situación parece problemática, porque el legislador para este tipo especial de acuerdo establece un estándar mayor para su aprobación. A mi entender, la forma en que se respeta el espíritu del legislador y el tenor de la ley en el artículo 53 B, es que la aprobación del juez civil incorpore como parte de su análisis de los numerales, el contenido las exigencias adicionales contempladas en el inciso final, ya que éstas hacen más específicos y exigentes los numerales dos, cuatro y cinco. Asimismo, el artículo 53 B utiliza la expresión 'deberán establecer'. Por lo tanto, para que la remisión tenga sentido, el juez debería estar autorizado en esta situación particular a incluir en su análisis estas exigencias adicionales. Finalmente, porque el artículo 53 B se refiere a un contexto similar al del artículo 54 Q, sólo que se trata de un acuerdo que se ha negociado en una conciliación judicial y/o de manera paralela a un proceso ya iniciado, en donde igualmente el legislador exige aprobación judicial del contenido en conformidad con 'las normas de protección de los derechos de los consumidores'.

Una segunda interrogante dice relación con determinar qué es aquello que se aprueba; el acuerdo o su efecto. El tenor de la ley es claro en la materia, tanto en el inciso primero como en el segundo del artículo bajo análisis. Lo que el juez civil realiza, es aprobar el efecto *erga omnes* y no el acuerdo. La distinción posiblemente dará pie a problemas y discusiones en el futuro, ya que levanta diversas preguntas, como por ejemplo, las que siguen:

¿Qué pasará con el acuerdo cuyo efecto ha sido rechazado? Ciertamente éste no será vinculante para los consumidores ausentes, pero los compromisos asumidos por el proveedor y el Sernac deberían a priori mantenerse, por lo que el acuerdo sí será vinculante para ellos. Más allá de lo anterior, ¿pueden las partes volver a negociar el acuerdo para satisfacer las razones del rechazo y volver a presentarlo? ¿Operará en este caso la cosa juzgada en el evento que la decisión del juez civil sea recurrida y posteriores recursos se agoten?

La normativa en cuestión no es explícita en señalar quién deberá remitir el acuerdo a la aprobación judicial, aunque parece de toda lógica que sea el Servicio quien lo remita, dado que el acuerdo se contiene en una resolución dictada por él mismo. Si a esto se agrega que la resolución del juez civil será de plano, es decir, sin escuchar a nadie más, podría pensarse que la aprobación judicial se acerca o sería equivalente a una gestión no contenciosa, por no existir realmente controversia a este respecto por tratarse de un acuerdo. Si ese fuera el caso, sólo a nivel de principios y doctrina, sería factible argumentar que la cosa juzgada que podría operar se asemejaría a aquella regulada en el libro IV, título I del Código de Procedimiento Civil en aplicación del artículo 821, permitiendo que el mismo juez civil que originalmente rechazó el efecto pueda volver sobre la materia y revocar la resolución de rechazo.

Con todo, se trata de una posibilidad que deberá analizarse con mayor profundidad, en la medida que el problema deje de ser una preocupación meramente teórica y comience a tener relevancia en la práctica del sistema. Esto último en buena medida dependerá del rol que los jueces civiles decidan tener en cuanto al alcance de sus facultades y cómo entenderán el rol de supervisión que les corresponde respecto del efecto del acuerdo.

3. ¿Cuándo el acuerdo produce efecto erga omnes?

El acuerdo tendrá efecto *erga omnes* y por tanto alcanzará a los consumidores ausentes cuando la resolución judicial que le asigne dicho efecto quede ejecutoriada, se produzca la publicación del extracto en el Diario Oficial, en un medio de circulación nacional y en el sitio web del Sernac, transcurridos 30 días desde la fecha de la última publicación.

Algunas precisiones deben realizarse en este punto.

En primer lugar, es importante reiterar que lo que debe publicarse es el extracto de la copia autorizada. Al respecto, la ley no regula, a diferencia de aquello establecido para el procedimiento especial de protección en los artículos 53 y 54 A, exigencias de contenido mínimo de los avisos publicitarios. Esto contradice la tendencia comparada, en donde se entiende con claridad que parte fundamental del derecho de los consumidores de ser debidamente informados y decidir de manera responsable si se mantendrán vinculados por el acuerdo o se retirarán de éste, pasa por la información publicada sobre el acuerdo y el formato mismo de publicación (*v. gr.* qué tan amigable y fácil de entender será para una persona promedio el contenido del aviso y la comprensión de sus derechos).

En segundo lugar, cabe referirse al plazo desde el cual el acuerdo tiene efecto *erga omnes*, que se comienza a contar desde la fecha de la última publicación. Un punto en donde puede levantarse una duda es si el plazo es de días de continuos o de días hábiles, ya que la norma no se refiere a este punto. No es claro que sea la misma resolución del tribunal la que ordene su publicación, en dicho caso, podría entenderse que se rige por la regla general del CPC, que supletoriamente establece que los términos de días se suspenden los feriados. Ahora bien, si se entiende que es el Sernac quien promueve la publicación, el plazo aplicable sería aquel establecido en la Ley No 19.880, la que igualmente establece que los plazos de días serán hábiles. La claridad sobre el plazo es fundamental, ya que como se verá en la próxima sesión, constituye el espacio de tiempo que las personas alcanzadas por el acuerdo tendrán para decidir si se mantienen o no en él".

- **Barrientos, Francisca; Fuentes, Claudio y Vargas, Juan Enrique (2018): "Mediaciones Individuales" y "Mediaciones colectivas" que realiza el Servicio Nacional del consumidor", en María Fernanda Vásquez (dir.)** *Mecanismos alternativos de solución de conflictos.* **Santiago: Thomson Reuters, Santiago, pp. 113-137, pp. 124-133** "Para iniciar el estudio de esta institución, lo primero que corresponde señalar es que las "mediaciones colectivas" no se encuentran reguladas en la LPDC.

  Por eso, podemos caracterizarlo como una práctica elaborada por el Sernac, cuyo objetivo ha sido llegar a acuerdos extrajudiciales con los proveedores con la finalidad de evitar el inicio de un juicio de carácter colectivo.

  A diferencia de la sección previa en que existe una norma que hace referencia a esta facultad administrativa (artículo 58 letra f) y sobre de la cual se ha encontrado una resolución administrativa que disciplina los funcionarios y las etapas correspondientes, respecto de las mediaciones colectivas hasta el momento sólo se ha encontrado en el sitio *web* del Sernac una serie de recomendaciones de requerimientos de la información y una especie de guía no vinculante que regula parte del Procedimiento de Mediaciones Colectivas.

  Es por ello que la presente descripción fue elaborada a partir de información secundaria (notas de prensa en el sitio *web* del Sernac y de otros medios de prensa) que ha permitido construir una base de datos que registra un total de 74 mediaciones colectivas, desde el año 2011 a la fecha. La base de datos clasifica las mediaciones por rubro, año de inicio, año de término, cantidad de reclamos recibidos por el Servicio en la materia, la conducta infraccional, las medidas implementadas, la respuesta del proveedor y las formas de fiscalización de su cumplimiento.

Las mediaciones colectivas podrían ser definidas como potestades implícitas que han sido desarrolladas por el Servicio, cuyo principal propósito es solucionar por una vía extrajudicial un conflicto que podría ventilarse en un juicio colectivo.

Se trata de una práctica cuyo uso no ha estado exento de críticas y de polémica, y producto de ello ha sido impugnada ante la Contraloría General de la República en dos oportunidades distintas, siendo finalmente validadas por esta entidad, aunque estableciéndose ciertas limitaciones a la información que el Servicio puede solicitar y ordenar a los proveedores.

Las mediaciones colectivas constituyen uno de los dos pilares, según los cuales el Sernac realiza sus funciones, siendo reportado su número en todas las cuentas públicas, ensalzándose sus virtudes y resultados. En la actualidad, si bien no existe un listado público oficial de todos los proveedores y rubros en que han sido utilizados, noticias publicadas por el sitio *web del Sernac dan cuenta de un uso cada vez mayor en cantidad y en rubros*. Según la base de datos mencionada con anterioridad, se registra su uso en servicios básicos, conciertos, telefonía celular, casinos, instituciones de educación superior, construcción, bancos y otros servicios financieros, cadenas de tiendas comerciales, eventos futbolísticos, televisión, supermercados, clínicas, tiendas *online* y el metro.

El sitio *web* del Sernac informa que la mediación colectiva se desarrolla en cinco etapas. La primera de ellas es llamada "apertura de la mediación" y consiste en que el Sernac mediante un oficio comunica el inicio de la mediación al proveedor, los consumidores y organismos reguladores. Se indica igualmente que la decisión de iniciar o no dicha mediación colectiva es tomada por un comité en base a una serie de guías y parámetros no comunicados públicamente por el Sernac.

La información disponible en el sitio *web* del Servicio y que ha sido sistematizada mediante la base de datos previamente aludida, da cuenta que en la mayoría de los casos se da inicio a una mediación colectiva frente a la recepción de numerosos reclamos individuales o respecto de determinados rubros (se registran entre 50 a 1.500 reclamos contra un proveedor en particular). Estos reclamos sistemáticos motivarían al Servicio a tomar la iniciativa de abrir el procedimiento de mediación.

De manera excepcional, el Sernac ha iniciado mediaciones sin la existencia de reclamos, como lo serían los casos de Honda Motors, en el cual en diversos medios de prensa escrita se ofertó una motocicleta por un precio distinto al que correspondía y el de Volkswagen, en cuyo caso Sernac se enteró de la alerta mundial de ciertos modelos de automóviles con problemas de *software*.

Tomada la decisión de dar inicio a la mediación, el Servicio remite un oficio a los proveedores. De la información disponible es posible concluir que el oficio es mucho más que una invitación. En este sentido, el oficio que el Servicio remite a los proveedores contiene diversas solicitudes de información y exigencias a los proveedores.

Al respecto, los oficios solicitan a los proveedores su versión de los hechos frente a los múltiples reclamos recibidos o las "razones que justifican la afectación". Asimismo, parece ser normal que el Sernac solicite que se informe la cantidad de reclamos que el propio proveedor ha registrado, las medidas que a la fecha ha tomado para mitigar los perjuicios provocados, la elaboración de propuestas de medidas de mitigación, de compensación, de plazos de implementación de dichas medidas, propuestas de formas de comunicación a los consumidores y la entrega de contratos.

Las notas de prensa elaboradas por el propio Sernac dan cuenta de que junto con el envío de un oficio, se informa en el sitio *web el inicio de este procedimiento en determinados casos. El examen del contenido de dichas notas de prensa refleja que el Servicio inicia las mediaciones colectivas cuando estima que se ha producido una infracción a la LPDC por parte del proveedor. De hecho, es posible observar de la mayoría de las notas de prensa examinadas que el Sernac utiliza a las mediaciones colectivas como una herramienta que permite de manera extrajudicial la modificación de cláusulas abusivas en contratos de adhesión y la obtención de compensaciones para los consumidores, y por ello en los oficios se incluyen solicitudes de formas de reparación desde un inicio.*

Se observa, entonces, que el Sernac se aproxima a estas mediaciones colectivas habiendo hecho una evaluación previa de los hechos del caso, estimando que existe una infracción a la Ley de Protección de los Derechos de los Consumidores.

Es menester indicar que si bien el sitio web del Sernac señala que la mediación se inicia mediante un oficio que está dirigido al proveedor, otros organismos y a las asociaciones de consumidores, existe información oficial y secundaria que da cuenta de que la participación de los consumidores no es necesaria para el desarrollo del procedimiento y que puede y ha operado sin su presencia.

Con relación a la información oficial del Servicio, en su sitio web ha definido las mediaciones colectivas como "una instancia voluntaria y de carácter extrajudicial en la que participa el Sernac y la empresa, que nos permiten lograr soluciones rápidas y eficientes para los consumidores(...)". Nótese el lenguaje utilizado en la definición provista por el Servicio, el proceso de las mediaciones colectivas parece suponer la intervención de dos sujetos (bilateral), siendo uno de ellos el Servicio mismo.

Asimismo, fuentes secundarias dan cuenta de que algunas mediaciones colectivas se han iniciado sin la presencia de asociaciones de consumidores, sino sólo a partir de reuniones sostenidas entre el Servicio y el proveedor.

Esto parece haber ocurrido en el caso CMPC, al menos en el inicio de dicho procedimiento, cuestión que fue públicamente criticada por asociaciones de consumidores.

Recibido el oficio el proveedor debe determinar si desea participar o no en dicha mediación. Esta decisión, según lo informado previamente, no obsta a que deba remitir cierta información solicitada por el Sernac, ya que éste lo hace en uso del apercibimiento de letra g) inciso 5o del artículo 58 de la LPDC.

Se resalta en el sitio web del Sernac que la participación en este procedimiento es voluntaria, con todo el mismo sitio señala "la empresa podría eventualmente no querer participar. En este caso, el Sernac determinará los pasos a seguir, de acuerdo a la situación y el marco de la Ley". Estos pasos a seguir se explicitan de manera más clara en aquellos casos en donde el proveedor se ha opuesto a participar de la mediación. En los casos de Everton y Paris.cl en el año 2015, Aeropostel 2016 y Thermas Internacional el 2017, la respuesta del Servicio ha sido presentar demandas colectivas contra dichos proveedores.

Si el proveedor acepta participar entonces se dan "Instancias de diálogo", que suponen que la empresa se reúne en diversas oportunidades con el Sernac y le propone alternativas de solución y tiempos de implementación. El mismo Servicio describe su rol en aquéllas como "Sernac en esta fase analiza eventuales compensaciones y formas de corregir las prácticas". Se desprende con claridad que el Sernac tiene un rol de fijar el objetivo de la mediación, el cual como se observa trasciende la resolución del conflicto actual y se traduce en modificación de conducta futura de los proveedores. Asimismo, de esta descripción oficial se desprende que sería el Servicio quien determina si la propuesta hecha por el proveedor resulta satisfactoria o no.

De considerar insuficiente la respuesta del proveedor el proceso puede concluir con una demanda interpuesta por el Servicio contra el proveedor Si, por el contrario, la respuesta se considera satisfactoria, lo que resta es la implementación de las soluciones ofrecidas y la consiguiente supervisión que el Servicio hace de ello".

• Morales, Maria Elisa (2017): "Control de cláusulas abusivas en el proyecto de ley que fortalece las facultades del SERNAC". En Francisca Barrientos (dir.) y Felipe Fernández (coord.). *Boletín especial ADECO Proyecto de Ley de Fortalecimiento del Sernac y las Asociaciones de Consumidores,* www.derechoyconsumo.udp.cl, http://derechoyconsumo.udp.cl/wp-content/uploads/2017/12/Lucas-del-Villar.pdf, (fecha de consulta 23 de junio de 2020) pp. 3-6, p. 5: "El nuevo "procedimiento voluntario para la protección del interés colectivo o difuso de los consumidores" como mecanismo de control de cláusulas abusivas: El proyecto de ley introduce un nuevo párrafo a la LPDC denominado "Del procedimiento voluntario para la protección del interés colectivo o difuso de los consumidores", proveyendo de una regulación legal a los procedimientos conocidos hasta ahora como "mediaciones colectivas". Así, con la nueva regulación se vendría a incorporar formalmente a nuestro sistema el control por negociación, entendido como una forma de influenciar la formación de las cláusulas generales o del contrato por adhesión, donde el ente administrativo trata con los proveedores buscando evitar la incorporación de cláusulas abusivas y que, según ha demostrado la experiencia comparada, es un eficaz mecanismo para el control de cláusulas abusivas. Tal vez, lo más interesante de lo anterior es que se provee formalmente al Sernac de una herramienta más para enfrentar el problema de las cláusulas abusivas. De acuerdo con ello el Servicio podría, según el caso, intentar persuadir informalmente al proveedor para que cumpla con la norma, iniciar un procedimiento voluntario para la protección del interés colectivo o difuso, o accionar judicialmente para solicitar la declaración de nulidad de la o las cláusulas estimadas abusivas. Dependiendo de cómo el Sernac oriente sus facultades, la reforma podría implicar, en materia de cláusulas abusivas, un cambio de paradigma y pasar, en este ámbito, de un modelo de enforcement sancionatorio a uno de cumplimiento. Más interesante aun es especular por qué los proveedores se han venido sometiendo a estos mecanismos de negociación de cláusulas en forma voluntaria y, por qué lo seguirían haciendo. Además, de las evidentes ventajas que, para ambas partes representa el control por negociación —barato, rápido y flexible—, aparentemente, existe un factor que podría ser determinante para el proveedor: el miedo a la mala publicidad11 y a las consecuencias que en el mercado esto pueda generar. Suficiente muestra de ello podría ser ver en los periódicos de mayor circulación nacional titulares tales como "Acciones de Hites se desploman tras demandas colectivas del Sernac" o 'Demandas del Sernac siguen golpeando a Hites en la bolsa: acciones cayeron a mínimos desde febrero".

TÍTULO V

DEL SELLO SERNAC, DEL SERVICIO DE ATENCIÓN AL CLIENTE Y DEL SISTEMA DE SOLUCIÓN DE CONTROVERSIAS

ARTÍCULO 55

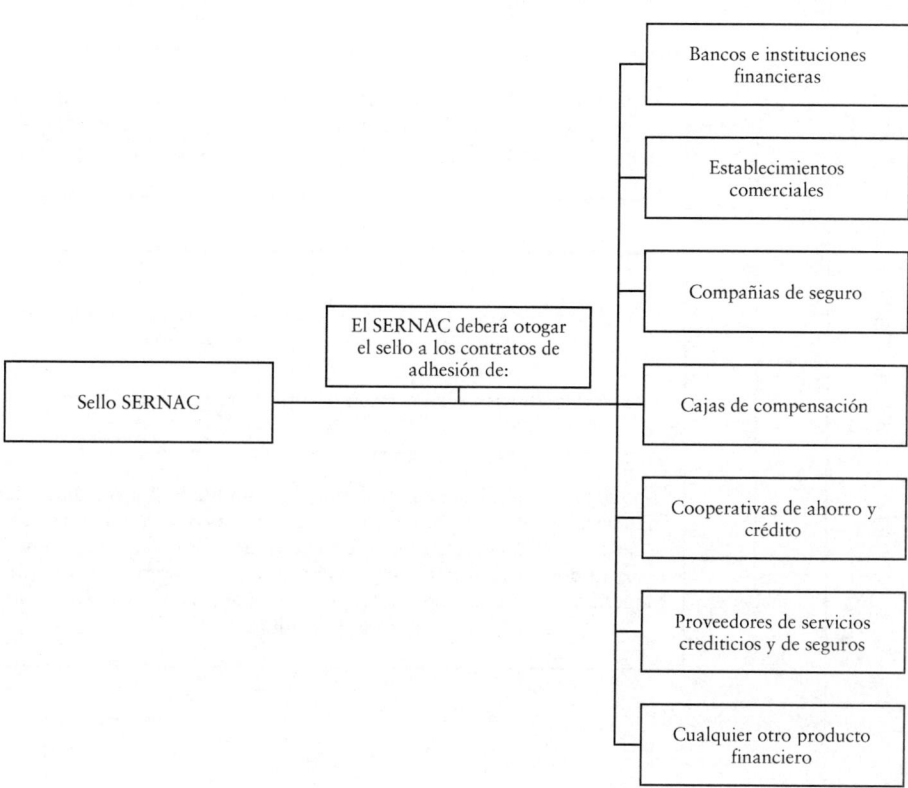

Sello SERNAC

El SERNAC deberá otogar el sello a los contratos de adhesión de:

- Bancos e instituciones financieras
- Establecimientos comerciales
- Compañias de seguro
- Cajas de compensación
- Cooperativas de ahorro y crédito
- Proveedores de servicios crediticios y de seguros
- Cualquier otro producto financiero

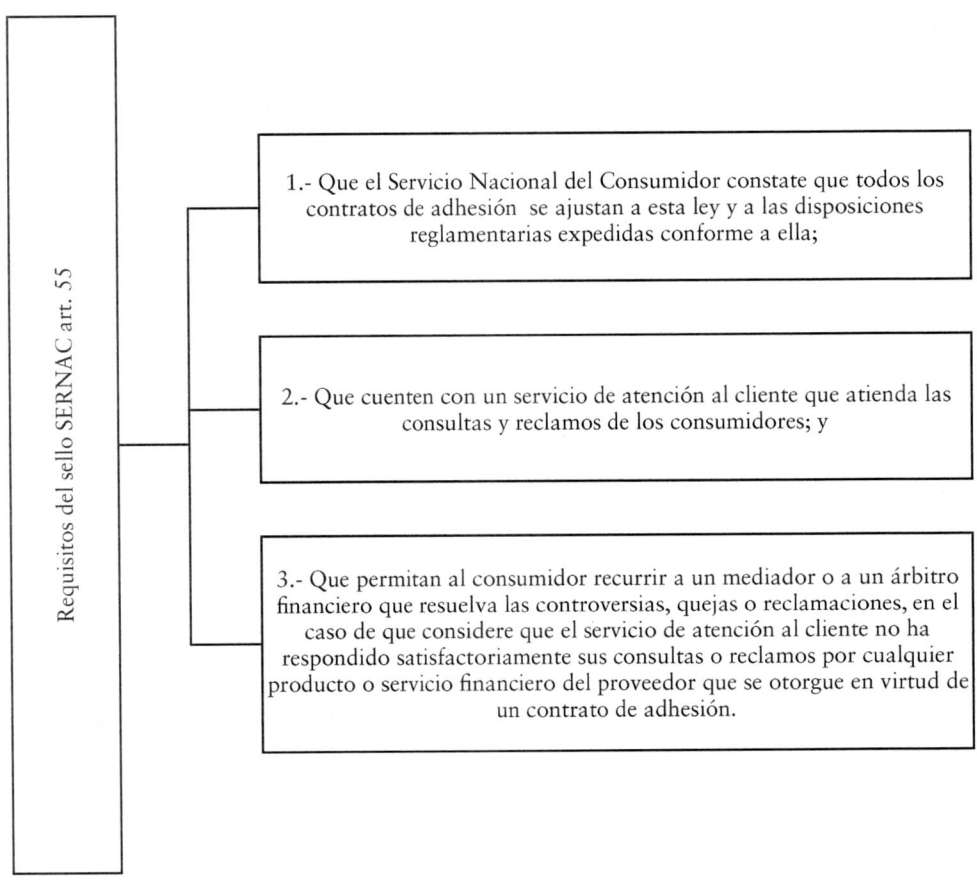

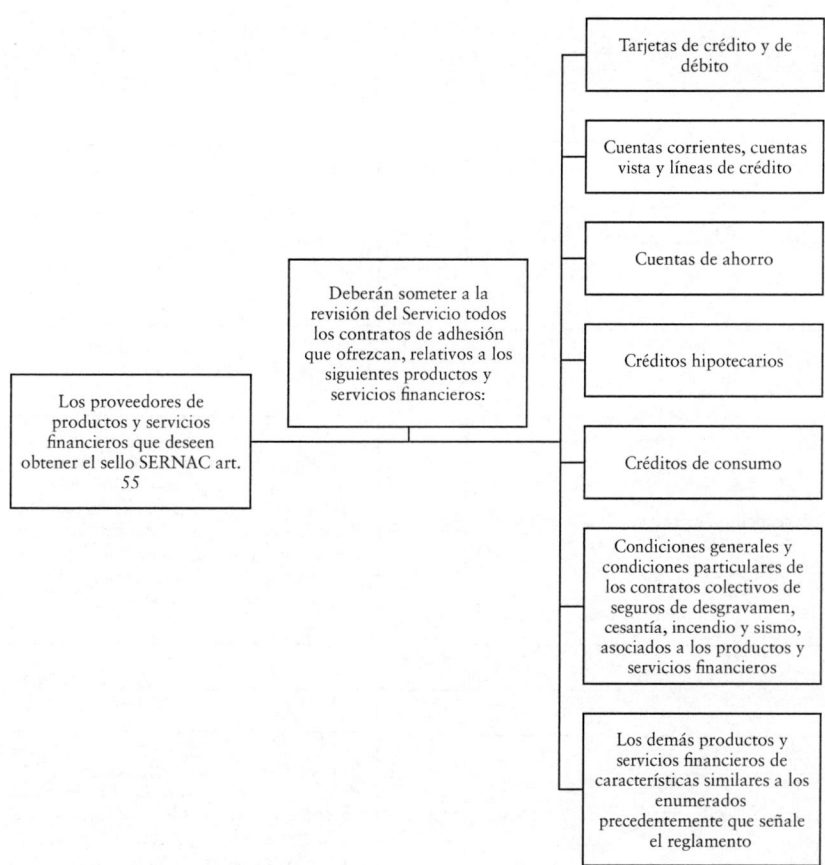

ARTÍCULO 55 A

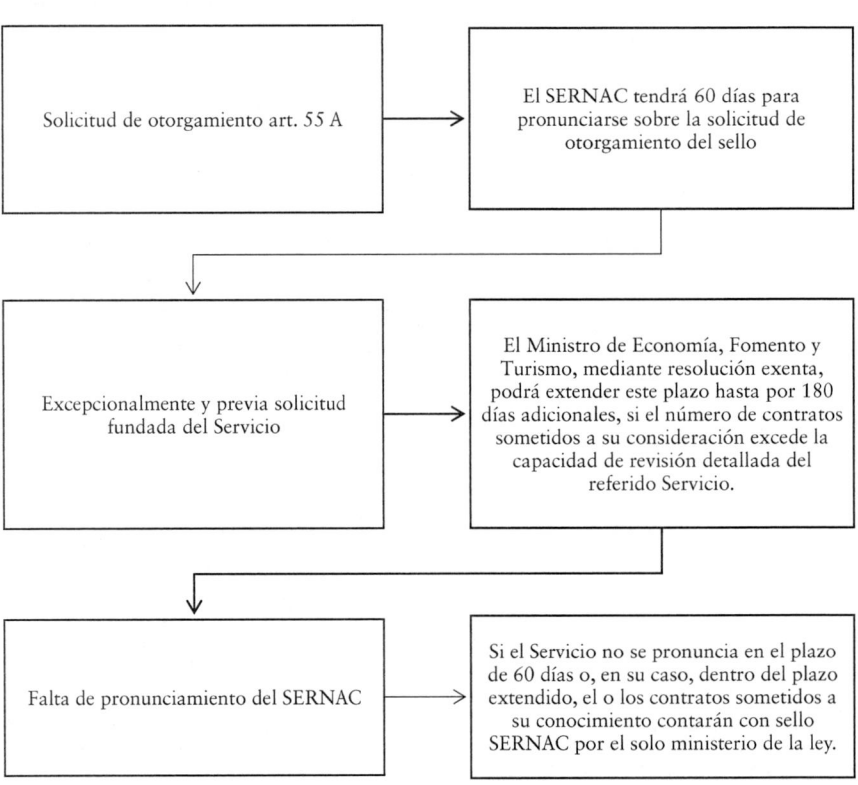

Solicitud de otorgamiento art. 55 A

El SERNAC tendrá 60 días para pronunciarse sobre la solicitud de otorgamiento del sello

Excepcionalmente y previa solicitud fundada del Servicio

El Ministro de Economía, Fomento y Turismo, mediante resolución exenta, podrá extender este plazo hasta por 180 días adicionales, si el número de contratos sometidos a su consideración excede la capacidad de revisión detallada del referido Servicio.

Falta de pronunciamiento del SERNAC

Si el Servicio no se pronuncia en el plazo de 60 días o, en su caso, dentro del plazo extendido, el o los contratos sometidos a su conocimiento contarán con sello SERNAC por el solo ministerio de la ley.

ARTÍCULO 55 B

Contratos con sello SERNAC art. 55 B

El proveedor que tenga contratos con sello SERNAC y ofrezca a los consumidores la contratación de un producto o servicio financiero de los enumerados en el inciso 2 art. 55 mediante un nuevo contrato de adhesión

Deberá someterlo previamente al SERNAC para que éste verifique el cumplimiento de las condiciones establecidas en el artículo 55.

Modificación de un contrato con sello SERNAC art. 55 B

El proveedor de productos y servicios financieros que modifique un contrato de adhesión con sello SERNAC deberá someterlo previamente al Servicio Nacional del Consumidor

Para que éste constate, dentro del plazo indicado en el inciso 1º del artículo 55 A, que las modificaciones cumplen las condiciones señaladas en el inciso primero del artículo 55, en caso de que quisiera mantener el sello SERNAC.

ARTÍCULO 55 C

Pérdida o revocación del sello SERNAC art. 55 C	Resolución	El sello SERNAC se podrá revocar mediante resolución exenta del Director del Servicio Nacional del Consumidor. La resolución del Director del Servicio Nacional del Consumidor que niegue el otorgamiento del sello SERNAC o que lo revoque, será reclamable ante el Ministro de Economía, Fomento y Turismo, en el plazo de 10 días hábiles, contado desde su notificación al proveedor. La reclamación deberá resolverse en el plazo de 15 días hábiles desde su interposición. La resolución que ordene la pérdida o revocación, obligará al proveedor a suspender inmediatamente toda publicidad relacionada con el sello y toda distribución de sus contratos con referencias gráficas o escritas al sello, según lo dispuesto en el reglamento.
	Causales	La pérdida o revocación del sello SERNAC se deberá fundar en que por causas imputables al proveedor de productos o servicios financieros 1- Se ha infringido alguna de las condiciones previstas en este Título; 2- En que se han dictado sentencias definitivas ejecutoriadas que declaren la nulidad de una o varias cláusulas o estipulaciones de un contrato de adhesión relativo a productos o servicios financieros de los enumerados en el inciso segundo del artículo 55, según lo dispuesto en el artículo 17 E. 3-En que se le han aplicado multas por infracciones a lo dispuesto en esta ley en relación con los productos o servicios financieros ofrecidos a través de un contrato con sello SERNAC; 4-En que se le han aplicado multas por organismos fiscalizadores con facultades sancionadoras respecto de infracciones previstas en leyes especiales; 4- En el número y naturaleza de reclamos de los consumidores contra la aplicación de los referidos productos o servicios; 5- En que el proveedor, sea persona natural o jurídica, o alguno de sus administradores, ha sido formalizado por un delito que afecta a un colectivo de consumidores.

ARTÍCULO 55 D

Sanción art. 55 D

Los proveedores que promocionen o distribuyan un contrato de adhesión de un producto o servicio financiero con sello SERNAC, sin tenerlo, o que no cumplan las obligaciones establecidas en el inciso final del artículo 55 C

Serán sancionados con multa de hasta 2.250 unidades tributarias mensuales.

ARTÍCULO 56

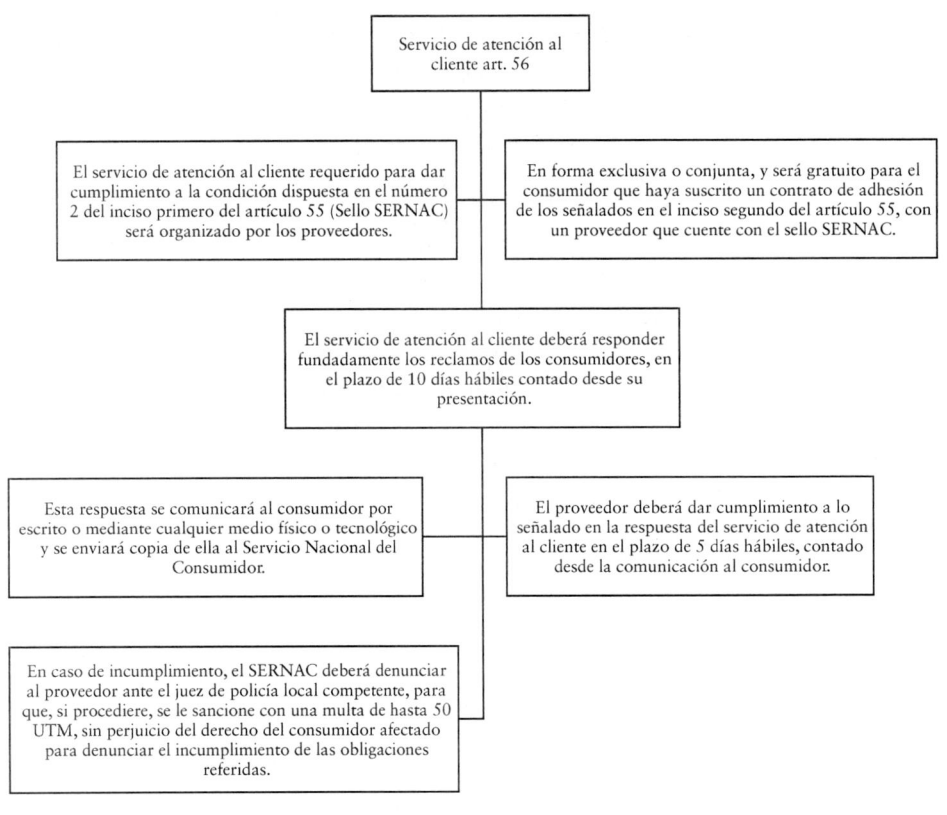

Servicio de atención al cliente art. 56

El servicio de atención al cliente requerido para dar cumplimiento a la condición dispuesta en el número 2 del inciso primero del artículo 55 (Sello SERNAC) será organizado por los proveedores.

En forma exclusiva o conjunta, y será gratuito para el consumidor que haya suscrito un contrato de adhesión de los señalados en el inciso segundo del artículo 55, con un proveedor que cuente con el sello SERNAC.

El servicio de atención al cliente deberá responder fundadamente los reclamos de los consumidores, en el plazo de 10 días hábiles contado desde su presentación.

Esta respuesta se comunicará al consumidor por escrito o mediante cualquier medio físico o tecnológico y se enviará copia de ella al Servicio Nacional del Consumidor.

El proveedor deberá dar cumplimiento a lo señalado en la respuesta del servicio de atención al cliente en el plazo de 5 días hábiles, contado desde la comunicación al consumidor.

En caso de incumplimiento, el SERNAC deberá denunciar al proveedor ante el juez de policía local competente, para que, si procediere, se le sancione con una multa de hasta 50 UTM, sin perjuicio del derecho del consumidor afectado para denunciar el incumplimiento de las obligaciones referidas.

ARTÍCULOS 56 A Y 56 B

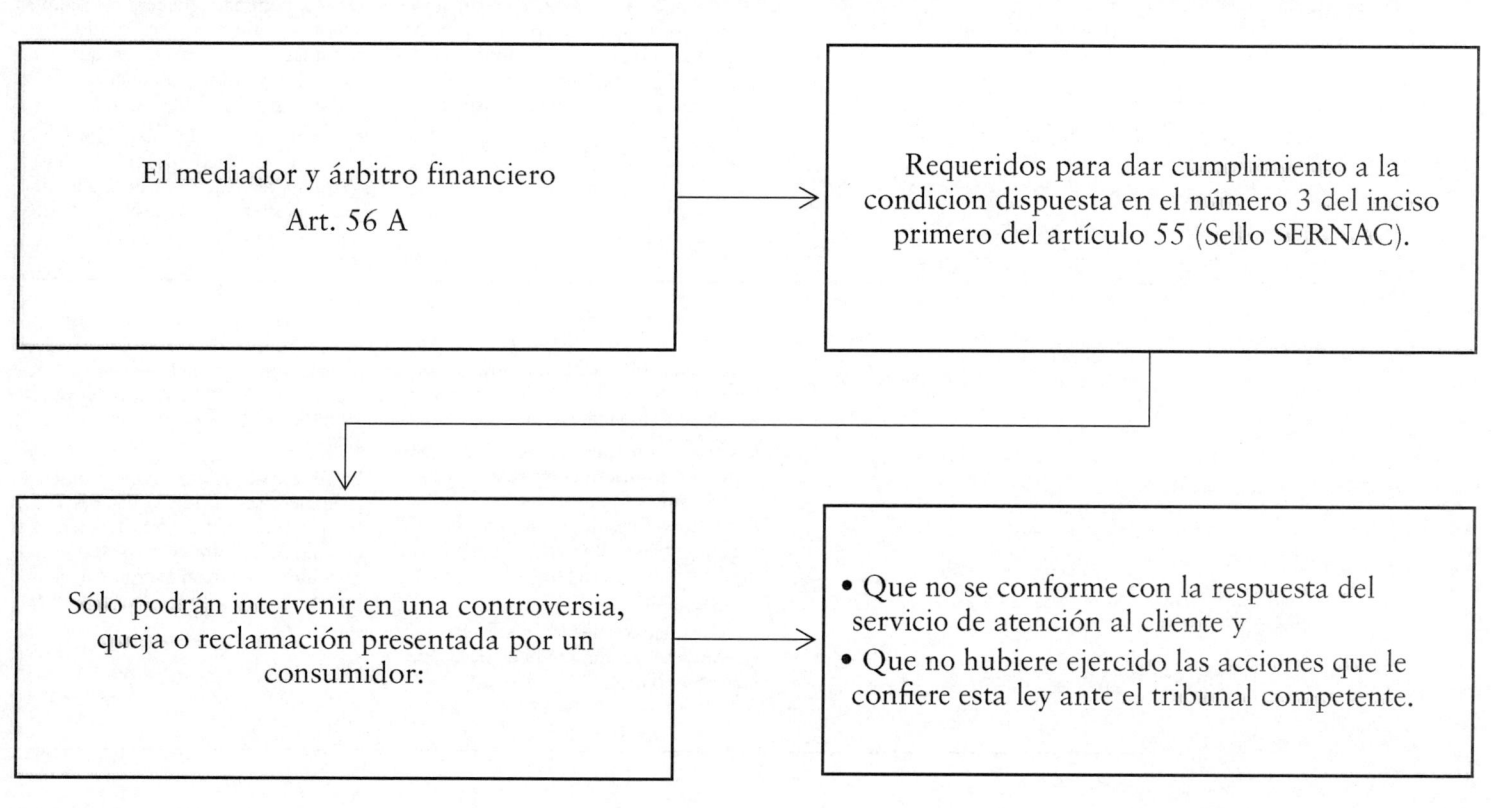

El mediador y árbitro financiero

Art. 56 A

Requeridos para dar cumplimiento a la condicion dispuesta en el número 3 del inciso primero del artículo 55 (Sello SERNAC).

Sólo podrán intervenir en una controversia, queja o reclamación presentada por un consumidor:

• Que no se conforme con la respuesta del servicio de atención al cliente y
• Que no hubiere ejercido las acciones que le confiere esta ley ante el tribunal competente.

Mediador y árbitro financiero	Inscripción en la nómina art. 56 A	El mediador y el árbitro financiero deberán estar inscritos en una nómina elaborada por el Servicio Nacional del Consumidor, que deberá mantenerse actualizada y disponible en su sitio web.	Esta nómina deberá dividirse regionalmente, especificando las comunas y oficinas en las que cada mediador y árbitro financiero estará disponible para realizar su función. • La inscripción del mediador y del árbitro financiero durará 5 años y para su renovación deberá acreditar que mantiene los requisitos previstos en este Título.
	Procedimiento de inscripción, revocación y reclamación art. 56 B	El Director del SERNAC deberá inscribir al solicitante que cumpla con los requisitos de inscripción mediante resolución fundada exenta. La resolución que rechace o la que revoque la inscripción serán reclamables ante el Ministro de Economía, Fomento y Turismo, en el plazo de 10 días hábiles, contado desde su notificación al postulante, mediador o árbitro financiero, en su caso. La reclamación deberá resolverse en el plazo de 15 días hábiles desde su interposición.	El procedimiento de inscripción, el de revocación y el recurso de reclamación se sujetarán a la ley N° 19.880 en lo no previsto en este artículo. En todo caso, el postulante a quien se le hubiere rechazado la inscripción, y el mediador o el árbitro financiero a quienes se les hubiere revocado su inscripción, podrán ejercer las acciones jurisdiccionales que estimen procedentes.

Mediador y árbitro financiero (Continuación).	Revocación de la inscripción Art. 56 B	La resolución que inscribe a un mediador o a un árbitro financiero en la nómina podrá revocarse cuando aquél incurra en alguna de las siguientes causales.
		Sin perjuicio de lo anterior, el Director Nacional del SERNAC podrá suspender al mediador o al árbitro financiero que haya sido formalizado por un delito que merezca pena aflictiva, y mientras no se dicte sentencia definitiva.
		Causales de revocación:
		– Pérdida sobreviniente de los requisitos.
		– Incumplimiento reiterado de la obligación establecida en el inciso primero del art. 56 F, de notificar al consumidor, al proveedor y al SERNAC sus mediaciones o sentencias definitivas.
		– Incumplimiento de la obligación de inhabilitarse establecida en el inciso quinto del art. 56 C.
	Elección del mediador o árbitro art. 56 A	El mediador o el árbitro financiero, según corresponda, será elegido de la nómina por el proveedor y el consumidor de común acuerdo, dentro de los 5 días hábiles siguientes a la presentación de la controversia, queja o reclamación del consumidor respecto de la respuesta del Servicio de Atención al Cliente.
		En caso de que no haya acuerdo o venza el plazo indicado sin que se haya producido la elección de común acuerdo, el consumidor podrá requerir al SERNAC para que éste lo designe, dentro de los miembros inscritos en la nómina mediante un sistema automático que permita repartir equitativamente la carga de trabajo de los mediadores y árbitros financieros inscritos en la nómina.
	Honorarios del mediador o árbitro art. 56 A	Los recursos para el pago de los honorarios del mediador y del árbitro financiero serán de cargo de los proveedores, quienes ingresarán, de conformidad a lo que señale el reglamento, semestralmente su cuota respectiva al SERNAC, la que corresponderá a los honorarios de los mediadores y de los árbitros financieros que hayan conocido reclamos respecto de ese proveedor durante el semestre inmediatamente anterior.
		Los servicios del mediador y del árbitro financiero serán gratuitos para el consumidor y sus honorarios serán pagados semestralmente por el SERNAC, de acuerdo a un arancel fijado por resolución exenta del Ministro de Economía, Fomento y Turismo, el que podrá establecer honorarios diferentes para mediaciones y arbitrajes, según el tipo de servicios o productos financieros.

```
                                                    ┌──────────────────────────┐
                                                    │  Que poseen  título       │
                                                    │  profesional de una       │
                                                    │  carrera de al menos 8    │
                                                    │  semestres de duración    │
                                                    └──────────────────────────┘

                    ┌────────────────────────┐      ┌──────────────────────────┐
                    │ Para integrar la nómina │      │  Experiencia no inferior  │
                    │ de mediadores los       │      │  a 2 años en materias     │
                    │ postulantes deberán     │      │  financieras, contables   │
                    │ acreditar al SERNAC     │      │  o jurídicas              │
                    └────────────────────────┘      └──────────────────────────┘
┌──────────────┐                                    ┌──────────────────────────┐
│ Mediadores   │                                    │  No podrán tener          │
│ Art. 56 B    │                                    │  relaciones de            │
└──────────────┘                                    │  dependencia o            │
                                                    │  subordinación o de       │
                                                    │  asesoría con alguno de   │
                                                    │  los proveedores          │
                                                    │  señalados en este título │
                                                    └──────────────────────────┘

                                                    ┌──────────────────────────┐
                                                    │  No haber sido condenado  │
                                                    │  por delito que merezca   │
                                                    │  pena aflictiva           │
                                                    └──────────────────────────┘
```

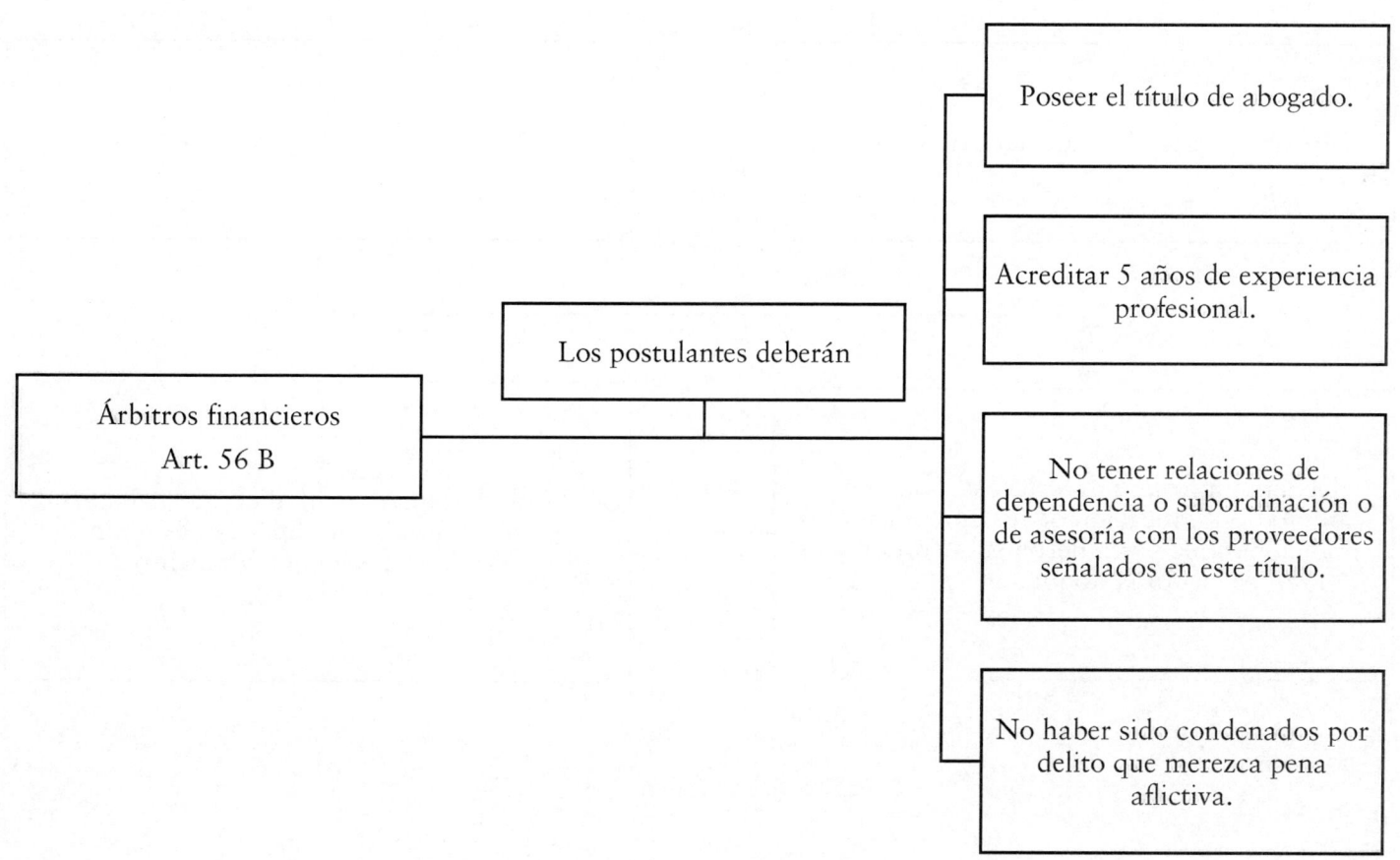

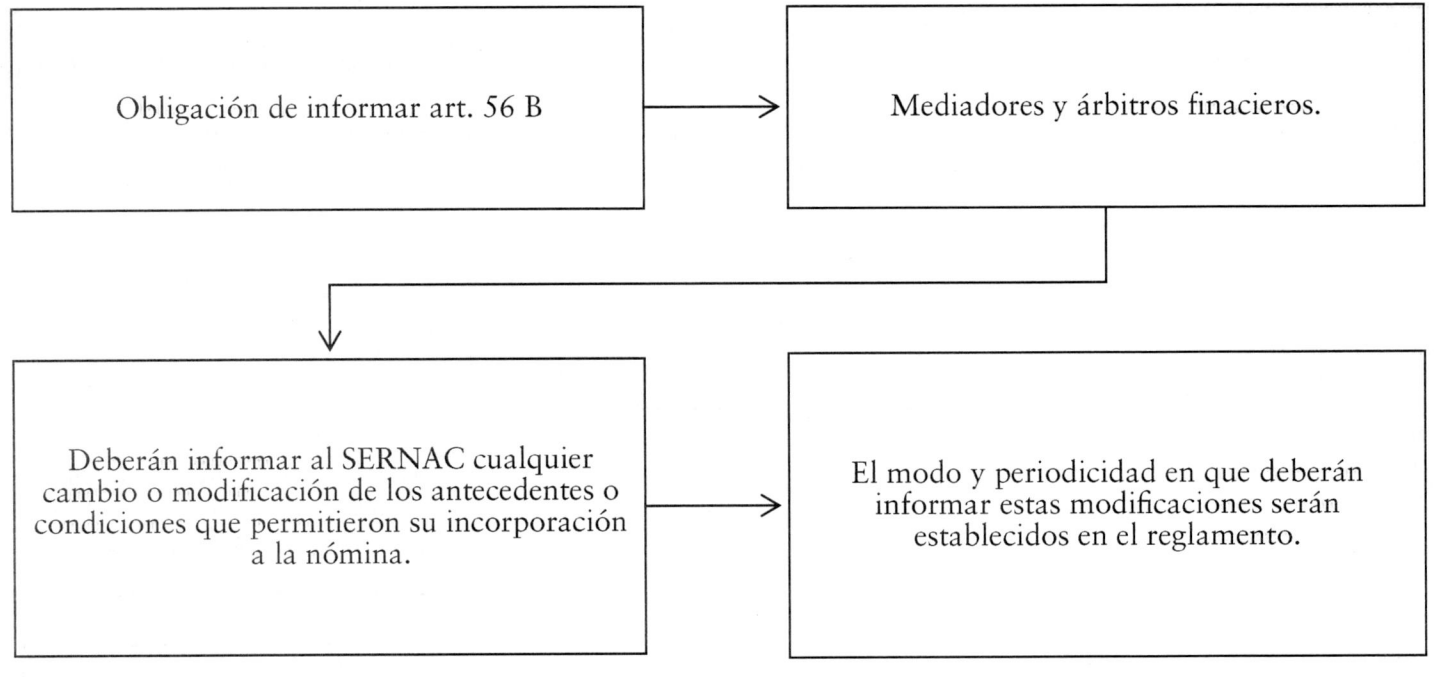

ARTÍCULO 56 C

Propuestas de acuerdo art. 56 C

El mediador sólo podrá realizar propuestas de acuerdo en una controversia, queja o reclamación de su competencia en conformidad con el inciso 1º del art. 56 A

Si la cuantía de los disputado no excede de 100 UF.

Competencia del árbitro financiero

art. 56 C

El árbitro financiero sólo podrá conocer una controversia, queja o reclamacion de su competencia de acuerdo al inciso 1º del art. 56 A.

Si la cuantía de lo disputado excede de 100 UF

Excepción:

- Salvo que respecto de cuantías inferiores haya asumido esta calidad en el caso previsto en el inciso tercero del artículo 56 D.

El mediador y árbitro financiero no podrán intervenir en los siguientes asuntos art. 56 C

1.- Los que deban someterse exclusivamente a un tribunal ordinario o especial en virtud de otra ley.

2.- Los que han sido previamente sometidos al conocimiento del Servicio o de un juez competente por el consumidor o por alguna asociación de consumidores.

3.- Los que han sido previamente sometidos al conocimiento de un juez competente en una acción de interés colectivo o difuso en la cual haya comparecido como parte el consumidor.

Obligación de
inhabilitarse
Art. 56 C

El mediador y el árbitro financiero, según corresponda, deberán inhabilitarse en caso que tomen conocimiento que les afecta una causal de implicancia o recusación de las previstas en el párrafo 11 del Título VII del Código Orgánico de Tribunales.

El mediador y el árbitro financiero, según corresponda, deberán asumir sus funciones dentro de los 3 días hábiles siguientes al requerimiento o, en su caso, comunicar en el mismo plazo la razón legal que les impide hacerlo.

ARTÍCULO 56 D

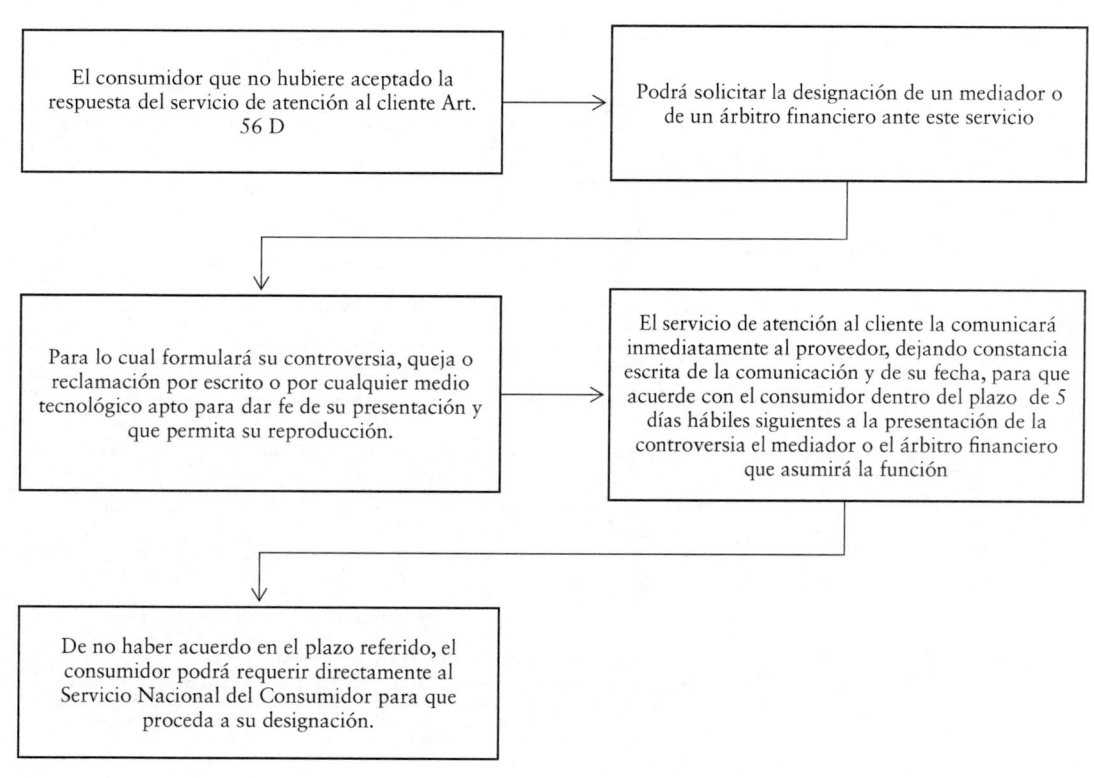

El consumidor que no hubiere aceptado la respuesta del servicio de atención al cliente Art. 56 D

Podrá solicitar la designación de un mediador o de un árbitro financiero ante este servicio

Para lo cual formulará su controversia, queja o reclamación por escrito o por cualquier medio tecnológico apto para dar fe de su presentación y que permita su reproducción.

El servicio de atención al cliente la comunicará inmediatamente al proveedor, dejando constancia escrita de la comunicación y de su fecha, para que acuerde con el consumidor dentro del plazo de 5 días hábiles siguientes a la presentación de la controversia el mediador o el árbitro financiero que asumirá la función

De no haber acuerdo en el plazo referido, el consumidor podrá requerir directamente al Servicio Nacional del Consumidor para que proceda a su designación.

ARTÍCULO 56 E

Procedimiento del Árbitro financiero art. 56 E	Sentencia	El árbitro financiero dictará sentencia definitiva dentro de los noventa días hábiles siguientes a la aceptación del cargo. Transcurrido el plazo indicado sin que hubiere dictado su sentencia definitiva, el Servicio Nacional del Consumidor deberá reemplazarlo por otro árbitro financiero y podrá eliminarlo de la nómina mediante resolución fundada exenta.
	Costas y honorarios	Toda sentencia definitiva que acoja la controversia, queja o reclamación del consumidor deberá condenar al proveedor a pagar las costas del arbitraje, determinando los honorarios del abogado o del apoderado habilitado del consumidor según el arancel del Colegio de Abogados de Chile. En cambio, sólo la sentencia definitiva que rechace la controversia, queja o reclamación por haberse acogido la excepción de cosa juzgada interpuesta por el proveedor, podrá condenar al consumidor a pagar los honorarios del árbitro financiero establecidos en el arancel señalado en el inciso sexto del artículo 56 A.
	Recursos	En contra de la sentencia interlocutoria que ponga término al juicio o haga imposible su continuación, y de la sentencia definitiva, sólo procederá el recurso de apelación, el que deberá interponerse al árbitro financiero para ante la Corte de Apelaciones competente, dentro del plazo de 5 días hábiles contado desde la notificación de la sentencia que se apela. Presentado el recurso, el árbitro financiero enviará los antecedentes a la Corte de Apelaciones dentro del plazo de 5 días hábiles para que ésta se pronuncie sobre su admisibilidad. No será aplicable a este recurso lo dispuesto en los artículos 200, 202 y 211 del CPC y sólo procederá su vista en cuenta. No procederá el recurso de casación en el procedimiento a que se refiere este artículo. Si no se interpusiere el recurso señalado en contra de la sentencia definitiva o éste fuere rechazado, dicha sentencia deberá cumplirse en el plazo de quince días hábiles, contado desde el vencimiento del plazo para interponer el recurso o desde la notificación de la sentencia que lo rechaza, según corresponda.

Procedimiento del Árbitro financiero art. 56 E	Reglas aplicables	El árbitro financiero se sujetará a las reglas aplicables a los árbitros de derecho con facultades de arbitrador en cuanto al procedimiento.
	Inicio del procedimiento	El procedimiento deberá iniciar necesariamente con una audiencia que se celebrará con ambas partes dentro de los 5 días hábiles siguientes a la aceptación de su designación. En esta audiencia, el árbitro financiero dará lectura a la reclamación o queja del consumidor, a la respuesta del servicio de atención al cliente y a la propuesta del mediador, si correspondiere; escuchará de inmediato y sin más trámite a las partes que asistan y recibirá los documentos que éstas acompañen, otorgando un plazo mínimo de 3 días hábiles para que hagan presentes sus observaciones.
	Notificaciones	La citación a esta audiencia y las resoluciones del árbitro financiero se notificarán por correo electrónico o carta certificada según acuerden las partes, debiendo dar cuenta de las actuaciones realizadas y de su fecha.
	Comparecencia	El consumidor podrá comparecer personalmente ante el árbitro financiero, pero éste podrá ordenar, en cualquier momento, la intervención de abogado o de un apoderado habilitado para intervenir en juicio, en caso que lo considere indispensable para garantizar el derecho a defensa del consumidor.

ARTÍCULO 56 F

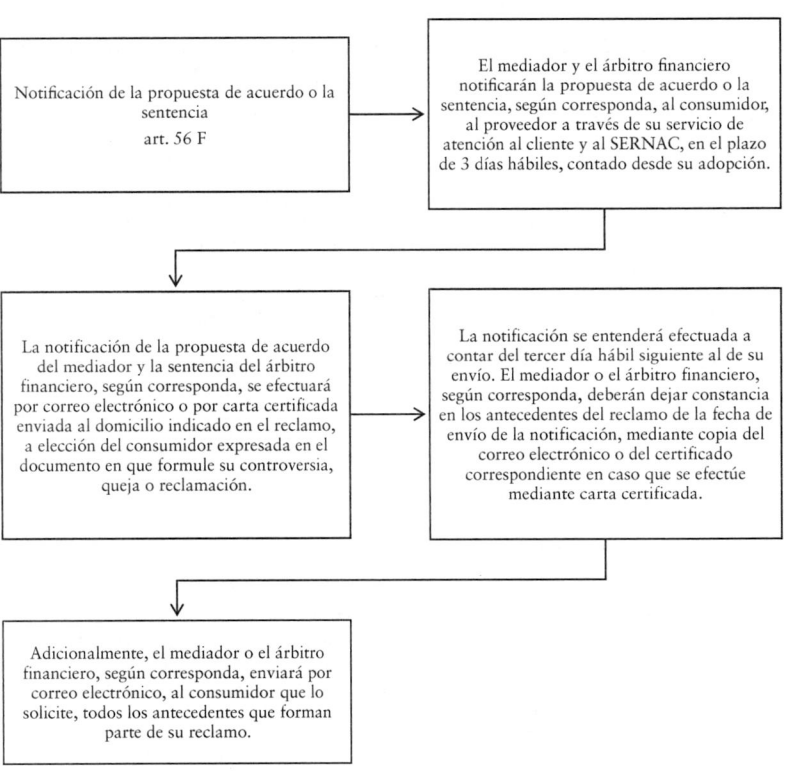

Notificación de la propuesta de acuerdo o la sentencia

art. 56 F

El mediador y el árbitro financiero notificarán la propuesta de acuerdo o la sentencia, según corresponda, al consumidor, al proveedor a través de su servicio de atención al cliente y al SERNAC, en el plazo de 3 días hábiles, contado desde su adopción.

La notificación de la propuesta de acuerdo del mediador y la sentencia del árbitro financiero, según corresponda, se efectuará por correo electrónico o por carta certificada enviada al domicilio indicado en el reclamo, a elección del consumidor expresada en el documento en que formule su controversia, queja o reclamación.

La notificación se entenderá efectuada a contar del tercer día hábil siguiente al de su envío. El mediador o el árbitro financiero, según corresponda, deberán dejar constancia en los antecedentes del reclamo de la fecha de envío de la notificación, mediante copia del correo electrónico o del certificado correspondiente en caso que se efectúe mediante carta certificada.

Adicionalmente, el mediador o el árbitro financiero, según corresponda, enviará por correo electrónico, al consumidor que lo solicite, todos los antecedentes que forman parte de su reclamo.

ARTÍCULO 56 G

Obligación de comunicar de los servicios de atención al cliente

art. 56 G.

Los servicios de atención al cliente deberán comunicar a los administradores de los proveedores señalados en este Título y, en el caso de proveedores constituidos como sociedades anónimas, a su directorio.

Al menos trimestralmente, una cuenta sobre los reclamos recibidos, los acuerdos suscritos por las partes en las mediaciones efectuadas y las sentencias definitivas de los árbitros financieros que les hayan sido notificadas.

ARTÍCULO 56 H

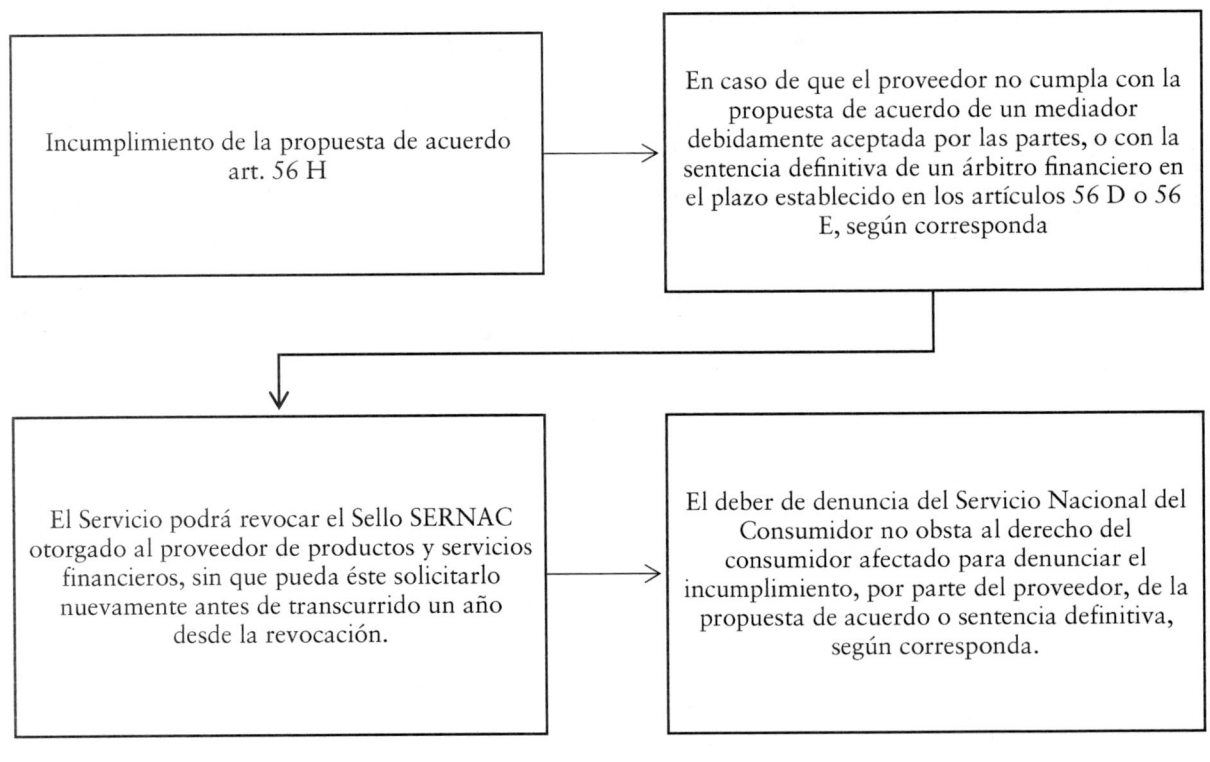

DOCTRINA SOBRE ARTICULO 56 H

- **Aguirrezábal, Maite (2019):** *Defensa de los consumidores y acceso a la justicia, 2da. Edic. actualizada y complementada,* Thomson, Santiago, pp. 164-173. *"XIII. Otros mecanismos alternativos de resolución de conflictos, el Sernac financiero y la incorporación de un nuevo sistema de resolución de controversias.* **1.** Origen del denominado Sernac Financiero. En un esfuerzo por ampliar el abanico de tutelas a los que pueden acceder los consumidores, la Ley n° 20.555, de diciembre de 2012, creaba la figura del Sernac Financiero, una división especial, con nuevas atribuciones, dedicada en forma exclusiva a los temas relacionados con el mundo financiero, y que conllevaba la implementación del denominado Sello Sernac, que corresponde a un Sello o Timbre, estampado en contratos de adhesión que celebraran los consumidores con los bancos e instituciones financieras, establecimientos comerciales, compañías de seguros, cajas de compensación, cooperativas de ahorro y crédito y otros proveedores de servicios crediticios, de seguros y, en general, de cualquier producto financiero, para que tuvieran una certificación por parte del Estado, que acreditara que su contenido estaba de acuerdo a la Ley.

La empresa debía contar además con un sistema expedito de atención de reclamos y si el consumidor no quedaba conforme con la respuesta del servicio de atención al cliente, podía recurrir a un mediador o árbitro siempre que no hubiere ejercido las acciones que le confiere esta ley ante el tribunal competente. **2. Mecanismos alternativos de solución de conflictos previstos en la implementación del Sernac Financiero.** Según lo dispuesto por el artículo 56 D, el consumidor que no hubiere aceptado la respuesta del servicio de atención al cliente, podrá solicitar la designación de un mediador o de un árbitro financiero ante este servicio, para lo cual formulará su controversia, queja o reclamación por escrito o por cualquier medio tecnológico apto para dar fe de su presentación y que permita su reproducción.

Los Servicios de Atención al Cliente, así como los mediadores y árbitros financieros son gratuitos para el consumidor, lo que en definitiva busca facilitar su acceso a los mecanismos alternativos de solución de conflictos, superando especialmente la barrera de los costos en materia de arbitraje, disponiendo además la norma que el pago de los honorarios será de cargo del proveedor.

La empresa que tenga el Sello Sernac debe pagar por el servicio de mediadores y arbitraje al Sernac y no en forma directa, lo que garantiza la independencia del trabajo de estos profesionales.

Cuando corresponda, mediadores y árbitros financieros serán elegidos de la nómina elaborada por el Sernac, de común acuerdo entre la empresa y el consumidor, dentro de los cinco días siguientes a la presentación del reclamo del consumidor ante la respuesta desfavorable del servicio de atención al cliente. De no haber acuerdo en el plazo señalado, el consumidor podrá requerir al Sernac que designe al mediador o al árbitro, según corresponda, mediante un sistema automático.

Las personas que quieran desempeñarse como árbitros, deberán postular para ser parte del Registro de Árbitros y Mediadores Financieros que será una nómina administrada por el Sernac, donde se incluirá a los profesionales que cumplan los requisitos.

Los consumidores podrán acceder a la lista y recurrir gratuitamente al profesional que corresponda, para que solucione los reclamos que no fueron resueltos por la institución en su respectivo servicio de atención al cliente.

Los mediadores y árbitros duran cinco años en sus cargos y son elegidos mediante un proceso transparente y público".

"5. Procedimiento seguido ante el árbitro financiero. 5.1. Facultades del árbitro. El árbitro financiero se sujetará a las reglas aplicables a los árbitros de derecho con facultades de arbitrador en cuanto al procedimiento, es decir, en definitiva la ley le atribuye el carácter de árbitro mixto, puesto que falla conforme a derecho.

5.2. Procedimiento

El procedimiento se realiza por medio de audiencias, y la primera de ellas se celebrará con ambas partes dentro de los cinco días hábiles siguientes a la aceptación de su designación.

La audiencia está prevista para las siguientes actuaciones: el árbitro financiero dará lectura a la reclamación o queja del consumidor, a la respuesta del servicio de atención al cliente y a la propuesta del mediador, si correspondiere; escuchará de inmediato y sin más trámite a las partes que asistan y recibirá los documentos que éstas acompañen.

Deberá otorgar un plazo mínimo de tres días hábiles para que hagan presentes sus observaciones.

El consumidor podrá comparecer personalmente ante el árbitro financiero, pero éste podrá ordenar, en cualquier momento, la intervención de abogado o de un apoderado habilitado para intervenir en juicio, en caso de que lo considere indispensable para garantizar el derecho a defensa del consumidor.

5.3. Sentencia y régimen de recursos

El árbitro financiero dictará sentencia definitiva dentro de los noventa días hábiles siguientes a la aceptación del cargo. Transcurrido el plazo indicado sin que hubiere dictado su sentencia definitiva, el Servicio Nacional del Consumidor deberá reemplazarlo por otro árbitro financiero.

En contra de la sentencia interlocutoria que ponga término al juicio o haga imposible su continuación, y de la sentencia definitiva, sólo procederá el recurso de apelación prohibiendo la ley expresamente la procedencia del recurso de casación.

La apelación deberá interponerse entre árbitro financiero ante la Corte de Apelaciones competente, dentro del plazo de cinco días hábiles contado desde la notificación de la sentencia que se apela.

La apelación se verá en cuenta".

"7. El Sello Sernac en la actualidad. Es una realidad que la figura del sello Sernac no ha tenido hasta hoy ninguna implementación práctica puesto que se estableció que fuera de carácter facultativo, quedando al arbitrio de las respectivas entidades si lo requerían o no.

Como consecuencia de lo anterior, el arbitraje financiero y la mediación hasta el momento tampoco han tenido ninguna consecuencia práctica como mecanismo alternativo de solución de conflictos.

A pesar de ser hoy letra muerta, las reformas posteriores a la Ley de Protección del Consumidor no han considerado su eliminación, surgiendo de esta forma proyectos que intenta revitalizar la institución.

Así por ejemplo y a propósito de la modernización de la legislación bancaria, se intentó ingresar una indicación que hiciera obligatorio el Sello Sernac para los contratos que estas instituciones celebraban con sus clientes, propuesta que en definitiva quedó fuera de la discusión y fuera del proyecto de ley.

En la actualidad existe un proyecto de ley ingresado el 3 de abril de 2018, que propone modificar la Ley nº 19.496 para exigir el sello Sernac en los contratos de adhesión celebrados con bancos y otras entidades que cumplan con las condiciones dispuestas en el artículo 55 y que consideran:

a) Revisión por parte de un órgano de la Administración del Estado, en este caso, el Servicio Nacional del Consumidor, que consistía en constatar que las cláusulas del contrato de adhesión estuvieran de acuerdo a la ley y a las normas reglamentarias.

b) La respectiva entidad debía tener un servicio de atención al cliente que atienda las consultas y reclamos de los consumidores con determinadas especificaciones que se señalan en la ley.

Existencia de un mecanismo disponible para el consumidor de recurrir a un mediador o a un árbitro financiero que resuelva las controversias, quejas o reclamaciones, en el caso de que considere que el servicio de atención al cliente no ha respondido satisfactoriamente sus consultas o reclamos por cualquier producto o servicio financiero del proveedor que se otorgue en virtud de los contratos de adhesión mencionados".

- **Barrientos, Francisca y Labra, Ignacio (2020): "El arbitraje en el contexto del sello sernac", en Eduardo Jequier (coord.)** *Arbitraje de consumo. Revisión crítica del sistema chileno desde una perspectiva comparada.* **Santiago: Tirant lo Blanch, (en prensa):** "Y lo primero que se puede señalar sobre este tema es que, pese a la amplia regulación que existe en las normas de consumo (artículos 56 a, 56 b, 56, 56 d, 56 e, 56 f y 56 h), no existe ningún antecedente de arbitraje en el contexto del sello sernac. ello, porque hasta la fecha el servicio nacional del consumidor (en adelante sernac o servicio), no ha aprobado el establecimiento de ningún sello.

La única experiencia en la cual se ha utilizado este mecanismo de solución de conflictos se ha dado en otro contexto diverso, ajeno al Sello Sernac y sin que la empresa cuente con éste. Se trata del "caso La Polar", conocido por la práctica de repactar de forma unilateral y sin consentimiento las deudas de miles de consumidores. Como se dirá más adelante, en la conciliación judicial acordada entre las partes del juicio, La Polar acordó revisar uno a uno los casos de los afectados, conforme a un sistema de mediaciones y arbitrajes, aprovechando para esto las normas existentes que lo supeditaban a la existencia de un Sello Sernac. Como se decía, es la única vez que se ha empleado el modelo de mediación y arbitraje financiero que, dicho sea de paso, obtuvo resultados exitosos, tanto para la empresa proveedora como para los consumidores afectados. […]

Para terminar estas líneas, ahora conviene hacer una reflexión y comentarios a título de *lege ferendae*, **respecto de la forma en que está regulado el sistema de arbitraje de consumo en el país y la forma en que ha operado que, como hemos visto, presenta ciertas particularidades.**

Así, tan sólo nos resta por examinar (1) la dependencia del arbitraje al establecimiento del Sello Sernac, (2) el fraccionamiento de la mediación y (3) el arbitraje como instancias separadas y otros tópicos problemáticos.

1. DEPENDENCIA DEL ARBITRAJE AL ESTABLECIMIENTO DEL SELLO SERNAC

La reforma a la ley de consumo, a través de la ley de reforma n° 20.555 conocida como Sernac financiero, introdujo la presencia de un signo distintivo (un Sello), que supone, entre otros, la certificación de los todos y cada uno de los contratos de una empresa. El sistema exige que el Sernac apruebe dichos contratos constatando que no vulneran la LPDC.

Respecto del Sello Sernac se ha dicho mucho en los medios de comunicación social, sobre todo porque hasta la fecha muchas personas acusaron su fracaso, ya que no se ha otorgado la aprobación, o más bien no existían formalmente postulaciones de parte de las empresas financieras.

Dado que el arbitraje opera a falta de solución entre las partes, no aparece como un problema la exigencia adicional del servicio de atención al cliente. Por el contrario, aparecen como mecanismos complementarios en busca de la solución expedita para el consumidor. El problema, entonces, aparece principalmente con la revisión de contratos. En efecto, el Sello se ideó como una manera de certificar el cumplimiento de la LPDC en la redacción de los contratos, esto es, como una acción preventiva considerada como el mejor resguardo contra las cláusulas abusivas.

Por eso, tenemos que decir que la cuestión no estuvo exenta de polémicas, toda vez que no se cumplió uno de los objetivos de la reforma legal, cual era que las empresas compitieran por la obtención del Sello. Uno de los problemas denunciados fue la necesidad de someter a revisión todos los contratos de la institución, lo que ralentiza el tráfico jurídico y comercial, considerando que el Servicio puede tomarse hasta 180 días hábiles administrativos para dar un pronunciamiento. En efecto, se le criticó al Sello Sernac que implicaba un problema de imagen o comunicacional, pues era muy difícil de obtener, pero muy fácil de perder.

José Antonio Gaspar señala que la obtención del Sello implica un fuerte esfuerzo para los proveedores de servicios financieros consistentes en la revisión previa de sus contratos para la presentación al Sernac para su aprobación. En el mismo sentido, sobre el procedimiento para la obtención del Sello, señala que los plazos podrían llegar incluso a los 240 días, si se amplían los plazos. Por el otro lado, el citado autor realiza una crítica respecto del órgano competente para la revisión de los contratos y también a los efectos del Sello. Sobre el primer punto, sostiene que el Servicio no sería el órgano indicado; recomendación que va de la mano de elegir a entidades multisectoriales con la participación de proveedores y consumidores de manera conjunta. Y, sobre el segundo punto, que el Sello carecería de eficacia toda vez que seguiría estando sujeto a control de la justicia ordinaria.

Con todo, en estas líneas nos gustaría transmitir que el sistema de mediación y arbitraje consagrado para resolver controversias en el ámbito financiero se encuentra incardinado a la presencia de este Sello. Dicho en otros términos, no se puede activar la presencia del arbitraje financiero si la empresa no cuenta con Sello. Al menos eso es lo que señala la ley de forma expresa, pues lo exige como una de las condiciones para su establecimiento, junto con la presencia de un servicio de atención al cliente.

Y esa es la primera observación crítica que puede formularse, toda vez que el sistema hace dependiente al Sello al mecanismo alternativo de resolución de controversias, al menos conforme al tenor literal de las normas. Y decimos al menos, porque sabemos que en la práctica ello no ha operado así gracias al acuerdo logrado en la conciliación judicial.

Por todo lo dicho, se sugiere a título de *lege ferendae* ampliar el ámbito de aplicación del Sello Sernac a todos los mercados que están bajo la órbita del consumo y prescindirlo de la revisión de los contratos.

Desde luego, la escisión del arbitraje del Sello Sernac implica también una ampliación de las materias arbitrables. Como se dijo, sólo son arbitrables materias de consumo sobre productos o servicios financieros que son disponibles, límite que viene impuesto por la sujeción al Sello Sernac, pero esta fue la intención del legislador.

Por eso, la separación de estas cuestiones permitiría realizar un tratamiento individualizado de ambos tópicos jurídicos: la solución de controversias por un lado, y por otro, la estandarización de los contratos financieros de consumo.

2. EL FRACCIONAMIENTO DE LA MEDIACIÓN Y EL ARBITRAJE COMO INSTANCIAS SEPARADAS

Además de lo señalado con anterioridad, puede observarse que el tratamiento legal otorgado a los mecanismos alternativos de resolución de controversias en la ley de consumo se encuentra supeditado en razón de la cuantía. En efecto, el artículo 56 C de la LPDC considera que temas menores a 100 UF deberán ser objeto de mediación; mientras que los temas mayores a dicho monto pasarán directo por arbitraje.

En realidad, desde el punto de vista del acceso a la justicia no resulta fácil comprender por qué en los conflictos superiores a la cuantía fijada por el legislador se ha dispuesto de un procedimiento alternativo a la justicia ordinaria; mientras que si la cuantía baja, existe sólo la posibilidad de que intervenga tercero imparcial y neutral, que carece de un poder autorizado de decisión para ayudar a las partes en disputa; "Luego, cabe preguntarnos cómo puede el mediador en su rol de facilitador ayudar a las partes a tomar su propia decisión; para ello existen dos vías o formas principales que en la actualidad se emplean en el mundo entero. La primera de estas formas corresponde al llamado modelo 'mediación-facilitación', en este caso, el mediador facilita la comunicación entre los litigantes haciendo comprender la perspectiva, posición e intereses del otro sobre la disputa. En el segundo caso relativo al modelo mediación evaluación, el mediador realiza una evaluación no vinculante de la controversia, luego las partes están libres de aceptar o rechazar como solución". Es decir, el rol de los mediadores es completamente diferente al de los árbitros. Con todo, mediadores con experiencias en conflicto de consumo han dicho que "Es posible, y en mi experiencia como mediador me ha ocurrido en varias ocasiones, que, debido a la situación de inferioridad en la que en algunos casos se encuentra el consumidor, pueda renunciar a aquello que le corresponde en justicia a favor de aquel que se encuentra en una situación de superioridad". Por eso Ramón Herrera de las Heras propone un rol "activo" del mediador de consumo, postulando que "No se trataría tanto de orientar el resultado, sino de que los mediadores protejan los intereses de aquellos que se encuentran en una grave situación de desigualdad frente a la otra parte y les informen convenientemente. La fórmula que permitiría esta protección no es otra que la labor fundamental de información e incluso de asesoramiento, aunque éste sea más dudoso y criticado por algunos autores, que el mediador ha de realizar. A través de ésta tiene las herramientas necesarias para intentar evitar que ese desequilibrio genere un perjuicio grave e irreversible". Por nuestra parte coincidimos plenamente con la idea de promover un rol "activo" del mediador e incluso *a fortiori* del árbitro, pues las desigualdades de las partes de consumo no pueden proyectarse en las esferas procesales, simulando que se intenta ayudar a solucionar un conflicto entre partes iguales, mediante la férrea observancia del impulso procesal de parte. Esta idea no es ajena en nuestro sistema civil, toda vez que la coautora de este escrito junto a Claudio Fuentes han publicado la idea que el juez civil que conoce los conflictos colectivos de consumo debe tener ese rol "activo". Así, valoramos que el legislador haya considerado que el mediador realice "propuestas", según lo prescribe el artículo 56 C de la LPDC. Al parecer, Maite Aguirrezabal critica esta disposición, al considerar que el rol del mediador es un amigable componedor, sugiriendo que puede tratarse más bien de una conciliación extrajudicial. Incluso, todo lo dicho con anterioridad puede ser fundamentado a través de la invocación del principio de protección al consumidor.

Por otra parte, la fragmentación legal entre la mediación y el arbitraje también puede generar problemas sistémicos o de dualidades de "competencia" —por llamarlo de alguna manera—, porque como se ha observado en otras ocasiones, la LPDC también contempla un procedimiento (cuya denominación es discutible) de "mediación individual" e incluso, antes de la reforma de "mediación colectiva" que, pese a la técnica legal entendemos que subsiste (la individual). En verdad, no creemos que la gestión de reclamos (denominada como "mediación individual") sea propiamente una mediación. Lo mismo ocurre con el procedimiento voluntario colectivo que, más bien, obedece a una técnica de negociación extrajudicial en que el Sernac actúa como parte en defensa de los consumidores colectivos o difusos. Como bien apuntan Nathalie Walker y María Elisa Morales la Ley n° 21.081 formalizó las llamadas mediaciones colectivas al nuevo Procedimiento Voluntario para la protección del interés colectivo o difuso de los consumidores, pero eliminó la regulación sobre las "mediaciones individuales (aunque subsiste la recepción y gestión de los reclamos); en ese sentido, luego del rechazo por parte del proveedor en el Servicio de Atención al Cliente, el consumidor mantendría siempre la opción de dirigirse ante el Sernac.

La observación crítica que se reseña en estas líneas se manifiesta en que, por las vías generales, un reclamo de un consumidor (gratuito para ambas partes y expedito) podría resolver los mismos conflictos que se regulan con el establecimiento de estos medios alternativos de resolución de controversias, sea como mediación o arbitraje financiero (pagado por el proveedor). Aunque, creemos que esto podría aplicarse con más frecuencia a los casos que podrían ser objeto de mediación, más que arbitraje.

Para avanzar, la crítica que se formula en este sentido considera que no debería existir una distinción entre el arbitraje y la mediación, sino que deberían formar parte del mismo proceso. En otras palabras, que dentro del arbitraje se contemple la mediación; y si ella se frustra, que comience el arbitraje. No obstante lo anterior, la ley contempla que si se frustra la mediación se puede pasar a arbitraje, pero resguardando el derecho a acudir a los tribunales de justicia.

3. OTROS TÓPICOS PROBLEMÁTICOS

Estas son las observaciones que vislumbramos sobre la regulación y funcionamiento del Sello Sernac, queda pendiente de examinar la adecuación de los montos de los honorarios de los árbitros, pero para ello habría que confrontarlo con otras experiencias exitosas de arbitraje cuya selección tendría que ser conforme a parámetros objetivos. Quizás el comentario que puede formularse en este sentido dice relación con los incentivos para que los profesionales expertos en arbitraje y mediación adhieran a este sistema privado con resguardo institucional, a través de la recolección que efectúa el Servicio y el posterior pago que realiza.

Junto con ello, se nos ocurre que también podría ser interesante examinar el funcionamiento de la composición del tribunal arbitral o mediador, puesto que el diseño institucional ha concebido la existencia de una sola persona, siendo que en otras latitudes los árbitros son colegiados, precisamente, para garantizar la igualdad de las partes y no sólo por razones económicas o de eficacia procesal.

Asimismo, quedan desafíos pendientes respecto del rol de "mediadoras" de las Asociaciones de Consumidores, consignada de forma expresa en el artículo 8 letra h) de la LPDC. Los desafíos se manifiestan en la compatibilidad de los mediadores o más bien "conciliadores" financieros y los "mediadores" que no deberían ser tales, por su rol de defensa de una de las partes de la relación de consumo. Por eso, Juan Enrique Vargas señala que existiría una competencia entre los intereses del Sernac y de las Asociaciones de Consumidores, pues son justamente estas últimas quienes debiesen —en forma privativa— asumir un rol de representantes de las partes ante conflictos, especialmente en atención con las nuevas facultades que se querían entregar con la implementación de la Ley 21.081 (potestad sancionatoria).

Y, para finalizar, restaría el examen de la confrontación entre el Sello Sernac y las nuevas facultades de aprobación que tiene el Servicio en materia de planes de cumplimiento, ya sea para que opere una atenuante de la responsabilidad infraccional (artículo 24 inciso cuarto letra c]) o bien dentro de la negociación extrajudicial colectiva o difusa contemplada en el procedimiento voluntario colectivo (artículo 54 P inciso tercero). Es decir, empresas que no cuenten con Sello Sernac aprobado, pero que tuvieran un sistema de arbitraje través de planes de cumplimiento podrían eventualmente ser considerados para la atenuante consignada en el artículo 24 de la LPDC, toda vez que el establecimiento de mecanismos de solución de controversias puede ser considerado como una forma de colaboración sustancial".

- **Gaspar, José Antonio (2012): "Eficacia del Sello Sernac como mecanismo de control preventivo de cláusulas abusivas en los contratos de adhesión" en Carmen Domínguez, Joel Castillo, Marcelo Barrientos, Juan Luis Goldenberg (coords.).** *Estudios de Derecho Civil VIII*. **Santiago: Thomson Reuters Legal Publishing, pp. 455-464, pp. 460-463. IV. Discusión de la** eficacia del Sello Sernac como mecanismo de control preventivo de las cláusulas abusivas "En primer lugar, debemos revisar el procedimiento de obtención del Sello Sernac. Conforme lo dispuesto en el primer numeral del nuevo artículo 55 de la Ley, complementado por el artículo 5° del Reglamento, la obtención del Sello Sernac requiere que el proveedor de servicios financieros acredite al Servicio Nacional del Consumidor que todos sus contratos de adhesión que ofrezcan productos y servicios financieros se ajustan a la Ley n° 19.496.

Por una parte, esto implica un fuerte esfuerzo para el proveedor de servicios financieros de revisar previamente todos sus contratos para presentarlos al Servicio. Si bien esto es un costo para el proveedor que debiera estar dispuesto a asumir para obtener este sello, cabe destacar que este requerimiento puede llegar a motivar a las empresas a estandarizar y unificar los documentos de contratación de servicios financieros.

Tal estandarización tiene la ventaja de disminuir las diferencias entre sus distintos productos financieros, pero conlleva la eventual desventaja de que ciertos negocios no puedan adaptarse a las condiciones contractuales estandarizadas. Lo anterior puede redundar en dejar fuera del crédito financiero a ciertos consumidores, con las consiguientes pérdidas para el proveedor de servicios financieros, como asimismo el potencial riesgo para los consumidores que no pueden acceder al mercado crediticio formal de tener que recurrir a mecanismos informales de financiamiento.

En segundo lugar, se debe analizar la entidad encargada de la revisión de los contratos de servicios financieros. Conforme lo expuesto, corresponde al Sernac la revisión de los contratos de adhesión que ofrecen productos y servicios financieros. Al respecto, debe cuestionarse que sea esta entidad sea la encargada de esta revisión, y no una entidad multisectorial, en que también participen consumidores y proveedores, como lo ha recomendado la doctrina. Asimismo, cabe cuestionarse la capacidad que pueda tener el Servicio Nacional del Consumidor para hacer esta revisión, considerando que la Ley n° 20.555 sólo amplió su dotación en 23 cupos.

A lo anterior, cabe agregar el plazo que tiene el Servicio para emitir su pronunciamiento, que es de 60 días hábiles, extensibles hasta por 180 días hábiles adicionales, añadiéndose que si el Servicio nada dice dentro de dichos plazos, el Sello Sernac se otorga por el solo ministerio de la ley.

Esta institucionalidad puede provocar dos consecuencias posibles: por una parte, que si la dotación del Sernac es insuficiente para responder adecuadamente a las revisiones de contratos de servicios financieros, el Servicio decida rechazar solicitudes para evitar la aplicación del silencio positivo antes expuesto. Por otra parte, la extensión del plazo de revisión de los contratos por el Servicio puede inhibir a proveedores a someterse al sistema: si se deben esperar hasta 240 días hábiles (aprox. 11 meses) para contar con el Sello y poder prestar un servicio conforme a un contrato de adhesión, el proveedor corre el riesgo que un competidos decida proveer el mismo servicio sin solicitar el Sello y entrar al mercado con una anticipación que puede ser vital para el posicionamiento del servicio financiero en cuestión.

En tercer lugar, debemos revisar esta institucionalidad en cuanto a los requisitos para obtener el Sello. La obtención del Sello Sernac exige que el proveedor de servicios financieros cuente con un servicio de atención al cliente que atienda las consultas y reclamos de los consumidores, y que permita al cliente recurrir a un mediador o árbitro financiero, ante reclamos del consumidor a lo resuelto por el servicio de atención al cliente. Debemos añadir que generalmente el servicio de mediadores y árbitros será gratuito para el consumidor, ya que los honorarios, a ser fijados por el Ministerio de Economía, deberán ser pagados por los proveedores en cuotas semestrales fijadas por el Servicio.

Si bien muchos proveedores de servicios financieros ya han establecido servicios de atención al cliente, la obtención del Sello Sernac les implicaría mayores costos, por los honorarios que deberán asumir por el servicio de mediadores y árbitros. El monto de estos costos puede influir la decisión de un proveedor de servicios financieros de someterse al sistema del Sello Sernac.

Finalmente, estimamos pertinente analizar la falta de protección que brinda el sello a los que lo obtengan. Un proveedor de servicios financieros podría considerar participar en este nuevo sistema, pese a las consideraciones anteriores, si éste le otorgara ciertas protecciones legales para evitar nuevas discusiones respecto de los contratos de servicios financieros revisados de los mismos en cuanto a infracciones a la normativa de cláusulas abusivas, como asimismo si el sello que se obtiene fuera suficientemente estable.

Por el contrario, el sistema del Sello Sernac no impide que los contratos de servicios financieros que cuenten con dicho sello puedan ser objeto de revisiones judiciales sobre su abusividad e infracción de la Ley, pese a contar con una revisión hecha por el Servicio Nacional del Consumidor en cuanto a su conformidad con la misma ley.

En respuesta a lo anterior, podría estimarse que la revisión del Servicio Nacional del Consumidor pudiese configurar una presunción de que las cláusulas de estos contratos de servicios financieros se encuentran ajustadas a exigencias de buena fe, porque estos contratos habrían sido revisados y autorizados por un órgano administrativo en ejecución de sus facultades legales, como lo es el Servicio, conforme lo dispuesto en la letra g) del artículo 16 de la Ley. Pero, incluso, dicha presunción no altera positivamente la situación del proveedor frente a eventuales demandas de abusividad, dado que con o sin dicha presunción corresponde al consumidor probar la abusividad de las cláusulas del contrato de servicios financieros, conforme a las reglas generales de carga de la prueba.

Por otra parte, puede discutirse la estabilidad del sistema del Sello Sernac para el proveedor de servicios financieros, porque se contemplan causales de revocación del sello que no dicen relación con los requerimientos establecidos para su obtención, como multas de organismos fiscalizadores con facultades sancionadores respecto de infracciones previstas en otras leyes especiales.

Esta falta de estabilidad dificulta la aceptación del Sello Sernac, dado que el riesgo de perdida del mismo implica asumir un costo de imagen importante, cuyo riesgo los posibles interesados no estarían dispuestos a asumir.

V. Conclusión

Todo lo expuesto puede llevarnos a concluir que no existen los incentivos necesarios para que los proveedores de servicios financieros se sometan al sistema del Sello Sernac en la forma voluntaria que su normativa contempla.

En efecto, una visión inicial nos muestra que el Sello Sernac implica mayores costos e incluso posibles perdidas de utilidades, sin otorgar una protección legal que pueda compensar lo anterior. Creemos que en la estructura de la institucionalidad del Sello Sernac no se consideró la necesidad de seguridad jurídica que requiere el comercio y la realidad dinámica que presenta, que beneficia tanto a consumidores como a proveedores de servicios financieros.

Quizás lo más lamentable de esta nueva institucionalidad es que se podría temer por una parte que sean las entidades más cuestionadas en materia de aplicación de cláusulas abusivas aquellas a las que pueda interesar obtener el sello como una forma de 'blanqueamiento', así como que sólo la aplicación de exigencias por los órganos del Estado a los proveedores de servicios financieros, en ámbitos distintos, pueden finalmente motivar la aplicación del Sello Sernac, sin perjuicio de las eventuales discusiones constitucionales de dichos métodos para presionar la utilización de este sistema. Todo esto nos lleva a discutir la eficacia del Sello Sernac como sistema preventivo de las cláusulas abusivas en los contratos de servicios financieros".

TÍTULO VI
DEL SERVICIO NACIONAL DEL CONSUMIDOR

ARTÍCULO 57

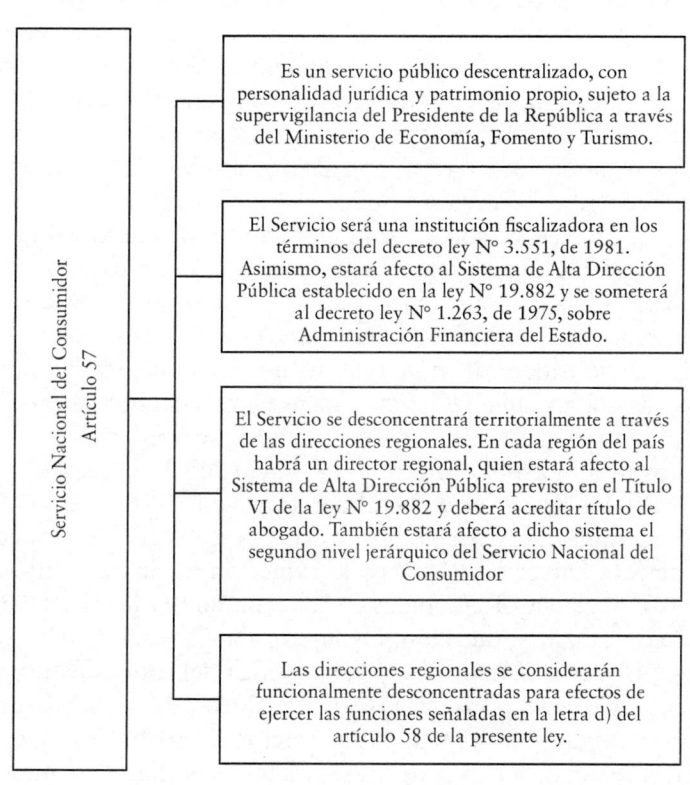

Servicio Nacional del Consumidor
Artículo 57

Es un servicio público descentralizado, con personalidad jurídica y patrimonio propio, sujeto a la supervigilancia del Presidente de la República a través del Ministerio de Economía, Fomento y Turismo.

El Servicio será una institución fiscalizadora en los términos del decreto ley N° 3.551, de 1981. Asimismo, estará afecto al Sistema de Alta Dirección Pública establecido en la ley N° 19.882 y se someterá al decreto ley N° 1.263, de 1975, sobre Administración Financiera del Estado.

El Servicio se desconcentrará territorialmente a través de las direcciones regionales. En cada región del país habrá un director regional, quien estará afecto al Sistema de Alta Dirección Pública previsto en el Título VI de la ley N° 19.882 y deberá acreditar título de abogado. También estará afecto a dicho sistema el segundo nivel jerárquico del Servicio Nacional del Consumidor

Las direcciones regionales se considerarán funcionalmente desconcentradas para efectos de ejercer las funciones señaladas en la letra d) del artículo 58 de la presente ley.

DOCTRINA SOBRE EL ARTÍCULO 57

- **Senado. Fecha 21 de junio, 2017. Informe de Comisión de Economía en Sesión 40. Legislatura 365. pp. 113 y 114:** "La indicación n° 169 de Su Excelencia la Presidenta de la República es para reemplazar el numeral 39) del artículo 1° del proyecto por el siguiente: "…) Remplázase el artículo 57 por el siguiente: "Artículo 57. El Servicio Nacional del Consumidor, en adelante e indistintamente el 'Servicio', será un servicio público descentralizado, con personalidad jurídica y patrimonio propios, sujeto a la supervigilancia del Presidente de la República a través del Ministerio de Economía, Fomento y Turismo. El Servicio será una institución fiscalizadora en los términos del decreto ley n° 3.551, de 1981, del Ministerio de Hacienda. Asimismo, estará afecto al Sistema de Alta Dirección Pública establecido en la ley n° 19.882 y se someterá al decreto ley n° 1.263, de 1975, del Ministerio de Hacienda, sobre Administración Financiera del Estado. El Servicio se desconcentrará territorialmente a través de las Direcciones Regionales. En cada región del país habrá un Director Regional, quién estará afecto al Sistema de Alta Dirección Pública previsto en el Título VI de la ley n° 19.882 y deberá acreditar título de abogado. También estará afecto a dicho sistema el segundo nivel jerárquico del Servicio Nacional del Consumidor. Adicionalmente, dichas Direcciones Regionales se considerarán funcionalmente desconcentradas para efectos de ejercer las funciones señaladas en las letras b), c), f), y ñ) del artículo 58 de la presente ley. La actual redacción del numeral 39) del artículo 1° del proyecto es la que se indica a continuación: 39) Incorpórase el siguiente inciso segundo al artículo 57: El Servicio será una institución fiscalizadora en los términos del decreto ley n° 3.551, de 1981, estará afecto al Sistema de Alta Dirección Pública establecido en la ley n° 19.882 y estará sometido al decreto ley n° 1.263, de 1975, sobre Administración Financiera del Estado. La indicación n° 169 reemplaza el artículo 57 por otro, estableciendo respecto a los Directores Regionales del SERNAC la sujeción al sistema de Alta Dirección Pública y la exigencia de poseer título de abogado. Asimismo establece la desconcentración funcional de las Direcciones Regionales en relación con la facultad sancionatoria. La recomendación del comité de asesores fue la aprobación de esta indicación. La sujeción al sistema de Alta Dirección Pública garantiza el nivel técnico y la independencia de los Directores Regionales, y la exigencia del título de abogado dice relación con la resolución de los procedimientos sancionatorios que se tramiten ante el SERNAC. La desconcentración territorial de las funciones relativas a la facultad sancionatoria asegura una adecuada separación de atribuciones, toda vez que la mencionada facultad será ejercida exclusivamente a nivel regional, a través de las Direcciones Regionales. -La indicación n° 169 fue aprobada por unanimidad de los miembros presentes de la Comisión, los Honorables Senadores señora Pérez, y señores Moreira, Pizarro y Quinteros. (Aprobada; unanimidad, 4x0).

- **Senado. Fecha 21 de junio, 2017. Informe de Comisión de Economía en Sesión 40. Legislatura 365 p. 113:** "La indicación n° 169 de Su Excelencia la Presidenta de la República es para reemplazar el numeral 39) del artículo 1° del proyecto por el siguiente: "…) Reemplázase el artículo 57 por el siguiente: 'Artículo 57. El Servicio Nacional del Consumidor, en adelante e indistintamente el 'Servicio', será un servicio público descentralizado, con personalidad jurídica y patrimonio propios, sujeto a la supervigilancia del Presidente de la República a través del Ministerio de Economía, Fomento y Turismo. El Servicio será una institución fiscalizadora en los términos del decreto ley n° 3.551, de 1981, del Ministerio de Hacienda. Asimismo, estará afecto al Sistema de Alta Dirección Pública establecido en la ley n° 19.882 y se someterá al decreto ley n° 1.263, de 1975, del Ministerio de Hacienda, sobre Administración Financiera del Estado. El Servicio se desconcentrará territorialmente a través de las Direcciones Regionales. En cada región del país habrá un Director Regional, quién estará afecto al Sistema de Alta Dirección Pública previsto en el Título VI de la ley n° 19.882 y deberá acreditar título de abogado. También estará afecto a dicho sistema el segundo nivel jerárquico del Servicio Nacional del Consumidor. Adicionalmente, dichas Direcciones Regionales se considerarán funcionalmente desconcentradas para efectos de ejercer las funciones señaladas en las letras b), c), f), y ñ) del artículo 58 de la presente ley. La actual redacción del numeral 39) del artículo 1° del proyecto es la que se indica a continuación: 39) Incorpórase el siguiente inciso segundo al artículo 57: 'El Servicio será una institución fiscalizadora en los términos del decreto ley n° 3.551, de 1981, estará afecto al Sistema de Alta Dirección Pública establecido en la ley n° 19.882 y estará sometido al decreto ley n° 1.263, de 1975, sobre Administración Financiera del Estado'".

ARTÍCULO 58

PRINCIPAL FACULTAD DEL SERVICIO NACIONAL DEL CONSUMIDOR

Velar por el cumplimiento de las disposiciones de la ley n° 19.496 y demás normas
que digan relación con el consumidor, difundir los derechos y deberes del consumidor
y realizar acciones de información y educación del consumidor.

FACULTADES ESPECIALES DEL SERVICIO NACIONAL DEL CONSUMIDOR

Art. 58 a)	Fiscalizar el cumplimiento de las disposiciones de la ley n° 19.496 y de toda la normativa de protección de los derechos de los consumidores (…).
Art. 58 b)	Interpretar administrativamente la normativa de protección de los derechos de los consumidores que le corresponde vigilar. Dichas interpretaciones sólo serán obligatorias para los funcionarios del Servicio.
Art. 58 c)	Proponer fundadamente al Presidente de la República, a través del Ministerio de Economía, Fomento y Turismo, la dictación, modificación o derogación de preceptos legales o reglamentarios en la medida que ello sea necesario para la adecuada protección de los derechos de los consumidores.(…).
Art. 58 d)	Citar a declarar a los representantes legales, administradores, asesores y dependientes de las entidades sometidas a su fiscalización, así como a toda persona que haya tenido participación o conocimiento respecto de algún hecho que estime necesario para resolver un procedimiento sancionatorio, o tomar la declaración respectiva por medios que permitan asegurar su fidelidad.(…).

Art. 58 e)	Proporcionar información y absolver las consultas del Ministerio de Economía, Fomento y Turismo, del Tribunal de Defensa de la Libre Competencia, de la Fiscalía Nacional Económica y demás organismos relacionados con la protección de los derechos de los consumidores.
Art. 58 f)	Llevar a cabo el procedimiento Procedimiento Voluntario Colectivo.
Art. 58 g)	Velar por el cumplimiento de las disposiciones legales y reglamentarias relacionadas con la protección de los derechos de los consumidores y hacerse parte en aquellas causas que comprometan los intereses generales de los consumidores, según los procedimientos que fijan las normas generales o los que se señalen en leyes especiales.(...).
Art. 58 h)	Formular, realizar y fomentar programas de información y educación al consumidor.
Art. 58 i)	Realizar, a través de laboratorios o entidades especializadas, de reconocida solvencia, análisis selectivos de los productos que se ofrezcan en el mercado en relación a su composición, contenido neto y otras características. (...).
Art. 58 j)	Reunir, elaborar, procesar, divulgar y publicar información para facilitar al consumidor un mejor conocimiento de las características de la comercialización de los bienes y servicios que se ofrecen en el mercado.(...).
Art. 58 k)	Realizar y promover estudios en el área del consumo.
Art. 58 l)	Llevar el registro público de sentencias de jueces de letras y de policía local sobre materias relativas de la Ley nº 19.496.
Art. 58 m)	Solicitar la entrega de cualquier documento, libro o antecedente que sea necesario para fines de fiscalización, procurando no alterar el desenvolvimiento normal de las actividades del afectado.
Art. 58 n)	Celebrar convenios con municipalidades para que éstas coordinen y gestionen las audiencias de conciliación obligatorias respecto de los casos de denuncias presentadas en defensa del interés individual.
Art. 58 ñ)	Las demás funciones y atribuciones que le asigne esta ley u otras. (...).

DOCTRINA SOBRE ARTÍCULO 58

- Larroucau, Jorge (2019): "La prueba en los procedimientos judiciales de consumo", en María Elisa Morales (Dir.) y Pamela Mendoza (Coord.), Derecho del Consumo: *Ley, doctrina y jurisprudencia*. Santiago: Der Ediciones. pp. 209-232, p. 222-224: "La recopilaciones de evidencias a cargo del SERNAC: La ausencia de criterios claros, tanto en la LPC como en la jurisprudencia, que determinen cómo se reparte la carga de la prueba, invita a preguntarse por el rol del Servicio en la recopilación de la información relevante para el caso, considerando su deber general de velar por el cumplimiento de la ley de protección de los derechos del consumidor, difundiendo sus derechos y deberes, y realizando acciones de información y educación del consumidor (art. 58 inciso 1º). A este respecto cabe recordar que, bajo el modelo de 1997, el Servicio aparentemente no tenía legitimación activa para demandar invocando el interés colectivo o difuso de los consumidores. En dicho aspecto, y al menos en un primer momento, se entendió que el Servicio solo podía intervenir en dos supuestos: (1) subrogándose en las acciones (no en las denuncias) del demandante cuando éste compareciera personalmente y solo para demandar la aplicación de multas, y (2) denunciando las infracciones al tribunal competente, haciéndose parte en aquellas causas que comprometieran los intereses generales de los consumidores (art. 54, texto original). En otras palabras, la actuación del Servicio se limitaba a velar porque el Fisco cobrase las multas que le correspondían, y ello a pesar de que siempre contó con una facultad —igualmente general— de "velar por el cumplimiento de las disposiciones legales y reglamentarias relacionadas con la protección de los derechos de los consumidores y hacerse parte en aquellas causas que comprometan los intereses generales de los consumidores" (art. 58 letra g). Como se sabe, ha sido precisamente el amplio tenor de este precepto el que, por ejemplo, ha suscitado un debate jurisprudencial en torno a si el Servicio puede ejercer acciones no tipificadas en la LPC invocando el interés general de los consumidores y usuarios. La reforma de 2004, en cambio, al darle legitimación activa al Servicio para demandar en un juicio colectivo (art. 51 nº 1 letra A) alteró los términos del debate, al transformarlo en un "verdadero auxiliar de la administración de justicia". Si esta calificación jurídica es correcta —aunque es polémico que lo sea—, entonces el Servicio podría tener un rol más destacado en la recopilación de datos para resolver el conflicto, aligerando con ello el peso de la prueba que pudiera tener el consumidor o usuario, sobre todo cuando litiga en un Juzgado Civil. La propia LPC da algunas pistas en este sentido, al ordenar que los proveedores estén obligados a proporcionarle "los antecedentes y documentación que les sean solicitados por escrito y que digan relación con la información básica comercial" de los bienes y servicios que ofrezcan al público, dentro del plazo que fije el Servicio, el cual no puede ser inferior a diez días hábiles (art. 58 inciso 5, reformado en 2011 por la Ley nº 20.555). En igual senda, los proveedores también están obligados a responder al "requerimiento de documentación", el cual puede "contener todas aquellas solicitudes de información y datos que sean necesarios para el debido cumplimiento de las funciones del Servicio Nacional del Consumidor" (art. 58 inciso 6, reformado por Ley nº 21.081). Con todo, la LPC precisa que estas recopilaciones de antecedentes solo pueden referirse "a información relevante para el consumidor o que éste consideraría para sus decisiones de consumo". Este acopio de datos, además, debe respetar otras limitaciones específicas: (1) no puede incluir la entrega de antecedentes que tengan más de un año de antigüedad a la fecha del respectivo requerimiento, ni datos (2) que la ley califique como secretos, (3) que constituyan información confidencial sobre la estrategia de negocios del proveedor, o bien, (4) que no se ajusten a lo dispuesto en el manual publicado por el Servicio (art. 58 inciso 7). Por cierto, la potestad anterior no obsta a que el Servicio "ejerza el derecho a requerir en juicio la exhibición o entrega de documentos, de acuerdo a las disposiciones generales y especiales sobre medidas precautorias y medios de prueba" del Código de 1903 (art. 58 inciso 8). La negativa o demora injustificada en la remisión de estas pruebas, además, se sanciona con una multa de hasta cuatrocientas (400) unidades tributarias mensuales, que impone el Juzgado de Policía Local (art. 58 inciso 9)".

- **Historia de la Ley nº 20.756. Segundo trámite Constitucional: Senado. Segundo Informe de Comisión de Economía. 21 de junio de 2017. Sesión 40, legislatura 365, pp. 325-328:** "La indicación nº 172, de Su Excelencia la Presidenta de la República, es para intercalar entre las frases 'Director Regional' y 'que corresponda', la siguiente expresión: 'del Servicio'.

La indicación modifica el párrafo tercero del artículo 58 letra a), aclarando que las denuncias por conductas abusivas de funcionarios fiscalizadores deberán hacerse ante el correspondiente Director Regional del Servicio.

La mesa de asesores propuso su aprobación, ya que aclara que la denuncia debe hacerse ante la Dirección Regional del SERNAC. Sólo se trata de una modificación formal.

Luego, de aprobarse la modificación, el párrafo tercero quedaría del siguiente tenor:

'En el ejercicio de la labor fiscalizadora, los funcionarios del Servicio deberán siempre informar al sujeto fiscalizado de la materia específica objeto de la fiscalización y de la normativa pertinente, y dejar copia íntegra de las actas levantadas, realizando las diligencias estrictamente indispensables y proporcionales al objeto de la fiscalización. Los sujetos fiscalizados podrán denunciar conductas abusivas de funcionarios ante el Director Regional del Servicio que corresponda"

El Honorable Senador señor Navarro declaró estar de acuerdo con el contenido de este inciso, pero preguntó si es frecuente o no regular con tanto detalle el procedimiento fiscalizador de un organismo.

Respondiendo a lo planteado, el Director Nacional del Servicio Nacional al Consumidor, señor Ernesto Muñoz explicó que se recurrió al modelo empleado a propósito de la facultad fiscalizadora de la Superintendencia del Medioambiente, porque se trata de la normativa más avanzada que existe en nuestra legislación en torno a este tipo de atribuciones. Agregó que, siendo la fiscalización una función nueva para el SERNAC, desde ya se quiere prevenir situaciones abusivas mediante esta regulación.

La Honorable Senadora señor Pérez dijo estar conforme con esta normativa, ya que da cuenta de un organismo moderno, en el que existe un adecuado equilibrio entre facultades y mecanismos de control.

En cuanto a la posibilidad de que sean los fiscalizadores quienes sufran algún tipo de agresión o abuso, el Honorable Senador señor Navarro preguntó si los derechos de los funcionarios también están resguardados por la ley.

El Director Nacional del Servicio Nacional del Consumidor, señor Ernesto Muñoz señaló que la ley prevé una sanción específica para los casos en que alguien se niegue a la práctica de actuaciones de fiscalización. Agregó que, en caso de algún tipo de agresión contra los funcionarios, se puede recurrir a los tipos establecidos en la legislación general.

El Honorable Senador señor Tuma propuso incorporar, al final de este inciso, el término 'territorialmente', para asegurar que la expresión 'que corresponda' se entienda referida al Director Regional. Considera que sin esta modificación la mencionada expresión podría asociarse al Servicio y ello daría pie a confusiones respecto a la institución competente.

– La indicación nº 172 fue aprobada, con modificaciones, por tres votos a favor y una abstención, del Honorable Senador señor Navarro. Votaron por la afirmativa los Honorables Senadores señora Pérez, y señores Moreira y Tuma. (Aprobada, con modificaciones; mayoría, 3 x 1 abstención).

Párrafo cuarto

Indicación nº 173

La indicación nº 173, de Su Excelencia la Presidenta de la República, es para agregar la siguiente oración: 'Cuando se trate de fiscalización de sitios web, los proveedores estarán obligados a facilitar las bases de datos u otros antecedentes relativos a éste que sean solicitados por el respectivo funcionario del Servicio.'

La indicación modifica el párrafo cuarto del artículo 58 letra a), agregando que en caso de tratarse de fiscalización de sitios web, los proveedores deberán entregar las bases de datos y otros antecedentes relativos al sitio, si son solicitados.

La mesa de asesores propuso su aprobación, con modificaciones, porque busca facilitar el análisis de información que se encuentra en sitios web, autorizando la solicitud de información en formato digital".

- **De la Maza, Iñigo y Ojeda, Hugo (2017) "El interés general de los consumidores y su tutela en las decisiones de los tribunales superiores de justicia"** *Revista de derecho, Universidad de Concepción*, nº 242 (julio-diciembre), pp. 105 a 140, pp. 114-118: "Una mirada a las sentencias de tribunales superiores nos enseña que parece tratarse de un tipo de interés más amplio que el de quienes eventualmente comparecen al juicio o incluso al de quienes pueden alcanzar los efectos de la sentencia. No es infrecuente que los tribunales entiendan que los intereses generales de los consumidores corresponden a asuntos de interés de la sociedad en su conjunto. Así, por ejemplo, una sentencia de la Corte de Apelaciones de Concepción el 1 de abril de 2008, en la que, conociendo de un caso por cobro excesivo de intereses por uso de tarjeta bancaria, entendió que interés general corresponde: '(…) al interés público, al interés de la sociedad toda, es decir, se promueve en defensa de un conjunto indeterminado de consumidores afectados en sus derechos, formando parte de lo que en doctrina se conoce como acciones de clases (…)'. Así también lo entendió la Corte de Apelaciones de Antofagasta en un fallo de 6 de enero de 2012, señalando además que en este concepto: '(…) deben considerarse tanto aquellas referidas a hechos que perjudican efectivamente a un grupo significativo de consumidores o usuarios, en la prestación de un servicio, cuanto aquellas que conciernen en concreto y en particular a solo dos personas, como ocurre en el caso de autos, pero que son susceptibles de afectar a la generalidad de los consumidores o usuarios, principalmente dada la frecuencia, gravedad y grado de peligrosidad con que ciertos hechos o actos se presentan o pueden presentarse en una determinada relación de consumo, de manera que resulta del todo irrelevante para la calificación el que una determinada acción aparezca interpuesta a nombre de sólo dos consumidores afectados'. En el mismo sentido, una sentencia de la Corte de Apelaciones de Temuco del 30 de julio de 2012 señala que el interés es: '(…) un concepto más amplio que el de interés colectivo o difuso que menciona el art. 50 de la ley 19.496, toda vez que por 'interés general' se entiende el interés de la sociedad política, utilizándose generalmente como sinónimo de interés público o bien común, establecido además como fin del Estado, y de sus órganos en el art.1 de la Constitución Política del Estado, y que aquí se particulariza en un aspecto del mismo como es 'los consumidores' en sentido genérico y no como un grupo específico de los mismos'. A mayor abundamiento, la Corte de Apelaciones de Santiago resolvió el 4 de septiembre de 2014 que: '5°) El interés general engloba a la sociedad toda, considerada como consumidora desde la perspectiva de la Ley n° 19496 y lo que debe hacerse es su resguardo exista o no una acción particular en la que el SERNAC deba intervenir por mandato del señalado artículo 59 g) (sic). De tal forma, cuando el SERNAC actúa en el interés general —cuyo único legitimado activo es él— el objeto es la sanción del proveedor, que con su conducta ha infringido normas de la Ley n° 19.496 que afectan el interés general de los consumidores. 6°) Que, la defensa del interés general no conlleva avalar derechos subjetivos, como sí ocurre con las acciones de interés colectivo o difuso, que pueden significar el pago de indemnizaciones a los consumidores. El interés general únicamente avala intereses públicos, que en el caso del artículo 58 letra g) se expresa en el ejercicio de la actividad de policía administrativa que le cabe al SERNAC, entendida ésta como el medio por el cual se manifiesta el poder público de la administración de una forma coercitiva, a través del Estado; limitando los derechos y libertades en beneficio de los consumidores (...)'. En términos muy semejantes, la sentencia de la Corte de Apelaciones de Santiago del 27 de julio de 2016, se refiere al 'interés de toda la sociedad en su conjunto' y añade que: '(...) intereses generales de los consumidores puede ser entendido como sinónimo de interés público o bien común'. Finalmente, en un fallo reciente del 27 de marzo de 2017, la Corte de Apelaciones de Concepción ratificó las nociones de interés general señaladas anteriormente, y agregó que '9. Que, por "causas en que estén afectados los intereses generales de los consumidores' deben entenderse aquellas referidas a hechos que, o bien afecten efectivamente a un grupo significativo de consumidores o usuarios, o bien que, aun cuando afecten en concreto y en particular a una persona, sean susceptibles de afectar a la generalidad de los consumidores o usuarios. Entonces los intereses generales de los consumidores pueden afectar en un juicio en concreto a una sola persona consumidora o a un grupo de personas o consumidores. Por ello, el SERNAC puede iniciar válidamente acciones tanto en causas individuales o colectivas pues el interés general protege a toda la sociedad'.

Por lo anterior, y de acuerdo a las decisiones citadas, se puede colegir que la jurisprudencia ha entendido el concepto 'interés general de los consumidores' como aquel interés público que, de alguna manera, compromete a la sociedad en su conjunto o al bienestar general Algo así como 'un interés de la comunidad toda y en su conjunto.

Ahora bien, resulta interesante advertir que la forma en que se compromete la sociedad es, por decirlo de alguna manera, abstracta o mediata, pues resulta perfectamente posible que de manera inmediata esté afectado un solo consumidor, como de hecho ha sucedido o, incluso, aunque no exista ningún consumidor afectado. Así, por ejemplo, en la sentencia de la Corte de Apelaciones de Santiago de 14 de agosto de 2013 se lee lo siguiente: '(…) el concepto de interés general engloba a la sociedad toda, considerada como consumidora desde la perspectiva de la Ley nº 19.496 y lo que debe hacerse en su resguardo, exista o no una acción en particular en la que el SERNAC deba intervenir por mandato del señalado artículo 58 letra g)". Y es que, como señala la sentencia de la Corte de Apelaciones de Santiago de 8 de noviembre de 2012, se trata de acciones que trasciendan la salvaguarda de los interese de un grupo determinado de consumidores, sino que va más allá de ellos. Por otra parte, hemos de advertir que los tribunales han fallado que no existe incompatibilidad en que un mismo ilícito afecte un interés individual y aquellos generales de los consumidores.

Pues bien, una mirada a la forma en que las Cortes de Apelaciones han empleado la expresión 'interés general' nos muestra que lo equipara al interés de la sociedad en su conjunto o, al menos, a un tipo de interés que excede al de los consumidores identificados o identificables en un caso particular. Nos parece, sin embargo, que la búsqueda no queda completa si se la limita al concepto que entregan los tribunales, pues al indagar en las sentencias en busca de ese concepto aprendemos, además, los casos en que se ha aplicado y, según veremos a continuación, en muchos de ellos resulta francamente artificioso —o derechamente inexacto— afirmar que se encuentra involucrado un interés de la comunidad en su conjunto" nº 173 fue aprobada, con modificaciones, por la unanimidad de los miembros presentes de la Comisión, Honorables Senadores señora Pérez y señores Navarro, Moreira y Tuma. (Aprobada, con modificaciones; unanimidad, 4x0) [...]".

- **Carrasco, Jaime (2021): "Artículo 58", en Iñigo De La Maza; Carlos Pizarro y Francisca Barrientos (Dirs.)** *La protección de los Derechos de los consumidores. Comentarios a la ley de protección a los derechos de los consumidores* **Santiago: Editorial Thomson Reuters (en prensa):** "Como ya se explicó, el Sernac es un servicio público al cual la ley confiere ciertas competencias y atribuciones. Una de ellas es que está habilitado para intervenir en un proceso judicial. En efecto, la LPDC faculta al Sernac tanto para denunciar y hacerse parte en los procesos en los que estén afectados los intereses generales de los consumidores (art. 58 letra g) LPDC) como a impetrar las acciones colectivas o difusas (art. 51 LPDC).

Entonces la pregunta que cabe hacer es porqué el Sernac detenta legitimación activa. Clásicamente el proceso civil se ha estructurado para proteger los derechos subjetivos o intereses individuales. Sin embargo, el concepto de derecho subjetivo e interés legítimo que se concibe desde una óptica individual no permite proteger una serie de situaciones jurídicas relevantes, en particular aquellas en que están involucrados derechos subjetivos e intereses supraindividuales.

En otras palabras, el proceso judicial no solo puede ser utilizado en la actualidad para proteger a un solo sujeto que reclama tutela jurídica de sus derechos e intereses, sino que también a un conjunto de personas, a un conjunto de intereses que están en juego, apareciendo los denominados intereses supraindividuales, e incluso intereses públicos que son dignos de protección jurídica. Es evidente que cuando estos derechos o intereses grupales, supraindividuales, colectivos, difusos, públicos, etc. sean conculcados, será la ley la que debe establecer qué sujeto se encuentra legitimado para reclamarlos en juicio.

Cuando están en juego intereses individuales y quien afirma ser titular de ese derecho o interés individual impetra tutela jurídica al órgano jurisdiccional entonces cabe aludir a la legitimación ordinaria. Pero cuando por alguna razón (política legislativa) existe la posibilidad que otro sujeto afirme como propio un derecho subjetivo o interés legítimo ajeno, es decir, hay una sustitución procesal, entonces la legitimación es extraordinaria.

Por otro lado, consideraciones de índole social, pública o general pueden justificar que el legislador otorgue legitimación activa a ciertos sujetos para proteger los intereses de naturaleza supraindividual, como ocurre con aquellos sujetos capaces de impetrar las acciones colectivas y difusas que reconoce el artículo 51 de la LPDC. Y esto no solo ocurre en el ámbito del Derecho del consumo sino que se puede abordar desde otras áreas jurídicas, como la función que cumple el Ministerio Público en materia penal, ejerciendo la acción penal pública, o el Consejo de Defensa del Estado y las Municipalidades que tienen legitimación activa para impetrar la reparación del medio ambiente dañado.

La atribución de legitimación al Sernac significa que, el Estado, a través de este servicio público, asume como propio el interés en el ejercicio de la pretensión de tutela jurisdiccional de los intereses generales de los consumidores que la ley indica como tutelables a través de las diversas vías procesales que la ley indica, con independencia que el Sernac no sea titular de la relación de derecho material o de la relación jurídica sustancial de consumo. Esta situación se explica por la autonomía que tiene el derecho de acción procesal del derecho material, autonomía que en la actualidad no cabe discutir.

Para determinar la legitimación activa del Sernac se debe tener en cuenta el tipo de interés involucrado que ha sido vulnerado. En efecto, como se sabe, comúnmente los intereses pueden ser individuales, colectivos, difusos y generales. La definición de estos tres primeros intereses ha sido discutida por la doctrina pero en la actualidad tales intereses tienen un reconocimiento legal al estar definidos en el artículo 50 de la Ley 19.496. En efecto, el inciso 4º de la referida norma expresa que "son de *interés individual* las acciones que se promuevan exclusivamente en defensa de los derechos del consumidor afectado". El inciso 5º señala que *"son de interés colectivo* las acciones que se promueven en defensa de derechos comunes a un conjunto determinado o determinable de consumidores, ligados con un proveedor por un vínculo contractual". Finalmente, el inciso 5º , segunda parte, indica que *"son de interés difuso* las acciones que se promueven en defensa de un conjunto indeterminado de consumidores afectados en sus derechos".

Con respecto a los intereses colectivos o difusos no cabe duda de que el Sernac tiene legitimación activa para figurar como sujeto demandante en este tipo de procedimiento en el evento en que se afecten intereses de tal naturaleza. Así lo señala el artículo 51 de la LPDC al expresar que el procedimiento especial para la protección de los intereses colectivos y difusos se iniciará por demanda que puede ser presentada, entre otros, por el Sernac, la cual será conocida y resuelta por el Juez de Letras en lo Civil.

Respecto al interés individual, se ha discutido si el Sernac está legitimado tanto para hacerse parte en un proceso ya iniciado como para denunciar la infracción a la ley del consumidor, persiguiendo la imposición de una multa al proveedor de bienes o servicios. Esta posibilidad de denuncia o intervención es sin perjuicio del derecho de acción que asiste al consumidor afectado para incoar el procedimiento judicial de acuerdo con los medios que la ley franquea, persiguiendo al efecto la eventual responsabilidad contravencional o infraccional y la posible responsabilidad civil del proveedor, acciones que hoy en día deben substanciarse de acuerdo a los procedimientos establecidos en los artículos 50 H y 50 I de la LPDC (ante el Juzgado de Policía Local que resulte competente).

A estos tipos de intereses debe agregarse el interés general de los consumidores a que alude la ley en el artículo 58, letra g). A nuestro entender se trata de un interés distinto de aquellos que son individuales, colectivos o difusos y que la jurisprudencia se ha encargado de reconocer y explicar según se demostrará a continuación. En la actualidad —y desde hace bastantes años— existe una considerable jurisprudencia, que no es posible citar de forma íntegra, que reconoce la facultad del Sernac para iniciar un proceso judicial o hacerse parte en uno ya iniciado, con el objeto de velar por los intereses generales de los consumidores.

El aporte de la jurisprudencia ha sido categórico para afirmar la existencia de la acción de interés general de los consumidores. En efecto, se ha señalado que el Sernac tiene legitimación activa tanto para hacerse parte en un proceso ya iniciado como para denunciar la infracción a la ley del consumidor, pudiendo intervenir en los procesos ya iniciados o iniciar los que sean necesarios para proteger los intereses generales de los consumidores.

El fundamento que ha expresado la jurisprudencia radica en varias cuestiones que pasaremos a sistematizar:

1.1. *La función esencial e inherente del Sernac expresada en el artículo 58, inciso 1° y 2° letra g), de la Ley n° 19.496*

Un primer argumento que surge de ciertas sentencias dice relación con las funciones que le corresponden al Sernac, especialmente las que indica el artículo 58, tanto la contenida en el inciso 1° como la expresada en el inciso 2°, letra g). Muchas sentencias afirman que al Sernac le corresponde velar por el cumplimiento de las disposiciones legales y reglamentarias relacionadas con la protección de los derechos de los consumidores y hacerse parte en aquellas causas que comprometan los intereses generales de los consumidores.

La norma referida debe complementarse con lo dispuesto en el artículo 50 de la LPDC que en su inciso 1° dispone que las acciones que derivan de esta ley se ejercerán frente a actos o conductas que afecten el ejercicio de cualquiera de los derechos de los consumidores. Además, el inciso tercero agrega que el ejercicio de las acciones puede realizarse a título individual o en beneficio del interés colectivo o difuso de los consumidores. Y a esto se debe agregar lo dispuesto en el artículo 58 letra g), es decir, que al Sernac le corresponde "velar por el cumplimiento de las disposiciones legales y reglamentarias relacionadas con la protección de los derechos de los consumidores y hacerse parte en aquellas causas que comprometan los intereses generales de los consumidores, según los procedimientos que fijan las normas generales o los que se señalen en leyes especiales. La facultad de velar por el cumplimiento de normas establecidas en leyes especiales que digan relación con la protección de los derechos de los consumidores, incluye la atribución del Servicio Nacional del Consumidor de denunciar los posibles incumplimientos ante los organismos o instancias jurisdiccionales respectivas y de hacerse parte en las causas en que estén afectados los intereses generales de los consumidores, según los procedimientos que fijan las normas generales o los que se señalen en esas leyes especiales".

De esta función que describen las normas citadas se deriva la legitimación activa del Sernac tanto para denunciar la infracción a la LPDC como para hacerse parte en los procesos en que se vean afectados los intereses generales de los consumidores. En efecto, la jurisprudencia ha afirmado que "*... cuando el artículo 58 de la ley n° 19.496 refiere que al Servicio le asiste el derecho a hacerse parte en aquellas causas que comprometan los intereses generales de los consumidores, se entiende que, no habiendo denuncia previa y a falta de un juicio, sea el Servicio en uso de la facultad privativa y protectora que la ley le confiere quien ejerza directamente las acciones tendientes a proteger los derechos e intereses de los consumidores, no pudiendo el juez competente, como lo es el de Policía Local, excusarse del conocimiento del asunto, conforme lo ordena la legislación adjetiva civil*".

Afirmar lo contrario, esto es, que el Sernac no tiene legitimación activa para denunciar las infracciones a la LPDC o que sólo puede intervenir en los procesos iniciados por un consumidor, equivaldría a desnaturalizar la función *esencial o inherente que la ley asigna al Servicio e incluso incumplir el deber legal* de denunciar las infracciones a la LPDC.

Para recalcar esta función esencial del Sernac, basta leer la reciente sentencia de la Corte de Apelaciones de Santiago, de 1 de agosto de 2018, rol 1672-2017 (considerando 6°), que expresa: 'Que, conforme se viene reseñando, al SERNAC le asiste como *función esencial* el velar por la protección de los 'intereses generales de los consumidores', y en este entendido es menester que cuente con la habilitación procesal para ejercer las acciones que el legislador ha puesto bajo su amparo. El interpretarlo de modo diverso —en un sentido restringido— significaría que en la práctica este organismo carecería de las herramientas necesarias para cumplir de la debida forma con la función que la ley le ha entregado, no habiendo sido ésta la intención que el legislador tuvo en cuenta para establecer una legislación protectora y cautelar de los derechos de los consumidores' (el destacado es nuestro).

De nada serviría que la ley exprese que el Sernac debe velar por el cumplimiento de las disposiciones legales y reglamentarias relacionadas con la protección de los derechos de los consumidores si, luego, no se confieren los mecanismos procesales para que dicha función pueda ser ejecutada en la práctica.

En consecuencia, la ley asigna una determinada competencia a un órgano de la administración del Estado, a un servicio público, y le encarga una determinada función. De esa misma función asignada por la ley —función esencial, inherente, deber legal, como ya se dijo— deriva la legitimación activa del Sernac para actuar en el proceso judicial —ya sea iniciándolo o haciéndose parte con el objeto de velar por los intereses generales de los consumidores— y cumplir efectivamente los particulares fines que la ley le asigna.

1.2. La acepción de la frase intereses generales de los consumidores

El segundo argumento para afirmar la legitimación activa del Sernac tanto para hacerse parte como para denunciar la infracción a la LPDC consiste en la interpretación de lo que debe entenderse por *intereses generales de los consumidores*.

Un buen número de sentencias afirma que el concepto de intereses generales de los consumidores debe comprenderse en un sentido más amplio que el de interés colectivo o difuso que menciona el artículo 50 de la LPDC, toda vez que por interés general se entiende el interés de la sociedad política, utilizándose en general como sinónimo de interés público o bien común, dispuesto además como fin del Estado y de sus órganos en el artículo 1° de la Constitución Política de la República.

También la jurisprudencia ha expresado que el interés general engloba a la sociedad toda.

Como se trata de un concepto no definido por la ley, la jurisprudencia ha afirmado que debe aplicarse la regla de hermenéutica legal contenida en el artículo 20 del Código Civil y, en consecuencia, la frase debe ser entendida en su sentido natural y obvio. De esta manera, la acepción de *intereses generales de los consumidores* alude a '… aquel interés público que pretende resguardar los intereses de un colectivo mayor'. La Real Academia Española entiende por general: 'Común y esencial a todos los individuos que constituyen un todo, o a muchos objetos, aunque sean de naturaleza diferente'.

Jurisprudencia más moderna ha delimitado aún más el concepto de intereses generales de los consumidores expresando que "por 'causas en que estén afectados los intereses generales de los consumidores' deben entenderse aquellas referidas a hechos que, o bien afecten efectivamente a un grupo significativo de consumidores o usuarios, o bien que, aun cuando afecten en concreto y en particular a una sola persona, sean susceptibles de afectar a la generalidad de los consumidores o usuarios; por lo que los intereses generales de los consumidores pueden afectar en un juicio en concreto a una sola persona consumidora o a un grupo de personas o consumidores; y por ello el SERNAC puede iniciar acciones tanto de causas individuales o colectivas, pues el interés general protege a toda la sociedad".

En la actualidad consideramos que esta frase contenida en el artículo 58, letra g) de la LPDC importa una acción autónoma distinta de las enumeradas en el artículo 50, que tiene una finalidad propia y particular, y QUE EL TRIBUNAL COMPETENTE para conocer de esta son los Juzgados de Policía Local, características que han sido reconocidas o ratificadas por una abundante jurisprudencia judicial.

1.3. *La actividad de policía administrativa del Sernac*

El tercer argumento para aseverar la legitimación activa del Sernac tanto para hacerse parte como para denunciar la infracción a la LPDC se funda en la actividad de policía administrativa que le corresponde al Sernac.

La jurisprudencia ha expresado que la actividad de policía administrativa que cabe al Sernac debe entenderse '… como el medio por el cual se manifiesta el poder público de la administración de una forma coercitiva, a través del Estado; limitando los derechos y libertades en beneficio del bienestar general o bien común a través de la amenaza y de la coacción (la sanción administrativa)'.

Esta función de policía administrativa debe entenderse reforzada por la Ley n° 21.081, ya que el actual artículo 58 letra a) establece facultades de fiscalización, al expresar que una de las funciones del Sernac es *'fiscalizar el cumplimiento de las disposiciones de la presente ley y de toda la normativa de protección de los derechos de los consumidores'*.

De nada sirve que la LPDC confiera facultades fiscalizadoras al Sernac si éste no tiene herramientas para pedir que se sancionen las contravenciones a la LPDC o quedara a voluntad del proveedor fiscalizado subsanar, corregir o enmendar las posibles infracciones a la LPDC. La ley debe establecer acciones procesales efectivas que permitan la protección de los derechos de los consumidores, herramienta que tiene el Sernac y que consiste en el ejercicio de la acción de interés general de los consumidores.

Además, esta alusión a la actividad de policía administrativa que detenta el Sernac y que resulta fortalecida a través de la entrada en vigencia de la Ley n° 21.081, está directamente ligada al bien común el que, en general, consiste en la protección o defensa de los derechos de la persona en los diversos ámbitos de la sociedad y, en particular, en el respeto y protección de los derechos de los consumidores.

En consecuencia, la ley asigna diversas competencias al Sernac dentro de las cuales una de estas es ejercer, como legitimado activo, la acción de interés general de los consumidores con el objeto que pueda cumplir con la finalidad que la ley le asigna (arts. 58 inciso 1° y 2° letra g) LPDC)".

• Soto, Pablo (2019): **"La potestad del SERNAC para recibir reclamos y promover acuerdos individuales luego de ser eliminada por el Tribunal Constitucional".** *Revista de derecho (Concepción)* **vol. 87 n° 245, pp. 201 a 234 pp. 230-231:** "El SERNAC puede implementar administrativamente la recepción de reclamos de consumidores, comunicarlos al proveedor y promover un entendimiento entre ambas partes en el ámbito individual, puesto que: (i) No existe obstáculo constitucional para que el SERNAC pueda recibir reclamos, comunicarlos al proveedor y promover un acuerdo entre este y el consumidor en materias individuales, puesto que, según la jurisprudencia del mismo TC, estas no son materias jurisdiccionales. En concordancia con esto, lo que el TC declaró inconstitucional —esta vez por ser una materia jurisdiccional— fue la denuncia (que formaba parte del procedimiento administrativo sancionatorio del proyecto de fortalecimiento), mediación y conciliación obligatorias. Solo en estas condiciones hay inconstitucionalidad, cuestión que no se extiende a un mecanismo voluntario de recepción de reclamos, traslado al proveedor y promoción de acuerdos. (ii) Por parte de los consumidores, la presentación de reclamos y la solicitud de que el servicio se dirija al proveedor para solucionar su problema, constituyen modalidades de ejercicio del derecho constitucional de petición ante la Administración, que se encuentra obligada a resolver el fondo de lo pedido en la medida que se halla dentro de la competencia del SERNAC la protección de los derechos de los consumidores. (iii) La implementación administrativa de una modalidad de recepción de reclamos de los consumidores, comunicarlos al proveedor y promoción de un entendimiento individual es una potestad implícita respecto a otras que el SERNAC detenta expresamente, de manera que existe cobertura legal al efecto. En este punto, es especialmente relevante la información que a través de los reclamos se obtiene para fines de fiscalización cuyo objetivo final es hacer cumplir la regulación en materia del consumo. (iv) Lo anterior es coherente con la manera en que se han entendido las potestades del SERNAC, en el sentido de que, a pesar de que algunas de ellas no se hallan explícitamente fijadas en las normas que lo rigen, igualmente, se ha admitido su ejercicio, según la interpretación finalista con la que se evalúa el ámbito de atribuciones del servicio, particularmente, respecto a lo dispuesto en el artículo 58 de la LPDC, referido a la función de velar por la legislación y los derechos de los consumidores".

• Molinari, Aldo (2021): **"Artículo 58", en Iñigo De La Maza; Carlos Pizarro y Francisca Barrientos (Dirs.)** *La protección de los Derechos de los consumidores. Comentarios a la ley de protección a los derechos de los consumidores* **Santiago: Editorial Thomson Reuters (en prensa):** "Una de las novedades introducidas por la Ley n° 21.081 del año 2018 fue consagrar en el artículo 58, inciso 9 de la LPDC la facultad de solicitar la incautación de la documentación requerida por el SERNAC previa aprobación de un juez de policía local. [...]

Desde luego, esta nueva facultad es una materialización de la potestad fiscalizadora del SERNAC. Sin embargo, la pregunta de fondo es cómo se podrá solicitar y conceder esta medida por un juez de policía local en el marco de un procedimiento. El legislador guarda silencio y la historia le ley tampoco logra dar directrices sobre cómo proceder en estos casos.

Esta norma podría ser integrada con la regulación contenida el artículo 217 del Código de Procedimiento Penal sobre incautación de objetos y documentos, la cual permite que los objetos y documentos relacionados con el hecho investigado, que pudieren servir como medio de prueba, sean incautados, previa orden judicial solicitada por el fiscal, cuando *"la persona en cuyo poder se encontraren no los entregare voluntariamente, o si el requerimiento de entrega voluntaria pudiere poner en peligro el éxito de la investigación".*

Conforme a la hipótesis consagrada en inciso noveno del artículo 58 de la LPDC, para solicitar la incautación de la documentación ante el juez de policía local, es necesario que exista previamente un requerimiento de información evacuado por SERNAC al proveedor, en que se le solicite documentación específica. Por ende, en la solicitud de incautación será necesario acompañar este requerimiento de documentación específica del proveedor.

Los profesores Jaime Carrasco y Juan Ignacio Contardo han dejado en evidencia este vacío normativo y con el fin de intentar delimitar el procedimiento aplicable a esta facultad, han indicado que *"A falta de norma expresa, a nuestro entender, hay tres opciones de aplicación subsidiaria de procedimientos: (1) el del Código Procesal Penal para la incautación, (2) las normas de los actos judiciales no contenciosos, del Código de Procedimiento Civil (CPC), o bien de las medidas prejudiciales precautorias, también del CPC" (sic).*

Lo anterior implica que SERNAC no tan solo puede solicitar que se condene infraccionalmente al proveedor que no remitió la información solicitada, sino "asimismo" —de acuerdo con el tenor literal inciso— podría requerir que se proceda a la incautación de la documentación requerida en el marco del procedimiento que se entable ante el juez de policía local competente, cuya resolución debe estar revestida de fundamento para proceder con la solicitud. Será la jurisprudencia de nuestros tribunales la que deberá paulatinamente definir el criterio o patrón que deberá adoptar tanto la autoridad como los proveedores ante solicitudes que comprometen garantías fundamentales básicas del sujeto fiscalizado".

SENTENCIAS SOBRE ARTÍCULO 58

- **Servicio Nacional de Consumidor con Distribuidoras de Industrias Nacionales S.A. (2018): Corte de Apelaciones de Santiago, 21 de diciembre de 2018, Recurso de Apelación, Rol n° 2063-2017, LTM17.554.967:** "CUARTO: Por lo demás el requerimiento de información ha de ser interpretado dentro de la finalidad de la norma que se invoca, esto es el artículo 58 de la Ley del Consumidor y las potestades de fiscalización del ente administrativo. En ese contexto la respuesta entregada no permite cumplir la finalidad de la norma ni el ejercicio de las potestades de fiscalización con que cuenta el SERNAC, razón que conduce a acoger la denuncia e imponer una multa a la denunciada, por infringir el artículo 58 inciso quinto y siguientes de las ley 19.496 al no haber proporcionado los antecedentes y documentación que le fueron solicitados por escrito y que resulta relevante para ejercer las atribuciones del servicio desde que se trata de información relevante para el consumidor o que al menos consideraría para sus decisiones de consumo".

- **Servicio Nacional de Consumidor con Aerovías del Continente Americano S.A. (2018): Corte de Apelaciones de Santiago, 1 de agosto de 2018, Recurso de Apelación, Rol n° 1672-2017, LTM17.655.192:** "DECIMOSEGUNDO: Que al amparo del artículo 58 de la Ley 19.496 el SERNAC, en uso de la facultad privativa y protectora que la ley le confiere, puede efectivamente ejercer directamente las acciones tendientes a proteger los derechos e intereses de los consumidores, no pudiendo el juez competente, como lo es el de Policía Local, excusarse del conocimiento del asunto, conforme lo ordena el principio de inexcusabilidad, consagrado constitucionalmente".

- **Servicio Nacional de Consumidor con Samsung Electronics Chile Ltda. (2018): Corte de Apelaciones de Santiago, 14 de febrero de 2018, Recurso de Apelación, Rol n° 1113-2017, LTM19.067.129:** "SEXTO: Que el artículo 58 de la Ley n° 19.496 emplea la expresión "intereses generales de los consumidores", en una acepción más amplia que el de "interés colectivo o difuso", que menciona el artículo 50 de la misma ley, toda vez que por interés general se entiende aquél que es propio de la sociedad política, utilizándose generalmente como sinónimo de interés público o bien común, establecido además como fin del Estado y de sus órganos en el artículo 1° de la Constitución Política de la República, que aquí se particulariza en un aspecto del mismo como es el caso de los consumidores en sentido genérico y no como un grupo específico de los mismos".

SENTENCIAS SOBRE ARTÍCULO 58 letra g)

- **Servicio Nacional del Consumidor con Aerovías del Continente Americano S.A. (2018): Corte de Apelaciones de Santiago, 1 de agosto de 2018, Recurso de Apelación, Rol n° 1672-2017, LTM17.655.192:** "DECIMO: Que conforme se viene reflexionando, la defensa del interés general no conlleva avalar derechos subjetivos, como sí ocurre con las acciones de interés colectivo o difuso, que pueden significar el pago de indemnizaciones a los consumidores. El interés general únicamente avala intereses públicos, que en el caso del artículo 58 letra g) se expresa en el ejercicio de la actividad de policía administrativa que cabe al SERNAC, entendida ésta como el medio por el cual se manifiesta el poder público de la administración de una forma coercitiva, a través del Estado, limitando los derechos y libertades en beneficio del bienestar general o bien común a través de la amenaza y de la coacción, esto es, de la sanción administrativa".

- **Servicio Nacional del Consumidor con Banco Estado (2020): Corte de Apelaciones de Santiago, 21 de febrero de 2020, Recurso de Apelación, Rol n° 8-2019, LTM16.601.624:** "PRIMERO: Que, el artículo 58 letra g) de la Ley 19.946 le permite al Servicio Nacional del Consumidor hacerse parte en aquellas causas que comprometan los intereses generales de los consumidores, disponiéndose expresamente 'la facultad de velar por el cumplimiento de normas establecidas en leyes especiales que digan relación con la protección de los derechos de los consumidores, incluye la atribución del Servicio Nacional del Consumidor de denunciar los posibles incumplimientos ante los organismos o instancias jurisdiccionales respectivas y de hacerse parte en las causas en que estén afectados los intereses generales de los consumidores, según los procedimientos que fijan las normas generales o los que se señalen en esas leyes especiales'. Así, entonces, aparece que en la concreción de la tarea que el legislador le ha encomendado al Servicio, esto es, proteger el interés general de los consumidores, puede hacerse parte sea en las acciones en que se ha invocado un interés individual, colectivo o difuso, o puede promover directamente la intervención del órgano jurisdiccional invocando este interés general".

- **T4F Chile S.A. con Ministros de la Corte de Apelaciones de Punta Arenas (2017): Corte Suprema, 23 de enero de 2017, Recurso de Queja, Rol n° 68771-2016, LTM16.124.892:** "SÉPTIMO: Que de lo anterior se colige que las acciones judiciales destinadas a resguardar los derechos de los consumidores sólo pueden ejercerse a título individual o en beneficio del interés colectivo o difuso de aquellos. En consecuencia, no existe en la legislación una cuarta categoría de acciones, como las de interés general que propone el Servicio Nacional del Consumidor, pues si bien el artículo 58 letra g) inciso 2° de la Ley n°

19.496 dispone que la facultad de dicho Servicio de velar por el cumplimiento de normas establecidas en leyes especiales que digan relación con el consumidor, incluye la atribución de denunciar los posibles incumplimientos ante los organismos o instancias jurisdiccionales respectivos y de hacerse parte en las causas en que estén afectados los intereses generales de los consumidores, la misma norma indica expresamente que ello debe hacerse 'según los procedimientos que fijan las normas generales o los que se señalen en esas leyes especiales'. Por lo demás, la conclusión anterior guarda relación y total armonía con el hecho de que la ley en examen sólo contempla dos tipos de procedimientos judiciales, el destinado a la protección del interés individual de los consumidores y el regulado en forma especial para la protección del interés colectivo o difuso de los consumidores".

- **Servicio Nacional del Consumidor con Banco Bilbao Vizcaya Argentaria (2018): Corte Suprema, 20 de noviembre de 2018, Recurso de Casación en el Fondo, Rol n° 100759-2016, LTM18.744.957:** "DÉCIMO: Que ya se dijo el banco demandado estima en su recurso que la excepción en referencia debió ser acogida en su totalidad y que al no ser así el fallo infringe los artículos 51 n° 1 letra a) y artículos 5 y 58 letra g) de la Ley 19.496 puesto que, en lo fundamental, la existencia del procedimiento anterior seguido entre las mismas partes y por el mismo asunto ante el Juzgado de Policía Local de Providencia impide que el Servicio Nacional del Consumidor pudiera deducir la demanda de autos ya que su primitiva pretensión le hizo perder legitimación activa para entablar la presente demanda, porque según el citado artículo 51 el procedimiento correspondiente al caso de afectación del interés colectivo o difuso de los consumidores se inicia por demanda presentada, entre otros, por el Servicio Nacional del Consumidor y, conforme al n° 5 del mismo artículo, el demandante que sea parte en un procedimiento de los regulados en ese párrafo 'no podrá, mientras el procedimiento se encuentre pendiente, deducir demandas de interés individual fundadas en los mismos hechos'. Y finalmente, porque el artículo 58 letra g) indica como funciones del Servicio Nacional del Consumidor 'velar por el cumplimiento de las disposiciones legales y reglamentarias relacionadas con la protección de los derechos de los consumidores y hacerse parte en aquellas causas que comprometan los intereses generales de los consumidores'. Agrega seguidamente que 'la facultad de velar por el cumplimiento de las normas que dicen relación con el consumidor incluye la atribución de denunciar los posibles incumplimientos ante los organismos o instancias jurisdiccionales respectivos y de hacerse parte en las causas en que estén afectados los intereses generales de los consumidores, según los procedimientos que fijen las leyes generales o los que se señalan en esas leyes especiales".

ARTÍCULO 58 BIS

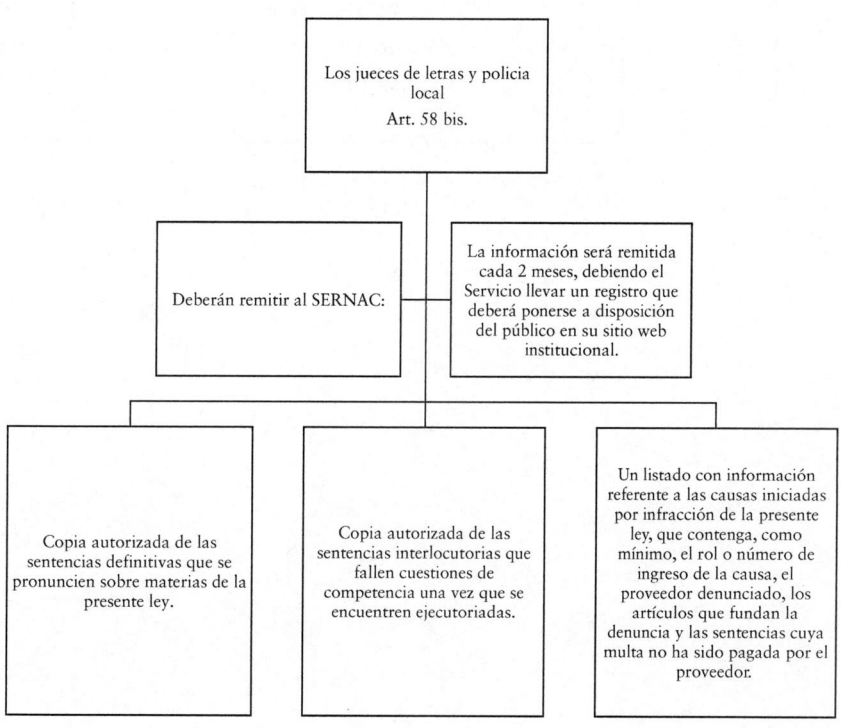

Los jueces de letras y policia local
Art. 58 bis.

Deberán remitir al SERNAC:

La información será remitida cada 2 meses, debiendo el Servicio llevar un registro que deberá ponerse a disposición del público en su sitio web institucional.

Copia autorizada de las sentencias definitivas que se pronuncien sobre materias de la presente ley.

Copia autorizada de las sentencias interlocutorias que fallen cuestiones de competencia una vez que se encuentren ejecutoriadas.

Un listado con información referente a las causas iniciadas por infracción de la presente ley, que contenga, como mínimo, el rol o número de ingreso de la causa, el proveedor denunciado, los artículos que fundan la denuncia y las sentencias cuya multa no ha sido pagada por el proveedor.

Los organismos fiscalizadores sectoriales
Art. 58 bis

Que tengan facultades sancionatorias respecto de sectores regulados por leyes especiales

Deberán remitir al SERNAC copia de las resoluciones que impongan sanciones.

DOCTRINA SOBRE ARTÍCULO 58 BIS

- **Historia de la Ley n° 20.756. Segundo trámite Constitucional: Senado. Segundo Informe de Comisión de Constitución. 1 de agosto de 2017. Sesión 40, legislatura 365, p. 599:** "El Senador señor Larraín se mostró partidario de dicho precepto, pero estimó pertinente que la información sobre las sanciones aplicadas, además de ser remitidas al Servicio Nacional del Consumidor, sea publicada por el propio tribunal, a efectos de que cualquier consumidor pueda acceder a ella. Sin embargo, el Senador señor de Urresti, si bien consideró atingente la medida, acotó que en atención a la diversidad de juzgados de policía local en el país y los medios con que cuentan, sería preferible consultar su factibilidad práctica con las asociaciones que reúnen a esos jueces".

- **Historia de la Ley n° 20.756. Segundo trámite Constitucional: Senado. Segundo Informe de Comisión de Constitución. 1 de agosto de 2017. Sesión 40, legislatura 365, p. 599:** "El Director Nacional clarificó que será la repartición a su cargo la que tendrá la obligación de poner a disposición del público esa información, de forma consolada y sistematizada, en la página web institucional".

- **Celedón, Andrés (2021): "Artículo 58 bis", en Iñigo De La Maza; Carlos Pizarro y Francisca Barrientos (Dirs.)** *La protección de los Derechos de los consumidores. Comentarios a la ley de protección a los derechos de los consumidores* **Santiago: Editorial Thomson Reuters (en prensa):** "El Servicio Nacional de Consumidor, conforme al artículo 58, letra l), de la LPDC, deberá llevar el Registro Público El ectrónico a que se refiere el artículo 58 bis de LPDC, es decir, el Registro Público de Sentencias en su página web, el que se encuentra a disposición del público y es Reglamentado mediante el Decreto n° 86, DO., de 22 de febrero de 2020, que establece el Registro de Sentencias del artículo 58 bis de la LPDC, norma derogó el Decreto Supremo n° 18, de 2006, del Ministerio de Economía, Fomento y Turismo, faltando dictar, por el Sernac, la resolución a que alude el artículo, 6 inciso primero, parte final, del Reglamento.

  De acuerdo al Sernac, el Registro Público de Sentencias es *"la compilación de las copias de las sentencias definitivas sobre materias propias de la Ley n° 19.496 sobre Protección de los Derechos de los Consumidores y, de las interlocutorias, que han resuelto cuestiones de competencia, todas ejecutoriadas, remitidas por los Jueces de Letras y de Policía Local, en cumplimiento de lo dispuesto por el artículo 58 bis de la citada Ley"*.

Dicho registro presenta las siguientes características:

a) *Es un registro electrónico.* Por regla general, un registro electrónico es un sitio web que se encuentra a disposición de la ciudadanía en internet y del cual es titular el ente público encargado de su gestión y administración, que permite a los ciudadanos efectuar trámites, acceder a la información, realizar todo tipo de actuaciones y gestiones circunscritas a la actividad de la administración. Sin embargo, en este caso, dicho registro electrónico se circunscribe a ser un mantenedor y buscador de sentencias de los tribunales en materia del consumo y no tiene por finalidad efectuar tramitaciones electrónicas de los procedimientos, sino poner a disposición del público la información a través del sitio web institucional;

b) *Es un registro Público.* Es decir, un registro al que cualquier persona puede acceder y utilizar los motores de búsqueda que corresponden a los rangos asignados;

c) *Contiene un plazo para la publicación y procesamiento de la información.* El Sernac, una vez recibida la información del bimestre respectivo (artículo 7 del Reglamento), debe publicar en el Registro las sentencias indicadas, previa revisión y procesamiento, entendemos que aquello significa que la información que se contenga permite su publicación y posterior difusión en formatos legibles, contando para ello con un plazo de 30 días hábiles administrativos;

d) *Permite establecer buscadores en el Registro.* Conforme lo dispone el artículo 8 del Reglamento, el Registro debe contemplar, al menos, dos criterios de búsqueda: i) Un criterio de búsqueda por los antecedentes a que se refieren los artículos 3, 4 y 5 del Reglamento; y ii) Otro por cada juzgado y organismo fiscalizador sectorial obligado a informar.

Sin embargo, podrán —de acuerdo a lo que el Reglamento indica— agregar otros criterios de búsqueda de información y acceso a la misma dentro del Registro, los que deben ser oportunamente informados a los juzgados y organismos fiscalizadores sectoriales, a través de los medios de comunicación electrónicos que se utilicen para el envió de la información, indicada en los artículos 3 y 4 del Reglamento.

El Reglamento también considera casos de excepción, es decir, cuando un juzgado carezca de medios tecnológicos para remitir la información (cuestión que se da en muchos casos), la misma podrá ser enviada por el Servicio a través de un oficio dirigido al domicilio postal del respectivo juzgado u organismo fiscalizador.

Hasta el momento, la página web del Servicio mantiene dos buscadores: 1) Un buscador mediante datos específicos, en el cual se puede buscar por: i) Palabras; ii) Tribunal; iii) Resultado de la sentencia; iv) Fechas; y 2) Un buscador mediante datos como: i) Tribunal; ii) Sentencias por materia; y iii) Sentencias por articulado.

e) *Obligación de un informe anual estadístico.* Con la información recabada —nos indica el artículo 9 del Reglamento— el Sernac debe elaborar y remitir, en el mes de junio de cada año un informe de las estadísticas relevantes a la Academia Judicial de la Corporación Administrativa del Poder Judicial, al Instituto de Jueces de Policía Local y otras instituciones que estime pertinentes. Estimamos que dichos informes son relevantes pues permite evaluar, desde un punto de vista estadístico la información, pero también elaborar estudios a partir de las tendencias jurisprudenciales, para darlas a conocer a sus integrantes. En ese mismo período, es decir, bajo la normativa modificada, el informe será incorporado en el sitio web institucional del Servicio para conocimiento del público general, comenzando en el mes de junio del año 2020".

- **Guzmán, Guillermo y Tremolini, María Alejandra (2021): "Artículo 58 bis", en Iñigo De La Maza; Carlos Pizarro y Francisca Barrientos (Dirs.)** *La protección de los Derechos de los consumidores. Comentarios a la ley de protección a los derechos de los consumidores* **Santiago:** Editorial Thomson Reuters (en prensa): "El artículo 58 bis tiene por función dotar al Servicio Nacional del Consumidor de mayores herramientas en la protección de los consumidores, su intención es que el servicio pueda tomar conocimiento sobre todas las sentencias impartidas por los juzgados de letras y de policía local que versen sobre materias de la Ley n° 19.496, además de las resoluciones sancionatorias dictadas por organismos fiscalizadores sectoriales, que puedan impactar en este mismo ámbito.

El servicio, concentrará el flujo de información tanto de los tribunales, como de los organismos sectoriales, puesto que en general son de difícil acceso, o por el alto número de juzgado existentes. En ese sentido, se busca a través del Sernac, mantener a disposición del público una base de información que contenga las sentencias definitivas, las sentencias interlocutorias ejecutoriadas que fallen cuestiones de competencia, y las resoluciones sancionatorias efectuadas por organismos fiscalizadores sectoriales, que se pronuncien sobre materias propias o que afecten lo relativo a la Ley sobre Protección de los Derechos de los Consumidores. [...]

La Ley n° 21.081 que reforma la Ley n° 19.496 sobre Protección a los Derechos de los Consumidores, no trajo grandes cambios sobre el inciso segundo del artículo 58 bis. De hecho, la única modificación obedece a intercalar entre las frases "organismos fiscalizadores" y "que tengan facultades", la palabra: "sectoriales". Lo anterior se encuentra contenido en la indicación n° 191, hecha por el Presidente de la República.

Durante el proceso legislativo no hubo mayor controversia sobre esto, e incluso la mesa de asesores planteó su aprobación sin ninguna observación, señalando que la indicación era necesaria "toda vez que homogeniza la nomenclatura utilizada en otras leyes". Es así como por medio de la inclusión de esta palabra se armonizó la normativa en la que se ratifica la obligación de envío de las resoluciones sancionatorias al Servicio Nacional del Consumidor, ahora por parte de los **organismos fiscalizadores sectoriales**, siempre que tengan la facultad sancionatoria, y en concordancia con lo establecido en el artículo 2 bis del mismo cuerpo normativo.

En efecto, el uso de la palabra sectorial, corresponde a la nomenclatura utilizada para referirse a ámbitos que involucran mercados específicos o mercados regulados. En estos, existen organismos estatales definidos para estas industrias, en los que principalmente se encuentran empresas que desarrollan sus actividades en monopolios naturales, en ámbitos que existe un número limitado de competidores, o desarrollan actividades de vital importancia para la población. Al existir dichas características es necesario que una entidad estatal se encargue exclusivamente de delimitarlos, fiscalizarlos y sancionarlos".

ARTÍCULO 59

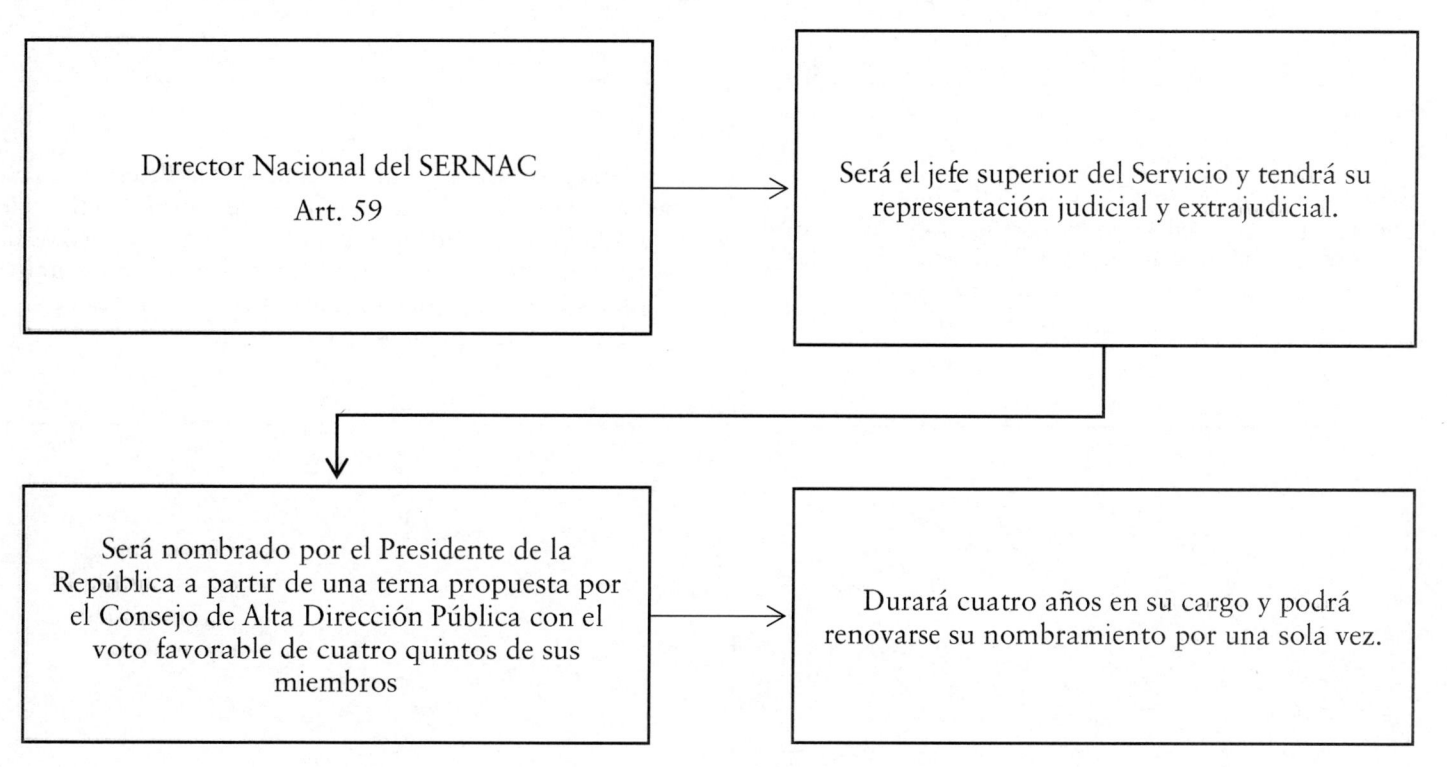

Director Nacional del SERNAC Art. 59		Será el jefe superior del Servicio y tendrá su representación judicial y extrajudicial.

Será nombrado por el Presidente de la República a partir de una terna propuesta por el Consejo de Alta Dirección Pública con el voto favorable de cuatro quintos de sus miembros

Durará cuatro años en su cargo y podrá renovarse su nombramiento por una sola vez.

El cargo de Director Nacional será incompatible con el de: Art. 59	
Diputado, senador, integrante del Poder Judicial o del Tribunal Constitucional, consejero del Banco Central, fiscal del Ministerio Público, miembro de las Fuerzas Armadas y de las Fuerzas de Orden y Seguridad Pública, ministro de Estado, subsecretario,	Intendente, gobernador, alcalde, concejal, consejero regional, miembro del Tribunal Calificador de Elecciones, funcionario de la Administración del Estado, miembro de los órganos de dirección de los partidos políticos, y con el de representante de asociaciones gremiales, organizaciones sindicales y asociaciones de consumidores.

El Director Nacional no podrá ser: Art. 59	
Gerente, administrador o director, ni podrá tener participación en la propiedad de una empresa o sociedad, junto a sus filiales y coligadas, de acuerdo a las normas contenidas en el Título VIII de la ley n° 18.046, sobre Sociedades Anónimas, que sea proveedora en los términos del numeral 2 del inciso segundo del artículo 1.	Esta incompatibilidad será extensiva a su cónyuge o conviviente civil y a sus parientes hasta el primer grado de consanguinidad.

Una vez que el Director Nacional haya cesado en su cargo no podrá ser Art 59	
Gerente, administrador o director, ni podrá tener participación en la propiedad de una empresa o sociedad, junto a sus filiales y coligadas, de acuerdo a las normas contenidas en el Título VIII de la ley n° 18.046, sobre Sociedades Anónimas, que sea proveedora en los términos del numeral 2 del inciso segundo del artículo 1.	Por el plazo de seis meses después de haber expirado en funciones. El Director Nacional no podrá ser candidato a cargos de elección popular hasta un año después de haber cesado en su cargo.

Obligación del ex Director Nacional Art. 59	
El ex Director Nacional afecto a prohibición contenida en el inciso cuarto del artículo 59, deberá informar, durante el tiempo que ésta dure, al Servicio Nacional del Consumidor sus participaciones societarias y todas las actividades laborales y de prestación de servicios que realice, tanto en el sector público como en el sector privado, sean o no sean remuneradas.	Esta obligación se extenderá hasta los seis meses posteriores al término de la precitada prohibición.

Aplicación de incompatibilidades, prohibiciones y obligaciones

Art. 59

Las incompatibilidades y prohibiciones establecidas en los incisos segundo a cuarto y la obligación contemplada en el inciso quinto del art. 59

Serán también aplicables a los directores regionales del SERNAC.

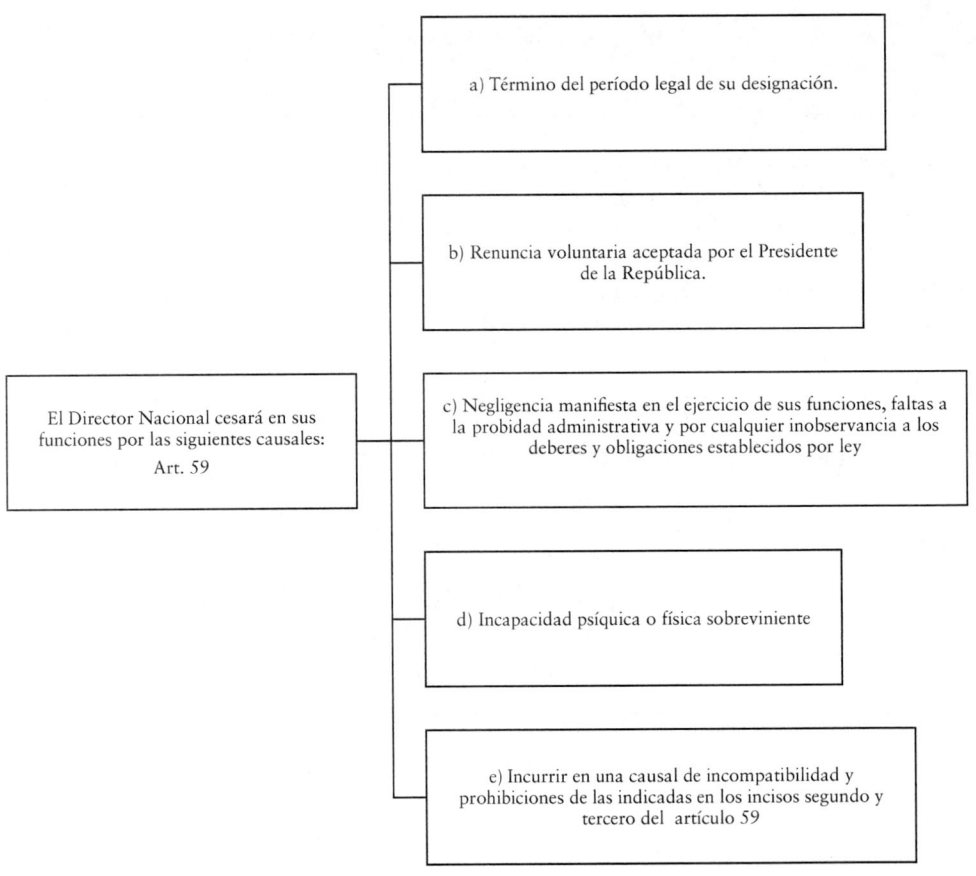

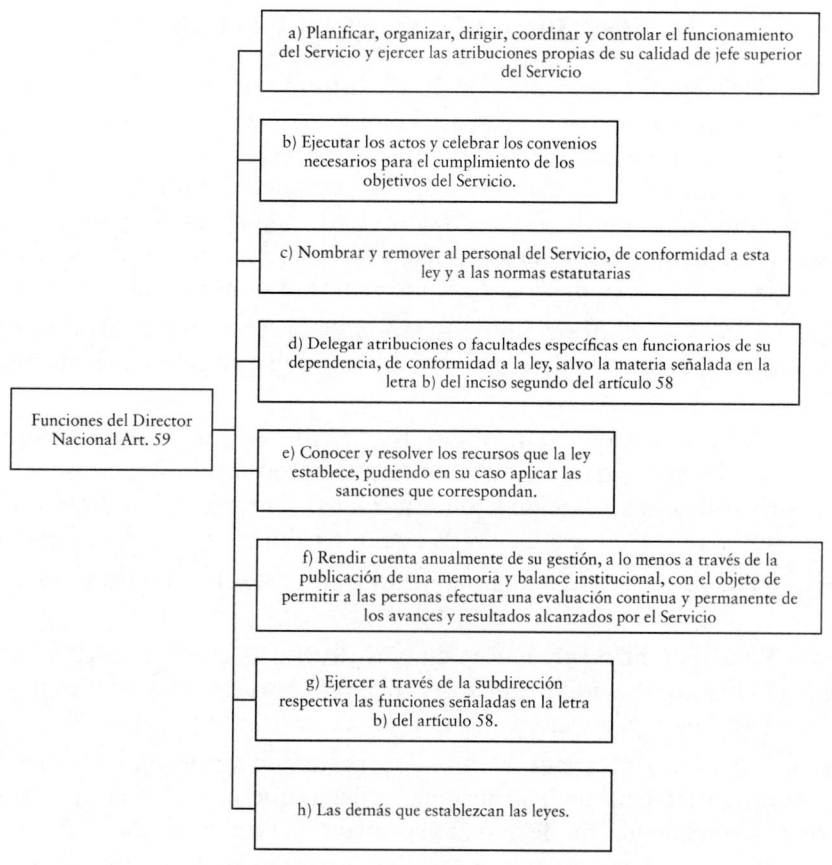

Funciones del Director Nacional Art. 59

a) Planificar, organizar, dirigir, coordinar y controlar el funcionamiento del Servicio y ejercer las atribuciones propias de su calidad de jefe superior del Servicio

b) Ejecutar los actos y celebrar los convenios necesarios para el cumplimiento de los objetivos del Servicio.

c) Nombrar y remover al personal del Servicio, de conformidad a esta ley y a las normas estatutarias

d) Delegar atribuciones o facultades específicas en funcionarios de su dependencia, de conformidad a la ley, salvo la materia señalada en la letra b) del inciso segundo del artículo 58

e) Conocer y resolver los recursos que la ley establece, pudiendo en su caso aplicar las sanciones que correspondan.

f) Rendir cuenta anualmente de su gestión, a lo menos a través de la publicación de una memoria y balance institucional, con el objeto de permitir a las personas efectuar una evaluación continua y permanente de los avances y resultados alcanzados por el Servicio

g) Ejercer a través de la subdirección respectiva las funciones señaladas en la letra b) del artículo 58.

h) Las demás que establezcan las leyes.

DOCTRINA SOBRE ARTÍCULO 59

- **Segundo tramite constitucional: Senado. 1 de agosto de 2017. Informe de comisión de constitución. Sesión 40, legislatura 365. Boletín nº 9.369-03 p. 132 y 133:** "El asesor del Honorable Senador señor Larraín, señor Juan Pablo Olmedo, acotó que el inciso final del artículo 59 establece la facultad del Director Nacional para determinar vía instrucciones la organización interna del Servicio, dentro de lo cual se incluye la atribución para fijar las denominaciones y funciones que corresponda a cada una de las unidades. Entonces, atendiendo lo dispuesto en el inciso final del artículo 58 y al hecho de que la intención del Legislador es hacer una estricta separación de las labores administrativas y fiscalizadoras, opinó que no parecería correcto que la citada autoridad pudiera utilizar esa potestad de forma discrecional.

El señor Director Nacional observó que el principio de separación de funciones tendrá un origen legal y, por ese motivo, las disposiciones de orden interno que la referida autoridad dictará deberán reflejar de manera efectiva la exigencia recién reseñada.

Sobre el mismo punto, el Presidente de la Comisión, Honorable Senador señor Harboe, manifestó que las instrucciones que emanan de la máxima autoridad del Servicio tienen relación con asuntos administrativos, pero en ningún caso pueden contravenir la ley. Por lo tanto, privar de esa atribución a jefe superior de la repartición podría dificultar la eficiencia y eficacia de su funcionamiento, así como la adecuada resolución de cualquier dificultad sobreviniente.

Reiteró, en todo caso, que las referidas instrucciones no podrán transgredir los términos de la separación de funciones establecidos legalmente.

El Honorable Senador señor Prokurica hizo presente que no es necesario que una norma específica en este proyecto establezca la posibilidad de que el Director Nacional emita instructivos, pues esas facultades provienen de la aplicación de las reglas generales que regulan el adecuado ejercicio de las labores de la Administración Pública.

El Honorable Senador señor Larraín, por su lado, expresó su preferencia por explicitar en el texto legal que el Director Nacional estará facultado para la dictación de instrucciones, puesto que la forma en que se propone su redacción podría interpretarse como una potestad reglamentaria de mayor espectro que la pretendida. Si no fuese posible, instó a sujetarse a las disposiciones que en materia de órdenes internas poseen las autoridades superiores de los órganos administrativos.

El señor Director Nacional, si bien concordó en que las reglas generales permiten al jefe del servicio coadyuvar en el ejercicio normal de la gestión interna, explicó que lo que se pretende en esta disposición es connotar que dicha autoridad estará obligada a dictar las normas de orden interno necesarias y no que sólo estará facultado para hacerlo, ya que, en la práctica, ello podría dificultar una efectiva división estricta de funciones.

En definitiva, la Comisión acogió la proposición del Honorable Senador señor Larraín en orden a sustituir, en el inciso final, la palabra 'normas' por la voz 'instrucciones'. Igualmente, se acogió el reemplazo de la palabra 'infracción' por 'contravención' en el inciso penúltimo".

- **Segundo trámite constitucional: Senado. 1 de agosto de 2017. Informe de comisión de constitución. Sesión 40, legislatura 365. Boletín n° 9.369-03, pp. 135 y 136** "Este numeral incorporaba a la ley n° 19.496 los artículos signados como 59 ter, 59 quáter y 59 quinquies, que se ocupaban de la creación del Consejo Normativo, de sus funciones y atribuciones y de distintos aspectos relativos a su funcionamiento. El Ejecutivo propuso eliminarlos. El señor Ministro de Economía, Fomento y Turismo explicó que la supresión de estas disposiciones está en línea con la generación de un nuevo mecanismo de dictación de normas e instrucciones, que en la propuesta que se somete a la consideración de la Comisión requerirá del informe favorable del organismo regulador respectivo. Señaló que, por el contrario, un Consejo Normativo que se entrometiese en esas áreas del mercado podría originar conflictos de competencia. El Honorable Senador señor Larraín hizo hincapié en que, tal como lo ha manifestado insistentemente, es inconveniente plantear estructuras institucionales distintas en diversos órganos administrativos. Así, se mostró partidario de que los entes estatales tengan una identidad común que otorgue cierta sistematicidad al sistema de administración. En lo tocante a la supresión del Consejo Normativo, afirmó que resultaba valioso contar con un cuerpo colegiado que pudiera servir de contrapeso a autoridades unipersonales. En sentido opuesto, opinó que de eliminarse, el Director del Servicio tendrá un exceso de fuerza para el ejercicio de sus funciones, especialmente en sus atribuciones normativas y jurisdiccionales. En ese contexto, razonó Su Señoría, el objetivo de darle mayor vigor a esa autoridad que acompañe un sistema de protección efectivo y eficaz de los derechos de los consumidores no justifica que no se contemple algún tipo de limitación o equilibrio institucional. Ello, en su opinión, redundará en una mayor judicialización por parte de quienes se sientan perjudicados por las decisiones del Director Nacional. - La proposición del Ejecutivo fue aprobada ad referéndum por la mayoría de los miembros de la Comisión presentes, los Honorables Senadores señores

Araya y Harboe. Votó en contra el Honorable Senador señor Larraín. Al fundamentar su voto, el Presidente de la Comisión, Honorable Senador señor Harboe, coincidió en que el nivel de desarrollo de la estructura pública requiere terminar con la casuística y generar ciertos estándares comunes para los diferentes órganos o servicios que se crean, con independencia de su naturaleza específica. En efecto, no resulta adecuado que en un proyecto de ley se establezcan órganos colegiados y en otros autoridades unipersonales o que se determine autonomía constitucional para algunos y simples categorías de divisiones o departamentos para otros. Sostuvo que las iniciativas que en ese sentido ha debido conocer el Congreso Nacional no poseen coherencia en relación con las funciones que se les encomiendan. En otro aspecto, subrayó que el desarrollo del mercado está íntimamente ligado a que los oferentes tengan meridiana claridad acerca de los marcos regulatorios en los que actuarán. Así las cosas, las inversiones en los países no consideran exclusivamente el volumen del mercado al cual accederán, sino que también cuál es la normativa a la que se sujetarán y la certeza jurídica que de ella derivará. En el caso nacional, agregó, se constatan recurrentes cuestionamientos, pues no existe una autoridad administrativa con potestades suficientes para sancionar conductas que vulneran abiertamente los derechos de los consumidores. Por tanto, es positivo que se cuente con un marco que otorgue certidumbre a los proveedores y un sistema recursivo que ampare a los regulados ante un eventual uso inadecuado de las atribuciones del organismo. Puso especial acento en que las facultades que propone el proyecto de ley no contravendrán la legalidad y que no está en su espíritu la posibilidad de que se ejerzan de forma discrecional en contra de algún proveedor. Por otro lado, las instrucciones que se podrán dictar incidirán en una mejor aplicación práctica de la ley y llenarán los supuestos 'vacíos legales' a los que continuamente hacen referencia quienes desconocen el real alcance de un precepto de orden general. Todo lo anterior, concluyó, dará mayor certeza jurídica a los actores económicos. El Honorable Senador señor Larraín acotó que su voto contrario no implica que haya estado de acuerdo con la estructura específica que en su momento se propuso para el Consejo Normativo, sino por el hecho de que no se advierte una estructura armónica con otras iniciativas de ley tramitadas por el Congreso Nacional. Como consecuencia de la supresión de estas normas, el artículo 59 sexies pasa a ser artículo 59 ter, sin otras modificaciones".

ARTÍCULO 59 BIS

Personal del SERNAC habilitado como fiscalizador Art. 59 bis	
Tendrá el carácter de ministro de fe respecto de los hechos constitutivos de infracciones que consignen en el cumplimiento de sus funciones y que consten en el acta de fiscalización	Los hechos establecidos por dicho ministro de fe constituirán presunción legal en cualquiera de los procedimientos contemplados en el párrafo 2º del Título IV de esta ley.

DOCTRINA SOBRE ARTÍCULO 59 BIS

- **Historia de la Ley n° 20.756. Primer trámite Constitucional: Cámara de Diputados. Informe de Comisión de Economía. 13 de noviembre de 2014. Sesión 93, legislatura 362, p. 107:** "El señor Grunberg afirmó que los ministros de fe, cuya calidad se reconoce en el artículo 59 bis, podrán recabar la información necesaria en el ejercicio de sus facultades legales. Esos antecedentes deben permitir configurar una presunción legal, de manera que se asume como verdadera una circunstancia, pero ello puede ser desvirtuado mediante la convicción que produce la prueba en contrario".

- **Mirosevic, Camilo (2021): "Artículo 59 bis", en Iñigo De La Maza; Carlos Pizarro (Dirs.) y Francisca Barrientos (coord.)** *La protección de los Derechos de los consumidores. Comentarios a la ley de protección a los derechos de los consumidores* **Santiago: Editorial Thomson Reuters (en prensa):** "De acuerdo con el art. 57 de la ley n° 19.496, el Sernac es un servicio público descentralizado, con personalidad jurídica y patrimonio propio, sujeto a la supervigilancia del Presidente de la República a través del Ministerio de Economía, Fomento y Turismo.

  El art. 58 establece como función del Servicio velar por el cumplimiento de sus disposiciones y de las demás normas que digan relación con el consumidor, insertando un cúmulo de atribuciones fiscalizadoras orientadas al logro de ese cometido. Como ha declarado el propio Sernac en su Política de Fiscalización del año 2020, y atendida la supresión de la potestad de imponer sanciones administrativas, su *actividad de fiscalización busca ser disuasiva de las eventuales infracciones que los proveedores puedan llegar a cometer, y también, correctivas de aquellos hechos materiales que ya revisten esas características*. En otros términos, se trata de prerrogativas que permiten verificar el cumplimiento de las normas de protección del consumidor —no limitadas a la ley n° 19.496— y cuya principal eficacia, además de su efecto disuasivo y de la promoción de buenas prácticas empresariales, se desplegará fuera de los procedimientos desarrollados por el Servicio.

  El corolario de los poderes inspectivos que se radican en el Sernac es que, a partir de la reforma legal, pasa a ser considerado una institución fiscalizadora en los términos del D.L. n° 3.551 de 1981. El carácter de fiscalizador implica, en primer término, que el personal del Servicio de planta y contrata dejó de estar sujeto a la Escala Única de Sueldos prevista en el D.L. n° 249 de 1974, lo que, palabras más palabras menos, lleva aparejada una escala compuesta por grados mejor remunerados que los órganos sometidos a aquélla, así como la percepción de una asignación especial de fiscalización. En segundo lugar, ello se traduce en que, durante el desempeño del cargo, los funcionarios del Servicio se encuentran sujetos a un régimen de prohibiciones e inhabilidades más estricto que el contemplado en la Ley Orgánica Constitucional de Bases Generales de la Administración del Estado y en el Estatuto Administrativo —cuerpos legales que, desde luego, les siguen siendo aplicables—, incluyendo la prohibición de prestar por sí o a través de otras personas naturales o jurídicas, servicios personales a entidades sometidas a su fiscalización, o a sus trabajadores, y sujetando las excepciones a dicha prohibición a la técnica autorizatoria. Por último, la mayor intensidad en la aplicación de las reglas de probidad en los órganos fiscalizadores se proyecta también luego del término de la relación funcionarial entre el servidor y su institución, lo que en nuestro sistema jurídico se encuentra recogido, de la manera más imperfecta posible, en el art. 56 inciso final de la ley n° 18.575.

b) *Atribuciones fiscalizadoras*

Entre los poderes de inspección de consumo, el Sernac se encuentra habilitado para (1) efectuar citaciones a los representantes, trabajadores y asesores de los proveedores o tomarles declaración por cualquier medio que permita asegurar su fidelidad; (2) realizar requerimientos de información, solicitando la entrega de cualquier documento, libro o antecedente necesario para la fiscalización, incluyendo los antecedentes en formato digital relativos a sitios web de los proveedores; (3) desarrollar el análisis de productos que se ofrezcan en el mercado; (4) efectuar visitas inspectivas, pudiendo ingresar a inmuebles y tomar registros del sitio o bienes fiscalizados, y; (5) ejecutar cualquier otra medida tendiente a hacer constar el estado y circunstancias de las actividades fiscalizadas.

Actualmente, la Política de Fiscalización del Sernac reconoce como modalidades de inspección la fiscalización presencial (visita inspectiva), digital (revisión de pagina web del proveedor o redes sociales) y la fiscalización de gabinete u oficio (que se inicia con un requerimiento de información a la empresa, y que se traduce en un informe elaborado por el fiscalizador).

c) *Sujeción de los proveedores al ejercicio de las potestades inspectivas del Servicio*

Como contrapartida a las facultades fiscalizadoras atribuidas al Sernac, el propio art. 58 consagra la obligación de los fiscalizados de otorgar todas las facilidades en los procesos inspectivos, no pudiéndose negar a proporcionar la información requerida sobre los aspectos materia de la fiscalización. Para reforzar el éxito de esta medida, el Servicio puede solicitar al juez de policía local —lo que una vez más desconoce la ejecutividad y las medidas de apremio que se asignan directamente a la Administración en nuestra tradición jurídica— el auxilio de la fuerza pública cuando exista oposición a la fiscalización o la incautación de los documentos no proporcionados, sin perjuicio de que la negativa injustificada a dar cumplimiento a los requerimientos durante las acciones de fiscalización constituye una infracción que tiene una multa específica asociada. Respecto de la facultad de efectuar citaciones, la no comparecencia sin justificación plausible permite acudir al juzgado de policía local para solicitar el arresto del citado hasta su comparecencia, como medida de apremio.

d) *Límites y garantías en el ejercicio de las facultades de inspección de consumo*

En cuanto a sus límites y condiciones de ejercicio, las diligencias inspectivas deben ser efectuadas en el marco de un procedimiento de fiscalización, lo que supone que debe haber un acto de iniciación que fije su objeto, aunque éste pueda variar durante su desarrollo en razón de la flexibilidad que se reconoce al procedimiento administrativo. Asimismo, conviene precisar que si bien se establece que las actividades de fiscalización se desarrollarán de acuerdo con un plan anual cuyas directrices serán públicas, ello no impide al Servicio iniciar un procedimiento de fiscalización producto de una situación imprevista a pesar de apartarse de esos criterios —*v. gr.*, denuncias masivas en contra de un proveedor o hechos de conmoción pública en que aparezcan comprometidos los derechos de los consumidores—, en la medida que el acto de iniciación se encuentre suficientemente motivado.

En segundo lugar, los fiscalizadores deben informar al proveedor la materia específica objeto de la fiscalización y de la normativa pertinente. A diferencia de lo planteado por algún sector de la doctrina, considero que el deber de informar al proveedor del procedimiento de fiscalización no debe necesariamente efectuarse antes del requerimiento, la citación o la visita inspectiva, puesto que ello implicaría renunciar al factor sorpresa, pudiendo comprometer el éxito de la diligencia.

En tercer lugar, el requerimiento de información debe efectuarse por escrito y lo solicitado ha de estar relacionado con la materia objeto de la fiscalización, sin que puedan exigirse antecedentes de carácter genérico que no guarden relación con el procedimiento en cuestión. Además, respecto de la facultad de requerir información, se impone la obligación al Servicio de publicar un manual en su sitio web que explicite pormenorizadamente los antecedentes que pueden solicitarse. Luego, en cuarto lugar, pesa sobre los funcionarios fiscalizadores la obligación de levantar y entregar copia íntegra del acta de inspección, aspecto que será abordado más adelante.

En quinto lugar, las actividades de comprobación deben ser estrictamente indispensables y proporcionales al objeto de la fiscalización, evitando entorpecer innecesariamente las actividades del proveedor. Si la diligencia exige la presencia de los interesados, cobra aplicación lo prescrito en el art. 17 letra e) de la ley n° 19.880 de Bases Generales de Procedimiento Administrativo, que ordena que los actos de instrucción deben practicarse en la forma que resulte más cómoda para ellos y sea compatible, en la medida de lo posible, con sus obligaciones laborales o profesionales. Como advertencia a los fiscalizadores del Servicio, la disposición permite a los sujetos fiscalizados denunciar conductas abusivas ante el director regional, cuestión que no representa ninguna innovación no sólo por constituir una asentada práctica administrativa en todos los órganos públicos, sino por estar consagrado como derecho de las personas en sus relaciones con la Administración en la ley n° 19.880.

Por último, siguiendo el modelo del *common law*, el legislador buscó implementar el esquema de 'muralla china' al establecer una estricta división de funciones al interior del Servicio, impidiendo que los funcionarios fiscalizadores tuvieran intervención en procedimientos incompatibles o que los directores regionales asumieran las actividades de inspección. [...]

La eficacia probatoria de la inspección de consumo exige que las diligencias sean realizadas por personal del Servicio. Esta primera cuestión, que constituye una reiteración de la regla general en materia administrativa, supone que la actividad es desarrolla por funcionarios de planta y a contrata, excluyendo de esa forma a servidores a honorarios y a terceros ajenos al Sernac. La marginación del personal contratado bajo el régimen de honorarios del ejercicio de funciones fiscalizadoras recoge una asentada jurisprudencia de la Contraloría General de la República que reserva esta clase de tareas a funcionarios públicos, calidad que no presentan los mentados servidores. Con todo, conviene recordar que en ocasiones el legislador presupuestario asigna a los prestadores a honorarios la calidad de agente público, habilitando la realización de tareas reservadas a los funcionarios, como la actividad de fiscalización, con la consiguiente atribución de responsabilidad administrativa y penal. Del mismo modo, la disposición impide que la actividad inspectiva sea encargada por el Servicio a entidades privadas en virtud de la ley n° 19.886, cuestión que, en todo caso, sólo podría admitirse mediante una disposición legal expresa que lo habilitara, dado que los contratos administrativos sólo pueden tener por objeto la realización de labores de apoyo y no las propias del organismo.

La regla en revisión otorga carácter de ministro de fe a los funcionarios de planta y contrata que hayan sido habilitados como fiscalizadores. Esta solución legislativa se encuentra presente en otros sectores en idénticos términos, como sucede con la Superintendencia del Medio Ambiente, la Superintendencia de Educación y la Superintendencia de Educación Superior, entre otras. Ello supone que, no obstante la planta de personal del Servicio contempla un estamento de fiscalizadores, su director puede asignar tal carácter a funcionarios que pertenezcan o estén asimilados a otros estamentos, como la planta profesional o técnica.

El objeto de las diligencias fiscalizadoras es la comprobación de hechos para efectos de determinar si la actividad desarrollada por un proveedor se ajusta a las normas de protección de los derechos de los consumidores. En otros términos, se trata de contrastar una situación fáctica con una regla preestablecida, mediante alguna de las modalidades antes aludidas, a saber, requerimiento de información, citación a prestar declaración o visita inspectiva, aunque la norma cobra especial utilidad respecto de esta última diligencia.

El valor probatorio asociado al ejercicio de la actividad de fiscalización se encuentra circunscrito a los hechos que puede apreciar el funcionario directamente, y que, a juicio de éste, puedan constituir infracciones administrativas. Producto de lo anterior, la jurisprudencia administrativa de la CGR ha señalado que contraviene gravemente el principio de probidad administrativa *"haber certificado como ministro de fe la ocurrencia de distintas actuaciones que no presenció físicamente"*.

Por último, la actividad de inspección y el valor probatorio que le atribuye el precepto supone que el funcionario habilitado se encuentre en cumplimiento de sus funciones —requisito común a toda actuación administrativa— y la diligencia se enmarque en un procedimiento administrativo".

SENTENCIAS SOBRE ARTÍCULO 59 BIS

- **Servicio Nacional del Consumidor con Banco Santander Chile (2020): Corte de Apelaciones de Santiago, 16 de marzo de 2020, Recurso de Apelación, Rol n° 2690-2018, LTM17.649.263:** "TERCERO: (…) En cuanto al valor probatorio de los hechos constatados por el Ministro de fe, debe considerarse que de conformidad a lo dispuesto en el artículo 59 bis, de la ya citada Ley n° 19.496, los mismos constituyen presunción legal. En efecto, tal norma indica '…Los hechos establecidos por dicho ministro de fe, constituirán presunción legal en cualquiera de los procedimientos contemplados en el párrafo 2 o del Título IV de esta Ley".

ARTÍCULO 59 TER

Obligación de reserva Art. 59 ter		
Los funcionarios y demás personas que presten servicios en el Servicio Nacional del Consumidor estarán obligados a guardar reserva sobre toda información, dato o antecedente de que puedan imponerse con motivo u ocasión del ejercicio de sus labores, incluso después de haber dejado el cargo.	Sin perjuicio de lo anterior, tales antecedentes podrán utilizarse para el cumplimiento de las funciones del Servicio y el ejercicio de las acciones ante los tribunales de justicia.	La infracción de esta prohibición se castigará con las penas indicadas en los artículos 246, 247 y 247 bis del Código Penal, y con las sanciones disciplinarias que puedan aplicarse administrativamente por la misma falta. Asimismo, serán aplicables las normas de responsabilidad funcionaria y del Estado.

DOCTRINA SOBRE ARTÍCULO 59 TER

- Mirosevic, Camilo (2021): "Artículo 59 ter", en Iñigo De La Maza; Carlos Pizarro y Francisca Barrientos (Dirs.) *La protección de los Derechos de los consumidores. Comentarios a la ley de protección a los derechos de los consumidores* Santiago: Editorial Thomson Reuters (en prensa): "1. Ámbito subjetivo

El deber de reserva contenido en el art. 59 ter alcanza, en primer lugar, a los funcionarios de planta y contrata del Sernac. Como se dijo, la obligación comprende no sólo al personal habilitado como fiscalizador, sino a cualquiera que posea alguna de las señaladas calidades, ya sea como titular, suplente, subrogante e incluso a aquellos que, perteneciendo a otro organismo público, se encuentren temporalmente destinados en el Servicio.

Luego, alcanza también a las personas que presten servicios en el Sernac, regla que recoge la redacción contenidas en otros preceptos legales que han avanzado en la misma dirección. En esta hipótesis se encuentran, desde luego, las personas naturales contratadas a honorarios en virtud del art. 11 del Estatuto Administrativo, solución legislativa que es coherente con el art. 5 inc. 9º de la ley nº 19.896 y con una nutrida jurisprudencia administrativa de la CGR que les hace aplicables las inhabilidades, incompatibilidades, deberes y prohibiciones en materia de probidad.

La verdadera innovación del precepto reside en su aplicación a otros sujetos que sean prestadores de servicios, por ejemplo, bajo un contrato administrativo regido por la ley nº 19.886. Esto sucedería, por ejemplo, con personas que, trabajando para un proveedor que desarrolle labores de apoyo informático para el Servicio, accedan a información con ocasión de esas tareas. En cualquier caso, si se examina la práctica administrativa es fácil advertir que la mayoría de contratos de prestación de servicios a órganos de la Administración incluyen cláusulas de confidencialidad que obligan a los proveedores y sus trabajadores a mantener reserva, lo que ahora aparece reforzado en la norma en examen.

Por último, desde el punto de vista de su temporalidad, la disposición mantiene el deber de reserva para el funcionario o prestador de servicios '*incluso después de haber dejado el cargo*', expresión que, en todo caso, no está empleada en su sentido técnico puesto que, según se manifestó, el personal contratado a honorarios no desempeña un cargo público, al menos en términos estatutarios. La dificultad de la extensión temporal del deber es que, como sucede con muchas restricciones post-empleo, no se consagran consecuencias frente a su inobservancia, no siendo posible aplicar el régimen disciplinario contenido en el Estatuto Administrativo, ni siquiera respecto de los funcionarios, puesto que, precisamente, el cese de funciones constituye una causa de extinción de responsabilidad disciplinaria.

2. Ámbito objetivo

A diferencia de lo que sucede en la regulación general examinada *supra*, el objeto sobre el que recae el deber de reserva corresponde a cualquier información, dato o antecedente conocido con motivo u ocasión del ejercicio de las labores prestadas en o para el Servicio. Así, la obligación no está dirigida únicamente a resguardar información secreta o reservada que pudiera comprometer intereses públicos o privados, sino que es comprensiva de cualquier antecedente obtenido en desempeño del cargo o actividad.

Siendo así, el deber de reserva o sigilo aplicable a los funcionarios y prestadores de servicios del Sernac es más intenso que el concebido para el personal del resto de la Administración del Estado, el que, como se vio, recae sobre información reservada y que cederá por especialidad frente al contenido en la disposición en análisis.

En otro aspecto, se establece que los antecedentes e informaciones obtenidas pueden ser utilizados para el cumplimiento de las funciones del Servicio y para el ejercicio de acciones ante los tribunales de justicia. Esta regla, que parece innecesaria, deja en claro que el deber de reserva de los funcionarios no impide el empleo de la información para cualquier fin institucional, incluyendo las actuaciones judiciales, a diferencia de lo que sucede en otros sectores en los que se restringen los usos que pueden darse a ciertos antecedentes. Por lo tanto, no infringe el deber de reserva el funcionario del Servicio que emplea la información en cumplimiento de sus funciones.

Con todo, una excepción a la libre utilización de cualquier antecedente para fines institucionales se encuentra en el art. 54 M inc. final de la ley nº 19.496, en cuanto establece, *grosso modo*, que el Servicio no podrá presentar en juicio los instrumentos obtenidos como respuesta a un requerimiento en el marco de un procedimiento voluntario para la protección del interés colectivo o difuso de los consumidores, a menos que haya tenido acceso a ellos por otro medio.

Aunque constituye una obviedad, la existencia del deber de reserva en comento no representa un obstáculo al ejercicio del derecho de acceso a la información pública consagrado en la ley nº 20.285. En este sentido, la entrega de información a través de los canales institucionales previstos en este cuerpo legal —transparencia activa y pasiva— no configura una infracción al deber de sigilo previsto en el art. 59 ter.

3. Responsabilidad penal

El inciso segundo de la disposición establece las consecuencias de la infracción al deber de reserva. En lo central, se trata de un mero recordatorio de la aplicación de los arts. 246, 247 y 247 bis del Código Penal, que corresponden a los delitos de revelación de secretos obtenidos en ejercicio del cargo; anticipación indebida por parte de funcionario público de información a su cargo y que deba ser publicada; revelación de secretos cometida por empleados públicos respecto de secretos de particulares que conozcan en razón de su cargo; revelación de secretos profesionales, y; uso indebido por parte de empleado público del secreto o información concreta reservada que conozca en razón del cargo y por el cual obtiene un beneficio económico para sí o para un tercero.

Siguiendo en esta parte a Luis Rodríguez y Magdalena Ossandón, esos preceptos establecen figuras delictivas que tienen como bien jurídico tutelado la debida preservación y utilización de los medios esenciales para el cumplimiento de los fines propios de la Administración, cuya comunicación a terceros no legitimados lo perjudicaría, y la protección a la intimidad del individuo a quien hace referencia la información. De acuerdo con estos autores, el secreto público debe limitarse únicamente a aquellas informaciones en que por fundadas circunstancias no sea conveniente permitir una generalizada difusión, puesto que, precisamente, el incremento injustificado de los secretos podría incrementar el nivel de corrupción.

Sin que sea pertinente ni se encuentre dentro de mis capacidades efectuar un análisis de las figuras penales, bastará reproducir lo expuesto por los citados autores en cuanto a que se trata de delitos especiales que tienen por base la violación de secretos públicos (art. 246 incisos 1° y 2°); la anticipación de información que si bien será publicada, transitoriamente no debe ser conocida (art. 246 inc. final); la violación de secretos de un particular (art. 247 inc. 1°); la violación de secreto profesional —no limitada, por ende, a los empleados públicos— (art. 247 inc. 2°); y el uso indebido de información reservada para beneficio económico propio o de un tercero (art. 247 bis) y que coincide parcialmente con la infracción descrita en el art. 62 n° 1 de la ley n° 18.575, precedentemente expuesta.

Producto de su naturaleza de delitos especiales, y sin entrar a la apasionante discusión sobre la comunicabilidad de esta clase de ilícitos, la reacción punitiva desde el Derecho penal alcanzará únicamente a los empleados públicos —bajo el concepto que se ha desarrollado en esta disciplina y que no coincide necesariamente con el Derecho administrativo— y a las personas que estén en posesión de un título profesional, tratándose en este último caso de la violación de secretos a que haya acce-

dido en ejercicio de esa profesión (por ejemplo, economistas o abogados contratados por el Servicio al amparo de la ley n°
19.886). Asimismo, dado que estas modalidades delictivas protegen secretos públicos o de particulares, la divulgación de
información pública obtenida en ejercicio del cargo no generará la responsabilidad prevista en estos tipos penales.

4. Responsabilidad administrativa disciplinaria

La consecuencia de la infracción de los deberes y prohibiciones de los funcionarios públicos es la denominada responsabilidad disciplinaria. Sobre el particular, el inc. 2° del art. 59 ter hace aplicables las normas sobre responsabilidad funcionaria y
del Estado contempladas en la ley n° 19.880, la ley n° 18.575, y el Estatuto Administrativo. La primera de ellas no contiene
ninguna regla que establezca responsabilidad, sino que sólo consagra el ya comentado derecho de las personas a "*exigir las
responsabilidades de la Administración Pública y del personal a su servicio, cuando así corresponda legalmente*" (art. 17
letra g), cuestión que no presenta sustantividad alguna.

Por su naturaleza, la ley n° 18.575 fija los aspectos básicos de la Administración del Estado y del personal a su servicio, sin
establecer un régimen particular de responsabilidad funcionarial. En cambio, la alusión a este cuerpo legal es de utilidad
respecto de la responsabilidad del Estado, como se verá a continuación.

Por lo tanto, el cuerpo normativo que sí fija reglas sustantivas y adjetivas sobre responsabilidad disciplinaria es el Estatuto Administrativo, que contempla procedimientos especiales —investigación sumaria y sumario administrativo— para
determinar la existencia de infracciones a los deberes y prohibiciones funcionarias y para aplicar las medidas disciplinarias
pertinentes.

La cuestión problemática será determinar las consecuencias de la violación del deber de reserva cometido por un servidor
contratado a honorarios por el Servicio, puesto que las reglas sobre responsabilidad disciplinaria previstas en el mencionado Estatuto no les son aplicables. En tanto, la contravención a este deber de reserva cometido por un contratista —que las
más de las veces asumirá la forma de incumplimiento de la obligación contractual de confidencialidad— tampoco generará
responsabilidad funcionarial, sino que podrá ser abordada desde los remedios aplicables a la contratación administrativa
(por ejemplo, mediante la aplicación de multas o la terminación anticipada del contrato con la consiguiente ejecución de la
garantía).

Conjugando las normas de responsabilidad funcionarial y penal antes expuestas, puede concluirse que la divulgación de información obtenida en ejercicio del cargo y que no tenga carácter de secreta, configurará una infracción al deber de reserva del art. 59 ter, que generará responsabilidad disciplinaria cuando es cometida por un funcionario, aunque no configurará los tipos penales a que se remite la norma.

5. Responsabilidad del Estado

Por último, cuando de la divulgación de información en violación del deber de reserva del art. 59 ter se siga un daño a los derechos o intereses legítimos de algún particular, ya sea proveedor o consumidor, cobrará aplicación la garantía patrimonial de la Administración a través del instituto de la responsabilidad extracontractual del Estado.

Al amparo del art. 38 inc. 2º de la Constitución, la responsabilidad patrimonial de la Administración constituye una garantía jurídica de los ciudadanos frente a las prerrogativas públicas y que se traducirá en el resarcimiento de los particulares frente a los efectos nocivos de la acción administrativa. Por aplicación del art. 42 de la ley nº 18.575, el sistema de responsabilidad aplicable al Sernac será la falta de servicio, concepto que encierra tres aspectos que le dan contenido. En efecto, el supuesto de la falta de servicio es la anormalidad de funcionamiento del aparato administrativa, y este funcionamiento anormal comprende: (1) la carencia total de la prestación del servicio; (2) el actuar defectuosos o irregular; y (3) la actuación tardía. Así, la falta de servicio, en la especie, se configurará cuando exista una actuación deficiente producida por la divulgación de información que lesionó un derecho o interés jurídicamente protegido de un particular.

La construcción del régimen de la falta de servicio supone atribuir a la Administración responsabilidad por actuaciones que difícilmente serán reprochables a un funcionario en particular o cuya individualización sea complicada. Sin embargo, resultará necesario que la acción u omisión lesiva y que constituye una actuación deficiente pueda ser atribuida al Sernac, lo que sucederá las más de las veces cuando la divulgación es cometida por un funcionario del Servicio o cuando, no siéndolo, se acredite que no se adoptaron los resguardos para evitar la fuga y divulgación de información".

TÍTULO FINAL

ARTÍCULO 60

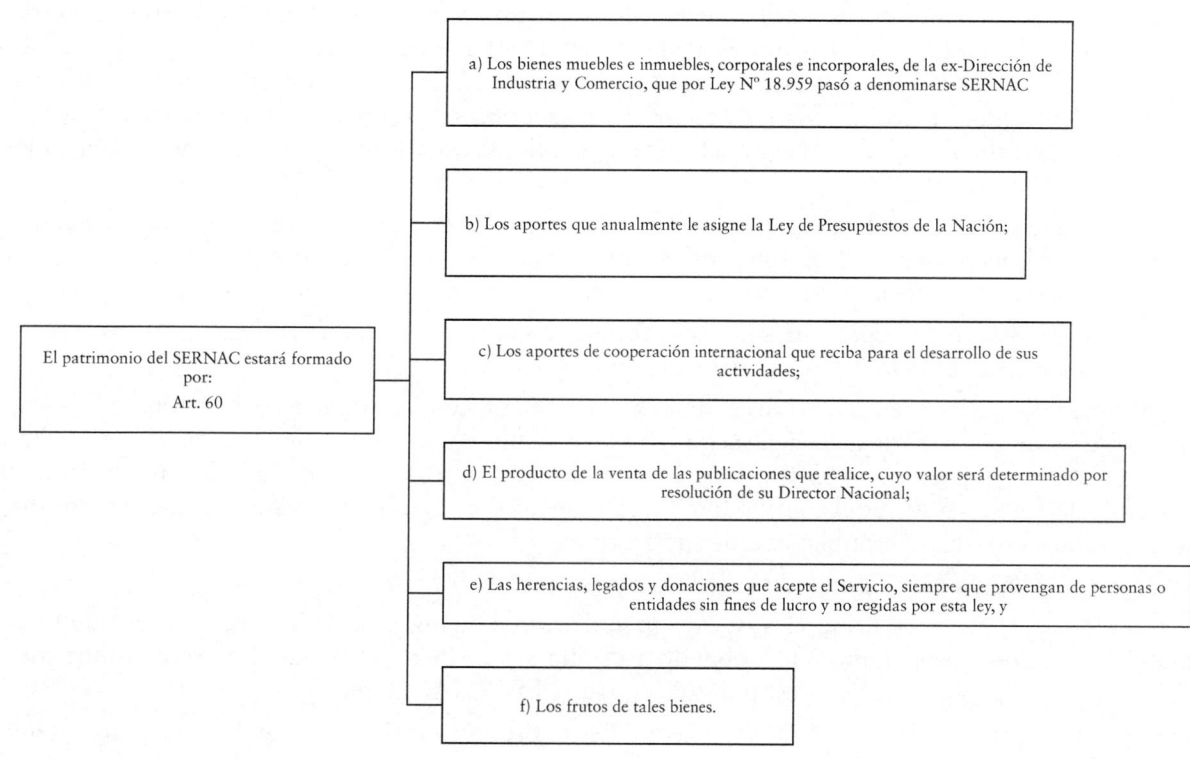

El patrimonio del SERNAC estará formado por:
Art. 60

a) Los bienes muebles e inmuebles, corporales e incorporales, de la ex-Dirección de Industria y Comercio, que por Ley Nº 18.959 pasó a denominarse SERNAC

b) Los aportes que anualmente le asigne la Ley de Presupuestos de la Nación;

c) Los aportes de cooperación internacional que reciba para el desarrollo de sus actividades;

d) El producto de la venta de las publicaciones que realice, cuyo valor será determinado por resolución de su Director Nacional;

e) Las herencias, legados y donaciones que acepte el Servicio, siempre que provengan de personas o entidades sin fines de lucro y no regidas por esta ley, y

f) Los frutos de tales bienes.

DOCTRINA SOBRE ARTÍCULO 60

- **Nicolás Jenny (2013): "Artículo 60", en Iñigo de la Maza y Carlos Pizarro (Dirs.) y Francisca Barrientos (coord.).** *La protección de los derechos de los consumidores. Comentarios a la ley de protección a los derechos de los consumidores.* **Santiago: Thomson Reuters, pp. 1174-1177:** "El artículo 57 de la Ley n° 19.496 le otorga patrimonio propio al SERNAC. Según el Diccionario de la Real Academia Española de la Lengua podemos definir "patrimonio" como el *"Conjunto de bienes pertenecientes a una persona natural o jurídica, o afectos a un fin, susceptibles de estimación económica"*, es decir, estamos frente a bienes destinados a un fin particular, cual es ser el sustento económico para realizar las funciones que la ley ha asignado, como propias, al SERNAC.

El principio de legalidad del gasto público exige que el SERNAC cuente con una fuente legal para financiar aquellos gastos necesarios para el cumplimiento de sus funciones. Es así como el legislador, en este artículo, establece una serie de fuentes o formas de obtener ingresos para formar este patrimonio propio, enumerándolas en forma taxativa, de la siguiente forma:

a) Los bienes muebles e inmuebles, corporales e incorporales, de la ex-Dirección de Industria y Comercio, que por Ley n° 18.959 pasó a denominarse Servicio Nacional del Consumidor.

El SERNAC fue atribuido de los bienes muebles e inmuebles de su antecesor legal, la ex-Dirección de Industria y Comercio. El legislador tuvo el cuidado de realizar la aclaración en este artículo en relación a que los mencionados bienes pasarían a formar parte del patrimonio propio del SERNAC, pues no estableció en el articulado de la Ley n° 19.496, una declaración genérica respecto a que el SERNAC es el continuado legal de la ex-Dirección de Industria y Comercio, quizás buscando dar un sello diferenciador a este servicio público desde sus orígenes.

b) Los aportes que anualmente le asigne la Ley de Presupuestos de la Nación.

Los aportes asignados por la Ley de Presupuestos es la fuente normal de ingresos de los organismos públicos. El presupuesto del SERNAC ha variado desde el año 2002, cuando ascendía a \$2.319.885.000. al año 2012, donde fue establecido en \$7.552.407.000. es decir, en diez años el presupuesto asignado al SERNAC se ha triplicado.

Desde la entrada en vigencia de la Ley n° 19.496, las Leyes de Presupuesto respectivas han asignado fondos para que el SERNAC desarrolle diferentes actividades específicas, a las que denominaron "programas", entre los cuales podemos des-

tacar: Programa de Comunicaciones y Control de Gestión; Sistema de Protección Derecho de los Consumidores; Programa de Educación Masiva y Participación Ciudadana; Programa Mejor Consumidor; Mejor Mercado, entre otros. Sin embargo, desde el año 2009 a la fecha, las leyes de presupuesto no han contemplado nuevos fondos para desarrollar programas como los mencionados.

Desde el año 2005, se comenzaron a contemplar fondos concursables, en las Leyes de Presupuestos respectivas, en virtud de la reforma introducida por la Ley n° 19.955 al artículo 11 bis de la Ley n° 19.496. Dichos fondos, el año 2005, fueron la suma de $50.000.000.-, suma que ha sido aumentada en siete veces el año 2012, donde asciende a $350.618.000.-, pero estableciéndose el año 2012 la obligación del SERNAC de informar, a la Comisión Especial Mixta de Presupuestos del Congreso Nacional, las transferencias efectuadas con cargo a los recursos destinados a este fondo, individualizando el proyecto a financiar, con sus objetivos y metas, las personas o entidades receptoras de los recursos y el monto asignado a cada una de ellas.

c) Los aportes de cooperación internacional que reciba para el desarrollo de sus actividades.

La Ley n° 19.496 establece esta forma contractual de ingresos para el SERNAC que, a la fecha de realización de este trabajo, no encontramos información de que se haya utilizado. No se encuentra mayor diferencia con la fuente de ingresos que analizaremos en la letra e) siguiente, dado que estaríamos frente a una donación cuyo donante tendría la peculiaridad de ser una persona jurídica extranjera, por lo que el SERNAC, para poder recibir ingresos de esta naturaleza, deberá ajustarse a las mismas obligaciones que analizaremos en ese punto.

d) El producto de la venta de las publicaciones que realice el SERNAC, cuyo valor será determinado por resolución de su Director Nacional.

Nuevamente la Ley n° 19.496 establece una fuente contractual de ingresos para el SERNAC, cual es la proveniente de la venta de sus propias publicaciones. Este es el único artículo de la Ley n° 19.496 que menciona la posibilidad que tiene el SERNAC de realizar publicaciones, entregando, directamente, una nueva facultad a este servicio público.

Entre los años 2002 y 2012, se aprecia una disminución en los ingresos del SERNAC por venta de publicaciones. Es así como, en el año 2002, los ingresos por este concepto ascendían a $517.000.000.-, pero en el año 2011 solo alcanzaron la suma de $10.000.-. En la actualidad, se aprecia la tendencia del SERNAC de realizar publicaciones a través de su sitio web, cual es la Revista del Consumidor, la cual esta disponible en forma gratuita para ser consultada.

e) Las herencias, legados y donaciones que acepte el Servicio, siempre que provengan de personas o entidades sin fines de lucro y no regidas por esta ley.

La Ley n° 19.496 permite al SERNAC ser objeto de donación por parte de personas o entidades sin fines de lucro no regidas por la mencionada ley exceptuándolo del trámite de insinuación judicial de la misma, procedimiento no contencioso al que están sometidas todas las donaciones en nuestro País que superen los dos centavos.

A la fecha de realización de este estudio no se encontró información de haber recibido el SERNAC ingresos en virtud de esta fuente contractual.

Al momento de promulgarse la Ley n° 19.496 los organismos y servicios públicos no contaban con una autorización legal general para recibir donaciones, es por eso que encontramos esta facultad expresa en este cuerpo normativo. A partir de la entrada en vigencia de la Ley n° 19.896, que modifico la Ley de Administración Financiera del Estado, Decreto Ley n° 1.263, esto cambió, permitiéndose a los órganos y servicios públicos, incluidos en la Ley de Presupuestos, el poder aceptar y recibir donaciones de bienes y recursos destinados al cumplimiento de actividades o funciones que les competan.

Sin embargo, la Ley n° 19.896, ya mencionada, somete la aceptación de una donación a la autorización previa del Ministerio de Hacienda y el SERNAC, al ser un servicio público incluido en la Ley de Presupuestos, no esta excepcionado de obtener esta autorización previa, salvo que el monto de dicha donación no supere el equivalente en moneda nacional de 250 Unidades Tributarias Mensuales al momento de su ofrecimiento.

f) Los frutos de tales bienes.

Eventualmente, el SERNAC podría vender o arrendar bienes propios, por ejemplo, inmuebles o vehículos de su propiedad, para obtener ingresos para financiar sus actividades propias. A la fecha de realización del presente estudio no encontramos información de haberse utilizado esta fuente de financiamiento contractual de ingresos".

ARTÍCULO 61

| Artículo 61 | → | Las multas | → | A que se refiere esta Ley, serán de beneficio fiscal. |

DOCTRINA SOBRE ARTÍCULO 61

- Vidal, Juan Carlos y Barrera, Víctor (2021) "Artículo 61", en Iñigo De La Maza; Carlos Pizarro y Francisca Barrientos (Dirs.) *La protección de los Derechos de los consumidores. Comentarios a la ley de protección a los derechos de los consumidores* Santiago: Editorial Thomson Reuters (en prensa): "Conforme al tenor de la norma, las multas que un Tribunal determine aplicar en una sentencia judicial firme y ejecutoriada que determine la infracción a la ley n° 19.496 serán a beneficio fiscal, por lo cual, el dinero que paguen los infractores pasará a formar parte de las arcas generales de la Nación. Así, en la ley de Presupuestos de cada año se registra como ingreso del presupuesto fiscal todo el dinero recaudado por sanciones económicas o multas, sin que éstas esté destinadas a un fin público específico. Por lo anterior, con independencia de la materia por la cual fueron determinadas las multas por infracción a la Ley de protección sobre los derechos de los consumidores, la recaudación que ellas generan pasa a formar parte de un fondo común, en circunstancias que la destinación del dinero de las multas, al igual que aquel generado por los diversos ingresos del tesoro público, será fijado por la ley de Presupuestos que, a propuesta de la Presidencia de la República, será discutida y aprobada anualmente por el Congreso Nacional.

  Lo anterior involucra varias consecuencias, tales como:

  Las multas por infracción a la ley n° 19.496 no deben pasar formar parte de un fondo específico. Así, resultaría contrario a la ley que un Tribunal, resolviendo una infracción a la ley n° 19.496, determinare que la multa será a beneficio del consumidor o consumidores afectados, del Servicio Nacional del Consumidor, del proveedor o bien del Fondo para las iniciativas de las Asociaciones de Consumidores determinado en el artículo 11 bis y siguientes de la ley n° 19.496.

  No obstante las multas por infracción a la ley n° 19.496 se paguen directamente por medio de la Tesorería de la Municipalidad o Cuenta Corriente del Tribunal, según se trate de los Juzgados de Policía Local o de los Tribunales Civiles o de Letras, las multas por infracción a la ley n° 19.496 deben necesariamente ser reportados y transferidos como ingresos al patrimonio fiscal, sin que los Tribunales que reciben los pagos puedan realizar deducciones o retenciones no autorizadas por ley.

  La norma reitera el requisito de que la sanción de multa debe estar expresamente establecida por una norma de jerarquía legal.

  Lo anterior resulta particularmente importante en materia de protección a los derechos de los consumidores, dado que en la última década varias modificaciones a la ley n° 19.496 han ordenado la dictación de reglamentos por parte del Ministerio de Economía, Fomento y Turismo que especifiquen y permitan la implementación de los preceptos legales de dicha ley. Así, por ejemplo, el artículo 62, incorporado por la ley n° 20.555 a la ley n° 19.496, establece la dictación de tres reglamentos que regulen la normativa de protección a los consumidores financieros. La conclusión que fluye, entonces, dice relación con que los reglamentos que complementen la ley n° 19.496 no pueden establecer las multas aplicables a los proveedores por su infracción".

ARTÍCULO 62

Ministerio de Economía, Fomento y Turismo

Art. 62

Dictará uno o más reglamentos para regular las disposiciones de esta Ley.

Tratándose de materias regidas por leyes especiales, el reglamento correspondiente llevará, además la firma del ministro del respectivo sector.

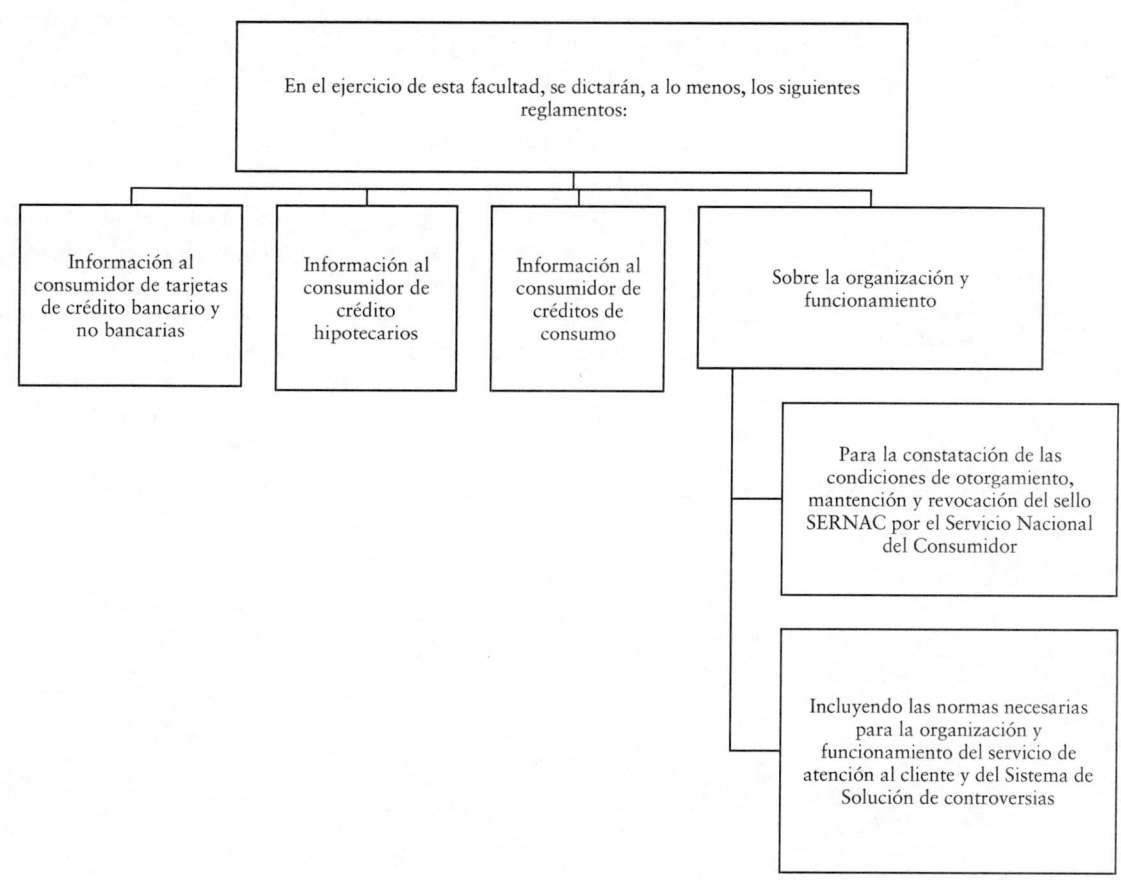

Modificación de contratos de adhesión para adecuarlos a los reglamentos del artículo 62		
Los proveedores que deban modificar los contratos de adhesión suscritos con antelación a la entrada en vigencia de los reglamentos señalados en el artículo 62, para adecuarlos a las disposiciones de éstos	En aquellas materias que no afecten la esencia de los derechos adquiridos bajo el régimen legal anterior	Deberán, a su costa, enviar por cualquier medio físico o tecnológico a los consumidores un anexo que detalle las modificaciones, en un plazo que no exceda de noventa días contado desde la publicación de dichos reglamentos, o de su modificación, en su caso.

DOCTRINA CITADA

Aguirrezábal, Maite (2019): "Intereses difusos, colectivos e individuales homogéneos", en Juan Ignacio Contardo; Felipe Fernández y Claudio Fuentes (coords.). *Litigación en materia de consumidores*. Santiago: Legal Publishing.

Aguirrezábal, Maite (2019): *Defensa de los consumidores y acceso a la justicia*. Santiago: Thomson Reuters.

Aimone, Enrique (2013): *Protección de los derechos de los consumidores*. Santiago: Thomson Reuters

Alvear, Julio (2016): "Consumidor y empresario: ¿relaciones jurídicas conflictivas hacia una concepción relacional del derecho del consumidor?". *Revista Chilena de Derecho*. vol. 34 n° 3.

Amunátegui, Carlos (2019): "Arrendamiento de apartamentos turísticos por internet". *Revista de Derecho (coquimbo)*. 26, 17.

Baraona, Jorge (2014): "La regulación contenida en la ley 19.496 sobre protección de los derechos de los consumidores y las reglas del Código Civil y Comercial sobre contratos: un marco comparativo". *Revista Chilena de Derecho*. 41(2).

Baraona, Jorge (2015):."La integración e intervención administrativa del contrato: la lucha contra las cláusulas abusivas". *Revista de actualidad jurídica*, 32.

Baraona, Jorge (2018): "El régimen jurídico de la nulidad de las cláusulas abusivas en la Ley n° 19.496", en Álvaro Vidal (dir.) y Gonzalo Severin (ed.). *Estudios de derecho de contratos en homenaje a Antonio Manuel Morales Moreno*. Santiago: Thomson Reuters.

Baraona, Jorge (2019): "Concepto, autonomía y principios del Derecho del Consumo", en María Elisa Morales (dir.) y Pamela Mendoza (coord.). *Derecho del Consumo: Ley, doctrina y jurisprudencia*. Santiago: Der Ediciones.

Barcia, Rodrigo (2013): "Artículo 26", en Iñigo De La Maza; Carlos Pizarro (Dirs.) y Francisca Barrientos (coord.). *La protección de los Derechos de los consumidores. Comentarios a la ley de protección a los derechos de los consumidores*. Santiago: Thomson Reuters.

Barcia, Rodrigo (2016): "Análisis de la letra g) del artículo 16 de la Ley de protección de los derechos de los consumidores a la luz de la jurisprudencia". *Sentencias destacadas*. 13, enero 2017.

Barrientos, Francisca (2009): "La Función del artículo 23 como fuente ambigua de responsabilidad en la LPC", en Carlos Pizarro (coord.). *Estudios de Derecho Civil IV*. Santiago: Legal Publishing.

Barrientos, Francisca (2010): "La responsabilidad civil del fabricante bajo el artículo 23 de la Ley de Protección de los Derechos de los Consumidores y su relación con la responsabilidad civil del vendedor". *Revista Chilena de Derecho Privado*, 14.

Barrientos, Francisca (2012): "Las ventas atadas y la protección al consumidor. Comentarios críticos a la nueva regulación de la LPDC introducida por la Ley 'Sernac Financiero'", en Fabián Elorriaga De Bonis (coord.). *Estudios de Derecho Civil VII*. Santiago: Abeledo Perrot- Legal Publishing.

Barrientos, Francisca (2013): "Artículo 19", en Iñigo De La Maza; Carlos Pizarro (Dirs.) y Francisca Barrientos (coord.). *La protección de los Derechos de los consumidores. Comentarios a la ley de protección a los derechos de los consumidores*. Santiago: Thomson Reuters.

Barrientos, Francisca (2017): "Los problemas que denunciaban los consumidores y la regulación vigente: ¿qué pasó con el redondeo, el cobro derivado de la pérdida del ticket y el régimen de responsabilidad del concesionario?", en Boletín especial ADECO Ley de estacionamientos.

Barrientos, Francisca (2017): "El concepto de arbitrariedad del artículo 16 a) de la ley de consumo: análisis de los criterios judiciales que examina la cláusula de modificación unilateral". *Revista de Derecho (Concepción)*, 242.

Barrientos, Francisca (2019): *Lecciones de derecho del consumidor*. Santiago: Thomson Reuters.

Barrientos, Francisca (2020): "¿Pueden ser consumidoras las víctimas de "estafas piramidales"?". Santiago: Columna de Opinión en El Mercurio Legal.

Barrientos, Francisca y Contardo, Juan Ignacio (2013): "Artículo 23 inciso 1° ", en Iñigo De La Maza; Carlos Pizarro (Dirs.) y Francisca Barrientos (coord.). *La protección de los Derechos de los consumidores. Comentarios a la ley de protección a los derechos de los consumidores*. Santiago: Thomson Reuters.

Barrientos, Francisca y De la Maza, Iñigo (2019): "La configuración del desistimiento del consumidor". *Revista de Derecho (coquimbo)*. 26, 8.

Barrientos, Francisca y Fuentes, Claudio (2019): "La configuración del rol especial del juez de consumo en los procesos colectivos: fundamentos y consecuencias", en Juan Ignacio Contardo; Felipe Fernández y Claudio Fuentes (coords.). *Litigación en materia de consumidores*. Santiago: Legal Publishing.

Barrientos, Francisca y Goldenberg, Juan Luis (2014): "Artículo 37 inciso 2", en Iñigo De La Maza; Carlos Pizarro (Dirs.) y Francisca Barrientos (coord.). *La protección de los Derechos de los consumidores. Comentarios a la ley de protección a los derechos de los consumidores*. Santiago: Thomson Reuters.

Barrientos, Francisca y Goldenberg, Juan Luis (2014): "Artículo 37 inciso 3", en Iñigo De La Maza; Carlos Pizarro (Dirs.) y Francisca Barrientos (coord.). *La protección de los Derechos de los consumidores. Comentarios a la ley de protección a los derechos de los consumidores*. Santiago: Thomson Reuters.

Barrientos, Francisca y Goldenberg, Juan Luis (2014): "Artículo 39", en Iñigo De La Maza; Carlos Pizarro (Dirs.) y Francisca Barrientos (coord.). *La protección de los Derechos de los consumidores. Comentarios a la ley de protección a los derechos de los consumidores*. Santiago: Thomson Reuters.

Barrientos, Francisca y Labra, Ignacio (2019): "El contenido mínimo del contrato de crédito de consumo", en María Elisa Morales (dir.) y Pamela Mendoza (coord.). *Derecho del Consumo: Ley, doctrina y jurisprudencia*. Santiago: Der Ediciones.

Barrientos, Francisca y Labra, Ignacio (2020): "El arbitraje en el contexto del sello sernac", en Eduardo Jequier (coord.). *Arbitraje de consumo. Revisión crítica del sistema chileno desde una perspectiva comparada*. Santiago: Tirant lo Blanch.

Barrientos, Francisca y Labra, Ignacio (2020): "Los contratos de consumo financiero: reglas relativas al término de la relación contractual", en Erika Isler (coord.). *GPS Consumo*. Valencia: Tirant lo Blanch.

Barrientos, Francisca; Fuentes, Claudio y Vargas, Juan Enrique (2018): "Mediaciones Individuales" y "Mediaciones colectivas" que realiza el Servicio Nacional del consumidor", en María Fernanda Vásquez (dir.). *Mecanismos alternativos de solución de conflictos*. Santiago: Thomson Reuters.

Barrientos, Marcelo (2013): "Artículo 3 a)", en Iñigo De La Maza; Carlos Pizarro (Dirs.) y Francisca Barrientos (coord.). *La protección de los Derechos de los consumidores. Comentarios a la ley de protección a los derechos de los consumidores*. Santiago: Thomson Reuters.

Barrientos, Marcelo (2013): "Artículo 3 b)", en Iñigo De La Maza; Carlos Pizarro (Dirs.) y Francisca Barrientos (coord.). *La protección de los Derechos de los consumidores. Comentarios a la ley de protección a los derechos de los consumidores.* Santiago: Thomson Reuters.

Barrientos, Marcelo (2013): "Artículo 3 c)", en Iñigo De La Maza; Carlos Pizarro (Dirs.) y Francisca Barrientos (coord.). *La protección de los Derechos de los consumidores. Comentarios a la ley de protección a los derechos de los consumidores.* Santiago: Thomson Reuters.

Bozzo, Sebastián y Remiseiro, Rebeca (2021): "Artículo 12 B", en Iñigo De La Maza; Carlos Pizarro y Francisca Barrientos (Dirs). *La protección de los Derechos de los consumidores. Comentarios a la ley de protección a los derechos de los consumidores.* Santiago: Thomson Reuters.

Brantt, María Graciela y Mejías, Claudia (2013): "Artículo 15", en Iñigo De La Maza; Carlos Pizarro (Dirs.) y Francisca Barrientos (coord.). *La protección de los Derechos de los consumidores. Comentarios a la ley de protección a los derechos de los consumidores.* Santiago: Thomson Reuters.

Brantt, María Graciela y Mejías, Claudia (2013): "Artículo 18", en Iñigo De La Maza; Carlos Pizarro (Dirs.) y Francisca Barrientos (coord.). *La protección de los Derechos de los consumidores. Comentarios a la ley de protección a los derechos de los consumidores.* Santiago: Thomson Reuters.

Cámara, Sergio (2015): "La Codificación del Derecho de Consumo: ¿refundación o refundición?". *Revista de Derecho Civil, estudios.* Vol. II (1).

Campos, Sebastián (2018): Sobre el poder-deber de declarar de oficio la nulidad de las clausulas manifiestamente abusivas y su aplicabilidad en Chile. *Revista de Derecho y Consumo.* n° 1.

Campos, Sebastián y Hernández, Gabriel (2020): "Abusividad por falta de transparencia, nulidad de cláusulas no incorporadas e improcedencia de responsabilidad infraccional 17° Juzgado de Letras en lo Civil de Santiago, 27 de enero de 2017, rol n.° 15092-2015. Corte de Apelaciones de Santiago, 7 de septiembre de 2018, rol n.° 8261-2017. Corte Suprema, 27 de diciembre de 2019, rol n° 114-2019". *Revista Chilena de Derecho Privado.* n° 34.

Carballo, Marta (2013): *La protección del consumidor frente a las cláusulas no negociadas individualmente.* Navarra: Bosch.

Carrasco, Jaime (2021): "Artículo 50 B", en Iñigo De La Maza; Carlos Pizarro y Francisca Barrientos (Dirs). *La protección de los Derechos de los consumidores. Comentarios a la ley de protección a los derechos de los consumidores.* Santiago: Thomson Reuters.

Carrasco, Jaime (2021): "Artículo 58", en Iñigo De La Maza; Carlos Pizarro y Francisca Barrientos (Dirs). *La protección de los Derechos de los consumidores. Comentarios a la ley de protección a los derechos de los consumidores.* Santiago: Thomson Reuters.

Carrasco, Jaime y Contardo, Juan Ignacio (2019): "Ensayo sobre el ejercicio procesal de la ineficacia de forma (artículo 17 lpdc) y fondo (artículos 16, 16 a y 16 b lpdc) en los contratos por adhesión con consumidores", en Juan Ignacio Contardo; Felipe, Fernández y Claudio Fuentes (Coords). Litigación en materia de consumidores. Santiago: Thomson Reuters.

Carrasco, Jaime y Contardo, Juan Ignacio (2019): "Entrada en vigencia de la ley no. 21.081", en Juan Ignacio Contardo; Felipe Fernández y Claudio Fuentes (coords.). *Litigación en materia de consumidores.* Santiago: Legal Publishing.

Celedón, Andrés (2021): "Artículo 58 bis", en Iñigo De La Maza; Carlos Pizarro y Francisca Barrientos (Dirs). *La protección de los Derechos de los consumidores. Comentarios a la ley de protección a los derechos de los consumidores.* Santiago: Thomson Reuters.

Contardo, Juan Ignacio (2010): *Responsabilidad contractual de las agencias de viajes.* Santiago: Abeledo Perrot. Legal Publishing.

Contardo, Juan Ignacio (2013): "Artículo 3 e)", en Iñigo De La Maza; Carlos Pizarro (Dirs.) y Francisca Barrientos (coord.). *La protección de los Derechos de los consumidores. Comentarios a la ley de protección a los derechos de los consumidores.* Santiago: Thomson Reuters.

Contardo, Juan Ignacio (2013): "Artículo 40", en Iñigo De La Maza; Carlos Pizarro (Dirs.) y Francisca Barrientos (coord.*). La protección de los Derechos de los consumidores. Comentarios a la ley de protección a los derechos de los consumidores.* Santiago: Thomson Reuters.

Contardo, Juan Ignacio (2013): "Artículo 41", en Iñigo De La Maza; Carlos Pizarro (Dirs.) y Francisca Barrientos (coord.). *La protección de los Derechos de los consumidores. Comentarios a la ley de protección a los derechos de los consumidores.* Santiago: Thomson Reuters.

Contardo, Juan Ignacio (2013): "Artículo 42", en Iñigo De La Maza; Carlos Pizarro (Dirs.) y Francisca Barrientos (coord.). *La protección de los Derechos de los consumidores. Comentarios a la ley de protección a los derechos de los consumidores.* Santiago: Thomson Reuters.

Contardo, Juan Ignacio (2013): "Artículo 43", en Iñigo De La Maza; Carlos Pizarro (Dirs.) y Francisca Barrientos (coord*.). La protección de los Derechos de los consumidores. Comentarios a la ley de protección a los derechos de los consumidores.* Santiago: Thomson Reuters.

Contardo, Juan Ignacio (2014): "Ensayo sobre el requisito de la escrituración y sus formas análogas en los contratos por adhesión regidos por la Ley n° 19.496", en Francisca Barrientos (coord.). *Condiciones generales de la contratación y cláusulas abusivas.* Cuadernos de análisis jurídico VIII. Colección Derecho privado. Santiago: Ediciones Universidad Diego Portales.

Contardo, Juan Ignacio (2017): "El alza en el precio de los estacionamientos: ¿un fracaso en la protección al consumidor?", en Boletín especial ADECO Ley de estacionamientos.

Contardo, Juan Ignacio y Cortez Hernán (2019): Cuatificación del daño moral de los consumidores. Santiago: DER Ediciones

Cordero, Luis (2021): "Artículo 49 bis", en Iñigo De La Maza; Carlos Pizarro y Francisca Barrientos (Dirs). *La protección de los Derechos de los consumidores. Comentarios a la ley de protección a los derechos de los consumidores.* Santiago: Thomson Reuters.

Corral, Hernán (2013): "Notas sobre el caso 'Sernac Con Cencosud': valor del silencio y prescripción de acción de nulidad de cláusulas abusivas". *Revista de Derecho: Escuela de Postgrado.* n° 2.

Corral, Hernán (2013): "Artículo 3 d)", en Iñigo De La Maza; Carlos Pizarro (Dirs.) y Francisca Barrientos (coord.). *La protección de los Derechos de los consumidores. Comentarios a la ley de protección a los derechos de los consumidores.* Santiago: Thomson Reuters.

Corral, Hernán (2013): "Artículo 44", en Iñigo De La Maza; Carlos Pizarro (Dirs.) y Francisca Barrientos (coord.). *La protección de los Derechos de los consumidores. Comentarios a la ley de protección a los derechos de los consumidores*. Santiago: Thomson Reuters.

Corral, Hernán (2013): "Artículo 45", en Iñigo De La Maza; Carlos Pizarro (Dirs.) y Francisca Barrientos (coord.). *La protección de los Derechos de los consumidores. Comentarios a la ley de protección a los derechos de los consumidores*. Santiago: Thomson Reuters.

Corral, Hernán (2013): "Artículo 46", en Iñigo De La Maza; Carlos Pizarro (Dirs.) y Francisca Barrientos (coord.). *La protección de los Derechos de los consumidores. Comentarios a la ley de protección a los derechos de los consumidores*. Santiago: Thomson Reuters.

Corral, Hernán (2013): "Artículo 47", en Iñigo De La Maza; Carlos Pizarro (Dirs.) y Francisca Barrientos (coord.). *La protección de los Derechos de los consumidores. Comentarios a la ley de protección a los derechos de los consumidores*. Santiago: Thomson Reuters.

Corral, Hernán (2013): "Artículo 48", en Iñigo De La Maza; Carlos Pizarro (Dirs.) y Francisca Barrientos (coord.). *La protección de los Derechos de los consumidores. Comentarios a la ley de protección a los derechos de los consumidores*. Santiago: Thomson Reuters.

Corral, Hernán (2013): "Artículo 49", en Iñigo De La Maza; Carlos Pizarro (Dirs.) y Francisca Barrientos (coord.). *La protección de los Derechos de los consumidores. Comentarios a la ley de protección a los derechos de los consumidores*. Santiago: Thomson Reuters.

Corral, Hernán (2019): Indemnizaciones por no prestación de servicios básicos. A propósito de la crisis de agua en Osorno: Blog de Hernán Corral, fecha de consulta 23 de junio de 2020, https://corraltalciani.wordpress.com/tag/articulo-25-a-ley-no-19-496/.

Corral, Hernán (2021): "Artículo 49 bis", en Iñigo De La Maza; Carlos Pizarro y Francisca Barrientos (Dirs*). La protección de los Derechos de los consumidores. Comentarios a la ley de protección a los derechos de los consumidores*. Santiago: Thomson Reuters.

Corral, Hernán y Lagos, Osvaldo (2006): "La responsabilidad por incumplimiento y por productos peligrosos en la ley de protección de los derechos de los consumidores en Chile. Aspectos sustantivos y procesales luego de la reforma contenida en la ley n° 19.955 de 2004". *Cuadernos de Extensión Jurídica, Universidad de Los Andes*, Santiago. 12.

Cortéz, Gonzalo (2013): "Artículo 50", en Iñigo De La Maza; Carlos Pizarro (Dirs.) y Francisca Barrientos (coord.). *La protección de los Derechos de los consumidores. Comentarios a la ley de protección a los derechos de los consumidores*. Santiago: Thomson Reuters.

De La Maza, Iñigo (2004): "El control de cláusulas abusivas y la letra g)", en Francisca Barrientos, Iñigo De La Maza y Carlos Pizarro. *Consumidores*. Santiago: Legal Publishing.

De La Maza, Iñigo (2005): "¿Pero que es lo que esperabas? Contratos por adhesión y expectativas razonables", en Susan Turner y Juan Andrés Varas (coords). *Estudios de Derecho Civil 9*. Santiago: Lexis Nexis.

De La Maza, Iñigo (2013): "Artículo 1 n° 3", en Iñigo De La Maza; Carlos Pizarro (Dirs.) y Francisca Barrientos (coord.). *La protección de los Derechos de los consumidores. Comentarios a la ley de protección a los derechos de los consumidores*. Santiago: Thomson Reuters.

De La Maza, Iñigo (2013): "Artículo 1 n° 4", en Iñigo De La Maza; Carlos Pizarro (Dirs.) y Francisca Barrientos (coord.). *La protección de los Derechos de los consumidores. Comentarios a la ley de protección a los derechos de los consumidores*. Santiago: Thomson Reuters.

De La Maza, Iñigo (2013): "Artículo 1 n° 5", en Iñigo De La Maza; Carlos Pizarro (Dirs.) y Francisca Barrientos (coord.). *La protección de los Derechos de los consumidores. Comentarios a la ley de protección a los derechos de los consumidores*. Santiago: Thomson Reuters.

De La Maza, Iñigo (2013): "Artículo 28 B", en Iñigo De La Maza; Carlos Pizarro (Dirs.) y Francisca Barrientos (coord.). *La protección de los Derechos de los consumidores. Comentarios a la ley de protección a los derechos de los consumidores*. Santiago: Thomson Reuters.

De La Maza, Iñigo (2013): "Artículo 28", en Iñigo De La Maza; Carlos Pizarro (Dirs.) y Francisca Barrientos (coord.). *La protección de los Derechos de los consumidores. Comentarios a la ley de protección a los derechos de los consumidores.* Santiago: Thomson Reuters.

De la Maza, Iñigo y Cruz, Sergio (2003): "Chile: Contratos por Adhesión en Plataformas Electrónicas". *AR: Revista de Derecho Informático. 59.*

De La Maza, Iñigo y Ojeda, Hugo (2017): "El interés general de los consumidores y su tutela en las decisiones de los tribunales superiores de justicia". *Revista de Derecho, Universidad de Concepción. 242* (julio-diciembre).

Del Villar, Lucas (2017): "Planes de cumplimiento en la reforma a la ley 19.496". Francisca Barrientos (dra.) Felipe Fernández (cood.). *Boletín especial ADECO Proyecto de Ley de Fortalecimiento del Sernac y las Asociaciones de Consumidores*, www.derechoyconsumo.udp.cl, http://derechoyconsumo.udp.cl/wp-content/uploads/2017/12/Lucas-del-Villar.pdf.

Escalona, Eduardo (2013): "Artículo 37", en Iñigo De La Maza; Carlos Pizarro (Dirs.) y Francisca Barrientos (coord.). *La protección de los Derechos de los consumidores. Comentarios a la ley de protección a los derechos de los consumidores.* Santiago: Thomson Reuters.

Escalona, Eduardo (2013): "Artículo 38", en Iñigo De La Maza; Carlos Pizarro (Dirs.) y Francisca Barrientos (coord.). *La protección de los Derechos de los consumidores. Comentarios a la ley de protección a los derechos de los consumidores.* Santiago: Thomson Reuters.

Escalona, Eduardo (2013): "Artículo 39 A", en Iñigo De La Maza; Carlos Pizarro (Dirs.) y Francisca Barrientos (coord.). *La protección de los Derechos de los consumidores. Comentarios a la ley de protección a los derechos de los consumidores.* Santiago: Thomson Reuters.

Escalona, Eduardo (2013): "Artículo 39 B", en Iñigo De La Maza; Carlos Pizarro (Dirs.) y Francisca Barrientos (coord.*). La protección de los Derechos de los consumidores. Comentarios a la ley de protección a los derechos de los consumidores.* Santiago: Thomson Reuters.

Espada, Susana (2013): "Artículo 3 f)", en Iñigo De La Maza; Carlos Pizarro (Dirs.) y Francisca Barrientos (coord.). *La protección de los Derechos de los consumidores. Comentarios a la ley de protección a los derechos de los consumidores*. Santiago: Thomson Reuters.

Espada, Susana (2013): "Artículo 4", en Iñigo De La Maza; Carlos Pizarro (Dirs.) y Francisca Barrientos (coord.). *La protección de los Derechos de los consumidores. Comentarios a la ley de protección a los derechos de los consumidores*. Santiago: Thomson Reuters.

Fernández, Felipe (2019): "La comprensión del mensaje publicitario y la protección de la voluntad del consumidor desde el derecho a la información (Corte de Apelaciones de Santiago)". *Revista de Derecho (Valdivia)*. Vol. XXXII.

Fernández, Felipe y Morales, María Elisa (2020): "La persona jurídica como consumidor", en Erika Isler (coord.). *GPS Consumo*. Valencia: Tirant lo Blanch.

Fernández, Fernando (2013): "Artículo 17 A", en Iñigo De La Maza; Carlos Pizarro (Dirs.) y Francisca Barrientos (coord.). *La protección de los Derechos de los consumidores. Comentarios a la ley de protección a los derechos de los consumidores*. Santiago: Thomson Reuters.

Fernández, Fernando (2013): "Artículo 17 C", en Iñigo De La Maza; Carlos Pizarro (Dirs.) y Francisca Barrientos (coord.). *La protección de los Derechos de los consumidores. Comentarios a la ley de protección a los derechos de los consumidores*. Santiago: Thomson Reuters.

Fernández, Francisco (2003): *Manual de Derecho chileno de Protección al Consumidor*. Santiago: Lexis Nexis.

Fuentes, Claudio (2013): "Artículo 16 c)", en Iñigo De La Maza; Carlos Pizarro (Dirs.) y Francisca Barrientos (coord.). *La protección de los Derechos de los consumidores. Comentarios a la ley de protección a los derechos de los consumidores*. Santiago: Thomson Reuters.

Fuentes, Claudio (2019): "De la mediación colectiva al procedimiento voluntario colectivo", en Juan Ignacio Contardo; Felipe Fernández y Claudio Fuentes (coords.). *Litigación en materia de consumidores. Dogmática y práctica en la reforma de fortalecimiento al SERNAC*. Santiago: Legal Publishing.

García, Ramón (2019): "El procedimiento individual de la ley de protección de los derechos de los consumidores a partir de las modificaciones de la Ley no 21.081: otra pieza de un rompecabezas que no termina de encajar", en Juan Ignacio Contardo; Felipe Fernández y Claudio Fuentes (coords.). *Litigación en materia de consumidores*. Santiago: Legal Publishing.

Gaspar, José Antonio (2012): "Eficacia del Sello Sernac como mecanismo de control preventivo de cláusulas abusivas en los contratos de adhesión", en Carmen Domínguez, Joel Castillo, Marcelo Barrientos, Juan Luis Goldenberg (coords.). *Estudios de Derecho Civil VIII*. Santiago: Thomson Reuters.

Goldenberg, Juan Luis (2018): "La naturaleza y justificación de los intereses del crédito. Comentario a la sentencia de la Corte Suprema de 8 de octubre de 2015, Rol n° 27802-2014". *Ars Boni et Aequi*. Año 14, n° 1.

Goldenberg, Juan Luis (2020): Ley de portabilidad financiera: aspectos registrales y financieros.: Conversartorio organizado por la Fundación Fernando Fueyo y la Corporación chilena de Derecho Registral realizado con fecha 06 de julio de 2020. En https://www.youtube.com/watch?v=75yRsXlPBSs

Goldenberg, Juan Luis (2021): "Artículo 17 D", en Iñigo De La Maza; Carlos Pizarro y Francisca Barrientos (Dirs). *La protección de los Derechos de los consumidores. Comentarios a la ley de protección a los derechos de los consumidores*. Santiago: Thomson Reuters.

Guerrero, Jose Luis (2013): "Artículo 27", en Iñigo De La Maza; Carlos Pizarro (Dirs.) y Francisca Barrientos (coord.). *La protección de los Derechos de los consumidores. Comentarios a la ley de protección a los derechos de los consumidores*. Santiago: Thomson Reuters.

Guerrero, Jose Luis (2013): "Artículo 28 A", en Iñigo De La Maza; Carlos Pizarro (Dirs.) y Francisca Barrientos (coord.). *La protección de los Derechos de los consumidores. Comentarios a la ley de protección a los derechos de los consumidores*. Santiago: Thomson Reuters.

Guerrero, José Luis (2013): "Artículo 24", en Iñigo De La Maza; Carlos Pizarro (Dirs.) y Francisca Barrientos (coord.). *La protección de los Derechos de los consumidores. Comentarios a la ley de protección a los derechos de los consumidores*. Santiago: Thomson Reuters.

Guerrero, José Luis (2013): "Artículo 25", en Iñigo De La Maza; Carlos Pizarro (Dirs.) y Francisca Barrientos (coord.). *La protección de los Derechos de los consumidores. Comentarios a la ley de protección a los derechos de los consumidores.* Santiago: Thomson Reuters.

Guzmán, Guillermo y Tremolini, María Alejandra (2021): "Artículo 58 bis", en Iñigo De La Maza; Carlos Pizarro y Francisca Barrientos (Dirs). *La protección de los Derechos de los consumidores. Comentarios a la ley de protección a los derechos de los consumidores.* Santiago: Thomson Reuters.

Hernández, Gabriel (2021): "Artículo 15 B", en Iñigo De La Maza; Carlos Pizarro y Francisca Barrientos (Dirs). *La protección de los Derechos de los consumidores. Comentarios a la ley de protección a los derechos de los consumidores.* Santiago: Thomson Reuters.

Hernández, Gabriel (2021): "Artículo 15 C", en Iñigo De La Maza; Carlos Pizarro y Francisca Barrientos (Dirs). *La protección de los Derechos de los consumidores. Comentarios a la ley de protección a los derechos de los consumidores.* Santiago: Thomson Reuters.

Hondius, Ewoud (2004): "The Protection of the Weak Party in Harmonised European Contract Law: a Synthesis". *Journal of Consumer Policy*, Vol. V(27).

Huber, Ana (1999): Derecho de la contratación en la ley de protección al consumidor. *Cuadernos de Extensión Jurídica, Universidad de Los Andes*, Santiago. 3.

Isler, Erika (2013): "Artículo 29", en Iñigo De La Maza; Carlos Pizarro (Dirs.) y Francisca Barrientos (coord.). *La protección de los Derechos de los consumidores. Comentarios a la ley de protección a los derechos de los consumidores.* Santiago: Thomson Reuters.

Isler, Erika (2013): "Artículo 30", en Iñigo De La Maza; Carlos Pizarro (Dirs.) y Francisca Barrientos (coord.). *La protección de los Derechos de los consumidores. Comentarios a la ley de protección a los derechos de los consumidores.* Santiago: Thomson Reuters.

Isler, Erika (2013): "Artículo 31", en Iñigo De La Maza; Carlos Pizarro (Dirs.) y Francisca Barrientos (coord.). *La protección de los Derechos de los consumidores. Comentarios a la ley de protección a los derechos de los consumidores*. Santiago: Thomson Reuters.

Isler, Erika (2013): "Artículo 32", en Iñigo De La Maza; Carlos Pizarro (Dirs.) y Francisca Barrientos (coord.). *La protección de los Derechos de los consumidores. Comentarios a la ley de protección a los derechos de los consumidores*. Santiago: Thomson Reuters.

Isler, Erika (2013): "Artículo 33", en Iñigo De La Maza; Carlos Pizarro (Dirs.) y Francisca Barrientos (coord.). *La protección de los Derechos de los consumidores. Comentarios a la ley de protección a los derechos de los consumidores*. Santiago: Thomson Reuters.

Isler, Erika (2014): "Corte de Apelación de Santiago (16.8.2013) Sernac con Caja de Compensación de Asignación Familiar Los Héroes". *Ius Publicum*. 33.

Isler, Erika (2014): "Suplemento alimenticio y protección de los derechos de los consumidores: comentarios sobre el caso ADN". *Ars Boni et Aequi*. Vol. 10.

Isler, Erika (2016): "La nulidad parcial de la Ley nº 19.496". *Revista Internacional Foro de Derecho Mercantil*. 50, ene-mar.

Isler, Erika (2019): "La prescripción extintiva en la ley nº 21.081: logros y desafíos", en Juan Ignacio Contardo; Felipe Fernández y Claudio Fuentes (coords.). *Litigación en materia de consumidores. Dogmática y práctica en la reforma de fortalecimiento al SERNAC*. Santiago: Thomson Reuters.

Isler, Erika (2019): "La responsabilidad por productos en Chile: panorama y desafíos", en María Elisa Morales (dir.) y Pamela Mendoza (coord.). *Derecho del Consumo: Ley, doctrina y jurisprudencia*. Santiago: Der Ediciones.

Isler, Erika (2019): *Derecho del Consumo. Nociones fundamentales*. Valencia: Tirant lo Blanch.

Isler, Erika (2020): *Jurisprudencia de Derecho de Consumo comentada*. Santiago: Rubicón Editores

Jara, Rony (2006): "Ámbito de aplicación de la ley chilena de protección al consumidor: aplicación de la ley 19.496 y las modificaciones de la ley 19.955". *Cuadernos de Extensión Jurídica, Universidad de Los Andes*, Santiago. 12.

Jequier, Eduardo (2020): Análisis crítico del arbitraje de consumo no financiero en Chile.: Presentación a la Comisión de Economía, Senado de la República Sesión de 5 de agosto de 2020,. file:///Users/user/Downloads/archivo%20(1).pdf

Jequier, Eduardo (2020): "Sobre la arbitrabilidad del conflicto de consumo en Chile: insumo básico para un replanteamiento estructural". *Revista Chilena de Derecho Privado*. n° 34.

Lagos, Osvaldo (2013): "Artículo 1 n° 7", en Iñigo De La Maza; Carlos Pizarro (Dirs.) y Francisca Barrientos (coord.). *La protección de los Derechos de los consumidores. Comentarios a la ley de protección a los derechos de los consumidores*. Santiago: Thomson Reuters.

Lagos, Osvaldo (2013): "Artículo 1 n° 8", en Iñigo De La Maza; Carlos Pizarro (Dirs.) y Francisca Barrientos (coord.). *La protección de los Derechos de los consumidores. Comentarios a la ley de protección a los derechos de los consumidores*. Santiago: Thomson Reuters.

Lagos, Osvaldo (2013): "Artículo 35", en Iñigo De La Maza; Carlos Pizarro (Dirs.) y Francisca Barrientos (coord.). *La protección de los Derechos de los consumidores. Comentarios a la ley de protección a los derechos de los consumidores*. Santiago: Thomson Reuters.

Lagos, Osvaldo (2013): "Artículo 36", en Iñigo De La Maza; Carlos Pizarro (Dirs.) y Francisca Barrientos (coord.). *La protección de los Derechos de los consumidores. Comentarios a la ley de protección a los derechos de los consumidores*. Santiago: Thomson Reuters.

Larracou, Jorge (2019): "La prueba en los procedimientos judiciales de consumo", en María Elisa Morales (dir.) y Pamela Mendoza (coord.). *Derecho del Consumo: Ley, doctrina y jurisprudencia*. Santiago: Der Ediciones.

León, José Julio (2014): "¿Judicalización de la eduación superior?". *Revista Calidad en la Eduación*. n° 40.

Martabit, María José y Hube, Constanza (2019): "Acciones colectivas y multas: una mirada constitucional tras la entrada en vigencia de la Ley n° 21.081". *Revista de Derecho y Consumo*. 3.

Micklitz, Hans (2012): "The expulsion of the concept of protection from the consumer law and the return of social elements in the civil law: a bittersweet polemic". *Journal of Consumer Policy*. vol. 35 (3).

Micklitz, Hans; Stuyck, Jules; Terryn, Evelyn y Droshout, Dimitri (2010): *Cases, Materials and Text on Consumer Law*. Oxford, Portland, Oregon: Hart.

Mirosevic, Camilo (2021): "Artículo 59 bis", en Iñigo De La Maza; Carlos Pizarro y Francisca Barrientos (Dirs*). La protección de los Derechos de los consumidores. Comentarios a la ley de protección a los derechos de los consumidores*. Santiago: Thomson Reuters.

Mirosevic, Camilo (2021): "Artículo 59 ter", en Iñigo De La Maza; Carlos Pizarro y Francisca Barrientos (Dirs). *La protección de los Derechos de los consumidores. Comentarios a la ley de protección a los derechos de los consumidores*. Santiago: Thomson Reuters.

Molinari, Aldo (2021): "Artículo 58", en Iñigo De La Maza; Carlos Pizarro y Francisca Barrientos (Dirs). *La protección de los Derechos de los consumidores. Comentarios a la ley de protección a los derechos de los consumidores*. Santiago: Thomson Reuters.

Momberg, Rodrigo (2004): "Ámbito de aplicación de la ley n° 19.496 sobre protección de los derechos de los consumidores". *Revista de Derecho (Valdivia)*. 17.

Momberg, Rodrigo (2013): "El control de las cláusulas abusivas como instrumento de intervención judicial en el contrato". *Revista de Derecho (Valdivia)*. Vol. XXVI n° 1.

Momberg, Rodrigo (2015): "La empresa como consumidora: ámbito de aplicación de la LPC, nulidad de cláusulas abusivas y daño moral. Corte de Apelaciones de Talca, rol -n° 674-2014 y Corte Suprema, rol n° 31.709-14". *Revista Chilena de Derecho Privado*. 25.

Momberg, Rodrigo (2016): "Ofertas de compra de inmuebles suscritas por consumidores. Prescripción de la acción infraccional y nulidad de cláusulas abusivas. Corte de Apelaciones de Santiago, Rol n° 8281-2013 y Corte Suprema, Rol n° 23092-14". *Revista Chilena de Derecho Privado*. 26.

Momberg, Rodrigo (2013): "Artículo 1 n° 1", en Iñigo De La Maza; Carlos Pizarro (Dirs.) y Francisca Barrientos (coord.). *La protección de los Derechos de los consumidores. Comentarios a la ley de protección a los derechos de los consumidores*. Santiago: Thomson Reuters.

Momberg, Rodrigo (2013): "Artículo 1 nº 2", en Iñigo De La Maza; Carlos Pizarro (Dirs.) y Francisca Barrientos (coord.). *La protección de los Derechos de los consumidores. Comentarios a la ley de protección a los derechos de los consumidores.* Santiago: Thomson Reuters.

Momberg, Rodrigo (2013): "Artículo 2 bis", en Iñigo De La Maza; Carlos Pizarro (Dirs.) y Francisca Barrientos (coord.). *La protección de los Derechos de los consumidores. Comentarios a la ley de protección a los derechos de los consumidores.* Santiago: Thomson Reuters.

Momberg, Rodrigo (2013): "Artículo 2", en Iñigo De La Maza; Carlos Pizarro (Dirs.) y Francisca Barrientos (coord.). *La protección de los Derechos de los consumidores. Comentarios a la ley de protección a los derechos de los consumidores.* Santiago: Thomson Reuters.

Momberg, Rodrigo (2013): "Contra la igualdad en el derecho de contratos", en Muñoz, Fernando (ed). *Igualdad, inclusión y derecho. Lo político, lo social y lo jurídico en clave igualitaria.* Santiago: Lom.

Momberg, Rodrigo (2019): "Leyes especiales y aplicación de la ley 19.496 sobre protección de los derechos de los consumidores. Análisis de casos", en María Elisa Morales (dir.) y Pamela Mendoza (coord.). *Derecho del Consumo: Ley, doctrina y jurisprudencia.* Santiago: Der Ediciones.

Momberg, Rodrigo y Morales, María Elisa (2019): "Las cláusulas relativas al uso y tratamiento de datos personales y el artículo 16 letra g) de la Ley 19.496 sobre protección de los derechos de los consumidores". *Revista Chilena de Derecho y Tecnología.* 8 (2).

Momberg, Rodrigo y Varas, Juan Andrés (2006): "La oferta en Chile: un ordenamiento, tres regímenes", en *Cuadernos de Análisis. Colección Derecho Privado Universidad Diego Portales* Vol. III.

Morales, María Elisa (2017): "Control de cláusulas abusivas en el proyecto de ley que fortalece las facultades del SERNAC", en Francisca Barrientos (dir) y Felipe Fernández (coord). *Boletín especial ADECO Proyecto de Ley de Fortalecimiento del Sernac y las Asociaciones de Consumidores.*

Morales, María Elisa (2018): Algunos problemas de la extensión del Derecho del Consumo a contratos entre empresarios en el ordenamiento jurídico chileno. Santiago: Ponencia en la VIII Jornadas Nacionales de Derecho del Consumo, Universidad Diego Portales.

Morales, María Elisa (2018): *Control preventivo de cláusulas abusivas*. Santiago: DER Ediciones

Morales, María Elisa (2019): "Algunas notas sobre la noción de cláusula abusiva", en Carlos Céspedes (dir.). *Estudios de Derecho Privado en memoria del profesor Nelson Vega Moraga*. Santiago: Thomson Reuters.

Morales, María Elisa (2019): "La configuración del principio de protección al consumidor", en Juan Ignacio Contardo y Claudio Fuentes (Eds.). *Derecho Procesal del Consumo*. Santiago: Thomson Reuters.

Morales, María Elisa (2019): "AFP, Isapres y Protección al Consumidor". Santiago: Columna de Opinión en El Mercurio Legal.

Morales, María Elisa (2020): "El lugar del Derecho del Consumo dentro de la summa divisio de las disciplinas jurídicas", en Pamela Mendoza y María Elisa Morales (dirs.). *Estudios de Derecho Privado. II Jornadas Nacionales de Derecho Privado*. Santiago: Der Ediciones.

Morales, María Elisa (2021): "Artículo 16 letra g)", en Iñigo De La Maza; Carlos Pizarro y Francisca Barrientos (Dirs). *La protección de los Derechos de los consumidores. Comentarios a la ley de protección a los derechos de los consumidores*. Santiago: Thomson Reuters.

Morales, María Elisa e Isler, Erika (2018): "Acerca del control de la Supertintendencia de Valores y Seguros sobre las pólizas", en Angela Toso y Lorena Carvajal (coords). *Estudios de Derecho Comercial VIII*. Santiago: Thomson Reuters.

Morales, Maria Elisa y Veloso, Franco (2019): "Cláusulas abusivas en la ley n° 19.496. Ley, doctrina y jurisprudencia", en María Elisa Morales (dir.) y Pamela Mendoza (coord.). *Derecho del Consumo: Ley, doctrina y jurisprudencia*. Santiago: Der Ediciones.

Munita, Renzo (2021): "Artículo 53 C letra c)", en Iñigo De La Maza; Carlos Pizarro y Francisca Barrientos (Dirs). *La protección de los Derechos de los consumidores. Comentarios a la ley de protección a los derechos de los consumidores*. Santiago: Thomson Reuters.

Nasser, Marcelo (2013): "Artículo 12", en Iñigo De La Maza; Carlos Pizarro (Dirs.) y Francisca Barrientos (coord.). *La protección de los Derechos de los consumidores. Comentarios a la ley de protección a los derechos de los consumidores.* Santiago: Thomson Reuters.

Nasser, Marcelo (2013): "Artículo 13", en Iñigo De La Maza; Carlos Pizarro (Dirs.) y Francisca Barrientos (coord.). *La protección de los Derechos de los consumidores. Comentarios a la ley de protección a los derechos de los consumidores.* Santiago: Thomson Reuters.

Nasser, Marcelo (2013): "Artículo 21", en Iñigo De La Maza; Carlos Pizarro (Dirs.) y Francisca Barrientos (coord.). *La protección de los Derechos de los consumidores. Comentarios a la ley de protección a los derechos de los consumidores.* Santiago: Thomson Reuters.

Nasser, Marcelo (2013): "Artículo 22", en Iñigo De La Maza; Carlos Pizarro (Dirs.) y Francisca Barrientos (coord.). *La protección de los Derechos de los consumidores. Comentarios a la ley de protección a los derechos de los consumidores.* Santiago: Thomson Reuters.

Nicolás, Jenny (2013): "Artículo 60", en Iñigo De La Maza; Carlos Pizarro (Dirs.) y Francisca Barrientos (coord.). *La protección de los Derechos de los consumidores. Comentarios a la ley de protección a los derechos de los consumidores.* Santiago: Thomson Reuters.

Peribonio, Juan Antonio (2017): "Estacionamientos y Ley n° 20.967", en *Boletín especial ADECO Ley de estacionamientos.*

Pino, Alberto (2021): "Artículo 53 C letra c)", en Iñigo De La Maza; Carlos Pizarro y Francisca Barrientos (Dirs). *La protección de los Derechos de los consumidores. Comentarios a la ley de protección a los derechos de los consumidores.* Santiago: Thomson Reuters.

Pinochet, Ruperto (2013): "Artículo 12 A", en Iñigo De La Maza; Carlos Pizarro (Dirs.) y Francisca Barrientos (coord.). *La protección de los Derechos de los consumidores. Comentarios a la ley de protección a los derechos de los consumidores.* Santiago: Thomson Reuters.

Pinochet, Ruperto (2013): "Modificación unilateral del contrato y pacto de autocontratación: dos especies de cláusulas abusivas a las luz del Derecho de Consumo chileno. Comentario a la sentenia de la Excma. Corte Suprema de 24 de abril de 2013 recaída en el "Caso Sernac con Cencosud". *Revista Ius Et Praxis*. 19 (1) 2013.

Pizarro, Carlos y Pérez, Ignacio (2013): "Artículo 1 n° 6", en Iñigo De La Maza; Carlos Pizarro (Dirs.) y Francisca Barrientos (coord.). *La protección de los Derechos de los consumidores. Comentarios a la ley de protección a los derechos de los consumidores*. Santiago: Thomson Reuters.

Pizarro, Carlos y Pérez, Ignacio (2013): "Artículo 16 c)", en Iñigo De La Maza; Carlos Pizarro (Dirs.) y Francisca Barrientos (coord.). *La protección de los Derechos de los consumidores. Comentarios a la ley de protección a los derechos de los consumidores*. Santiago: Thomson Reuters.

Pizarro, Carlos y Petit, Jean (2013): "Artículo 16 c)", en Iñigo De La Maza; Carlos Pizarro (Dirs.) y Francisca Barrientos (coord.). *La protección de los Derechos de los consumidores. Comentarios a la ley de protección a los derechos de los consumidores*. Santiago: Thomson Reuters.

Prado, Pamela (2018): "Comentario de jurisprudencia sobre artículo 12 de la ley de protección de los derechos de los consumidores". *Revista de Derecho y Consumo*. n° 1.

Quiroz, Hernán (2016): "El retracto del contrato de servicios educacionales de nivel superior en la ley chilena de protección a los consumidores". *Revista de Derecho (coquimbo)*. vol. 23 n° 2.

Rodríguez, María Sara (2014): "Responsabilidad por incumplimiento de contratos de servicios. La protección del consumidor y del cliente por prestaciones defectuosas". *Revista Chilena de Derecho*. Vol. 51 n° 3.

Rodríguez, Pablo (2015): *Derecho del Consumo. Estudio Crítico*. Santiago: Legal Publishing.

Roppo, Vincenzo (2011): "Del contrato con el consumidor a los contratos asimétricos: perspectivas del derecho contractual europeo". *Revista de Derecho Privado*. 20.

Salazar, Arturo (2018): "La nulidad de las clausulas abusivas en la ley n° 19.496". *Revista de Derecho y Consumo*. n° 1.

San Martín, Lilian (2013): "Artículo 3 inc. 2º ", en Iñigo De La Maza; Carlos Pizarro (Dirs.) y Francisca Barrientos (coord.). *La protección de los Derechos de los consumidores. Comentarios a la ley de protección a los derechos de los consumidores.* Santiago: Thomson Reuters.

Sandoval, Ricardo (2004): *Derecho del Consumidor.* Santiago: Editorial Jurídica de Chile.

Sandoval, Ricardo (2016): *Derecho Comercial. Tomo V. Derecho del Consumidor. Protección del Consumidor en el Derecho nacional y en la legislación comparada.* Santiago: Editorial Jurídica de Chile.

Severin, Gonzalo (2019): "Las obligaciones específicas del prestador del servicio en los contratos", en María Elisa Morales (dir.) y Pamela Mendoza (coord.). *Derecho del Consumo: Ley, doctrina y jurisprudencia.* Santiago: Der Ediciones.

Severin, Gonzalo (2019): "Las obligaciones específicas del prestador de servicios los contratos de reparación. Análisis crítico del artículo 40 de la ley nº 19.496 sobre Protección de los Derechos de los Consumidores", en María Elisa Morales (dir.) y Pamela Mendoza (coord.). *Derecho del Consumo: Ley, doctrina y jurisprudencia.* Santiago: Der Ediciones.

Soto, Pablo (2019): "La potestad del SERNAC para recibir reclamos y promover acuerdos individuales luego de ser eliminada por el Tribunal Constitucional". *Revista de Derecho, Universidad de Concepción.* vol. 87 nro 245.

Soto, Pablo y Durán, Carolina (2019): "El ámbito infraccional en el Derecho del Consumo: práctica jurisdiccional y modificaciones introducidas por la Ley nº 21.081", en Juan Ignacio Contardo; Felipe Fernández y Claudio Fuentes (coords.). *Litigación en materia de consumidores. Dogmática y práctica en la reforma de fortalecimiento al SERNAC.* Santiago: Thomson Reuters.

Stuyck, Jules (2000): European Consumer Law after the Treaty of Amsterdam: consumer policy in or beyond the internal market? *Common Market Law Review.* vol. 37.

Tapia, Mauricio (2017): *Protección de consumidores.* Santiago: Rubicón Editores

Tapia, Mauricio y Valdivia, José Miguel (1999): *Contrato por adhesión. Ley nº 19.496.* Santiago: Editorial Jurídica de Chile.

Vargas, Macarena (2019): "Mecanismos alternativos y consumo. Análisis de la nueva ley de protección de los derechos de los consumidores", en Juan Ignacio Contardo; Felipe Fernández y Claudio Fuentes (coords.). *Litigación en materia de consumidores*. Santiago: Legal Publishing.

Vidal, Alvaro (2000): "Contratación y consumo el contrato de consumo en la ley n° 19.496 sobreprotección a los derechos de los consumidores". *Revista de Derecho de la Universidad Católica de Valparaíso*. XXI.

Vidal, Juan Carlos y Barrera, Victor (2021): "Artículo 61", en Iñigo De La Maza; Carlos Pizarro y Francisca Barrientos (Dirs). *La protección de los Derechos de los consumidores. Comentarios a la ley de protección a los derechos de los consumidores*. Santiago: Thomson Reuters.

Wahl, Jorge (2006): Los contratos de adhesión: Normas de equidad en las estipulaciones y en el cumplimiento. *Cuadernos de Extensión Jurídica, Universidad de Los Andes*, Santiago. 12.

Walker, Nathalie (2021): "Artículo 50 A", en Iñigo De La Maza; Carlos Pizarro y Francisca Barrientos (Dirs). *La protección de los Derechos de los consumidores. Comentarios a la ley de protección a los derechos de los consumidores*. Santiago: Thomson Reuters.

JURISPRUDENCIA CITADA

Alejandra Elena Rivera Campos con Constructora Santa Beatriz (2015): Corte de Apelaciones de Concepción, 15 de diciembre de 2015, Recurso de Apelación, Rol n° 659-2015, LTM19.091.651

Alicia Salas Saldes con Telefónica Móvil de Chile S.A. (2005): Corte de Apelaciones de Santiago, 31 de agosto de 2005, no se registra recurso, Rol n° 4523-2004, LTM19.067.138

Andy Méndez Zambrano con Empresa Viajes Falabella Limitada (2016): Corte de Apelaciones de Valparaíso, 20 de octubre de 2016, Rol 458-2016, LTM17.429.587

Antonio Amado Antifil Renca con Trading Motors Corp Chile S.A. (2007) Corte de Apelaciones de Santiago, 18 de octubre de 2007, Recurso de Apelación, Rol n° 4877-2007, LTM19.067.139

Asociación de consumidores de Tarapacá con Banco Bibao Vizcaya Argentaria S.A. (2017): Corte Suprema, 24 de octubre de 2017, Recurso de Casación en el Fondo, Rol nº 55957-2016, LTM16.125.777

Aurelio Butelmann Guilof y Lidia Dujovne Gelin con Comercial Promociones y Turismo S.A. (2016): 3º Juzgado de Policía Local Las Condes, 5 de septiembre de 2016, Rol nº 12959-7-2016, LTM18.762.805

Banco de Crédito e Inversiones con Marcelo Cruz y Compañía Limitada (2020): Corte Suprema, 04 de mayo de 2020, Recurso de Casación el el Fondo, Rol nº 14804-2020, LTM18.744.946

Banco de Crédito e Inversiones con Paola Andrea Mora Núñez (2015): Corte de Apelaciones de San Miguel, 28 de enero de 2015, Recurso de Apelación, Rol nº 1045-2014, LTM19.067.127

Banco Falabella con Cecilia García Torres (2009): Corte de Apelaciones de Rancagua, 28 de diciembre de 2009, Rol nº 89-2009, LTM19.091.616

Benjamín Manzano González con Mototech E.I.R.L. (2015): Juzgado de Policía Local La Reina, 14 de octubre de 2015, Rol nº 2567-2015-6, LTM18.762.806

Carlos Alfonso Pizarro Ríos con Pacific Coast Cer Limitada. (2013): 1º Juzgado de Policía Local de Osorno, 3 de octubre de 2013, Rol nº 2274-13, LTM18.762.807

Carlos Luis González Zavala con Automotora CIDEF (2014): 4º Juzgado de Policía Local de Santiago, 27 de junio de 2014, Rol nº 20.527-5/2013, LTM18.762.808

Carlos Nuñez con Automotriz Portillo S.A (2017): Corte de Apelaciones de Santiago, 15 de febrero de 2017, Recurso de Apelación, Rol nº 32-2017, LTM19.090.429

Carlos Ramos Velásquez con Sociedad Concesionaria Elqui S.A. (2017): Corte de Apelaciones de La Serena, 17 de marzo de 2017, Recurso de apelación, Rol nº 213-2016, LTM17.224.782

Castellón con Banco de Chile (2014): Corte de Apelaciones de Valparaíso, 11 de julio de 2014, Recurso de Apelación, Rol nº 254-2014, LTM19.091.632

Cavagnaro Hukdhs Oscar Manuel con Johnson's S.A. (2013): Corte de Apelaciones de Valparaíso, 2 de diciembre de 2013, Recurso de Apelación, Rol n° 473-2013, LTM19.091.640

Claudia Ruda Espinoza con BCI Seguros Generales S.A. (2017): Corte de Apelaciones de Santiago, 07 de abril de 2017, Recurso de Apelación, Rol n° 649-2016, LTM19.091.650

Claudio Azocar Jiménez y otros con Universidad Tecnológica Metropolitana y otro (2016): Corte Suprema, 04 de enero de 2016, Recurso de casación en a forma y en el fondo, Rol n° 24902-2014, LTM6.556.746, LTM9.584.229

Claudio Belmar Rojas con Titan Caraps y Eventos Limitada (2016): Corte de apelaciones de Temuco, 28 de octubre de 2016, Recurso de Apelación, Rol n° 254-2015, LTM19091633

Claudio Ortega Loyola con Caja de Compensación de Asignación Familiar Los Andes (2017): Corte Suprema, 02 de febrero de 2017, Rol n° 68880-2016, LTM16.124.945

Consuelo Romero Cayupan con Instituto de Capacitación Sanitaria de Chile (2019): Corte de Apelaciones de Temuco, 25 de abril de 2019, Recurso de Apelación, Rol n° 95-2018, LTM18.062.811

Contreras con Hospital Clínico Universidad de Chile (2011): Corte Suprema, 28 de diciembre de 2011, Recurso de Queja, Rol n° 8905-2011, LTM11.392.889

Corporación Nacional de Consumidor con Banco del Estado (2005): Corte de Apelaciones de Santiago, 01 de julio de 2005, Recurso de Apelación, Rol n° 5104-2005, LTM19.090.415

Corporación Nacional del Consumidor con Isapre Cruz Blanca (2019): Corte Suprema de Santiago, 29 de noviembre de 2019, Recurso de Casación, Rol n° 25188-2019, LTM19.090.426

Despegar.com Chile SpA con Ministros de la Corte de Apelaciones de Arica (2019): Corte Suprema, 22 de agosto de 2019, Recurso de Queja, Rol n° 9816-2019, LTM16.302.259

Edgardo San Martin con Promotora CMR (2018): Corte de Apelaciones de Valdivia, 19 de enero de 2018, Recurso de Apelación, Rol n° 277-2017, LTM17.606.714

Eduardo Escalona Suarez con Banco de Chile (2018): Corte de Apelaciones de Valparaiso, fecha 02 de febrero de 2018, Recurso de Apelación, Rol n° 557-2017, LTM17.630.836

Emiliano Arias Madariaga con SODIMAC S.A. (2007): Corte de Apelaciones de Concepción, 24 de diciembre de 2007, Recurso de Apelación, Rol n° 174-2005, LTM19.091.627

Espinoza con Compañía de Seguros Renta Nacional (2011): Corte de Apelaciones de Talca, 2 de noviembre de 2011, Recurso de Apelación, Rol n° 692-2011, LTM19.091.653

Evelyn Salinas Chávez con Latam Airlines Group S.A. (2019): Corte de Apelaciones de San Miguel, 20 de junio 2019, Rol n° 175-2019, LTM19.091.628

Felipe Guzmán Méndez con Despegar.com Chile SpA y otro (2019): Corte de Apelaciones de Santiago, 10 de diciembre de 2019, Recurso de Apelación, Rol n° 2766-2018, LTM17.625.765

Felipe Walter Slimming con Supermercado de Muebles y Colchones Speisky y Compañía Ltda. (2007): Corte de Apelaciones de Santiago, 21 de diciembre 2007, Rol n° 6273-2007, LTM19.090.417

Gonzalo Bartolomé Luco Vergara con Supermercado Unimarc (2017): 2° Juzgado de Policía Local de Temuco, 19 de junio de 2017, Rol n° 72.640-Y, LTM18.762.809

Guillermo Muñoz Garcés con Automotriz Salfa Sur Limitada (2016): Corte de Apelaciones de Valdivia, 05 de febrero de 2016, Recurso de Apelación, Rol n° 235-2015, LTM19.091.631

Hugo Esteban Jaque Hernández con Pedro Medina y Compañía Ltda. (2015): Juzgado de Policía Local de Coronel, 20 de enero de 2015, Rol n° 10548-2013, LTM18.762.810

J.C.A.L. con Auto Castillo S.A. (2016): Corte de Apelaciones de Concepción, 13 de julio 2016, Recurso de Apelación, Rol n° 82-2016, LTM19.091.615

José Irureta Uriarte con Comercial Eccsa S.A.: Corte de Apelaciones de Santiago, 16 de diciembre de 2016, Rol n° 1621-2016, LTM17.341.187

Judith Morales Escudero con Sodimac S.A. (2020): Corte Suprema, 17 de junio de 2020, Recurso de Apelación, Rol n° 120-2019

La Dehesa Store Limitada con Carlos San Martín Camiruaga (2007): Corte de Apelaciones de Santiago, 23 de agosto de 2007, Rol n° 3721-2007, LTM19.091.657

Lavaseco Firenze Limitada con Carlos Segundo Torres Salgado (2011): Corte de Apelaciones de Concepción, 18 de abril de 2011, Recurso de Apelación, Rol n° 81-2011, LTM19.090.435

Leiva con Universidad de las Américas (2008): Corte de Apelaciones de Santiago, 17 de enero de 2008, Recurso de Apelación, Rol n° 6913-2007, LTM19.090.418

Lorna I. Isla Olivares con Empresa Frontel S.A. (2010): Corte Suprema, 26 de abril de 2010, Recurso de Queja, Rol n° 8126-2009, LTM11.555.049, LTM1.896.601

Marcela del Rosario Reyes, Servicio Nacional del Consumidor con Alimentos Fruna Limitada (2008): Corte de Apelaciones de Santiago, 04 de junio de 2008, Recurso de Apelación, Rol n° 1851-2008, LTM19.067.132

María Eugenia Hubner Guzmán y otro con Universidad Mayor (2008): Corte de Apelaciones de Santiago, 01 de julio de 2008, Recurso de Apelación, Rol n° 8775-2004, LTM19.090.422

María Lacalle Delgadillo con Supermercado Líder (2016): Corte de Apelaciones de Santiago, 11 de mayo de 2016, Rol n° 261-2016, LTM19.091.634

María Leontina Iribarra con CNF INACAP (2006): Corte de Apelaciones de Santiago, 04 de abril de 2006, Recurso de Protección, Rol n° 810-2006, LTM19.091.655

María Rodríguez Córdova con Itaú Corpbanca (2019): Corte Suprema, 22 de mayo de 2019, Recurso de Casación en el Fondo, Rol n° 22876-2018, LTM16.306.737

Mary Nelly Molina Cardenas con David Hernan Caigun Calapau (2017): 2° Juzgado de Policía Local de Osorno, 29 de septiembre de 2017, Rol n° 6452-2016, LTM18.763.467

Mauricio Alfredo Reyes Gallardo con Salfa Salinas y Fabres SA. (2013): Juzgado de policía local de Calama, 11 de octubre de 2013, Rol n° 64574-2013, LTM18.763.468

Maximiliano Curi Tuma con Atrápalo Chile S.A. (2020): Corte de Apelaciones de Santiago, 20 de febrero de 2020, Rol n° 3152-2018, LTM17.579.791

Mendoza Véjar Brígida con S.A.C.I. Falabella (2012): Corte de Apelaciones de Concepción, 28 de diciembre de 2012, Recurso de Apelación, Rol n° 203-2012, LTM19.091.630

Miguel Aravena Cofré con Banco de Créditos e Inversiones (2019): Corte de Apelaciones de Santiago, 30 de septiembre de 2019, Rol n° 1279-2018, LTM16.893.877

Ministerio Público con Juan Guarda Alveal: Corte Suprema, 21 de febrero de 2020, Rol n° 33252-2019, LTM18.744.947

Miriam Jeanette Ruiz Azocar con Banco Santander (2014): 2° Juzgado de Policía Local Maipú, 30 de octubre de 2014, Rol n° 3127-2012, LTM18.763.469

Molina Sandoval, Sergio Eduardo contra Cidef S.A. (2008): Corte Suprema, 06 de octubre de 2008, Recurso de Apelación, Rol n° 3314-2007. LTM11.581.633, LTM6.613.932

Mónica Adelaida Burgos Cerda con Latam Airlines Group S.A. (2019): Corte de Apelaciones de Arica, 20 de marzo de 2019, Rol n° 72-2018, LTM17.581.906

Navarro con Cecinas San Jorge (2013): 1° Juzgado de Policía Local de Pudahuel, 29 de diciembre de 2013, Rol n° 9712-3

Nelson Romo Soto con Importadora y Exportadora Aaarti Ltda. (2012): 3° Juzgado de Policía Local de Iquique, 26 de diciembre de 2012, Rol n° 5229-L, LTM18.764.209

Nicolás Uribe Kunz con CE Inmobiliaria S.A.: Corte Suprema, 02 de marzo de 2017, Rol n° 46551-2016, LTM18.744.948

Nilo Lucero Arancibia con Clínica Elqui (2012): Corte de Apelaciones de la Serena, de 26 de diciembre de 2012, Recurso de Apelación, Rol n° 90-2012, LTM19.091.617

No se consigna con Concesionaria SubTerra S.A. (2007): Corte de Apelaciones de Santiago, 10 de agosto de 2007, Recurso de Apelación, Rol n° 3437-2007, LTM19.067.134

Organización de Consumidores y Usuarios de Chile —ODECU— con Isapre Consalud S.A (2018): Corte de Apelaciones de Santiago, 16 de abril de 2018, Recurso de Casación en la Forma, Rol n° 436-2018, LTM16.844.744

Organización de Consumidores y Usuarios de Chile con Isapre Consalud S.A. (2019): Sentencia del Tribunal Constitucional, 29 de octubre de 2019, Recurso de Inaplicabilidad por Inconstitucionalidad, Rol n° 6370-19-INA, LTM16.290.367

Orlando González Oporto contra Vinci Park Chile S.A (2007): Corte de Apelaciones de Santiago, 16 de junio de 2006, Recurso de Apelación, Rol n° 1258-2006, LTM19.091.656

Pablo Anibal Novoa Fernández y Trinidad Errazuriz Matthaei con Agencias Universales S.A. (2016): 1° Juzgado de Policía Local Las Condes, 7 de noviembre de 2016, Rol n° 7035-2016-8, LTM18.764.210

Pastene Díaz con Autofrance Ltda. (2009): Corte de Apelaciones de Santiago, 26 de enero del 2010, Recurso de Apelación, Rol n° 11411-2009, LTM19.090.423

Patricio Peñaloza con Inversiones y Tarjetas de Crédito HITES S.A. (2007): Corte de Apelaciones de Santiago, 01 de octubre de 2007, Recurso de Apelación, Rol n° 4413-2007, LTM19.067.137

Pincheira con Clínica Universitaria de Concepción S.A. (2015): Corte de Apelaciones de Concepción, 31 de agosto de 2015, Recurso de Apelación, Rol n° 408-2014, LTM19.091.636

Ramírez Gajardo con Latam Airlines Group S.A. (2017): Corte de Apelaciones de Antofagasta, 16 de octubre de 2017, Recurso de Apelación, Rol n° 109-2017

Ravinet Patiño con Universidad Andrés Bello (2012): Corte de Apelaciones de Santiago, 14 de mayo de 2012, Recurso de Apelación, Rol n° 1905-2011, LTM19.067.133

René Orlando Manríquez Binder con Cencosud Administradora de Tarjetas S.A. (2016): 2° Juzgado de Policía Local de Osorno, 20 de junio de 2016, Rol n° 5750-2015, LTM18.764.211

Roberto Jeldes Allendes y Carolina Cano con Cencosud Retail S.A. (2017): 3° Juzgado de Policía Local de Iquique, 14 de marzo de 2017, Rol n° 12329-L LTM19.091.788

Rolando Ramos Pena con Empresa de Correos de Chile (2014): Corte de Apelaciones de Valparaíso, 7 de octubre de 2014, Recurso de Apelación, Rol n° 451-2014, LTM19.091.638

Roxana Vera Videla con Ministros de la Corte de Apelaciones de Valparaíso (2015): Corte Suprema, 30 de septiembre de 2015, Recurso de Queja, Rol n° 10546-2015, LTM6.557.306, LTM10.147.488

Scheihing con Paris S.A. (2011): Corte Suprema, 23 de marzo de 2011, Recurso de Queja, Rol n° 9357-2010, LTM1.898.623, LTM11.313.479

Sernac con A3D Chile SA (2016): Corte de Apelaciones de Santiago, 14 de diciembre 2016, Recurso de apelación, Rol n° 1047-2015, LTM19.067.128

Servicio Nacional de Consumidor con "No se consigna" (2011): Corte de Apelaciones de Santiago, 08 de marzo de 2011, Recurso de Apelación, Rol n° 3669-2010, LTM19.067.136

Servicio Nacional de Consumidor con Aerovías del Continente Americano S.A (2018): Corte de Apelaciones de Santiago, 01 de agosto de 2018, Recurso de Apelación, Rol n° 1672-2017, LTM17.655.192

Servicio Nacional de Consumidor con Distribuidoras de Industrias Nacionales S.A. (2018), Corte de Apelaciones de Santiago, 21 de diciembre de 2018, Recurso de Apelación, Rol n° 2063-2017, LTM17.554.967

Servicio Nacional de Consumidor con Samsung Electronics Chile Ltda. (2018): Corte de Apelaciones de Santiago, 14 de febererero de 2018, Recurso de Apelación, Rol n° 1113-2017, LTM19.067.129

Servicio Nacional del Consumidor con A3D Chile S.A. (2016): Corte de Apelaciones de Santiago, 14 de diciembre de 2016, Recurso de Apelación, Rol n° 287-2016, LTM19.091.635

Servicio Nacional del Consumidor con Aguas del Altiplano S.A. (2014): Corte Suprema, 23 de julio de 2014, Recurso de Casación en el Fondo, Rol n° 9025-2013, LTM6.580.358, LTM10.275.946

Servicio Nacional del Consumidor con Aguas del Valle S.A. (2020): Corte Suprema, 09 de junio de 2020, Recurso de casacion en el fondo, Rol n° 31780-2019, LTM18.744.950

Servicio Nacional del Consumidor con Banco Bilbao Vizcaya Argentaria (2018): Corte Suprema, 20 de noviembre de 2018, Rol n° 100759-2016, LTM18.744.957

Servicio Nacional del Consumidor con Banco Consorcio (2013): Juzgado de Policía Local Las Condes, 28 de junio de 2013, Rol n° 5718-8-2012, LTM18.764.212

Servicio Nacional del Consumidor con Banco Créditos (2017): 1° Juzgado de Policía Local de Las Condes, 27 de junio de 2017, Rol n° 23080-2016-8, LTM19.091.790

Servicio Nacional del Consumidor con Banco Estado (2020): Corte de Apelaciones de Santiago, 21 de febrero de 2020, Recurso de Apelación, Rol n° 8-2019, LTM16.601.624

Servicio Nacional del Consumidor con Banco Santander Chile (2018): Corte Suprema, 9 de julio de 2018, Recurso de Casación en la Forma y en el Fondo, Rol n° 1347-2018, LTM16.127.779

Servicio Nacional del Consumidor con Banco Santander Chile (2019): Corte Suprema, 01 de julio de 2019, Recurso de Casación en el Fondo, Rol n° 24598-2018, LTM17.777.667

Servicio Nacional del Consumidor con Banco Santander Chile (2020): Corte de Apelaciones de Santiago, 16 de marzo de 2020, Recurso de Apelación, Rol n° 2690-2018, LTM17.649.263

Servicio Nacional del Consumidor con Canon Chile S.A.: Corte de Apelaciones de Santiago, 18 de noviembre de 2016, Recurso de Apelación, Rol n° 1231-2016, LTM19.067.130

Servicio Nacional del Consumidor con Cenconsud Administradora de Tarjetas S.A. (2013): Corte Suprema, Recurso de Casación en la Forma, 24 de abril de 2013, Rol n° 12355-2011, LTM1.902.694, LTM10.739.647

Servicio Nacional del Consumidor con Cencosud Retail S.A. (2019): Corte Suprema, 27 de noviembre de 2019, Recurso de Casación en el Fondo, Rol n° 25739-2019, LTM18.744.963

Servicio Nacional del Consumidor con Cencosud Retail S.A., Park Dan S.A. y Groupon Clandescuento Needish (2016): 2° Juzgado de Policía Local de Las Condes, 26 de mayo de 2016, Rol n° 40330-5-2014, LTM18.764.282

Servicio Nacional del Consumidor con Chilectra S.A. (2017): Corte de Apelaciones de Santiago, 17 de enero de 2017, Recurso de Apelación, Rol n° 1486-2016, LTM17.398.652

Servicio Nacional del Consumidor con Claro Chile S.A. (2019): Juzgado de Policía Local de Huechuraba, 13 de diciembre de 2019, Rol n° 8418-2019

Servicio Nacional del Consumidor con Comercial BBC S.A. (2018): 5° Juzgado de Policía Local de Santiago, 26 de febrero de 2018, Rol n° 14499-2016-ANS, LTM18.764.796

Servicio Nacional del Consumidor con Comercial Costa Azul Ltda. (2017): 1° Juzgado de Policía Local de Recoleta, 20 de julio de 2017, Rol n° 202945-5, LTM18.764.844

Servicio Nacional del Consumidor con Comercial e Importadora Audio Música S.P.A. (2016): Corte de Apelaciones de Santiago, 08 de julio de 2016, Recurso de Apelación, Rol n° 490-2016, LTM19.091.641

Servicio Nacional del Consumidor con Constructora Santa Beatriz S.A. (2019): Corte Suprema, 27 de diciembre de 2019, Recuso de Casación en el Fondo, Rol n° 114-2019, LTM16.543.945

Servicio Nacional del Consumidor con Créditos Organización y Finanzas S.A. (2015): Corte Suprema, 8 de octubre de 2015, Recurso de Casación en la Forma y el Fondo, Rol n° 27802-2014, LTM10.185.627

Servicio Nacional del Consumidor con Créditos Organización y Finanzas S.A. (2016): Corte Suprema, 11 de octubre de 2016, Recurso de Casación en la Forma y en el Fondo Rol n° 4903-2015, LTM16.324.498

Servicio Nacional del Consumidor con Ecotec S.A. y Walmart Chile S.A. (2014): 2° Juzgado de Policía Local de San Bernardo, 19 de diciembre de 2014, Rol n° 5759-04-2014, LTM18.764.845

Servicio Nacional del Consumidor con Empresa de Servicios Sanitarios de Los Lagos S.A. (Essal) (2020): 1° Juzgado Civil de Puerto Montt, 28 de febrero de 2020, Rol n° V-11-2020, LTM19.091.785

Servicio Nacional del Consumidor con Empresa de Vestuario Integral Tienda y Afines Limitada (2018): Corte de Apelaciones de Concepción, 22 de junio de 2018, Recurso de Apelación, Rol n° 58-2016, LTM19.090.433

Servicio Nacional del Consumidor con Empresas La Polar S.A (2013): Corte de Apelaciones de Santiago, 09 de octubre de 2013, Recurso de Apelación, Rol nº 134-2013, LTM19.091.620

Servicio Nacional del Consumidor con Entel PCS Telecomunicaciones S.A. (2014): 1º Juzgado de Policía Local Las Condes, 22 de diciembre de 2014, Rol nº 6.495-2013-3, LTM18.764.846

Servicio Nacional del Consumidor con Entel Servicios Telefónicos S A (2005): Corte de Apelaciones de Santiago, 11 de octubre de 2005, Rol nº 5326-2004, LTM19.090.416

Servicio Nacional del Consumidor con Evolución SPA (2016): Corte de Apelaciones de Arica, 05 de diciembre de 2016, rol nº 66-2016, LTM17.342.214

Servicio Nacional del Consumidor con Falabella Retail S.A. (2019): Corte de Apelaciones de Santiago, 24 de septiembre de 2019, Recurso de Apelación, Rol nº 1752-2018, LTM17.945.687

Servicio Nacional del Consumidor con Farmacias Ahumada S.A. (2016): Corte Suprema, 07 de marzo de 2016, Recurso de Casación en el Fondo, Rol nº 1540-2015, LTM6.556.913, LTM9.585.539

Servicio Nacional del Consumidor con Fasa Chile S.A. (2015): 4º Juzgado de Policía Local de Santiago, 24 de marzo de 2015, Rol nº 12334-7-2015, LTM19.091.789

Servicio Nacional del Consumidor con Importador y Exportadora Mi Casa Limitada (2017): 3º Juzgado de Policía Local de Iquique, 8 de noviembre de 2017, Rol nº 13.957-L, LTM18.774.632

Servicio Nacional del Consumidor con Importadora Hong Kong Toys Ltda. (2015): 4º Juzgado de Policía Local Santiago, 23 de diciembre de 2015, Rol nº 2411-6-2015, LTM18.774.633

Servicio Nacional del Consumidor con Importadora y exportadora Miyaki Ltda. (2017): 1º Juzgado de Policía Local de Iquique, 18 de octubre de 2016, Rol nº 3472-E, LTM19.091.786

Servicio Nacional del Consumidor con Industrias Ambrosoli SA. (2004): Corte de Apelaciones de Valparaíso, 6 de septiembre de 2004, Recurso de Apelación, Rol nº 5037-2002, LTM19.090.414

Servicio Nacional del Consumidor con Inmobiliaria Las Encinas (2014): Corte de Apelaciones de Santiago, 03 de junio de 2014, Recurso de Apelación, Rol n° 8281-2013, LTM19.090.421

Servicio Nacional del Consumidor con Inmobiliaria Parques y Jardines S.A. (2010) Corte Suprema, 08 de julio de 2010, Recurso de Queja, Rol n° 8044-2009, LTM11.557.190

Servicio Nacional del Consumidor con Instituto Profesional Técnico DUOC (2004): Corte de Apelaciones de Santiago, 14 de abril de 2004, Recurso de Apelación, Rol n° 3510-2002, LTM19.067.135

Servicio Nacional del Consumidor con Inversiones SCG S.A. (2019): Juzgado de Policía Local de Recoleta, 05 de enero de 2019, Rol n° 151512-1

Servicio Nacional del Consumidor con Inversiones y Tarjetas S.A. (2017): Corte de Apelaciones de Santiago, 12 de octubre de 2017, Recurso de Apelación, Rol n° 660-2017, LTM19.091.652

Servicio Nacional del Consumidor con Julio Silva Campusano con Ripley S.A. y otro (2019): Corte de Apelaciones de Santiago, 7 de junio de 2019, Recurso de Protección, Rol n° 25111-2019, LTM18.742.622

Servicio Nacional del Consumidor con Lan Airlines S.A. (2016): 2° Juzgado de Policía Local de Providencia, 24 de agosto de 2016, Rol n° 60257-2015, LTM18.774.634

Servicio Nacional del Consumidor con Lourdes Quispe Condori (2012): Corte de Apelaciones de Arica, 5 de junio de 2012, Recurso de Apelación, Rol n° 19-2012, LTM19.090.424

Servicio Nacional del Consumidor con Ministros de la Corte de Apelaciones de Puerto Montt (2020): Corte Suprema, 14 de mayo de 2020, Recurso de Queja, Rol n° 25068-2019, LTM19.090.425

Servicio Nacional del Consumidor con Movil Point limitada (2018): 1° Juzgado de Policía Local de Copiapo, 18 de abril de 2018, Rol n° 8047-2017JPL, LTM18.774.635

Servicio Nacional del Consumidor con Octava Sala de la Corte de Apelaciones de Santiago (2009): Corte Suprema, 15 de julio de 2009, Recurso de Queja, Rol n° 6838-2008, LTM11.574.826, LTM6.600.243

Servicio Nacional del Consumidor con Promotora CMR Falabella S.A. (2012): Corte de Apelaciones de Santiago, 15 de marzo de 2013, Recurso de Apelacion, Rol n° 176-2012, LTM19.091.629

Servicio Nacional del Consumidor con Pullman Bus Costa Central S.A. (2016): Corte de Apelaciones de Santiago, 02 de junio de 2016, Recurso de Apelación, Rol n° 417-2016, LTM19.091.637

Servicio Nacional del Consumidor con RSA Seguros Chile S.A. (2016): Corte de Apelaciones de Santiago, 08 de julio de 2016, Recurso de Apelación, Rol n° 594-2016, LTM19.091.649

Servicio Nacional del Consumidor con Salcobrand (2015): Juzgado de Policía Local de Iquique, 20 de agosto de 2015, Rol n° 10514-L, LTM19.091.787

Servicio Nacional del Consumidor con Scotiabank Chile (2015): Corte de Apelaciones de Santiago, 24 de abril de 2015, Recurso de Apelación, Rol n° 95-2015, LTM19.091.618

Servicio Nacional del Consumidor con Servicios Integrales de Salud S Ana Limitada (2015): Corte de Apelaciones de San Miguel, 28 de mayo de 2015, Recurso de Apelación, Rol 503-2015, LTM19.091.648

Servicio Nacional del Consumidor con Smartcom PCS (2005): Corte de Apelaciones de Santiago, 07 de junio de 2005, Recurso de Apelación, Rol n° 7351-2003, LTM19.090.419

Servicio Nacional del Consumidor con Supermercado Santa Isabel S.A. (2009): Corte de Apelaciones de Concepción, 23 de julio 2009, Recurso de Apelación, Rol n° 457-2008, LTM19.091.639

Servicio Nacional del Consumidor con Ticket Fácil (2015): 30° Juzgado Civil de Santiago, 14 de septiembre de 2015, Rol n° C-35419-2011, LTM3.376.440, LTM10.172.500

Servicio Nacional del Consumidor con Ticket Fácil S.A (2018): Corte Suprema, 07 de marzo de 2018, Recurso de Casación en el Fondo, Rol n° 79123-2016, LTM18.744.968

Servicio Nacional del Consumidor con Ticketmaster Chile S.A. (2016): Corte Suprema, 07 de julio de 2016, Recurso de Casación en el Fondo, Rol n° 1533-2015, LTM6.556.394, LTM9.587.596

Servicio Nacional del Consumidor con Ticketmaster Chile S.A. (2018): Corte Suprema, 09 de abril de 2018, Recurso de Casación en el Fondo, Rol n° 62158-2016, LTM16.126.393

Servicio Nacional del Consumidor con Transportes Chile Bus Arica Sociedad Anónima (2017): 3° Juzgado de Policía Local Arica, 18 de enero de 2017, Rol n° 938-2016, LTM19.091.792

Servicio Nacional del Consumidor con Universidad Bolivariana (2016): 3° Juzgado de Policía Local de Santiago, 29 de marzo de 2016, Rol n° 14006-PCM/2012, LTM18.775.100

Servicio Nacional del Consumidor con Universidad de las Américas (2005): Corte de Apelaciones de Santiago, 21 de septiembre de 2005, Recurso de Apelación, Rol n° 7706-2004. LTM19.090.420

Servicio Nacional del Consumidor con Universidad Tecnológica Metropolitana y Servicios Educacionales Celta S.A. (2013): 1° Juzgado Civil de Santiago, 30 de agosto de 2013, Rol n° C-27315-2007, LTM10.823.340

Servicio Nacional del Consumidor con Valle Nevado S.A. (2017): Juzgado de Policía Local de Vitacura, 15 de marzo de 2017, Rol n° 32924-1. LTM18.775.101

Servicio Nacional del Consumidor y otro con CENCOSUD Supermercados S.A. (2008): Corte Suprema, 21 de diciembre de 2008, Recurso de Queja, Rol n° 5145-2008, LTM18.775.102

Sociedad Agrícola y Forestal Vista El Volcán Limitada con Coagra S.A. (2017): Corte Suprema, 13 de marzo de 2017, Recurso de Casación en la Forma, Rol n° 30979-2016, LTM16.125.057

Sociedad Concesionaria Vespucio Norte Express con Juez del Primer Juzgado de Policía Local de Pudahuel (2017): Corte Suprema, 06 de abril de 2017, Recurso de Hecho, Rol n° 46-2017, LTM19.090.430

Sociedad Troncoso González y Compañía con Telefónica Chile S.A. (2016): Corte de Apelaciones de La Serena, 08 de febrero de 2016, Recurso de Apelación, Rol n° 119-2015, LTM19.091.619

T4F Chile S.A. con Ministros de la Corte de Apelaciones de Punta Arenas (2017): Corte Suprema, 23 de enero de 2017, Recurso de Queja, Rol n° 68771-2016, LTM16.124.892

Vanessa Verdugo Osorio con Banco Santander Chile (2018): Corte Suprema, 24 de septiembre de 2018, Recurso de Casación en la Forma y en el Fondo, Rol n° 6544-2018, LTM14.710.252

Vergara Cubillos Rodrigo con Latam Airlines Group S.A (2015): Corte de Apelaciones de Santiago, 27 de febrero de 2015, Recurso de Apelación, Rol n° 1603-2014, LTM19.067.131

Victor Araya Angulo con Dercocenter S.A. (2015): Juzgado de Policía Local de Quilicura, 31 de marzo de 2015, Rol n° 44.195-2, LTM19.091.791

Viviane Ribeiro Simoes con Sociedad Pacific Limitada (2007): Corte de Apelaciones de La Serena, 07 de diciembre de 2007, Recurso de Apelación, Rol n° 28-2007, LTM19.090.427